LANGENSCHEIDT'S SHORTER GERMAN DICTIONARY

ENGLISH⸱GERMAN
GERMAN⸱ENGLISH

by

PROF. E. KLATT and G. GOLZE

HODDER AND STOUGHTON

Published in the British Commonwealth
by Hodder & Stoughton Limited,
Saint Paul's House, Warwick Lane,
London E C 4

Eighteenth Edition 1967
Copyright 1953 by Langenscheidt KG, Berlin and Munich
Printed in Germany — Hn. V. Al. (C. VIII. Al. HS)

PREFACE

This dictionary of the English and German languages has been compiled with the same care and thoroughness which we believe characterises other Toussaint-Langenscheidt publications, long accepted as standard works. As its German title 'Schulwörterbuch' implies, it is hoped that it will prove acceptable primarily to students not yet needing the wider range of the Pocket Dictionary (Taschenwörterbuch), but to many others also. It contains in its two parts some 35,000 entries (as opposed to the 65,000 of the Taschenwörterbuch) with pronunciation and current usages, due attention being paid to American forms. The German pronunciation is based on Siebs, Deutsche Bühnenaussprache.

The vocabulary includes lists of proper names, and their German equivalents, together with abbreviations, numerals, weights and measures. There is a supplement giving clearly and simply the chief rules of German grammar, with lists of strong and irregular verbs.

The key to German pronunciation and the grammatical appendix are the work of Dr. Hans Marcus.

CONTENTS

★

DIRECTIONS FOR THE USE OF THE DICTIONARY

1. Arrangement. Alphabetical order has been maintained throughout the dictionary; irregular grammatical forms of individual words will be found as separate entries. Examples: *bore, born* from *bear*; *men* from *man*; *besser, best* from *gut*.

2. Phonetic transcription. To save space it has been usually omitted when the constituents of a compound are recorded as entry words with their pronunciations.

Also the pronunciations of the German derivative affixes, occurring in an endless number of words, have generally been omitted in the vocabulary and are given here. Suffixes: -al(-ăʰl),-är(-ăr),-bar(-băʰr),- eı(ī-), -en (-ᵉn), -end (-ᵉnt), -er (-ᵉr), -haft (-hăʰft),-heit (-hĭt), -ieren (-eerᵉn), -ig (-ĭç), -isch (-ĭsh), -keit (-kĭt), -lich (lĭç), -nis (-nĭs), -sam (-zăhm), -schaft (-shăʰft), -tät (-tät), -tion (-ts'ōn), -tiv (-teef), -tum (-tōōm), -wärts (-vĕrts). Prefixes: ver- (fĕr-), zer- (tsĕr-).

3. Stress. The main accent is shown by the mark (') after the vowel of the stressed syllable, as, for instance, **natü'rlich** in the German-English part.

4. Additions printed in **italics** are merely meant to illustrate the various senses of a catchword: examples: abate *Mißstand* abstellen; abgeben (*abliefern*) deliver, *Meinung usw.*: give.

Further explanations are given by symbols and **abbreviated definitions** (see list pp. 6—7).

5. The **semicolon** separates a given meaning from another essentially different meaning.

6. (⸤ally) after an English adjective means that from it an adverb may be formed by affixing ⸤ally to the catchword; e. g. dramatic (⸤ally = dramatically).

7. Hyphen. When a word is broken at the end of a line and the hyphen is repeated on the next line, it means that the word is normally hyphened; e. g. air- -conditioned = air-conditioned.

8. The **auxiliary sign** (-) in German words indicates that the letters between which it stands are to be sounded separately; e. g. Bläs-chen.

9. Chief characteristics of American spelling. (Brackets show British spelling.) **-or** (-our): hon*or*. — **-er** (-re): cent*er*, meag*er*; exceptions: og*re* and words ending in -cre, as massa*cre*. — **-se** (-ce): defen*se*. — **Single consonants** (for duplicate consonants) in: trave*l*ed, trave*l*ing, trave*l*er; worshi*p*ed, worshi*p*ing, worshi*p*er; counci*l*or, wa*g*on, woo*l*en, etc. (travelled, etc.). — **Omission of mute e** in words like judg(*e*)ment, ax(*e*)), ax(*e*), saw(*e*)d. — **im-, in-** often preferred to Brt. em-, en-: *im*panel, *in*snare. — **e** usually preferred to Brt. æ, œ: an*e*mia, diarrh*e*a. — **Omission of unaccented foreign terminations:** catalog(*ue*), program(*me*). — **Omission of u when combined with a or o:** st*a*nch (staunch),m*o*ld (mould),m*o*lt (moult). — **Special cases:** gray (grey); pl*o*w (plough); s*i*rup (syrup); t*i*re (tyre); enro*l*ment (enrolment), insta*l*ment (instalment), ski*l*ful (skilful).

SYMBOLS AND ABBREVIATIONS
USED IN THE DICTIONARY

1. SYMBOLS

The swung dash or tilde (~ ⚥, ~ ⚥) serves as a mark of repetition within a group of words. The bold-faced tilde (~) represents either the complete word at the beginning of the article or the part of that word preceding the vertical line (|). The simple tilde (~) replaces: a) the preceding catchword, which itself may have been formed with the aid of the tilde; b) in the phonetic transcription, the full pronunciation of the preceding catchword or as much of it as remains unaltered.

When the initial letter changes from a capital letter to a small letter, or vice versa, the tilde is replaced by the sign ⚥.

Examples: *abandon* (ᵊbä'nᵈᵉn), *~ment* (*~*mᵉnt = ᵊbä'nᵈᵉnmᵉnt); *certi|ficate*, *~fication*, *~fy*, *~tude*;

Drama, *~tiker*, *⚥tisch*; *fassen*; *sich kurz ~*

□	after an English adjective means that from it an adverb may be formed regularly by adding ...ly, or by changing ...le into ...ly or ...y into ...ily; as: *rich* □ = *richly*; *acceptable* □ = *acceptably*; *happy* □ = *happily*.	⚓	*nautical* (*or watermen's*) *term*, Schiffahrt.
F	*familiar*, familiär; *colloquial language*, Umgangssprache.	✝	*commercial term*, Handelswesen.
		🚂	*railway*, Eisenbahn.
⚘	*rare*, *little used*, selten.	✈	*aviation*, Flugwesen.
⊍	*scientific term*, wissenschaftlich.	✉	*postal affairs*, Postwesen.
⚘	*botany*, Pflanzenkunde.	♪	*musical term*, Musik.
⊕	*handicraft*; *engineering*, Handwerk; Technik.	△	*architecture*, Baukunst.
⚒	*mining*, Bergbau.	⚡	*electrical engineering*, Elektrotechnik.
✕	*military term*, militärisch.	⚖	*jurisprudence*, Rechtswissenschaft.
		×	*mathematics*, Mathematik.
		✠	*farming*, Landwirtschaft.
		♆	*chemistry*, Chemie.
		⚕	*medicine*, Heilkunde, Medizin.

2. ABBREVIATIONS

a.	*also*, auch.	*anat.*	*anatomy*, Anatomie.
adj.	*adjective*, Eigenschaftswort.	*art.*	*article*, Artikel, Geschlechtswort.
acc.	*accusative* (*case*), Akkusativ, 4. Fall.	*ast.*	*astronomy*, Astronomie.
adv.	*adverb*, Umstandswort.	*attr.*	*attributively*, als Attribut od. Beifügung.
allg.	*commonly*, allgemein.	*biol.*	*biology*, Biologie.
Am.	*Americanism*, in U.S.A. gebräuchlicher Ausdruck.	*Brt.*	*British usage*, britischer Sprachgebrauch.

b. s.	*bad sense,* in schlechtem Sinne.
bsd.	*particular(ly),* besonder(s).
cj.	*conjunction,* Bindewort.
contp.	*contemptuously,* verächtlich.
dat.	*dative (case),* Dativ, 3. Fall.
dem.	*demonstrative,* hinweisend.
ea.	*one another, each other,* einander.
eccl.	*ecclesiastical,* kirchlich, geistlich.
e-e	*a (an),* eine.
e-m, e-m	*to a (an),* einem.
e-n, e-n a	*(an),* einen.
eng S.	*in a stricter sense,* in engerem Sinne.
e-r, e-r	*of a (an), to a (an),* einer.
e-s, e-s	*of a (an),* eines.
et., et.	*something,* etwas.
etc.	*et cetera, and so on,* und so weiter.
f	*feminine,* weiblich.
fig.	*figuratively,* figürlich, bildlich, übertragen.
fr.	*French,* französisch.
gen.	*genitive (case),* Genitiv, 2. Fall.
geogr.	*geography,* Erdkunde.
ger.	*gerund,* Gerundium.
Ggs.	*antonym,* Gegensatz.
gr.	*grammar,* Grammatik.
h.	*to have,* haben.
hunt.	*hunting,* Jagdwesen.
inf.	*infinitive (mood),* Infinitiv.
int.	*interjection,* Ausrufewort.
interr.	*interrogative,* fragend.
iro.	*ironically,* ironisch.
irr.	*irregular,* unregelmäßig.
j., j-s,	*somebody,* jemand(es *of;* -em *to;* -en).
j-m, j-n	
konkr.	*concretely,* konkret.
l.	*to let,* lassen.
lit.	*literary,* nur in der Schriftsprache vorkommend.
m	*masculine,* männlich.
m.	*to make,* machen.
metall.	*metallurgy,* Hüttenwesen.
min.	*mineralogy,* Mineralogie.
mot.	*motoring,* Kraftfahrwesen.
mst	*mostly, usually,* meistens.
n	*neuter,* sächlich.
od.	*or,* oder.
opt.	*optics,* Optik.
o. s.	*oneself,* sich.
P.,Pers.	*person,* **Person.**
p.	*person,* Person.
paint.	*painting,* Malerei.
parl.	*parliamentary term,* parlamentarischer Ausdruck.
pharm.	*pharmacy,* Apothekerkunst.
phot.	*photography,* Photographie.
phys.	*physics,* Physik.
pl.	*plural,* Mehrzahl.
pol.	*politics,* Politik.
p. p.	*past participle,* Partizip der Vergangenheit.
pred.	*predicative,* prädikativ.
pron.	*pronoun,* Fürwort.
prp.	*preposition,* Verhältniswort.
refl.	*reflexive,* rückbezüglich.
rel.	*relative,* bezüglich.
rhet.	*rhetoric,* Redekunst.
S., S.	*thing,* Sache.
s.	*see, refer to,* siehe, man sehe.
s-e	*his, one's,* seine.
sg.	*singular,* Einzahl.
sl.	*slang,* Slang.
s-m	*to his, to one's,* seinem.
sn	*to be,* sein (Verb).
s-n	*his, one's,* seinen.
s-r	*of his* \ seiner.
s-s	*of one's* / seines.
su.	*substantive,* Hauptwort.
surv.	*surveying,* Landvermessung.
tel.	*telegraphy,* Telegraphie.
teleph.	*telephony,* Fernsprechwesen.
th.	*thing,* Ding, Sache.
thea.	*theatre,* Theater.
typ.	*typography,* Buchdruck.
u., u.	*and,* und.
univ.	*university,* Hochschulwesen, Studentensprache.
usw.	*and so on,* und so weiter.
v.	*of, by, from,* von, vom.
v/aux.	*auxiliary verb,* Hilfszeitwort.
vb.	*verb,* Verb(um), Zeitwort.
vet.	*veterinary art,* Tierheilkunde.
v/i.	*verb intransitive,* intransitives Zeitwort.
v/t.	*verb transitive,* transitives Zeitwort.
w.	*to be, to become,* werden.
weit S.	*in a wider sense,* in weiterem Sinne.
z. B.	*for instance,* zum Beispiel.
zo.	*zoology,* Zoologie.
zs.	*together,* zusammen.
Zssg(n)	*compound word(s),* Zusammensetzung(en).

THE PHONETIC SYMBOLS OF GERMAN PRONUNCIATION

USED IN THE GERMAN-ENGLISH PART
(METHODE TOUSSAINT-LANGENSCHEIDT)

A. Vowels

āh long, as in "ah!" or "father": ha'ben (hāhb^en), Wahl (vāhl), Aal (āhl).

ăh same sound, but short as in French "carte": alt (ăhlt).

é long, close as in French "née", "fiancée" resp. Engl. "mail" without diphthongal glide: Le'ben (léb^en), se'hnen (zén^en), See'le (zél^e).

ĕ short, more open than in English: Nest (nĕst), Bä'cker (bĕk^er). weak, unstressed: bede'cken (b^edĕk^en).

ä long, open as in Am. "ask" resp. Engl. "hare" but undiphthongized: Bär (bär), gä'hnen (gän^en).

ee long, close as in "meet": dir (deer), ihr (eer), Dieb (deep), sieht (zeet).

ĭ short, open as in "it": ist (ĭst); unstressed: Zyli'nder (tsilĭnd^er).

i non-syllabic (semivowel) as in "onion": Li'lie (leelⁱe).

ō long, close as in French "beau" resp. Engl. "no", but without

diphthongal glide: rot (rōt), Bo'hne (bōn^e), Boot (bōt).

ŏ short, open as in Engl. "not": Roß (rŏs).

ö unknown in English; long, close, with pursed lips, as in French "ieu": hö'ren (hör^en), Sö'hne (zön^e).

ŏ̈ unknown in English; short, open as in French "neuf"; somewhat as in Engl. "her", but with pursed lips: kö'nnen (kŏ̈n^en).

ōō long, close as in "boot": Flut (flōōt), Huhn (hōōn).

ŏŏ short, open as in "book": Fluß (flŏŏs).

ū unknown in English; long, close, as in French "menu"; somewhat as in Engl. "feel", but with pursed lips: mü'de (mūd^e), kühn (kün), Typ (tūp).

ŭ unknown in English; short, open, with pursed lips as in French "plume": fü'llen (fŭl^en), My'stik (mŭstík).

B. Diphthongs

ow short a + short, close u, as in Engl. "mouse", but staccato, not drawled: Maus (mows).

ī short a + short i, as in Engl. "like", staccato, not drawled: mein (mīn), Mai (mī); in some

names: Mey'er (mī^er), Bay'ern (bī^ern).

öi short, open o + short, open i as in "toil", "boy", with slightly rounded lips: heu'te (höit^e), Häu'te (höit^e).

C. Consonants

f as in Engl. "find": fi'nden (fĭnd^en), Va'ter (făht^er), Vers (fĕrs), Moti'v (moteef), Philoso'ph (fĭlozóf).

g pronounced like g in "gold": Gold (gŏlt).

gh the same as g, before e and i: Geld (ghĕlt), Gift (ghĭft).

Q in foreign words, pronounced like voiced sh in "measure": Genie' (Qénee), Giro (Qeerō), Journali'st (Qōōrnăhlĭst).

ç paḷatal as in Scotch "licht" after e, i, ä, ö, ü, ei (ai), eu (äu) and consonants: Licht (liçt), Mönch (mönç); in the ending -ig: lu'stig (lōōstiç).

ĸ guttural as in Scotch "loch" after a, o, u, au: Loch (loĸ).

y pronounced like y in "year": ja (yàh).

k as in Engl. "kick": keck (kĕk), Tag (tàhk), fra'glich (fràhkliç), er fragt (fràhkt), chro'nisch (krō'nish), Café (kàhfé).

nʀ if combined with g or k, n is pronounced as in "sing" and "drink": si'ngen (zInʀen), tri'nken (trInʀkᵉn).

p as in English "pass": Paß (pàhs), Weib (vip), O'bhut (ôphōōt), Abt (àhpt).

kv k + v; no English example: Qual (kvàhl).

r there are two pronunciations: the lingual r, as in England, but distinctly trilled, and the uvular r, unknown in England: rot (rōt).

s unvoiced as in "mis" when final, doubled, or next a voiceless consonant: Glas (glàhs), Ma'sse (màhsᵉ), Mast (màhst), naß (nàhs).

z voiced as in "zero" when initial in a word or a syllable: Sohn (zōn). Ro'se (rōzᵉ).

sh pronounced like English sh in "shop" with lips slightly more protruded: Schiff (shif), Charlo'tte (shàrlotᵉ).

shp sh + p: Spiel (shpeel).

sht sh + t: Stein (shtin).

t pronounced as t in Engl. "tea": Tee (té), Thron (trōn), Stadt (shtàht). Bad (bàht), Fi'ndling (fIntlIṅg), Hu'ndstage (hōōntstàhgʰᵉ).

v pronounced like v in "vast": Wi'nter (vIntᵉr), Va'se (vàhzᵉ).

ks pronounced k + s as in Engl. "six": Axt (àhkst), sechs (zĕks).

ts pronounced t + s, as in "tsetse", "rats": Zi'mmer (tsImᵉr), Ka'tze (kàhtsᵉ), Cä'sar (tsàzàhr).

D. French nasals

ạ̃ In germanized words they are mostly replaced by àhrʀ, ĕrʀ, ọ̃ ōrʀ, ōrʀ: Ense'mble (ạsạbl),

ọ̃ Terrai'n (tĕrạ̃), Bonbo'n (bọbọ), Parfu'm (pàhrfụ̃).

E. Glottal stop

The glottal stop is equivalent to a short interval between two words or two syllables (not to be confounded with the hyphen): be-a'rbeiten (bᵉ-àhrbitᵉn), Po'stamt (póst-àhmt), Ver-ein (fᵉr-in).

THE GERMAN ALPHABET

a (àh), b (bé), c (tsí), d (dé), e (é), f (ĕf), g (ghé), h (hàh), i (ee), j (yŏt), k (kàh), l (ĕl), m (ĕm), n (ĕn), o (ō), p (pé), q (kōō), r (ĕr), s (ĕs), t (té), u (ōō), v (fow), w (vé), x (īks), y (üpsīlōn), z (tsĕt).

DIE PHONETISCHEN ZEICHEN DER ENGLISCHEN AUSSPRACHE

ANGEWENDET IM ENGLISCH-DEUTSCHEN TEIL
(INTERNATIONALE LAUTSCHRIFT)

A. Vokale und Diphthonge

ɑ: reines langes a, wie in Vater, kam, Schwan: *far* (fɑ:), *father* ('fɑ:ðə).

ʌ kommt im Deutschen nicht vor. Kurzes dunkles a, bei dem die Lippen nicht gerundet sind. Vorn und offen gebildet: *butter* ('bʌtə), *come* (kʌm), *colour* ('kʌlə), *blood* (blʌd), *flourish* ('flʌriʃ), *twopence* ('tʌpəns).

æ heller, ziemlich offener, nicht zu kurzer Laut. Raum zwischen Zunge und Gaumen noch größer als bei ä in Ähre: *fat* (fæt), *man* (mæn).

ɛə nicht zu offenes halblanges a; im Englischen nur vor r, das als ein dem ä nachhallendes ə erscheint: *bare* (bɛə), *pair* (pɛə), *there* (ðɛə).

ai Bestandteile: helles, zwischen ɑ: und æ liegendes a und schwächeres offenes i. Die Zunge hebt sich halbwegs zur i-Stellung: *I* (ai), *lie* (lai), *dry* (drai).

au Bestandteile: helles, zwischen ɑ: und æ liegendes a und schwächeres offenes u: *house* (haus), *now* (nau).

ei halboffenes e, nach i auslautend, indem die Zunge sich halbwegs zur i-Stellung hebt: *date* (deit), *play* (plei), *obey* (o'bei).

e halboffenes kurzes e, etwas geschlossener als das e in Bett: *bed* (bed), *less* (les).

ə flüchtiger Gleitlaut, ähnlich dem deutschen, flüchtig gesprochenen e in Gelage: *about* (ə'baut), *butter* ('bʌtə), *nation* ('neiʃən), *connect* (kə'nekt).

i: langes i, wie in lieb, Bibel, aber etwas offener einsetzend als im Deutschen; wird in Südengland doppellautig gesprochen, indem sich die Zunge allmählich zur i-Stellung hebt: *scene* (si:n), *sea* (si:), *feet* (fi:t), *ceiling* ('si:liŋ).

i kurzes offenes i wie in bin, mit: *big* (big), *city* ('siti).

iə halboffenes halblanges i mit nachhallendem ə: *here* (hiə), *hear* (hiə), *inferior* (in'fiəriə).

ou halboffenes langes o, in schwaches u auslautend; keine Rundung der Lippen, kein Heben der Zunge: *note* (nout), *boat* (bout), *below* (bi'lou).

ɔ: offener langer, zwischen a und o schwebender Laut: *fall* (fɔ:l), *nought* (nɔ:t), *or* (ɔ:), *before* (bi'fɔ:).

ɔ offener kurzer, zwischen a und o schwebender Laut, offener als das o in Motte: *god* (gɔd), *not* (nɔt), *wash* (wɔʃ), *hobby* ('hɔbi).

o flüchtiges geschlossenes o: *obey* (o'bei), *molest* (mo'lest), *eloquence* ('elokwəns).

ə: im Deutschen fehlender Laut; offenes langes ö, etwa wie gedehnt gesprochenes ö in öffnen, Mörder; kein Vorstülpen oder Runden der Lippen, kein Heben der Zunge: *word* (wə:d), *girl* (gə:l), *learn* (lə:n), *murmur* ('mə:mə).

oi Bestandteile: offenes o und schwächeres offenes i. Die Zunge hebt sich halbwegs zur i-Stellung: *voice* (vois), *boy* (boi), *annoy* (ə'noi).

uː langes u wie in Buch, doch ohne Lippenrundung; vielfach diphthongisch als halboffenes langes u mit nachhallendem geschlossenem u: *fool* (fuːl), *shoe* (ʃuː), *you* (juː), *rule* (ruːl), *canoe* (kəˈnuː).

uə halboffenes halblanges u mit nachhallendem ə: *poor* (puə), *sure* (ʃuə), *allure* (əˈljuə).

u flüchtiges u: *put* (put), *look* (luk), *careful* (ˈkəəful).

B. Konsonanten

r nur vor Vokalen gesprochen. Völlig verschieden vom deutschen Zungenspitzen- oder Zäpfchen-r. Die Zungenspitze bildet mit der oberen Zahnwulst eine Enge, durch die der Ausatmungsstrom mit Stimmton hindurchgetrieben wird, ohne den Laut zu rollen. Am Ende eines Wortes wird r nur bei Bindung mit dem Anlautvokal des folgenden Wortes gesprochen: *rose* (rouz), *pride* (praid), *there is* (ðɛərˈiz).

ʒ stimmhaftes sch, wie g in Genie, j in Journal: *azure* (ˈæʒə), *jazz* (dʒæz), *jeep* (dʒiːp), *large* (lɑːdʒ).

ʃ stimmloses sch, wie im deutschen Schnee, rasch: *shake* (ʃeik), *washing* (ˈwɔʃiŋ), *lash* (læʃ).

θ im Deutschen nicht vorhandener stimmloser Lispellaut; durch Anlegen der Zunge an die oberen Schneidezähne hervorgebracht: *thin* (θin), *path* (pɑːθ), *method* (ˈmeθəd).

ð derselbe Laut stimmhaft, d. h. mit Stimmton: *there* (ðɛə), *breathe* (briːð), *father* (ˈfɑːðə).

s stimmloser Zischlaut, entsprechend dem deutschen ß in Spaß, reißen: *see* (siː), *hats* (hæts), *decide* (diˈsaid).

z stimmhafter Zischlaut wie im Deutschen sausen: *zeal* (ziːl), *rise* (raiz), *horizon* (hoˈraizn).

ŋ wird wie der deutsche Nasenlaut in fangen, singen gebildet: *ring* (riŋ), *singer* (ˈsiŋə).

ŋk derselbe Laut mit nachfolgendem k wie im deutschen senken, Wink: *ink* (iŋk), *tinker* (ˈtiŋkə).

w flüchtiges, mit Lippe an Lippe gesprochenes w, aus der Mundstellung für u: gebildet: *will* (wil), *swear* (swɛə), *queen* (kwiːn).

f stimmloser Lippenlaut wie im Deutschen flott, Pfeife: *fat* (fæt), *tough* (tʌf), *effort* (ˈefət).

v stimmhafter Lippenlaut wie im Deutschen Vase, Ventil: *vein* (vein), *velvet* (ˈvelvit).

j flüchtiger zwischen j und i schwebender Laut: *onion* (ˈʌnjən), *yes* (jes), *filial* (ˈfiljəl).

Die Betonung der englischen Wörter wird durch das Zeichen (ˈ) vor der zu betonenden Silbe angegeben, z. B. onion (ˈʌnjən). Sind zwei Silben eines Wortes mit Tonzeichen versehen, so sind beide gleichmäßig zu betonen, z. B. unsound (ˈʌnˈsaund). In langen Wörtern wird die Haupttonsilbe durch doppeltes Tonzeichen (ˈˈ) angegeben, z. B. conglomeration (kɔnˈglɔmɔˈˈreiʃən).

Die Länge eines Vokals wird durch : bezeichnet, z. B. **ask** (ɑːsk), **astir** (əsˈtəː).

DAS ENGLISCHE ALPHABET

a (ei), b (biː), c (siː), d (diː), e (iː), f (ef), g (dʒiː), h (eitʃ), i (ai), j (dʒei), k (kei), l (el), m (em), n (en), o (ou), p (piː), q (kjuː), r (aː), s (es), t (tiː), u (juː), v (viː), w (ˈdʌbljuː), x (eks), y (wai), z (zed).

GERMAN MEASURES AND WEIGHTS

I. Lineal Measures

1 mm *Millimeter* millimetre = $^1/_{1000}$ metre = 0.001 093 6 yard = 0.003 280 9 foot

1 cm *Zentimeter* centimetre = $^1/_{100}$ metre

1 m *Meter* metre = 1.0936 yard = 3.2809 feet

1 km *Kilometer* kilometre = 1000 metres = 1093.637 yards = 3280.8693 feet

1 sm *Seemeile* nautical mile = 1852 metres

II. Surface or Square Measures

1 qmm *Quadratmillimeter* square millimetre = $^1/_{1000}$ square metre = 0.001 196 square yard = 0.010 764 1 square foot

1 qcm *Quadratzentimeter* square centimetre = $^1/_{100}$ square metre

1 qm *Quadratmeter* square metre = 1×1 metre = 1.1960 square yard = 10.7641 square feet

1 a *Ar* are = 100 square metres = 119.6011 square yards = 1076.4103 square feet

1 ha *Hektar* hectare = 100 ares = 10000 square metres = 11960.11 square yards = 107641.00 square feet = 2.4711 acres

1 qkm *Quadratkilometer* square kilometre = 100 hectares = 1 000 000 squares metres = 247.11 acres = 0.3861 square mile

1 *Morgen* morning = 25.5322 ares = about $^2/_3$ acre

III. Cubic or Solid Measures

1 cmm *Kubikmillimeter* cubic millimetre = 0.061 cubic line

1 ccm *Kubikzentimeter* cubic centimetre = 1000 cubic millimetres = 61.0253 cubic lines

1 cbm *Kubikmeter*
1 rm *Raummeter* } cubic metre
1 fm *Festmeter*
= 1.3079 cubic yards = 35.3156 cubic feet

1 RT *Registertonne* register ton = 2.832 cbm = 100 cubic feet

IV. Measures of Capacity

1 l *Liter* litre = 1.7607 pint = 0.2201 gallon

1 hl *Hektoliter* hectolitre = 100 litres = 22.009 gallons

V. Weights

1 g *Gramm* gramme = $^1/_{1000}$ kilogramme = 1.6931 scruple

1 Pfd. *Pfund* pound (German) = 500 grammes = 1.1023 pound Avdp.

1 kg *Kilogramm* kilogramme, *Kilo* = 1000 grammes = 2.2046 pounds Avdp.

1 Ztr. *Zentner* centner (German) = 50 kilogrammes = 110.23 pounds Avdp. = 0.9842 British hundredweight = 1.1023 U.S. hundredweight

1 dz *Doppelzentner* = 100 kilogrammes = 1.9684 British hundredweight = 2.2046 U.S. hundredweights

1 t *Tonne* ton = 1000 kilogrammes = 0.984 British ton = 1.1023 U.S. ton

BRITISH AND
AMERICAN MEASURES AND WEIGHTS

1. Längenmaße

1 **line (l.)** = $1/_{12}$ inch = 2,12 mm
1 **inch (in.)** = 12 lines = 2.54 cm
1 **foot (ft.)** = 12 inches = 30.48 cm
1 **yard (yd.)** = 3 feet = 91.44 cm

2. Nautische Maße

1 **fathom (f., fm.)**
  = 6 feet = 1.83 m
1 **cable('s) length** = 100 fathoms
  = 183 m (*U.S.A.* 120 fathoms =
  219 m)
1 **nautical mile** (*od.* 1 knot)
  = 6,080 feet = 1,853.18 m

3. Flächenmaße

1 **square inch (sq. in.)** = 6.45 qcm
1 **square foot (sq. ft.)** = 144 square
  inches = 929.03 qcm
1 **square yard (sq. yd.)**
  = 9 square feet = 8,361.26 qcm
1 **square rod**
  = 30.25 square yards = 25.29 qm
1 **rood** = 40 square rods = 10.12 a
1 **acre (a.)** = 4 roods = 40.47 a
1 **square mile** = 640 acres = 259 ha

4. Raummaße

1 **cubic inch (cu. in.)** = 16.387 ccm
1 **cubic foot (cu. ft.)** = 1,728 cubic
  inches = 28,316.75 ccm
1 **cubic yard (cu. yd.)**
  = 27 cubic feet = 0.765 cbm
1 **register ton (reg. ton)**
  = 100 cubic feet = 2.832 cbm

5. Hohlmaße

Trocken- und Flüssigkeitsmaße

1 **British** *od.* **Imperial gill (gl., gi.)**
  = 0.142 l
1 **British** *od.* **Imperial pint (pt.)**
  = 4 gills = 0.568 l
1 **British** *od.* **Imperial quart (qt.)**
  = 2 pints = 1.136 l
1 **British** *od.* **Imp. gallon (Imp.
  gal.)** = 4 Imp. quarts = 4.546 l

6. Trockenmaße

1 **British** *od.* **Imperial peck (pk.)**
  = 2 Imp. gallons = 9.086 l
1 **Brit.** *od.* **Imp. bushel (bu., bus.)**
  = 8 Imp. gallons = 36.35 l
1 **Brit.** *od.* **Imperial quarter (qr.)**
  8 Imp. bushels = 290.8 l

7. Flüssigkeitsmaße

1 **Brit.** *od.* **Imperial barrel (bbl.,
  bl.)** = 36 Imp. gallons = 1.636 hl

*

1 **U.S. dry pint** = 0.551 l
1 **U.S. dry quart**
  = 2 dry pints = 1.1 l
1 **U.S. dry gallon**
  = 4 dry quarts = 4.4 l
1 **U.S. peck**
  = 2 dry gallons = 8.81 l
1 **U.S. bushel** (Getreidemaß)
  = 8 dry gallons = 35.24 l
1 **U.S. liquid gill** = 0.118 l
1 **U.S. liquid pint** = 4 gills =
  16 fluid ounces = 0.473 l
1 **U.S. liquid quart**
  = 2 pints = 0.946 l
1 **U.S. liquid gallon**
  = 8 pints = 3.785 l
1 **U.S. barrel**
  = 31½ gallons = 119 l
1 **U.S. barrel petroleum**
  = 42 gallons = 158.97 l

8. Handelsgewichte

1 **grain (gr.)** = 0.0648 g
1 **dram (dr.)** = 27.34 grains = 1.77 g
1 **ounce (oz.)** = 16 drams = 28.35 g
1 **pound (lb.)**
  = 16 ounces = 453.59 g
1 **quarter (qr.)**
  = 28 pounds = 12.7 kg
  (*U.S.A.* 25 pounds = 11.34 kg)
1 **hundredweight (cwt.)** = 4 quarters (*od.* 112 pounds) = 50.8 kg
  (*U.S.A.* 100 pounds = 45.36 kg)
1 **ton** (t.) (*a.* long ton) = 20 hundredweight (*od.* 2,240 pounds) =
  1,016 kg (*U.S.A.*, *a.* short ton, =
  2,000 pounds = 907.18 kg)
1 **stone (st.)** = 14 pounds = 6.35 kg

NUMERALS — ZAHLWÖRTER

CARDINAL NUMBERS
GRUNDZAHLEN

0	*null*	nought, zero
1	*eins*	one
2	*zwei*	two
3	*drei*	three
4	*vier*	four
5	*fünf*	five
6	*sechs*	six
7	*sieben*	seven
8	*acht*	eight
9	*neun*	nine
10	*zehn*	ten
11	*elf*	eleven
12	*zwölf*	twelve
13	*dreizehn*	thirteen
14	*vierzehn*	fourteen
15	*fünfzehn*	fifteen
16	*sechzehn*	sixteen
17	*siebzehn*	seventeen
18	*achtzehn*	eighteen
19	*neunzehn*	nineteen
20	*zwanzig*	twenty
21	*einundzwanzig*	twenty-one
22	*zweiundzwanzig*	twenty-two
23	*dreiundzwanzig*	twenty-three
30	*dreißig*	thirty
40	*vierzig*	forty
50	*fünfzig*	fifty
60	*sechzig*	sixty
70	*siebzig*	seventy
80	*achtzig*	eighty
90	*neunzig*	ninety
95	*fünfundneunzig*	ninety-five
100	*hundert*	a od. one hundred
200	*zweihundert*	two hundred
560	*fünfhundertsechzig*	five hundred and sixty
1000	*tausend*	a od. one thousand
60140	*sechzigtausendeinhundertvierzig*	sixty thousand one hundred and forty
500000	*fünfhunderttausend*	five hundred thousand
1000000	*eine Million*	a od. one million

ORDINAL NUMBERS
ORDNUNGSZAHLEN

1st	*erste*	first
2nd	*zweite*	second
3rd	*dritte*	third
4th	*vierte*	fourth
5th	*fünfte*	fifth
6th	*sechste*	sixth
7th	*siebente*	seventh
8th	*achte*	eighth
9th	*neunte*	ninth
10th	*zehnte*	tenth
11th	*elfte*	eleventh
12th	*zwölfte*	twelfth
13th	*dreizehnte*	thirteenth
14th	*vierzehnte*	fourteenth
15th	*fünfzehnte*	fifteenth
16th	*sechzehnte*	sixteenth
17th	*siebzehnte*	seventeenth
18th	*achtzehnte*	eighteenth
19th	*neunzehnte*	nineteenth
20th	*zwanzigste*	twentieth
21st	*einundzwanzigste*	twenty-first
22nd	*zweiundzwanzigste*	twenty-second
23rd	*dreiundzwanzigste*	twenty-third
30th	*dreißigste*	thirtieth
40th	*vierzigste*	fortieth
50th	*fünfzigste*	fiftieth
60th	*sechzigste*	sixtieth
70th	*siebzigste*	seventieth
80th	*achtzigste*	eightieth
90th	*neunzigste*	ninetieth
95th	*fünfundneunzigste*	ninety-fifth
100th	*hundertste*	(one) hundredth
200th	*zweihundertste*	two hundredth
560th	*fünfhundertsechzigste*	five hundred and sixtieth
1000th	*tausendste*	(one) thousandth
60140th	*sechzigtausendeinhundertvierzigste*	sixty thousand one hundred and fortieth
500000th	*fünfhunderttausendste*	five hundred thousandth
1000000th	*millionste*	millionth

A

a (ei, ə) *Artikel*: ein(e) *20 miles a day* täglich 20 Meilen.

A 1 (ei'wʌn) F Ia, prima, ff.

aback (ə'bæk) rückwärts.

abandon (ə'bændən) auf-, preisgeben; verlassen; überla'ssen; **~ed** verworfen; **~ment** (~mənt) Auf-, Preis-gabe f.

abase (ə'beis) erniedrigen; **~ment** Erniedrigung f.

abash (ə'bæʃ) verlegen m.; **~ment** (~mənt) Verlegenheit f.

abate (ə'beit) v/t. verringern; *Miβstand* abstellen; v/i. abnehmen, nachlassen; **~ment** (~mənt) Verminderung; Abstellung f.

abattoir (æbətwa:) Schlachthaus n.

abb|ess ('æbis) Äbtissin f; **~ey** ('æbi) Abtei f; **~ot** (ə'bæt) Abt m.

abbreviat|e (ə'bri:vieit) (ab)kürzen; **~ion** (əbri:vi'eiʃən) Abkürzung f.

abdicat|e ('æbdikeit) entsagen (dat.); abdanken; **~ion** (æbdi'keiʃən) Verzicht m. [Bauch m.]

abdomen (æb'doumen) Unterleib,⌋

abduct (æb'dʌkt) entführen.

aberration (æbə'reiʃən) Abweichung; *ast. u. fig.* Abirrung f.

abet (ə'bet) aufhetzen; anstiften; **~tor** (~ə) Anstifter m.

abeyance (ə'beiəns) Unentschiedenheit f; ⚏⚏ *in* ~ in der Schwebe.

abhor (əb'hɔ:) verabscheuen; **~rence** (əb'hɔrəns) Abscheu m (of vor dat.); **~rent** □ (~ənt) zuwider (to dat.).

abide (ə'baid) [irr.] v/i. bleiben (by bei); v/t. ertragen.

ability (ə'biliti) Fähigkeit f.

abject □ ('æbdʒekt) gemein.

abjure (əb'dʒuə) abschwören; entsagen (dat.).

able □ ('eibl) fähig; be ~ imstande sn; **~-bodied** ('bodid) vollkräftig.

abnegat|e ('æbnigeit) ableugnen; verzichten auf (acc.); **~ion** (æbni'geiʃən) Ableugnung f; Verzicht m.

abnormal □ (æb'nɔ:məl) abnorm.

aboard ⚓ (ə'bɔ:d) an Bord (gen.).

abode (ə'boud) 1. blieb, geblieben; 2. Aufenthalt m; Wohnung f.

aboli|sh (ə'bɔliʃ) abschaffen, aufheben; **~tion** (æbo'liʃən) Abschaffung, Aufhebung f.

abomina|ble □ (ə'bɔminəbl) abscheulich; **~te** (~neit) verabscheuen **~tion** (əbomi'neiʃən) Abscheu m.

aboriginal □ (æbə'ridʒənəl) einheimisch; Ur...

abortion (ə'bɔ:ʃən) Fehlgeburt f.

abound (ə'baund) reichlich vorhanden sn; Überfluß h. (in an dat.).

about (ə'baut) 1. prp. um (...herum), ungefähr um; über (acc.); I had no money ~ me ich hatte kein Geld bei mir; what are you ~? was macht ihr da?; 2. adv. herum, umher; etwa; be ~ to do im Begriff sn zu tun.

above (ə'bʌv) 1. prp. über; fig. erhaben über; ~ all vor allem; 2. adv. oben; darüber; 3. adj. obig.

abreast (ə'brest) nebeneinander.

abridge (ə'bridʒ) (ver)kürzen; **~(e)ment** (~mənt) (Ver-)Kürzung f; Auszug m.

abroad (ə'brɔ:d) im (ins) Ausland; there is a report ~ es geht das Gerücht.

abrogate ('æbrogeit) aufheben.

abrupt □ (ə'brʌpt) jäh; zs.-hangslos; schroff.

abscond (əb'skɔnd) sich drücken.

absence ('æbsns) Abwesenheit f; Mangel m; ~ of mind Zerstreutheit f.

absent 1. □ ('æbsnt) abwesend; nicht vorhanden; 2. (æb'sent): ~ o.s. fernbleiben; **~-minded** □ zerstreut.

absolut|e □ ('æbsəlu:t) unabhängig; unumschränkt; vollkommen; unvermischt; unbedingt; **~ion** (æbsə-'lu:ʃən) Lossprechung f.

absolve (əb'zɔlv) frei-, los-sprechen.

absorb (əb'sɔ:b) aufsaugen; ganz in Anspruch nehmen.

absorption (əb'sɔ:pʃən) Aufsaugung f; fig. Vertieftsein n.

abstain (əbs'tein) sich enthalten.

abstemious □ (əbs'ti:miəs) enthaltsam. [tung f.]

abstention (æbs'tenʃən) Enthal-⌋

abstinen|ce ('æbstinəns) Enthaltsamkeit f; **~t** □ (~nənt) enthaltsam.

abstract 1. ('æbstrækt) □ abstra'kt;
2. (~) Auszug; Inbegriff *m*; *gr.* Abstra'ktum *n*; **3.** (æbs'trækt) abstra-
hieren; ablenken; entwenden; *Inhalt*: ausziehen; **~ed** □ (~id) zerstreut; **~ion** (~kʃən) Abstraktio'n *f*;
(abstrakter) Begriff.

abstruse □ (æbs'truːs) *fig.* dunkel.

abundan|ce (ə'bʌndəns) Überfluß
m; Fülle *f*; Überschwang *m*; **~t** □
(~dənt) reich(lich).

abus|e 1. (ə'bjuːs) Mißbrauch *m*;
Beschimpfung *f*; **2.** (ə'bjuːz) miß-
brauchen; beschimpfen; **~ive** □
(ə'bjuːsiv) schimpfend; Schimpf...

abut (ə'bʌt) (an)grenzen (*upon* an).

abyss (ə'bis) Abgrund *m*.

academic (ækə'demik) (*od.* **~al** □
(~əl) akademisch; **~ian** (əkædə'miʃən) Akade'miker *m*.

accede (æk'siːd): **~ to** beitreten
(*dat.*); *Amt* antreten; *Thron* besteigen.

accelerat|e (æk'seləreit) beschleu-
nigen; **~or** (æk'seləreitə) Gas-
peda'l *n*.

accent 1. ('æksənt) Akze'nt *m*;
2. (æk'sent) *v/t.* akzentuieren; betonen; **~uate** (æk'sentjueit) akzentuieren, betonen.

accept (ək'sept) annehmen; † ak-
zeptieren; hinnehmen; **~able** □
(ək'septəbl) annehmbar; **~ance** (ək-
'septəns) Annahme *f*; † Akze'pt *n*.

access ('ækses) Zugang; ⚙ Anfall *m*;
easy of ~ zugänglich; **~ary** (æk-
'sesəri) Mitwisser(in); **~ible** □
(æk'sesəbl) zugänglich; **~ion** (æk-
'seʃən) Zugang; Antritt (*to gen.*);
Eintritt (*to* in *acc.*); **~ to the throne**
Thronbesteigung *f*.

accessory (æk'sesəri) **1.** □ hinzu-
kommend; **2.** Zubehörteil *m*.

accident ('æksidənt) Zufall; Un-
(glücks)fall *m*; **~al** □ (æksi'dentl)
zufällig.

acclaim (ə'kleim) *j-m* zujubeln.

acclamation (æklə'meiʃən) Zuruf *m*.

acclimatize (ə'klaimətaiz) akklima-
tisieren, eingewöhnen.

acclivity (ə'kliviti) Steigung *f*.

accommodat|e (ə'kɔmədeit) an-
passen; unterbringen; *Streit*
schlichten; versorgen; **~ion** (əkɔmə-
'deiʃən) Anpassung *f usw.*

accompan|iment (ə'kʌmpənimənt)
Begleitung *f*; **~y** (~pəni) begleiten.

accomplice (ə'kɔmplis) Kompli'ce*m*.

accomplish (~pliʃ) volle'nden; ausbilden; **~ment** (~mənt) Voll-
e'ndung *f*; Talent *n*.

accord (ə'kɔːd) **1.** Überei'nstimmung *f*; *with one* ~ einstimmig;
2. *v/i.* überei'nstimmen; *v/t.* gewähren; **~ance** (~əns) Überei'n-
stimmung *f*; **~ant** □ (~ənt) über-
einstimmend; **~ing** (~iŋ): ~ *to* gemäß
(*dat.*); **~ingly** (~iŋli) demgemäß.

accost (ə'kɔst) anreden.

account (ə'kaunt) **1.** Rechnung; Berechnung *f*; † Konto *n*; Rechenschaft *f*; Bericht *m*; *of no* ~ ohne
Bedeutung; *on no* ~ auf keinen Fall;
on ~ *of* wegen; *take into* ~ *take* ~ *of*
in Rechnung (*od.* Betracht) ziehen;
turn to ~ ausnutzen; *call to* ~ zur
Rechenschaft ziehen; *make* ~ *of*
Wert auf *et.* (*acc.*) legen; **2.** *v/i.*
~ *for* Rechenschaft über *et.* (*acc.*)
ablegen; (sich) erklären; *be ~ed of*
hoch geachtet sn; *v/t.* ansehen als; **~able** □ (ə'kauntəbl) verantwortlich; erklärlich; **~ant** (~ənt)
Rechnungsführer; (*chartered*, *Am.*
certified public ~ vereidigter) Bü-
cherrevisor *m*; **~ing** (~iŋ) Buchführung *f*.

accredit (ə'kredit) beglaubigen.

accrue (ə'kruː) erwachsen (*from* aus).

accumulat|e (ə'kjuːmjuleit) (sich)
(an)häufen; **~ion** (əkjuːmju'leiʃən)
Anhäufung *f*.

accura|cy (ˈækjurəsi) Genauigkeit *f*;
~te □ (~rit) genau; richtig.

accurs|ed (ə'kəːsid), **~t** (~st) ver-
flucht, verwünscht.

accus|ation (ækjuˈzeiʃən) Anklage,
Beschuldigung *f*; **~e** (ə'kjuːz) an-
klagen, beschuldigen; **~er** (~ə)
Kläger(in).

accustom (ə'kʌstəm) gewöhnen (*to*
an *acc.*); **~ed** (~d) gewohnt.

ace (eis) As *n*; *sl. fig.* Kano'ne *f*.

acerbity (ə'səːbiti) Herbheit *f*.

acet|ic (ə'siːtik) essigsauer; **~ify**
(ə'setifai) säuern. [*m.*]

ache (eik) **1.** schmerzen; **2.** Schmerz

achieve (ə'tʃiːv) ausführen; erreichen; **~ment** (~mənt) Ausfüh-
rung; Leistung *f*.

acid ('æsid) **1.** sauer; **2.** Säure *f*;
~ity (~'siditi) Säure *f*.

acknowledg|e (ək'nɔlidʒ) aner-
kennen; zugeben; † bestätigen;
~(e)ment (~mənt) Anerkennung *f*;
Bestätigung *f*.

acme ('ækmi) Gipfel *m*; Krisis *f*.

acorn ⚘ ('eiko:n) Eichel *f*.

acoustics (ə'kaustiks) Akustik *f*.

acquaint (ə'kweint) bekannt m.; be ~ed with kennen; ~ance (~əns) Bekanntschaft *f*; Bekannte(r).

acquiesce (ækwi'es) (*in*) sich beruhigen (bei); einwilligen (in *acc.*).

acquire (ə'kwaiə) erwerben; ~ment (~mənt) Fertigkeit *f*.

acquisition (ækwi'ziʃən) Erwerbung; Errungenschaft *f*.

acquit (ə'kwit) freisprechen; ~ o.s. of sich entledigen (*gen.*); ~ o.s. well seine Sache gut m.; ~tal (~l) Freisprechung; ~tance Tilgung *f*.

acre ('eikə) Morgen *m* (40,47 Ar).

acrid ('ækrid) scharf, beißend.

across (ə'krɔs) 1. *adv.* hin-, herüber; 2. *prp.* quer über (*acc.*); jenseits (*gen.*).

act (ækt) 1. *v/i.* tätig sn, handeln; sich benehmen; wirken, funktionieren; *thea.* spielen; *v/t. thea.* spielen; 2. Handlung, Tat *f*; *thea.* Akt *m*; Gesetz *n*; Akte *f*; ~ing (~iŋ) 1. Handeln; *thea.* Spiel(en) *n*; 2. tätig, amtierend.

action ('ækʃən) Handlung (a. *thea.*); Tätigkeit; Tat; Wirkung; Klage *f*; Proze'ß; Gang *m* (*Pferd usw.*); Gefecht *n*; Mechani'smus; take ~ Schritte unterne'hmen.

activ|e □ ('æktiv) aktiv; tätig; rührig, wirksam; ✝ lebhaft; ~ity (æk'tiviti) Tätigkeit *f usw.*

act|or ('æktə) Schauspieler *m*; ~ress (~tris) Schauspielerin *f*.

actual □ ('æktjuəl) wirklich.

actuate ('æktjueit) in Gang bringen.

acute □ (ə'kju:t) spitz; scharf(sinnig); brennend (*Frage*); ✝ akut.

adamant ('ædəmənt) *fig.* steinhart.

adapt (ə'dæpt) anpassen (to, for *dat.*); zurechtmachen; ~ation (ædæp'teiʃən) Anpassung, Bearbeitung *f*.

add (æd) *v/t.* hinzufügen; addieren; *v/i.* ~ to vermehren.

addict ('ædikt) Süchtige(r); ~ed (ə'diktid) ergeben (to *dat.*).

addition (ə'diʃən) Hinzufügen *n*; Zusatz *m*; Additio'n *f*; in ~ außerdem; in ~ to außer, zu; ~al □ (~l) zusätzlich.

address (ə'dres) 1. adressieren; *Worte* richten (to an *acc.*); sprechen; 2. Adresse; Ansprache *f*; ~ee (ædre'si) Adressa't, Empfänger *m*.

adept ('ædept) Eingeweihte(r).

adequa|cy □ ('ædikwəsi) Angemessenheit *f*; ~te □ (~kwit) angemessen.

adhere (əd'hiə) (to) anhaften (*dat.*); *fig.* festhalten (an *dat.*); ~nce (~rəns) Anhaften, Festhalten *n*; ~nt (~rənt) Anhänger(in).

adhesive □ (əd'hi:siv) klebend; ~ plaster, ~ tape Heftpflaster *n*.

adjacent □ (ə'dʒeisənt) (to) anliegend (*dat.*); anstoßend (an *acc.*).

adjoin (ə'dʒɔin) angrenzen an (*acc.*).

adjourn (ə'dʒə:n) aufschieben; (sich) vertagen; ~ment (~mənt) Aufschub *m*.   [urteilen.

adjudge (ə'dʒʌdʒ) zuerkennen; ver-

adjunct ('ædʒʌŋkt) in Ordnung bringen; anpassen; *Mechanismus u. fig.* einstellen (to auf *acc.*); ~ment (~mənt) Anordnung; Ausgleichung; Einstellung *f*.

administ|er (əd'ministə) verwalten; spenden, verabfolgen; ~ justice Recht sprechen; ~ration (ədminis-'treiʃən) Verwaltung; Regierung *f*; ~rative (əd'ministrətiv) Verwaltungs...; ~rator (əd'ministreitə) Verwalter *m*.

admir|able □ ('ædmirəbl) bewundernswert; ~ation (ædmə'reiʃən) Bewunderung *f*; ~e (əd'maiə) bewundern; verehren.

admiss|ible □ (əd'misəbl) zulässig; ~ion (əd'miʃən) Zulassung *f*; F Eintritt(sgeld *n*) *m*; Zugeständnis *n*.

admit (əd'mit) *v/t.* zulassen (*fig.* ~ of*); (hin)einlassen; zugeben; ~tance (~əns) Einlaß, Zutritt *m*.

admixture (əd'mikstʃə) Beimischung *f*, Zusatz *m*.

admon|ish (əd'mɔniʃ) ermahnen; warnen (of vor *dat.*); ~ition (ædmo'niʃən) Ermahnung; Warnung *f*.

ado (ə'du:) Getue, Wesen *n*; Mühe *f*.

adolescen|ce (ædo'lesns) Jünglings-, Backfischalter *n*; ~t (~snt) jugendlich(e Person).

adopt (ə'dɔpt) adoptieren; sich aneignen; ~ion (ə'dɔpʃən) Annahme *f*.

ador|ation (ædo'reiʃən) Anbetung *f*; ~e (ə'dɔ:) anbeten.

adorn (ə'dɔ:n) schmücken, zieren; ~ment (~mənt) Schmuck *m*.

adroit □ (ə'drɔit) gewandt.

adult ('ædʌlt) 1. erwachsen; 2. Erwachsene(r).

adulter|ate (ə'dʌltəreit) (ver)fälschen; ~er (ə'dʌltərə) Ehebrecher *m*; **~ess** (~ris) Ehebrecherin *f*; **~ous** □ (~rəs) ehebrecherisch; **~y** (~ri) Ehebruch *m*.

advance (əd'vɑːns) **1.** *v/i.* vorrücken, -gehen; steigen; Fortschritte *n*; *v/t.* vorrücken; vorbringen; vorausbezahlen; vorschießen; (be)fördern; *Preis* erhöhen; beschleunigen; **2.** Vorrücken *n*; Fortschritt *m*; Angebot *n*; Vorschuß *m*; Erhöhung *f*; *in* ~ im voraus; **~d** (~t) vor-, fort-geschritten; **~ment** Förderung *f*; Fortschritt *m*.

advantage (əd'vɑːntidʒ) Vorteil *m*; *take* ~ *of* ausnutzen; **~ous** □ (ædvɑːn'teidʒəs) vorteilhaft.

adventur|e (əd'ventʃə) Abenteuer, Wagnis *n*; Spekulatio'n *f*; **~er** (~rə) Abenteurer; Spekula'nt *m*; **~ous** □ (~rəs) abenteuerlich; wagemutig.

advers|ary ('ædvəsəri) Gegner, Feind *m*; **~e** □ ('ædvəːs) widrig; feindlich; gegenüberliegend; **~ity** (əd'vəːsiti) Unglück *n*.

advertis|e ('ædvətaiz) ankündigen; inserieren; benachrichtigen; **~ement** (əd'vəːtismənt) Ankündigung, Anzeige *f*, Inserat *n*; **~ing** ('ædvətaiziŋ) Reklame...

advice (əd'vais) Rat(schlag) *m*; (*mst pl.*) Nachricht, Meldung *f*.

advis|able □ (əd'vaizəbl) ratsam; **~e** (əd'vaiz) *v/t. j.* beraten; *j-m* raten; benachrichtigen; ✝ avisieren; *v/i.* (sich) beraten; **~er** (~ə) Ratgeber(in).

advocate 1. ('ædvəkit) Anwalt; Fürsprecher *m*; **2.** (~keit) verteidigen, befürworten.

aerial ('ɛəriəl) **1.** □ luftig; Luft...; ~ *view* Luftaufnahme *f*; **2.** *Radio:* Antenne *f*; *outdoor* ~ Dachantenne *f*.

aero... ('ɛərou) Luft...; **~drome** ('ɛərədroum) Flugplatz *m*; **~naut** (~nɔːt) Luftschiffer *m*; **~nautics** (~'nɔːtiks) *pl.* Luftschiffahrt *f*; **~plane** (~plein) Flugzeug *n*; **~stat** (~stæt) Luftballon *m*.

æsthetic (iːs'θetik) ästhetisch; **~s** (~s) *sg.* Ästhetik *f*.

afar (ə'fɑː) fern, weit (weg).

affable □ ('æfəbl) leutselig.

affair (ə'fɛə) Geschäft *n*; Angelegenheit *f*, Sache *f*; F Ding *n*.

affect (ə'fekt) (ein- *od.* sich aus-) wirken auf (*acc.*); (be)rühren; *Gesundheit* angreifen; gern mögen; (er)heucheln; **~ation** (æfek'teiʃən)

Ziererei, Pose *f*; **~ed** □ (ə'fektid) geziert, affektiert; **~ion** (ə'fekʃən) Gemütszustand *m*; (Zu-)Neigung; Erkrankung *f*; **~ionate** □ liebevoll.

affidavit (æfi'deivit) schriftliche Eideserklärung.

affiliate (ə'filieit) *als Mitglied* aufnehmen; angliedern.

affinity (ə'finiti) Verwandtschaft *f*.

affirm (ə'fəːm) bejahen; behaupten; bestätigen; **~ation** (æfəː'meiʃən) Behauptung; Bestätigung *f*; **~ative** (ə'fəːmətiv) □ bejahend.

affix (ə'fiks) (*to*) anheften (*an acc.*); befestigen (*an dat.*); *Siegel* aufdrücken; bei-, zu-fügen (*dat.*).

afflict (ə'flikt) heimsuchen; plagen; **~ion** (ə'flikʃən) Betrübnis; Pein *f*.

affluen|ce ('æfluens) Überfluß *m*; **~t** (~ənt) **1.** □ reich(lich); **2.** Nebenfluß *m*.

afford (ə'fɔːd) liefern; erschwingen; *I can* ~ *it* ich kann es mir leisten.

affront (ə'frʌnt) **1.** beschimpfen; trotzen (*dat.*); **2.** Beleidigung *f*.

afield (ə'fiːld) im Felde; (weit) weg.

afloat (ə'flout) ♧ *u. fig.* flott; schwimmend; umlaufend; *set* ~ flottmachen; *fig.* in Umlauf setzen.

afraid (ə'freid) bange; *be* ~ *of* sich fürchten (*od.* Angst h.) vor (*dat.*).

afresh (ə'freʃ) von neuem.

African ('æfrikən) afrika'nisch; Afrika'ner(in).

after ('ɑːftə) **1.** *adv.* hinterher; nachher; **2.** *prp.* nach; hinter (... her); ~ *all* schließlich (doch); **3.** *cj.* nachdem; **4.** *adj.* später; Nach...; **~crop** Nachlese *f*; **~math** (~mæθ) Nachwirkung (*en pl.*) *f*; **~noon** (~'nuːn) Nachmittag *m*; **~season** Nachsaiso'n *f*; **~taste** Nachgeschmack *m*; **~thought** nachträglicher Einfall; **~wards** (~wədz) nachher; später.

again (ə'gein) wieder(um); zurück; ferner; dagegen; ~ *and* ~ immer wieder; *as much* ~ noch einmal soviel.

against (ə'geinst) gegen; *fig.* in Erwartung (*gen.*); *as* ~ verglichen mit; ~ *the wall* an der Wand.

age (eidʒ) **1.** *Lebens-*Alter *n*; Zeit (-alter *n*) *f*; Menschenalter *n*; Ewigkeit *f*; (*old*) ~ Greisenalter *n*; *of* ~ mündig; *over* ~ zu alt; *under* ~ unmündig; **2.** *alt w. od. m.*; **~d** ('eidʒid) alt; (eidʒd): ~ *twenty* 20 Jahre alt.

agency ('eidʒənsi) Tätigkeit; Vermittlung; Agentu'r f, Büro n.

agent ('eidʒənt) Handelnde(r); Age'ntm; wirkende Kraft, A'gens n.

agglomerate (ə'glɔməreit) (sich) zs.-ballen; (sich) (an)häufen.

agglutinate (ə'glu:tineit) zs.-, anver-kleben; |ßern; erhöhen.|

aggrandize ('ægrəndaiz) vergrö-|

aggravate ('ægrəveit) erschweren; verschlimmern; F ärgern.

aggregate 1. ('ægrigeit) (sich) anhäufen; zs.-tun (to mit); sich belaufen auf (acc.); 2. □ (~git) gehäuft; gesamt; 3. (~) Anhäufung f.

aggress|ion (ə'greʃən) Angriff m; **~or** (ə'gresə) Angreifer m.

aghast (ə'gɑ:st) entsetzt, entsetzt.

agil|e ('ædʒail) flink, behend; **~ity** (ə'dʒiliti) Behendigkeit f.

agitat|e ('ædʒiteit) v/t. bewegen, schütteln; fig. erregen; erörtern; v/i. agitieren; **~ion** (ædʒi-) Bewegung f usw.

agnail ('ægneil) Niednagel m.

ago (ə'gou): a year ~ vor e-m Jahre.

agonize ('ægənaiz) (sich) quälen.

agony ('ægəni) Qual, Pein f; fig. Ringen n; Todeskampf m.

agree (ə'gri:) v/i. überei'nstimmen; sich vertragen; einig werden ([up]on über acc.); überei'nkommen; ~ to zustimmen (dat.); einverstanden sn mit; **~able** □ (~əbl) (to) angenehm (für); überei'nstimmend (mit); **~ment** (~mənt) Überei'nstimmung f; Vereinbarung f, Abkommen n; Vertrag m.

agricultur|al (ægri'kʌltʃərəl) landwirtschaftlich; **~e** ('ægrikʌltʃə) Landwirtschaft f; **~ist** (ægri'kʌltʃərist) Landwirt m.

ague ('eigju:) Fieber(frost m) n.

ahead (ə'hed) vorwärts; voraus; vorn; straight ~ geradeaus.

aid (eid) 1. helfen (dat.; in bei et.); fördern; 2. Hilfe f.

ail (eil) v/t. what ~s him? was fehlt ihm?; **~ing** ('eiliŋ) leidend; **~ment** ('eilmənt) Leiden n.

aim (eim) 1. v/i. zielen (at auf acc.); fig. ~ at streben nach; v/t. ~ at Waffe usw. richten auf od. gegen (acc.); 2. Ziel n; Absicht f; **~less** □ ('eimlis) ziellos.

air¹ (ɛə) 1. Luft f; Luftzug m; by ~ auf dem Luftwege; Am. on the ~ durch od. im Rundfunk; Am. be

(od. put) on the ~ Radio: senden; Am. be off the ~ Radio: nicht senden; 2. (aus)lüften; an die Öffentlichkeit bringen; erörtern; Am. Radio: über den Sender gehen.

air² (~) Miene f; Aussehen n; give o.s. ~s vornehm tun.

air³ (~) A'rie, Weise, Melodie' f.

air|-base Flugstützpunkt m; **~-brake** Druckluftbremse f; **~-conditioned** mit automatischer Klimaanlage; **~craft** Luftfahrzeug(e pl.) n; **~field** Flugplatz m; **~force** Luftstreitmacht f; **~-jacket** Schwimmweste f; **~-lift** Luftbrücke f; **~-liner** Verkehrsflugzeug n; **~-mail** Luftpost f; **~man** Flieger m; **~plane** Am. Flugzeug n; **~port** Luft-, Flug-hafen m; **~-raid** Luftangriff m; ~ precautions pl. Luftschutz m; ~ shelter Luftschutzraum m; **~-route** ✕ Luftweg m; **~ship** Luftschiff n; **~tight** luftdicht; sl ~ case totsicherer Fall; **~tube** Luftschlauch m; **~way** Luftverkehrslinie f.

airy □ ('ɛəri) luftig; leicht(fertig).

aisle ⌂ (ail) Seitenschiff n; Gang m.

ajar (ə'dʒɑ:) halb offen, angelehnt.

akin (ə'kin) verwandt (to mit).

alarm (ə'lɑ:m) 1. Alarm(zeichen n) m; Angst f; 2. alarmieren; beunruhigen; **~-clock** Wecker(uhr f) m.

albuminous (æl'bju:minəs) eiweißartig; -haltig.

alcohol ('ælkəhɔl) Alkohol m; **~ic** (ælkə'hɔlik) alkoholisch; **~ism** ('ælkəhɔlizm) Alkoholvergiftung f.

alcove ('ælkouv) Nische; Laube f.

alderman ('ɔ:ldəmən) Ratsherr m.

ale (eil) Ale n (Art engl. Bier).

alert (ə'lə:t) 1. □ wachsam; munter; 2. Alarm(bereitschaft f) m; on the ~ auf der Hut.

alien ('eiliən) 1. fremd, ausländisch; 2. Ausländer(in); **~able** (~əbl) veräußerlich; **~ate** (~eit) veräußern; fig. entfremden (from dat.); **~ist** ('eiliənist) Irrenarzt, Psychia'ter m.

alight (ə'lait) 1. brennend; erhellt; 2. aussteigen; ✕ niedergehen, landen; sich niederlassen.

align (ə'lain) (sich) (aus)richten (with nach); surv. abstecken; ~ o.s. with sich anschließen (an acc.).

alike (ə'laik) 1. adj. gleich, ähnlich; 2. adv. ebenso.

2*

aliment ('ælimənt) Nahrung f; **~ary** (æli'mentəri) nahrhaft; **~ canal** Verdauungskanal m.

alimony ('æliməni) Alime'nte n/pl.

alive (ə'laiv) lebendig; empfänglich (to für); belebt (with von); **be ~** to sich e-r S. bewußt sn.

all (ɔ:l) **1.** adj. all; ganz; jede(r, s); **for ~** that dessenungeachtet, trotzdem; **2.** alles; alle pl.; **at ~** gar, überhaupt; **not at ~** durchaus nicht; for **~** (that) I care meinetwegen; for **~** I know soviel ich weiß; **3.** adv. ganz, völlig; **~ at once** auf einmal; **~ the better** desto besser; **~ but** beinahe, fast; **~ right** (alles) in Ordnung.

allay (ə'lei) beruhigen; lindern.

alleg|ation (æle'geiʃən) Angabe; bsd. unerwiesene Behauptung f; **~e** (ə'ledʒ) anführen; behaupten.

allegiance (ə'li:dʒəns) Lehnspflicht; (Untertanen-)Treue f.

alleviate (ə'li:vieit) erleichtern, lindern. [Gang m.]

alley ('æli) Allee' f; Gäßchen n;)

alliance (ə'laiəns) Bündnis n.

allocat|e ('æləkeit) zu-teilen, -weisen; **~ion** (ælo'keiʃən) Zuteilung f.

allot (ə'lɔt) zuweisen; **~ment** (~mənt) Zuteilung; Parzelle f.

allow (ə'lau) erlauben; bewilligen, gewähren; zugeben; ab-, an-rechnen; vergüten; Am. meinen; **~ for** berücksichtigen; **~able** □ (~əbl) erlaubt, zulässig; **~ance** (~əns) Erlaubnis; Bewilligung f; Taschengeld n, Zuschuß m; Vergütung f; Nachsicht f; make **~ for** a th. et. in Betracht ziehen.

alloy (ə'lɔi) **1.** Legierung f; **2.** legieren; fig. verunedeln.

allround zu allem brauchbar.

allude (ə'lu:d) anspielen (to auf acc.).

allure (ə'ljuə) (an-, ver-)locken; **~ment** (~mənt) Verlockung f.

allusion (ə'lu:ʒən) Anspielung f.

ally 1. (ə'lai) (sich) ver-einigen, -bünden (to, with mit); **2.** ('ælai) Verbündete(r), Bundesgenosse m.

almanac ('ɔ:lmənæk) Almanach m.

almighty (ɔ:l'maiti) **1.** □ allmächtig; **2.** ♀ Allmächtige(r) m.

almond ('a:mənd) Mandel f.

almost ('ɔ:lmoust) fast, beinahe.

alms (a:mz) sg. u. pl. Almosen n; **~house** Armenhaus n.

aloft (ə'lɔft) (hoch) (dr)oben.

alone (ə'loun) allein; let (od. leave)

~ in Ruhe od. bleiben l.; **let ~ ...** geschweige denn ...

along (ə'lɔŋ) **1.** adv. längs, der Länge nach; vorwärts; weiter; **all ~** schon immer; durchweg; **~ with** (zs.) mit; F get **~ with you!** pack dich!; **2.** prp. längs, entlang; **~side** (~said) Seite an Seite; neben.

aloof (ə'lu:f) fern; weitab; **stand ~** abseits stehen.

aloud (ə'laud) laut; hörbar.

alp (ælp) Alp(e) f; **2s** Alpen f/pl.

already (ɔ:l'redi) bereits, schon.

also ('ɔ:lsou) auch; ferner.

alter ('ɔ:ltə) (sich) (ver)ändern; ab-, um-ändern; **~ation** (ɔ:ltə'reiʃən) Änderung f (to an dat.).

alternat|e 1. ('ɔ:ltəneit) abwechseln (l.); ⚡ alternating current Wechselstrom m; **2.** □ (ɔ:l'tə:nit) abwechselnd; **~ion** (ɔ:ltə'neiʃən) Abwechselung f; Wechsel m; **~ive** (ɔ:l'tə:nətiv) **1.** □ nur eine Möglichkeit lassend; **2.** Alternati've, Wahl; Möglichkeit f.

although (ɔ:l'ðou) obgleich.

altitude ('æltitju:d) Höhe f.

altogether (ɔ:ltə'geðə) zusammen; alles in allem; gänzlich.

alumin(i)um (ælju'minjəm) Aluminium n.

always ('ɔ:lwəz) immer, stets.

am (æm; im Satz əm) [irr.] bin.

amalgamate (ə'mælgəmeit) amalgamieren; (sich) verschmelzen.

amass (ə'mæs) (an-, auf-)häufen.

amateur ('æmətə:, -tjuə) Amateu'r; Liebhaber; Diletta'nt m.

amaz|e (ə'meiz) in Staunen setzen, verblüffen; **~ement** (~mənt) Staunen n, Verblüffung f; **~ing** □ (ə'meiziŋ) erstaunlich.

ambassador (æm'bæsədə) Botschafter, Gesandte(r) m.

amber ('æmbə) Bernstein m.

ambigu|ity (æmbi'gjuiti) Zweideutigkeit f; **~ous** □ (~'bigjuəs) zweideutig; doppelsinnig.

ambitio|n (æm'biʃən) Ehrgeiz m; Streben n (of nach); **~us** □ (~əs) ehrgeizig; anspruchsvoll.

amble ('æmbl) **1.** Paßgang m; **2.** im Paßgang gehen od. reiten.

ambulance ('æmbjuləns) Feldlazarett n; Krankenwagen m.

ambuscade (æmbəs'keid), **ambush** ('æmbuʃ) **1.** Hinterhalt m; **2.** auflauern (dat.); überfa'llen.

ameliorate (ə'mi:liəreit) (sich) verbessern.
amend (ə'mend) (sich) (ver-)
bessern; berichtigen; *parl.* ändern;
~ment (~mənt) Besserung; ⅌⅞ Berichtigung *f*; *parl.* Änderungsantrag
m; ~s (ə'mendz) Ersatz *m*.
amenity (ə'mi:niti) Freundlichkeit *f*.
American (ə'merikən) 1. amerika'-
nisch; 2. Amerika'ner(in); ~ism
(~izm) Amerikani'smus *m*; ~ize
(~aiz) (sich) amerikanisieren.
amiable □ ('eimjəbl) liebenswürdig,
freundlich. [schaftlich; gütlich.]
amicable □ ('æmikəbl) freund-]
amid(st) (ə'mid[st]) inmitten (*gen.*);
(mitten) unter; mitten in (*dat.*).
amiss (ə'mis) verkehrt; übel; ungelegen; *take ~* übelnehmen.
amity ('æmiti) Freundschaft *f*.
ammonia (ə'mounjə) Ammonia'k *n*.
ammunition (æmju'niʃən) 1. Munitio'n *f*; 2. Kommiß...
amnesty ('æmnesti) 1. Amnestie' *f*
(*Straferlaß*); 2. begnadigen.
among(st) (ə'mʌŋ[st]) (mitten)
unter, zwischen. [in *acc.*).]
amorous □ ('æmərəs) verliebt (*of*)]
amount (ə'maunt) 1. ~ *to* sich belaufen auf (*acc.*); hinauslaufen auf
(*acc.*); 2. Betrag *m*, (Gesamt-)
Summe; Menge; Bedeutung *f*,
Wert *m*. [räumig.]
ample □ ('æmpl) weit, groß; ge-]
ampli|fication (æmplifi'keiʃən) Er-
weiterung; *phys.* Verstärkung *f*;
~fier ('æmplifaiə) *Radio:* Verstärker
m; ~fy ('æmplifai) erweitern; verstärken; weiter ausführen; ~tude
(~tju:d) Umfang *m*, Weite, Fülle *f*.
amputate ('æmpjuteit) amputieren.
amuse (ə'mju:z) amüsieren; unterha'lten; belustigen; ~ment (~mənt)
Unterha'ltung; Belustigung *f*.
an (æn, ən) *Artikel:* ein(e).
an(a)esthetic (ænis'θetik) unempfindlich machend(es Mittel).
analog|ous □ (ə'næləgəs) analo'g,
ähnlich; ~y (ə'nælədʒi) Ähnlichkeit, Analogie' *f*.
analys|e ('ænəlaiz) analysieren; zer-
legen; ~is (ə'næləsis) Analy'se *f*.
anarchy ('ænəki) Anarchie', Gesetz-
losigkeit; Zügellosigkeit *f*.
anatom|ize (ə'nætəmaiz) zergliedern;
~y Anatomie', Zergliede-
rung *f*.
ancest|or ('ænsistə) Stammvater,

Ahn *m*; ~ral (æn'sestrɒl) ange-
stammt; ~ress ('ænsistris) Ahne *f*;
~ry ('ænsistri) Abstammung *f*;
Ahnen *m/pl.*
anchor ('æŋkə) 1. Anker *m*; *at ~*
vor Anker; 2. (ver)ankern.
anchovy (æn'tʃouvi) Sardelle *f*.
ancient ('einʃənt) 1. alt; 2. *the ~s*
pl. hist. die Alten.
and (ænd, ənd, ɛn) und.
anew (ə'nju:) von neuem.
angel ('eindʒəl) Engel *m*; ~ic(al □)
(æn'dʒelik) engelgleich.
anger ('æŋgə) 1. Zorn, Ärger *m*
(*at* über *acc.*); 2. erzürnen, ärgern.
angle ('æŋgl) 1. Winkel *m*; *fig.*
Standpunkt *m*; 2. angeln (*for* nach).
Anglican ('æŋglikən) 1. anglika'-
nisch; 2. Anglika'ner(in).
Anglo-Saxon ('æŋglou'sæksn) 1.
Angelsachse *m*; 2. angelsächsisch.
angry ('æŋgri) zornig, böse (*a.* 𝕤)
(*with* a *p.*, *at* a th. über, auf *acc.*).
anguish ('æŋgwiʃ) Pein, Qual *f*,
(Seelen-)Schmerz *m*.
angular □ ('æŋgjulə) winkelig;
Winkel...; *fig.* eckig. [risch.]
animal ('æniməl) 1. Tier *n*; 2. tie-]
animat|e ('ænimeit) beleben; be-
seelen; aufmuntern; ~ion (æni-
'meiʃən) Belebung; Munterkeit *f*.
animosity (æni'mɒsiti) Feindselig-
keit *f*.
ankle ('æŋkl) Fußknöchel, Enkel *m*.
annals ('ænlz) *pl.* Jahrbücher *n/pl.*
annex 1. (ə'neks) anhängen; an-
nektieren; 2. ('æneks) Anhang; An-
bau *m*; ~ation (ænek'seiʃən) Annexio'n *f* usw. [= *annul.*]
annihilate (ə'naiəleit) vernichten;]
anniversary (æni'vəːsəri) Jahres-
tag *m*; Jahresfeier *f*.
annotat|e ('ænouteit) mit Anmer-
kungen versehen; ~ion (ænou'teiʃən) Kommentieren *n*; Anmerkung *f*.
announce (ə'nauns) ankündigen;
ansagen; ~ment (~mənt) Ankündi-
gung; Ansage; Anzeige *f*; ~r (~ə)
Radio: Ansager *m*.
annoy (ə'nɔi) ärgern; belästigen;
~ance (~əns) Ärger *m*; Schikane *f*.
annual ('ænjuəl) 1. □ jährlich;
Jahres...; 2. einjährige Pflanze;
Jahrbuch *n*.
annuity (ə'njuiti) (Jahres-)Rente.
annul (ə'nʌl) ungültig erklären;
~ment (~mənt) Aufhebung *f*.

anoint (ə'nɔint) salben.

anomalous □ (ə'nɔmələs) anoma'l.

anonymous □ (ə'nɔniməs) anony'm, ungenannt.

another (ə'nʌðə) ein anderer; ein zweiter; noch ein.

answer ('ɑ:nsə) 1. v/t. et. beantworten, j-m antworten; entsprechen (dat.); ~ the bell od. door (die Haustür) aufmachen; v/i. antworten (to a p. j-m; to a question od. e-e Frage); entsprechen (to dat.); Erfolg haben; sich lohnen; ~ for Rede stehen für; bürgen für; 2. Antwort f (to auf acc.); **~able** □ ('ɑ:nsərəbl) verantwortlich.

ant (ænt) Ameise f.

antagonis|m (æn'tægənizm) Widerstreit; Widerstand m; Feindschaft f; **~t** (~ist) Gegner(in).

antagonize (æn'tægənaiz) ankämpfen gegen; (ea.) gegenüberstellen.

antecedent (ænti'si:dənt) 1. □ vorhergehend; früher (to als); 2. Vorhergehende(s) n.

anterior (æn'tiəriə) vorhergehend; früher (to als); vorder.

ante-room ('æntirum) Vorzimmer n.

anthem ('ænθəm) Hymne f.

anti... (ænti...) Gegen...; gegen ... eingestellt od. wirkend; **~aircraft** (ænti'sɛəkrɑ:ft): ~ alarm Fliegeralarm m; ~ defence Fliegerabwehr f.

antic ('æntik) 1. □ närrisch; 2. Posse f; **~s** pl. Mätzchen n/pl.

anticipat|e (æn'tisipeit) vorwegnehmen; zuvorkommen (dat.); voraussehen; erwarten; **~ion** (æntisi-'peiʃən) Vorwegnahme f; Zuvorkommen n; Voraussicht; Erwartung f; in ~ im voraus.

antidote ('æntidout) Gegengift n.

antipathy (æn'tipəθi) Abneigung f.

antiqua|ry ('æntikwəri) Antiqua'r; Altertumsforscher m; **~ted** (~kweitid) veraltet, überle'bt.

antique (æn'ti:k) 1. □ antik, alt (-modisch); 2. alter Kunstgegenstand; **~ity** (æn'tikwiti) Altertum n.

antlers ('æntləz) pl. Geweih n.

anvil ('ænvil) Amboß m.

anxiety (æŋ'zaiəti) Angst; fig. Sorge (for um); ⚕ Beklemmung f.

anxious □ ('æŋkʃəs) ängstlich, besorgt (about um, wegen); begierig, gespannt (for auf acc.); bemüht (for um).

any ('eni) 1. pron. (irgend)einer; einige pl.; (irgend)welcher; (irgend) etwas; jeder (beliebige); not ~, keiner; 2. adv. irgend(wie); **~body**, **~one** (irgend) jemand; jeder; **~how** irgendwie; jedenfalls; **~thing** (irgend) etwas, alles; ~ but alles andere als; **~way** = anyhow; ohnehin; **~where** irgendwo(hin).

apart (ə'pɑ:t) einzeln; getrennt; für sich; beiseite; ~ from abgesehen von; **~ment** (~mənt) Zimmer n; pl. **~s** Wohnung f; Am. ~ house Miethaus n.

ape (eip) 1. Affe m; 2. nachäffen.

aperient (ə'piəriənt) Abführmittel n.

aperture ('æpətjuə) Öffnung f.

apiculture ('eipikʌltʃə) Bienenzucht f.

apiece (ə'pi:s) (für) das Stück; je.

apish □ ('eipiʃ) affig; äffisch.

apolog|etic (əpɔlə'dʒetik) (~ally) verteidigend; rechtfertigend; entschuldigend; **~ize** (ə'pɔlədʒaiz) Abbitte tun, sich entschuldigen (for wegen; to bei); **~y** (~dʒi) Entschuldigung; Abbitte; Rechtfertigung f.

apoplexy ('æpɔpleksi) Schlag(anfall) m.

apostate (ə'pɔstit) Abtrünnige(r) m.

apostle (ə'pɔsl) Apostel m.

apostroph|e (ə'pɔstrəfi) Anrede f; Apostro'ph m; **~ize** (~faiz) anreden, sich wenden an (acc.).

appal (ə'pɔ:l) erschrecken.

apparatus (æpə'reitəs) Apparat m, Vorrichtung f, Gerät n.

apparel (ə'pærəl) Kleidung f.

appar|ent □ (ə'pærənt) anscheinend; scheinbar; **~ition** (æpə'riʃən) Erscheinung f.

appeal (ə'pi:l) 1. ⚖ appellieren (to an acc.); sich berufen (to auf e-n Zeugen); sich wenden an (acc.); wirken auf (acc.); Anklang finden bei; 2. Revision od. Berufung(sklage) f; Rechtsmittel n; fig. Appell m (to an acc.); Wirkung f, Reiz m; **~ing** (~iŋ) flehend; ansprechend.

appear (ə'piə) (er)scheinen; sich zeigen; öffentlich auftreten; **~ance** (ə'piərəns) Erscheinen, Auftreten, Äußere(s) n, Erscheinung f; Anschein m; **~s** pl. äußerer Schein.

appease (ə'pi:z) beruhigen; stillen; mildern; befriedigen.

appellant (ə'pelənt) Appela'nt(in), Berufungskläger(in).

append (ə'pend) anhängen; hinzu-bei-fügen; **~age** (~idȝ) Anhang *m*; Anhängsel *n*; Zubehör *m u. n*; **~ix** (ə'pendiks) Anhang *m*.

appertain (æpə'tein) gehören (tozu).

appetite ('æpitait) (for) Appeti't *m* (auf *acc.*); *fig.* Verlangen (nach).

appetizing ('æpitaiziŋ) appetitlich.

applaud (ə'plɔ:d) Beifall spenden.

applause (ə'plɔ:z) Applaus, Beifall *m*.

apple (æpl) Apfel *m*; **~sauce** A.mus *n*; *Am.* Schmus *m*; *sl.* Quatsch *m*.

appliance (ə'plaiəns) Vorrichtung *f*; Gerät; Mittel *n*.

applica|ble ('æplikəbl) anwendbar (to auf *acc.*); **~nt** (~kənt) Bitt-steller(in); Bewerber(in) (for um); **~tion** (æpli'keiʃən) (to Auf-, Anlegung (auf *acc.*); Anwendung *f* (auf *acc.*); Gesuch *n* (for um); Bewerbung *f*.

apply (ə'plai) *v/t.* (to) an-, auf-legen; anwenden (auf *acc.*); verwenden (für); ~ *o.s.* to sich legen auf (*acc.*); *v/i.* (to) passen, sich anwenden l. (auf *acc.*); gelten (für); sich wenden (an *acc.*); sich bewerben (for um); ~ for nachsuchen um.

appoint (ə'point) bestimmen; fest-setzen; verabreden; ernennen (*a p.* governor j-n zum ...); berufen (to auf *e-n* Posten); well **~ed** gut ausge-rüstet; **~ment** (~mənt) Bestim-mung *f usw.; pl.* **~s** Ausrüstung, Einrichtung *f*.

apportion (ə'pɔ:ʃən) ver-, zu-teilen; **~ment** Verteilung *f*.

apprais|al (ə'preizəl) Abschätzung *f*; **~e** (ə'preiz) abschätzen, taxieren.

apprecia|ble ☐ (ə'pri:ʃəbl) (ab-) schätzbar; merkbar; **~te** (~ʃieit), *v/t.* schätzen; würdigen; wahrneh-men; *v/i.* im Werte steigen; **~tion** (əpri:ʃi'eiʃən) Schätzung *f usw.*; Verständnis *n* (of für).

apprehen|d (æpri'hend) ergreifen; fassen, begreifen; befürchten; **~sion** (~henʃən) Ergreifung, Fest-nahme; Fassungskraft; Auffassung; Besorgnis *f*; **~sive** ☐ (~hensiv) schnell fassend (of *acc.*); besorgt.

apprentice (ə'prentis) **1.** Lehrling *m*; **2.** in die Lehre geben (to bei, zu); **~ship** (~ʃip) Lehrzeit; Lehre *f*.

approach (ə'prəutʃ) **1.** *v/i.* näher-kommen, sich nähern; *v/t.* sich nähern (*dat.*), heran-gehen od.

-treten an (*acc.*); **2.** Annäherung *f*; *fig.*: Herangehen *n*; Zutritt *m*.

approbation (æprəʊ'beiʃən) Billi-gung *f*, Beifall *m*.

appropriat|e 1. (ə'prouprieit) sich aneignen; verwenden; *parl.* be-willigen; **2.** ☐ (~it) (to) angemessen (*dat.*); passend (für); eigen (*dat.*); **~ion** (əproupri'eiʃən) Aneignung; Verwendung *f*.

approv|al (ə'pru:vəl) Billigung *f*, Beifall *m*; **~e** (ə'pru:v) billigen, an-erkennen; (~ *o.s.* sich) erweisen als; **~ed** ☐ (~d) bewährt.

approximate 1. (ə'prɔksimeit) (sich) nähern; **2.** ☐ (~mit) annä-hernd; ungefähr.

apricot ('eiprikɔt) Apriko'se *f*.

April ('eiprəl) Apri'l *m*.

apron ('eiprən) Schürze *f*.

apt ☐ (æpt) geeignet, passend; be-gabt; ~ to geneigt zu; **~itude** ('æptitju:d), **~ness** (~nis) Geeignet-heit; Neigung (to zu); Befähigung *f*.

aquatic (ə'kwætik) Wasserpflanze *f*; **~s** *pl.* Wassersport *m*.

aque|duct ('ækwidʌkt) Wasserlei-tung *f*; **~ous** ☐ ('eikwiəs) wässerig.

Arab ('ærəb) A'raber(in); **~ic** ('ærəbik) **1.** ara'bisch; **2.** Ara'bisch *n*.

arable ('ærəbl) pflügbar; Acker...

arbit|er ('a:bitə) Schiedsrichter; *fig.* Gebieter *m*; **~rariness** ('a:bitrəri-nis) Willkür *f*; **~rary** (~trəri) willkürlich; eigenmächtig; **~rate** ('a:bitreit) entscheiden; **~ration** (a:bi'treiʃən) Schiedsspruch *m*; Entscheidung *f*; **~rator** ('a:bi-treitə) Schiedsrichter *m*.

arbo(u)r ('a:bə) (Wein-)Laube *f*.

arc (a:k) *ast.*, *ₐ usw.* (⚡ Licht-) Bogen *m*; **~ade** (a:'keid) Arkade *f*; Bogen-, Lauben-gang *m*.

arch[1] (a:tʃ) **1.** Bogen *m*; Gewölbe *n*; **2.** (sich) wölben; überwö'lben.

arch[2] (~) **1.** ☐ schelmisch; **2.** erst; schlimmst; Haupt...; Erz...

archaic (a:'keiik) (~ally) veraltet.

archbishop ('a:tʃbiʃəp) Erzbischof *m*.

archery ('a:tʃəri) Bogenschießen *n*.

architect ('a:kitekt) Archite'kt *m*; Urheber(in), Schöpfer(in); **~onic** (~tɔnik) (~ally) architektonisch; *fig.* aufbauend; **~ure** ('a:kitektʃə) Ar-chitektu'r.

archway ('a:tʃwei) Bogengang *m*.

arc-lamp ⚡ ('a:klæmp) Bogen-lampe *f*.

arctic ('ɑːktik) arktisch, nördlich; Nord..., Pola'r...

arden|cy ('ɑːdənsi) Hitze, Glut; Innigkeit f; **∼t** □ ('ɑːdənt) mst. fig. heiß, glühend; fig. feurig; eifrig.

ardo(u)r ('ɑːdə) fig. Glut f; Eifer m.

arduous □ ('ɑːdjuəs) mühsam.

are (ɑː, im Satz ə) sind; seid.

area ('ɛəriə) Area'l n; (Boden-) Fläche f; Flächenraum m; Gegend f; Gebiet n; Bereich m.

Argentine ('ɑːdʒəntain) argenti'nisch; Argenti'nier(in).

argue ('ɑːgjuː) v/t. erörtern; beweisen; begründen; einwenden; ∼ a p. into j. zu et. bereden; v/i. streiten; Einwendungen machen.

argument ('ɑːgjumənt) Beweis (-grund) m; Beweisführung; Erörterung f; Hauptinhalt m; **∼ation** (ɑːgjumen'teiʃən) Beweisführung f.

arid ('ærid) dürr, trocken (a. fig.).

arise (ə'raiz) [irr.] sich erheben; ent-, er-stehen (from aus).

aristocra|cy (æris'tɔkrəsi) Aristokratie' f (a. fig.); **∼t** ('æristəkræt) Aristokra't(in); fig. **∼tic(al** □) (æristə'krætik, ∼kəl) aristokratisch.

arithmetic (ə'riθmətik) Rechnen n.

ark (ɑːk) Arche f.

arm[1] (ɑːm) Arm m; Armlehne f.

arm[2] (∼) 1. Waffe (mst pl.); Waffengattung f; 2. (sich) (be)waffnen; (aus)rüsten.

armade (ɑ'meidə) Kriegsflotte f.

arma|ment ('ɑːməmənt) (Kriegsaus-)Rüstung; Kriegsmacht f; **∼ture** ('ɑːmətjuə) Rüstung; **Δ,** phys. Armatu'r f.

armchair Lehnstuhl, Sessel m.

armistice ('ɑːmistis) Waffenstillstand m (a. fig.).

armo(u)r ('ɑːmə) 1. Rüstung f, Panzer m; 2. panzern; **∼ed car** Panzerwagen m; **∼y** (∼ri) Rüstkammer f (a. fig.); Am. Rüstungsbetrieb m.

armpit ('ɑːmpit) Achselhöhle f.

army ('ɑːmi) Heer m; fig. Menge f; ∼ chaplain Feldgeistliche(r) m.

arose (ə'rouz) er-, ent-stand.

around (ə'raund) 1. adv. rund(her)um; 2. prp. um ... her(um).

arouse (ə'rauz) (auf-, er)wecken.

arraign (ə'rein) vor Gericht stellen, anklagen; fig. rügen.

arrange (ə'reindʒ) (an)ordnen, (bsd. ♪) einrichten; festsetzen; Streit

schlichten; vereinbaren; erledigen; **∼ment** (∼mənt) Anordnung; Dispositio'n; (bsd. ♪) Einrichtung f; Überei'nkommen n; Vorkehrung f.

array (ə'rei) 1. (Schlacht-)Ordnung f; fig. Aufgebot n; 2. ordnen, aufstellen; aufbieten; kleiden, putzen.

arrear (ə'riə) Rückstand m.

arrest (ə'rest) 1. Verhaftung; Haft; Beschlagnahme f; 2. verhaften; beschlagnahmen; anhalten, hemmen.

arriv|al (ə'raivəl) Ankunft f; Auftreten n; Ankömmling m; **∼s** pl. angekommene Perso'nen f/pl.; Züge m/pl. usw.; **∼e** (ə'raiv) (an)kommen, eintreffen; erscheinen; eintreten (Ereignis); ∼ at erreichen (acc.).

arroga|nce ('ærəgəns) Anmaßung f; **∼nt** □ anmaßend; **∼te** (∼geit) sich et. anmaßen.

arrow ('ærou) Pfeil m.

arsenal ('ɑːsinl) Zeughaus n.

arsenic ('ɑːsnik) Arse'n(ik) n.

arson ɡ'₂ ('ɑːsn) Brandstiftung f.

art (ɑːt) Kunst f; fig. List f; Kniff m.

arter|ial (ɑ'tiəriəl): ∼ road Ausfallstraße f; **∼y** (ɑ'təri) Arte'rie, Pulsader; fig. Verkehrsader f.

artful □ (ɑ'tful) schlau, verschmitzt. [m; ∼d to in der Lehre bei.]

article (ɑ'tikl) Arti'kel; fig. Punkt)

articulate 1. (ɑ'tikjuleit) deutlich (aus)sprechen; Knochen zs.-fügen; 2. □ (∼lit) deutlich; gegliedert; **∼ion** (ɑːtikju'leiʃən) deutliche Aussprache; anat. Gelenkfügung f.

artific|e (ɑ'tifis) Kunstgriff m, List f; **∼ial** □ (ɑːti'fiʃəl) künstlich; Kunst...

artillery (ɑ'tiləri) Artillerie' f; **∼man** (∼mən) Artille'rist m.

artisan (ɑːti'zæn) Handwerker m.'

artist (ɑ'tist) Künstler(in); **∼e** (ɑ'tiːst) Artist(in); fig. **∼ic(al** □) (ɑ'tistik, ∼tikəl) künstlerisch; Kunst...

as (æz) adv. u. cj. als, wie; so, sowie, ebenso; als, während, da, weil, indem; sofern; ∼ it were gleichsam; ∼ well ebensogut; auch; ∼ well ... ∼ sowohl ... als auch; such ∼ to derart, daß; prp. ∼ for, ∼ to was betrifft; from von ... an.

ascend (ə'send) v/i. (auf-, empor-, hinauf-)steigen; zeitlich: zurückgehen (to bis zu); v/t. be-, er-steigen; hinaufsteigen; Fluß usw. hinauffahren; **∼ancy** (∼ənsi) (Vor-) Herrschaft f.

ascension (ə'senʃən) Aufsteigen *n* (*bsd. ast.*); ♀ (*Day*) Himmelfahrt(stag *m*) *f*.

ascent (ə'sent) Aufstieg *m*; Boden-Steigung *f*; *Treppen*-Aufgang *m*.

ascertain (æsə'tein) ermitteln.

ascribe (ə'skraib) zuschreiben.

aseptic (ei'septik) aseptisch(es Mittel).

ash¹ (æʃ) ♀ Esche *f*; Eschenholz *n*.

ash² (˯), *mst pl.* ~es (æʃiz) Asche *f*; ♀ *Wednesday* Aschermittwoch *m*.

ashamed (ə'ʃeimd) beschämt.

ash-can *Am.* Mülleimer *m*.

ashen (ə'ʃn) aschgrau, aschfahl.

ashore (ə'ʃɔː) am *od.* ans Ufer *od.* Land; *run* ~ je driven *od.* stranden.

ash-tray Asch-schale *f*, -becher *m*.

ashy ('æʃi) aschig, aschgrau.

Asiatic (eiʃi'ætik) **1.** asiatisch; **2.** Asiat(in).

aside (ə'said) **1.** beiseite; abseits; seitwärts; **2.** *thea.* Apa'rte *n*.

ask (ɑːsk) *v/t.* fragen (*a* th. nach et.); verlangen (*of*, *from a* p. von j-m); bitten (*a* p. [*for*] *a* th. j. um et.; *that* darum, daß); erbitten; ~ (*a* p.) *a* question (j-m) e-e Frage stellen; *v/i.*: ~ *for* bitten um, fragen nach.

askance (əs'kæns), **askew** (əs'kjuː) von der Seite, seitwärts; schief.

asleep (ə'sliːp) schlafend; in den Schlaf; eingeschlafen.

aslope (ə'sloup) abschüssig; schräg.

asparagus ♀ (əs'pærəgəs) Spargel *m*.

aspect ('æspekt) Anblick *m*; Aussehen *n*; Seite *f* e-r Angelegenheit; Gesichtspunkt *m*.

asperity (æs'periti) Rauheit *f*.

asphalt ('æsfælt) **1.** A'sphalt *m*; **2.** asphaltieren.

aspic ('æspik) Gallert *n*, Sülze *f*.

aspir|ant (əs'paiərənt) Bewerber (-in); Strebende(r) *f*; ~**ate** (əs'pə-reit) aspirieren; ~**ation** (əspə-'reiʃən) Aspiratio'n; Bestrebung *f*; ~**e** (əs'paiə) streben, trachten (*to*) ass (æs) Esel *m*. [after, an] *m*.]

assail (ə'seil) angreifen, überfa'llen (*a. fig.*); befallen (*Zweifel usw.*); ~**ant** (˯ənt) Angreifer(in).

assassin (ə'sæsin) Meuchelmörder (-in); ~**ate** (˯ineit) meucheln, morden; ~**ation** (əsæsi'neiʃən) Meuchelmord *m*.

assault (ə'sɔːlt) **1.** Angriff (*a. fig.*) *m*; **2.** anfallen; ⚔ tätlich angreifen *od.* beleidigen; bestürmen (*a. fig.*).

assay (ə'sei) **1.** (Erz-, Metall-)Probe *f*; **2.** prob(ier)en.

assembl|age (ə'semblidʒ) (An-) Sammlung; ⊕ Monta'ge *f*; ~**e** (ə'sembl) (sich) versammeln; zs.-, ein-berufen; ⊕ montieren; ~**y** (˯i) Versammlung; Gesellschaft *f*; ⊕ Montage *f*.

assent (ə'sent) **1.** Zustimmung *f*; **2.** (*to*) zustimmen (*dat.*); billigen.

assert (ə'sɔːt) (sich) behaupten; ~**ion** (ə'sə:ʃən) Behauptung; Erklärung; Geltendmachung *f*.

assess (ə'ses) besteuern; zur Steuer einschätzen (*at* mit); ~**able** □ (˯əbl) steuerpflichtig; ~**ment** (˯mənt) (Steuer-)Veranlagung; Steuer *f*.

asset ('æset) ⚔ Akti'vposten (*a. fig.*) *m*; ~**s** *pl.* Vermögenswerte *m/pl.*

assiduous □ (ə'sidjuəs) emsig, fleißig; aufmerksam.

assign (ə'sain) an-, zu-weisen; bestimmen; zuschreiben; ~**ment** (ə'sainmənt) An-, Zu-weisung; ⚔ Übertra'gung *f*.

assimilat|e (ə'simileit) (sich) angleichen (*to*, *with dat.*); ~**ion** (əsimi'leiʃən) Assimilatio'n, Angleichung *f*.

assist (ə'sist) j-m beistehen, helfen; unterstü'tzen; ~**ance** (˯əns) Beistand *m*; Hilfe *f*; ~**ant** (˯ənt) **1.** behilflich; **2.** Assiste'nt(in).

associa|te 1. (ə'souʃieit) (sich) zugesellen (*with dat.*), (sich) vereinigen; Umgang h. (*with* mit); **2.** (˯ʃiit) a) verbunden; b) (Amts-) Genosse; Teilhaber *m*; ~**tion** (əsousi'eiʃən) Vereinigung, Verbindung; Handels- usw. Gesellschaft; Genossenschaft *f*.

assort (ə'sɔːt) *v/t.* sortieren, zs.-stellen; *v/i.* passen (*with* zu); ~**ment** (˯mənt) Sortieren; ⚔ Sortime'nt *n*.

assum|e (ə'sjuːm) annehmen; überne'hmen; sich anmaßen; ~**ption** (ə'sʌmpʃən) Annahme; Übernahme; Anmaßung; *eccl.* ♀ Mariä Himmelfahrt *f*.

assur|ance (ə'ʃuərəns) Zu-, Versicherung; Zuversicht; Sicherheit; Dreistigkeit *f*; ~**e** (ə'ʃuə) (ver-) sichern; sicherstellen; ~**ed** (˯d) **1.** (*adv.* ~**edly**, ˯ridli) sicher; dreist; **2.** Versicherte(r).

astir (əs'tə) auf (den Beinen).

astonish (əs'tɔniʃ) in Erstaunen setzen; be ~ed erstaunt sn (at über acc.); ~ing □ (⁓iʃiŋ) erstaunlich; ~ment (əs'tɔniʃmənt) Erstaunen, Staunen n; Verwunderung f.

astound (əs'taund) verblüffen.

astray (əs'trei) vom (rechten) Wege ab; go ~ sich verlaufen, fehlgehen.

astride (əs'traid) mit gespreizten Beinen; rittlings (of auf dat.).

astringent □ ⚕ (əs'trindʒənt) zusammenziehend(es Mittel).

astro|logy (əs'trɔlədʒi) Astrologie f; ~nomer (əs'trɔnəmə) Astrono'm m; ~nomy (əs'trɔnəmi) Astronomie' f.

astute □ (əs'tju:t) scharfsinnig, schlau; ~ness (⁓nis) Scharfsinn m.

asunder (ə'sʌndə) auseinander; ent-.

asylum (ə'sailəm) Asy'l n. [zwei.]

at (æt, unbetont ət) prp. an; auf; aus; bei; für; in; mit; nach; über; um; von; vor; zu; ~ school in der Schule; ~ the age of im Alter von.

ate (et, eit) aß.

atheism ('eiθiizm) Athe-i'smus m.

athlet|e ('æθli:t) Athle't m; ~ic (æθ'letik), ~ical □ (⁓ikəl) athletisch; ~ics pl. (æθ'letiks) Athletik f.

Atlantic (ət'læntik) **1.** atlantisch; **2.** (a. ~ Ocean) Atlantisches Meer.

atmospher|e ('ætməsfiə) Atmosphä're f (a. fig.); ~ic(al □) (ætməs'ferik, ⁓ikəl) atmosphärisch.

atom ⎕ ('ætəm) Ato'm n (a. fig.); ~ (a. ~ic) bomb A.bombe f; ~ic (ə'tɔmik) atomartig, Atom...; atomi'stisch; ~ pile A.batterie' f; ~ smashing A.zertrümmerung f; ~izer ('ætəmaizə) Zerstäuber m.

atone (ə'toun): ~ for büßen für et.; ~ment (⁓mənt) Buße; Sühne f.

atroci|ous □ (ə'trouʃəs) scheußlich, gräßlich; ~ty (ə'trɔsiti) Scheußlichkeit, Gräßlichkeit f.

attach (ə'tætʃ) v/t. (to) anheften (an, acc.), befestigen (an dat.); Wert, Wichtigkeit usw. beilegen (dat.); ⚖ j. verhaften; et. beschlagnahmen; ~ o.s. to sich anschließen an (acc.); ~ment (⁓mənt) Befestigung; (to, for) Bindung f an acc.); Anhänglichkeit f (an acc.); Anhängsel n (to gen.); ⚖ Verhaftung; Beschlagnahme f.

attack (ə'tæk) **1.** angreifen (a. fig.); befallen (Krankheit); Arbeit in Angriff nehmen; **2.** Angriff; ⚔ Anfall m; Inangriffnahme f.

attain (ə'tein) **1.** v/t. Ziel erreichen; **2.** v/i. ~ to: gelangen zu; ~ment (⁓mənt) Erreichung; fig. Aneignung f; ~s pl. Fertigkeiten f/pl.

attempt (ə'tempt) **1.** versuchen; ein Attenta't machen auf (acc.); **2.** Versuch m; Attenta't n.

attend (ə'tend) v/t. begleiten; bedienen; warten, pflegen; ⚕ behandeln; j-m aufwarten; beiwohnen (dat.); Vorlesung usw. besuchen; v/i. achten, hören (to auf acc.); anwesend sn (at bei); ~ to Geschäft usw. besorgen; ~ance (ə'tendəns) Begleitung; (Auf-)Wartung, Pflege; ⚕ Behandlung f; Gefolge n; (at) Anwesenheit f (bei); Besuch m (gen.; Schule usw.); Besucher(zahl f) m/pl., Publikum n; ~ant (⁓ənt) **1.** begleitend ([up]on acc.); anwesend (at bei); **2.** Diener(in); Begleiter(in); Wärter(in); Besucher (-in) (atgen.); ⊕ Bedienungsmann m.

attent|ion (ə'tenʃən) Aufmerksamkeit f; ~ive □ (⁓tiv) aufmerksam.

attest (ə'test) bezeugen; beglaubigen; bsd. ⚔ vereidigen.

attic (ætik) Dachstube f.

attire (ə'taiə) **1.** (an)kleiden; schmücken; **2.** Gewand n.

attitude (ætitju:d) Stellung; Haltung; fig. Stellungnahme f.

attorney (ə'tə:ni) Anwalt m; power of ~ Vollmacht f; 2 General, Generalstaats(od. Kron-)anwalt m.

attract (ə'trækt) anziehen; fig. reizen; ~ion (ə'trækʃən) Anziehung(s-kraft) f; fig. Reiz; Zugartikel m; thea. Zugstück n; ~ive □ (⁓tiv) anziehend; reizend; zugkräftig; ~iveness (⁓tivnis) Reiz m.

attribute 1. (ə'tribju:t) beilegen, zuschreiben; **2.** ('ætribju:t) Attribu't n, Eigenschaft f, Merkmal n.

attune (ə'tju:n) (ab)stimmen.

auburn ('ɔ:bən) kastanienbraun.

auction ('ɔ:kʃən) **1.** Auktio'n f; sell by ~, put up for ~ versteigern; ~ off veräußern; **2.** versteigern (mst ~ off); ~eer (ɔ:kʃə'niə) Auktiona'tor m.

audaci|ous □ (ɔ:'deiʃəs) kühn, keck; b. s. dreist; ~ty (ɔ:'dæsiti) Kühnheit f; b. s. Dreistigkeit f.

audible □ ('ɔ:dəbl) hörbar.

audience ('ɔ:djəns) Gehör n (Anhören); Audie'nz f (of, with bei); Zuhörer(schaft f) m/pl., Publikum n.

audit ('ɔːdit) 1. Rechnungsprüfung *f*; 2. Rechnungen prüfen; **~or** ('ɔːditə) Hörer; Rechnungs-, Buchprüfer *m*.

auger ⊕ ('ɔːgə) *großer* Bohrer *m*.

augment (ɔːg'ment) vergrößern; **~ation** (ɔːgmen'teiʃən) Vermehrung, -größerung *f*; Zusatz *m*.

augur ('ɔːgə) 1. Augur *m*; 2. weissagen-sagen (*well* Gutes, *ill* Übles); **~y** ('ɔːgjuri) Prophezei'ung *f*; An-, Vor-zeichen *n*; Vorahnung *f*.

August ('ɔːgəst) *Monat* Augu'st *m*.

aunt (ɑːnt) Tante *f*.

auspic|e ('ɔːspis) Vorzeichen *n*; **~s** *pl*. Auspi'zien *n/pl*. (*Schutz, Leitung*); **~ious** □ (ɔː'spiʃəs) günstig.

auster|e (ɔːs'tiə) streng; herb; hart; einfach; **~ity** (ɔːs'teriti) Strenge; Härte; Einfachheit *f*.

Australian (ɔːs'treiljən) 1. australisch; 2. Australier(in).

Austrian ('ɔːstriən) 1. österreichisch; 2. Österreicher(in).

authentic (ɔː'θentik) (**~ally**) authentisch; glaubwürdig; zuverlässig.

author ('ɔːθə) Urheber(in); Autor (-in); Verfasser(in); **~itative** □ (ɔː'θɔriteitiv) maßgebend; behördlich; **~ity** (ɔː'θɔriti) Autorität *f*; (Amts-)Gewalt, Vollmacht *f*; Einfluß *m* (*over* auf *acc.*); Ansehen *n*; Glaubwürdigkeit; Quelle; Fachgröße; Behörde *f* (*mst pl.*); on the **~** of auf *j-s* Zeugnis hin; **~ize** ('ɔːθəraiz) *j.* autorisieren, bevollmächtigen; *et.* gutheißen, billigen.

autocar ('ɔːtəkɑː) Kraftwagen *m*.

autocra|cy (ɔː'tɔkrəsi) Autokratie *f*; **~tic(al)** □ (ɔːtə'krætik[əl]) autokratisch.

autogiro ⚙ ('ɔːtou'dʒaiərou Hubschrauber *m*. [*n*.]

autograph ('ɔːtəɡrɑːf) Autogra'mm]

automat|ic (ɔːtə'mætik) (**~ally**) automatisch (*Revolver*); **~** *machine Verkaufs*-Automa't *m*; **~on** (ɔː'tɔmətən) Automa't *m*.

automobile *bsd. Am.* ('ɔtəməbiːl) Automobi'l *n*.

autonomy (ɔː'tɔnəmi) Autonomie *f*.

autumn ('ɔːtəm) Herbst *m*; **~al** □ (ɔː'tʌmnəl) herbstlich; Herbst...

auxiliary (ɔːg'ziljəri) helfend; Hilfs...

avail (ə'veil) 1. nützen, helfen; **~** *o.s.* of sich *e-r S.* bedienen; 2. Nutzen *m*; of no **~** nutzlos; **~able** □ (ə'veiləbl) benutzbar; verfügbar;

---

pred. erhältlich, vorhanden; gültig.

avalanche ('ævəlɑːnʃ) Lawine *f*.

avaric|e ('ævəris) Geiz *m*; Habsucht *f*; **~ious** □ (ævə'riʃəs) geizig; habgierig.

aveng|e (ə'vendʒ) rächen, *et.* ahnden; **~er** (**~**ə) Rächer(in).

avenue (ə'vinjuː) Zugang *m* (*mst fig.*); Allee *f*; *Am.* Promena'de *f*.

aver (ə'vəː) behaupten.

average ('ævəridʒ) 1. Durchschnitt *m*; 2. □ durchschnittlich; Durchschnitts...; 3. □ durchschnittlich schätzen (*at* auf *acc.*); durchschnittlich betragen, arbeiten *usw.*

avers|e □ (ə'vəːs) abgeneigt (*to, from dat.*); widerwillig; **~ion** (ə'vəːʃən) Widerwille *m*.

avert (ə'vəːt) abwenden (*a. fig.*).

aviat|ion ⚙ (eivi'eiʃən) Fliegen; Flugwesen *n*; **~or** ('eivieitə) Flieger *m*.

avoid (ə'vɔid) (ver)meiden; *j-m* ausweichen; **~ance** (**~**əns) Meiden *n*.

avow (ə'vau) bekennen, (ein)gestehen; anerkennen; **~al** (**~**əl) Bekenntnis, (Ein-)Geständnis *n*.

await (ə'weit) erwarten (*a. fig.*).

awake (ə'weik) 1. wach, munter; **~** *to* sich *e-r S.* bewußt; 2. [*irr.*] *v/t.* (*mst* **~n**, ə'weikən) (er)wecken; *v/i.* erwachen; gewahr w. (*to* a th. et.).

award (ə'wɔːd) 1. Urteil *n*, Spruch *m*; Zuerkennung *f*; 2. zuerkennen, *Orden usw.* verleihen.

aware (ə'wɛə): be **~** wissen (*of* von *od. acc.*), sich bewußt sn (*of gen.*); become **~** of *et.* gewahr w., merken.

away (ə'wei) (hin)weg; fort; immer weiter, darauflos.

awe (ɔː) 1. Ehrfurcht, Scheu *f* (*of* vor *dat.*); 2. (Ehr-)Furcht einflößen (*dat.*).

awful □ (ɔːful) ehrfurchtgebietend; furchtbar; F *fig.* schrecklich.

awhile (ə'wail) e-e Weile.

awkward □ ('ɔːkwəd) ungeschickt, unbeholfen; linkisch; unangenehm.

awl (ɔːl) Ahle *f*, Pfriem *m*.

awning ('ɔːniŋ) Wagendecke, Plane *f*.

awoke (ə'wouk) (er)weckte; erwachte.

awry (ə'rai) schief; *fig.* verkehrt.

ax(e) (æks) Axt *f*.

axis ('æksis), *pl.* **axes** (**~**siːz) Achse *f*.

axle ⊕ ('æksl) Achsschenkel *m*; *weit S.* **~-tree** (Wagen-)Achse *f*.

ay(e) (ai) Ja *n*; *parl.* Stimme *f* für.

azure ('æʒə) azu'rn, azu'rblau.

B

babble ('bæbl) **1.** plappern; schwatzen; **2.** Geplapper; Geschwätz *n*.

baboon *zo.* (bə'bu:n) Pavian *m*.

baby ('beibi) **1.** Säugling *m*, kleines Kind, Kindchen *n*; **2.** Kinder...; klein; **~hood** ('beibihud) *früheste* Kindheit.

bachelor ('bætʃələ) Junggeselle; *univ.* Bakkalau're-us *m* (*Grad*).

back (bæk) **1.** Rücken *m*; Rückseite; Rücklehne *f*; Hinterende *n*; *Fußball*: Verteidiger *m*; **2.** *adj.* Hinter..., Rück...; hinter; rückwärtig; entlegen; rückläufig; rückständig; **3.** *adv.* zurück; **4.** *v/t.* mit e-m Rücken versehen; unterstü'tzen; hinten anstoßen an (*acc.*); *Pferd usw.* besteigen; zurückbewegen; wetten (*auf acc.*); † indossieren; *v/i.* rückwärts (*od.* zurück-)treten, (-)gehen *usw.*; **~bone** Rückgrat *n*; **~er** ('bækə) Unterstü'tzer(in); † Indossie'rer *m*; Wetter(in); **~ground** Hintergrund *m*; **~ing** ('bækiŋ) Unterstützung *f*; † Indossa'ment *n*; **~pedal** rückwärtstreten (*Radfahren*); **~ling brake** Rücktrittbremse *f*; **~side** Hinter-Rück-seite *f*; **~slide** (*irr. slide*) rückfällig w.; **~stairs** Hintertreppe *f*; **~stroke** Rückenschwimmen *n*; **~talk** *Am.* freche Antworten *f/pl.*; **~ward** ('bækwəd) **1.** *adj.* Rück(wärts)...; säumselig; zurückgeblieben, rückständig; zurückhaltend; **2.** *adv.* (*a.* **~wards**, **~z**) rückwärts, zurück; **~water** Stauwasser *n*; **~wheel** Hinterrad *n*.

bacon ('beikən) Speck *m*.

bacteri|ologist (bæktiəri'olədʒist) Bakteriolo'ge *m*; **~um** ('bæk'tiəriəm) *pl.* **~a** (ˌriə) Bakte'rie *f*.

bad □ (bæd) schlecht, böse, schlimm; falsch (*Münze*); faul (*Schuld*); *he is* **~ly off** er ist übel dran; *I* **~** *wounded* schwerverwundet; *F want* **~ly** dringend brauchen.

bade (beid, bæd) hieß, befahl.

badge (bædʒ) Ab-, Kenn-zeichen *n*.

badger ('bædʒə) **1.** *zo.* Dachs *m*; **2.** hetzen, plagen, quälen.

badness ('bædnis) schlechte Beschaffenheit; Schlechtigkeit *f*.

baffle ('bæfl) *j.* narren; *Plan usw.* vereiteln; hemmen.

bag (bæg) **1.** Beutel, Sack *m*; Tüte *f*; **2.** in e-n Beutel *usw.* tun, einsacken; *hunt.* zur Strecke bringen; (sich) bauschen.

baggage ('bægidʒ) Gepäck *n*; **~check** *Am.* Gepäckschein *m*.

bagpipe ('bægpaip) Dudelsack *m*.

bail (beil) **1.** Bürge *m*; Bürgschaft; Kauti'on *f*; ⚖ *admit to* **~** gegen Bürgschaft freilassen; **2.** bürgen für; **~ out** *j.* freibürgen.

bailiff ('beilif) Gerichtsdiener; (Guts-)Verwalter; Amtmann *m*.

bait (beit) **1.** Köder *m*; *fig.* Lockung *f*; **2.** *Falle usw.* beködern; *hunt.* hetzen; *fig.* quälen; reizen; **~ing** ('beitiŋ) Hetze *f*.

bak|e (beik) backen; braten; *Ziegel* brennen; (aus)dörren; **~er** (beikə) Bäcker *m*; **~ery** (ˌri) Bäckerei *f*; **~ing-powder** Backpulver *n*.

balance ('bæləns) **1.** Waage *f*; Gleichgewicht *n* (*a. fig.*); Ausgleich *m*; Unruhe *der Uhr*; † Bila'nz *f*; Saldo; *sl.* Rest *m*; **~** *of power* politisches Gleichgewicht; **~** *of trade* Handelsbilanz *f*; **2.** *v/t.* (ab-, er-)wägen; im Gleichgewicht halten; ausgleichen; † bilanzieren; saldieren; *v/i.* balanzieren; sich ausgleichen.

balcony ('bælkəni) Balko'n *m*.

bald (bɔːld) kahl; *fig.* nackt; dürftig.

bale † (beil) Ballen *m*.

balk (bɔːk) **1.** (Furchen-)Rain; Balken *m*; Hemmnis *n*; **2.** *v/t.* (ver)hindern; enttäuschen; vereiteln.

ball[1] (bɔːl) **1.** Ball *m*; Kugel *f*; (Hand-, Fuß-)Ballen *m*; *keep the* **~** *rolling* das Gespräch in Gang halten; **2.** (sich) (zs.-)ballen.

ball[2] (ˌ) Ball *m*, Tanzgesellschaft *f*.

ballad ('bæləd) Balla'de *f*; Lied *n*.

ballast ('bæləst) **1.** Ballast; 🚂 Schotter *m*; **2.** mit Ballast belasten; 🚂 beschottern, betten.

ball-bearing(s *pl.*) ⊕ Kugellager *n*.

ballet ('bælei) Balle'tt n.

balloon (bə'lu:n) 1. Ballon m; ~ist (~ist) Luft(ballon)-schiffer, -fahrer m.

ballot ('bælət) 1. Wahlzettel m; (geheime) Wahl, Wahlergebnis n; 2. (geheim) abstimmen; ~box Wahlurne f. [schreiber m.]

ballpoint (a. ~pen) Kugel-)
ball-room Ball-, Tanz-saal m.

balm (ba:m) Balsam; fig. Trost m.

balmy □ (ba:mi) balsa'misch (a. fig.). [m.]

baloney (bə'louni) Am. sl. Quatsch)

balsam ('bɔ:ləm) Balsam m.

balustrade (bæləstreid) Balustrade, Brüstung f; Geländer n.

bamboo (bæm'bu:) Ba'mbus m.

bamboozle F (~zl) beschwindeln.

ban (bæn) 1. Bann m; Acht f; (amtliches) Verbot; 2. verbieten.

banana (bə'nɑ:nə) Banane f.

band (bænd) 1. Band n; Streifen m; Schar; ♪ Kapelle f; 2. bändern; binden; ~ o.s. sich zs.-tun.

bandage ('bændidʒ) 1. Binde f; Verband m; 2. bandagieren; verbinden. [tel f.]

bandbox ('bændbɔks) Hutschach-)

bandit ('bændit) Bandi't m.

band-master ('bændmɑ:stə) Kapellmeister m.

bandy ('bændi) Worte usw. wechseln.

bane (bein) fig. Gift; Verderben n.

bang (bæŋ) 1. Knall m; Ponyfrisur f; 2. dröhnend (zu)schlagen.

banish ('bæniʃ) verbannen; ~ment (~mənt) Verbannung f.

banisters ('bænistəz) pl. Treppengeländer n.

bank (bæŋk) 1. Damm m; Ufer n; Bank f; ~ of issue Notenbank; ~ of circulation Girobank f; 2. v/t. eindämmen; ✝ Geld in die Bank legen; ≢ in die Kurve bringen; v/i. Bankgeschäfte m.; ein Bankkonto h.; ≢ in die Kurve gehen; ~ on sich verlassen auf (acc.); ~er Bankier m; ~ing ('bæŋkiŋ) 1. Bankgeschäft; Bankwesen n; 2. Bank...; ~rupt ('bæŋkrʌpt) 1. Bankrottier m; 2. bankro'tt; 3. Bankrott m; ~ruptcy ('bæŋkrʌptsi) Bankro'tt, Konku'rs m.

banner ('bænə) Banner n; Fahne f.

banns (bænz) pl. Aufgebot n.

banquet ('bæŋkwit) 1. Festmahl n; 2. festlich bewirten; tafeln.

banter ('bæntə) necken, hänseln.

baptism (bæp'tizm) Taufe f.

baptize (bæp'taiz) taufen.

bar (ba:) 1. Stange f; Stab; Barren; Riegel; ♪ Takt(strich) m; Spange; Bar f, Schenktisch m; Sandbank; ṛṭ Schranke f; Gericht n; Advokatu'r f; fig. Hindernis n; 2. verriegeln; (ver-, ab-)sperren; verwehren; einsperren; (ver)hindern; ausnehmen.

barb (ba:b) Widerhaken m; ~ed wire Stacheldraht m.

barbar|ian (ba:'bɛəriən) 1. barba'risch; 2. Barba'r(in); ~ous ('ba:bərəs) barba'risch; roh; grausam.

barbecue ('ba:bikju:) 1. Ganzbraten m; 2. im ganzen braten.

barber ('ba:bə) Barbie'r m.

bare (bɛə) 1. nackt, bloß; kahl; leer; arm, entblößt; 2. entblößen; ~faced □ ('bɛəfeist) frech; ~foot, ~footed barfuß; ~headed barhäuptig; ~ly ('bɛəli) kaum.

bargain ('ba:gin) 1. Geschäft n; Handel, Kauf m; vorteilhafter Kauf; 2. handeln, übere'inkommen.

barge (ba:dʒ) Flußkahn m; Hausboot n; ~man ('ba:dʒmən) Kahnführer m.

bark¹ (ba:k) 1. Borke, Rinde f; 2. abrinden; Haut abschürfen.

bark² (~) 1. bellen; 2. Bellen n.

bar-keeper Schankwirt m.

barley ('ba:li) Gerste; Graupe f.

barn (ba:n) Scheune f.

baron ('bærən) Baro'n, Freiherr m; ~ess (~is) Baro'nin f.

barrack(s pl.) ('bærək,-s) Kase'rne f.

barrage ('bæra:ʒ) Staudamm m.

barrel ('bærəl) 1. Faß n, Tonne f; Gewehr- usw. Lauf m; ⊕ Trommel, Walze f; 2. in Fässer füllen.

barren □ ('bærən) unfruchtbar; dürr, trocken; tot (Kapital).

barricade (bæri'keid) 1. Barrikade f; 2. verbarrikadieren; sperren.

barrier ('bæriə) Schranke (a. fig.) Barrie're, Sperre f; Hindernis n.

barrister ('bæristə) (plädierender) Rechtsanwalt, Barrister m.

barrow ('bærou) Trage; Karre f.

barter ('ba:tə) 1. Tausch(handel) m; 2. tauschen (for gegen); schachern.

base¹ □ (beis) gemein; unecht.

base² (~) 1. Basis; Grundlage f; Fundame'nt n; Fuß m; ⚮ Base f; Stützpunkt m; 2. gründen, stützen.

base|-ball Am. Art Schlagballspiel; **~less** ('beislis) grundlos; **~ment** (~mənt) Fundame'nt n; Kellergeschoß n.

baseness ('beisnis) Gemeinheit f.

bashful □ ('bæfful) schüchtern.

basic ('beisik) (~ally) grund-legend, -ständig; Grund...; **†** basisch.

basin (beisn) Becken n; Schüssel f; Tal-, Wasser- usw. becken n.

bas|is (beisis), pl. **~es** (~i:z) Basis; Grundlage f; ✕, **⚓** Stützpunkt m.

bask (bɑ:sk) sich wärmen.

basket ('bɑ:skit) Korb m; **~ball** Korbball(spiel n) m.

bass ♪ (beis) Baß m.

basso ♪ ('bæsou) Baß(sänger) m.

bastard ('bæstəd) 1. □ unehelich; unecht; Bastard...; 2. Bastard m.

baste¹ (beist) Braten begießen.

baste² (~) lose nähen, (an)heften.

bat¹ (bæt) Fledermaus f.

bat² (~) Sport: 1. Schlagholz n; Schläger m; 2. den Ball schlagen.

batch (bætʃ) Schub Brote (a. fig.); Stoß m Briefe usw. (a. fig.).

bath (bɑ:θ) 1. Bad n; 2. baden.

bathe (beið) baden.

bathing ('beiðiŋ) Baden, Bad n; Bade...; **~hut** Strandkorb m; **~suit** Badeanzug m.

bath|-room Badezimmer n; **~sheet** Badelaken n; **~towel** Badetuch n.

batiste **†** (bæ'ti:st) Batist m.

baton ('bætən) Stab; Taktstock m.

battalion (bə'tæljən) Bataillo'n m.

batter ('bætə) 1. Sport: Schläger; Schlagteig m; 2. heftig schlagen; verbeulen; **~** down od. in Tür einschlagen; **~y** (~ri) Schlägerei; Batterie' f; assault and **~** tätlicher Angriff.

battle (bætl) 1. Schlacht f (of bei); 2. streiten, kämpfen; **~ax(e)** Streitaxt; Am. fig. Xanti'ppe f.

battle|-field Schlachtfeld n; **~plane** ✕ Schlachtflugzeug n; **~ship** ✕ Schlachtschiff n.

bawdy ('bɔ:di) unzüchtig.

bawl (bɔ:l) brüllen; johlen, grö(h)len; **~** out auf-, los-brüllen.

bay¹ (bei) 1. rotbraun; 2. Braune(r) (Pferd) m.

bay² (~) Bai, Bucht f.

bay³ (~) Lorbeer m.

bay⁴ (~) 1. bellen, anschlagen; 2. bring to **~** Wild usw. stellen.

bayonet ✕ ('beiənit) 1. Baione'tt n; 2. mit dem B. niederstoßen.

bay-window ('bei'windou) Erkerfenster n; Am. Vorbau m (Bauch).

baza(a)r (bə'zɑː) Basar m.

be (bi:, bi) [irr.]: a) sein; there is, are es gibt; here you are again! da haben wir's wieder!; **~** about beschäftigt sn mit; **~** at s. th. et. vorhaben; **~** off aus sn; sich fortmachen; b) v/aux. **~** reading beim Lesen sn, gerade lesen; I am to inform you ich soll Ihnen mitteilen; c) v/aux. mit p.p. zur Bildung des Passivs: werden.

beach (bi:tʃ) 1. Strand m; 2. **⚓** auf den Strand setzen od. ziehen.

beacon ('bi:kən) Feuerzeichen; Leuchtfeuer n, Leuchtturm m.

bead (bi:d) Perle f; Tropfen m; Kügelchen n; **~s** pl. a. Rosenkranz m.

beak (bi:k) Schnabel m; Tülle f.

beam (bi:m) 1. Balken; Waagebalken; Strahl; Radio: Richtstrahl m; 2. (aus)strahlen.

bean (bi:n) Bohne f.

bear¹ (bɛə) Bär; **†** sl. Baissie'r m.

bear² (~) [irr.] v/t. tragen; hervorbringen, gebären; Liebe usw. hegen; ertragen; **~** down überwä'ltigen; **~** out unterstü'tzen, bestätigen; v/i. tragen; fruchtbar, trächtig sn; leiden, dulden; **~** up standhalten, fest bleiben; **~** (up)on einwirken auf (acc.); bring to **~** zur Anwendung bringen, einwirken lassen, Druck usw. ausüben.

beard (biəd) 1. Bart m; **♀** Granne f; 2. v/t. j-m entgegentreten, trotzen.

bearer ('bɛərə) Träger(in); Überbri'nger(in), Wechsel-Inhaber(in).

bearing ('bɛəriŋ) Tragen; Ertragen; Betragen n; Beziehung; Richtung f.

beast (bi:st) Vieh, Tier n; Bestie f; **~ly** (~li) viehisch; scheußlich.

beat (bi:t) 1. [irr.] v/t. schlagen; prügeln; besiegen, übertre'ffen; **~** a retreat den Rückzug antreten; **~** up auftreiben; v/i. schlagen; **~** about the bush auf den Busch klopfen; 2. Schlag; Takt- usw. schlag m; Runde f, Revier n e-s Schutzmannes usw.; **~en** (bi:tn) geschlagen; (aus)getreten (Weg).

beatitude (bi'ætitju:d) (Glück-) Seligkeit f.

beau (bou) Stutzer; Anbeter m.

beautiful □ ('bju:tiful) schön.

beautify ('bju:tifai) verschönern.

beauty ('bju:ti) Schönheit f.

beaver ('bi:və) Biber m.

because (bi'kɔz) weil; ~ of wegen.

beckon ('bekən) (j-m zu)winken.

becom|e (bi'kʌm) [irr. (come)] v/i. werden (of aus); v/t. anstehen, ziemen (dat.); sich passen (od. schicken) für; ~ing □ (~iŋ) passend; schicklich; kleidsam.

bed (bed) 1. Bett; Lager e-s Tieres; ♂ Beet n; Schicht f; 2. betten.

bed-clothes pl. Bettücher n/pl.

bedding ('bediŋ) Bettzeug n.

bedevil (bi'devl) behexen; quälen.

bed|rid(den) bettlägerig; ~room Schlafzimmer n; ~spread Zier-Bettdecke f; ~stead Bettstelle f; ~time Schlafenszeit f.

bee (bi:) Biene f; F have a ~ in one's bonnet e-n Vogel haben.

beech & (bi:tʃ) Buche f; ~nut Buchecker f.

beef (bi:f) Rindfleisch n; ~tea Fleischbrühe f; ~y (bi:fi) fleischig; kräftig.

bee|hive Bienen-korb, -stock m; ~line Luftlinie f.

been (bi:n, bin) gewesen.

beer (bi:) Bier n; small ~ Dünnbier n.

beet & (bit) (Runkel-)Rübe, Beete f.

beetle (bi:tl) Käfer m.

befall (bi'fɔ:l) [irr. (fall)] v/t. zustoßen (dat.); v/i. sich ereignen.

befit (bi'fit) sich schicken für.

before (bi'fɔ:) 1. adv. Raum: vorn; voran; Zeit: vorher, früher; schon (früher); 2. cj. bevor, ehe, bis; 3. prp. vor; ~hand zuvor; voraus (with dat.). [lich erweisen.]

befriend (bi'frend) sich j-m freund-)

beg (beg) v/t. et. erbetteln; erbitten (of von); j. bitten; ~ the question um den Kern der Frage herumgehen; v/i. betteln; bitten; betteln gehen; sich gestatten.

began (bi'gæn) begann.

beget (bi'get) [irr. (get)] (er)zeugen.

beggar ('begə) 1. Bettler(in) f; F Kerl m; 2. zum Bettler machen; fig. übertre'ffen; it ~s all description es spottet jeder Beschreibung.

begin (bi'gin) [irr.] beginnen (at bei; mit); ~ner (~ə) Anfänger(in); ~ning (~iŋ) Beginn, Anfang m.

begot(ten) (bi'gɔt[n]) erzeugte; erzeugt.

begrudge (bi'grʌdʒ) mißgönnen.

beguile (bi'gail) täuschen; betrügen ([out] of um); Zeit vertreiben.

begun (bi'gʌn) begonnen.

behalf (bi'hɑ:f): on od. in ~ of im Namen von; um ... (gen.) willen.

behav|e (bi'heiv) sich benehmen; ~iour (~jə) Benehmen, Betragen n.

behead (bi'hed) enthaupten.

behind (bi'haind) 1. adv. hinten; dahinter; zurück; 2. prp. hinter.

behold (bi'hould) [irr. (hold)] 1. erblicken; 2. siehe da!

behoof (bi'hu:f): to (for, on) (the) ~ of in j-s Interesse, um j-s willen.

being (bi:iŋ) (Da-)Sein; Wesen n; in ~ lebend; wirklich (vorhanden).

belated (bi'leitid) verspätet.

belch (beltʃ) 1. rülpsen; ausspeien; 2. Rülpsen n; Ausbruch m. [m.]

belfry ('belfri) Glocken-turm, -stuhl)

Belgian ('beldʒən) 1. belgisch; 2. Belgier(in).

belief (bi'li:f) Glaube m (in an acc.).

believable (bi'li:vəbl) glaubhaft.

believe (bi'li:v) glauben (in an acc.); ~r (~ə) Gläubige(r).

belittle (bi'litl) fig. verkleinern.

bell (bel) Glocke; Klingel f.

belle (bel) Schöne, Schönheit f.

belles-lettres ('bel'letr) pl. Belletri'stik, schöne Litera'tur f.

bellied ('belid) bauchig.

belligerent (bi'lidʒərənt) 1. kriegführend; 2. Kriegführende(r) m.

bell-mouth Schalltrichter m.

bellow ('belou) 1. brüllen; 2. Gebrüll n; ~s (~z) pl. Blasebalg m.

belly ('beli) 1. Bauch m; 2. (sich) bauchen; (an)schwellen.

belong (bi'lɔŋ) (an)gehören; ~ to sich gehören für; j-m gebühren; ~ings (~iŋz) pl. Habseligkeiten f/pl.

beloved (bi'lʌvid, pred. bi'lʌvd) 1. geliebt; 2. Geliebte(r).

below (bi'lou) 1. adv. unten; 2. prp. unter.

belt (belt) 1. Gürtel m; ✗ Koppel n; Zone f, Bezirk; ⊕ Treibriemen m; 2. umgür'ten. [klagen.]

bemoan (bi'moun) betrauern, be-)

bench (bentʃ) Bank; Richterbank f; Gerichtshof; Arbeitstisch m.

bend (bend) 1. Biegung, Kurve f; ♫ Stich m; 2. [irr.] (sich) biegen; Geist usw. richten (to, on auf acc.); (sich) beugen; sich neigen (to vor dat.).

beneath (bi'ni:θ) = below.

benediction (beni'dikʃən) Segen m.
benefact|ion (ˌ'fækʃən) Wohltat f;
~**or** ('benifæktə) Wohltäter m.
benefice|nce (bi'nefisns) Wohltätig-
keit f; ~**nt** ☐ wohltätig.
beneficial ☐ (beni'fiʃəl) wohl-
tuend; zuträglich; nützlich.
benefit ('benifit) 1. Wohltat f;
Nutzen, Vorteil m; Wohltätigkeits-
veranstaltung; *Wohlfahrts*-Unter-
stützung f; 2. nützen; begünstigen;
Nutzen ziehen.
benevolen|ce (bi'nevələns) Wohl-
wollen n; ~**t** ☐ (ˌənt) wohlwollend;
gütig, mildherzig.
benign ☐ (bi'nain) freundlich;
gütig; zuträglich; ✻ gutartig.
bent (bent) 1. bog; gebogen; ~ on
versessen auf (acc.); 2. Hang m;
Neigung f.
benz|ene, ~ine (ben'zi:n) Benzin n.
bequeath (bi'kwi:ð) vermachen.
bequest (bi'kwest) Vermächtnis n.
bereave (bi'ri:v) [irr.] berauben.
berry ('beri) Beere f.
berth ⚓ (bə:θ) Ankergrund m;
Koje f; fig. (gute) Stelle.
beseech (bi'si:tʃ) [irr.] ersuchen;
bitten; um et. bitten; flehen.
beset (bi'set) [irr. (set)] besetzen;
umla'gern; bedrängen.
beside (bi'said) prp. neben; weitab
von; ~ o.s. außer sich (with joy);
~ the question nicht zur Sache gehörig; ~s (ˌz) 1. adv. außerdem;
2. prp. abgesehen von, außer.
besiege (bi'si:dʒ) belagern.
besmear (bi'smiə) beschmieren.
besom ('bi:zəm) (Reisig-)Besen m.
besought (bi'sɔ:t) ersuchte; ersucht.
bespatter (bi'spætə) (be)spritzen.
bespeak (bi'spi:k) [irr. (speak)]
vorher bestellen; verraten; ankündigen; *bespoke tailor* Maß-
schneider m.
best (best) 1. adj. best; ~ man
Brautführer m; 2. adv. am besten,
aufs beste; 3. Beste m, n, f, Besten
pl.; to the ~ of ... nach bestem ...;
make the ~ of tun, was man kann,
mit; at ~ im besten Falle.
bestial ☐ ('bestjəl) tierisch, viehisch.
bestow (bi'stou) geben, schenken,
verleihen (upon dat.).
bet (bet) 1. Wette f; 2. [irr.] wetten.
betake (bi'teik) [irr. (take)]: ~ o.s. to
sich begeben nach; fig. s-e Zuflucht
nehmen zu.

bethink (bi'θiŋk) [irr. (think)]: ~
o.s. sich besinnen (of auf acc.); ~ o.s.
to inf. sich in den Kopf setzen zu inf.
betray (bi'trei) verraten; verleiten;
~**er** (ˌə) Verräter(in).
betrothal (bi'trouðəl) Verlobung f.
better (b'etə) 1. adj. besser; he is ~
es geht ihm besser; 2. Bessere(s) n,
Vorteil m; ~s pl. Höherstehende(n)
pl.; get the ~ of die Oberhand gewinnen über (acc.); 3. adv. besser;
mehr; so much the ~ desto besser;
you had ~ go du tätest besser zu
gehen; 4. v/t. (ver)bessern; v/i. sich
bessern; ~**ment** (ˌmənt) Verbesserung f.
between (bi'twi:n) 1. adv. da-
zwischen; 2. prp. zwischen, unter.
beverage ('bevəridʒ) Getränk n.
bevy ('bevi) Schwarm m; Schar f.
bewail (bi'weil) beklagen.
beware (bi'weə) sich hüten (of vor).
bewilder (bi'wildə) irremachen;
verwirren; bestürzt m.; ~**ment**
(ˌmənt) Verwirrung; Bestürzung f.
bewitch (bi'witʃ) bezaubern, b. s.
behexen.
beyond (bi'jɔnd) 1. adv. darüber
hinaus; 2. prp. jenseits, über (...
hinaus); mehr als; außer.
bias ('baiəs) 1. schief, schräg;
2. Schräge; Neigung f; Vorurteil n;
3. neigen; beeinflussen.
bib (bib) (Sabber-)Lätzchen n.
Bible (baibl) Bibel f.
biblical ☐ ('biblikəl) biblisch;
Bibel...
bicarbonate ⚗ (bai'kɑ:bənit): ~ of
soda doppeltkohlensaures Natron.
bicker ('bikə) zanken; flackern;
plätschern; prasseln.
bicycle ('baisikl) 1. Fahrrad n;
2. radfahren, radeln.
bid (bid) 1. [irr.] heißen, befehlen;
bieten; ~ fair versprechen; ~ farewell Lebewohl sagen; 2. Gebot,
Angebot n; Am. F Einladung f.
bide (baid) s-e Zeit abwarten.
biennial (bai'enjəl) zweijährig.
bier (biə) (Toten-)Bahre f.
big (big) groß; dick; schwanger; fig.
wichtig(tuerisch); F fig. ~ shot
Kano'ne f; Bonze m; talk ~ große
Reden schwingen.
bigamy ('bigəmi) Doppelehe f.
bigot ('bigət) Blindgläubige(r); blinder Anhänger; ~**ry** (ˌri) Blind-
gläubigkeit f.

bigwig F ('bigwig) hohes Tier (*P.*).
bike F (baik) (Fahr-)Rad *n*.
bile (bail) Galle *f* (*fig.* = *Ärger*).
bilious □ ('biljəs) *fig.* gallig.
bill¹ (bil) Schnabel *m*; Spitze *f*.
bill² (~) 1. Klage-, Rechts-schrift *f*, Schriftstück *n*; Gesetzentwurf; ✝ Wechsel (*a.* ~ *of exchange*); Zettel *m*; Rechnung *f*; ~ *of fare* Speisekarte *f*; ~ *of lading* Seefrachtschein *m*; ᴕᴵᴸ ~ *of sale* Verkaufsbrief *m*; 2. ankündigen.
billfold Geldschein-, Brief-tasche *f*.
billiards ('biljədz) *pl.* Billiard(spiel) *n*. [lia'rde *f*.]
billion ('biljən) Billio'n; *Am.* Mil-]
billow ('bilou) 1. Woge *f* (*a. fig.*); 2. wogen; ~y ('bloui) wogend.
bin (bin) Kasten, Behälter *m*.
bind (baind) [*irr.*] 1. *v/t.* (an-, ein-, um-, auf-, fest-, ver-)binden; verpflichten; *Handel* abschließen; *Saum* einfassen; 2. *v/i.* binden; ~er ('baində) Binder *m*; Binde *f*; ~ing (~iŋ) 1. bindend; 2. Binden *n*; Einband *m*; Einfassung *f*.
binocular (bai'nɔkjulə) Fern-, Opern-glas *n*.
biography (bai'ɔgrəfi) Biographie' *f*.
biology (bai'ɔlədʒi) Biologie' *f*.
birch (bəːtʃ) 1. ♀ (*od.* ~*tree*) Birke, Rute *f*; 2. mit der Rute züchtigen.
bird (bəːd) Vogel *m*; ~'s-eye ('bəːdzai): ~ *view* Vogelperspekti've *f*.
birth (bəːθ) Geburt *f*; Ursprung *m*; Entstehung; Herkunft *f*; *bring to* ~ entstehen lassen, veranlassen; ~**day** Geburtstag *m*; ~**place** Geburtsort *m*.
biscuit ('biskit) Zwieback *m*; Keks *m* (*n*); *Art* Porzella'n *n*.
bishop ('biʃəp) Bischof; Läufer *m* *im Schach*; ~**ric** (~rik) Bistum *f*.
bison ('baisn) *zo.* Wi'sent *m*.
bit (bit) 1. Bißchen, Stückchen; Gebiß *n am Zaum*; Schlüsselbart *m*; zäumen; zügeln; 2. biß.
bitch (bitʃ) Hündin *f*; V Hure *f*.
bite (bait) 1. Beißen *n*; Biß; Bissen *m*; ⊕ Fassen *n*; 2. [*irr.*] (an)beißen; brennen (*Pfeffer*); schneiden (*Kälte*); ⊕ fassen; *fig.* verletzen.
bitten ('bitn) gebissen.
bitter ('bitə) □ bitter; streng; *fig.* verbittert; ~s *pl.* (~z) Magenbitter
blab F (blæb) (aus)schwatzen. [*m.*]
black (blæk) 1. □ schwarz; dunkel;

finster; 2. schwärzen; wichsen; ~ *out* verdunkeln; 3. Schwarz *n*; ~**berry** Brombeere *f*; ~**bird** Amsel *f*; ~**board** Wandtafel *f*; ~**en** ('blækn) *v/t.* schwärzen; anschwärzen; *v/i.* schwarz w.; ~**guard** ('blæga:d) 1. Lump, Schuft *m*; 2. □ schuftig; ~**head** ♂ Mitesser *m*; ~**ing** ('blækiŋ) Schuhwichse *f*; ~**ish** □ ('blækiʃ) schwärzlich; ~**leg** Betrüger *m*; ~**letter** *typ.* Fraktu'r *f*; ~**mail** 1. Erpressung *f*; 2. *j-n* erpressen; ~**ness** (~nis) Schwärze *f*; ~**out** Verdunkelung *f*; ~**smith** Grobschmied *m*.
bladder ('blædə) *anat.* Blase *f*.
blade (bleid) Blatt *n*, ♀ Halm *m*; *Säge-, Schulter- usw.* Blatt *n*; Klinge *f*.
blame (bleim) 1. Tadel *m*; Schuld *f*; 2. tadeln; *be to* ~ *for* schuld sn *an* (*dat.*); ~**ful** (bleimful) tadelnswert; ~**less** □ ('bleimlis) tadellos.
blanch (blɑːntʃ) bleichen; erbleichen (m.); ~ *over* beschönigen.
bland □ (blænd) mild, sanft.
blank (blæŋk) 1. □ blank; leer; unausgefüllt; unbeschrieben; ✝ Blanko...; reimlos; verdutzt; ᴕᴵᴸ ~ *cartridge* Platzpatro'ne *f*; 2. Weiße *n*; Leere *f*; leerer Raum; Lücke *f*; unbeschriebenes Blatt, Blankoformular *n*; Niete *f*.
blanket ('blæŋkit) 1. Wolldecke *f*; 2. (mit e-r Wolldecke) zudecken.
blare (blɛə) schmettern; ausposaunen.
blasphem|e (blæs'fiːm) lästern (*against* über *acc.*); ~**y** ('blæsfimi) Gotteslästerung *f*.
blast (blɑːst) 1. Windstoß; Luftzug; Trompetenstoß *m*; ⊕ Gebläse(luft *f*) *n*; Luftdruck *e-r Explosion*; ♀ Meltau *m*; 2. (in die Luft) sprengen; ver-trocknen, -sengen; *fig.* vernichten; ~**furnace** ⊕ Hochofen *m*.
blaze (bleiz) 1. *lodernde* Flamme, Lohe *f*; Ausbruch *m*; Licht(schein *m*) *n*; Blesse *f* (*des Pferdes*); 2. *v/i.* flammen, lodern; leuchten; *v/t.* ausposaunen; ~**r** ('bleizə) Sportjacke *f*.
blazon ('bleizn) Wappen(kunde *f*) *n*.
bleach (bliːtʃ) bleichen.
bleak □ (bliːk) öde, kahl; rauh.
blear (bliə) 1. trüb; 2. trüben; ~**eyed** ('bliəraid) triefäugig.

3

bleat (bli:t) 1. Blöken n; 2. blöken.
bleb (bleb) Bläs·chen n, Pustel f.
bleed (bli:d) [irr.] 1. v/i. bluten; 2. v/t. zur Ader lassen; ~ing ('bli:diŋ) Bluten n; Aderlaß m.
blemish ('blemiʃ) 1. Fehler; Makel m, Schande f; 2. verunstalten; brandmarken.
blench (blentʃ) zurückschrecken.
blend (blend) 1. (sich) (ver)mischen; Wein usw. verschneiden; 2. Mischung f; ✝ Verschnitt m.
bless (bles) segnen; preisen; beglücken; ~ed (~) (p.p. blest) adj. 'blesid) glückselig; gesegnet; ~ing ('blesiŋ) Segen m.
blew (blu:) blühte; blies.
blight (blait) 1. ✿ Meltau; fig. Gifthauch m; 2. vernichten.
blind □ (blaind) 1. blind (fig. to gegen); geheim; nicht erkennbar; ~ alley Sackgasse f; ~ly fig. blindlings; 2. Blende f; (Fenster-)Vorhang m, Jalousie f; Vorwand m; 3. blenden; verblenden (to gegen); abblenden; ~fold ('blaindfould) j-m die Augen verbinden.
blink (bliŋk) 1. Blinzeln n; Schimmer m; 2. v/i. blinzeln; blinken; schimmern; v/t. absichtlich überse'hen.
bliss (blis) Seligkeit, Wonne f.
blister ('blistə) 1. Haut-Blase f; Zugpflaster n; 2. Blasen bekommen od. ziehen (auf dat.).
blizzard ('blizəd) Schneesturm m.
bloat (blout) aufblasen; aufschwellen; ~er ('bloutə) Bückling m.
block (blɔk) 1. (Häuser-, Schreib-usw.) Block; Klotz m; Hindernis n, Stockung; Sperrung f; 2. ~ in entwerfen, skizzieren; (mst ~ up) (ab-, ver-)sperren; blockieren.
blockade (blɔ'keid) 1. Blockade f; 2. blockieren.
blockhead ('blɔkhed) Dummkopf m.
blond(e f) (blɔnd) 1. blond; 2. Blondine f.
blood (blʌd) Blut n; in cold ~ kalten Blutes; ~-horse Vollblutpferd n; ~shed Blutvergießen n; ~shot blutunterlaufen; ~thirsty blutdürstig; ~-vessel Blutgefäß n; ~y □ ('blʌdi) blutig; blutdürstig.
bloom (blu:m) Blume, Blüte f; Reif auf Früchten, fig. Schmelz m; 2. (er)blühen. [2. blühen.]
blossom ('blɔsəm) 1. Blüte f;

blot (blɔt) 1. Klecks m; fig. Makel m; 2. beklecksen, beflecken; klecksen; (ab)löschen; ausstreichen.
blotch (blɔtʃ) Pustel f; Fleck m.
blotter ('blɔtə) Löscher m.
blotting-paper Löschpapier n.
blouse (blauz) Bluse f.
blow[1] (blou) Schlag, Stoß m.
blow[2] (~) [irr.] 1. blühen; 2. Blüte f.
blow[3] (~) [irr.] 1. v/i. blasen; wehen; schnaufen; (er)schallen; ~ up in den Luft fliegen; v/t. (an-, auf-)blasen; wehen; ⚡ durchbrennen; ~ one's nose sich die Nase putzen; ~ up sprengen; 2. Blasen, Wehen n; ~er ('blouə) Bläser m; ~-out mot. Reifenpanne f; ~-pipe Lötrohr n.
bludgeon ('blʌdʒən) Knüppel m.
blue (blu:) 1. □ blau; F trüb, schwermütig; 2. Blau n; ~s pl. Trübsinn m; 3. blau färben; blauen.
bluff (blʌf) 1. □ schroff; steil; derb; 2. Steilufer n; Irreführung f; 3. bluffen, irreführen.
bluish ('blu:iʃ) bläulich.
blunder ('blʌndə) 1. Fehler, Schnitzer m; 2. e-n Fehler machen; stolpern; stümpern; verpfuschen.
blunt (blʌnt) 1. □ stumpf (a. fig.); plump, grob, derb; 2. abstumpfen.
blur (blə:) 1. Fleck(en) m; fig. Verschwommenheit f; 2. v/t. beflecken; verwischen; Sinn trüben.
blush (blʌʃ) 1. Schamröte f; Erröten n; flüchtiger Blick; 2. erröten; (sich) röten.
bluster ('blʌstə) 1. Brausen, Getöse n; Prahlerei f; 2. brausen; prahlen.
boar (bɔ:) Eber; hunt. Keiler m.
board (bɔ:d) 1. Brett n; Pappe f; Tisch m; Tafel, Beköstigung f; Rat, Ausschuß m, Behörde f; Amt n; ⚓ Bord m; Am. ♀ of Trade Industrie- und Handelskammer f; 2. v/t. dielen, verschalen; beköstigen; an Bord gehen; ⚓ entern; v/i. in Kost sn; ~er ('bɔ:də) Kostgänger(in); ~ing-house Pensio'n f.
boast (boust) 1. Prahlerei f; 2. (of, about) sich rühmen (gen.), prahlen (mit); ~ful □ ('boustful) prahlerisch.
boat (bout) Boot, Dampfboot n; ~ing ('boutiŋ) Bootfahrt f.
bob (bɔb) 1. Quaste f; Ruck, Knicks; Bubikopf m; 2. v/t. Haar stutzen; v/i. springen; tanzen; knicksen.

bobbin ('bɔbin) Spule f (a. *f*).
bode (boud) prophezeien.
bodice ('bɔdis) Mieder n; Taille f.
bodily ('bɔdili) körperlich.
body ('bɔdi) Körper, Leib; Leichnam m; Körperschaft f; Hauptteil m; mot. Karosserie' f; ✕ Korps n.
bog (bɔg) 1. Sumpf m, Moor n; 2. im Schlamm versinken.
boggle ('bɔgl) stutzen; pfuschen.
bogus ('bougəs) unecht; Schwindel...
boil (bɔil) 1. kochen, sieden; (sich) kondensieren; 2. Sieden n; Beule f, Geschwür n; **~er** ('bɔilə) (Dampf-) Kessel m.
boisterous □ ('bɔistərəs) ungestüm; heftig; lärmend.
bold □ (bould) kühn, keck; dreist; steil; typ. fett; **~ness** ('bouldnis) Kühnheit usw.; Dreistigkeit f.
bolster ('boulstə) 1. Kissen n; Unterlage f; 2. polstern; (unter-) stü'tzen.
bolt (boult) 1. Bolzen; Riegel; Blitz (-strahl) m; Ausreißen n; 2. v/t. verriegeln; ✝ hinunterschlingen; sieben; v/i. eilen; durchgehen (Pferd); **~er** ('boultə) Ausreißer(in).
bomb (bɔm) 1. Bombe f; 2. mit Bomben belegen.
bombard (bɔm'ba:d) bombardieren.
bombastic (bɔm'bæstik) schwülstig.
bomb-proof bombensicher.
bond (bɔnd) Band f; Fessel f; Schuldschein m; ✝ Obligatio'n f; ✝ in ~ unter Zollverschluß f; **~age** ('bɔndidʒ) Hörigkeit; Knechtschaft f; **~(s)man** ('bɔnd(z)mən) Leibeigene(r) m.
bone (boun) 1. Knochen m; Gräte f; ~ of contention Zankapfel m; F make no ~s about nicht lange fackeln mit; 2. die Knochen auslösen; aus-, ent-gräten.
bonfire ('bɔnfaiə) Freudenfeuer n.
bonnet ('bɔnit) Kappe; Mütze; mot. Haube f.
bonus ✝ ('bounəs) Prämie; Gratifikatio'n; Zulage f.
bony ('bouni) knöchern; knochig.
booby ('bu:bi) Tölpel m.
book (buk) 1. Buch, Heft n; Liste f; Block m; 2. buchen; eintragen; Fahrkarte usw. lösen; e-n Platz usw. bestellen; Gepäck aufgeben; **~-case** Bücherschrank m; **~ing-clerk** ('bukiŋkla:k) Schalterbeamte(r) m;

~ing-office Fahrkarten-ausgabe f, -schalter m; thea. Kasse f; **~-keeping** Buchführung f; **~let** ('buklit) Büchlein n; Broschüre f; **~seller** Buchhändler m.
boom¹ (bu:m) 1. ✝ Aufschwung m, Hochkonjunktu'r, Hausse; Mache f, Rummel m; 2. in die Höhe treiben od. gehen.
boom² (~) brummen; dröhnen.
boon¹ (bu:n) Segen m, Wohltat f.
boon² (~) freundlich, munter.
boor (buə) fig. Bauer, Lümmel m; **~ish** □ ('buəriʃ) bäuerisch, lümmel-, flegel-haft.
boost (bu:st) heben; Reklame m.
boot¹ (bu:t): to ~ obendrein.
boot² (~) Stiefel m.
booth (bu:ð) (Markt- usw.) Bude f.
bootlegger ('bu:tlegə) Am. Alkoholschieber m.
booty ('bu:ti) Beute f, Raub m.
border ('bɔ:də) 1. Rand, Saum m; Grenze; Einfassung f; 2. einfassen; grenzen (upon an acc.).
bore¹ (bɔ:) 1. Bohrloch; Kaliber n; fig. langweiliger Mensch; Plage f; 2. bohren; langweilen; plagen.
bore² (~) trug.
born (bɔ:n) geboren; **~e** (~) getragen.
borough ('bʌrə) Marktflecken m; municipal ~ Stadtgemeinde f.
borrow ('bɔrou) borgen, entleihen.
bosom ('buzəm) Busen; fig. Schoß m.
boss F (bɔs) 1. Meister, Chef; pol. Bonze m; 2. leiten; **~y** Am. ('bɔsi) bonzenhaft; herrisch.
botany ('bɔtəni) Bota'nik f.
botch (bɔtʃ) 1. Flicken m; Flickwerk n; 2. flicken; verpfuschen.
both (bouθ) beide(s); ~ ... and sowohl ... als (auch).
bother F ('bɔðə) 1. Plage f; 2. (sich) plagen, (sich) quälen.
bottle (bɔtl) 1. Flasche f; 2. auf Flaschen ziehen.
bottom ('bɔtəm) 1. Boden; Grund m; Grundfläche f, Fuß m, Ende n; F Hosenboden m; fig. Wesen n, Kern m; at the ~ ganz unten; fig. im Grunde; 2. unterste.
bough (bau) Ast, Zweig m.
bought (bɔ:t) kaufte, gekauft.
boulder ('bouldə) Geröllblock m.
bounce (bauns) 1. Sprung, Rückprall m; F Aufschneiderei f; Auftrieb m; 2. (hoch)springen; abprallen; F aufschneiden.

3*

bound¹ (baund) **1.** band; gebunden; **2.** *adj.* verpflichtet; bestimmt, unterwegs (*for* nach).

bound² (˷) **1.** Grenze, Schranke *f*; **2.** begrenzen; beschränken.

bound³ (˷) **1.** Sprung *m*; **2.** (hoch-)springen; an-, ab-prallen.

boundary ('baundəri) Grenze *f*.

boundless □ (˷lis) grenzenlos.

bounteous ('bauntiəs), **bountiful** □ ('bauntiful) freigebig; reichlich.

bounty ('baunti) Freigebigkeit; Spende; † Prämie *f*.

bouquet ('bukei) Buke't *n*; Strauß *m*; Blume *f* des *Weines*.

bout (baut) *Fecht*-Gang *m*; *Tanz*-Tour *f*; ✗ Anfall *m*; Kraftprobe *f*.

bow¹ (bau) **1.** Verbeugung *f*; ⚓ Bug *m*; **2.** *v/i.* sich (ver)beugen; *v/t.* biegen; beugen.

bow² (bou) **1.** Bogen *m*; Schleife *f*; **2.** geigen.

bowels ('bauəlz) *pl.* Eingeweide; *das* Innere; *fig.* Herz *n*.

bower ('bauə) Laube *f*.

bowl¹ (boul) Schale, Schüssel *f*; *Pfeifen*-Kopf *m*.

bowl² (˷) **1.** Kugel *f*; **2.** *v/t. Ball usw.* werfen; *v/i.* rollen; kegeln.

box¹ (bɔks) **1.** Buchsbaum *m*; Büchse, Schachtel *f*, Kasten; Koffer *m*; ⊕ Gehäuse *n*; *thea.* Loge; Abteilung *f*; **2.** in Kästen *usw.* tun.

box² (˷) **1.** boxen; **2.** ˷ *on the ear* Ohrfeige *f*.

box|-keeper Logenschließer(in); **˷-office** Thea'terkasse *f*.

boy (bɔi) Knabe, Junge; Bursche *m*; **˷hood** ('bɔihud) Knabenalter *n*; **˷ish** □ ('bɔiiʃ) knabenhaft.

brace (breis) **1.** ⊕ Strebe *f*; Stützbalken *m*; Klammer *f*; Paar *n* (*Wild, Geflügel*); Hosenträger *m/pl.*; **2.** absteifen; verankern; (an)spannen; *fig.* stärken.

bracelet ('breislit) Armband *n*.

bracket ('brækit) **1.** △ Konso'le *f*; Wandbrett *n*; *typ. u.* △ Klammer *f*; *Leuchter*-Arm *m*; **2.** einklammern; *fig.* gleichstellen.

brag (bræg) **1.** Prahlerei *f*; **2.** prahlen.

braggart ('brægət) **1.** Prahler *m*; **2.** □ prahlerisch.

braid (breid) **1.** *Haar*-Flechte *f*; Borte *f*; **2.** flechten; mit Borte besetzen.

brain (brein) **1.** Gehirn *n*; Kopf *m* (*fig. mst* ˷s); **2.** *j-m* den Schädel einschlagen; **˷-pan** Hirnschale *f*.

brake (breik) **1.** ⊕ Bremse *f*; **2.** bremsen. [strauch *m.*]

bramble ('bræmbl) Brombeer-

bran (bræn) Kleie *f*.

branch (brɑːntʃ) **1.** Zweig *m*; Fach *n*; Zweigstelle *f*; **2.** (sich) ver-, abzweigen.

brand (brænd) **1.** (Feuer-)Brand *m*; Brandmal *n*; Marke; Sorte *f*; **2.** einbrennen; brandmarken.

brandish ('brændiʃ) schwingen.

bran(d)new F ('brænd'nju:) nagelneu.

brandy ('brændi) Kognak *m*.

brass (brɑːs) Messing *n*; F Unverschämtheit *f*; ˷ *band* Blechbläserkapelle *f*.

brassiere ('bræsiəə) Büstenhalter *m*.

brave (breiv) **1.** tapfer; prächtig; **2.** trotzen; mutig begegnen (*dat.*); **˷ry** ('breivəri) Tapferkeit; Pracht *f*.

brawl (brɔːl) **1.** Krakeel, Krawa'll *m*; **2.** krakeelen, Krawall machen.

brawny ('brɔːni) muskulö's.

bray¹ (brei) **1.** Eselsschrei *m*; **2.** schreien; schmettern; dröhnen.

bray² (˷) **2.** (zer)stoßen, kleinreiben.

brazen □ ('breizn) ehern; unverschämt (*a.* ˷-faced).

Brazilian (brə'ziljən) **1.** brasilia'nisch; **2.** Brasilia'ner(in).

breach (briːtʃ) **1.** Bruch *m*; *fig.* Verletzung; ✗ Bresche *f*; **2.** e-e Bresche legen in (*acc.*).

bread (bred) Brot *n*.

breadth (bredθ) Breite, Weite, Größe *des Geistes*; *Tuch*-Bahn *f*.

break (breik) **1.** Bruch *m*; Lücke; Pause *f*; Absatz; *Tages*-Anbruch *m*; F *a bad* ˷ e-e Dummheit *f*; **2.** [*irr.*] *v/t.* (zer)brechen; unterbre'chen; übertre'ten; abrichten; *Bank* sprengen; *Brief, Tür* erbrechen; *Vorrat* anbrechen; ruinieren; ˷ *up* zerbrechen; auflösen; **˷** (zer)brechen; aus-, los-, an-, auf-, hervor-brechen; ˷ *away* sich losreißen; ˷ *down* steckenbleiben; versagen; **˷able** ('breikəbl) zerbrechlich; **˷age** ('breikidʒ) (*a.* † *Waren-*)Bruch *m*; **˷-down** Zs.-bruch *m*; Betriebsstörung; *mot.* Panne *f*; **˷fast** ('brekfəst) **1.** Frühstück *n*; **2.** frühstücken; **˷-up** Verfall *m*; Auflösung *f*; Schulschluß *m*; **water** Wellenbrecher *m*.

breast (brest) Brust f; Busen m; Herz n; make a clean ~ of a th. sich et. vom Herzen reden; ~-**stroke** Brustschwimmen n.

breath (breθ) Atem(zug); Hauch m; ~**e** (bri:ð) v/i. atmen; fig. leben; v/t. (aus-, ein-)atmen; hauchen; flüstern, verlauten lassen; ~**less** □ ('breθlis) atemlos.

bred (bred) erzeugte; erzeugt.

breeches ('britʃiz) pl. Kniehosen f/pl.; F Beinkleider n/pl.

breed (bri:d) 1. Zucht; Rasse; Herkunft f; 2. [irr.] v/t. erzeugen; auf-, er-ziehen; züchten; v/i. sich fortpflanzen; ~**er** ('bri:də) Erzeuger (-in); Züchter(in); ~**ing** (~diŋ) Erziehung; Bildung; Zucht f.

breez|e (bri:z) Brise f; ~**y** ('bri:zi) windig, luftig; frisch, flott.

brethren ('breðrin) Brüder m/pl.

brevity ('breviti) Kürze f.

brew (bru:) 1. v/t. u. v/i. brauen; zubereiten; fig. anzetteln; 2. Gebräu n; ~**ery** ('bruəri) Brauerei f.

brib|e (braib) 1. Bestechung f; 2. bestechen; ~**ery** ('braibəri) Bestechung f.

brick (brik) 1. Ziegel(stein) m; 2. mauern; ~**layer** Maurer m.

bridal ('braidl) 1. □ bräutlich; Braut...; ~ procession Brautzug m.

bride (braid) Braut, Neuvermählte f; ~**groom** Bräutigam, Neuvermählte(r) m; ~**smaid** Brautjungfer f.

bridge (bridʒ) 1. Brücke f; 2. e-e Brücke schlagen über (acc.); fig. überbrücken.

bridle ('braidl) 1. Zaum; Zügel m; 2. v/t. (auf)zäumen; zügeln; v/i. den Kopf zurückwerfen (a. ~ up); ~**path** Reitweg m.

brief (bri:f) 1. □ kurz, bündig; 2. ⚖ schriftliche Instruktio'n; hold a ~ for einstehen für; ~**case** Aktenmappe f.

brigade ⚔ (bri'geid) Brigade f.

bright □ (brait) hell, glänzend, klar; lebhaft; gescheit; ~**en** ('braitn) v/t. auf-, er-hellen; polieren; aufheitern; v/i. sich aufhellen; ~**ness** (~nis) Helligkeit f; Glanz m usw.

brillian|ce, ~**cy** ('briljəns, ~si) Glanz m; ~**t** (~jənt) 1. □ glänzend; prächtig; 2. Brilla'nt m.

brim (brim) 1. Rand m; Krempe f; 2. bis zum Rande füllen od. voll sn.

brine (brain) Salzwasser n, Sole f.

bring (briŋ) [irr.] bringen; j. veranlassen; Klage erheben; Grund usw. vorbringen; ~ about zustande bringen; ~ down Preis herabsetzen; ~ forth hervorbringen; gebären; ~ home to j-m et. beibringen; bringen; ~ round wieder zu sich bringen; ~ up auf-, er-ziehen.

brink (briŋk) Rand m.

brisk □ (brisk) lebhaft, munter; frisch; flink; belebend.

bristl|e ('brisl) 1. Borste f; 2. (sich) sträuben; im Zorn die Borsten sträuben; ~ with starren von; ~**ed** (~d), ~**y** (~i) gesträubt; struppig.

British ('britiʃ) britisch; the ~ die Briten pl.

brittle ('britl) zerbrechlich, spröde.

broach (broutʃ) Faß anzapfen; vorbringen; Thema anschneiden.

broad □ (bro:d) breit; weit; hell (Tag); deutlich (Wink usw.); derb (Witz); allgemein; weitherzig, liberal; ~**cast** 1. weitverbreitet; 2. [irr. (cast)] weit verbreiten; Radio: senden; 3. Rundfunk(sendung f) m; ~**cloth** feiner (Baum-)Wollstoff.

brocade ✝ (bro'keid) Broka't m.

broil (broil) 1. Lärm, Streit m; 2. auf dem Rost braten; fig. kochen.

broke (brouk) brach.

broken (broukən) gebrochen; ~ health zerrüttete Gesundheit. [m.]

broker ('broukə) Trödler; Makler)

bronc(h)o Am. ('brɔŋkou) (halb-) wildes Pferd; ~-**buster** Zureiter m.

bronze (brɔnz) 1. Bronze f; 2. bronzen, bronzefarbig; 3. bronzieren.

brooch (broutʃ) Brosche; Spange f.

brood (bru:d) 1. Brut f; Zucht...; 2. (aus)brüten.

brook (bruk) Bach m.

broom (bru:m, brum) Besen m; ~**stick** Besenstiel m.

broth (brɔ:θ, brɔθ) Fleischbrühe f.

brothel ('brɔθl) Borde'll n.

brother ('brʌðə) Bruder m; ~**hood** (~hud) Bruderschaft f; ~-**in-law** (~rinlɔ) Schwager m; ~**ly** (~li) brüderlich.

brought (brɔ:t) brachte; gebracht.

brow (brau) (Augen-)Braue; Stirn f; Rand m e-s Steilhanges; ~**beat** ('braubi:t) [irr. (beat)] einschüchtern.

brown (braun) 1. braun; brüne'tt; 2. Braun n; 3. (sich) bräunen.

browse (brauz) **1.** junge Sprossen *f/pl.*; **2.** fressen, werden.

bruise (bru:z) **1.** Brüsche, Quetschung *f*; **2.** (er)quetschen.

brunt (brʌnt) Hauptstoß *m*, (volle) Wucht; *das* Schwerste.

brush (brʌʃ) **1.** Bürste *f*; Pinsel *m*; *Fuchs*-Rute *f*; Scharmützel *n*; *Am.* = ~*wood*; **2.** *v/t.* (ab-, aus-)bürsten; streifen; *j.* abbürsten; ~ *up* wieder aufbürsten, *fig.* auffrischen; *v/i.* bürsten; (davon)stürzen; ~ *against* *a* p. *j.* streifen; ~*wood* (brʌʃwud) Gestrüpp; Reisig(holz) *n*.

brusque (brusk) brüsk, barsch.

brut|al □ ('bru:tl) viehisch; roh; ~**ality** (bru:'tæliti) Brutalitä't, Roheit *f*; ~*e* (bru:t) **1.** tierisch; unvernünftig; gefühllos; **2.** Vieh; F Untier *n*.

bubble ('bʌbl) **1.** Blase *f*; Schwindel *m*; **2.** sieden; sprudeln.

buccaneer (bʌkə'niə) Freibeuter *m*.

buck (bʌk) **1.** *zo.* Bock; Stutzer *m*; **2.** bocken; F ~ *up* sich zs.-reißen.

bucket ('bʌkit) Eimer, Kübel *m*.

buckle ('bʌkl) **1.** Schnalle *f*; **2.** *v/t.* (an-, auf-, um-, zu-)schnallen; ⊕ sich (ver)biegen; ~ *to* sich rüsten zu; sich dranhalten.

buckshot ('bʌkʃɔt) *hunt.* Rehposten *m*, gröbstes Schrot *n*.

bud (bʌd) **1.** Knospe *f*; *fig.* Keim *m*; **2.** *v/t.* ✗ veredeln *v/i.* knospen.

budge ('bʌdʒ) (sich) bewegen.

budget ('bʌdʒit) Vorrat; Staatshaushalt; *draft* ~ Haushaltsplan *m*.

buff (bʌf) **1.** Ochsenleder *n*; Lederfarbe *f*; **2.** leder-, rötlich-gelb.

buffalo *zo.* ('bʌfælou) Büffel *m*.

buffer ('bʌfə) ✍ Puffer; Prellbock *m*; Stoßkissen *n*.

buffet[1] ('bʌfit) **1.** Puff, Stoß, Schlag *m*; **2.** puffen, schlagen; kämpfen.

buffet[2] (~) Büfe't *n*: Anrichte-tisch, -schrank; *f* ('bufei) Schenktisch *m*.

buffoon (bʌ'fu:n) Possenreißer *m*.

bug (bʌg) Wanze *f*; *Am.* Inse'kt *n*.

bugle ('bju:gl) (Wald-)Horn *n*.

build (bild) **1.** [*irr.*] bauen (*a. fig.*); errichten; **2.** Bauart *f*; Schnitt *m*; ~**er** ('bildə) Erbauer, Baumeister *m*; ~**ing** (~iŋ) Erbauen *n*; Bau *m*, Gebäude *n*; Bau...

built (bilt) baute; gebaut.

bulb (bʌlb) ♀ Zwiebel, Knolle *f*; (Glüh-)Birne *f*.

bulge (bʌldʒ) **1.** (Aus-)Bauchung *f*;

Anschwellung *f*; **2.** sich (aus)bauchen; (an)schwellen; hervorquellen.

bulk (bʌlk) Umfang *m*; Masse *f*; Hauptteil *m*; ✍ Landung *f*; *in* ~ lose; *in the* ~ im ganzen; ~**y** (bʌlfi) umfangreich; unhandlich.

bull[1] (bul) **1.** Bulle, Stier *m*; ✝ *sl.* Haussie'r *m*; **2.** *die Kurse* treiben.

bull[2] (~) päpstliche Bulle.

bulldog ('buldog) Bulldogge *f*.

bullet ('bulit) Kugel *f*, Geschoß *n*.

bulletin ('bulitin) Tagesbericht *m*.

bullion ('buljən) Gold-, Silberbarren *m*.

bully ('buli) **1.** Tyra'nn *m*; **2.** prahlerisch; *Am.* F prima; **3.** einschüchtern; tyrannisieren.

bulwark ('bulwək) *mst fig.* Bollwerk *n*.

bum *Am.* F (bʌm) **1.** Bummler; Bummel *m*; **2.** bummeln.

bumble-bee ('bʌmblbi) Hummel *f*.

bump (bʌmp) **1.** Schlag *m*; Beule *f*; *fig.* Sinn *m* (of für); **2.** (zs.-)stoßen; holpern; *Rudern*: überho'len.

bumper ('bʌmpə) **1.** Humpen *m*; *sl.* Fülle *f*; F ~ *crop* Reko'rdernte *f*; **2.** *Am. mot.* Stoßstange *f*.

bun (bʌn) Kuchenbrötchen *n*.

bunch (bʌntʃ) **1.** Bund; Büschel *n*; Haufen *m*; **2.** (zs.-)bündeln; bauschen.

bundle ('bʌndl) **1.** Bündel, Bund *n*; **2.** *v/t.* (zs.-)bündeln (*a.* ~ *up*).

bungalow ('bʌngəlou) Sommerhaus *n*.

bungle ('bʌngl) **1.** Pfuscherei *f*; **2.** (ver)pfuschen.

bunion ✗ ('bʌnjən) Ballen *m*.

bunk[1] *Am.* (bʌŋk) Quatsch *m*.

bunk[2] (~) Schlafkoje *f*.

bunny ('bʌni) Kaninchen *n*.

buoy ⚓ (bɔi) **1.** Boje *f*; **2.** *Fahrwasser* betonnen; (*mst* ~ *up*) *fig.* aufrechterhalten; ~**ant** □ ('bɔiənt) schwimmfähig; hebend; spannkräftig; heiter.

burden ('bə:dn) **1.** Last, Bürde; ⚓ Ladung; ✍ Tragfähigkeit *f*; **2.** beladen; belasten; ~**some** (~səm) lästig; drückend.

bureau (bjuə'rou, 'bjuərou) Büro', Geschäftszimmer; Schreibpult *n*; *Am.* Kommode *f*; ~**cracy** (bjuə'rɔkrəsi) Bürokratie' *f*.

burgess ('bə:dʒis) Bürger *m*.

burglar ('bə:glə) Einbrecher *m*; ~**y** (~ri) Einbruch(sdiebstahl) *m*.

burial ('beriəl) Begräbnis n.

burlap ('bə:læp) **1.** possenhaft; **2.** Burleske f u. n, Posse f; **3.** parodieren.

burly ('bə:li) stämmig, kräftig.

burn (bə:n) **1.** Brandwunde f; Brandmal n; **2.** [irr.] (ver-, an-)brennen; ~er ('bə:nə) Brenner m.

burnish ('bə:niʃ) **1.** polieren, glätten; **2.** Politu'r f; Glanz m.

burnt (bə:nt) brannte; gebrannt.

burrow ('bʌrou) **1.** Kaninchen-Bau m; **2.** (sich ein-, ver-)graben.

burst (bə:st) **1.** Bersten n; Krach; Riß; Ausbruch m; **2.** [irr.] v/i. bersten, platzen; zerspringen; explodieren; ~ from sich losreißen von; ~ forth od. out hervorbrechen; ~ into tears in Tränen ausbrechen; v/t. (zer)sprengen.

bury ('beri) be-, ver-graben; beerdigen; verbergen.

bus f (bʌs) Omnibus m.

bush ('buʃ) Busch m; Gebüsch n.

bushel ('buʃl) Scheffel m (36.35)

bushy ('buʃi) buschig.   [Liter.]

business ('biznis) Geschäft n; Beschäftigung f; Beruf m; Angelegenheit; Aufgabe f; † Handel m; ~ of the day Tagesordnung f; ~ od. professional) discretion Schweigepflicht f; have no ~ to inf. nicht befugt sn zu inf.; ~-like (~laik) geschäftsmäßig; sachlich.

bust (bʌst) Büste f.

bustle ('bʌsl) **1.** Geschäftigkeit f; geschäftiges Treiben; **2.** v/i. (umher)wirtschaften; hasten; v/t. hetzen, jagen.

busy □ ('bizi) **1.** beschäftigt; geschäftig; fleißig (at bei, an dat.); lebhaft; Am. teleph. besetzt; **2.** (mst ~ o.s. sich) beschäftigen (with, in, at, about, ger. mit).

but (bʌt) **1.** cj. aber, jedoch, sondern; (a. ~ that) wenn nicht; indessen; **2.** prp. außer; the last ~ one der vorletzte; ~ for wenn nicht ... gewesen wäre; ohne; **3.** adv. nur; ~ just soeben, eben erst; ~ now erst jetzt; all ~ fast, nahe daran; nothing ~ nichts als; I cannot ~ inf. ich kann nur inf.

butcher ('butʃə) **1.** Schlächter, Fleischer; fig. Mörder m; **2.** (fig. ab-, hin-)schlachten; ~y (~ri) Schlächterei f; Schlachthaus n.

butler ('bʌtlə) Kellermeister; Haushofmeister m.

butt (bʌt) **1.** Stoß m; (a. ~ end) (dickes) Ende e-s Baumes usw.; Gewehr-Kolben m; pl. ~s Schießstand m; (End-)Ziel n; fig. Zielscheibe f; **2.** (mit dem Kopf) stoßen.

butter ('bʌtə) **1.** Butter f; **2.** mit Butter bestreichen; ~cup Butterblume f; ~fly Schmetterling m; ~y ('bʌtəri) **1.** butter(art)ig; Butter...; **2.** Speisekammer f.

buttocks ('bʌtəks) pl. Hintere(r) m.

button ('bʌtn) **1.** Knopf m; Knospe f; **2.** an-, zu-knöpfen.

buttress ('bʌtris) **1.** Strebepfeiler m; fig. Stütze f; **2.** (unter)stützen.

buxom ('bʌksəm) drall, stramm.

buy (bai) v/t. (an-, ein-)kaufen (from bei); ~er ('baiə) (Ein-)Käufer(in).

buzz (bʌz) **1.** Gesumm; Geflüster n; **2.** v/i. summen; surren; (zu)flüstern.

buzzard ('bʌzəd) Bussard m.

by (bai) **1.** prp. Raum: bei; an, neben; Richtung: durch; über; an (dat.) entlang od. vorbei; Zeit: an, bei; spätestens bis, bis zu; Urheber, Ursache: von, durch (bsd. beim pass.); Mittel, Werkzeug: durch, mit; Art u. Weise: bei; Schwur: bei; Maß: um, bei; Richtschnur: gemäß, bei; ~ the dozen dutzendweise; ~ o.s. allein; ~ land zu Lande; ~ rail per Bahn; by ~ day Tag für Tag; **2.** adv. dabei; vorbei; beiseite; ~ and ~ nächstens, bald; nach und nach; ~ the ~ nebenbei bemerkt; Am. ~ and large im großen und ganzen; **3.** adj. Neben...; Seiten...; ~-election ('baii'lekʃən) Ersatzwahl f; ~-gone vergangen; ~-law Statu't n; ~-path Seitenpfad m; ~-product Nebenprodu'kt n; ~stander Zuschauer m; ~street Neben-Seiten-straße f; ~-way Seitenweg m; ~-word Sprichwort n.

C

cab (kæb) Droschke *f*; 🚗 Führerstand *m*.

cabbage ('kæbidʒ) Kohl *m*.

cabin ('kæbin) 1. Hütte; ⚓ Kajüte *f*; 2. (in e-e Hütte) einsperren.

cabinet ('kæbinit) Kabine'tt: Zimmerchen *n*; Vitrine *f*; Schrank *m*; Ministe'rium *n*; ♀ *Council* Kabine'ttsrat *m*; **~-maker** Kunsttischler *m*.

cable ('keibl) 1. Kabel; Ankertau *n*; 2. *tel*. kabeln; **~gram** (~græm) Kabeltelegra'mm *n*.

cabman ('kæbmən) Droschkenkutscher *m*. [-bohne *f*.]

cacao (kə'kɑːou) Kakao-baum *m*,]

cackle ('kækl) 1. Gegacker, Geschnatter *n*; 2. gackern, schnattern.

cad F (kæd) Prole't *m*.

cadaverous □ (kə'dævərəs) leichenhaft; leichenblaß.

cadence ♪ ('keidəns) Kade'nz *f*; Tonfall; Rhythmus *m*.

cadet (kə'det) Kadett *m*.

café ('kæfei) Café *n*.

cafeteria (kæfi'tiəriə) Restaura'nt *n* mit Selbstbedienung.

cage (keidʒ) 1. Käfig *m*; *Vogel*-Bauer *n* (*m*); ⚒ Förderkorb *m*; 2. einsperren. [beschwatzen.]

cajole (kə'dʒoul) *j-m* schmeicheln; *j*.]

cake (keik) 1. Kuchen; Riegel *m* *Seife usw*.; 2. zs.-backen.

calami|tous □ (kə'læmitəs) elend; katastropha'l; **~ty** (~ti) Elend, Unglück *n*.

calcify ('kælsifai) (sich) verkalken.

calculat|e ('kælkjuleit) *v/t*. kalkulieren: be-, aus-, er-rechnen; *v/i*. rechnen ([upɔn] auf *acc*.); **~ion** (kælkju'leiʃən) Kalkulatio'n, Berechnung *f usw*.

caldron ('kɔːldrən) Kessel *m*.

calendar ('kælində) 1. Kale'nder *m*; Liste *f*; 2. registrieren.

calf (kɑːf), *pl.* **calves** (kɑːvz) Kalb *m*; (*od.* **-leather**) Kalbleder *n*; Wade *f*; **~-skin** Kalbfell *n*.

calibre ('kælibə) Kali'ber *n*.

calico ✝ ('kælikou) Kattu'n *m*.

call (kɔːl) 1. Ruf; *teleph*. Anruf *m*,

Gespräch *n*; *fig*. Berufung *f* (to in *ein Amt*; auf *e-n Lehrstuhl*); Aufruf *m*; Aufforderung *f*; Signa'l *n*; Forderung *f*; Besuch *m*; Nachfrage (for nach); Kündigung *f v. Geldern*; ✝ *on* ~ auf Abruf; 2. *v/t*. (herbei-)rufen; (an)rufen; (ein)berufen; *fig*. berufen (to in *ein Amt*); nennen; wecken; *Aufmerksamkeit* lenken (to auf *acc*.); ~ *in Geld* kündigen; ~ *over Namen* verlesen; ~ *up* aufrufen; *teleph*. anrufen; *v/i*. rufen; *teleph*. (an)rufen; vorsprechen (at an *e-m Ort*; on *a p*. bei *j-m*); ~ *at a port* e-n Hafen anlaufen; ~ *for* rufen nach; *et*. fordern; ~ *for a p*. *j*. abholen; F ~ *in* mit herankommen; ~ *on sich an j*. wenden (for wegen); *j*. berufen, auffordern (to *inf*. zu); **~-box** ('kɔːlbɔks) Fernsprechzelle *f*; **~er** ('kɔːlə) Rufer(in) *usw*. [*f*; Beruf *m*.]

calling ('kɔːliŋ) Rufen *n*; Berufung]

call-office ('kɔːlɔfis) Fernsprechstelle *f*. [dickfellig.]

callous □ ('kæləs) schwielig; *fig*.]

calm (kɑːm) 1. □ still, ruhig; 2. (*Wind*-)Stille, Ruhe *f*; 3. (~ *down* sich) beruhigen, stillen.

calori|c (kə'lɔrik) *phys*. Wärme *f*; **~e** ('kæləri) *phys*. Wärmeeinheit *f*.

column|iate (kə'lʌmnieit) verleumden; **~iation** (kəlʌmni'eiʃən), **~y** ('kæləmni) Verleumdung *f*.

calve (kɑːv) kalben; **~s** *s. calf*.

cambric ✝ ('keimbrik) Bati'st *m*.

came (keim) kam.

camera ('kæmərə) Kamera *f*; ⚖ *in* ~ unter Ausschluß der Öffentlichkeit.

camomile ♀ ('kæməmail) Kami'lle *f*.

camouflage ✗ ('kæmuːflɑːʒ) 1. Tarnung *f*; 2. tarnen.

camp (kæmp) 1. Lager *n*; ~ *bed* Feldbett *n*; 2. lagern; ~ *out* zelten.

campaign (kæm'pein) 1. Feldzug *m*; 2. e-n Feldzug mitmachen.

camphor ('kæmfə) Kampfer *m*.

campus *Am.* ('kæmpəs) Schulgelände *n*.

can¹ (kæn) [*irr*.] kann *usw*.

can² ⊕ 1. Kanne *f*; *Am.* Büchse *f*; 2. *Am.* in Büchsen konservieren.

canal (kə'næl) Kanal *m* (*a.* ⚓).
canard (kə'nɑː) (Zeitungs-)Ente *f.*
canary (kə'nɛəri) Kanarienvogel *m.*
cancel ('kænsəl) (durch)strei'chen; entwerten; *fig.* (*a.* ~ *out*) aufheben.
cancer ('kænsə) *ast.* Krebs *m* (*a.* ⚓); **~ous** (~rəs) krebsartig.
candid □ ('kændid) aufrichtig; offen.
candidate ('kændidid) Kandida't (*for* für), Bewerber *m* (*for* um).
candied ('kændid) kandiert.
candle ('kændl) Licht *n*, Kerze *f*; **~stick** (~stik) Leuchter *m.*
cando(u)r ('kændə) Aufrichtigkeit *f.*
candy ('kændi) **1.** Kandis(zucker) *m*; *Am.* Zuckerwerk *n*, Süßigkeiten *f/pl.*; **2.** *v/t.* kandieren.
cane (kein) **1.** ⚘ Rohr *n*; (Rohr-)Stock *m*; **2.** prügeln.
canker ⚓, ⚘ ('kæŋkə) Krebs *m.*
canned *Am.* (kænd) Büchsen...
cannibal ('kænibəl) Kanniba'le *m.*
cannon ('kænən) Kano'ne *f.*
cannot ('kænɔt) kann nicht.
canoe (kə'nuː) Kanu; Paddelboot *n.*
canon ('kænən) Kanon *m*; Regel *f*; Richtschnur *f*; **~ize** ('kænənaiz) heiligsprechen.
canopy ('kænəpi) Ba'ldachin *m*; *fig.* Dach *n*; △ Überda'chung *f.*
cant¹ (kænt) **1.** Schrägung *f*; Stoß *m*; **2.** kippen; kanten.
cant² (~) **1.** Zunftsprache *f*; scheinheiliges Gerede; **2.** zunftmäßig *od.* scheinheilig reden.
can't F (kɑːnt) kann nicht *usw.*
canteen (kæn'tiːn) ⚔ Feldflasche; Kanti'ne *f*; ⚔ Kochgeschirr *n.*
canton 1. ('kænton) Bezirk *m*; **2.** ⚔ (kən'tuːn) (sich) einquartieren.
canvas ('kænvəs) Segeltuch *n*; Zelt(e *pl.*) *n*; Zeltbahn *f*; Segel *n/pl.*; *paint.* Leinwand *f*, Gemälde *n.*
canvass (~) **1.** (Stimmen-)Werbung *f*; **2.** *v/t.* erörtern; *v/i.* (Stimmen, *a.* Kunden) werben. [*m u. n.*]
caoutchouc ('kautʃuk) Kautschuk; **cap** (kæp) **1.** Kappe; Mütze; Haube *f*; ⊕ Aufsatz *m*; Zündhütchen *n*; *set one's* ~ *at a p.* nach j-m angeln (*Frau*); **2.** mit e-r Kappe *usw.* versehen; *fig.* krönen; F übertre'ffen; die Mütze abnehmen.
capab|ility (keipə'biliti) Fähigkeit *f*; **~le** □ ('keipəbl) fähig (*of* zu).
capaci|ous □ (kə'peiʃəs) geräumig; **~ty** (kə'pæsiti) Inhalt *m*; Aufnahmefähigkeit; *geistige* (*od.* ⊕

Leistungs-)Fähigkeit (*for ger.* zu *inf.*); Stellung *f*; *in my* ~ *as in* meiner Eigenschaft als.
cape¹ (keip) Kap, Vorgebirge *n.*
cape² (~) Cape *n*, Umhang *m.*
caper ('keipə) **1.** Kaprio'le *f*, Luftsprung *m*; *cut* ~*s* = **2.** Kapriolen *od.* Sprünge machen.
capital ('kæpitl) **1.** □ Kapita'l... (*crime*); todeswürdig, Todes... (*sentence, punishment*); hauptsächlich, Haupt...; vortre'fflich; **2.** Hauptstadt *f*; Kapita'l *n*; (*od.* ~ *letter*) Großbuchstabe *m*; **~ism** ('kæpitəlizm) Kapita'lismus *m*; **~ize** (kə'pitəlaiz) kapitalisieren.
capitulate (kə'pitjuleit) kapitulieren (*to vor dat.*).
capric|e (kə'priːs) Laune *f*; **~ious** □ (kə'priʃəs) kapriziö's, launisch.
capsize (kæp'saiz) *v/i.* kentern; *v/t.* zum Kentern bringen.
capsul ('kæpsjuːl) Kapsel *f.*
captain ('kæptin) Führer; Feldherr; ♣ Kapitä'n; ⚔ Hauptmann *m.*
caption *bsd. Am.* ('kæpʃən) Überschrift *f*; Titel; *Film:* Untertitel *m.*
captious □ ('kæpʃəs) krittelig.
captiv|ate ('kæptiveit) *fig.* gefangennehmen, fesseln; **~e** ('kæptiv) **1.** gefangen, gefesselt; **2.** Gefangene(r); **~ity** (kæp'tiviti) Gefangenschaft *f.*
capture ('kæptʃə) **1.** Wegnahme; Gefangennahme *f*; **2.** (ein)fangen; wegnehmen; erbeuten; ♣ kapern.
car (kɑː) Wagen *m*; *Ballon-* Gondel *f.*
caramel ('kærəmel) Karame'l *m* (*gebrannter Zucker*); Karame'lle *f.*
caravan (kærə'væn) Karawa'ne *f*; *Reise-, Wohn-* wagen *m.*
caraway ⚘ ('kærəwei) Kümmel *m.*
carbine ('kɑːbain) Karabi'ner *m.*
carbohydrate ⚗ ('kɑːbou'haidreit) Kohlenhydra't *n.*
carbon ⚗ ('kɑːbən) Kohlenstoff; ~ *copy Brief-* Durchschlag *m*; (*od.* ~ *paper*) Kohlepapier *n.* [Vergaser *m.*]
carburet(t)or ('kɑːbjuretə) *mot.*]
carcas|e, ~s *mst* ~*s* ('kɑːkəs) (Tier-) Kadaver; *Fleischerei:* Rumpf *m.*
card ('kɑːd) Karte *f*; **~board** (kɑːd-bɔːd) Karto'npapier *n*; Pappe *f.*
cardigan ('kɑːdigən) Wolljacke *f.*
cardinal □ ('kɑːdinl) **1.** Haupt...; hochrot; ~ *number* Grundzahl *f*; **2.** Kardina'l *m.*
card-index ('kɑːdindeks) Kartei *f.*

card-sharp(er) ('ka:dʃa:pə) Falschspieler m.

care (kɛə) **1.** Sorge; Sorgfalt; Obhut, Pflege f; medical ~ ärztliche Behandlung; ~ of (abbr. c/o) ... per Adresse, bei ...; take ~ of acht(geb)en auf (acc.); with ~! Vorsicht!; **2.** Lust h. (to inf. zu); ~ for: a) sorgen, sich kümmern um; b) sich etwas machen aus; F I don't ~! meinetwegen!; well ~d-for gepflegt.

career (kə'riə) **1.** Karrie're; fig. Laufbahn f; **2.** fig. rasen.

carefree ('kɛəfri:) sorgenfrei.

careful □ ('kɛəful) besorgt (for um), achtsam (of auf acc.); vorsichtig; sorgfältig; **~ness** (~nis) Sorgsamkeit; Vorsicht; Sorgfalt f.

careless □ (~lis) sorglos; nachlässig; unachtsam; **~ness** (~nis) Sorglosigkeit; Nachlässigkeit f.

caress (kə'res) **1.** Liebkosung f; **2.** liebkosen; fig. schmeicheln.

caretaker ('kɛəteikə) Wärter(in), Wächter(in); (Haus-)Verwalter(in).

carfare Am. ('ka:fɛə) Fahrgeld n.

cargo ⚓ ('ka:gou) Ladung f.

caricature ('kærikə'tjuə) **1.** Karikatu'r f; **2.** karikieren.

carn|al □ ('ka:nl) fleischlich; sinnlich; **~ation** (ka:'neiʃən) Fleischton m; Nelke f.

carnival ('ka:nivəl) Karneval m.

carnivorous (ka:'nivərəs) fleischfressend.

carol ('kærəl) **1.** (Jubel-)Lied n; **2.** jubilieren.

carous|e (kə'rauz) **1.** a. **~al** (~əl) (Trink-)Gelage n; **2.** zechen.

carp (ka:p) Karpfen m.

carpent|er ('ka:pintə) Zimmermann m; **~ry** (~tri) Zimmer(hand)werk n.

carpet ('ka:pit) **1.** Teppich m; **2.** mit e-m Teppich belegen.

carriage ('kæridʒ) Beförderung f, Transpo'rt m; Fracht f; Wagen m; Fuhr-, Fracht-lohn m; Haltung f; Benehmen n; **~-drive** Anfahrt f (vor e-m Hause); **~-free**, **~-paid** frachtfrei.

carrier ('kæriə) Fuhrmann; Spediteu'r; Träger; Gepäckhalter m.

carrot ('kærət) Mohrrübe f.

carry ('kæri) **1.** v/t. wohin bringen, führen, tragen (a. v/i.), fahren, befördern; Maßregel du'rchsetzen; Gewinn, Preis davontragen; Zahlen übertra'gen; Ernte, Zinsen tragen;

Mauer usw. weiterführen; Benehmen fortsetzen; Antrag, Kandidaten durchbringen; ✕ erobern; be carried angenommen w. (Antrag); durchkommen (Kandidat); **↑** ~ forward od. over übertragen; ~ on fortsetzen, weiterführen; Geschäft usw. betreiben; ~ out od. through durchführen; **2.** Trag-, Schußweite f.

cart (ka:t) **1.** Karren; Wagen m; **2.** karren, fahren; **~age** ('ka:tidʒ) Fahren n; Fuhrlohn m.

carter ('ka:tə) Fuhrmann m.

cartilage ('ka:tilidʒ) Knorpel m.

carton ('ka:tən) Karto'n m.

cartoon (ka:'tu:n) paint. Karto'n m; ⊕ Musterzeichnung, Karikatu'r f.

cartridge ('ka:tridʒ) Patro'ne f.

carve (ka:v) Fleisch vorschneiden, zerlegen; schnitzen; meißeln; **~r** ('ka:və) (Bild-)Schnitzer(in); Vorschneider m; Vorlegemesser n.

carving ('ka:viŋ) Schnitzerei f.

cascade (kæs'keid) Wasserfall m.

case¹ (keis) **1.** Behälter m; Kiste f; Etui'; Gehäuse n; Schachtel f; Fach n; typ. Setzkasten m; **2.** (ein)stecken; ver-, um-klei'den.

case² (~) Fall m (a. ✗, tʒ:); tʒ: Schriftsatz m; Hauptargume'nt n; Sache, Angelegenheit f.

case-harden ⊕ ('keisha:dn) hartgießen; fig. hartgesotten.

casement ('keismənt) Fensterflügel m.

cash (kæʃ) **1.** Bargeld n, Kasse f; ~ down, for ~ gegen bar; ~ on delivery Lieferung f gegen bar; (per) Nachnahme f; ~ register Registri'erkasse f; **2.** ein-kassieren, -lösen; **~-book** Kassabuch f; **~ier** (kæ'ʃiə) Kassierer(in).

casing ('keisiŋ) Überzug m, Gehäuse, Futtera'l n; ⚡ Verkleidung f.

cask (ka:sk) Faß m.

casket ('ka:skit) Kasse'tte f; Am. Sarg m.

casserole ('kæsəroul) Kassero'lle f.

cassock ('kæsək) Priesterrock m.

cast (ka:st) **1.** Wurf m; Guß(form f); Ab-guß-,druck m; Schattierung f, Anflug m; Form, Art f; ⚓ Auswerfen n von Senkblei usw.; thea. (Rollen-)Besetzung f; **↑** Aufrechnung f; **2.** [irr.] v/t. (ab-, aus-, hin-, um-, weg-)werfen; Haut usw. abwerfen; Zähne usw. verlieren; verwerfen;

gestalten; ⊕ gießen; (~ up) aus-, zs.-rechnen; *thea. Rolle* besetzen; *Rolle* übertra'gen (to *dat.*); ~ *iron* Gußeisen *n*; ~ *lots* (for) losen (um); be ~ *down* niedergeschlagen sn; *v/i.* sich gießen l.; ⊕ sich (ver)werfen; ~ *about for* sinnen auf (*acc.*); sich *et.* überle'gen.

castanet (kæstə'net) Kastagne'tte *f.*

castaway (ka:stəwei) **1.** verworfen, ⚓ schiffbrüchig; **2.** Verworfene(r); Schiffbrüchige(r).

caste (ka:st) Kaste *f* (*a. fig.*).

castigate (kæstigeit) züchtigen; *fig.* geißeln.

cast-iron gußeisern (*a. fig.*).

castle ('ka:sl) Burg *f*, Schloß *n*; *Schach:* Turm *m.*

castor[1] (ka:stə): ~ *oil* Ri'zinusöl *n.*

castor[2] (~) Laufrolle *unter Möbeln*; Streubüchse *f für Gewürz usw.*

castrate (kæs'treit) kastrieren.

casual ('kæzjuəl) □ zufällig; gelegentlich; F lässig; ~**ty** (~ti) Unfall; ✗ Verlust *m.* [denkletterer *m.*|

cat (kæt) Katze *f*; ~ *burglar* Fassa-

catalogue, *Am.* **catalog** ('kætələg) **1.** Katalo'g *m*; **2.** katalogisieren.

cataract ('kætərækt) Katara'kt *m* (*Wassersturz*; *a. fig.*); ✫ grauer Star.

catarrh (kə'ta:) Kata'rrh, Schnupfen *m.* [stro'phe *f.*|

catastrophe (kə'tæstrəfi) Kata-

catch (kætʃ) **1.** Fang *m*; Beute *f*, *fig.* Vorteil; ♪ Rundgesang; Kniff; ⊕ Haken, Griff, Schnäpper *m*; **2.** [*irr.*] *v/t.* fassen, F kriegen; fangen, ergreifen; ertappen; *Blick usw.* auffangen; *Zug usw.* erreichen; bekommen; sich *Krankheit* zuziehen, holen; *fig.* erfassen; ~ *cold* sich erkälten; ~ *a p.'s eye* j-m ins Auge fallen; ~ *up* auffangen; F unterbre'chen; einholen; **3.** *v/i.* sich fangen, hängenbleiben; fassen, einschnappen (*Schloß usw.*); F ~ *on* Anklang finden; ~ *up with* j. einholen; ~*er* ('kætʃə) Fänger(in); ~**ing** ('kætʃiŋ) packend; ✫ ansteckend; ~**line** Schlagzeile *f*; ~**word** Schlagwort; Stichwort *n.*

catechism ('kætikizm) Katechi'smus *m.*

categor|ical □ (kæti'gorikəl) kategorisch; ~**y** ('kætigəri) Kategorie' *f.*

cater (keitə): ~ *for* Lebensmittel liefern für; *fig.* sorgen für.

caterpillar *zo.* ('kætəpilə) Raupe *f.*

catgut ('kætgʌt) Darmsaite *f.*

cathedral (kə'θi:drəl) Dom *m.*

Catholic ('kæθəlik) **1.** katho'lisch; **2.** Katholi'k(in).

cattle (kætl) Vieh *n*; ~**breeding** Viehzucht *f*; ~**plague** Rinderpest *f.*

caught (kɔ:t) fing; gefangen.

cauldron (kɔ:ldrən) Kessel *m.*

cauliflower ❀ ('kɔliflauə) Blumenkohl *m.*

caulk ⚓ (kɔ:k) kalfa'tern (*abdichten*).

caus|al □ ('kɔ:zəl) ursächlich; ~**e** (kɔ:z) **1.** Ursache *f*, Grund *m*; ⊕ Klage(-grund *m*) *f*; Proze'ß *m*; Angelegenheit, Sache *f*; **2.** verursachen, veranlassen; ~**less** □ ('kɔ:zlis) grundlos.

caution ('kɔ:ʃən) **1.** Vorsicht; Warnung; Verwarnung *f*; ~ *money* Kautio'n *f*; **2.** warnen; verwarnen.

cautious □ ('kɔ:ʃəs) vorsichtig; ~**ness** (~nis) Behutsamkeit, Vorsicht *f.*

cavalry ✗ ('kævəlri) Reiterei *f.*

cave (keiv) **1.** Höhle *f*; **2.** ~ *in*: *v/i.* einstürzen; klein beigeben.

cavil ('kævil) **1.** Krittelei *f*; **2.** kritteln (*at, about an dat.*).

cavity ('kæviti) Höhle *f*; Loch *n.*

caw (kɔ:) **1.** krächzen; **2.** Krächzen *n.*

cease (si:s) *v/i.* (from) aufhören (mit), ablassen (von); *v/t.* aufhören mit; ~**less** □ ('si:slis) unaufhörlich.

cede (si:d) abtreten, überla'ssen.

ceiling ('si:liŋ) *Zimmer*-Decke; *fig.* Höchstgrenze *f*; ~ *price* Höchstpreis *m.*

celebrat|e ('selibreit) feiern; ~**ed** (~id) gefeiert, berühmt; ~**ion** (seli'breiʃən) Feier *f.*

celebrity (si'lebriti) Berühmtheit *f.*

celerity (~riti) Geschwindigkeit *f.*

celery ('seləri) Sellerie *m* (*f*).

celestial (si'lestjəl) himmlisch.

celibacy ('selibəsi) Ehelosigkeit *f.*

cell (sel) *allg.* Zelle *f*; ⚡ Eleme'nt *n.*

cellar ('selə) Keller *m.*

cement (si'ment) **1.** Zement *m u. n*; Kitt *m*; **2.** zementieren; (ver)kitten.

cemetery ('semitri) Friedhof *m.*

censor ('sensə) **1.** Zensor *m*; **2.** zensieren; ~**ious** □ (sen'sɔ:riəs) kritisch; kritt(e)lig; ~**ship** ('sensəʃip) Zensu'r *f*; Zensoramt *n.*

censure (senʃə) **1.** Tadel *m*; Verweis *m*; **2.** tadeln.

census ('sensəs) Volkszählung *f.*

cent (sent) Hundert *n*; *Am.* Cent *m*; per ~ Proze'nt *n*.

centennial (sen'tenjəl) hundertjährig(es Jubilä'um).

centi|grade ('sentigreid) hundertgradig; ~**metre** (~mi:tə) Zenti'me'ter *n* (*m*); ~**pede** *zo.* (~pi:d) Tausendfuß *m*.

central ('sentrəl) □ zentra'l; ~ **office**, *é* ~ **station** Zentra'le *f*; ~**ize** (~laiz) zentralisieren.

centre ('sentə) 1. Zentrum *n*, Mittelpunkt *m*; 2. (sich) konzentrieren; zentralisieren; zentrieren.

century ('sentʃəri) Jahrhundert *n*.

cereal ('siəriəl) 1. Getreide...; 2. Getreide(pflanze *f*) *n*.

ceremon|ial (seri'mounjəl) 1. (*a.* ~**ious** □, ~**njəs**) zeremoni'ell; förmlich; 2. Zeremoni'ell *n*; ~**y** ('serimən) Zeremonie': Feierlichkeit; Förmlichkeit(en *pl.*) *f*.

certain ('sə:tn) sicher, gewiß; zuverlässig; bestimmt; gewisse(r, s); ~**ty** (~ti) Sicherheit, Gewißheit; Zuverlässigkeit *f*.

certi|ficate 1. (sə'tifikit) Zeugnis *n*, Schein *m*; ~ **of birth** Geburtsurkunde *f*; 2. (~keit) bescheinigen; ~**fication** (sə:tifi'keiʃən) Bescheinigung *f*; ~**fy** ('sə:tifai) *et.* bescheinigen; bezeugen; ~**tude** (~tju:d) Gewißheit *f*.

cessation (se'seiʃən) Aufhören *n*.

cession ('seʃən) Abtretung *f*.

cesspool ('sespu:l) Senkgrube *f*.

chafe (tʃeif) 1. *v/t.* reiben; wundreiben; erzürnen; 2. *v/i.* sich scheuern; sich wundreiben; toben.

chaff (tʃɑ:f) 1. Spreu *f*; Häcksel *m*; F Neckerei *f*; 2. zu Häcksel schneiden; F necken. [2. ärgern.]

chagrin ('ʃægrin) 1. Ärger *m*;

chain (tʃein) 1. Kette *f*; *fig.* Fessel *f*; 2. (an)ketten; *fig.* fesseln.

chair (tʃeə) Stuhl; Lehrstuhl; Vorsitz *m*; **be in the ~** den Vorsitz führen; ~**man** ('tʃeəmən) Vorsitzende(r).

chalice ('tʃælis) Kelch *m*.

chalk (tʃɔ:k) 1. Kreide *f*; 2. mit Kreide (be)zeichnen; (*mst* ~ *up*) ankreiden; ~ *out* entwerfen.

challenge ('tʃælindʒ) 1. Herausforderung *f*; ✗ Anruf *m*; *bsd.* ⚖ Ablehnung *f*; 2. herausfordern; anrufen; ablehnen; anzweifeln.

chamber ('tʃeimbə) Kammer *f*;

~**s** *pl.* Geschäftsräume *m/pl.*; ~**maid** Zimmermädchen *n*.

chamois ('ʃæmwɑ:) 1. Gemse *f*; ('ʃæmi) Wildleder *n*; 2. chamois (*gelb-braun*).

champion ('tʃæmpjən) 1. Kämpe; Verteidiger; *Sport*: Meister *m*; 2. verteidigen; *fig.* stützen.

chance (tʃɑ:ns) 1. Zufall *m*; Schicksal; Glück(sfall *m*) *n*; Chance; Aussicht (*of auf acc.*); (günstige) Gelegenheit; Möglichkeit *f*; **by ~** zufällig; **take a** ~ es darauf ankommen lassen; 2. zufällig; gelegentlich; 3. *v/i.* geschehen; sich ereignen; ~ **upon** stoßen auf (*acc.*); F *v/t.* wagen.

chancellor ('tʃɑ:nsələ) Kanzler *m*.

chandelier (ʃændi'liə) Arm-, Kronleuchter *m*.

chandler ('tʃɑ:ndlə) Krämer *m*.

change ('tʃeindʒ) 1. Veränderung *f*, Wechsel *m*, Abwechselung *f*; Tausch *m*; Wechselgeld *n*; 2. *v/t.* (ver)ändern; (aus)wechseln; (aus-, ver-)tauschen; *v/i.* sich ändern, wechseln; *Am.* sich u'mziehen; 🚊 (*od.* ~ *trains*) umsteigen; ~**able** □ ('tʃeindʒəbl) veränderlich; ~**less** □ (~lis) unveränderlich.

channel ('tʃænl) 1. Kana'l *m*; Flußbett *n*; Rinne *f*; *fig.* Weg *m*; 2. furchen; aushöhlen.

chant (tʃɑ:nt) 1. (Kirchen-)Gesang; *fig.* Singsang *m*; 2. singen.

chaos ('keiɔs) Chaos *n*.

chap[1] (tʃæp) 1. Riß, Sprung *m*; 2. rissig machen *od.* werden.

chap[2] F (~) Bursche, Kerl, Junge *m*.

chapel ('tʃæpəl) Kape'lle *f*.

chaplain ('tʃæplin) Kapla'n *m*.

chapter ('tʃæptə) Kapi'tel *n*.

char (tʃɑ:) verkohlen.

character ('kæriktə) Chara'kter *m*; Merkmal *n*; Schrift(zeichen *n*) *f*; Sinnesart; Persönlichkeit; *thea.* Rolle *f*; Rang *m*, Würde *f*; (*bsd.* guter) Ruf *m*; Zeugnis *n*; ~**istic** (kæriktə'ristik) 1. (~ally) charakteristisch (*of* für); 2. Kennzeichen *n*; ~**ize** ('kæriktəraiz) charakterisieren.

charcoal ('tʃɑ:koul) Holzkohle *f*.

charge (tʃɑ:dʒ) 1. Ladung *f*; Last (*on* für); Verwahrung, Obhut *f*; Schützling *m*; Mündel *m*, *f*, *n*; Amt *n*, Stelle *f*; Auftrag, Befehl; Angriff *m*; Ermahnung; Beschuldigung, Anklage *f*; Preis *m*, Forderung f; ✝ ~s pl. Kosten; be in ~ of et. in Verwahrung h.; mit et. beauftragt sn; für et. sorgen; 2. v/t. laden; beladen, belasten; beauftragen; j-m et. einschärfen, befehlen; ermahnen; beschuldigen, anklagen (with gen.); zuschreiben (on, upon dat.); fordern, verlangen; an-, be-rechnen, in Rechnung stellen (to dat.); angreifen (a. v/i.); Am. behaupten.

charitable □ ('tʃæritəbl) mild (-tätig).

charity ('tʃæriti) Nächstenliebe; Wohl-, Mild-tätigkeit; Güte; Nachsicht; milde Gabe f. [m.\

charlatan ('ʃɑːlətən) Marktschreier\

charm (tʃɑːm) 1. Zauber; fig. Reiz m; 2. bezaubern; fig. entzücken; ~ing □ ('tʃɑːmiŋ) bezaubernd.

chart (tʃɑːt) 1. ⚓ Seekarte; Tabelle f; 2. auf e-r Karte verzeichnen.

charter ('tʃɑːtə) 1. Urkunde f; Freibrief m; Pate'nt n; Frachtvertrag m; 2. privilegieren; ⚓ chartern, mieten.

charwoman ('tʃɑːwumən) Scheuer-, Reinemache-frau f.

chary □ ('tʃɛəri) vorsichtig.

chase (tʃeis) 1. Jagd; Verfolgung f; gejagtes Wild; 2. jagen, hetzen; Jagd m. auf (acc.). [Lücke f.\

chasm (kæzm) Kluft (a. fig.);\

chaste □ (tʃeist) rein; keusch.

chastity ('tʃæstiti) Keuschheit f.

chat (tʃæt) 1. Geplauder n, Plauderei f; 2. plaudern.

chattels ('tʃætlz) pl. (mst goods and ~) Hab und Gut; Vermögen n.

chatter ('tʃætə) 1. plappern; schnattern; klappern; 2. Geplapper n; ~er (~rə) Schwätzer(in).

chatty ('tʃæti) gesprächig.

chauffeur ('ʃoufə) Chauffeu'r m.

cheap □ (tʃiːp) billig; fig. a. gemein; ~en ('tʃiːpən) (sich) verbilligen; fig. herabsetzen.

cheat (tʃiːt) 1. Betrug, Schwindel m; Betrüger(in); 2. betrügen.

check (tʃek) 1. Schach(stellung f); Hemmnis n (on für); Zwang m, Aufsicht; Kontrolle (on den.); Kontrollmarke f; Am. Gepäck-Schein; Am. ✝ Scheck m; kariertes Zeug; 2. Schach bieten (dat.); hemmen; kontrollieren; nachprüfen; in der Garderobe abgeben; ~er ('tʃekə) Aufsichtsbeamte(r) m; ~s pl. Am. Damespiel n; ~ing-room Am. Gepäckaufbewahrung f; ~mate

1. Schachmatt n; 2. matt setzen; ~up Am. scharfe Kontrolle.

cheek (tʃiːk) Backe, Wange; F Unverschämtheit f.

cheer (tʃiə) 1. Stimmung, Fröhlichkeit f; Hoch(ruf m) n; Beifall(sruf) m; Speisen f/pl., Mahl n; 2. v/t. aufheitern (a. ~ up); mit Beifall begrüßen; ansporen (a. ~ on); v/i. hoch rufen; jauchzen; (a. ~ up) Mut fassen; ~ful □ ('tʃiəful) heiter; ~less □ (~lis) freudlos; ~y □ (~ri) heiter, froh.

cheese (tʃiːz) Käse m.

chemical (kemikəl) 1. □ chemisch; 2. ~s (~s) pl. Chemika'lien pl.

chemist ('kemist) Chemiker(in); Drogist m; ~ry ('kemistri) Chemie'f.

cheque ✝ (tʃek) Scheck; crossed ~ Verrechnungsscheck m.

chequer ('tʃekə) 1. mst ~s pl. Karomuster n; 2. karieren.

cherish ('tʃeriʃ) hegen, pflegen.

cherry ('tʃeri) Kirsche f.

chess (tʃes) Schach(spiel) n; ~board Schachbrett n; ~man Schachfigu'r f.

chest (tʃest) Kiste, Lade f; Brustkasten m; ~ of drawers Kommode f.

chestnut ('tʃesnʌt) 1. Kastanie f; F alter Witz; 2. kastanienbraun.

chevy F ('tʃevi) 1. Hetzjagd f; Barlaufspiel n; 2. hetzen, jagen.

chew (tʃuː) kauen; sinnen; ~ing-gum ('tʃuːiŋgəm) Kaugummi m.

chicane (ʃi'kein) 1. Schikane f; 2. schikanieren.

chick (tʃik), ~en ('tʃikin) Hühnchen, Küchlein n; ~en-pox ✞ Windpocken f/pl.

chief (tʃiːf) 1. □ oberst; Ober..., Haupt...; hauptsächlich; ~ clerk Bürovorsteher m; 2. Oberhaupt n, Chef; Häuptling m; ...-in-~ Ober...; ~tain ('tʃiːftən) Häuptling m.

chilblain ('tʃilblein) Frostbeule f.

child (tʃaild) Kind n; from a ~ von Kindheit an; with ~ schwanger; ~birth Niederkunft f; ~hood (~hud) Kindheit f; ~ish □ ('tʃaildiʃ) kindlich; kindisch; ~like (~laik) kindlich; ~ren ('tʃildrən) pl. v. child.

chill (tʃil) 1. eisig, frostig; 2. Frost m, Kälte f; ✞ Fieberfrost m; Erkältung f; 3. v/t. erkalten l.; abkühlen; v/i. erkalten; erstarren; ~y ('tʃili) kalt, frostig.

chime (tʃaim) **1.** Glockenspiel; Geläut n; fig. Einklang m; **2.** läuten; fig. harmonieren.

chimney ('tʃimni) Schornstein; Rauchfang; Lampen-Zylinder m.

chin (tʃin) Kinn n.

china ('tʃainə) Porzellan n.

Chinese ('tʃai'ni:z) **1.** chinesisch; **2.** Chinese(n pl.) m, Chinesin f.

chink (tʃiŋk) Ritz, Spalt m.

chip (tʃip) **1.** Schnitzel n; Span m; Glas- usw. splitter; **2.** v/t. schnitzeln; v/i. an-, ab-schlagen; abbröckeln.

chirp (tʃə:p) **1.** zirpen; zwitschern; schilpen (Sperling); **2.** Gezirp n.

chisel ('tʃizl) **1.** Meißel m; **2.** meißeln; sl. (be)mogeln.

chit-chat ('tʃit-tʃæt) Geplauder n.

chivalr|ous ('ʃivəlrəs) ritterlich; **~y** (~ri) Ritterschaft f, Rittertum n; Ritterlichkeit f.

chlor|ine ('klɔ:ri:n) Chlor n; **~oform** ('klɔrəfɔ:m) **1.** Chloroform n; **2.** chloroformieren.

chocolate ('tʃɔkəlit) Schokolade f.

choice (tʃɔis) **1.** Wahl; Auswahl f; **2.** □ auserlesen, vorzüglich.

choir ('kwaiə) Chor m.

choke (tʃouk) **1.** v/t. (er)würgen, (a. v/i.) ersticken; ⚡ (ab)drosseln; (ver)stopfen; (mst ~ down) hinunterwürgen; **2.** Erstickungsanfall m; ⊕ Würgung f.

choose (tʃu:z) [irr.] (aus)wählen; to inf. vorziehen zu inf.

chop (tʃɔp) **1.** Hieb m; Kotelett; **~s** pl. Maul n, Rachen m; ⊕ Backen f/pl.; **2.** v/t. hauen, hacken, zerhacken; austauschen; v/i. wechseln; **~per** ('tʃɔpə) Hackmesser n; **~py** ('tʃɔpi) unstet; hohl (See).

choral □ ('kɔrəl) chormäßig; Chor ...; **~(e)** ⅃ (kɔ'ra:l) Choral m.

chord (kɔ:d) Saite f; ⅃ Akkord m.

chore Am. (tʃɔ:) Hausarbeit f.

chorus ('kɔ:rəs) **1.** Chor; Kehrreim m; **2.** im Chor singen od. rufen.

chose (tʃouz) wählte; **~n** (~n) gewählt.

Christ (kraist) Christus m.

christen ('krisn) taufen; **~ing** (~iŋ) **1.** Tauf...; **2.** Taufe f.

Christian ('kristjən) **1.** □ christlich; **~ name** Vor-, Tauf-name m; **2.** Christ(in); **~ity** (kristi'æniti) Christentum n.

Christmas ('krisməs) Weihnachten f.

chromium ⚛ ('kroumiəm) Chrom n (Metall); **~-plated** verchromt.

chronic ('krɔnik) (~ally) chronisch (mst 𝔰); dauernd; P ekelhaft; **~le** (~l) **1.** Chronik f; **2.** aufzeichnen.

chronolog|ical □ (krɔnə'lɔdʒikəl) chronologisch; **~y** (krə'nɔlədʒi) Zeitrechnung f.

chubby ('tʃʌbi) plump (a. fig.).

chuck[1] ('tʃʌk) **1.** Glucken n; my ~! mein Täubchen!; **2.** glucken.

chuck[2] (~) **1.** werfen, F schmeißen; **2.** (Hinaus-)Wurf m.

chuckle ('tʃʌkl) kichern, glucksen.

chum F (tʃʌm) **1.** (Stuben-)Kamerad m; **2.** zs.-wohnen.

chump F (tʃʌmp) Holzklotz m.

chunk F (tʃʌŋk) Klotz, Runken m.

church (tʃə:tʃ) Kirche f; Kirch(en)...; **~ service** Gottesdienst m; **~yard** Kirchhof m.

churl (tʃə:l) Grobian; Bauer m; **~ish** (~'tʃə:liʃ) grob, flegelhaft.

churn (tʃə:n) **1.** Butterfaß n; **2.** buttern; fig. aufwühlen.

cider ('saidə) Apfelwein m.

cigar (si'ga:) Zigarre f.

cigarette (sigə'ret) Zigarette f; **~-case** Zigarettenetui n.

cigar-holder Zigarrenspitze f.

cinch Am. sl. (sintʃ) sichere Sache.

cincture ('siŋktʃə) Gürtel, Gurt m.

cinder ('sində) Schlacke; **~s** pl. Asche f; **~-path** Sport: Aschenbahn f.

cinema ('sinimə) Kino n.

cinnamon ('sinəmən) Zimt m.

cipher ('saifə) **1.** Ziffer; Null (a. fig.); Geheimschrift, Chiffre f; **2.** chiffrieren; (aus)rechnen.

circle ('sə:kl) **1.** Kreis; Bekanntenusw. Kreis; Kreislauf f; thea. Rang; Ring m; **2.** (um)kreisen.

circuit ('sə:kit) Kreislauf; ⚡ Stromkreis m; Rundreise f; Gerichtsbezirk; ⚡ Rundflug m; ⚡ short ~ Kurzschluß m.

circular ('sə:kjulə) **1.** □ kreisförmig; **~ letter** Rundschreiben n; **~ note** Kreditbrief m; **2.** Rundschreiben n; Laufzettel m.

circulat|e ('sə:kjuleit) v/i. umlaufen, zirkulieren; v/t. in Umlauf setzen; **~ing** (~iŋ): ~ library Leihbücherei f; **~ion** (sə:kju'leiʃən) Zirkulation f, Kreislauf; fig. Umlauf m; Verbreitung; Zeitungs-Auflage f.

circum... ('sə:kəm) (her)um; **~fe-rence** (sə'kʌmfərəns) (Kreis-)Umfang *m*; Peripherie' *f*; **~jacent** (sə:-kəm'dʒeisnt) umliegend; **~locu-tion** (sə'kju:ʃən) Umständlichkeit *f*; Umschweif *m*; **~navigate** ('~'nævigeit) umse'geln; **~scribe** ('sə:kəmskraib) ♌ umschrei'ben; *fig.* begrenzen; **~spect** □ ('~spekt) um-, vor-sichtig; **~stance** ('sə:kəmstəns) Umstand *m*; Einzelheit; Umständlich₌eit *f*; **~stantial** □ (sə:kəm'stænʃəl) umständlich; **~vent** ('~'vent) überli'sten; vereiteln.

cistern ('sistən) Wasserbehälter *m*.

cit|ation (si'teiʃən) Vorladung; Antührung *f*, Zitat *n*; **~e** (sait) zitieren; vorladen; anführen.

citizen ('sitizn) (Staats-)Bürger(in); **~ship** ('~ʃip) Bürgerrecht *n*, Staatsangehörigkeit *f*.

citron ('sitrən) Zitro'ne *f*.

city ('siti) 1. Stadt *f*; 2. städtisch, Stadt...; ♀ *article* Börsen-, Handelsbericht *m*.

civic ('sivik) bürgerlich; städtisch; **~s** (~s) *pl.* Staatsbürgerkunde *f*.

civil □ ('sivil) bürgerlich; zivi'l; ⚔ zivilrechtlich; höflich; **~ servant** Verwaltungsbeamte(r); **~ service** Staatsdienst *m*; **~ian** ✕ (si'viljən) Zivili'st *m*; **~ity** (si'viliti) Höflichkeit *f*; **~ization** (sivilai'zeiʃən) Zivilisatio'n, Kultu'r *f*; **~ize** ('sivilaiz) zivilisieren.

clad (klæd) bekleidete; bekleidet.

claim (kleim) 1. Anspruch *m*; Anrecht *n* (to auf *acc.*); Forderung *f*; *Am.* Parzelle *f*; 2. beanspruchen; fordern; sich berufen auf (*acc.*); **~ to be** sich ausgeben für; **~ant** ('kleimənt) Beanspruchende(r); ⚔ Kläger *m*.

clairvoyant (klɛə'vɔiənt) Hellseher.

clamber ('klæmbə) klettern.

clammy □ ('klæmi) feuchtkalt, klamm.

clamo(u)r ('klæmə) 1. Geschrei *n*, Lärm *m*; 2. schreien (for nach).

clamp ⊕ (klæmp) 1. Klammer *f*; 2. verklammern; festklemmen.

clandestine □ (klæn'destin) heimlich; Geheim...

clang (klæŋ) 1. Klang *m*, Geklirr *n*; 2. schallen; klirren (lassen).

clank (klæŋk) 1. Gerassel *n*; 2. rasseln.

clap (klæp) 1. Klatschen *n*; Schlag,

Klaps *m*; 2. klappen (mit); klatschen; **~trap** Effe'kthascherei *f*.

clarify ('klærifai) *v/t.* (ab)klären; *fig.* klären; *v/i.* sich klären.

clarity ('klæriti) Klarheit *f*.

clash (klæʃ) 1. Geklirr *n*; Widerstreit *m*; 2. klirren (mit); zs.-stoßen.

clasp (kla:sp) 1. Haken *m*, Klammer; Schnalle; Spange *f*; *fig.* Umkla'mmerung; Uma'rmung *f*; 2. *v/t.* an-, zu-haken; *fig.* umkla'mmern; umfa'ssen; *v/i.* festhalten.

class (kla:s) 1. Klasse *f*; Stand *m*; 2. (in Klassen) einteilen, einordnen.

classic ('klæsik) 1. Klassiker *m*; 2. **~al** (□) (~, ~ikəl) klassisch.

classi|fication (klæsifi'keiʃən) Klassifizierung, Einteilung *f*; **~fy** (klæ'sifai) klassifizieren, einstufen.

clatter ('klætə) 1. Geklapper *n*; 2. klappern (mit); *fig.* schwatzen.

clause (klɔ:z) Klausel, Bestimmung *f*.

claw (klɔ:) 1. Klaue, Kralle; Pfote; *Krebs*-Schere *f*; 2. (zer)kratzen; (um)kra'llen.

clay (klei) Ton *m*; *fig.* Erde *f*.

clean (kli:n) 1. *adj.* □ rein; sauber; 2. *adv.* rein, völlig; 3. reinigen (of von); sich waschen l. (*Stoff usw.*); **~ up** aufräumen; **~ing** ('kli:niŋ) Reinigung *f*; **~liness** ('klenlinis) Reinlichkeit *f*; **~ly** 1. *adv.* ('kli:nli) rein *usw.*; 2. *adj.* ('klenli) reinlich; **~se** (klenz) reinigen; säubern.

clear (kliə) 1. □ klar; hell, rein; *fig.*: rein (from von); frei (of von); ganz, voll; ✝ rein, netto; 2. *v/t.* er-, aufhellen; (auf)klären; reinigen (of, from von); *Wald* lichten, roden; wegräumen (*a.* ~ away, off); *Hindernis* nehmen (*a.* ~ Rechnung bezahlen; ✝ (aus)klarieren, verzollen; ✝ freisprechen; befreien; *v/i.* sich aufhellen (*a.* ~ up); sich verziehen; **~ance** ('kliərəns) Aufklärung; Reinigung; Freilegung; Räumung; Abrechnung; Verzollung *f*; **~ing** ('kliəriŋ) Aufklärung *usw. s.* clear 2; Ab-, Ver-rechnung *f*; ♀ *House* Ab-, Ver-rechnungsstelle *f*.

cleave¹ (kli:v) [*irr.*] (sich) spalten; *Wasser, Luft* (zer)teilen.

cleave² (~) *fig.* festhalten (to an *dat.*); treu bleiben (*dat.*).

cleaver ('kli:və) Hackmesser *n*.

clef ♪ (klef) Schlüssel *m*.

cleft (kleft) 1. Spalte *f*; Sprung, Riß *m*; 2. spaltete; gespalten.

clemen|cy ('klemənsi) Milde *f*; **~t** □ ('klemənt) mild.

clench (klentʃ) *Lippen usw.* fest zs.-pressen; *Zähne* zs.-beißen; *Faust* ballen; = clinch.

clergy ('klɑːdʒi) Geistlichkeit *f*; **~man** (~mən) Geistliche(r) *m*.

clerical ('klerikəl) **1.** □ geistlich; Schreib(er)...; **2.** Geistliche(r) *m*.

clerk (klɑːk) Schreiber, Büroangestellte(r); Sekretär *m*; Handlungsgehilfe *m*; *Am.* Verkäufer(in); Küster *m*.

clever □ ('klevə) gescheit; geschickt.

clew (kluː) Knäuel *m* (*n*); *s.* clue.

click (klik) **1.** Knacken *n*; ⊕ Sperrhaken *m*, -klinke *f*; **2.** knacken; zu-, ein-schnappen; *Am.* klappen.

client ('klaiənt) Klie'nt(in); Kund(e *m*, -in *f*; **~èle** (kliːɑːnˈteil) Kundschaft *f*.

cliff (klif) Klippe *f*; Felsen *m*.

climate ('klaimit) Klima *n*.

climax ('klaimæks) **1.** *rhet.* Steigerung *f*; höchster Punkt; **2.** steigern.

climb (klaim) [*irr.*] (er)klettern, (er)klimmen, (er)steigen; **~er** ('klaimə) Kletterer(in); *fig.* Streber(in); ♀ Kletterpflanze *f*.

clinch (klintʃ) **1.** ⊕ Vernietung *f*; Festhalten *n*; **2.** *v/t.* vernieten; festmachen; *s.* clench; *fig.* festhalten.

cling (kliŋ) [*irr.*] (to) festhalten (an *dat.*), sich klammern (an *acc.*); sich (an)schmiegen; *e-m* anhängen.

clinic ('klinik) **1.** Klinik *f*; **2.** = **~al** □ (~ikəl) klinisch.

clink (kliŋk) **1.** Geklirr *n*; **2.** klingen, klirren (l.); klimpern mit.

clip¹ (klip) **1.** Schnur *f*; **2.** ab-, aus-, be-schneiden; *Schafe usw.* scheren.

clip² (~) Klammer; Spange.

clipp|er ('klipə): (*a pair of e-e*) **~s** *pl.* Schere *f*; ⚓ Schnellsegler *m*; (*flying*) ~ Verkehrsflugzeug *n*; **~ings** (~iŋz) *pl.* Abfälle; Ausschnitte *m/pl.*

cloak (klouk) **1.** Mantel *m*; **2.** mit e-m M. bedecken; *fig.* bemänteln; **~-room** Garderobe *f*; 📭 Gepäckabgabe *f*.

clock (klɔk) *Schlag-, Wand-*Uhr *f*.

clod (klɔd) Erdklumpen; Tölpel *m*.

clog (klɔg) **1.** Klotz *m*; Holz-, Überschuh *m*; **2.** belasten; hemmen; (sich) verstopfen. [Kloster *n*.]

cloister ('klɔistə) Kreuzgang *m*;]

close 1. □ (klous) geschlossen; verborgen; verschwiegen; knapp, eng; begrenzt; nah, eng; bündig; dicht; gedrängt; schwül; knickerig; genau; fest (*Griff*); ~ *by*, ~ *to* dicht bei; ~ *fight*, ~ *quarters* *pl.* Handgemenge; *hunt.* ~ *season*, ~ *time* Schonzeit *f*; **2. a)** (klous) Schluß *m*; Abschluß *m*; **b)** (klous) Gehege *n*; **3.** (klouz) *v/t.* (ab-, ein-, ver-, zu-)schließen; beschließen; *v/i.* (sich) schließen; abschließen; handgemein w.; ~ *in* hereinbrechen; ~ *on* (*prp.*) sich schließen um, umfa'ssen; **~ness** ('klousnis) Genauigkeit, Geschlossenheit *f*.

closet ('klɔzit) **1.** Kabine'tt *n*; (Wand-)Schrank *m*; Klose'tt *n*; **2.** *be ~ed with* mit *j-m* e-e geheime Beratung haben.

closure ('klouʒə) Verschluß; *parl.* (Antrag auf) Schluß *f* e-r *Debatte*.

clot (klɔt) **1.** Klümpchen *n*; **2.** zu Klümpchen gerinnen (machen).

cloth (klɔːθ, klɔθ), *pl.* **~s** (klɔːðz, klɔθs) Zeug; Tuch; Tischtuch *n*; Kleidung, *Amts-*Tracht *f*; F the ~ der geistliche Stand; ~ *binding* Leinenband *m*.

clothe (klouð) [*irr.*] (an-, be-)kleiden; *fig.* be-, ein-kleiden.

clothes (klouðz) *pl.* Kleider *n/pl.*; Wäsche *f*; **~-basket** Waschkorb *m*; **~-line** Wäscheleine *f*; **~-peg** Kleiderhaken *m*; Wäscheklammer *f*.

clothier ('klouðiə) Tuchmacher; Tuch-, Kleider-händler *m*.

clothing ('klouðiŋ) Kleidung *f*.

cloud (klaud) **1.** Wolke (*a. fig.*); Trübung *f*; Schatten *m*; **2.** (sich) be-, um-wö'lken (*a. fig.*); **~burst** Wolkenbruch *m*; **~less** □ ('klaudlis) wolkenlos; **~y** □ (~i) wolkig; trüb; unklar.

clove¹ (klouv) (Gewürz-)Nelke *f*.

clove² (~) spaltete; **~n** ('klouvn) *adj.* gespalten.

clover ♣ ('klouvə) Klee *m*.

clown (klaun) Hanswurst; Tölpel *m*.

cloy (klɔi) über-sä'ttigen, -la'den.

club (klʌb) **1.** Keule *f*; *Am.* Gummiknüppel; Klub *m*; ~s *pl.* Karten: Kreuz *n*; **2.** *v/t.* mit e-r Keule schlagen; *v/i.* sich zs.-tun.

clue (kluː) Leitfaden; Anhaltspunkt, Fingerzeig *m*.

clump (klʌmp) **1.** Klumpen *m*; *Baum-*Gruppe *f*; **2.** trampeln; zs.-drängen. [geschickt; plump.]

clumsy □ ('klʌmzi) unbeholfen, un-]

clung (klʌŋ) hielt fest, festhielt; festgehalten.

cluster ('klʌstə) 1. Traube f; Büschel m u. n; Haufen m; 2. büschelweise wachsen; (sich) zs.-drängen.

clutch (klʌtʃ) 1. Griff m; ⊕ Kuppelung f; Klaue f; 2. (er)greifen.

clutter ('klʌtə) 1. Wirrwarr m; 2. durch-ea.-rennen; -ea.-bringen.

coach (koutʃ) 1. Kutsche f; ⚓ Wagen; Einpauker; Trainer m; 2. kutschieren; (ein-)pauken; trainieren; **~man** Kutscher m.

coagulate (kou'æguleit) gerinnen m.

coal (koul) 1. (Stein-)Kohle f; 2. ⊕ (be)kohlen.   [sich vereinigen.]

coalesce (kouə'les) zs.-wachsen;)

coalition (kouə'liʃən) Verbindung f; Bund m, Koalition f.

coal-pit Kohlengrube f.

coarse □ (kɔːs) grob; ungeschliffen.

coast (koust) 1. Küste; Talfahrt f; 2. an der Küste entlangfahren; abwärts gleiten; **~er** ('koustə) ⚓ Küstenfahrer m.

coat (kout) 1. (Männer-)Rock; Mantel m; Jackett n; Pelz m, Gefieder n; Überzug m; ~ of arms Wappen (-schild m) n; 2. bekleiden; überziehen; anstreichen; **~hanger** Kleiderbügel m; **~ing** ('koutiŋ) Bekleidung f; Überzug; Anstrich m.

coax (kouks) schmeicheln (dat.); beschwatzen (into zu).

cob (kɔb) kleines starkes Pferd; Schwan; Am. Maiskolben m.

cobbler ('kɔblə) Schuhflicker; fig. Schuster m (Stümper).

cobweb ('kɔbweb) Spinnengewebe n.

cock (kɔk) 1. Hahn; Anführer; Heuschober m; 2. (oft ~ up) aufrichten; Gewehrhahn spannen.

cockade (kɔ'keid) Kokarde f.

cockatoo (kɔkə'tuː) Ka'kadu m.

cockboat ⚓ ('kɔkbout) Jolle f.

cockchafer ('kɔktʃeifə) Maikäfer m.

cock-eyed sl. ('kɔkaid) schieläugig; Am. blau (betrunken).

cockpit ('kɔkpit) Kampfplatz m für Hähne; ⚓ Raumdeck n; ✈ Führerraum, -sitz m.

cockroach zo. ('kɔkroutʃ) Schabe f.

cock|sure F todsicher; **~tail** Halbblut n (Pferd); fig. Parvenü'; Cocktail m; **~y** F ('kɔki) selbstbewußt; frech.

coco ('koukou) Kokospalme f.

cocoa ('koukou) Kaka'o m.

coco-nut ('koukənʌt) Kokosnuß f.

cocoon (kə'kuːn) Seiden-Koko'n m.

cod (kɔd) Kabeljau m.

coddle ('kɔdl) verhätscheln.

code (koud) 1. Gesetzbuch n; Kodex; telegr. Schlüssel m; 2. chiffrieren.

codger F ('kɔdʒə) komischer Kauz.

cod-liver: **~ oil** Lebertran m.

coerc|e (kou'əːs) (er)zwingen; **~ion** (~ʃən) Zwang m.   [gleichalterig.]

coeval □ (kou'iːvəl) gleichzeitig;]

coexist (kouig'zist) gleichzeitig vorhanden (od. da) sn.

coffee ('kɔfi) Kaffee m; **~pot** K.-kanne f; **~room** Gastzimmer n e-s Hotels; **~set** K.-servi'ce n.

coffer ('kɔfə) Geld-(Kasten m.

coffin ('kɔfin) Sarg m.

cogent □ ('koudʒənt) zwingend.

cogitate ('kɔdʒiteit) v/i. nachdenken; v/t. (er)sinnen.

cognate ('kɔgneit) verwandt.

cognition (kɔg'niʃən) Erkenntnis f.

coheir ('kou'ɛə) Miterbe m.

coheren|ce (kou'hiərəns) Zs.-hang m; **~t** □ (~rənt) zs.-hängend.

cohesi|on (kou'hiːʒən) Kohäsio'n f; **~ve** (~siv) (fest) zs.-hängend.

coiff|eur (kwaː'fəː) Friseur m; **~ure** (~'fjuə) Haartracht, Frisu'r f.

coil (kɔil) 1. Rolle; Schlinge; ⚡ Spule f; ⊕ Schlange f; 2. (oft ~ up) aufwickeln; (sich) zs.-rollen.

coin (kɔin) 1. Münze f; 2. prägen (a. fig.); münzen; **~age** (kɔinidʒ) Prägung f; Geld n, Münze f.

coincide (kouin'said) zs.-treffen; übereinstimmen; **~nce** (kou'insidəns) Zs.-treffen n; fig. Übereinstimmung f.

coke (kouk) Koks m.

cold (kould) 1. □ kalt; ~ meat kalte Küche; 2. Kälte f, Frost m; Erkältung f; **~ness** ('kouldnis) Kälte f.

colic ✧ ('kɔlik) Koli'k f.

collaborat|e (kə'læbəreit) zs.-arbeiten; **~ion** (kələbə'reiʃən) Zs.-, Mitarbeit f; in ~ gemeinsam.

collapse (kə'læps) 1. zs.-, ein-fallen; zs.-brechen; 2. Zs.-bruch m.

collar ('kɔlə) 1. Kragen m; Halsband n; Kum(me)t; ⊕ Lager m; 2. beim Kragen packen; zs.-rollen.

collate (kɔ'leit) Texte vergleichen.

collateral (kɔ'lætərəl) 1. □ paralle'l laufend; Seiten...; Neben...; indirekt; 2. Seitenverwandte(r).

colleague ('kɔliːg) Kolle'ge m.

4

collect 1. (kə'lekt) *eccl.* Kolle'kte *f* **2.** *v/t.* (kə'lekt) (ein)sammeln; *~* Ge- danken *usw.* sammeln; einkassieren; *v/i.* sich sammeln; **~ed** □ (kə'lektid) *fig.* gefaßt; **~ion** (kə'lekʃən) Samm- lung; Einziehung *f*; **~ive** (~tiw) ge- sammelt; Sammel...; **~ively** (~- tivli) insgesamt; zs.-fassend; *~or* (~tə) Sammler; *Steuer*-Erheber *m.*

college ('kɔlidʒ) Kolle'g(ium); Col- lege *n*; höhere Bildungsanstalt, Hochschule *f.*

collide (kə'laid) zs.-stoßen.

collie ('kɔli) schottischer Schäfer- hund.

collier (kɔliə) Kohlenarbeiter *m*; ⚓ Kohlenschiff *n*; **~y** (kɔ'ljəri) Kohlengrube *f.*

collision (kə'liʒən) Zs.-stoß *m.*

colloquial (kə'loukwiəl) Um- gangs...; familiä'r.

colloquy ('kɔləkwi) Gespräch *n.*

colon ('koulən) *typ.* Doppelpunkt *m.*

colonel ✕ ('kəːnl) Oberst *m.*

coloni|al (kə'lounjəl) Kolonia'l...; **~ze** (kɔlənaiz) kolonisieren: (sich) ansiedeln; besiedeln.

colony ('kɔləni) Kolonie'; Siedlung *f.*

colo(u)r ('kʌlə) **1.** Farbe; *fig.* Fär- bung *f*; Anschein; Vorwand *m*; **~s** *pl.* Fahne, Flagge *f*; **2.** *v/t.* färben; anstreichen; *fig.* beschönigen *v/i.* sich (ver)färben; erröten; **~ed** (~d) gefärbt, farbig; *~* (wo)man Farbi- ge(r); **~ful** (~ful) farbenreich; **~ing** (~riŋ) Färbung *f*; Farbton *m*; *fig.* Beschönigung *f*; **~less** □ (~lis) farblos.

colt (koult) Füllen *n*; *fig.* Neuling *m.*

column ('kɔləm) Säule; *typ.* Spalte; ✕ Kolo'nne *f*; **~ist** *Am.* (~nist) Tagesschriftsteller *m.*

comb (koum) **1.** Kamm *m*; ⊕ Hechel; (Honig-)Wabe *f*; **2.** *v/t.* kämmen; striegeln; *Flachs* hecheln.

combat ('kɔmbæt, 'kʌm-) **1.** Kampf *m*; **2.** (be)kämpfen; **~ant** (~ənt) Kämpfer *m.*

combin|ation (kɔmbi'neiʃən) Ver- bindung; *mst* **~s** *pl.* Hemdhose *f*; **~e** (kəm'bain) (sich) ver-binden, -einigen.

combusti|ble (kəm'bʌstəbl) **1.** brennbar; **2.** **~s** *pl.* Brennmateria'l *n*; *mot.* Betriebsstoff *m*; **~on** (~tʃən) Verbrennung *f.*

come (kʌm) [*irr.*] kommen; to *~* künftig, kommend; *~* about sich zu-

tragen; *~* across a p. auf j-n stoßen; *~* at erreichen; *~* by vorbeikommen; zu *et.* kommen; *~* off davonkommen; losgehen (*Knopf*), ausfallen (*Haare usw.*); stattfinden; *~* round herum- kommen (*bsd. zu Besuch*); wieder- kehren; F sich erholen; *fig.* einlen- ken; *~* to: a) *adv.* dazukommen; ⚓ beidrehen; b) *prp.* betragen; *~* up to entsprechen (*dat.*); es *j-m* gleichtun; *Stand, Maß* erreichen.

comedian (kə'miːdiən) Schauspieler (-in); Lustspieldichter(in).

comedy ('kɔmidi) Lustspiel *n.*

comeliness ('kʌmlinis) Anmut *f.*

comfort ('kʌmfət) **1.** Bequemlich- keit; Behaglichkeit *f*; Trost; *fig.* Beistand *m*; Erquickung *f*; **2.** trö- sten; erquicken; beleben; **~able** □ (~əbl) **1.** behaglich; bequem; tröst- lich; *Am.* F genügend; **2.** *Am.* Steppdecke *f*; **~er** (~ə) Tröster *m*; **~less** □ (~lis) unbehaglich; trostlos.

comic|al □) ('kɔmik[əl]) komisch; lustig, drollig.

coming ('kʌmiŋ) **1.** kommend; künftig; **2.** Kommen *n.*

command (kə'maːnd) **1.** Herrschaft, Beherrschung *f* (a. *fig.*); Befehl *m*; Kommando *n*; be (have) at *~* zur Verfügung stehen (haben); **2.** be- fehlen; ✕ kommandieren; verfügen über (*acc.*); beherrschen; **~er** (kə- 'maːndə) ✕ Kommandeu'r, Befehls- haber; ⚓ Fregattenkapitä'n *m*; **~er- in-chief** (~rin'tʃiːf) Oberbefehls- haber *m*; **~ment** (~mənt) Gebot *n.*

commemora|te (kə'meməreit) ge- denken (*gen.*), feiern; **~tion** (kəme- mə'reiʃən) Gedächtnisfeier *f.*

commence (kə'mens) anfangen, be- ginnen; **~ment** (~mənt) Anfang *m.*

commend (kə'mend) empfehlen; lo- ben; anvertrauen.

comment ('kɔment) **1.** Kommenta'r *m*; Erläuterung; An-, Be-merkung *f*; **2.** (*upon*) erläutern (*acc.*); sich auslassen (über *acc.*); **~ary** ('kɔmən- təri) Kommenta'r *m*; **~ator** (~- menteitə) Kommenta'tor; *Radio:* Berichterstatter *m.*

commerc|e ('kɔməs, -əːs) Handel; Verkehr *m*; **~ial** □ (kə'məːʃəl) kauf- männisch; Handels...; Geschäfts...

commiseration (kəmizə'reiʃən) Mitleid *n* (*for* mit).

commissary ('kɔmisəri) Kommis- sa'r; ✕ Intendanturbeamte(r) *m*;

commission (kə'miʃən) **1.** Auftrag *m*; Übertra'gung *von Macht usw.*; Begehung *e-s Verbrechens*; Provisio'n; Kommissio'n *f*; (Offizier-) Pate'nt *n*; **2.** beauftragen; bevollmächtigen; ⚔ bestallen; ⚓ in Dienst stellen; **~er** (kə'miʃənə(r)) Bevollmächtigte(r); Kommissa'r *m*.

commit (kə'mit) anvertrauen; überge'ben, überwei'sen *Tat* begehen; bloßstellen; **~** (o. s. sich) verpflichten; **~** (*to prison*) in Untersu'chungshaft nehmen; **~ment** (~mənt), **~tal** (~l) Überweisung; Verpflichtung; Begehung *f*; **~tee** (~i) Ausschuß *m*.

commodity (kə'mɔditi) Ware *f* (*mst pl.*), Gebrauchsartikel *m*.

common (kɔmən) **1.** □ (all)gemein; gewöhnlich; gemeinschaftlich; öffentlich; ♀ Council Gemeinderat *m*; **~** law Gewohnheitsrecht *n*; **~** sense gesunder Menschenverstand; *in* ~ gemeinsam; *fig. in* ~ with genau wie; **2.** Gemeindewiese *f*; **~place 1.** Gemeinplatz *m*; **2.** gewöhnlich; F abgedroschen; **~s** (~z) *pl. das* gemeine Volk; gemeinschaftliche Kost; (*mst House of*) ♀ Unterhaus *n*; **~wealth** (~welθ) Gemeinwesen *n*, Staat *m*; *bsd.* Republi'k *f*; *the British* ♀ *der* Britische Staatenbund.

commotion (kə'mouʃən) Erschütterung *f*; Aufruhr *m*; Aufregung *f*.

communal □ (kɔmjunl) gemeinschaftlich; Gemeinde...

communicat|e (kə'mju:nikeit) *v/t.* mitteilen; *v/i.* das Abendmahl nehmen, kommunizieren; in Verbindung stehen; **~ion** (kəmju:ni'keiʃən) Mitteilung; Verbindung *f*; **~ive** □ (kə'mju:nikeitiv) gesprächig.

communion (kə'mju:njən) Gemeinschaft *f*; *eccl.* Abendmahl *n*.

communism (kɔmjunizm) Kommuni'smus *m*.

community (kə'mju:niti) Gemeinschaft; Gemeinde *f*; Staat *m*.

commutation (kɔmju'teiʃən) Vertauschung; U'mwandlung; Ablösung; Strafmilderung *f*.

compact 1. (kɔmpækt) Vertrag *m*; **2.** (kəm'pækt) *adj.* dicht, fest; knapp, bündig; *v/t.* fest verbinden.

companion (kəm'pænjən) Gefährt|e *m*, -in *f*; Gesellschafter(in); **~ship** (~ʃip) Gesellschaft *f*.

company (kɔmpəni) Gesellschaft; Kompanie'; Handelsgesellschaft;

Genossenschaft; ⚔ Mannschaft; *thea.* Truppe *f*; *have ~* Gäste haben; *keep ~ with* verkehren mit.

compar|able □ (kɔmpərəbl) vergleichbar; **~ative** (kəm'pærətiv) □ vergleichend; verhältnismäßig; **~e** (kəm'pɛə) **1.** *beyond* ~ *without* ~ *past* ~ unvergleichlich; **2.** *v/t.* vergleichen; gleichstellen (*to* mit); *v/i.* sich vergleichen (l.); **~ison** (kəm'pærisn) Vergleich(ung *f*) *m*.

compartment (kəm'pɑ:tmənt) Abteilung *f*; 🛆 Fach; 🚂 Abteil *n*.

compass (kʌmpəs) **1.** Bereich; ♪ Umfang; Kompaß; (*a pair of*) **~es** *pl.* (ein) Zirkel *m*; **2.** herumgehen um; einschließen; erreichen; planen.

compassion (kəm'pæʃən) Mitleid *n*; **~ate** □ (~it) mitleidig.

compatible □ (kəm'pætəbl) vereinbar, verträglich; schicklich.

compatriot (~triət) Landsmann *m*.

compel (kəm'pel) (er)zwingen.

compensat|e (kɔmpenseit) *v/t. j.* entschädigen; *et.* ersetzen; ausgleichen; **~ion** (kɔmpen'seiʃən) Ersatz *m*; Ausgleich(ung *f*) *m*.

compete (kəm'pi:t) sich mitbewerben (*for* um); konkurrieren.

competen|ce, **~cy** (kɔmpitəns, ~i) Befugnis, Zuständigkeit *f*; Auskommen *n*; **~t** □ (~tənt) hinreichend; (leistungs)fähig; fachkundig; berechtigt, zuständig.

competit|ion (kɔmpi'tiʃən) Mitbewerbung *f*; Wettbewerb *m*; ♦ Konkurre'nz *f*; **~or** (kəm'petitə) Mitbewerber(in); Konkurre'nt(in).

compile (kəm'pail) zs.-tragen, -stellen (*from* aus); sammeln.

complacen|ce, **~cy** (kəm'pleisns, ~nsi) Selbstzufriedenheit *f*.

complain (kəm'plein) (sich be-)klagen; **~ant** (~ənt) Kläger(in); **~t** Klage, Beschwerde *f*; ⚕ Leiden *n*.

complement (kɔmplimənt) **1.** Ergänzung *f*; volle Anzahl; **2.** ergänzen.

complet|e (kəm'pli:t) **1.** □ vollständig, ganz; vollkommen; **2.** vervollständigen; -kommen; abschließen; **~ion** (~ʃən) Vervollständigung; Abschluß *m*; Erfüllung.

complex 1. (kɔmpleks) □ zs.-gesetzt; *fig.* kompliziert; **2.** Gesamtheit *f*, Komple'x *m*; **~ion** (kəm'plekʃən) Aussehen *n*; Chara'kter, Zug *m*; Gesichtsfarbe *f*; **~ity** (~siti) Kompliziertheit *f*.

compliance (kəm'plaiəns) Einwilligung *f;* Einverständnis *n; in ~* with gemäß.

complicate('kɔmplikeit)verwickeln.

compliment 1. ('kɔmplimənt) Artigkeit; Schmeichelei *f;* Gruß *m;* **2.** (ˌment) *v/t.* (on) beglückwünschen (zu); *j-m* Artigkeiten sagen.

comply (kəm'plai) sich fügen, nachkommen, entsprechen (*with dat.*).

component (kəm'pounənt) **1.** Bestandteil *m.* **2.** zs.-setzend.

compos|e (kəm'pouz) zs.-setzen; komponieren, verfassen; ordnen; beruhigen; *typ.* setzen; **~ed** □ (ˌd) ruhig, gesetzt; **~er** (ˌə) Komponist (-in); Dichter(in); **~ition** (kɔmpə'ziʃən) Zs.-setzung; Abfassung; Komposition *f;* (Schrift)Satz; Aufsatz; *₮* Vergleich *m;* **~ure** (kəm'pouʒə) Fassung, Gemütsruhe *f.*

compound 1. ('kɔmpaund) zs.-gesetzt; *~* interest Zinseszinsen *m/pl.;* **2.** Zs.-setzung, Verbindung *f;* **3.** (kəm'paund) *v/t.* zs.-setzen;*Streit* beilegen; *v/i.* sich einigen.

comprehend (kɔmpri'hend) in sich fassen; begreifen.

comprehen|sible □ (kɔmpri'hensəbl) faßlich; **~sion** (ˌʃən) Verständnis *n;* Fassungskraft *f;* **~sive** □ (ˌsiv) umfassend.

compress (kəm'pres) zs.-drücken; **~ed** air Druckluft *f;* **~ion** (kəm'preʃən) *phys.* Verdichtung *f;* ⊕ Druck *m.*

comprise (kəm'praiz) in sich fassen, einschließen, enthalten.

compromise ('kɔmprəmaiz) **1.** Kompromiß *n* (*m*); **2.** *v/t. Streit* beilegen; bloßstellen; *v/i.* e-n Kompromiß schließen.

compuls|ion (kəm'pʌlʃən) Zwang *m;* **~ory** (ˌsəri) zwingend; Zwangs...

comput|ation (kɔmpju'teiʃən) (Be-)Rechnung *f;* **~e** (kəm'pju:t) (be-, er-)rechnen; schätzen.

comrade ('kɔmrid) Kamera'd *m.*

con (kɔn) = *contra* wider.

conceal (kən'si:l) verbergen;*fig.*verhehlen, -heimlichen, -schweigen.

concede (kən'si:d) zugestehen; einräumen; gewähren, nachgeben.

conceit (kən'si:t) Einbildung *f;* **~ed** □ (ˌid) eingebildet (*of auf acc.*).

conceiv|able □ (kən'si:vəbl) denkbar; begreiflich; **~e** (kən'si:v) *v/i.* empfangen (*schwanger w.*); sich

denken (*of acc.*); *v/t. Kind* empfangen; sich denken; aussinnen.

concentrate ('kɔnsentreit) (sich) zs.-ziehen, (sich) konzentrieren.

conception (kən'sepʃən) Begreifen *n;* Vorstellung *f,* Begriff *m,* Idee *f; biol.* Empfängnis *f.*

concern (kən'sə:n) **1.** Angelegenheit *f;* Interes'se *n;* Sorge; Beziehung *f* (*with zu*); *₮* Geschäft*n,* (industrie'lles) Unterne'hmen; **2.** betreffen, angehen, interessieren; *~* o.s. about, for sich kümmern um; *be ~ed* in Betracht kommen; **~ed** □ (ˌd) interessiert, beteiligt (*in an dat.*); bekümmert; **~ing** (ˌiŋ) *prp.* betreffend, über, wegen, hinsichtlich.

concert 1. ('kɔnsət) Konze'rt; Einverständnis *n;* **2.** (kən'sə:t) sich einigen, verabreden; *₮ ~ed* mehrstimmig.

concession (kən'seʃən) Zugeständnis *n;* Erlaubnis *f.*

conciliat|e (kən'silieit) aus-, versöhnen; ausgleichen; **~or** (ˌə) Vermittler *m.*

concise □ (kən'sais) kurz, bündig, knapp; **~ness** (ˌnis) Kürze *f.*

conclude (kən'klu:d) schließen; beschließen; abschließen; folgern; sich entscheiden; *to be ~d* Schluß folgt.

conclusi|on (kən'klu:ʒən) Schluß *m;* Ende *n;* Abschluß *m;* Folgerung *f;* Beschluß *m;* **~ve** □ (ˌsiv) schlüssig; endgültig.

concoct (kən'kɔkt) zs.-brauen; *fig.* aussinnen; **~ion** (kən'kɔkʃən) Gebräu; *fig.* Ausheckung *n.*

concord ('kɔŋkɔ:d) Eintracht; Übereı'nstimmung *f;* ♪ Harmonie'*f;* **~ant** □ (kən'kɔ:dənt) übereı'nstimmend; einstimmig; ♪ harmonisch.

concrete ('kɔnkri:t) **1.** □ konkre't; **2.** Beto'n*m;***3.** (kən'kri:t) *zue-r* Masse verbinden; ('kɔnkri:t) betonieren

concur (kən'kə:) zs.-treffen, -wirken, übereı'nstimmen; **~rence** (kən'kʌrəns) Zusammentreffen *n;* Übereı'nstimmung *f;* Mitwirkung *f.*

condemn (kən'dem) verdammen; verurteilen; verwerfen; **~ation** (kɔndem'neiʃən) Verurteilung; Verwerfung *f.*

condens|ation ('kɔnden'seiʃən)Verdichtung *f;* **~e** (kən'dens) (sich) verdichten; ⊕ kondensieren; zs.-drängen.

condescen|d (kɔndi'send) sich herablassen; geruhen; **~sion** (~'sen-ʃən) Herablassung f.

condiment ('kɔndimənt) Würze f.

condition (kən'diʃən) 1. Zustand, Stand m; Stellung, Bedingung f; **~s** pl. Verhältnisse n/pl.; 2. bedingen; in e-n geeigneten Zustand bringen; **~al** □ (~l) bedingt ([up]on durch).

condol|e (kən'doul) kondolieren (with dat.); **~ence** (~əns) Beileid n.

conduc|e (kən'djuːs) führen, dienen; **~ive** (~iv) dienlich, förderlich.

conduct 1. ('kɔndəkt) Führung f; 2. (kən'dʌkt) führen; ♪ dirigieren; **~ion** (~ʃən) Leitung f; **~or** (kən-dʌktə) Führer; Leiter; Schaffner; Am. 🚃 Zugführer; ♪ Dirige'nt m.

conduit ('kɔndjuit, 'kɔndit) Rohr n.

cone (koun) Kegel m; ♀ Zapfen m.

confabulation (kənfæbju'leiʃən) Plauderei f.

confection (kən'fekʃən) Konfe'kt n; **~er** (~ə) Kondi'tor m; **~ery** (~əri) Konditorei' f; Konditorwaren f/pl.

confedera|cy (kən'fedərəsi) Bündnis n; **~te** 1. (~rit) verbündet; 2. (~rit) Bundesgenosse m; 3. (~reit) (sich) verbünden; **~tion** (kənfedə'reiʃən) Bund m, Bündnis n.

confer (kənfəː) v/t. übertra'gen, verleihen; v/i. sich besprechen; **~ence** ('kɔnfərəns) Konfe'renz f.

confess (kən'fes) bekennen, gestehen; beichten; **~ion** (~ʃən) Bekenntnis n; Beichte f; **~ional** (~ʃənl) Beichtstuhl m; **~or** (~sə) Bekenner; Beichtvater m.

confide (kən'faid) anvertrauen; vertrauen (in auf acc.); **~nce** ('kɔnfidəns) Vertrauen n; Zuversicht f; **~nt** □ ('kɔnfidənt) vertrauend; dreist; **~ntial** □ (kɔnfi'denʃəl) vertraulich.

confine (kən'fain) begrenzen; beschränken; einsperren; be **~d** niederkommen (of mit); **~ment** (~mənt) Haft; Beschränkung; Wochenbett n.

confirm (kən'fəːm) (be)kräftigen; bestätigen; konfirmieren; firmen; **~ation** (kɔnfə'meiʃən) Bestätigung; Konfirmatio'n, Firmung f.

confiscat|e ('kɔnfiskeit) beschlagnahmen; **~ion** (kɔnfis'keiʃən) Beschlagnahme f. [ßer Brand m.]

conflagration (kɔnflə'greiʃən) gro-

conflict 1. ('kɔnflikt) Konfli'kt m; 2. (kən'flikt) im Konflikt stehen.

conflu|ence ('kɔnfluəns) Zs.-fluß; Auflauf m; **~ent** (~fluənt) 1. zs.-fließend, zs.-laufend; 2. Zu-, Neben-fluß m.

conform (kən'fɔːm) (sich) anpassen; **~able** □ (~əbl) (to) überei'nstimmend (mit); entsprechend (dat.), nachgiebig (dat.); **~ity** (~iti) Überei'nstimmung f.

confound (kən'faund) vermengen; verwechseln; j. verwirren.

confront (kən'frʌnt) gegenüberstellen; entgegentreten (with dat.).

confus|e (kən'fjuːz) verwechseln; verwirren; **~ion** (kən'fjuːʒən) Verwirrung; Verwechselung f.

confut|ation (kɔnfjuː'teiʃən) Widerle'gung f; **~e** (kən'fjuːt) widerle'gen.

congeal (kən'dʒiːl) erstarren (lassen).

congenial □ (kən'dʒiːniəl) (geistes-)verwandt (with dat.); entsprechend.

congestion (kən'dʒestʃən) Blutandrang m; Stauung f.

conglomeration (kɔn'glɔmə''reiʃən) Anhäufung f; Konglomera't n.

congratulat|e (kən'grætjuleit) beglückwünschen; gratulieren; **~ion** (kəngrætjuleiʃən) Glückwunsch m.

congregat|e ('kɔngrigeit) (sich) (ver)sammeln; **~ion** (kɔngri'geiʃən) Versammlung f; eccl. Gemeinde f.

congress ('kɔngres) Kongre'ß m.

congruous □ ('kɔngruəs) angemessen (to für); überei'nstimmend; folgerichtig.

conifer ('kounifə) Nadelholzbaum m.

conjecture (kən'dʒektʃə) 1. Mutmaßung f; 2. mutmaßen.

conjoin (kən'dʒɔin) (sich) verbinden; **~t** (~t) verbunden.

conjugal □ ('kɔndʒugəl) ehelich.

conjunction (kən'dʒʌŋkʃən) Verbindung f.

conjur|e 1. (kən'dʒuə) v/t. beschwören, inständig bitten; 2. ('kʌndʒə) v/t. beschwören; et. wohin zaubern; v/i. zaubern; **~er** (~rə) Beschwörer(in); Zauber|er m, -in f; Taschenspieler(in).

connect (kə'nekt) (sich) verbinden; ⚡ schalten; **~ed** (~id) verbunden; zs.-hängend (Rede usw.); be **~** with in Verbindung stehen mit j-m; **~ion** (~kʃən) s. connexion.

connexion (kə'nekʃən) Verbindung f; (a. 🚃, ⚡) Anschluß m; Zs.-hang m; Verwandtschaft f.

connive (kə'naiv): ~ at ein Auge zu-drücken bei.

connoisseur (kɔni'sə:) Kenner(in).

connubial □ (kə'nju:biəl) ehelich.

conquer ('kɔŋkə) erobern; (be)siegen; **~able** (~rəbl) besiegbar; **~or** (~rə) Eroberer(in); Sieger(in).

conquest ('kɔŋkwest) Eroberung; Errungenschaft f; Sieg m.

conscience ('kɔnʃəns) Gewissen n.

conscientious □ (kɔnʃi'enʃəs) gewissenhaft; Gewissen...; **~ness** (~nis) Gewissenhaftigkeit f.

conscious □ ('kɔnʃəs) bewußt; **~ness** (~nis) Bewußtsein n.

conscript ✗ ('kɔnskript) Wehrpflichtige(r) m; **~ion** ✗ (kən'skripʃən) Wehrpflicht f.

consecrat|e ('kɔnsikreit) weihen, einsegnen; heiligen; widmen; **~ion** (kɔnsikrei'ʃən) Weihung f usw.

consecutive □ (kən'sekjutiv) aufea.-folgend; fortlaufend; folgerichtig.

consent (kən'sent) **1.** Zustimmung f; **2.** einwilligen, zustimmen (dat.).

consequen|ce ('kɔnsikwəns) (to) Folge (für); Wirkung f (auf acc.); Einfluß m (auf acc.); Bedeutung f (für); **~t** (~kwənt) **1.** folgend; **2.** Folge(rung) f (of acc.); **~tial** □ (kɔnsi'kwenʃəl) wichtigtuend; **~tly** ('kɔnsikwəntli) folglich, daher.

conserv|ation (kɔnsə'veiʃən) Erhaltung f; **~ative** □ (kən'sə:vətiv) **1.** erhaltend (of acc.); konservativ; vorsichtig; **2.** Konservati've(r) m; **~atory** (~tri) Treib-, Gewächshaus n; ♪ Konservato'rium f; **~e** (kən'sə:v) erhalten.

consider (kən'sidə) v/t. betrachten; erwägen; überle'gen; in Betracht ziehen; berücksichtigen; meinen, glauben; v/i. überle'gen; **~able** □ (~rəbl) ansehnlich, beträchtlich; **~ate** □ (~rit) rücksichtsvoll; **~ation** (kənsidə'reiʃən) Betrachtung, Erwägung, Überle'gung f; (Beweg-)Grund m; Rücksicht; Wichtigkeit f; Entschädigung f; Entgelt n; on no ~ unter keinen Umständen; **~ing** (kən'sidəriŋ) prp. in Anbetracht (gen.).

consign (kən'sain) über-ge'ben, -lie'fern; anvertrauen; † konsignieren; **~ment** (~mənt) Über-se'ndung f; † Konsignatio'n f.

consist (kən'sist) bestehen (of aus);

~ence, ~ency (~əns, ~ənsi) Festigkeit(sgrad m), Dichtigkeit; Überei'nstimmung; Konseque'nz f; **~ent** □ (~ənt) fest; überei'nstimmend, vereinbar (with mit); konseque'nt.

consol|ation (kɔnsə'leiʃən) Trost m; **~e** (kən'soul) trösten.

consolidate (kən'sɔlideit) festigen; vereinigen; zs.-legen.

consonan|ce ('kɔnsənəns) Konso-na'nz; Überei'nstimmung f; **~t** □ (~nənt) überei'nstimmend.

consort ('kɔnsɔ:t) Gemahl(in).

conspicuous □ (kən'spikjuəs) sichtbar; auffallend; hervorragend.

conspir|acy (kən'spirəsi) Verschwörung f; **~ator** (~tə) Verschwörer m; **~e** (kən'spaiə) sich verschwören.

constab|le ('kʌnstəbl) Schutzmann m; **~ulary** (kən'stæbjuləri) Schutzmannschaft, Polizei' f.

constan|cy ('kɔnstənsi) Standhaftigkeit; Beständigkeit f; **~t** □ (~tənt) □ beständig, fest; unveränderlich.

consternation (kɔnstə'neiʃən) Bestürzung f. [stopfung f.]

constipation ♪ (kɔnsti'peiʃən) Ver-]

constituen|cy (kən'stitjuənsi) Wählerschaft f; Wahlkreis m; **~t** (~ənt) **1.** wesentlich; konstituierend; **2.** wesentlicher Bestandteil; Wähler m.

constitut|e ('kɔnstitju:t) ein-, errichten; ernennen; bilden, ausmachen; **~ion** (kɔnsti'tju:ʃn) Ein-, Er-richtung; Bildung f; Körperbau m; Verfassung f; **~ional** □ (~l) konstitutione'll; natürlich; verfassungsmäßig.

constrain (kən'strein) zwingen; et. erzwingen; **~t** (~t) Zwang m.

constrict (kən'strikt) zs.-ziehen; **~ion** (kən'strikʃən) Zs.-ziehung f.

construct (kən'strʌkt) bauen, errichten; fig. bilden; Auslegung f; **~ion** (~kʃən) Zs.-setzung f; Bau m; Auslegung f; **~ive** (~tiv) aufbauend, schöpferisch, bildend; Bau...; **~or** (~tə) Erbauer m.

construe (kən'stru:) gr. konstruieren; auslegen, auffassen; überse'tzen.

consul ('kɔnsəl) Konsul m; ~ general Genera'lkonsul m; **~ate** ('kɔnsju-lit) Konsula't n.

consult (kən'sʌlt) v/t. um Rat fragen; v/i. sich beraten; **~ation** (kɔnsəl-'teiʃən) Beratung; Rücksprache f; **~ative** (kən'sʌltətiv) beratend.

consum|e (kən'sju:m) v/t. verzehren; verbrauchen; vergeuden; **~er** (~ə) Verbraucher; Abnehmer m.

consummate 1. □ (kən'sʌmit) vollendet; 2. ('kɔnsʌmeit) vollenden.

consumpti|on (kən'sʌmpʃən) Verbrauch m; ⚕ Schwindsucht f; **~ve** □ (~tiv) verzehrend; schwindsüchtig.

contact ('kɔntækt) 1. Berührung f; Kontakt m; 2. Am. Fühlung nehmen mit.

contagi|on ⚕ (kən'teidʒən) Ansteckung; Verseuchung; Seuche f; **~ous** □ (~dʒəs) ansteckend.

contain (kən'tein) (ent)halten, (um-)fassen; **~** o.s. an sich halten; **~er** (~ə) Behälter m.

contaminate (kən'tæmineit) verunreinigen; fig. anstecken, vergiften.

contemplat|e ('kɔntempleit) fig. betrachten; beabsichtigen; **~ion** (kɔntem'pleiʃən) Betrachtung f; Nachsinnen n; **~ive** □ (kən'templətiv) beschaulich.

contempora|neous □ (kɔntempə'reinjəs) gleichzeitig; **~ry** (kən'tempərəri) 1. zeitgenössisch; gleichzeitig; 2. Zeitgenoss|e m, -in f.

contempt (kən'tempt) Verachtung f; **~ible** □ (~əbl) verächtlich; **~uous** □ (~juəs) geringschätzig; verächtlich.

contend (kən'tend) v/i. streiten, ringen (for um); v/t. behaupten.

content (kən'tent) 1. zufrieden; 2. befriedigen; 3. Zufriedenheit f; 4. ('kɔntent) Umfang m; Inhalt m; **~ed** □ (kən'tentid) zufrieden; genügsam.

contention (kən'tenʃən) (Wort-)Streit; Wetteifer m.

contentment (kən'tentmənt) Zufriedenheit, Genügsamkeit f.

contest 1. ('kɔntest) Streit; Wettkampf m; 2. (kən'test) bestreiten; anfechten; um et. streiten. [m.]

context ('kɔntekst) Zusammenhang)

contiguous □ (kən'tiguəs) anstoßend (to an acc.); benachbart.

continent ('kɔntinənt) 1. □ enthaltsam; mäßig; 2. Erdteil m; Festland n.

contingen|cy (kən'tindʒənsi) Zufälligkeit f; Zufall m; Möglichkeit f; **~t** (~dʒənt) 1. □ zufällig; möglich (to bei); 2. ✗ Kontinge'nt n.

continu|al □ (kən'tinjuəl) fortwährend, unaufhörlich; **~ance** (~juəns) (Fort-)Dauer f; **~ation** (kəntinju'eiʃən) Fortsetzung f; **~e** (kən'tin-

ju:) v/t. fortsetzen; beibehalten; to be **~d** Fortsetzung folgt; v/i. fortdauern; fortfahren; **~ity** (kɔntin'juiti) Zs.-hang m; **~ous** □ (kən'tinjuəs) ununterbro'chen.

contort (kən'tɔ:t) verdrehen; verzerren; **~ion** (kən'tɔ:ʃən) Verdrehung; Verzerrung f.

contour ('kɔntuə) Umriß m.

contraband ('kɔntrəbænd) Schmuggelware f; Schleichhandel m.

contract 1. (kən'trækt) v/t. zs.-ziehen; sich et. zuziehen; Schulden machen; Heirat usw. (ab)schließen; v/i. einschrumpfen; **~en** Vertrag schließen; sich verpflichten; 2. ('kɔntrækt) Kontra'kt, Vertrag m; **~ion** (kən'trækʃən) Zs.-ziehung f usw.; **~or** (~tə) Unternehmer; Lieferant m.

contradict (kɔntrə'dikt) widerspre'chen (dat.); **~ion** (kɔntrə'dikʃən) Widerspruch m; **~ory** □ (~təri) (sich) widerspre'chend.

contrar|iety (kɔntrə'raiəti) Widerspruch m; Widrigkeit f; **~y** ('kɔntrəri) 1. entgegengesetzt; widrig; to prp. zuwider, gegen; 2. Gegenteil n; on the **~** im Gegenteil.

contrast 1. ('kɔntræst) Gegensatz m; 2. (kən'træst) v/t. gegenu'berstellen; v/i. abstechen (with von).

contribut|e (kən'tribju:t) v/t. u. v/i. beitragen; **~ion** (kɔntri'bju:ʃən) Beitrag m; **~or** (kən'tribjutə) Beitragende(r); Mitarbeiter(in); **~ory** (~təri) beitragend.

contrit|e □ ('kɔntrait) reuevoll; **~ion** (kən'triʃən) Zerknirschung f.

contriv|ance (kən'traivəns) Erfindung f; Plan m; Vorrichtung f; Kunstgriff m; **~e** (kən'traiv) v/t. ersinnen; planen; zuwegebringen; v/i. es fertig bringen (to inf. zu); **~er** (~ə) Erfinder(in).

control (kən'troul) 1. Kontrolle, Aufsicht; Gewalt; Zwangswirtschaft; Kontrollvorrichtung; Steuerung f; 2. einschränken, beaufsichtigen; überwa'chen; beherrschen; (nach-)prüfen; **~ler** (~ə) Kontrolleu'r, Aufseher; Leiter; Rechnungsprüfer m.

controver|sial □ (kɔntrə'və:ʃəl) streitig; **~sy** ('kɔntrəvə:si) Streit (-frage f) m; **~t** ('kɔntrəvə:t) bestreiten.

contumacious □ (kɔntju'meiʃəs) widerspenstig; ⚖ ungehorsam. [f.]

contumely ('kɔntjum[i]li) Schmach)

convalesce (kɔnvə'les) genesen; **~nce** (~ns) Genesung *f*; **~nt** (~nt) **1.** □ genesend; **2.** Genesende(r).

convene (kən'vi:n) (sich) versammeln; zs.-rufen; ⚮ vorladen.

convenien|ce (kən'vi:njəns) Bequemlichkeit; Angemessenheit *f*; *at your earliest* ~ umgehend; **~t** □ (~jənt) bequem; passend; brauchbar.

convent ('kɔnvənt) (Nonnen-)Kloster *n*; **~ion** (kən'venʃən) Versammlung; Konventio'n *f*; Überei'nkommen *n*, Vertrag; Herkommen *n*.

converge (kən'və:dʒ) konvergieren, zs.-laufen (lassen).

convers|ant ('kɔnvəsənt) vertraut; **~ation** (kɔnvə'seiʃən) Unterha'ltung *f*; **~ational** (~l) Unterha'-tungs...; **~e** (kən'və:s) sich unterha'lten; **~ion** (kən'və:ʃən) Um-, Ver-wandlung; ⊕, ⚡ Umformung; *eccl.* Bekehrung *f*; ⚰ Konvertierung; Umstellung *f e-r Währung usw*.

convert **1.** ('kɔnvə:t) Bekehrte(r); **2.** (kən'və:t) (sich) um-, ver-wandeln; ⊕, ⚡ umformen; *eccl.* bekehren; ⚰ konvertieren; *Währung usw.* umstellen; **~er** ⊕, ⚡ (~ə) Umformer *m*; **~ible** □ (~əbl) um-, ver-wandelbar; ⚰ umsetzbar; umstellbar.

convey (kən'vei) befördern, bringen, schaffen; übermi'tteln; mitteilen; ausdrücken; übertra'gen; **~ance** (~əns) Beförderung; ⚰ Speditio'n; Übermi'ttlung *f*; Verkehrsmittel; Fuhrwerk *n*; Übertra'gung *f*; **~or** ⊕ (~ə) (*od.* ~ *belt*) Förderband *n*.

convict **1.** ('kɔnvikt) Sträfling *m*; **2.** (kən'vikt) *j.* überfü'hren; *anat.* (kən'vikʃən) □ Überfü'hrung; Überzeu'gung *f* (*of* von).

convince (kən'vins) überzeu'gen.

convocation (kɔnvo'keiʃən) Einberufung; Versammlung *f*.

convoke (kən'vouk) einberufen.

convoy **1.** ('kɔnvɔi) Geleit *n*; (Geleit-)Zug *m*; **2.** (kən'vɔi) geleiten.

convuls|ion (kən'vʌlʃən) Zuckung *f*, Krampf *m*; **~ive** □ (~siv) krampfhaft.

coo (ku:) girren, gurren.

cook (kuk) **1.** Koch *m*; Köchin *f*; **2.** kochen; *Bericht usw.* frisieren; **~ery** ('kukəri) Kochen *n*; Kochkunst *f*; **~ie**, **~y** *Am.* ('kuki) Keks *m* (*n*); **~ing** ('kukiŋ) Koch...

cool (ku:l) **1.** □ kühl; *fig.* kaltblütig; gelassen; *b.s.* unverfroren; **2.** Kühle *f*; **3.** (sich) abkühlen.

coolness ('ku:lnis) Kühle (*a. fig.*); Kaltblütigkeit *f*.

coop (ku:p) **1.** Hühnerkorb *m*; **2.** ~ *up od. in* einsperren.

cooper ('ku:pə) Böttcher; Küfer *m*.

co-operat|e (kou'ɔpəreit)mitwirken; **~ion** (koupə'reiʃən) Mitwirkung; Zs.-arbeit *f*; **~ive** (kou'ɔpərətiv) zs.-wirkend; ~ *society* Konsumverein *m*; **~or** (~eitə) Mitarbeiter *m*.

co-ordinat|e 1. □ (kou'ɔ:dnit) gleichgeordnet; **2.** (~neit) koordinieren; gleichordnen; auf-ea. einstellen; **~ion** (kou'ɔ:di'neiʃən) Gleichordnung *f*.

cope (koup): ~ *with* sich messen mit, fertig werden mit.

copious □ ('koupjəs) reich(lich); weitschweifig; **~ness** (~nis) Fülle *f*.

copper ('kɔpə) **1.** Kupfer *n*; K.-münze *f*; **2.** kupfern; Kupfer...; **~y** (~ri) kupferig. [holz, Dickicht *n*.]

coppice, copse ('kɔpis, kɔps) Unter-]

copy ('kɔpi) **1.** Kopie'; Nachbildung, Abschrift *f*; Durchschlag *m*; Muster; Exempla'r *n e-s Buches*; **2.** kopieren; abschreiben; nachbilden, nachahmen; **~-book** Schreibheft *n*; **~ing** (~'kɔpiiŋ) Kopie'r...; **~ist** ('kɔpiist) Abschreiber; Nachahmer *m*; **~right** (~rait) Verlagsrecht *n*.

coral ('kɔrəl) Kora'lle *f*.

cord (kɔ:d) **1.** Schnur *f*, Strick *m*; *anat.* Strang *m*; **2.** (zu)schnüren, binden; **~ed** ('kɔ:did) gerippt.

cordial ('kɔ:djəl) **1.** □ herzlich; herzstärkend; **2.** Magenlikö'r *m*; **~ity** (kɔ:di'æliti) Herzlichkeit *f*.

cordon ('kɔ:dən) **1.** Postenkette *f*; **2.** ~ *off* ab-riegeln, -sperren.

corduroy ('kɔ:dərɔi, ~dju) Kord (-stoff) *m*; **~s** *pl.* Manchesterhosen *f|pl*.

core (kɔ:) **1.** Kerngehäuse *n*; *fig.*: Herz *n*; Kern *m*; **2.** entkernen.

cork (kɔ:k) **1.** Kork *m*; **2.** (ver)korken; **~-jacket** Schwimmweste *f*; **~-screw** Kork(en)zieher *m*.

corn (kɔ:n) **1.** Korn; Getreide *n*; *Am.* Mais *m*; Hühnerauge *n*; **2.** einpökeln.

corner ('kɔ:nə) **1.** Ecke *f*, Winkel *m*; *fig.* Enge *f*; ⚰ Aufkäufer-Ring *m*; **2.** Eck...; **3.** in die Ecke (*fig.* Enge) treiben; ⚰ aufkaufen; **~ed** (~d) ..eckig.

cornet ♪ ('kɔːnit) (kleines) Horn.

cornice △ ('kɔːnis) Gesims *n*.

coron|ation (kɔrə'neiʃən) Krönung *f*; **~er** ('kɔrənə) Leichenbeschauer *m*; **~et** (~nit) Adelskrone *f*.

corpor|al ('kɔːpərəl) 1. □ körperlich; 2. ✕ Korpora'l*m*; **~ation** (kɔːpə'reiʃən) Körperschaft, Innung; (Stadt-) Gemeinde; *Am.* Aktiengesellschaft *f*.

corpse (kɔːps) Leichnam.

corpulen|ce, **~cy** ('kɔːpjuləns[i]) Beleibtheit *f*; **~t** (~lənt) beleibt.

corral *Am.* (kɔ'rɑːl) 1. Einzäunung *f*; 2. ein-zäunen, -schließen.

correct (kə'rekt) 1. *adj.* □ korrekt, richtig; 2. *v/t.* korrigieren; zurechtweisen; strafen; **~ion** (kə'rekʃən) Berichtigung *f*; Verweis *m*; Strafe; Korrektu'r *f*; *house of* ~ Besserungsanstalt *f*, Zuchthaus *n*.

correlate ('kɔrileit) in Wechselbeziehung stehen *od.* bringen.

correspond (kɔris'pɔnd) entsprechen (*with*, *to dat.*); korrespondieren; **~ence** (~əns) Übereinstimmung *f*; Briefwechsel *m*; **~ent** (~ənt) 1. □ entsprechend; 2. Briefschreiber(in); Korresponde'nt(in).

corridor ('kɔridɔː) Korridor; Gang *m*; ~ *train* D-Zug *m*.

corroborate (kə'rɔbəreit) stärken; bestätigen.

corro|de (kə'roud) zerfressen; wegätzen; **~sion** (kə'rouʒən) Ätzen, Zerfressen *n*; Rost *m*; **~sive** (~siv) 1. □ zerfressend, ätzend; 2. Ätzmittel *n*.

corrugate ('kɔrugeit) runzeln; ⊕ riefen; **~d iron** Wellblech *n*.

corrupt (kə'rʌpt) 1. □ verdorben; verderbt; bestechlich; 2. *v/t.* verderben; bestechen; anstecken; *v/i.* (ver)faulen, verderben; **~ible** (kə'rʌptəbl) verderblich; bestechlich; **~ion** (~ʃən) Verderbnis, Verdorbenheit (*a. fig.*); Fäulnis; Bestechung *f*.

corsage (kɔː'sɑːʒ) Taille *f*, Mieder *n*.

corset ('kɔːsit) Korse'tt *n*.

co-signatory ('kou'signətəri) 1. mitunterzeichnend; 2. Mitunterzeichner *m*.

cosmetic (kɔz'metik) 1. kosmetisch; 2. Schönheitsmittel *n*; Kosmetik *f*.

cosmopolit|an (kɔzmo'pɔlitən), **~e** (kɔz'mɔpəlait) 1. kosmopoli'tisch; 2. Weltbürger(in).

cost (kɔst) 1. Preis *m*; Kosten *pl.*; Schaden *m*; *first od. prime* ~ Anschaffungskosten *pl.*; 2. [*irr.*] kosten.

costl|iness ('kɔstlinis) Kostbarkeit *f*; **~y** (~li) kostbar; kostspielig.

costume ('kɔstjuːm) Kostü'm *n*.

cosy ('kouzi) 1. □ behaglich, gemütlich; 2. Tee-, Kaffee-wärmer *m*.

cot (kɔt) Feldbett *n*; ♣ Hängematte mit Rahmen, Koje; Wiege *f*.

cottage ('kɔtidʒ) Hütte *f*; (Land-) Häus-chen *n*; *Am.* Sommerwohnung *f*; ~ *piano* Pianino *n*.

cotton ('kɔtn) 1. Baumwolle *f*; ⚕ Kattu'n *m*; *Näh*-Garn *m*; 2. baumwollen; Baumwoll...; ~ *wool* Watte *f*; 3. F sich vertragen; sich anschließen.

couch (kautʃ) 1. Lager *n*; Chaiselongue; Schicht *f*; 2. *v/t. Meinung usw.* ausdrücken; *Schriftsatz usw.* abfassen; *den Star* verstecken; *v/i.* sich (nieder)legen; versteckt liegen; kauern.   [sten.]

cough (kɔːf, kɔf) 1. Husten *m*; 2. hu-)

could (kud) konnte, könnte.

council ('kaunsl) Rat(sversammlung *f*); *Am.* Sena't *m*; **~(l)or** (~silə) Ratsmitglied *n*, Ratsherr *m*.

counsel ('kaunsəl) 1. Beratung *f*; Rat(schlag); ⚖ Anwalt *m*; ~ *for the prosecution* Anklagevertreter *m*; 2. *f.* beraten; *j-m* raten; **~(l)or** (~ə) Ratgeber(in); Anwalt; Ratsherr *m*.

count[1] (kaunt) 1. Rechnung; Zahl *f*; ⚖ Anklagepunkt *m*; 2. *v/t.* zählen; rechnen; mit(ein)rechnen; *fig.* halten für; *v/i.* zählen; rechnen; gelten (*for little* wenig).

count[2] (~) *nichtenglischer* Graf.

countenance ('kauntinəns) 1. Gesicht *n*; Fassung; Unterstü'tzung *f*; 2. begünstigen, unterstü'tzen.

counter[1] ('kauntə) Zähler, Zählapparat *m*; Spielmarke *f*; Zahlbrett *n*; Ladentisch; Schalter *m*.

counter[2] (~) 1. (*to dat.*) entgegen; zuwider; Gegen...; 2. Gegenschlag *m*; 3. Gegenmaßnahmen treffen.

counteract (kauntə'rækt) zuwiderhandeln (*dat.*).

counterbalance 1. ('kauntəbæləns) Gegengewicht *n*; 2. (kauntə'bæləns) aufwiegen; ⊕ ausgleichen.

counter-espionage ('kauntə'respiə'nɑːʒ) Spionageabwehr *f*.

counterfeit ('kauntəfit) 1. □ nachgemacht; falsch, unecht; 2. Nachahmung f; Fälschung f; Falschgeld n; Schwindler m; 3. nachmachen; fälschen; heucheln.

countermand 1. ('kauntə'mɑːnd) Gegenbefehl; Widerruf m; 2. (kauntə'mɑːnd) widerru'fen; abbestellen.

counter-move ('kauntəmuːv) fig. Gegen-zug m, -maßnahme f.

counterpane (~pein) Bettdecke f.

counterpart (~pɑːt) Gegenstück n.

counterpoise (~pɔiz) 1. Gegengewicht n; 2. das Gleichgewicht halten (dat.) (a. fig.), ausbalancieren.

countersign (~sain) 1. Gegenzeichen n; ✕ Losung(swort n) f; 2. gegenzeichnen.

countervail (~veil) aufwiegen.

countess ('kauntis) Gräfin f.

counting-house ('kauntiŋhaus) Konto'r n.

countless ('kauntlis) zahllos.

country ('kʌntri) 1. Land n; Gegend f; Heimatland n; 2. Land(s)..., ländlich; **~man** (~mən) Landmann (Bauer); Landsmann m; **~side** (~said) Land(bevölkerung f) n.

county ('kaunti) Grafschaft f, Kreis

coup (kuː) Schlag, Streich m. [m.]

couple ('kʌpl) 1. Paar n; Koppel f; 2. (ver)kopp'ln; ⊕ kuppeln; (sich) paaren; **~r** (~ə) Radio: Koppler m.

coupling ⊕ ('kʌpliŋ) Kupplung; Radio: Kopplung f; Kupplungs...

coupon ('kuːpɔn) Abschnitt m.

courage ('kʌridʒ) Mut m; **~ous** □ (kə'reidʒəs) mutig, beherzt.

courier ('kuriə) Eilbote; Reiseführer m.

course (kɔːs) 1. Lauf, Gang; Weg, ⚓, fig. Kurs m; Rennbahn f; Gang (Speisen); Kursus m; Ordnung, Folge f; of ~ selbstverständlich; 2. v/t. hetzen; jagen; v/i. rennen.

court (kɔːt) 1. Hof m; Hofgesellschaft f; Gericht(shof m) n; pay (one's) ~ j-m den Hof m.; 2. den Hof m.; werben um; **~eous** □ ('kəːtiəs) höflich; **~esy** ('kəːtisi) Höflichkeit; Gefälligkeit f; **~ier** ('kəːtjə) Höfling m; **~ly** (~li) höfisch; höflich; **~-martial** ✕ 1. Kriegsgericht n; 2. vor ein K. stellen; **~ship** (~ʃip) Werbung f; **~yard** Hof (-raum) m.

cousin ('kʌzn) Vetter m; Base f.

cove (kouv) 1. Bucht f; fig. Obdach n.

covenant ('kʌvinənt) 1. 🕇🕇 Vertrag; Bund m; 2. v/t. geloben; v/i. übereï'nkommen.

cover ('kʌvə) 1. Decke f; Deckel; Umschlag m; Hülle; Deckung f; Schutz m; Dickicht n; Deckmantel m; mot., Fahrrad: Decke f, Mantel m; 2. (be)decken; ein-schlagen; -wickeln; verbergen, verdecken; schützen; Weg zurücklegen; ✝ decken; mit e-r Schußwaffe zielen nach; Gelände bestreichen; umfa'ssen; fig. erfassen; **~ing** (~riŋ) Decke f; Bett-Bezug; Überzug m; Bekleidung; Bedachung f.

covert ('kʌvət) 1. □ heimlich, versteckt; 2. Schutz m; Versteck; Dickicht n.

covet ('kʌvit) begehren; **~ous** □ (~əs) (be)gierig; habsüchtig.

cow (kau) 1. Kuh f; 2. einschüchtern.

coward ('kauəd) 1. □ feig; 2. Feigling m; **~ice** (~is) Feigheit f; **~ly** (~li) feig(e). [hirt m.]

cowboy Kuhjunge; Am. Rinder-

cower ('kauə) kauern; sich ducken.

cowl (kaul) Kapuze; Kappe f.

coxcomb ('kɔkskoum) Narr m.

coxswain ('kɔkswein, mst 'kɔksn) Bootführer, Steuermann m.

coy □ (kɔi) schüchtern; spröde.

crab (kræb) Krabbe f, Taschenkrebs m; ⊕ Winde f; F Querkopf m.

crab-louse ('kræblaus) Filzlaus f.

crack (kræk) 1. Krach; Riß, Sprung m; F derber Schlag; Am. dreiste Bemerkung; Am. at ~ of day bei Tagesanbruch; 2. F erstklassig; 3. v/t. (zer)sprengen; knallen mit et.; (auf)knacken; ~ a joke e-n Witz reißen; v/i. platzen, springen; knallen; umschlagen (Stimme); **~ed** (krækt) geborsten; F verdreht; **~er** ('krækə) Knallbonbon; Schwärmer m; Am. Keks m; (s f 'krækl) knattern, knistern; **~-up** Zs.-stoß m; Bruchlandung f.

cradle ('kreidl) 1. Wiege f; fig. Kindheit f; 2. (ein)wiegen.

craft (krɑːft) Geschicklichkeit; List f; Handwerk, Schiff(e pl.) n; **~s-man** ('krɑːftsmən) (Kunst-)Handwerker m; **~y** □ (krɑːfti) listig; geschickt.

crag (kræg) Klippe, Felsspitze f.

cram (kræm) (voll)stopfen; nudeln, mästen; F (ein)pauken.

cramp (kræmp) **1.** Krampf *m*; ⊕ Klammer; *fig.* Fessel *f*; **2.** verkrampfen; einengen, hemmen.

cranberry ('krænbəri) Preiselbeere*f*.

crane (krein) **1.** Kranich; ⊕ Kran *m*; **2.** (den Hals) recken.

crank (kræŋk) **1.** Kurbel*f*; Schwengel *m*; Wortspiel *n*; Schrulle *f*; verdrehter Mensch; **2.** (an)kurbeln; **~-shaft** ⊕ Kurbelwelle *f*; **~y** ('kræŋki) wacklig; launisch; verschroben.

cranny ('kræni) Riß *m*, Ritze *f*.

crape (kreip) Krepp, Flor *m*.

crash (kræʃ) **1.** Krach (*a.* ✈); Zs.-stoß; ✖ Absturz *m*; **2.** krachen; einstürzen; ✖ abstürzen, Bruch *m*.

crater ('kreitə) Krater; Trichter *m*.

craunch (krɑːntʃ) zermalmen.

crave (kreiv) *v/t.* dringend bitten *od.* flehen um; *v/i.* sich sehnen.

crawfish ('krɔːfiʃ) Krebs *m*.

crawl (krɔːl) **1.** Kriechen *n*; **2.** kriechen; schleichen; wimmeln.

crayfish ('kreifiʃ) Fluß-Krebs *m*.

crayon ('kreiən) Zeichenstift, *bsd.* Paste'llstift *m*; Pastell(gemälde) *n*.

craz|e (kreiz) **1.** Verrücktheit *f*; F Fimmel *m*; *be the ~* Mode sn; **2.** verrückt m. *od.* w.; **~y** □ ('kreizi) baufällig; verrückt.

creak (kriːk) knarren.

cream (kriːm) **1.** Rahm *m*, Sahne; Creme; Auslese *f*; *das Beste*; **2.** den Rahm abschöpfen; **~ery** ('kriːməri) Molkerei *f*; **~y** □ ('kriːmi) sahnig; auserlesen.

crease (kriːs) **1.** Falte *f*; **2.** (sich) kniffen.

creat|e (kriˈeit) (er)schaffen; *thea. e-e Rolle* gestalten; verursachen; erzeugen; ernennen; **~ion** (‿ʃən) Schöpfung; Ernennung *f*; **~ive** (‿tiv) schöpferisch; **~or** (‿tə) Schöpfer *m*; **~ure** ('kriːtʃə) Geschöpf *n*; Kreatu'r *f*.

creden|ce ('kriːdəns) Glaube *m*; **~tials** (kriˈdenʃəlz) *pl.* Beglaubigungsschreiben *n*; Unterlagen *f*/*pl.*

credible □ ('kredəbl) glaubwürdig; glaubhaft.

credit ('kredit) **1.** Glaube(n); Ruf *m*, Ansehen; Guthaben; ✝ Kre'dit *n*; ✝ Kredi'tz; Einfluß *m*; Verdienst *n*, Ehre *f*; **2.** *j-m* glauben; *j-m* trauen; ✝ gutschreiben; **~** *a p. with a*

th. j-m et. zutrauen; **~able** □ ('kreditəbl) achtbar; ehrenvoll (*to* für); **~or** (‿tə) Gläubiger *m*. [gläubig.\

credulous □ ('kredjuləs) leicht-\

creed (kriːd) Glaubensbekenntnis *n*.

creek (kriːk) Bucht *f*; *Am.* Bach *m*.

creep (kriːp) [*irr.*] kriechen; *fig.* (sich ein)schleichen; kribbeln, e-e Gänsehaut bekommen; **~er** ('kriːpə) Kriecher(in); Kletterpflanze *f*.

crept (krept) kroch; gekrochen.

crescent ('kresnt) **1.** zunehmend; (*kreznt*) halbmondförmig; **2.** Halbmond *m*.

crest (krest) Hahnen-, Berg- *usw.* Kamm *m*; Mähne *f*; Federbusch *m*; **~-fallen** ('krestfɔːlən) niedergeschlagen.

crevasse (kriˈvæs) (Gletscher-) Spalte *f*; *Am.* Deichbruch *m*.

crevice ('krevis) Riß *m*, Spalte *f*.

crew[1] (kruː) Schar; ♣ Mannschaft*f*.

crew[2] (‿) krähte.

crib (krib) **1.** Krippe; Kinderbettstelle; F *Schule*: Eselsbrücke *f*; **2.** einsperren; F mausen; F abschreiben.

cricket ('krikit) *zo.* Grille*f*; Kricketspiel *n*; F *not* ~ nicht fair.

crime (kraim) Verbrechen *n*.

crimina|l ('kriminəl) **1.** verbrecherisch; Krimina'l...; Straf...; **2.** Verbrecher(in); **~lity** (krimi'næliti) Strafbarkeit *f*; Verbrechertum *n*.

crimp (krimp) kräuseln.

crimson ('krimzn) karmesi'n(rot).

cringe (krindʒ) sich ducken.

crinkle ('kriŋkl) **1.** Windung; Falte *f*; **2.** (sich) winden; (sich) kräuseln.

cripple ('kripl) **1.** Krüppel *m*; Lahme(r); **2.** verkrüppeln; *fig.* lähmen.

crisp (krisp) **1.** kraus; knusperig; frisch; klar; steif; **2.** (sich) kräuseln; knusperig machen *od.* werden.

criss-cross ('kriskrɔs) **1.** Kreuzzeichen *n*; **2.** (durch)kreu'zen.

criteri|on (kraiˈtiəriən) *pl.* **~a** (‿riə) Kennzeichen *n*, Prüfstein *m*.

criti|c ('kritik) Kritiker(in); **~cal** □ ('kritikəl) kritisch; bedenklich; **~cism** (‿sizm) Kriti'k; **~que** (kriˈtiːk) Kriti'k *f* (*of* an *dat.*); **~cize** ('kritisaiz) kritisieren; beurteilen; tadeln.

croak (krouk) krächzen; quaken.

crochet ('krouʃei) **1.** Häkelei *f*; **2.** häkeln.

crock (krɔk) irdener Topf; **~ery** ('krɔkəri) Töpferware *f*.

crone F (kroun) altes Weib; Hexe f.

crony F ('krouni) (alter) Bekannter.

crook (kruk) 1. Krümmung f; Haken; Hirtenstab; sl. Gauner m; 2. (sich) krümmen; (sich) (ver-)biegen; **~ed** ('krukid) krumm; bucklig; unehrlich; (krukt) Krück-.

croon (kru:n) schmachtend singen; summen.

crop (krɔp) 1. Kropf; Peitschenstiel m; Ernte f; Haar-Schnitt m; 2. (ab-, be-)schneiden; (ab)ernten; Acker bebauen; ~ up auftauchen.

cross (krɔs, krɔ:s) 1. Kreuz n (fig. Leiden) n; Kreuzung f; 2. □ sich kreuzend; quer (liegend, laufend usw.); ärgerlich, verdrießlich; entgegengesetzt; Kreuz..., Quer...; 3. v/t. kreuzen; durchstrei'chen; fig. durchkreu'zen; überque'ren; in den Weg kommen (dat.); ~ o. s. sich bekreuzigen; v/i. sich kreuzen; **~bar** Fußball: Torlatte f; **~breed** (Rassen-)Kreuzung f; **~examination** Kreuzverhör n; **~eyed** schieläugig; **~ing** ('krɔsiŋ) Kreuzung f; Über-gang m; Über-fahrt f; Querstraße f; **~s** pl. od. sg. Kreuzweg m; **~section** Querschnitt m; **~wise** kreuzweise.

crotchet ('krɔtʃit) Haken m; ♩ Viertelnote f; wunderlicher Einfall.

crouch (krautʃ) sich ducken; sich schmiegen.

crow (krou) 1. Krähe f; Krähen n; 2. [irr.] krähen; triumphieren; **~bar** Brechstange f.

crowd (kraud) 1. Haufen m, Menge f; Gedränge n; F Bande f; 2. (sich) drängen; (über)fü'llen; wimmeln.

crown (kraun) 1. Krone f; Kranz; Gipfel; Scheitel m; 2. krönen; Zahn überkro'nen.

cruci|al □ ('kru:ʃiəl) entscheidend; kritisch; **~ble** (~sibl) Schmelztiegel m; **~fixion** (kru:si'fikʃn) Kreuzigung f; **~fy** ('kru:sifai) kreuzigen.

crude □ (kru:d) roh; unreif; Roh...; grell.

cruel □ ('kru:əl) grausam; hart; fig. blutig; **~ty** (~ti) Grausamkeit f. [n.]

cruet ('kru:it) Öl-, Essig-Fläschchen [

cruise ⚓ (kru:z) 1. Kreuzfahrt, Seereise f; 2. kreuzen; **~r** ('kru:zə) ⚓ Kreuzer m; Jacht f; Am. Polizeistreifenwagen m.

crumb (krʌm) 1. Krume f; Brocken m; 2. (= **~le** ['krʌmbl]) (zer)bröckeln.

crumple ('krʌmpl) (sich) knüllen.

crunch (krʌntʃ) (zer)kauen; zermalmen; knirschen.

crusade (kru:'seid) Kreuzzug m (a. fig.); **~r** ('krʌsə) Kreuzfahrer m.

crush (krʌʃ) 1. Druck m; Gedränge n; 2. v/t. (zer-, aus-)quetschen; zermalmen; fig. vernichten.

crust (krʌst) 1. Kruste; Rinde f; 2. (sich) be-, über-krusten; verharschen; **~y** □ ('krʌsti) krustig; mürrisch.

crutch (krʌtʃ) Krücke f.

cry (krai) 1. Schrei m; Geschrei n; (Auf-)Ruf m; Weinen; Gebell n; 2. schreien; (aus)rufen; weinen; ~ for verlangen nach.

crypt (kript) Gruft f; **~ic** ('kriptik) verborgen, geheim.

crystal ('kristl) Krista'll m; Am. Uhrglas n; **~line** (~təlain) krista'llen; **~lize** (~təlaiz) kristallisieren.

cub (kʌb) 1. Junge(s) n; Am. Anfänger m; 2. (Junge) werfen.

cub|e ♌ (kju:b) Würfel m; Kubi'kzahl f; ~ **root** Kubikwurzel f; **~ic(al** □) ('kju:bik, ~ikal) würfelförmig; kubisch; Kubi'k...

cuckoo ('kuku:) Kuckuck m.

cucumber ('kju:kəmbə) Gurke f.

cud (kʌd) wiedergekäutes Futter; chew the ~ wiederkäuen (a. fig.).

cuddle ('kʌdl) v/t. (ver)hätscheln.

cudgel ('kʌdʒəl) 1. Knüttel m; 2. (ver)prügeln.

cue (kju:) Billard-Queue; Stichwort n; Wink m.

cuff (kʌf) 1. Manschette; Handkrause; Handfessel f; Ärmel- usw. Aufschlag; Faust-Schlag m; 2. puffen, schlagen.

culminate ('kʌlmineit) gipfeln.

culpable □ ('kʌlpəbl) strafbar.

culprit ('kʌlprit) Angeklagte(r); Schuldige(r), Missetäter(in).

cultivate ('kʌltiveit) kultivieren; an-, be-bauen; ausbilden; pflegen; **~ion** (kʌlti'veiʃən) (An-, Acker-) Bau m; Ausbildung; Pflege, Zucht f; **~or** (kʌltiveitə) Landwirt; Züchter; Veredler m.

cultural □ ('kʌltʃərəl) kulture'll.

culture ('kʌltʃə) Kultu'r; Pflege; Zucht f; **~d** (~d) kultiviert.

cumber ('kʌmbə) überla'den; hemmen; **~some** (~səm), **cumbrous** □ ('kʌmbrəs) lästig; schwerfällig.

cumulative □ ('kju:mjulətiv) (an-, auf-)häufend; Zusatz...

cunning ('kʌniŋ) 1. □ schlau, listig; geschickt; *Am.* reizend; 2. List, Schlauheit; Geschicklichkeit *f.*

cup (kʌp) Becher *m*, Schale, Tasse *f*; Kelch; *Sport*: Poka'l *m*; **~board** ('kʌbəd) (Speise- *usw.*) Schrank *m.*

cupidity (kju'piditi) Habgier *f.*

cupola ('kju:pələ) Kuppel *f.*

cur (kə:) Köter; Schurke, Halunke *m.*

curate (kjuərit) Hilfsgeistliche(r) *m.*

curb (kə:b) 1. Kinnkette; Kanda're *f* (*a. fig.*); (*a.* **~stone**) Bordschwelle *f*; 2. an die Kandare nehmen (*a. fig.*).

curd (kə:d) 1. Quark *m*; 2. (*mst* **~le**, kə:'dl) käsen; gerinnen (lassen).

cure (kjuə) 1. Kur *f*; Heilmittel *n*; Seelsorge *f*; 2. heilen; pökeln; räuchern; trocknen.

curio ('kjuəriou) Rarität *f*; **~sity** (kjuəri'ositi) Neugier; Rarität *f*; **~us** □ ('kjuəriəs) neugierig; genau; seltsam, merkwürdig.

curl (kə:l) 1. Locke *f*; 2. (sich) kräuseln; (sich) locken; (sich) ringeln; **~y** ('kə:li) gekräuselt; lockig.

currant ('kʌrənt) Johannisbeere; (*a.* dried ~) Kori'nthe *f.*

curren|cy ('kʌrənsi) Umlauf *m*; † Lauffrist *f*; Kurs *m*, Währung *f*; **~t** (~ənt) 1. □ umlaufend; † kursierend (*Geld*); allgemein(bekannt); laufend (*Jahr usw.*); 2. Strom *m* (*a. ⚡*); Strömung *f* (*a. fig.*); Luft-Zug *m.*

curse (kə:s) 1. Fluch *m*; 2. (ver-)fluchen; strafen; **~d** □ ('kə:sid) verflucht.

curt □ (kə:t) kurz; knapp; barsch.

curtail (kə:'teil) beschneiden; *fig.* beschränken; kürzen (of um).

curtain ('kə:tn) 1. Vorhang *m*; Gardine *f*; 2. verhängen, verschleiern.

curts(e)y ('kə:tsi) 1. Knicks *m*; Verbeugung *f*; 2. knicksen (to vor).

curv|ature ('kə:vətʃə) Krümmung *f*; **~e** (kə:v) 1. Kurve; Krümmung *f*; 2. (sich) krümmen; (sich) biegen.

cushion ('kuʃin) 1. Kissen; Polster *n*; *Billard*-Bande *f*; 2. polstern.

custody ('kʌstədi) Haft; (Ob-)Hut *f.*

custom ('kʌstəm) Gewohnheit *f*, Brauch *m*; Sitte; Kundschaft *f*; **~s** *pl.* Zoll *m*; **~ary** □ (~əri) gewöhnlich, üblich; **~er** (~ə) Kund|e *m*, -in *f*; **~house** Zollamt *n*; **~made** *Am.* maßgearbeitet.

cut (kʌt) 1. Schnitt; Hieb; Stich *m*; (Schnitt-)Wunde *f*; Einschnitt; Graben *m*; Kürzung *f*; Ausschnitt *m*; Wegabkürzung *f* (*mst short-*); *Holz*-Schnitt; *Kupfer*-Stich; Schliff *m*; Schnitte, Scheibe *f*; *Karten*-Abheben *n*; 2. [*irr.*] *v/t.* schneiden; schnitzen; gravieren; ab-, an-, auf-, aus-, be-, durch-, zer-, zu-schneiden; *Edelstein usw.* schleifen; *Karten* abheben; *j.* beim Begegnen schneiden; ~ teeth zahnen; ~ short *j.* unterbre'chen; **~back** einschränken; ~ down fällen; mähen; beschneiden; *Preis* drücken; ~ out ausschneiden *fig. j.* ausstechen; ausschalten; be ~ out for das Zeug zu e-r *S.* haben; *v/i.* ~ in sich einschieben; 3. geschnitten *usw.*, s. cut 2.

cute □ F (kju:t) schlau; *Am.* reizend.

cuticle ('kju:tikl) Oberhaut *f.*

cutlery ('kʌtləri) Messerschmiedearbeit *f*; Stahlwaren *f|pl.*; Bestecke *n|pl.*

cutlet ('kʌtlit) Kotele'tt *n.*

cut|-out *mot.* Auspuffklappe; ⚡ Sicherung *f*; Ausschalter *m*; **~ter** ('kʌtə) Schneidende(r); Schnitzer *m*; Zuschneider(in); ⊕ Schneide-zeug *n*, -maschine *f*; ⚓ Kutter *m*; *Am.* einspänniger Schlitten; **~throat** Halsabschneider; Meuchelmörder *m*; **~ting** ('kʌtiŋ) 1. □ schneidend; scharf; ⊕ Schneid..., Fräs...; 2. Schneiden *n*; ⚡ *usw.* Einschnitt; ♀ Steckling; *Zeitungs*-Ausschnitt *m*; **~s** *pl.* Schnipsel *n|pl.*; ⊕ Späne *m|pl.*

cycl|e ('saikl) 1. Zyklus; Kreis(lauf) *m*; Perio'de *f*; ⊕ Arbeitsgang *m*; Fahrrad *n*; 2. radfahren; **~ist** (~ist) Radfahrer *m.*

cyclone ('saikloun) Wirbelsturm *m.*

cylinder ('silində) Zyli'nder *m*, Walze; Trommel *f.*

cymbal ♪ ('simbəl) Becken *n.*

cynic ('sinik) 1. (*a.* **~al** □, ~ikəl) zynisch; 2. Zyniker *m.*

cypress ♀ ('saipris) Zypre'sse *f.*

Czech (tʃek) 1. Tschech|e *m*, -in *f*; 2. tschechisch.

Czecho-Slovak ('tʃekou'slouvæk) 1. Tschechoslowak|e *m*, -in *f*; 2. tschechoslowa'kisch.

D

dab (dæb) 1. Klaps; Tupf(en), Klecks *m*; 2. klapsen; (be)tupfen.

dabble ('dæbl) bespritzen; plätschern; (hinein)pfuschen.

dad F (dæd), **~dy** F ('dædi) Papa *m*.

daffodil ('dæfədil) gelbe Narzi'sse.

dagger ('dægə) Dolch *m*; be at **~**s drawn auf Kriegsfuß stehen.

daily ('deili) 1. täglich; 2. Tageszeitung *f*.

dainty □ ('deinti) 1. lecker; zart, fein; wählerisch; 2. Leckerei *f*.

dairy ('dɛəri) Molkerei, Milchwirtschaft *f*; Milchgeschäft *n*.

daisy ('deizi) Gänseblümchen *n*.

dale (deil) Tal *n*.

dall|iance ('dæliəns) Tändelei *f*; **~y** ('dæli) (ver)tändeln; schäkern.

dam (dæm) 1. Mutter *f v.* Tieren; Deich, Damm *m*; 2. (ab)dämmen.

damage ('dæmidʒ) 1. Schaden; **~s** *pl.* Schadenersatz *m*; 2. (be-) schädigen.

damask ('dæməsk) Damast *m*.

dame (deim) Dame; *Am. sl.* Frau *f*.

damn (dæm) 1. verdammen; verurteilen; 2. Fluch *m*; **~ation** (dæm'neiʃən) Verdammung *f*.

damp (dæmp) 1. feucht, dunstig; 2. Feuchtigkeit *f*. Dunst *m*; Gedrücktheit *f*; 3. *a.* **~en** ('dæmpən) anfeuchten; dämpfen; niederdrücken; **~er** (**~ə**) Dämpfer *m*.

danc|e (dɑːns) 1. Tanz *m*; Ball *m*; 2. tanzen (l.); **~er** ('dɑːnsə) Tänzer (-in); **~ing** (**~iŋ**) Tanzen *n*; Tanz...

dandelion ♀ ('dændilaiən) Löwenzahn *m*.   [keln.]

dandle *sl.* ('dændl) wiegen, schau-[

dandruff ('dændrəf) Schinnen *m/pl.*

dandy ('dændi) 1. Stutzer *m*; erstklassige Sache; 2. *Am. sl.* prima.

Dane (dein) Dän|e *m*, -in *f*.

danger ('deindʒə) Gefahr *f*; **~ous** □ ('deindʒrəs) gefährlich.

dangle ('dæŋgl) baumeln (l.); schlenkern (mit); *fig.* schwanken.

Danish ('deiniʃ) dänisch.

dapple ('dæpl) sprenkeln; **~d** (**~d**) scheckig; **~-grey** Apfelschimmel *m*.

dar|e (dɛə) *v/i.* dürfen; wagen; *v/t.*

herausfordern; *j-m* trotzen; **~e-devil** Wagehals *m*; **~ing** □ (dɛəriŋ) 1. verwegen; 2. Verwegenheit *f*.

dark (dɑːk) 1. □ dunkel: schwerverständlich; geheim(nisvoll); trüb (-selig); **~** horse Außenseiter *m*; **~** lantern Blendlaterne *f*; 2. Dunkel (-heit *f*) *n*; **~en** ('dɑːkən) (sich) (ver)dunkeln; (sich) verfinstern; **~ness** ('dɑːknis) Dunkelheit *f usw.*; **~y** F ('dɑːki) Schwarze(r) *m*.

darling ('dɑːliŋ) 1. Liebling *m*; 2. Lieblings...; geliebt.

darn (dɑːn) stopfen; ausbessern.

dart (dɑːt) 1. Wurf-spieß, -pfeil; Sprung, Sturz *m*; 2. *v/t.* schleudern; *v/i. fig.* schießen, (sich) stürzen.

dash (dæʃ) 1. Schlag, (Zs.-)Stoß *m*; Klatschen *n*; Schmiß, Schwung; Ansturm; *fig.* Anflug *m*; Prise *f*; Schuß *Rum usw.*; *Feder*-Strich; Gedankenstrich *m*; 2. *v/t.* schlagen, schmeißen, schleudern; zerschmettern; vernichten; (be)spritzen; vermengen; verwirren; *v/i.* stoßen, schlagen; stürzen; stürmen; jagen; **~-board** *mot.*, ✈ Instrume'ntenbrett *n*; **~ing** □ ('dæʃiŋ) schneidig, forsch.

data ('deitə) *pl.*, *Am. a. sg.* Angaben; Tatsachen; Unterlagen *f/pl.*

date (deit) 1. Dattel *f*; Datum *n*; Zeit *f*; Termi'n *m*; *Am.* F Verabredung *f*, Rendezvous *n*; out of **~** veraltet, u'nmode'rn; up to **~** zeitgemäß, mode'rn; auf der Höhe; 2. datieren; *Am.* F sich verabreden.

daub (dɔːb) (be)schmieren; (be-) klecksen.

daughter ('dɔːtə) Tochter *f*; **~-in-law** (**~rinlɔ**) Schwiegertochter *f*.

daunt (dɔːnt) entmutigen; **~less** ('dɔntlis) furchtlos, unerschrocken.

dawdle (dɔːdl) F (ver)trödeln.

dawn (dɔːn) 1. Dämmerung *f*; *fig.* Morgenrot *n*; 2. dämmern, tagen.

day (dei) Tag; Termi'n *m*; (*oft* **~s** *pl.*) (Lebens-)Zeit *f*; **~** off dienstfreier Tag; the other **~** neulich;

~break Tagesanbruch *m*; **~la-bo(u)rer** Tagelöhner *m*; **~star** Morgenstern *m*.

daze (deiz) blenden; betäuben.

dazzle ('dæzl) blenden; ♣ tarnen.

dead (ded) **1.** tot: unempfindlich (to für); matt (*Farbe usw.*); blind (*Fenster usw.*); erloschen (*Feuer*); schal (*Getränk*); tief (*Schlaf*); totliegend (*Kapital usw.*); ~ bargain Spottpreis *m*; ~ letter unbestellbarer Brief; a ~ shot ein Meisterschütze; ~ wall blinde Mauer; **2.** *adv.* gänzlich, völlig, tota'l; durchaus: genau, (haar)scharf; ~ against gerade (*od.* ganz und gar) (ent)gegen; **3.** the ~ der Tote; die Toten *pl.*; Totenstille *f*; **~en** (dedn) abstumpfen; dämpfen; (ab)schwächen; **~lock** Stockung *f*; *fig.* toter Punkt; **~ly** (ˌli) tödlich. [*m.*; betäuben.]

deaf □ (def) taub; **~en** ('defn) taub)

deal (diːl) **1.** Teil *m*; Menge *f*; Kartengeben; F Geschäft *n*; a good ~ ziemlich viel; a great ~ sehr viel; **2.** [*irr.*] *v/t.* (aus-, ver-, zu-)teilen; Karten geben; e-n Schlag versetzen; *v/i.* handeln (in mit e-r *Ware*); verfahren; sich benehmen; verkehren; ~ with sich befassen mit, behandeln; **~er** ('diːlə) Händler; Kartengeber *m*; **~ing** ('diːliŋ) (*mst* ~s *pl.*) Handlungsweise *f*; Verfahren *n*.]

dean (diːn) Deka'n *m*. [Verkehr *n*.]

dear (diə) **1.** □ teuer; lieb; **2.** Liebe(r); herziges Geschöpf; **3.** F o(h) ~!, ~ me! verwünscht!; ach herrje!

death (deθ) Tod *m*; Todesfall *m*; **~bed** Sterbebett *n*; **~duty** Erbschaftssteuer *f*; **~less** ('deθlis) unsterblich; **~ly** (ˌli) tödlich; **~-rate** Sterblichkeitsziffer *f*; **~war-rant** Todesurteil *n*. [*dern.*]

debar (di'bɑː) ausschließen; hin-)

debase (di'beis) verschlechtern; erniedrigen; verfälschen.

debat|able □ (di'beitəbl) strittig; umstri'tten; **~e** (di'beit) **1.** Debatte *f*; **2.** debattieren; erörtern; überle'gen.

debauch (di'bɔːtʃ) **1.** Ausschweifung *f*; **2.** verderben; verführen.

debilitate (di'biliteit) schwächen.

debit † ('debit) **1.** Debet *n*, Schuld *f*; **2.** *j.* belasten; debitieren.

debris ('debriː) Trümmer *pl.*

debt (det) Schuld *f*; **~or** (detə) Schuldner(in).

decade ('dekəd) Jahrzehnt *n*.

decadence ('dekədəns) Verfall *m*.

decamp (di'kæmp) aufbrechen; ausreißen; **~ment** (ˌmənt) Aufbruch *m*.

decant (di'kænt) abgießen; umfüllen; **~er** (ˌə) Karaffe *f*.

decapitate (di'kæpiteit) enthaupten.

decay (di'kei) **1.** Verfall *m*; Fäulnis *f*; **2.** verfallen; (ver)faulen.

decease *bsd.* 壯 (di'siːs) **1.** Ableben *n*; **2.** sterben.

deceit (di'siːt) Täuschung *f*; Betrug *m*; **~ful** □ (ˌful) (be)trügerisch.

deceiv|e (di'siːv) betrügen; täuschen; verleiten; **~er** (ˌə) Betrüger(in).

December (di'sembə) Dezember *m*.

decen|cy ('diːsnsi) Anstand *m*; **~t** □ (ˌt) anständig.

deception (di'sepʃən) Täuschung *f*.

decide (di'said) (sich) entscheiden; bestimmen; **~d** □ (ˌid) entschieden; bestimmt; entschlossen.

decimal ('desiməl) **1.** Dezima'l...; **2.** Dezimalbruch *m*.

decipher (di'saifə) entziffern.

decisi|on (di'siʒən) Entscheidung *f*; 壯 Urteil *n*; Entschluß *m*; Entschlossenheit *f*; **~ve** □ (di'saisiv) entscheidend.

deck (dek) **1.** ♣ Deck *n*; *Am.* Pack *n* Spielkarten; **2.** *rhet.* schmücken; **~chair** Liegestuhl *m*. [er)eifern.]

declaim (di'kleim) vortragen; (sich)]

declar|able (di'klɛərəbl) steuer-, zoll-pflichtig; **~ation** (deklə'reiʃən) Erklärung *f*; **~e** (di'klɛə) (sich) erklären; behaupten; deklarieren.

declin|ation (dekli'neiʃən) Neigung *f*; Abweichung *f*; **~e** (di'klain) **1.** Abnahme *f*; Niedergang; Verfall *m*; **2.** *v/t.* neigen, biegen; ablehnen; *v/i.* sich neigen; abnehmen; verfallen.

declivity (di'kliviti) Abhang *m*.

decode (di'koud) *tel.* entschlüsseln.

decompose (diːkəm'pouz) zerlegen; (sich) zersetzen; verwesen.

decontrol ('diːkən'troul) *Waren, Handel* freigeben.

decorat|e ('dekəreit) (ver)zieren; schmücken; **~ion** (dekə'reiʃən) Verzierung *f*; Schmuck *m*; Orden(sauszeichnung *f*) *m*; **~ive** ('dekərətiv) dekorati'v; Zier...

decor|ous □ ('dekərəs) anständig; **~um** (di'kɔːrəm) Anstand *m*.

decoy (di'kɔi) **1.** Lockvogel (*a. fig.*); Köder *m*; **2.** ködern.

decrease 1. ('di:kri:s) Abnahme *f*; **2.** (di:'kri:s) (sich) vermindern.

decree (di'kri:) **1.** Dekre´t *n*, Verordnung *f*, Erlaß; ₰₰ Entscheid *m*; **2.** beschließen; verordnen, verfügen.

decrepit (di'krepit) altersschwach.

dedicat|e ('dedikeit) widmen; **~ion** (dedi'keiʃən) Widmung *f*.

deduce (di'dju:s) ableiten; folgern.

deduct (di'dʌkt) abziehen; **~ion** (di'dʌkʃən) Abzug *m*; † Rabatt *m*; Schlußfolgerung *f*.

deed (di:d) **1.** Tat; Heldentat; Urkunde *f*; **2.** *Am.* urkundlich übertra´gen.

deem (di:m) *v/t.* halten für; *v/i.* denken, urteilen (*of* über *acc.*).

deep (di:p) **1.** ☐ tief; gründlich; schlau; vertieft; dunkel (*a. fig.*); verborgen; **2.** Tiefe *f*; *poet.* Meer *n*; **~en** ('di:pən) (sich) vertiefen; (sich) verstärken; **~ness** (~nis) Tiefe *f*.

deer (diə) Rotwild *n*; Hirsch *m*.

deface (di'feis) entstellen; unkenntlich machen; ausstreichen.

defam|ation (defə'meiʃən) Verleumdung *f*; **~e** (di'feim) verleumden; verunglimpfen.

default (di'fɔ:lt) **1.** Nichterscheinen *n vor Gericht*; Säumigkeit *f*; Verzug *m*; *in ~ of* which widrigenfalls; **2.** Verbindlichkeiten nicht nachkommen.

defeat (di'fi:t) **1.** Niederlage, Besiegung *f*; Vereitelung *f*; ✕ schlagen, besiegen; vereiteln.

defect (di'fekt) Mangel; Fehler *m*; **~ive** ☐ (~tiv) mangelhaft; unvollständig; fehlerhaft.

defence, *Am.* **defense** (di'fens) Verteidigung *f*; Schutzmaßnahme *f*; **~less** (~lis) schutzlos, wehrlos.

defend (di'fend) verteidigen; schützen (*from* vor *dat.*); **~ant** (~ənt) Beklagte(r); **~er** (~ə) Verteidiger(in).

defensive (di'fensiv) **1.** Verteidigungs...; **2.** Defensi´ve *f*.

defer (di'fə) auf-, ver-schieben; *Am.* ✕ zurückstellen; sich fügen; nachgeben.

defian|ce (di'faiəns) Herausforderung *f*; Trotz *m*; **~t** ☐ (~ənt) herausfordernd; trotzig.

deficien|cy (di'fiʃənsi) Unzulänglichkeit *f*; Mangel *m*; Defizit *n*; **~t** ☐ (~ənt) mangelhaft; unzureichend.

deficit ('defisit) Fehlbetrag *m*.

defile (di'fail) beflecken; schänden.

defin|e (di'fain) definieren; erklä-

ren; genau bestimmen; **~ite** ☐ ('definit) bestimmt; deutlich; genau; **~ition** (defi'niʃən) (Begriffs-)Bestimmung; Erklärung *f*; **~itive** ☐ (di'finitiv) bestimmt; entscheidend; endgültig. [chen.]

deflect (di'flekt) ab-lenken; -wei-)

deform (di'fɔ:m) entstellen, verunstalten; **~ed** verwachsen; **~ity** (di-'fɔmiti) Unförmigkeit; Mißgestalt *f*.

defraud (di'frɔ:d) betrügen (*of* um.)

defray (di'frei) *Kosten* bestreiten.

deft ☐ (deft) gewandt, flink.

defy (di'fai) herausfordern; trotzen.

degenerate 1. (di'dʒenəreit) entarten; **2.** ☐ (~rit) entartet.

degrad|ation (degrə'deiʃən) Absetzung *f usw.*; **~e** (di'greid) *v/t.* absetzen; erniedrigen; demütigen.

degree (di'gri:) Grad *m; fig.* Stufe *f*, Schritt; Rang, Stand *m; by ~s* allmählich; *in no ~* in keiner Weise.

deify ('di:ifai) vergöttern.

deign (dein) geruhen; gewähren.

deity ('di:iti) Gottheit *f*.

deject (di'dʒekt) entmutigen; **~ed** ☐ (~id) niedergeschlagen; **~ion** (di'dʒekʃən) Niedergeschlagenheit *f*.

delay (di'lei) **1.** Aufschub *m*; Verzögerung *f*; **2.** *v/t.* aufschieben; verzögern; *v/i.* zögern; trödeln.

delega|te 1. ('deligeit) abordnen; übertra´gen; **2.** (~git) Abgeordnete(r); **~tion** (deli'geiʃən) Abordnung *f*.

deliberat|e 1. (di'libəreit) *v/t.* überle´gen, erwägen; *v/i.* nachdenken; beraten; **2.** ☐ (~rit) bedachtsam; bedächtig; wohlüberle´gt; vorsätzlich; **~ion** (dilibə'reiʃən) Überle´gung; Beratung *f*.

delica|cy ('delikəsi) Wohlgeschmack; Leckerbissen *m*; Zartheit; Schwächlichkeit; Feinfühligkeit *f*; **~te** ☐ (~kit) schmackhaft; lecker; zart; fein; schwach; heikel; empfindlich; feinfühlig; wählerisch; **~tessen** *Am.* (delikə'tesn) Feinkost(geschäft *n*) *f*.

delicious (di'liʃəs) köstlich.

delight (di'lait) **1.** Lust, Freude, Wonne *f*; **2.** entzücken; (sich) erfreuen (*in an dat.*); **~ to** *inf.* Freude daran finden, zu *inf.*; **~ful** ☐ (~ful) entzückend. [schildern.]

delineate (di'linieit) entwerfen;)

delinquent (di'liŋkwənt) **1.** pflichtvergessen; **2.** Verbrecher(in).

deliri|ous □ (di'liriəs) wahnsinnig; **~um** (~əm) (Fieber-)Wahnsinn *m*.

deliver (di'livə) befreien; über-, aus-, ab-liefern; *Botschaft* ausrichten; äußern; *Rede usw.* vortragen, halten; $\mathscr{J}$ entbinden; *Schlag* führen; werfen; **~ance** (~rəns) Befreiung; (Meinungs-)Äußerung *f*; **~er** (~rə) Befreier(in); Überbrin'ger(in); **~y** (~ri) $\mathscr{J}$ Entbindung; (Ab-)Lieferung; $\&$ Zustellung; Übergabe *f*; Vortrag; Wurf *m*.

dell (del) kleines (Wald-)Tal.

delude (di'lu:d) täuschen; verleiten.

deluge ('delju:dʒ) **1.** Überschwe'm-mung *f*; **2.** überschwe'mmen.

delus|ion (di'lu:ʒən) Täuschung, Verblendung *f*; Wahn *m*; **~ive** □ (~siv) (be)trügerisch; täuschend.

demand (di'mɑ:nd) **1.** Verlangen *n*; Forderung *f*; Bedarf *m*; ✝ Nachfrage *f*; $\frac{t}{t\hbar}$ Rechtsanspruch *m*; **2.** verlangen, fordern; fragen (nach).

demean (di'mi:n): ~ o.s. sich benehmen; sich erniedrigen; **~o(u)r** (~ə) Benehmen *n*.

demented (di'mentid) wahnsinnig.

demilitarize (di:'militəraiz) entmilitarisieren.   [lisieren.]

demobilize(di:'moubilaiz) demobi-[

democra|cy (di'mɔkrəsi) Demokratie'*f*; **~tic(al** □) (demə'krætik,~ikəl) demokratisch. [reißen; zerstören.]

demolish (di'mɔliʃ) nieder-, ab-[

demon (di'mən) Dämon; Teufel *m*.

demonstrat|e ('demənstreit) anschaulich darstellen; beweisen; demonstrieren; **~ion** (deməns'treiʃən) Demonstratio'n: anschauliche Darstellung *f*; Beweis *m*; (Gefühls-)Äußerung *f*; **~ive** □ (di'mɔnstrətiv) überzeu'gend; demonstrati'v: ausdrucksvoll; auffällig, überschwenglich.

demote (di:'mout) degradieren.

demur (di'mə:) **1.** Einwendung *f*; **2.** Einwendungen erheben.

demure □ (di'mjuə) ernst; spröde.

den (den) Höhle; Grube; *sl.* Bude *f*.

denial (di'naiəl) Leugnen *n*; Verneinung *f*; abschlägige Antwort.

denominat|e (di'nɔmineit) (be-)nennen; **~ion** (dinɔmi'neiʃn) Benennung; Klasse; Sekte *f*.   [ten.]

denote (di'nout) bezeichnen; [

denounce (di'nauns) *Unheil usw.* ankündigen; androhen; anzeigen; brandmarken; *Vertrag* kündigen.

dens|e □ (dens) dicht, dick (*Nebel*); tief (*Unwissenheit*); dumm; **~ity** ('densiti) Dichtheit, Dichtigkeit *f*.

dent (dent) **1.** Kerbe, Einbeulung *f*; **2.** auszacken, einbeulen.

dentist ('dentist) Zahnarzt *m*.

denunciat|ion (dinʌnsi'eiʃən) Anzeige *f*; **~or** (di'nʌnsieitə) Denunzia'nt *m*.

deny (di'nai) verleugnen; verweigern, abschlagen; *j.* abweisen.

depart (di'pɑ:t) *v/i.* abreisen, abfahren; abstehen, (ab)weichen; verscheiden; **~ment** (~mənt) Abteilung *f*; Bezirk *m*; ✝ Branche *f*; *Am.* Ministe'rium; *State* ♀ Auswärtiges Amt; ~ *store* Warenhaus *n*; **~ure** (di'pɑ:tʃə) Abreise, ⏚, $\mathfrak{m}$ Abfahrt *f*; Abweichung *f*.

depend (di'pend): ~ (up)on abhängen von; angewiesen sn auf (*acc.*); sich verlassen auf (*acc.*); F it ~s es kommt darauf an; **~able** (~əbl) zuverlässig; **~ant** (~ənt) Abhängige(r); Angehörige(r); **~ence** (~əns) Abhängigkeit *f*; Vertrauen *n*; **~ency** (~ənsi) Schutzgebiet; *pl.* Zubehör*n*; **~ent** (~ənt) □ (on) abhängig (von); angewiesen (auf *acc.*).

depict (di'pikt) malen; *fig.* schildern.

deplete (di'pli:t) (ent)leeren; *fig.* erschöpfen.

deplor|able □ (di'plɔ:rəbl) beklagenswert; kläglich; jämmerlich; **~e** (di'plɔ:) bejammern.

deport (di'pɔ:t) *Ausländer* abschieben; verbannen; ~ *o.s.* sich benehmen; **~ment** (~mənt) Benehmen *n*.

depose (di'pouz) absetzen; $\frac{t}{t\hbar}$ (eidlich) aussagen.

deposit (di'pɔzit) **1.** Ablagerung *f*; Lager *n*; ✝ Depo't *n*; *Bank*-Einlage *f*; Pfand *n*; Hinterle'gung *f*; **2.** *Eier* legen; nieder-, ab-, hinlegen; *Geld* ein-legen, -zahlen; hinterle'gen; (sich) ablagern; **~ion** (depə'ziʃən) Ablagerung; eidliche Zeugenaussage; Absetzung *f*; **~or** (di'pɔzitə) Hinterle'ger, Einzahler*m*.

depot ('depou) Depo't *n*; Lagerhaus *n*; *Am.* Bahnhof *m*.

deprave (di'preiv) *sittlich* verderben.

depreciate (di'pri:ʃieit) herabsetzen; geringschätzen; entwerten.

depress (di'pres) niederdrücken; *Preise usw.* senken, drücken; bedrücken; **~ed** (~t) *fig.* niedergeschlagen; **~ion** (di'preʃən) Sen-

5

kung; Niedergeschlagenheit; † Flauheit; ⚡ Schwäche f; Sinken n.

deprive (di'praiv) berauben; entziehen; ausschließen (of von).

depth (depθ) Tiefe f; Tiefen...

deput|ation (depju'teiʃən) Abordnung f; ~e (di'pju:t) abordnen; ~y ('depjuti) Abgeordnete(r); Stellvertreter, Beauftragte(r) m.

derail 🚂 (di'reil) v/i. entgleisen; v/t. zum Entgleisen bringen.

derange (di'reindʒ) in Unordnung bringen; stören; zerrütten.

derelict ('derilikt) herrenloses Gut; Wrack n; ~ion (deri'likʃən) Verlassen n; Vernachlässigung f.

deri|de (di'raid) verlachen, verspotten; ~sion (di'riʒən) Verspottung f; ~sive □ (di'raisiv) spöttisch.

deriv|ation (deri'veiʃən) Ableitung; Herkunft f; ~e (di'raiv) herleiten; Nutzen usw. ziehen (from aus).

derogat|e ('derogeit) schmälern (from acc.); ~ion (dero'geiʃən) Beeinträchtigung; Herabwürdigung f.

derrick ('derik) ⊕ Drehkran; ⚓ Ladebaum; ⚒ Bohrturm m.

descend (di'send) (her-, hin-)absteigen, herabkommen, sinken; ⚔ niedergehen; ~ (up)on herfallen über (acc.); einfallen in (acc.); (ab)stammen; ~ant (~ənt) Nachkomme m.

descent (di'sent) Herabsteigen n; Abstieg m; Sinken; Gefälle n; feindlicher Einfall m, Landung; Abstammung f; Abhang m.

describe (dis'kraib) beschreiben.

description (dis'kripʃən) Beschreibung, Schilderung; Art f.

desert 1. ('dezət) a) verlassen; wüst, öde; b) Wüste f; **2.** (dizə:t) a) v/t. verlassen; v/i. ausreißen, desertieren; b) Verdienst n; ~er (~ə) Fahnenflüchtige(r) m; ~ion (~ʃən) Verlassen n; Fahnenflucht f.

deserv|e (di'zə:v) verdienen; sich verdient m. (of um); ~ing (~iŋ) würdig (of gen.); verdienstvoll.

design (di'zain) **1.** Plan; Entwurf m; Vorhaben n, Absicht; Zeichnung f, Muster n; **2.** ersinnen; zeichnen, entwerfen; planen; bestimmen.

designat|e ('dezigneit) bezeichnen; ernennen, bestimmen; ~ion (dezig'neiʃən) Bezeichnung; Bestimmung f.

designer (di'zainə) (Muster-)Zeichner(in); Konstrukteur m.

desir|able □ (di'zaiərəbl) wünschenswert; angenehm; ~e (di'zaiə) **1.** Wunsch m; Verlangen n; **2.** verlangen, wünschen; ~ous □ (~rəs) begierig.

desist (di'zist) abstehen, ablassen.

desk (desk) Pult m.

desolat|e 1. ('desoleit) verwüsten; **2.** □ (~lit) einsam; verlassen; öde; ~ion (deso'leiʃən) Verwüstung; Einöde; Verlassenheit f.

despair (dis'pɛə) **1.** Verzweiflung f; **2.** verzweifeln (of an dat.); ~ing (~riŋ) verzweifelt.

despatch = dispatch Abfertigung.

desperat|e □ ('despərit) adj. u. adv. verzweifelt; schrecklich (Wetter usw.); ~ion (despə'reiʃən) Verzweiflung; Raserei f.

despise (dis'paiz) verachten.

despite (dis'pait) **1.** Verachtung f; Trotz m; Bosheit f; in ~ of zum Trotz, trotz; **2.** prp. (a. ~ of) trotz.

despoil (dis'poil) berauben (of gen.).

despond (dis'pond) verzagen, verzweifeln; ~ency (~ənsi) Verzagtheit f; ~ent □ (~ənt) verzagt.

dessert (di'zə:t) Nachtisch m.

destin|ation (desti'neiʃən) Bestimmung(sort m) f; ~e ('destin) bestimmen; ~y (~tini) Schicksal n.

destitute □ ('destitju:t) mittellos, notleidend; entblößt (of von).

destroy (dis'troi) zerstören, vernichten; töten; unschädlich m.

destruct|ion (dis'trakʃən) Zerstörung; Tötung f; ~ive □ (~tiv) zerstörend; vernichtend (or, to acc.).

detach (di'tætʃ) losmachen, (ab-)lösen; absondern; ⚔ (ab)kommandieren; ~ed (~t) einzeln (stehend); unbeeinflußt; ~ment (~mənt) Loslösung; Trennung; ⚔ Abteilung f.

detail 1. ('di:teil) Einzelheit f; eingehende Darstellung; ⚔ Kommando n; in ~ ausführlich; **2.** (di'teil) genau schildern; ⚔ abkommandieren.

detain (di'tein) zurück-, auf-, abhalten; j. in Haft behalten.

detect (di'tekt) entdecken; (auf-)finden; ~ion (di'tekʃən) Entdeckung f; ~ive (~tiv) Detektiv m.

detention (di'tenʃən) Zurück-, Vorent-haltung; Abhaltung; Haft f.

deter (di'tə:) abschrecken (from von).

deteriorat|e (di'tiəriəreit) (sich) verschlechtern; entarten; ~ion (ditiəriə'reiʃən) Verschlechterung f.

determin|ation (ditə:mi'neiʃən) Bestimmung; Entschlossenheit; Entscheidung f; Entschluß m; ~e (di'tə:min) v/t. bestimmen; entscheiden; veranlassen; Strafe festsetzen; beendigen; v/i. sich entschließen; ~ed (~d) entschlossen.

detest (di'test) verabscheuen; ~able □ (~əbl) abscheulich; ~ation (di-tes'teiʃən) Abscheu m.

dethrone (di'θroun) enthronen.

detonate (di:touneit)explodieren(l.).

detour (di'tuə) 1. Umweg m; Am. Umleitung f; 2. e-n Umweg m.

detract (di'trækt) entziehen; schmälern; ~ion (di'trækʃən) Verleumdung; Herabsetzung f.

detriment (detrimənt) Schaden m.

devaluate (di:vӕljueit) abwerten.

devastat|e ('devəsteit) verwüsten; ~ion (devəs'teiʃən) Verwüstung f.

develop (di'veləp) (sich) entwickeln; (sich) entfalten; (sich) erweitern; Gelände erschließen; ausbauen; Am. enthüllen; ~ment (~mənt) Entwicklung f usw.

deviat|e ('di:vieit) abweichen; ~ion (di:vi'eiʃən) Abweichung f.

device (di'vais) Plan; Kniff m; Erfindung; Vorrichtung f; Muster n; Wahlspruch m; leave a p. to his own ~s j. allein fertig werden lassen.

devil (devl) 1. Teufel (a. fig.); Gehilfe m; 2. v/t. Gericht stark pfeffern; Am. F j. schikanieren; ~ish □ (~iʃ) teuflisch; ~(t)ry Teufelei f.

devious □ (di:viəs) abwegig.

devise (di'vaiz) 1. ⚖ Vermachen; Vermächtnis n; 2. ersinnen; ⚖ vermachen.

devoid (di'vɔid) (of) bar (gen.), ohne.

devot|e (di'vout) weihen, widmen; ~ed (~id) ergeben; todgeweiht; ~ion (di'vouʃən) Ergebenheit; Hingebung; Frömmigkeit; ~s pl. Andacht f.

devour (di'vauə) verschlingen.

devout □ (di'vaut) andächtig, fromm; innig. [betaut; taufrisch.]

dew (dju) 1. Tau m; 2. tauen; ~y|

dexter|ity (deks'teriti) Gewandtheit f; ~ous □ ('dekstərəs) gewandt.

diabolic(al □ (daiə'bɔlik, ~ikəl) teuflisch.

diagram ('daiəgræm) graphische Darstellung; Schema n, Plan m.

dial ('daiəl) 1. Sonnenuhr f; Zifferblatt n; teleph. Wählerscheibe;

Radio: Skala f; 2. teleph. wählen.

dialect ('daiəlekt) Mundart f.

dialogue ('daiəlɔg) Zwiegespräch n.

dial|-pate teleph. Nummernscheibe f; ~-tone Am. teleph. Amtszeichen n.

diameter (dai'æmitə) Durchmesser m.

diamond ('daiəmənd) Diama'nt n; Rhombus m; Karten: Karo n.

diaper ('daiəpə) Windel f.

diaphragm ('daiəfræm) Zwerchfell n; opt. Blende; teleph. Membra'n f.

diary ('daiəri) Tagebuch n.

dice (dais) [pl. von die²] 1. Würfel m/pl.; 2. würfeln; ~-box W.becher m.

dicker Am. ('dikə) schachern.

dick(e)y ('diki) mot. Notsitz m; Vorhemd n.

dictat|e 1. ('dikteit) Dikta't n; Vorschrift f; Gebot n; 2. (dik'teit) diktieren; fig. vorschreiben; ~ion (dik'teiʃən) Dikta't n; Vorschrift f; ~orship (dik'teitəʃip) Diktatu'r f.

diction ('dikʃən) Ausdruck(sweise f), Stil m; ~ary (~ri) Wörterbuch n.

did (did) tat; machte.

die¹ (dai) sterben, umkommen; untergehen; absterben; F schmachten; ~ away ersterben; verhallen (Ton); sich verlieren (Farbe); verlöschen (Licht); ~ down hinsiechen; (dahin-) schwinden; erlöschen.

die² (~) [pl. dice] Würfel m; [pl. dies (dais)] ⊕ Preßform f; Münz-Stempel m; plur. ~ Matri'ze f.

diet ('daiət) 1. Diät; Nahrung, Kost f; Landtag m; 2. v/t. Diät verschreiben; beköstigen; v/i.diätleben.

differ ('difə) sich unterschei'den; andrer Meinung sein (with, from als); abweichen; ~ence (~'difrəns) Unterschied m; ⚖ Differe'nz; Meinungsverschiedenheit f; ~ent □ (~t) verschieden; andre(r, s) (from als); ~entiate (difə'renʃieit) (sich) unterschei'den. [Schwierigkeit f.]

difficult □ ('difikəlt) schwierig; ~y|

diffiden|ce (difidəns) Schüchternheit f; ~t □ (~dənt) schüchtern.

diffus|e 1. (di'fju:z) fig. verbreiten; 2. □ (di'fju:s) weitverbreitet, zerstreut (bsd. Licht); weitschweifig; ~ion (di'fju:ʒən) Verbreitung f.

dig (dig) 1. [irr.] (um-, aus-)graben; wühlen (in dat.); 2. F Stoß, Puff m.

digest 1. (di'dʒest) ordnen; verdauen; v/i. verdaut w.; 2. ('daidʒest) Abriß m; ⚖ Gesetzsammlung f;

~ible (di'dʒestəbl) verdaulich; **~ion** (.tʃən) Verdauung f.

dignif|ied ('dignifaid) würdevoll; würdig; **~y** (.fai) Würde verleihen (dat.); (be)ehren; fig. adeln.

dignit|ary ('dignitəri) Würdenträger m; **~y** (.ti) Würde f.

digress (dai'gres) abschweifen.

dike (daik) 1. Deich; Damm; Graben m; 2. eindeichen; eindämmen.

dilapidate (di'læpideit) verfallen (l.)

dilat|e (dai'leit) (sich) ausdehnen; Augen weit öffnen; **~ory** ('dilətəri) saumselig. [☐ fleißig, emsig.]

diligen|ce ('dilidʒəns) Fleiß m; **~t|**

dilute (dai'lju:t) verdünnen; verwässern.

dim (dim) 1. ☐ trüb; dunkel; matt; 2. (sich) verdunkeln; abblenden; (sich) trüben; beschlagen (Glas).

dime Am. (daim) Zehncentstück n.

dimin|ish (di'miniʃ) (sich) vermindern; abnehmen; **~ution** (dimi'nju:ʃən) Verminderung; Abnahme f; **~utive** (di'minjutiv) winzig. [2. Grübchen bekommen.]

dimple ('dimpl) 1. Grübchen n;

din (din) Getöse n, Lärm m.

dine (dain) zu Mittag speisen; bewirten; **~r** ('dainə) Speisende(r); (Mittags-)Gast; 箭 (bsd. Am.) Speisewagen m; Speiserestaurant m.

dingle ('diŋgl) Waldschlucht f.

dingy ☐ ('dindʒi) schmutzig.

dining|-car 箭 Speisewagen m; **~-room** Speisezimmer n.

dinner ('dinə) Mittagessen; Festmahl n; **~-party** Tischgesellschaft f.

dint (dint) by ~ of kraft, vermöge.

dip (dip) 1. v/t. (ein)tauchen; senken; schöpfen; v/i. (unter)tauchen, untersinken; sich neigen; sich senken; 2. Eintauchen n; F kurzes Bad n; Senkung, Neigung f, Abhang m.

diploma (di'ploumə) Diplom n; **~cy** (.si) Diplomatie f; **~tic(al** ☐) (diplo'mætik, .əl) diplomatisch; **~tist** (di'ploumətist) Diploma't(in).

dipper ('dipə) Taucher(in); Schöpfkelle f; the 2 Am. der Große Bär.

dire (daiə) gräßlich, schrecklich.

direct (di'rekt) 1. ☐ direkt; gerade; unmittelbar; offen, aufrichtig; deutlich; ~ current Gleichstrom m; ~ train durchgehender Zug; 2. adv. geradeswegs; = **~ly**; 3. richten; lenken, steuern; leiten; anordnen; j. (an)weisen; Brief adressieren;

~ion (di'rekʃən) Richtung; Gegend; Leitung; Anordnung; Adresse f; Vorstand m; **~ion-finder** Radio: (Funk-)Peiler; Peil(funk)-empfänger m; **~ive** (di'rektiv) richtungweisend; leitend; **~ly** (.li) 1. adv. sofort; 2. cj. sobald (als).

director (di'rektə) Direktor m; (Film: Aufnahme-)Leiter m; board of ~s Aufsichtsrat m; **~ate** (.rit) Direktio'n f; **~y** (.ri) (Telephon-) Adreßbuch n; Direkto'rium n.

dirge (də:dʒ) Trauergesang m.

dirigible ('diridʒəbl) lenkbar(es Luftschiff).

dirt (də:t) Schmutz m; (lockere) Erde; **~-cheap** F spottbillig; **~y** ('də:ti) 1. ☐ schmutzig (a. fig.); 2. beschmutzen; beschmieren.

disability (disə'biliti) Unfähigkeit f.

disable (dis'eibl) (dienst-, kampf-)unfähig m.; **~d** (.d) dienst-, kampfunfähig; körperbehindert; kriegsbeschädigt.

disadvantage (disəd'va:ntidʒ) Nachteil; Schaden m.

disagree (disə'gri:) nicht überei'nstimmen; uneinig sn; nicht bekommen (with a p. e-m); **~able** ☐ (.əbl) unangenehm; **~ment** (.mənt) Verschiedenheit; Unstimmigkeit; Meinungsverschiedenheit f.

disappear (disə'piə) verschwinden; **~ance** (.rəns) Verschwinden n.

disappoint (disə'pɔint) enttäuschen; vereiteln; j. im Stich lassen; **~ment** Enttäuschung; Vereitelung f.

disapprov|al (disə'pru:vəl) Mißbilligung f; **~e** (disə'pru:v) mißbilligen (of et.).

disarm (dis'a:m) v/t. entwaffnen (a. fig.); v/i. abrüsten; **~ament** (dis'a:məmənt) Entwaffnung; Abrüstung f.

disarrange ('disə'reindʒ) in Unordnung bringen, verwirren.

disast|er (di'za:stə) Unglück(sfall m) n, Katastro'phe f; **~rous** ☐ (.rəs) unheilvoll; katastropha'l. [lösen.]

disband (dis'bænd) entlassen; auf-|

disbelieve (disbi'li:v) nicht glauben.

disburse (dis'bə:s) auszahlen.

disc (disk) = disk Scheibe.

discard (dis'ka:d) Karten, Kleid usw. ablegen; entlassen.

discern (di'sə:n) unterschei'den; erkennen; beurteilen; **~ing** (.iŋ) ☐ einsichtsvoll, scharfsichtig; **~ment** (.mənt) Einsicht f; Scharfsinn m.

discharge (dis'tʃɑːdʒ) **1.** v/t. ent-, ab-, aus-laden; entlasten, entbinden; abfeuern; Pflicht usw. erfüllen; Zorn usw. auslassen; Schuld tilgen; quittieren; Wechsel einlösen; entlassen; freisprechen; v/i. sich entladen; eitern; **2.** Entladung f; Abfeuern n; Ausströmen n; Ausfluß, Eiter(ung f) m; Entlassung; Entlastung; Bezahlung; Quittung; Erfüllung f e-r Pflicht.

disciple (di'saipl) Schüler; Jünger m.

discipline ('disiplin) **1.** Disziplin; Zucht; Erziehung; Züchtigung f; **2.** erziehen; züchtigen; schulen.

disclose (dis'klouz) aufdecken; erschließen, offenbaren, enthüllen.

discolo(u)r (dis'kʌlə) (sich) verfärben.

discomfort (dis'kʌmfət) **1.** Unbehagen n; Verdruß m; **2.** verdrießen.

discompose (diskəm'pouz) beunruhigen. [sung bringen; vereiteln.]

disconcert (diskən'səːt) außer Fas-)

disconnect (diskə'nekt) trennen; ⊕ auskuppeln; aus-, ab-schalten; ⊕ ☐ (ˌid) zs.-hangslos. [los.]

disconsolate ☐ (dis'kɔnsəlit) trost-

discontent ('diskən'tent) Unzufriedenheit f; ~ed ☐ (ˌid) mißvergnügt, unzufrieden.

discontinue ('diskən'tinju) aufgeben, aufhören mit; unterbre'chen.

discord ('diskɔːd), ~ance (dis'kɔːdəns) Uneinigkeit f; ♪ Mißklang m.

discount 1. † ('diskaunt) Disko'nt; Abzug, Raba'tt m; **2.** (dis'kaunt) † diskontieren; abrechnen; fig. absehen von; Nachricht mit Vorsicht aufnehmen; mit et. rechnen.

discourage (dis'kʌridʒ) entmutigen; abschrecken; ~ment (ˌmənt) Entmutigung; Schwierigkeit f.

discourse (dis'kɔːs) **1.** Gespräch n; Rede; Abhandlung f; **2.** reden, sprechen; e-n Vortrag halten.

discourte|ous ☐ (dis'kəːtiəs) unhöflich; ~sy (ˌtisi) Unhöflichkeit f.

discover (dis'kʌvə) entdecken; ausfindig m.; ~y (ˌri) Entdeckung f.

discredit (dis'kredit) **1.** schlechter Ruf; Unglaubwürdigkeit f; **2.** nicht glauben; in üblen Ruf bringen.

discreet ☐ (dis'kriːt) besonnen, vorsichtig; klug; verschwiegen.

discrepancy (dis'krepənsi) Widerspruch m; Unstimmigkeit f.

discretion (dis'kreʃən) Besonnen-

heit, Klugheit f; Takt m; Verschwiegenheit f; Belieben n.

discriminat|e (dis'krimineit) unterschei'den; ~ against benachteiligen; ~ing ☐ (ˌiŋ) unterschei'dend; scharfsinnig; urteilsfähig; ~ion (ˌˈneiʃən) Unterschei'dung; unterschiedliche Behandlung f.

discuss (dis'kʌs) erörtern, besprechen; ~ion (ˌˈʃən) Erörterung f.

disdain (dis'dein) **1.** Verachtung f; **2.** geringschätzen, verachten; verschmähen. [krank.]

disease (di'ziːz) Krankheit f; ~d (ˌd))

disembark ('disim'baːk) ausschiffen, landen.

disengage (disin'geidʒ) sich freimachen, (sich) lösen; ⊕ loskuppeln.

disentangle ('disin'tæŋgl) entwirren; fig. freimachen (from von).

disfavo(u)r ('dis'feivə) **1.** Mißfallen n, Ungnade f; **2.** nicht mögen.

disfigure (dis'figə) entstellen.

disgorge (dis'gɔːdʒ) ausspeien.

disgrace (dis'greis) **1.** Ungnade; Schande f; **2.** in Ungnade fallen l.; j. entehren; ~ful ☐ (ˌful) schimpflich.

disguise (dis'gaiz) **1.** verkleiden; Stimme verstellen; verhehlen; **2.** Verkleidung; Verstellung; Maske f.

disgust (dis'gʌst) **1.** Ekel; **2.** anekeln; ~ing ☐ (ˌiŋ) ekelhaft.

dish (diʃ) **1.** Schüssel, Platte f; Gericht n (Speise); **2.** anrichten; (mst ~ up) auftischen.

dishearten (dis'hɑːtn) entmutigen.

dishevel(l)ed (di'ʃevld) zerzaust.

dishonest ☐ (dis'ɔnist) unehrlich, unredlich; ~y (ˌi) Unredlichkeit f.

dishono(u)r (dis'ɔnə) **1.** Unehre, Schande f; **2.** entehren; schänden; Wechsel nicht honorieren; ~able ☐ (ˌrəbl) entehrend; ehrlos.

disillusion (disi'luːʒən) **1.** Ernüchterung, Enttäuschung f; **2.** (a. ~ize, ˌaiz) ernüchtern, enttäuschen.

disinclined ('disin'klaind) abgeneigt.

disinfect (disin'fekt) desinfizieren; ~ant (ˌənt) Desinfektio'nsmittel n.

disintegrate (dis'intigreit) (sich) auflösen; (sich) zersetzen.

disinterested ☐ (dis'intristid) uneigennützig; selbstlos.

disk (disk) Scheibe; Platte f.

dislike (dis'laik) **1.** Abneigung f; Widerwille m; **2.** nicht mögen.

dislocate ('disloukeit) aus den Fugen bringen; verrenken; verlagern.

dislodge (dis'lɔdʒ) vertreiben, verjagen; umquartieren.

disloyal □ (dis'lɔial) treulos.

dismal □ ('dizməl) trüb(selig); öde.

dismantl|e (dis'mæntl) entblößen; ♣ abtakeln; ⊕ demontieren; **~ing** (~iŋ) Demonta'ge f.

dismay (dis'mei) **1.** Schrecken m; Bestürzung f; **2.** v/t. erschrecken.

dismiss (dis'mis) v/t. entlassen, wegschicken; ablehnen; *Thema usw.* fallen l.; ⚖ abweisen; **~al** (~əl) Entlassung; Aufgabe; ⚖ Abweisung f.

dismount ('dis'maunt) v/t. aus dem Sattel werfen; demontieren; ⊕ aus-ea.-nehmen; v/i. absteigen.

disobedien|ce (disə'bi:dʒəns) Ungehorsam m; **~t** □ (~t) ungehorsam.

disobey ('disə'bei) ungehorsam sn.

disorder (dis'ɔ:də) **1.** Unordnung f; Aufruhr m; ⚕ Störung f; **2.** in Unordnung bringen; stören; zerrütten; **~ly** (~li) unordentlich; ordnungswidrig; unruhig.

disorganize (dis'ɔ:gənaiz) zerrütten.

disown (dis'oun) nicht anerkennen, verleugnen; ablehnen.

dispassionate □ (dis'pæʃnit) leidenschaftslos; unparteiisch.

dispatch (dis'pætʃ) **1.** (schnelle) Erledigung; (schnelle) Absendung, Abfertigung f; Eile; Depesche f; *by ~* durch Eilboten; **2.** (schnell) abmachen, erledigen (*a.* = *töten*); abfertigen; absenden.   [streuen.|

dispel (dis'pel) vertreiben, zer-|

dispensa|ry (dis'pensəri) Apothe'ke f; **~tion** (dispen'seiʃən) Austeilung; Befreiung (*with von*); *göttliche* Fügung f.

dispense (dis'pens) v/t. austeilen; *Gesetze* handhaben; *Arzneien* bereiten und ausgeben; befreien.

disperse (dis'pə:s) (sich) zerstreuen; auseinandergehen.

dispirit (dis'pirit) entmutigen.

displace (dis'pleis) verschieben; absetzen; ersetzen; verdrängen.

display (dis'plei) **1.** Entfaltung f; Aufwand m; Schaustellung; *Schaufenster-Auslage* f; **2.** entfalten; zur Schau stellen; zeigen.

displeas|e (dis'pli:z) j-m mißfallen; **~ed** □ (~d) ungehalten; **~ure** (dis'pleʒə) Mißfallen n; Verdruß m.

dispos|al (dis'pouzəl) Anordnung; Verfügung(srecht n); Beseitigung; Veräußerung; Übergabe f; **~e**

(dis'pouz) v/t. (an)ordnen, einrichten; geneigt m., veranlassen; v/i. **~** *of* verfügen über (*acc.*); erledigen; verwenden; veräußern; unterbringen; beseitigen; **~ed** □ (~d) geneigt; gelaunt; ...gesinnt; **~ition** (dispə'ziʃən) Dispos/tion; Anordnung; Neigung; Sinnesart; Verfügung f.

disproof ('dis'pru:f) Widerle'gung f.

disproportionate □ (disprə'pɔ:ʃənit) unverhältnismäßig.

disprove ('dis'pru:v) widerle'gen.

dispute (dis'pju:t) **1.** Streit(igkeit f); Rechtsstreit m; **2.** (be)streiten.

disqualify (dis'kwɔlifai) unfähig *od.* untauglich machen *od.* erklären.

disregard ('disri'ga:d) **1.** Nicht(be)achtung f; **2.** unbeachtet lassen.

disreput|able □ (dis'repjutəbl) schimpflich; verrufen; **~e** ('disri'pju:t) übler Ruf; Schande f.

disrespect ('disris'pekt) Nichtachtung; Unehrerbietigkeit f; **~ful** □ (~ful) unehrerbietig; unhöflich.

dissatis|faction ('dissætis'fækʃən) Unzufriedenheit f; **~factory** (~təri) unbefriedigend; **~fy** ('dis'sætisfai) nicht befriedigen; j-m mißfallen.

dissect (di'sekt) zerlegen; zergliedern.

dissemble (di'sembl) v/t. verhehlen; v/i. sich verstellen, heucheln.

dissen|sion (di'senʃən) Meinungsverschiedenheit; Uneinigkeit f; **~t** (~t) **1.** abweichende Meinung; Nichtzugehörigkeit f zur Landeskirche; **2.** andrer Meinung sn.

dissimilar □ (di'similə) unähnlich (*to, from dat.*); verschieden (von).

dissimulation (disimju'leiʃən) Verstellung, Heuchelei f.

dissipat|e ('disipeit) (sich) zerstreuen; verschwenden; **~ion** (disi'peiʃən) Zerstreuung; Verschwendung f; ausschweifendes Leben.

dissoluble □ (di'sɔljubl) (auf)lösbar.

dissolut|e □ ('disəlu:t) liederlich, ausschweifend; **~ion** (disə'lu:ʃən) Auflösung; Zerstörung f; Tod m.

dissolve (di'zɔlv) v/t. (auf)lösen; schmelzen; v/i. sich auflösen; vergehen.   [abweichend; uneinig.|

dissonant □ ('disonənt) ⚕ mißtönend;|

dissuade (di'sweid) j-m abraten.

distan|ce (dis'təns) **1.** Abstand m, Entfernung; Ferne; Strecke; Zurückhaltung f; *at a ~* von weitem; *in e-r gewissen Entfernung*; *weit*

weg; **2.** hinter sich lassen; **~ce-
-controlled** ferngesteuert; **~t** □
(~t) entfernt; fern; zurückhaltend.

distaste ('dis'teist) Widerwille *m*;
Abneigung *f*; **~ful** □ (~ful) widerwärtig; ärgerlich.

distemper (dis'tempə) Krankheit
f (*bsd. von Tieren*); (Hunde-)Staupe *f*.

distend (dis'tend) (sich) ausdehnen;
(auf)blähen; (sich) weiten.

distil (dis'til) herabtröpfeln (l.); ♫
destillieren; **~lery** (~əri) Brannt-
weinbrennerei *f*.

distinct □ (dis'tiŋkt) verschieden;
getrennt; deutlich, bestimmt; **~ion**
(dis'tiŋkʃən) Unterschei'dung *f*;
Unterschied *m*; Auszeichnung *f*;
Rang *m*; **~ive** (~tiv) unterschei-
dend; apa'rt; kenn-, be-zeichnend.

distinguish (dis'tiŋgwiʃ) unterschei'den; auszeichnen; **~ed** (~t)
ausgezeichnet; vornehm.

distort (~'tɔ:t) ver-drehen; -zerren.

distract (dis'trækt) ablenken, zerstreuen; beunruhigen; verwirren;
verrückt m.; **~ion** (dis'trækʃən) Zerstreutheit; Verwirrung *f*; Wahnsinn *m*; Zerstreuung *f*.

distress (dis'tres) **1.** Qual *f*; Elend
n, Not; Erschöpfung *f*; **2.** in Not
bringen; quälen; erschöpfen; **~ed**
(~t) in Not; bekümmert.

distribut|e (dis'tribju:t) verteilen;
einteilen; verbreiten; **~ion** (distri'bju:ʃən) Verteilung; Verbreitung; Einteilung *f*. [gend *f*.]

district (distrikt) Bezirk *m*; Ge-

distrust (dis'trast) **1.** Mißtrauen *n*;
2. mißtrauen (*dat*.); **~ful** □ (~ful)
mißtrauisch; ~ (*of o.s.*) schüchtern.

disturb (dis'tə:b) beunruhigen, stören; **~ance** (~əns) Störung; Unruhe *f*; Aufruhr *m*.

disunite ('disju:'nait) (sich) trennen.

disuse ('dis'ju:z) nicht mehr ge-

ditch (ditʃ) Graben *m*. [brauchen.]

ditto ('ditou) dito, desgleichen.

dive (daiv) **1.** (unter)tauchen; ⚔
e-n Sturzflug m.; eindringen in
(*acc*.); **2.** (Kopf-)Sprung; Sturzflug
m; *Am*. Kaschemme *f*; **~r** (daivə)
Taucher *m*.

diverge (dai'və:dʒ) aus-ea.-laufen;
abweichen; **~nce** (~əns) Abweichung; Verschiedenheit *f*; **~nt** □
(~ənt) abweichend.

divers|e □ (dai'və:s) verschieden;
mannigfaltig; **~ion** (dai'və:ʃən) Ab-

lenkung *f*; Zeitvertreib *m*; **~ity** (~siti)
Verschiedenheit;Mannigfaltigkeit *f*.

divert (dai'və:t) ablenken; *j.* zerstreuen; unterha'lten.

divest (dai'vest) entkleiden (*a. fig.*).

divid|e (di'vaid) **1.** *v/t.* teilen;
trennen; einteilen; ♫ dividieren;
v/i. sich teilen *usw*.; **~end** ('dividend) Divide'nde *f*.

divine (di'vain) **1.** □ göttlich; ~ *service* Gottesdienst *m*; **2.** ahnen.

diving ('daiviŋ) Kunstspringen *n*.

divinity (di'viniti) Gottheit; Gött-
lichkeit; Theologie' *f*.

divis|ible □ (di'vizəbl) teilbar; **~ion**
(di'viʒən) Teilung; Trennung *f*;
Abteilung; ♫ Divisio'n *f*.

divorce (di'vɔ:s) **1.** (Ehe-)Schei-
dung *f*; **2.** *Ehe* scheiden.

divulge (dai'vʌldʒ) ausplaudern;
verbreiten; enthüllen.

dizz|iness (dizinis) Schwindel *m*;
~y □ ('dizi) schwind(e)lig.

do (du:) [*irr*.] (*s. a.* done) **1.** *v/t.* tun;
machen; (zu)bereiten; *Rolle, Stück*
spielen; ~ *London* L. besehen; *have
done reading* fertig sn mit Lesen;
F ~ *in* um die Ecke bringen; ~ *into*
überse'tzen in; ~ *over* über-strei-
chen, -zie'hen; ~ *up* instand setzen;
einpacken; **2.** *v/i.* tun; handeln;
sich benehmen; sich befinden; genügen; *that will* ~ das genügt; *how ~
you* ~? guten Tag! Wie geht's? ~
well s-e Sache gut m.; gute Geschäfte m.; ~ *away with* weg-, ab-
schaffen; *could* ~ *with* ... ich könnte
... brauchen, vertragen; ~ *without*
fertig w. ohne; ~ *be quick* beeile
dich doch; ~ *you like London?* —
I do gefällt Ihnen L.? — Ja.

docil|e ('dousail) gelehrig; fügsam;
~ity (dou'siliti) Gelehrigkeit *f*.

dock[1] (dɔk) stutzen; *fig.* kürzen.

dock[2] (~) **1.** ♣ Dock *n*; ⚓ Anklage-
bank *f*; **2.** ♣ docken.

dockyard ('dɔkjɑ:d) Werft *f*.

doctor ('dɔktə) **1.** Doktor; Arzt *m*;
2. F: verarzten; doktern. [*n*.]

doctrine ('dɔktrin) Lehre *f*; Dogma

document 1. ('dɔkjumənt) Urkunde
f; **2.** (~'mənt) beurkunden.

dodge (dɔdʒ) **1.** Seitensprung;
Kniff, Winkelzug *m*; **2.** *fig.* irreführen; ausweichen; Winkelzüge m.

doe (dou) Hindin *f*; Reh *n*; Häsin *f*.

dog (dɔg) **1.** Hund; Haken *m*, Klammer *f*; **2.** nachspüren.

dogged □ ('dɔgid) verbissen.

dogma ('dɔgmə) Dogma n; Glaubenslehre f; **~tic(al** □) (dɔg'mætik, ~ikəl) dogmatisch; bestimmt; **~tism** ('dɔgmətizm) Selbstherrlichkeit f.

dog's-ear F Eselsohr n im Buch.

dog-tired ('dɔg'taiəd) hundemüde.

doings ('du:iŋz) Begebenheiten f/pl. (Tun und) Treiben n.

dole (doul) 1. Spende; Erwerbslosenunterstützung f; 2. verteilen.

doleful □ ('doulful) trübselig.

doll (dɔl) Puppe f.

dollar ('dɔlə) Dollar m.

dolly ('dɔli) Püppchen n.

dolt (doult) Tölpel m.

domain (do'mein) Domäne f; fig. Gebiet n; Bereich m.

dome (doum) Dom m; Kuppel f.

domestic (do'mestik) 1. (**~al**) häuslich; einheimisch; zahm; 2. Dienstbote m; **~ate** (~tikeit) zähmen.

domicile ('dɔmisail) Wohnsitz m; **~d** (~d) wohnhaft.

domin|ant ('dɔminənt) (vor)herrschend; **~ate** (~neit) (be)herrschen; **~ation** (dɔmi'neiʃən) Herrschaft f; **~eer** (dɔmi'niə) (despotisch) herrschen; **~eering** □ (~riŋ) gebieterisch, tyrannisch.

dominion (də'minjən) Herrschaft f; Gebiet n; 2 brit. Dominion n.

don (dɔn) an-, anlegen, -ziehen.

donat|e Am. (dou'neit) schenken; stiften; **~ion** (~ʃən) Schenkung f.

done (dʌn) 1. getan; 2. adj. abgemacht; fertig; well ~ gar gekocht.

donkey ('dɔŋki) Esel m.

donor ('dounɔ:) (⚕ Blut-)Spender m.

doom (du:m) 1. Schicksal, Verhängnis n; 2. verurteilen, verdammen.

door (dɔ:) Tür f, Tor n; next ~ nebenan; (with)in ~s zu Hause; ~-**handle** Türgriff m; **~-keeper**, Am. **~man** Pförtner, Portie'r m; **~way** Türöffnung f; Torweg m.

dope (doup) 1. Schmiere f; Nervenreizmittel; Rauschgift n; 2. betäuben.

dormant ('dɔ:mənt) mst fig. schlafend, ruhend; unbenutzt, tot.

dormer(-window) ('dɔ:mə['win-dou]) Dachfenster n.

dormitory (dɔ:mitri) Schlafsaal m.

dose (dous) 1. Dosis, Portio'n f; 2. e-e Dosis geben (dat.).

dot (dɔt) 1. Punkt, Fleck m; 2. punktieren, tüpfeln.

dot|e (dout): ~ (up)on vernarrt sn in (acc.); **~ing** (doutiŋ) vernarrt.

double □ ('dʌbl) 1. doppelt; zu zweien; gekrümmt; zweideutig; 2. Doppelte(s) n; Doppelgänger (-in); Tennis: Doppel(spiel) n; 3. v/t. verdoppeln; zs.-legen; et. umfa'hren, -se'geln; **~d up** zs.-gekrümmt; v/i. sich verdoppeln; e-n Haken schlagen (Hase); **~-breasted** zweireihig (Jackett); **~-dealing** Doppelzüngigkeit f; **~-edged** zweischneidig; **~-entry** † doppelte Buchführung.

doubt (daut) 1. v/i. zweifeln; v/t. bezweifeln; mißtrauen (dat.); 2. Zweifel m; no ~ ohne Zweifel; **~ful** □ ('dautful) zweifelhaft; **~fulness** (~nis) Zweifelhaftigkeit f; **~less** (dautlis) ohne Zweifel.

douche (du:ʃ) 1. Dusche f; ⚕ Irriga'tor m; 2. duschen; spülen.

dough (dou) Teig m; **~nut** (dounʌt) Pfann-, Spritzkuchen m.

dove (dʌv) Taube f; fig. **Täubchen** n; **~dowel** ⊕ ('dauəl) Dübel m. [n.]

down¹ (daun) Daune f; Flaum m; Düne f; **~s** pl. Höhenrücken m.

down² (~) 1. adv. nieder; her-, hinunter, -ab; abwärts; unten; F be ~ upon über e-n herfallen; 2. prp. her-, hin-ab, her-, hin-unter; ~ the river flußabwärts; 3. nach unten gerichtet; adj. ~ platform Abfahrtsbahnsteig m; 4. v/t. niederwerfen; herunterholen; **~cast** (daunka:st) niedergeschlagen; **~fall** Fall, Sturz; Verfall m; **~-hearted** niedergeschlagen; **~hill** bergab; **~pour** Regenguß m; **~right** □ adv. geradezu, durchaus; fig. gerade; 2. adj. plump (Benehmen); richtig, glatt (Lüge usw.); **~stairs** (daun'stɛəz) die Treppe hinunter, (nach) unten; **~stream** stromabwärts; **~town** bsd. Am. in der (od. die) Stadt; **~ward(s)** (~wəd[z]) abwärts (gerichtet).

downy ('dauni) flaumig; sl. gerissen.

dowry ('dauəri) Mitgift f (a. fig.).

doze (douz) 1. dösen; 2. Schläfchen n.

dozen ('dʌzn) Dutzend n. [n.]

drab (dræb) gelblichgrau; eintönig.

draft (dra:ft) 1. = draught; † Tratte; Abhebung f; ✗ Ersatz (-mannschaft f) m; 2. entwerfen; auswählen; ✗ abkommandieren.

drag (dræg) 1. Schleppnetz n; Schleife für Lasten; Egge; Hemmung f; 2. v/t. schleppen, ziehen; v/i. (sich) schleppen, schleifen; (mit e-m Schleppnetz) fischen.

dragon ('drægən) Drache m; ~-fly Libelle f.

drain (drein) 1. Abfluß(-graben m, -rohr n); 2. v/t. entwässern; (a. ~ off) abziehen; verzehren; v/i. ablaufen; ~age ('dreinidʒ) Abfluß m; Entwässerung(sanlage) f.

drake (dreik) Enterich m.

drama|tic (drə'mætik) (~ally dramatisch; ~tist ('dræmətist) Drama'tiker m; ~tize (~taiz) dramatisieren.

drank (dræŋk) trank. [sieren.]

drape (dreip) drapieren; in Falten legen; ~ry ('dreipəri) Tuch-handel m; -waren f/pl.; Faltenwurf m.

drastic ('dræstik) (~ally) drastisch.

draught (drɑːft) Zug m (Ziehen); Skizze f; ♦ Tiefgang m; ~s pl. Dam(e)spiel n; s. draft; ~ beer Faßbier n; ~-horse Zugpferd n; ~sman (~smən) Zeichner m.

draw (drɔː) 1. [irr.] ziehen; an-, auf-, ein-, zu-ziehen; (sich) zsziehen; in die Länge ziehen; spannen; heraus-ziehen, -locken; entnehmen; Geld abheben; anlocken, anziehen; abzapfen; zeichnen; entwerfen; Urkunde abfassen; unentschieden spielen; Luft schöpfen; ~ near heranrücken; ~ out hinausziehen; ~ up ab-, ver-fassen; ✝ ~ (up)on (e-n Wechsel) ziehen auf (acc.); fig. in Anspruch nehmen; 2. Zug m (Ziehen); Lotterie: Ziehung f; Los n; Sport: unentschiedenes Spiel; F Zug-stück n, -arti'kel m; ~back ('drɔːbæk) Nachteil m; Hindernis n; ✝ Rückzoll m; ~er 1. ('drɔːə) Ziehende(r); Zeichner; ✝ Aussteller, Trassa'nt m; 2. (drɔ) Schublade f; (a pair of) ~s pl. (e-e) Unterhose f.

drawing ('drɔːiŋ) Ziehen; Zeichnen n; Zeichnung f; ~-board Reißbrett n; ~-room Gesellschaftszimmer n.

drawn (drɔːn) gezogen; gezeichnet.

dread (dred) 1. Furcht f; Schrecken m; 2. (sich) fürchten; ~ful □ ('dredful) schrecklich; furchtbar.

dream (driːm) 1. Traum m; 2. [irr.] träumen; ~er ('driːmə) Träumer(in); ~y □ (~i) träumerisch; verträumt.

dreary □ ('driəri) traurig; öde.

dredge (dredʒ) 1. Schleppnetz n; Baggermaschine f; 2. (aus)baggern.

dregs (dregz) pl.Bodensatz m, Hefe f.

drench (drentʃ) 1. (Regen-)Guß m; 2. durchnä'ssen, fig. baden.

dress (dres) 1.Anzug m; Kleidung f; Kleid n; thea. ~ rehearsal Kostümprobe f; 2. an-, ein-, zu-richten; ⚔ (sich) richten; zurechtmachen; (sich) ankleiden; putzen; ✿ verbinden; frisieren; ~-circle thea. erster Rang; ~er (dresə) Anrichte f; Am. Frisiertoilette f.

dressing ('dresiŋ) An-, Zu-richten; Ankleiden n; Verband m; Appretu'r; Sauce; ~ down Standpauke f; ~-gown Morgenrock m; ~-table Frisiertisch m.

dress|maker Schneiderin f; ~-parade Modenschau f.

drew (druː) zog; zeichnete.

dribble ('dribl) tröpfeln, träufeln (lassen); geifern; Fußball treiben.

dried (draid) getrocknet; Trocken...

drift (drift) 1. (Dahin-)Treiben n; fig. Lauf; fig. Hang; Zweck m; (Schnee-, Sand-)Wehe f; 2. v/t. (zs.-)treiben, (-)wehen; v/i. (dahin-)treiben; sich anhäufen.

drill (dril) 1. Drillbohrer m; Furche; ⚘ Drill-, Sä-maschine f; ⚔ Exerzieren n (a. fig.); 2. bohren; ⚔ (ein-)exerzieren (a. fig.).

drink (driŋk) 1. Trunk m; (geistiges) Getränk; 2. [irr.] trinken.

drip (drip) 1. Tröpfeln n; Traufe f; 2. tröpfeln (lassen); triefen.

drive (draiv) 1. Treiben n; (Spazier-)Fahrt; Auffahrt f, Fahrweg m; ⊕ Getriebe n; fig. (Auf-)Trieb; Drang m; Unterne'hmen n, Feldzug m; 2. [irr.] v/t. (an-, ein-)treiben; Geschäft betreiben; fahren; lenken; zwingen; vertreiben; v/i. treiben; fahren; ~ at hinzielen auf.

drivel ('drivl) 1. geifern; faseln; 2. Geifer m; Faselei f.

driven ('drivn) getrieben.

driver ('draivə) Treiber; Kutscher; mot., 🚗 Führer; mot. Fahrer m.

drizzle ('drizl) 1. Sprühregen m; 2. sprühen, nieseln.

drone (droun) 1. zo. Drohne f; fig. Faulenzer m; 2. summen; dröhnen.

droop (druːp) v/t. sinken l.; v/i. schlaff niederhängen; den Kopf hängen l.; (ver)welken; schwinden.

drop (drɔp) 1. Tropfen; Fruchtbonbon; Fall m; Falltür f; thea. Vorhang m; 2. v/t. tropfen (l.);

niederlassen; fallen l.; *Brief* einwerfen; *Fahrgast* absetzen; senken;
~ *a p. a line* j-m e-e Zeile schreiben;
v/i. tropfen (herab)fallen; um-, hin-
sinken; ~*in* hereinschneien (*Besuch*).
drought (draut) Trockenheit, Dürre
f. [Herde *f (a. fig.)*; 2. trieb.]
drove (drouv) 1. Trift *Rinder*;
drown (draun) *v/t.* ertränken; überschwe'mmen; *fig.* über-, be-täu'-
ben; übertö'nen; *v/i.* ertrinken.
drows|e (drauz) schlummern, schläf-
rig sn (*od. m.*); ~**y** ('drauzi) schläfrig; einschläfernd.
drudge (drʌdʒ) 1. *fig.* Packesel,
Kuli *m*; 2. sich (ab)placken.
drug (drʌg) 1. Droge, Arzneiware *f*;
Rauschgift *n*; Ladenhüter *m*; 2. mit
(Rausch-)Gift versetzen; Arznei *od.*
Rauschgifte geben (*dat.*) *od.* nehmen; ~**gist** ('drʌgist) Drogi'st;
Apothe'ker *m*.
drum (drʌm) 1. Trommel; *anat.*
Trommelhöhle *f*; 2. trommeln.
drunk (drʌŋk) 1. getrunken; 2.(be-)
trunken; *get* ~ sich betrinken; ~**ard**
('drʌŋkəd) Trunkenbold *m*; ~**en**
('drʌŋkən) (be)trunken.
dry (drai) 1. □ trocken: herb (*Wein*);
F durstig; F antialkoholisch; ~ *goods*
pl. Am. Textilien *pl.*; 2. trocknen;
dörren; ~ *up* austrocknen; verdun-
sten; ~**clean** chemisch reinigen;
~**nurse** Kinderfrau *f*.
dual □ ('dju:əl) doppelt; Doppel...
dubious □ ('dju:bjəs) zweifelhaft.
duchess ('dʌtʃis) Herzogin *f*.
duck (dʌk) 1. Ente; Tauchen *f*;
Ducken; (Segel-)Leinen; F Liebchen *n*; 2. (unter)tauchen; (sich)
ducken; *Am.* j-m ausweichen.
duckling ('dʌkliŋ) Entchen *n*.
dudgeon ('dʌdʒən) Groll *m*.
due (dju:) 1. schuldig; gebührend;
gehörig; fällig; *in* ~ *time* zur rechten Zeit; *be* ~ *to* j-m gebühren; her-
rühren (*od.* kommen) von; 2. *adv.*
⊕ gerade; genau; 3. Schuldigkeit *f*;
Recht *n*, Anspruch; Lohn *m*; *mst* ~*s*
pl. Abgabe(n *pl.*), Gebühr(en *pl.*)
f; Beitrag *m*. [sich duellieren.]
duel ('dju:əl) 1. Zweikampf *m*; 2.]
dug (dʌg) grub; gegraben.
duke (dju:k) Herzog *m*; ~**dom**
('dju:kdəm) Herzogtum *n*; Herzogs-
würde *f*.
dull (dʌl) 1. □ dumm; träge;
schwerfällig; stumpf(sinnig); matt

(*Auge usw.*); schwach (*Gehör*); langweilig; teilnahmslos; dumpf; trüb;
✝ flau; 2. stumpf m.; *fig.* abstumpfen; (sich) trüben; ~**ness** ('dʌlnis)
Stumpfsinn *m*; Dummheit *f usw.*
duly ('dju:li) gehörig; richtig.
dumb □ (dʌm) stumm; sprachlos.
dummy ('dʌmi) Attrappe *f*; Schein,
Schwindel, *fig.* Strohmann; Sta-
'ti'st *m*; Schein...; Schwindel...
dump (dʌmp) 1. auskippen; Schutt
usw. abladen; *Waren zu Schleuder-*
preisen ausführen; hinplumpsen;
2. Klumpen; Plumps *m*; Schutt-
abladestelle *f*; ⚔ Munition'slager *n*;
~*s pl.* schwermütige Stimmung;
~**ing** Schleuderausfuhr *f*.
dun (dʌn) mahnen, drängen.
dunce (dʌns) Dummkopf *m*.
dune (dʒu:n) Düne *f*.
dung (dʌŋ) 1. Dung *m*; 2. düngen.
dungeon ('dʌndʒən) Kerker *m*.
duplic|ate ('dju:plikit *a.*) doppelt;
b) Duplika't *n*; 2. (~keit) doppelt
ausfertigen; ~**ity** (dju:'plisiti) Doppelzüngigkeit *f*.
dura|ble □ ('djuərəbl) dauerhaft;
~**tion** (djua'reiʃən) Dauer *f*.
duress(e) (djua'res) Zwang *m*; Haft *f*.
during ('djuəriŋ) *prp.* während.
dusk (dʌsk) Halbdunkel *n*, Dämmerung *f*; ~**y** □ ('dʌski) dämmerig,
düster.
dust (dʌst) 1. Staub *m*; 2. ab-, aus-,
be-stäuben; ~**bin** Mülleimer *m*;
~**er** ('dʌstə) Staub-lappen, -wedel
m; ~**y** □ ('dʌsti) staubig.
Dutch (dʌtʃ) 1. holländisch; 2.
Holländisch *n*; *the* ~ die Holländer
pl.
duty ('dju:ti) Pflicht; Ehrerbietung;
Abgabe *f*, Zoll; Dienst *m*; *off* ~
dienstfrei; ~**free** zollfrei.
dwarf (dwɔ:f) 1. Zwerg *m*; 2. in der
Entwicklung hindern; verkleinern.
dwell (dwel) [*irr.*] wohnen; verwei-
len ([*up*]*on* bei); ~ (*up*)*on* bestehen
auf; ~**ing** ('dweliŋ) Wohnung *f*.
dwelt (dwelt) wohnte; gewohnt.
dwindle ('dwindl) (dahin)schwin-
den, abnehmen; (herab)sinken.
dye (dai) 1. Farbe *f*; *fig. of deepest* ~
schlimmster Art; 2. färben.
dying ('daiiŋ) (*s.* die[1]) sterbend.
dynam|ic (dai'næmik) dynamisch,
kraftgeladen; ~**ics** (~iks) *mst sg.*
Dyna'mik *f*; ~**ite** ('dainəmait)
1. Dynami't *n*; 2. mit D. sprengen.

E

each (i:tʃ) jede(r, s); ~ other einander, sich.

eager □ (i:gə) (be)gierig; eifrig; ~ness (~nis) Begierde f; Eifer m.

eagle (i:gl) Adler m.

ear (iə) Ähre f; Ohr f; Öhr n, Henkel m; ~drum Trommelfell n.

earl (ə:l) englischer Graf.

early (ə:li) früh; Früh....; Anfangs...; erst; bald(ig); as ~ as schon in.

ear-mark ('iəma:k) (kenn)zeichnen.

earn (ə:n) verdienen; einbringen.

earnest (ə:nist) 1. □ ernst(-lich, -haft); ernstgemeint; Ernst m.

earnings ('ə:niŋz) Einkommen n.

ear|piece teleph. Hörmuschel f; ~shot Hörweite f.

earth (ə:θ) 1. Erde f; Land n; 2. v/t. ⚡ erden; ~en ('ə:θən) irden; ~en ware (~wɛə) Töpferware f; ~ing ('ə:θiŋ) Erdung f; ~ly ('ə:θli) irdisch; ~quake (~kweik) Erdbeben n; ~worm Regenwurm m.

ease (i:z) 1. Bequemlichkeit f, Behagen n; Ruhe; Ungezwungenheit; Leichtigkeit f; at ~ bequem, behaglich; 2. erleichtern; lindern; beruhigen; bequem(er) m.; sich entspannen (Lage).

easel ('i:zl) Staffelei f.

easiness ('i:zinis) = ease 1.

east (i:st) 1. Ost(en); Orient m; 2. Ost...; östlich; ostwärts.

Easter ('i:stə) Ostern n; Oster...

easter|ly ('i:stəli), ~n ('i:stən) östlich.

eastward ('i:stwəd[z]) ostwärts.

easy (i:zi) □ leicht; bequem; frei von Schmerzen; ruhig; willig; ungezwungen; take it ~! immer mit der Ruhe!; ~chair Klubsessel m; ~going fig. bequem.

eat (i:t) 1. [irr.] essen; (zer)fressen; 2. (et) aß; fraß; ~ables ('i:təblz) pl. Eßwaren f/pl.; ~en ('i:tn) gegessen; gefressen.

eaves (i:vz) pl. Dachrinne, Traufe f; ~drop (er)lauschen; horchen.

ebb (eb) 1. Ebbe (a. ~tide) f; fig. Abnahme f; Verfall m; 2. verebben; fig. abnehmen, sinken.

ebony ('ebəni) Ebenholz n.

ebullition (ebə'liʃən) Aufwallung f.

eccentric (ik'sentrik) 1. exzentrisch; fig. überspa'nnt; 2. Sonderling m.

ecclesiastic (ikli:zi'æstik) 1. ⚒, mst ~al □ (~tikəl) geistlich, kirchlich; 2. Geistliche(r) m.

echo ('ekou) 1. Echo n; 2. widerhallen; fig. echoen, nachsprechen.

eclipse (i'klips) 1. Finsternis f; 2. (sich) verfinstern, verdunkeln.

econom|ic(al □ (i:kə'nɔmik, ~kəl) haushälterisch; wirtschaftlich; Wirtschafts...; ~ics (~iks) pl. (Volks-)Wirtschaft f; ~ist (i:'kɔnəmist) Volkswirt m; ~ize (~maiz) sparsam wirtschaften (mit); ~y (~mi) Wirtschaft f; Wirtschaftlichkeit; Einsparung; political ~ Volkswirtschaft f.

ecsta|sy ('ekstəsi) Eksta'se, Verzückung f; ~tic (eks'tætik) (~ally) verzückt.

eddy ('edi) 1. Wirbel m; 2. wirbeln.

edge (edʒ) 1. Schneide f; Rand m; Kante; Tisch-Ecke f; Schärfe f; be on ~ nervö's sn; 2. schärfen; (um-)säumen; (sich) (vor)drängen; ~ways, ~wise (~weiz, ~waiz) seitwärts; von der Seite.

edging ('edʒiŋ) Einfassung f.

edible ('edibl) eßbar.

edifice ('edifis) Gebäude n.

edit ('edit) Buch herausgeben; Zeitung redigieren; ~ion (i'diʃən) Buch-Ausgabe; Auflage f; ~or ('editə) Herausgeber; Redakteu'r m; ~orial (edi'tɔ:riəl) 1. Redaktio'ns...; 2. Leitarti'kel m; ~orship ('editə-ʃip) Schriftleitung, Redaktio'n f.

educat|e ('edju:keit) auf-, erziehen; unterri'chten; ~ion (edju'keiʃən) Erziehung; (Aus-)Bildung f; Board of ⚥ Unterrichtsministerium n; ~ional □ (~ʃnl) erzieherisch; Erziehungs...; Bildungs...; ~or ('edju-keitə) Erzieher m.

eel (i:l) Aal m.

efface (i'feis) auslöschen; fig. tilgen.

effect (i'fekt) 1. Wirkung f; Folge f; ⊕ Leistung f; ~s pl. Effekten;

Habseligkeiten *f/pl.*; take ~ be of ~ Wirkung h.; in Kraft treten; *in* ~ in der Tat; *to the* ~ des Inhalts; **2.** bewirken, ausführen; **~ive** □ (~iv) wirkend; wirksam; eindrucksvoll; wirklich vorhanden; ⊕ nutzbar; ~ *date* Tag *m* des Inkrafttretens; **~ual** □ (*jual*) wirksam, kräftig. [licht.\

effeminate □ (i'feminit) verweichlichen. [(efə'ves) (auf)brausen.\

effervesce (efə'ves) (auf)brausen.

effete (e'fi:t) verbraucht; entkräftet.

efficacy ('efikəsi) Wirksamkeit, Kraft *f*.

efficien|cy (i'fiʃənsi) *wirksame* Kraft; Leistung(sfähigkeit) *f*; **~t** □ (~ənt) wirksam; leistungsfähig.

efflorescence (əflo:'resns) Blütezeit *f*.

effluence ('efluəns) Ausfluß *m*.

effort ('efət) Anstrengung, Bemühung (*at um*); Mühe *f*.

effrontery (e'frʌntəri) Frechheit *f*.

effulgent □ (e'fʌldʒənt) glänzend.

effus|ion (i'fju:ʒən) Erguß *m*; **~ive** □ (i'fju:siv) überschwenglich.

egg¹ (eg) aufreizen (*mst* ~ *on*).

egg² (eg) Ei *n*; *buttered*, *scrambled* ~s *pl.* Rührei *n*; *fried* ~s Spiegeleier *n/pl.*

egotism ('egotizm) Selbstgefälligkeit *f*.

egress ('i:gres) Ausgang; Ausweg *m*.

Egyptian (i'dʒipʃən) ägyptisch; Ägypter(in).

eight (eit) **1.** acht; **2.** Acht *f*; **~een** ('ei'ti:n) achtzehn; **~eenth** (~'θ) achtzehnt; **~h** (eitθ) **1.** achte(r, s); **2.** Achtel *n*; **~ieth** ('eitiiθ) achtzigste(r. s); **~y** ('eiti) achtzig.

either ('aiðə) **1.** *adj. u. pron.* einer *von beiden*; beide; **2.** *cj.* ~ ... *or* entweder ... oder; *not* (...) ~ auch nicht.

ejaculate (i'dʒækjuleit) *Worte, Flüssigkeit* ausstoßen.

eject (i'dʒekt) ausstoßen; vertreiben, absetzen; entsetzen (*e-s Amtes*).

eke (i:k): ~ *out* ergänzen; verlängern; *sich mit et.* du'rchhelfen.

elaborat|e 1. (i'læbərit) □ sorgfältig ausgearbeitet; kompliziert; **2.** (~reit) sorgfältig aus-, durch-arbeiten; **~eness** (~ritnis, ~ness) sorgfältige Ausar-beitung. [chen.\

elapse (i'læps) ver-fließen, -strei-

elastic (i'læstik) **1.** (~əlly) dehnbar; spannkräftig; **2.** Gummiband *n*;

~ity (elæs'tisiti) Elastizitä't; Spannkraft *f*.

elate (i'leit) **1.** □ in gehobener Stimmung, froh erregt (*mst* ~ed); **2.** (er)heben, froh erregen; stolz m.

elbow ('elbou) **1.** Ellbogen *m*; Biegung *f*; ⊕ Knie *n*; *at one's* ~ nahe, bei der Hand; **2.** mit den Ellbogen (weg)stoßen; ~ *out* verdrängen.

elder ('eldə) **1.** älter; **2.** der, die Ältere; (Kirchen-)Älteste(r) *m*; ♀ Holunder *m*; **~ly** ('eldəli) ältlich.

eldest ('eldist) ältest.

elect (i'lekt) **1.** (aus)gewählt; **2.** (aus-, er-)wählen; ~*ion* (i'lekʃən) Wahl *f*; **~or** (~tə) Wähler *m*; **~oral** (~tərəl) Wahl..., Wähler...; **~orate** (~tərit) Wähler(schaft *f*) *m/pl.*

electri|c (i'lektrik) elektrisch; ~ *circuit* elektrische Leitung; **~cal** □ (~trikəl) elektrisch (geladen); *electricity* ~; ~ *engineering* Elektrotechnik *f*; **~cian** (ilek'triʃən) Elektriker *m*; **~city** (~siti) Elektrizitä't *f*; **~fy** (i'lektrifai), **~ze** (i'lektraiz) elektrifizieren; elektrisieren.

electro|cute (i'lektrəkju:t) elektrisch hinrichten; **~metallurgy** Galvanoplastik *f*.

electron (i'lektrɔn) E'lektron *n*; ~ *ray tube* magisches Auge.

electro|plate galvanisch versilbern; **~type** galvanischer Druck; Klischee' *n*.

elegan|ce ('eligəns) Elega'nz; Zierlichkeit; Gewähltheit *f*; **~t** □ ('eligənt) elega'nt; geschmackvoll.

element ('elimənt) Eleme'nt *n*: Urstoff; (Grund-)Bestandteil *m*; ~s *pl.* Anfangsgründe *m/pl.*; **~al** □ (eli'mentl) elementa'r; wesentlich; **~ary** □ (~təri) elementa'r; Anfangs...; *elementaries pl.* Anfangsgründe *m/pl.*

elephant ('elifənt) Elefa'nt *m*.

elevat|e (i'leiveit) erhöhen; *fig.* erheben; **~ion** (eli'veiʃən) Erhebung, Erhöhung; Höhe; Erhabenheit *f*; **~or** ⊕ ('eliveitə) Aufzug; *Am.* Fahrstuhl *m*; ✈ Höhenruder *n*; (*grain*) ~ Getreidespeicher *m*.

eleven (i'levn) **1.** elf; **2.** Elf *f*; **~th** (~θ) elfte(r, s).

elf (elf) Elf(e *f*), Kobold; Zwerg *m*.

elicit (i'lisit) hervorlocken, herausholen.

eligible □ ('elidʒəbl) wählbar; vorzuziehen(d); annehmbar; passend.

eliminat|e (i'limineit) aussondern, ausscheiden; ausmerzen; **~ion** (ilimi'neiʃən) Aussonderung *f usw.*

elk *zo.* (elk) Elch *m.*

elm ♀ (elm) Ulme, Rüster *f.*

elocution (elə'kju:ʃən) Vortrag(skunst, -weise *f*) *m.*

elope (i'loup) entlaufen, durchgehen.

eloquen|ce ('elokwəns) Beredsamkeit *f;* **~t** □ (~t) beredt.

else (els) sonst, andere(r, s), weiter; **~where** (els'wɛə) anderswo(hin).

elucidat|e (i'lu:sideit) erläutern; **~ion** (ilu:si'deiʃən) Aufklärung *f.*

elude (i'lu:d) geschickt umge'hen; ausweichen, sich entziehen (*dat.*).

elus|ive (i'lu:siv) nicht zu fassen(d); **~ory** (~səri) trügerisch.

emaciate (i'meiʃieit) abzehren, ausmergeln.

emanat|e ('eməneit) ausströmen; ausgehen (*from* von); **~ion** (emə'neiʃən) Ausströmen *n; fig.* Ausstrahlung *f.*

emancipat|e (i'mænsipeit) freimachen; **~ion** (imænsi'peiʃən) Befreiung *f.*

embalm (im'ba:m) (ein)balsamieren; *be ~ed in* fortleben in (*dat.*).

embankment (im'bæŋkmənt) Eindämmung *f; Eisenbahn-*Damm *m;* Uferanlage *f,* Kai *m.*

embargo (em'ba:gou) (Hafen-, Handels-)Sperre; Beschlagnahme *f.*

embark (im'ba:k) (sich) einschiffen (*for* nach); *Geld* anlegen; sich einlassen (*in,* [*up*]*on* in, auf *acc.*).

embarrass (im'bærəs) (be)hindern; verwirren; in (Geld-)Verlegenheit bringen; verwickeln; **~ing** □ (~iŋ) unangenehm; unbequem; **~ment** (~mənt) (Geld-)Verlegenheit *f;* Hindernis *n.* [sandtschaft *f.*]

embassy ('embəsi) Botschaft; Ge-]

embellish (im'beliʃ) verschönern; ausschmücken.

embers ('embəz) *pl.* glühende Asche.

embezzle (im'bezl) unterschla(gen; **~ment** (~mənt) Unterschla'gung *f.*

embitter (im'bitə) verbittern.

emblem ('embləm) Sinnbild; Abzeichen *n.*

embody (im'bɔdi) verkörpern; vereinigen; einverleiben (*in dat.*).

embosom (im'buzəm) ins Herz schließen; *~ed with* umge'ben von.

emboss (im'bɔs) bossieren; *mit dem Hammer* treiben.

embrace (im'breis) **1.** (sich) um'armen; umfa'ssen; *Beruf usw.* ergreifen; **2.** Uma'rmung *f.*

embroider (im'brɔidə) sticken; ausschmücken; *y* (~ri) Stickerei *f.*

embroil (im'brɔil) (in Streit) verwickeln; verwirren.

emerald ('emərəld) Smara'gd *m.*

emerge (i'mə:dʒ) auftauchen; hervorgehen; sich ergeben; sich zeigen; **~ncy** (~ənsi) unerwartetes Ereignis; dringende Not; Not...; *~ call teleph.* dringendes Gespräch; **~nt** (~ənt) auftauchend; dringend.

emigra|nt ('emigrənt) **1.** auswandernd; **2.** Auswanderer *m;* **~te** (~greit) auswandern; **~tion** (emi'greiʃən) Auswanderung *f.*

eminen|ce ('eminəns) (An-)Höhe; Auszeichnung *f;* hohe Stellung; Emine'nz *f (Titel);* **~t** □ (~ənt) *fig.* ausgezeichnet, hervorragend; *adv.* ganz besonders.

emit (i'mit) von sich geben; aussenden, -strömen; *Papiergeld* ausgeben.

emoti|on (i'mouʃən) (Gemüts-)Bewegung *f;* Gefühl(sregung *f*) *n;* Rührung *f;* **~onal** (~l) gefühlsmäßig; gefühlvoll, leicht erregbar.

emperor ('empərə) Kaiser *m.*

empha|sis ('emfəsis) Nachdruck *m;* **~size** (~saiz) nachdrücklich betonen; **~tic** (im'fætik) (~ally) nachdrücklich; ausgesprochen.

empire ('empaiə) (Kaiser-)Reich *n;* brit. Weltreich *n;* Herrschaft *f.*

employ (im'plɔi) **1.** an-, verwenden, (ge)brauchen; beschäftigen; **2.** *in the ~ of* angestellt bei; **~e(e)** (emplɔi'i:) Angestellte(r); Arbeitnehmer(in); **~er** (im'plɔiə) Arbeitgeber; ♀ Auftraggeber *m;* **~ment** (~mənt) Beschäftigung; Arbeit *f;* ♀ *Exchange* Arbeitsnachweis *m.*

empower (im'pauə) ermächtigen.

empress ('empris) Kaiserin *f.*

empt|iness ('emptinis) Leere; Hohlheit *f;* **~y** □ (~ti) **1.** leer; *fig.* hohl; **2.** (sich) (aus-, ent-)leeren.

emul|ate ('emjuleit) wetteifern mit; nacheifern (*dat.*); **~ation** (emju'leiʃən) Wetteifer *m.*

enable (i'neibl) befähigen, es *j-m* ermöglichen; ermächtigen.

enact (i'nækt) verfügen, verordnen; *Gesetz* erlassen; *thea.* spielen.

enamel (i'næml) 1. Email(le *f*) *n*, (Zahn-)Schmelz *m*; Glasu'r *f*; 2. emaillieren; glasieren.

enamo(u)red (i'næməd) *of* verliebt in.

encamp ⚔ (in'kæmp) (sich) lagern.

enchain (in'tʃein) anketten; fesseln.

enchant (in'tʃa:nt) bezaubern; ~**ment** (~mənt) Bezauberung *f*; Zauber *m*; ~**ress** (~ris) Zauberin *f*.

encircle (in'sə:kl) einkreisen.

enclos|e (in'klouz) einzäunen; einschließen; beifügen; ~**ure** (~ʒə) Gehege *n*; Ein-, An-lage *f*.

encompass (in'kʌmpəs) umge'ben.

encore (oŋ'kɔ:) 1. *thea.* um e-e Zugabe bitten; 2. Zugabe *f*.

encounter (in'kauntə) 1. Begegnung *f*; Gefecht *n*; 2. begegnen (*dat.*); stoßen auf (*acc.*); zs.-stoßen.

encourage (in'kʌridʒ) ermutigen; fördern; ~**ment** (~mənt) Ermutigung *f*; Unterstützung *f*.

encroach (in'krout∫): ~ (*up*)on ein-, über-greifen in, auf (*acc.*); mißbrauchen; ~**ment** (~mənt) Ein-, Über-griff *m*.

encumb|er (in'kʌmbə) belasten; (be)hindern; ~**rance** (~brəns) Last *f*; *fig.* Hindernis *n*.

encyclop(a)edia (ensaiklo'pi:diə) Konversatio'nslexikon *n*.

end (end) 1. Ende; Ziel *n*, Zweck *m*; *no* ~ *of* unendlich, unzählige; *in the* ~ am Ende, auf die Dauer; *on* ~ aufrecht; 2. (be)end(ig)en.

endanger (in'deindʒə) gefährden.

endear (in'diə) teuer m.; ~**ment** (~mənt) Liebkosung, Zärtlichkeit *f*.

endeavo(u)r (in'devə) 1. Bestreben *n*, Bemühung *f*; 2. sich bemühen.

end|ing (in'diŋ) Ende *n*; Schluß *m*; ~**less** □ ('endlis) endlos, unendlich; ⊕ ohne Ende.

endorse (in'dɔ:s) ✝ indossieren; (auf der Rückseite) vermerken; gutheißen; ~**ment** (in'dɔ:smənt) Aufschrift *f*; ✝ Indossame'nt *n*.

endow (in'dau) ausstatten; ~**ment** (~mənt) Ausstattung, Stiftung *f*.

endue (in'dju:) *fig.* (be)kleiden.

endur|ance (in'djuərəns) (Aus-) Dauer *f*; Ertragen *n*; ~**e** (in'djuə) (aus)dauern; ertragen.

enema ('enimə) Klistie'r(spritze *f*) *n*.

enemy ('enimi) Feind *m*; feindlich.

energ|etic (enə'dʒetik) (~ally) energisch; ~**y** ('enədʒi) Energie' *f*.

enervate ('enə:veit) entnerven.

enfold (in'fould) einhüllen; umfa'ssen.

enforce (in'fɔ:s) erzwingen; aufzwingen (*upon dat.*); bestehen auf (*dat.*); durchführen; ~**ment** (~mənt) Erzwingung *f usw.*

engage (in'geidʒ) *v/t.* verpflichten; beschäftigen; an-, ein-stellen; *fig.* fesseln; verwickeln (*in in acc.*); ⚔ einsetzen; *Kupplung* einrücken; *be* ~**d** eingeladen *od.* engagiert *od.* besetzt sn; verlobt sn; *v/i.* sich verpflichten; sich einlassen; ⚔ ins Gefecht kommen; ~**ment** (~mənt) Verpflichtung; Verlobung; Einladung; Verabredung; Beschäftigung *f*; Gefecht *n*.

engaging □ (~iŋ) einnehmend.

engender (in'dʒendə) *fig.* erzeugen.

engine ('endʒin) Maschine *f*; 🚂 Lokomoti've; ⊕ Mo'tor *m*; ~**driver** Lokomoti'vführer *m*.

engineer (endʒi'niə) 1. Ingenieur, Techniker; Maschini'st *m*; 2. technisch leiten; bauen; ~**ing** (~riŋ) Technik *f*.

English ('iŋgliʃ) 1. englisch; 2. Englisch *n*; *the* ~ die Engländer *pl.*; ~**man** (~mən) Engländer *m*.

engrav|e (in'greiv) eingraben, gravieren, stechen; *fig.* einprägen; ~**er** (~ə) Graveu'r *m*; ~**ing** (~iŋ) (Kupfer-, Stahl-)Stich; Holzschnitt *m*.

engross (in'grous) an sich ziehen; ganz in Anspruch nehmen.

engulf (in'gʌlf) *fig.* verschlingen.

enhance (in'ha:ns) erhöhen.

enigma (i'nigmə) Rätsel *n*; ~**tic(al** □) (enig'mætik, ~ikəl) rätselhaft.

enjoin (in'dʒɔin) einschärfen.

enjoy (in'dʒɔi) sich erfreuen an (*dat.*); genießen, sich erfreuen (*gen.*); ~ *o.s.* sich amüsieren; ~**able** (~əbl) genußreich, erfreulich; ~**ment** (~mənt) Genuß *m*, Freude *f*.

enlarge (in'la:dʒ) (sich) erweitern, ausdehnen; vergrößern; ~**ment** (~mənt) Erweiterung *f usw.*

enlighten (in'laitn) *fig.* erleuchten; *j.* aufklären; ~**ment** Aufklärung *f*.

enlist (in'list) *v/t.* ⚔ anwerben; gewinnen; ⚔ ~**ed man** Gemeine(r) *m*.

enliven (in'laivn) beleben.

enmity ('enmiti) Feindschaft *f*.

ennoble (i'noubl) adeln; veredeln.

enorm|ity (i'nɔ:miti) Ungeheuerlichkeit *f*; ~**ous** □ (~əs) ungeheuer.

enough (i'nʌf) genug.

enquire (in'kwaiə) = inquire.

enrage (in'reidʒ) wütend machen.

enrapture (in'ræptʃə) entzücken.

enrich (in'ritʃ) be-, an-reichern.

enrol(l) (in'roul) in e-e Liste eintragen; ✕ anwerben; aufnehmen; ~ment (∼mənt) Eintragung f usw.

ensign ('ensain) Fahne, Flagge f; Abzeichen n; Am. Fähnrich m.

enslave (in'sleiv) versklaven; ~ment (∼mənt) Versklavung f.

ensnare (in'snɛə) umstri'cken.

ensue (in'sju:) folgen, sich ergeben.

entail (in'teil) zur Folge haben.

entangle (in'tæŋgl) verwickeln; ~ment (∼mənt) Draht-Hindernis n.

enter ('entə) v/t. (ein)treten in (acc.); betreten; Taxe usw. besteigen; eingehen, -ziehen usw. in (acc.); eindringen in (acc.); eintragen, ✝ buchen; Protest usw. einbringen; als Mitglied usw. aufnehmen; melden; v/i. eintreten; sich einschreiben, Sport: melden; aufgenommen w.; ~ into eingehen auf (acc.); ~ (up)on Amt usw. antreten.

enterpris|e ('entəpraiz) Unterne'hmen n; Unterne'hmungslust f; ~ing □ (∼iŋ) unterne'hmungslustig.

entertain (entə'tein) unterha'lten; bewirten; Meinung usw. hegen; ~er Gastgeber m; ~ment (∼mənt) Unterha'ltung; Bewirtung f; Gastmahl n.

enthrone (in'θroun) auf den Thron setzen.

enthusias|m (in'θju:ziæzm) Begeisterung f; ~t (∼æst) Schwärmer(in); ~tic (inθju:zi'æstik) (∼ally) begeistert.

entic|e (in'tais) (ver)locken; ~ement (∼mənt) Verlockung f, Reiz m.

entire □ (in'taiə) ganz; vollständig; ungeteilt; ~ly (∼li) völlig; lediglich; ~ty (∼ti) Gesamtheit f.

entitle (in'taitl) betiteln; berechtigen.

entity ('entiti) Wesen; Dasein n.

entrails ('entreilz) pl. Eingeweide n/pl.; Innere(s) n.

entrance ('entrəns) Ein-, Zu-tritt m; Einfahrt f, Eingang; Einlaß m.

entrap (in'træp) (ein)fangen.

entreat (in'tri:t) bitten, ersuchen; et. erbitten; ~y (∼i) Bitte f, Gesuch n.

entrench ✕ (in'trentʃ) (mit Gräben) verschanzen.

entrust (in'trʌst) anvertrauen (a th. to a p. e-m et.); betrauen.

entry ('entri) Eintritt; Eingang; ⚁ Besitzantritt m ([up]on gen.); Eintragung; Sport: Meldung f.

enumerate (i'nju:məreit) aufzählen.

enunciate (i'nʌnsieit) verkünden; Lehrsatz aufstellen; aussprechen.

envelop (in'veləp) einhüllen; einwickeln; umge'ben; ✕ einkreisen; ~e ('enviloup) Hülle f; Briefumschlag m.

envi|able □ ('enviəbl) beneidenswert; ~ous □ neidisch.

environ (in'vaiərən) umge'ben; ~ment (∼mənt) Umge'bung f e-r Person; ~s ('envirənz) pl. Umge'bung f e-r Stadt.

envoy ('envoi) Gesandte(r); Bote m.

envy ('envi) 1. Neid m; 2. beneiden.

epic ('epik) 1. episch; 2. Epos n.

epicure ('epikjuə) Feinschmecker m.

epidemic ⚕ (epi'demik) 1. (∼ally) seuchenartig; 2. Seuche f.

epilogue ('epilog) Nachwort n.

episcopa|cy (i'piskəpəsi) bischöfliche Verfassung; ~l (∼pəl) bischöflich.

epist|le (i'pisl) Sendschreiben n; ~olary (∼tələri) brieflich.

epitaph ('epita:f) Grabschrift f.

epitome (i'pitəmi) Auszug, Abriß m.

epoch ('i:pok) Epo'che f.

equable □ ('ekwəbl) gleich-förmig, -mäßig; fig. ausgeglichen.

equal ('i:kwəl) 1. □ gleich, gleichmäßig; ~ to fig. gewachsen (dat.); 2. Gleiche(r); 3. gleichen (dat.); ~ity (i'kwoliti) Gleichheit f; ~ization (i:kwəlai'zeiʃən) Gleichstellung f; Ausgleich m; ~ize (∼aiz) gleichmachen, -stellen; ausgleichen.

equat|ion (i'kweiʃən) Ausgleich m; ~or (∼tə) Äquator m.

equestrian (i'kwestriən) Reiter m.

equilibrium (i:kwi'libriəm) Gleichgewicht n; Ausgleich m.

equip (i'kwip) ausrüsten; ~ment (∼mənt) Ausrüstung; Einrichtung f.

equipoise ('ekwipoiz) Gleichgewicht; Gegengewicht n.

equity ('ekwiti) Billigkeit f.

equivalent (i'kwivələnt) 1. gleichwertig; gleichbedeutend (to mit); 2. Äquiva'lent n, Gegenwert m.

equivoca|l □ (i'kwivəkəl) zweideutig, zweifelhaft; ~te (i'kwivəkeit) zweideutig reden.

era ('iərə) Zeit-rechnung *f*; -alter *n.*

eradicate (i'rædikeit) ausrotten.

eras|e (i'reiz) aus-radieren, -streichen; auslöschen; **~er** (~ə) Radiergummi *m*; **~ure** (i'reiʒə) Ausradieren *n*; radierte Stelle.

ere (ɛə) **1.** *cj.* ehe, bevor; **2.** *prp.* vor.

erect (i'rekt) **1.** □ aufrecht; **2.** aufrichten; *Denkmal usw.* errichten; aufstellen; **~ion** (i'rekʃən) Auf-, Er-richtung *f*; Gebäude *n.*

eremite ('erimait) Einsiedler *m.*

ermine *zo.* ('ə:min) Hermeli'n *n.*

erosion (i'rouʒən) Auswaschung *f.*

erotic (i'rɔtik) erotisch(es Gedicht).

err (ə:) (sich) irren; fehlen, sündigen.

errand ('erənd) Botengang, Auftrag *m*; **~-boy** Laufbursche *m.*

errant ('erənt) (umher)irrend.

errat|ic (i'rætik) (~ally) wandernd; unberechenbar; **~um** (i'reitəm), *pl.* **~a** (~tə) Druckfehler *m.*

erroneous (i'rounjəs) irrig.

error ('erə) Irrtum, Fehler *m*; **~s excepted** Irrtümer vorbehalten.

erudit|e (i'erudait) gelehrt; **~ion** (eru'diʃən) Gelehrsamkeit *f.*

eruption (i'rʌpʃən) Vulkan-Ausbruch; *☞* Hautausschlag *m.*

escalator ('eskəleitə) Rolltreppe *f.*

escap|ade (eskə'peid) toller Streich; **~e** (is'keip) **1.** *v/t.* entschlüpfen; entgehen, entrinnen (*dat.*); entweichen; *j-m* entfallen; **2.** Entrinnen *n*; Entweichen *n.*

escort 1. ('eskɔːt) Esko'rte *f*; Geleit *n*; **2.** (is'kɔːt) eskortieren, geleiten.

escutcheon (is'kʌtʃən) Wappenschild *n (m)*; Namenschild *n.*

especial (is'peʃəl) besonder; vorzüglich; **~ly** (~li) besonders.

espionage (espiə'nɑːʒ) Spionage *f.*

esquire (is'kwaiə) Landedelmann *m*; *auf Briefen:* Hochwohlgeboren.

essay 1. (e'sei) versuchen, probieren; **2.** ('esei) Versuch; Aufsatz *m*, kurze Abhandlung.

essen|ce ('esns) Wesen *n e-r Sache*; Extra'kt *m*; Esse'nz *f*; **~tial** (i'senʃəl) **1.** □ (to für) wesentlich, wichtig; **2.** Wesentliche(s) *n.*

establish (is'tæbliʃ) festsetzen; errichten, gründen; einrichten; einsetzen; **~ o.s.** sich niederlassen; **2ed Church** Staatskirche *f*; **~ment** (~mənt) Festsetzung *f usw.*; Geschäftshaus *n.*

estate (is'teit) *pol.* Stand; Besitz *m*;

(Erbschafts-)Masse *f*; Grundstück; (Land-)Gut *n*; *real* **~** Grundbesitz *m.*

esteem (is'tiːm) **1.** Achtung *f*, Ansehen *n* (with bei); **2.** (hoch)achten, (hoch)schätzen; erachten für.

estimable ('estiməbl) schätzenswert.

estimat|e 1. (~meit) (ab)schätzen; veranschlagen; **2.** (~mit) Schätzung *f*; (Vor-)Anschlag *m*; **~ion** (esti'meiʃən) Schätzung; Meinung; Achtung *f.*

estrange (is'treindʒ) entfremden.

etch (etʃ) ätzen, radieren.

etern|al □ (i'tə:nəl) immerwährend, ewig; **~ity** (~niti) Ewigkeit *f.*

ether (i:θə) Äther *m*; **~eal** □ (i'θiəriəl) äthe'risch (*a. fig.*).

ethic|al □ ('eθikəl) sittlich, ethisch; **~s** ('eθiks) Sittenlehre, Ethik *f.*

etiquette (eti'ket) Etikette, Sitte *f.*

etymology (eti'mɔlədʒi) Etymolo-gie', Wortableitung(skunde) *f.*

eucharist ('juːkərist) Abendmahl *n.*

European (juərə'piən) **1.** europäisch; **2.** Europäer(in).

evacuate (i'vækjueit) entleeren; evakuieren; *Land usw.* räumen.

evade (i'veid) (geschickt) ausweichen (*dat.*); umgehen.

evaluate (i'væljueit) zahlenmäßig bestimmen, auswerten; berechnen.

evangelic, **~al** □ (ivæn'dʒelik, ~ikəl) evangelisch.

evaporat|e (i'væpəreit) verdunsten, verdampfen (l.); **~ion** (ivæpə'reiʃən) Verdunstung, Verdampfung *f.*

evasi|on (i'veiʒən) Umge'hung; Ausflucht *f*; **~ve** □ (~siv) ausweichend (of *dat.*).

eve (iːv) Vorabend; Vortag *m*; *on the* **~** *of* unmittelbar vor (*dat.*).

even (i'vən) **1.** *adj.* □ eben, gleich; gleichmäßig; ausgeglichen; glatt; gerade (*Zahl*); unparteiisch; **2.** *adv.* selbst, sogar, auch; *not* **~** nicht einmal; **~ though**, **~ if** wenn auch; **3.** ebnen, glätten; gleichstellen; **~-handed** ('hændid) unparteiisch.

evening ('iːvniŋ) Abend *m*; **~ dress** Gesellschaftsanzug *m*; Abendkleid *n.*

evenness ('iːvənnis) Ebenheit; Geradheit; Gleichmäßigkeit; Unparteilichkeit; Seelenruhe *f.*

evensong Abendgottesdienst *m.*

event (i'vent) Ereignis *n*, Vorfall; *fig.* Ausgang *m*; *Sport:* Konkurre'nz f; *at all* ~s auf alle Fälle; *in the* ~ *of* im Falle (*gen.*); ~ful (~ful) ereignisreich.

eventual □ (i'ventjual) etwaig, möglich; schließlich; ~ly am Ende; im Laufe der Zeit; gegebenenfalls.

ever ('evə) je, jemals; immer; ~ so noch so (sehr); *as soon as* ~ *I can* sobald ich nur irgend kann; *for* ~ für immer, auf ewig; *Briefschluß: yours* ~ stets Dein; ~**green** immergrün (e Pflanze); ~**lasting** (evə'lɑːstiŋ) □ ewig; dauerhaft; ~**more** ('evəmɔː) immerfort.

every ('evri) jede(r, s); alle(s); ~ *now and then* dann und wann; ~ *one* jeder(mann); ~ *other day* einen Tag um den andern; ~**body** jeder (-mann); ~**day** Alltags...; ~**thing** alles; ~**where** überall.

evict (i'vikt) exmittieren; ausweisen.

eviden|ce ('evidəns) 1. Beweis (-materia'l *n*) *m*; *t̨t̨* Zeugnis *n*; Zeuge *m*; *in* ~ als Beweis; deutlich sichtbar; 2. beweisen; ~t □ (~t) augenscheinlich, offenbar, klar.

evil (i:vl) 1. □ übel, schlimm, böse; *the* ⊇ *One* der Böse (*Teufel*); 2. Übel, Böse(s) *n*.

evince (i'vins) dartun, erweisen.

evoke (i'vouk) (herauf)beschwören.

evolution (i:və'luːʃən) Entwicklung; Schwenkung *f*.

evolve (i'vɔlv) (sich) entwickeln.

ewe (juː) Mutterschaf *n*.

exact (ig'zækt) 1. □ genau; pünktlich; 2. *Zahlung* eintreiben; fordern; ~**ing** (~iŋ) streng, genau; ~**itude** (~titjuːd), ~**ness** (~nis) Genauigkeit; Pünktlichkeit *f*.

exaggerate (ig'zædʒəreit) übertreiben.

exalt (ig'zɔːlt) erhöhen, erheben; ~**ation** (egzɔːl'teiʃən) Erhöhung, Erhebung; Höhe; Verzücktheit *f*.

examin|ation (igzæmi'neiʃən) Examen, Prüfung; Untersu'chung; Vernehmung *f*; ~e (ig'zæmin) untersu'chen; prüfen, verhören.

example (ig'zɑːmpl) Beispiel; Vorbild, Muster *n*; *for* ~ zum Beispiel.

exasperate (ig'zɑːspəreit) erbittern; ärgern; verschlimmern.

excavate ('ekskəveit) aus-höhlen, -heben, -schachten.

exceed (ik'siːd) über-schrei'ten; -tre'ffen; sich auszeichnen; ~**ing** □ (~iŋ) übermäßig.

excel (ik'sel) *v/t.* übertre'ffen; *v/i.* sich auszeichnen; ~**lence** (~ləns) Vortrefflichkeit *f*; Vorzug *m*; ~**lency** (~i) Exzelle'nz *f*; ~**lent** □ ('eksələnt) vortrefflich.

except (ik'sept) 1. ausnehmen; Einwendungen m.; 2. *prp.* ausgenommen, außer; ~ *for* abgesehen von; ~**ing** (~iŋ) *prp.* ausgenommen; ~**ion** (ik'sepʃən) Ausnahme; Einwendung *f* (*to* gegen); *take* ~ *to* Anstoß nehmen an (*dat.*); ~**ional** (~l) außergewöhnlich, ~**ionally** (~əli) ausnahmsweise.

excess (ik'ses) Übermaß *n*; Überschuß *m*; Ausschweifung *f*; Mehr...; ~ *fare* Zuschlag *m*; ~ *luggage* Überfracht *f*; ~**ive** □ (~iv) übermäßig, übertrie'ben.

exchange (iks'tʃeindʒ) 1. (aus-, ein-, um-)tauschen (*for* gegen); wechseln; 2. (Aus-, Um-)Tausch (*bsd.* Geld-)Wechsel; Wechsel *m* (*bill of* ~); (*a.* ⊇) Börse *f*; Fernsprechamt *n*; *foreign* ~(*s pl.*) Devisen *f*/*pl.*; ~ *office* Wechselstube *f*.

exchequer (iks'tʃekə) Schatzamt *n*; Staats-kasse *f*, -schatz *m*; *Chancellor of the* ⊇ *britischer* Finanzminister.

excit|able (ik'saitəbl) □ reizbar; ~e (ik'sait) er-, an-regen; reizen; ~e**ment** (~mənt) Aufregung; Anreizung *f*.

exclaim (iks'kleim) ausrufen; eifern.

exclamation (ekskla'meiʃən) Ausruf(ung *f*) *m*; *pl.* Geschrei *n*.

exclude (iks'kluːd) ausschließen.

exclusi|on (iks'kluːʒən) Ausschließung *f*, Ausschluß *m*; ~**ve** □ (~siv) ausschließlich; sich abschließend; ~ *of* abgesehen von, ohne.

excommunicat|e (ekskə'mjuːnikeit) exkommunizieren; ~**ion** (ekskəmjuːni'keiʃən) Kirchenbann *m*.

excrement ('ekskrimənt) Kot *m*.

excrete (eks'kriːt) ausscheiden.

excruciate (iks'kruːʃieit) martern.

exculpate ('ekskʌlpeit) entschuldigen; rechtfertigen. [stecher *m.*]

excursion (iks'kəːʃən) Ausflug; Ab-|

excursive □ (eks'kəːsiv) abschweifend.

excus|able □ (iks'kjuːzəbl) entschuldbar; ~e 1. iks'kjuːz) entschuldigen; 2. (iks'kjuːs) Entschuldigung *f*.

execra|ble □ ('eksikrəbl) abscheulich; ~**te** ('eksikreit) verwünschen.

execut|e ('eksikju:t) ausführen; vollziehen; hinrichten; **~ion** (eksikju:-ʃən) Ausführung; Vollziehung; Zwangsvollstreckung; Hinrichtung *f*; *♩* Vortrag *m*; **~ioner** (~ə) Scharfrichter *m*; **~ive** (ig'zekjutiv) 1. □ vollziehend; **~ committee** vollziehender Vorstand *m*; 2. vollziehende Gewalt; **♱** Geschäftsführer *m*; **~or** (~tə) (Testame'nts-)Vollstrecker *m*.

exemplary (ig'zempleri) vorbildlich.

exemplify (ig'zemplifai) durch Beispiele belegen; veranschaulichen.

exempt (ig'zempt) 1. befreit, frei; 2. ausnehmen, befreien.

exercise ('eksəsaiz) 1. Übung; Ausübung; *Schule:* Übungsarbeit; Leibesübung *f*; **take ~** sich Bewegung m.; 2. üben; ausüben; (sich) Bewegung machen; exerzieren.

exert (ig'zə:t) *Einfluß usw.* ausüben; **~ o.s.** sich anstrengen od. bemühen; **~ion** (ig'zə:ʃən) Ausübung *f usw.*

exhale (eks'heil) ausdünsten; aushauchen; *Gefühlen* Luft machen.

exhaust (ig'zɔ:st) 1. erschöpfen; entleeren; auspumpen; 2. ⊕ Auslaß, Auspuff *m*; **~ion** □ (~tʃən) Erschöpfung *f*; **~ive** □ (~iv) erschöpfend.

exhibit (ig'zibit) 1. ausstellen; zeigen, darlegen; aufweisen; 2. Ausstellungsstück *n*; **~ion** (eksi'biʃən) Ausstellung; Darlegung; Zurschaustellung *f*; **~or** (ig'zibitə) Aussteller *m*.

exhilarate (ig'zilərait) erheitern.

exhort (ig'zɔ:t) ermahnen.

exigen|ce, ~cy ('eksidʒəns[i]) dringende Not; Erfordernis *n*.

exile ('eksail) 1. Verbannung *f*; Verbannte(r); 2. verbannen.

exist (ig'zist) existieren; vorhanden sn; leben; **~ence** (~əns) Existe'nz *f*; Dasein, Vorhandensein; Leben *n*; **in ~** = **~ent** (~ənt) vorhanden.

exit ('eksit) 1. Abgang; Tod; Ausgang *m*; 2. *thea.* (geht) ab.

exodus ('eksədəs) Auszug *m*.

exonerate (ig'zɔnəreit) *fig.* entlasten, entbinden; rechtfertigen.

exorbitant □ (ig'zɔ:bitənt) ü'bermäßig.

exorci|se, ~ze ('eksɔ:saiz) *Geister* beschwören, austreiben; befreien (*of* von).

exotic (eg'zɔtik) ausländisch, exotisch.

expan|d (iks'pænd) (sich) ausbreiten; (sich) ausdehnen; (sich) erweitern; **~se** (iks'pæns), **~sion** (~ʃən) Ausdehnung; Weite; Breite *f*; **~sive** □ (~siv) ausdehnungsfähig; ausgedehnt, weit; *fig.* mitteilsam.

expatriate(eks'pætrieit)ausbürgern.

expect (iks'pekt) erwarten; F annehmen; **~ant** (~ənt) 1. erwartend (*of acc.*); **~ mother** werdende Mutter; 2. Anwärter *m*; **~ation** (ekspek'teiʃən) Erwartung; Aussicht *f*.

expectorate (eks'pektəreit) *Schleim usw.* aus-husten, -werfen.

expedi|ent (iks'pi:diənt) 1. □ zweckmäßig; berechnend; 2. Mittel *n*; (Not-)Behelf *m*; **~tion** (~diʃən) Eile; (Forschungs-)Reise *f*.

expel (iks'pel) (hin)ausstoßen; vertreiben, -jagen; ausschließen.

expen|d (iks'pend) *Geld* ausgeben; aufwenden; verbrauchen; **~diture** (~itʃə) Ausgabe *f*; Aufwand *m*; **~se** (iks'pens) Ausgabe *f*; Kosten *pl.*; **~s** *pl.* Unkosten *pl.*, Auslagen *f/pl.*; **~sive** □ (~siv) kostspielig, teuer.

experience (iks'piəriəns) 1. Erfahrung *f*; Erlebnis *n*; 2. erfahren, erleben; **~d** (~t) erfahren.

experiment 1. (iks'perimənt) Versuch *m*; 2. (~'ment) experimentieren; **~al** □ (eksperi'mentl) Versuchs...; erfahrungsmäßig.

expert (eksps:t) 1. □ (*pred.* ekspə:'t) erfahren, geschickt; fachmännisch; 2. Fachmann; Sachverständige(r) *m*.

expir|ation (ekspai'reiʃən) Ausatmung *f*; Ablauf *m*, Ende *n*; **~e** (iks'paiə) ausatmen; verscheiden; ablaufen; **♱** verfallen; erlöschen.

explain (iks'plein) erklären: erläutern; auseinandersetzen.

explanat|ion (eksplə'neiʃən) Erklärung; Auseinandersetzung *f*; **~ory** (iks'plænətəri) erklärend.

explicable (eksplikəbl) erklärlich.

explicit □ (iks'plisit) deutlich.

explode (iks'ploud) explodieren (l.); ausbrechen; platzen (*with* vor).

exploit 1. ('eksploit) Heldentat *f*; 2. (iks'ploit) ausbeuten; **~ation** (eksploi'teiʃən) Ausbeutung *f*.

explor|ation (eksplɔ:'neiʃən) Erforschung *f*; **~e** (iks'plɔ:) erforschen; **~er** (~rə) Erforscher; Forscher *m*.

explosi|on (iks'plouʒən) Explosio'n f; Ausbruch m; ~ve (~siv) 1. □ explosi'v; 2. Sprengstoff m.

exponent (eks'pounənt) Vertreter m.

export 1. (eks'pɔːt) ausführen; 2. ('ekspɔːt) Ausfuhr(artikel m) f; ~ation (ekspɔː'teiʃən) Ausfuhr f.

expos|e (iks'pouz) aussetzen; phot. belichten; ausstellen; entlarven; bloßstellen; ~ition (ekspo'ziʃən) Ausstellung; Erklärung f.

exposure (iks'pouʒə) Aussetzung f usw. s. expose.

expound (iks'paund) erklären, auslegen.

express (iks'pres) 1. □ ausdrücklich, deutlich; Eil...; ~ company Am. Paketfahrtgesellschaft f; 2. Eilbote; Schnellzug m (a. ~ train); 3. adv. durch Eilboten; als Eilgut; 4. äußern, ausdrücken; auspressen; ~ion (iks'preʃən) Ausdruck m; ~ive □ (iks'presiv) ausdrückend (of acc.); ausdrucksvoll.

expropriate (eks'prouprieit) enteignen.

expulsi|on (iks'pʌlʃən) Vertreibung f.

exquisite ('ekswizit) 1. □ auserlesen, vorzüglich; fein; heftig, scharf; 2. Stutzer m.

extant (eks'tænt) (noch) vorhanden.

extempor|aneous (ekstempə'reinjəs), ~ary (iks'tempərəri), ~e (~pəri) aus dem Stegreif (vorgetragen).

extend (iks'tend) v/t. ausdehnen; ausstrecken; erweitern; verlängern; Gunst usw. erweisen; ✕ (aus-)schwärmen l.; v/i. sich erstrecken.

extensi|on (iks'tenʃən) Ausdehnung; Erweiterung; Verlängerung f; Aus-, An-bau m; University ≈ Volkshochschule f; ~ve □ (~siv) ausgedehnt, umfassend.

extent (iks'tent) Ausdehnung, Weite, Größe f, Umfang; Grad m; to the ~ of bis zum Betrage von; to some ~ einigermaßen.

extenuate (iks'tenjueit) abschwächen, mildern, beschönigen.

exterior (eks'tiəriə) 1. □ äußerlich; Außen...; außerhalb; 2. Äußere(s) n.

exterminate (eks'tə:mineit) ausrotten.

external (eks'tə:nl) 1. □ äußere(r, s), äußerlich; Außen...; 2. ~s pl. Äußere(s) n; fig. Äußerlichkeiten f/pl.

extinct (iks'tiŋkt) erloschen.

extinguish (iks'tiŋwiʃ) (aus-)löschen; vernichten.

extirpate ('ekstə:peit) ausrotten.

extol (iks'tol) erheben, preisen.

extort (iks'tɔ:t) erpressen; abnötigen (from dat.); ~ion (iks'tɔ:ʃən) Erpressung f.

extra ('ekstrə) 1. Extra...; außer...; Neben...; Sonder...; ~ pay Zulage f; 2. adv. besonders; außerdem; 3. Sonder-leistung, -arbeit, -forderung f; Zuschlag m; Am. Extrablatt n; ~s pl. Nebenausgaben f/pl.

extract 1. ('ekstrækt) Auszug m; 2. (iks'trækt) (her)ausziehen; herauslocken; ab-, her-leiten; ~ion (~kʃən) Ausziehen n; Herkunft f.

extraordinary (iks'trɔ:dnri) außerordentlich; Extra...; ungewöhnlich.

extravagan|ce (iks'trævigəns) Übertrie'benheit; Verschwendung f; ~t (~t) (~gənt) übertrie'ben, -spa'nnt; verschwenderisch.

extre|me (iks'tri:m) 1. □ äußerst; größt, höchst; sehr streng; außergewöhnlich; 2. Äußerste(s); Extre'm n; der höchste Grad; ~ity (iks'tremiti) Äußerste(s) n; höchste Not; äußerste Maßnahme; ~ities (~z) pl. Gliedmaßen pl.

extricate ('ekstrikeit) freimachen.

exuberan|ce (ig'zju:bərəns) Überfluß m, Überschwenglichkeit f; ~t (~t) reichlich; üppig; überschweng-lich.

exult (ig'zʌlt) frohlocken.   [lich.]

eye (ai) 1. Auge n; Blick m; Öhr n; with an ~ to mit Rücksicht auf (acc.). mit der Absicht zu; 2. ansehen; mustern; ~ball Augapfel m; ~brow Augenbraue f; ~d (aid) ...äugig; ~glass Augenglas n; (a pair of) ~es pl. (ein) Kneifer m; Lorgno'n n; ~lash Augenwimper f; ~lid Augenlid n; ~sight Augen(licht n) pl.; Sehkraft f.

F

fable ('feibl) Fabel f; Märchen n.

fabric ('fæbrik) Bau m, Gebäude n; Struktu'r f; Gewebe n, Stoff m; **~ate** ('fæbrikeit) fabrizieren (mst fig.).

fabulous □ ('fæbjuləs) fabelhaft.

face (feis) **1.** Gesicht n; Anblick m; (Ober-)Fläche; Vorderseite f; on the ~ of it auf den ersten Blick; **2.** v/t. ansehen; gegenüberstehen (dat.); (hinaus)gehen auf (acc.); die Stirn bieten (dat.); einfassen; ⚠ bekleiden; v/i. ~ about sich umdrehen.

facetious □ (fə'si:ʃəs) witzig.

facil|e ('fæsail) leicht; gewandt; **~itate** (fə'siliteit) erleichtern; **~ity** (fə'siliti) Leichtigkeit; Gewandtheit; Erleichterung f. [Besatz m.]

facing ('feisiŋ) ⊕ Verkleidung; ~s pl.]

fact (fækt) Tat; Tatsache; Wirklichkeit f. [keit f.]

faction ('fækʃən) Partei; Uneinig-]

factitious □ (fæk'tiʃəs) künstlich.

factor ('fæktə) Age'nt m; † Kommissiona'r; fig. Umstand m; **~y** (~ri) Handelsniederlassung; Fabri'k f.

faculty ('fækəlti) Fähigkeit; Kraft; fig. Gabe; univ. Fakultä't f.

fad F (fæd) fig. Steckenpferd n.

fade (feid) (ver)welken (m.); verblassen; schwinden; Film, Radio: ~ in einblenden.

fag (fæg) v/i. sich placken; v/t. erschöpfen, mürbe machen.

fail (feil) **1.** v/i. fehlen, mangeln; fehlschlagen; versiegen; versagen; nachlassen; Bankro'tt m.; durchfallen (Kandidat); he ~ed to do es mißlang ihm zu tun; v/t. im Stich lassen, verlassen; versäumen; **2.** su.: without ~ unfehlbar; **~ing** (feiliŋ) Fehler m, Schwäche f; **~ure** (feiljə) Fehlen, Ausbleiben n; Fehlschlag; Mißerfolg; Verfall m; Versäumnis f; Bankro'tt; Versager m (P.).

faint (feint) **1.** □ schwach, matt; **2.** schwach w.; in Ohnmacht fallen (with vor); **3.** Ohnmacht f; **~-hearted** □ ('feint'ha:tid) verzagt.

fair¹ (fɛə) **1.** adj. schön; hell, rein; blond; **2.** adj. u. adv. günstig; ehrlich, anständig; gerecht; ziemlich; ~ copy Reinschrift f; ~ play ehrliches Spiel; anständiges Handeln.

fair² (~) Jahrmarkt m, Messe f.

fair|ly ('fɛəli) ziemlich; völlig; **~ness** ('fɛənis) Schönheit f usw. (s. fair¹); ~way ⚓ Fahrwasser n.

fairy ('fɛəri) Fee; Zauberin f; Elf m; ♀land Feen-, Märchen-land n; ~-tale Märchen n.

faith (feiθ) Vertrauen n; Glaube m; Treue f; **~ful** □ ('feiθful) treu; ehrlich; yours ~ly Ihr ergebener; **~less** □ ('feiθlis) treulos; ungläubig.

fake sl. (feik) **1.** Schwindel m; Fälschung f; Schwindler m; **2.** fälschen.

falcon ('fɔ:lkən) Falke m.

fall (fɔ:l) **1.** Fall(en n); Sturz; Verfall; Einsturz; Am. Herbst m; Fällen; (mst ~s pl.) Wasserfall m; Senkung f, Abhang m; **2.** [irr.] fallen; ab-, ein-fallen; sinken; sich legen (Wind); in e-n Zustand verfallen; ~ back zurückweichen; ~ ill od. sick krank w.; ~ out sich entzweien; sich zutragen; ~ short knapp w. (of an dat.); ~ short of zurückbleiben hinter (dat.); ~ to sich machen an (acc.).

fallacious □ (fə'leiʃəs) trügerisch.

fallacy ('fæləsi) Täuschung f.

fallen ('fɔ:lən) gefallen.

falling ('fɔ:liŋ) Fallen n; **~-sick-ness** Fallsucht f; **~-star** Sternschnuppe f.

fallow ('fælou) zo. falb; ♐ brach.

false □ (fɔ:ls) falsch; **~hood** ('fɔ:lshud), **~ness** (~nis) Falschheit f.

falsi|fication (fɔ:lsifi'keiʃən) (Ver-)Fälschung f; **~fy** ('fɔ:lsifai) (ver)fälschen; **~ty** (~ti) Falschheit f.

falter ('fɔ:ltə) straucheln; stocken (Stimme); stammeln; fig. schwanken.

fame (feim) Ruf, Ruhm m; **~d** (feimd) berühmt (for wegen).

familiar (fə'miljə) **1.** □ vertraut; gewohnt; familiä'r; **2.** Vertraute(r); **~ity** (fə'mili'æriti) Vertrautheit; Vertraulichkeit f; **~ize** (fə'miljəraiz) vertraut machen.

family ('fæmili) Fami'lie f; in the ~ way in anderen Umständen; ~ tree Stammbaum m.

fami|ne ('fæmin) Hungersnot f; ~**sh** (aus-, ver-)hungern.

famous ('feiməs) berühmt.

fan (fæn) 1. Fächer; Ventila'tor m; 2. (an)fächeln; an., fig. ent-fachen.

fanatic (fə'nætik) 1. (a. ~**al** □, ~ikəl) fanatisch; 2. Fanatiker(in).

fanciful □ ('fænsiful) phantastisch.

fancy ('fænsi) 1. Phantasie'; Einbildung; Schrulle; Vorliebe; Liebhaberei f; 2. Phantasie'...; Liebhaber...; Luxus...; ~ **ball** Maskenball m; ~ **goods** pl. Galanterie'waren f/pl.; 3. sich einbilden; Gefallen finden an; just ~! denken Sie nur!

fang (fæŋ) Fangzahn; Giftzahn m.

fantas|tic (fæn'tæstik) (~ally) phantastisch; ~**y** ('fæntəsi) Phantasie' f.

far (faː) adj. fern, entfernt; weit; adv. fern; weit; viel; as ~ as bis; in so ~ as insofern als; ~-**away** weit entfernt.

fare (fɛə) 1. Fahrgeld n; Fahrgast m; Verpflegung, Kost f; 2. j-m (er-)gehen; gut leben; ~**well** ('fɛə'wel) 1. lebe(n Sie) wohl!; 2. Abschied m, Lebewohl n. [geholt, gesucht.]

far-fetched ('faː'fetʃt) fig. weither-]

farm (faːm) 1. Bauern-'Gut n, Farm f; 2. (ver)pachten; Land bewirtschaften; ~**er** ('faːmə) Landwirt; Pächter m; ~**house** Bauern-, Gutshaus n; ~**ing** 1. Acker...; landwirtschaftlich; 2. Landwirtschaft f; ~**stead** ('faːmsted) Gehöft n.

far-off ('faːrɔf) entfernt, fern.

farthe|r ('faːðə) weiter (entfernt); ~**st** (⁓ðist) am weitesten.

fascinat|e ('fæsineit) bezaubern; ~**ion** (fæsi'neiʃən) Zauber, Reiz m.

fashion ('fæʃn) 1. Form f; Schnitt m; Mode; Art f; feine Lebensart; in (out of) ~ (un)mode'rn; 2. gestalten; Kleid an-passen, -fertigen; ~**able** □ ('fæʃnəbl) mode'rn, ele'gant.

fast[1] (faːst) fest; schnell; vorgehend (Uhr); treu; waschecht; flott.

fast[2] (⁓) 1. Fasten n; 2. fasten.

fasten ('faːsn) v/t. befestigen, anheften; fest (zu')machen; zubinden; Augen usw. heften [up]on auf acc.); v/i. schließen (Tür); ~ **upon** fig. sich klammern an (acc.); ~**er** (⁓ə) Verschluß m; Klammer f.

fastidious □ (fæs'tidiəs) peni'bel.

fat (fæt) 1. □ fett; dick; fettig; 2. Fett n; 3. fett m. od. w.; mästen.

fatal □ ('feitl) verhängnisvoll (to für); Schicksals...; tödlich; ~**ity** (fə'tæliti) Verhängnis(volle) n; Unglücks-, Todes-fall m.

fate (feit) Schicksal; Verhängnis n.

father ('faːðə) Vater m; ~**hood** (⁓hud) Vaterschaft f; ~-**in-law** ('faːðərinlɔː) Schwiegervater m; ~**less** (⁓lis) vaterlos; ~**ly** (⁓li) väterlich.

fathom ('fæðəm) 1. Klafter f (Maß); ⊕ Faden m; 2. ⊕ loten; fig. ergründen; ~**less** (⁓lis) unergründlich.

fatigue (fə'tiːg) 1. Ermüdung; Strapa'ze f; 2. ermüden.

fat|ness ('fætnis) Fettigkeit; Fettheit f; ~**ten** (fætn) fett machen od. werden; mästen.

fatuous □ ('fætjuəs) albern.

faucet Am. (fɔːsit) (Zapf-)Hahn m.

fault (fɔːlt) Fehler; Defe'kt m; Schuld f; find ~ with et. auszusetzen h. an (dat.); be at ~ auf falscher Fährte sn; ~-**finder** Mäkler(in); ~**less** □ ('fɔːltlis) fehlerfrei, tadellos; ~**y** □ ('fɔːlti) mangelhaft.

favo(u)r ('feivə) 1. Gunst(bezeigung) f; Gefallen m; Begünstigung; ✝ your ~ Ihr (geehrtes) Schreiben; 2. begünstigen; beehren; ~**able** □ (⁓rəbl) günstig; ~**ite** ('feivərit) 1. Lieblings...; 2. Günstling; Liebling; Sport: Favo'rit m.

fawn (fɔːn) 1. (Dam-)Kitz n; Rehbraun n; 2. kriechen (upon vor).

fear (fiə) 1. Furcht (of vor dat.); Befürchtung; Angst f; 2. (be-)fürchten; sich fürchten (vor dat.); ~**ful** □ ('fiəful) furchtsam; furchtbar; ~**less** □ ('fiəlis) furchtlos.

feasible ('fiːzəbl) tunlich; ausführbar.

feast (fiːst) 1. Fest; Festmahl n; Schmaus m; 2. v/t. festlich bewirten; v/i. sich ergötzen; schmausen.

feat (fiːt) Heldentat f; Kunststück n.

feather ('feðə) 1. Feder f; Gefieder; F: show the white ~ sich feige zeigen; in high ~ in gehobener Stimmung; 2. mit Federn schmücken; ~-**brained**, ~-**headed** unbesonnen; albern; ~**ed** (feðəd) be-, ge-fiedert; ~**y** (⁓ri) feder(art)ig.

feature ('fiːtʃə) 1. (Gesichts-, Grund-, Haupt-, Cha'rakter-)Zug; (charakteristisches) Merkmal n; Am. Sensatio'n sn; ~**s** pl. Gesicht n;

2. charakterisieren; groß aufziehen; *Film*: (in der Hauptrolle) darstellen.

February ('februəri) Februar *m*.

fecund ('fekənd) fruchtbar.

fed (fed) fütterte; gefüttert; *be ~ up with et. od. j.* satt haben.

federa|l ('fedərəl) Bundes...; **~tion** (fedə'reiʃən) Staatenbund; Bundesstaat *m*.

fee (fiː) **1.** Gebühr *f*; Honora'r; Trinkgeld *n*; **2.** bezahlen.

feeble □ ('fiːbl) schwach.

feed (fiːd) **1.** Futter *n*; Nahrung; Fütterung, ⊕ Zuführung, Speisung *f*; **2.** [*irr.*] *v/t.* füttern; (*a. ⊕*) speisen, nähren; weiden; *Material usw.* zuführen; *v/i.* (fr)essen; sich nähren; **~ing-bottle** Saugflasche *f*.

feel (fiːl) **1.** [*irr.*] (sich) fühlen; befühlen; empfinden; sich anfühlen; *I ~ like doing* ich möchte am liebsten tun; **2.** Gefühl *n*; Empfindung *f*; **~er** ('fiːlə) Fühler *m*; **~ing** ('fiːliŋ) **1.** □ (mit)fühlend; gefühlvoll; **2.** Gefühl; Empfinden *n*.

feet (fiːt) Füße *m/pl.*

feign (fein) heucheln; vorgeben.

feint (feint) Verstellung; Finte *f*.

felicit|ate (fi'lisiteit) beglückwünschen; **~ous** □ (~təs) glücklich.

fell (fel) **1.** fiel; **2.** niederschlagen; fällen.

felloe ('felou) (Rad-)Felge *f*.

fellow ('felou) Gefährt|e, -in, Kamera'd(in); Gleiche(r, s); Gegenstück; Bursche, Mensch *m*; *attr.* Mit...; *the ~ of a glove* der andere Handschuh; **~-countryman** Landsmann *m*; **~ship** (~ʃip) Gemeinschaft; Kamera'dschaft *f*.

felly ('feli) (Rad-)Felge *f*.

felon ('felən) ⚕ Verbrechen *m*; **~y** ('feləni) Kapita'lverbrechen *n*.

felt[1] (felt) fühlte; gefühlt.

felt[2] (~) **1.** Filz *m*; **2.** (be)filzen.

female ('fiːmeil) **1.** weiblich; **2.** Weib *n*. [weibisch.]

feminine □ ('feminin) weiblich; [/]

fen (fen) Fenn, Moor *n*; Marsch *f*.

fence (fens) **1.** Zaun *m*; Fechtkunst *f*; Hehler(nest *n*) *m*; *sit on the ~* abwarten; **2.** *v/t.* ein-, um'zäunen; schützen; *v/i.* fechten; hehlen.

fencing ('fensiŋ) Einfriedigung; Fechtkunst *f*; *attr.* Fecht...

fender ('fendə) Schutzvorrichtung *f*; Schutzblech *n*; Kamin-, Ofenvorsetzer *m*; *mot.* Stoßstange *f*.

ferment 1. ('fəːment) Gärung(smittel *n*) *f*; **2.** (fə'ment) gären (l.). **~ation** (fəːmen'teiʃən) Gärung *f*.

fern ⚘ (fəːn) Farn(kraut *n*) *m*.

feroci|ous (fə'rouʃəs) wild; grausam; **~ty** (fə'rositi) Wildheit *f*.

ferret ('ferit) **1.** *zo.* Frettchen *n*; **2.** (umher)stöbern; *~ out* aufstöbern.

ferry ('feri) **1.** Fähre *f*; **2.** übersetzen; **~man** Fährmann *m*.

fertil|e □ ('fəːtail) fruchtbar; reich (*of, in* an *dat.*); **~ity** (fəː'tiliti) Fruchtbarkeit *f* (*a. fig.*); **~ize** ('fəːtilaiz) fruchtbar m.; befruchten; düngen; **~izer** Düngemittel *n*.

ferven|cy ('fəːvənsi) Glut; Inbrunst *f*; **~t** □ (~t) heiß; inbrünstig, glühend.

fervour ('fəːvə) Glut; Inbrunst *f*.

festal □ ('festl) festlich.

fester (~tə) schwären; verfaulen.

festiv|al ('festəvəl) Fest(spiel) *n*; **~e** □ ('festiv) festlich; **~ity** (fes'tiviti) Festlichkeit *f*.

fetch (fetʃ) holen; *Preis* erzielen; *Seufzer* ausstoßen; **~ing** F, □ einnehmend, reizend.

fetid □ ('fetid) stinkend. [reizend.]

fetter ('fetə) **1.** Fessel *f*; **2.** fesseln.

feud (fjuːd) **1.** Fehde *f*; **2.** Leh(e)n *n*; **~al** □ ('fjuːdəl) lehnbar; Lehns...; **~alism** (~dəlizm) Lehnswesen *n*.

fever ('fiːvə) Fieber *n*; **~ish** □ (~riʃ) fieberig; *fig.* fieberhaft.

few (fjuː) wenige; *a ~* ein paar.

fiancé (fi'ɑːnsei) Verlobte(r).

fib (fib) **1.** Flunkerei, Schwindelei *f*; **2.** schwindeln, flunkern.

fibr|e ('faibə) Faser *f*; Chara'kter *m*; **~ous** □ ('faibrəs) faserig.

fickle ('fikl) wankelmütig; unbeständig; **~ness** (~nis) Wankelmut *m*.

fiction ('fikʃən) Erdichtung; Roma'n-, Unterha'ltungsliteratu'r *f*; **~al** □ (~l) erdichtet; Roma'n...

fictitious □ (fik'tiʃəs) erfunden.

fiddle F ('fidl) **1.** Geige, Fiedel *f*; **2.** fiedeln; tändeln; **~stick** Fiedelbogen *n*. [keit *f*.]

fidelity (fi'deliti) Treue; Genauig- [/]

fidget F ('fidʒit) **1.** nervöse Unruhe; **2.** nervös m.; **~y** kribbelig.

field (fiːld) Feld; (Spiel-)Platz *n*; Arbeitsfeld, Gebiet *n*; *hold the ~* das Feld behaupten; **~-glass** Feldstecher *m*; **~-jacket** Windjacke *f*; **~-officer** Stabsoffizier *m*; **~-sports** *pl.* Sport *m* im Freien.

fiend (fi:nd) böser Feind, Teufel *m*; **~ish** □ ('fi:ndiʃ) teuflisch, boshaft.

fierce □ (fiəs) wild; grimmig; **~ness** ('fiəsnis) Wildheit *f*; Grimm *m*.

fif|teen fünfzehn; **~teenth** (~θ) fünfzehnte(r, s); **~th** (fifθ) 1. fünfte(r, s); 2. Fünftel *n*; **~tieth** ('fiftiiθ) fünfzigste(r, s); **~ty** ('fifti) fünfzig.

fig (fig) 1. Feige *f*; 2. F Zustand *m*.

fight (fait) 1. Kampf *m*; Kampflust *f*; *show ~* sich zur Wehr setzen; 2. [*irr.*] *v/t.* bekämpfen; verfechten; *v/i.* kämpfen, streiten; **~er** ('faitə) Kämpfer, Streiter; ✕ Jagdflieger *m*; **~ing** ('faitiŋ) Kampf *m*.

figurative □ ('figjurətiv) bildlich.

figure ('figə) 1. Figu'r; Gestalt *f*; Bild *n*; Ziffer *f*; Muster *n* (*Weberei usw.*); F Preis *m*; 2. *v/t.* abbilden; darstellen; sich *et.* vorstellen; mustern; beziffern; berechnen; *v/i.* erscheinen; auftreten (*as* als).

filament ('filəmənt) Fäserchen *n*; (⚡ Glüh-, *Radio:* Heiz-)Faden *m*.

filbert ⚘ ('filbət) Haselnuß *f*.

filch ('filtʃ) stibitzen (*from dat.*).

file[1] (fail) 1. (Brief-)Ordner; Zeitungshalter; Stoß *m Papiere usw.*; Aktenbündel *n*; *die* Akten *pl.*; Reihe *f*; 2. aufreihen; *Briefe usw.* einordnen; zu den Akten nehmen; einreichen; hinter-ea. marschieren.

file[2] (~) 1. Feile *f*; 2. feilen.

filial □ ('filjəl) kindlich.

filibuster ('filibʌstə) Freibeuter *m*.

fill (fil) 1. (sich) füllen; an-, aus-, erfüllen; *Am. Auftrag* ausführen; *~ in Formular* ausfüllen; 2. Fülle, Genüge; Füllung *f*.

fillet ('filit) Kopfbinde *f*; Lendenbraten *m*; Roula'de *f*; Band *n*.

filling ('filiŋ) Füllung *f*; *mot.* *~ station* Tankstelle *f*.

fillip ('filip) Nasenstüber *m*.

filly ('fili) (Stuten-)Füllen *n* (F *a. fig.*).

film (film) 1. Häutchen *n*; Membra'n(e) *f*; Film; Schleier *m vor den Augen*; *~ cartridge* Filmspule *f*; 2. (sich) verschleiern; (ver)filmen.

filter ('filtə) Filter *m*; 2. filtrieren.

filth (filθ) Schmutz *m*; **~y** □ ('filθi) schmutzig; unflätig.

fin (fin) Flosse (*sl.* Hand) *f*.

final (fainl) 1. □ letzt, endlich; schließlich; End...; endgültig; 2. *Sport:* Schlußrunde *f*.

financ|e (fi'næns) 1. Finanzwesen *n*; **~s** *pl.* Finanzen *pl.*; 2. *v/t.* finanzieren; *v/i.* Geldgeschäfte m.; **~ial** □ (fi'nænʃəl) finanzie'll; **~ier** (~siə) Finanzmann; Geldgeber *m*.

finch *orn.* (fintʃ) Fink *m*.

find (faind) [*irr.*] finden; (an)treffen; auf-, heraus-finden; *schuldig usw.* befinden; liefern; versorgen; *all found* freie Statio'n; 2. Fund *m*; **~ing** ('faindiŋ) Befund *m*.

fine[1] □ (fain) fein; schön.

fine[2] (~) 1. Geldstrafe *f*; *in ~* kurzum; 2. *zu e-r* Geldstrafe verurteilen.

fineness ('fainnis) Feinheit *f*.

finery ('fainəri) Glanz; Putz, Staat *m*.

finger ('fiŋgə) 1. Finger *m*; 2. betasten, (herum)fingern an (*dat.*); **~-language** Zeichensprache *f*; **~-print** Fingerabdruck *m*.

finish ('finiʃ) 1. *v/t.* (be)endigen, vollenden; fertig(stell)en; abschließen; vervollkommnen; erledigen; *v/i.* enden; 2. Vollendung *f*, letzter Schliff (*a. fig.*); Schluß *m*.

finite □ ('fainait) endlich, begrenzt.

fir (fə:) (Weiß-)Tanne *f*; Kiefer *f*; **~-cone** ('fə:koun) Tannenzapfen *m*.

fire (faiə) 1. Feuer *n*; *on ~* in Brand, in Flammen; 2. *v/t.* an-, entzünden; *fig.* anfeuern; abfeuern; *Ziegel usw.* brennen; *Am.* F rausfeuern; heizen; *v/i.* Feuer fangen (*a. fig.*); feuern; **~-alarm** Feuermelder *m*; **~-brigade** *Am.*, **~-department** Feuerwehr *f*; **~-engine** ('faiər'endʒin) (Feuer-)Spritze *f*; **~-escape** (~'reips'keip) Rettungsgerät *n*; Nottreppe *f*; **~-extinguisher** (~riks'tiŋwiʃə) Feuerlöschapparat *m*; **~man** Feuerwehrmann; Heizer *m*; **~-place** Herd; Kami'n *m*; **~-plug** Hydra'nt *m*; **~-proof** feuerfest; **~side** Herd; Kami'n *m*; **~-station** Feuerwache *f*; **~-wood** Brennholz *n*; **~works** *pl.* Feuerwerk *n*.

firing ('faiəriŋ) Heizung; Feuerung *f*.

firm (fə:m) 1. □ fest; derb; standhaft; 2. Firma *f*; **~ness** ('fə:mnis) Festigkeit *f*.

first (fə:st) 1. *adj.* erste(r, s); **~-cost** Selbstkostenpreis *m*; *~ of all* zuerst; *at ~* zuerst, anfangs; *~ of all* an erster Stelle; zu allererst; 3. erste(r, s); **~** *~ of exchange* Primawechsel *m*; *from the ~* von Anfang an; **~-born** erstgeboren;

~-class erstklassig; **~ly** ('fə:stli) erstlich; erstens; **~-rate** ersten Ranges.

fish (fiʃ) 1. Fisch *m pl.*; F Kerl; 2. fischen, angeln; haschen; **~-bone** Gräte *f.*

fisher|man ('fiʃəmən) Fischer; Angler *m*; **~y** (~ri) Fischerei *f.*

fishing ('fiʃiŋ) Fischen *n*; **~-line** Angelschnur *f*; **~-tackle** Angelgerät *n.* [('fiʃə) Spalt, Riß *m.*]

fiss|ion ◊ ('fiʃən) Spaltung *f*; **~ure|**

fist (fist) Faust *f*; F Klaue *f*; **~icuffs** ('fistikʌfs) *pl.* Faustschläge *m/pl.*

fit¹ (fit) 1. ☐ geeignet, passend; tauglich; *Sport*: in (guter) Form; bereit; 2. *v/t.* passen für *od. dat.*; anpassen, passend m.; befähigen; geeignet m. (für to für, zu); anprobieren (*od.* ~ on); ausstatten; **~out** ausrüsten; **~up** einrichten; montieren; *v/i.* passen; sich schikken; sitzen (*Kleid*); 3. Sitz (*Kleid*).

fit² (fit) Anfall *m*; Ausbruch *m*; Anwandlung *f*; by **~s** and starts ruckweise; give a p. a ~ j. hochbringen.

fit|ful ☐ ('fitful) ruckartig; *fig.* unstet; **~ness** (~nis) Schicklichkeit; Tauglichkeit *f*; **~ter** (~ə) Monteur; Installateu*r*; **~ting** (~iŋ) 1. ☐ passend; 2. Montage; Anprobe; **~s** *pl.* Einrichtung *f*; Armaturen *f/pl.*

five (faiv) 1. fünf; 2. Fünf *f.*

fix (fiks) 1. befestigen, anheften; fixieren; *Augen usw.* heften, richten; fesseln; aufstellen; bestimmen, festsetzen; *Am.* herrichten, *Bett usw.* machen; ~ o.s. sich niederlassen; **~up** in Ordnung bringen, arrangieren; *v/i.* fest w.; sich niederlassen; **~on** sich entschließen für; 2. F Klemme *f*; *Am.* Zustand *m*; **~ed** (fikst) (*adv.* **~edly**, 'fiksidli) fest; bestimmt; starr; **~ture** ('fikstʃə) fest angebrachter Zubehörteil, feste Anlage; Inventa'rstück *n*; *lighting* ~ Beleuchtungskörper *m.*

fizzle ('fizl) zischen; Fiasko *m.*

flabby ☐ ('flæbi) schlaff, schlapp.

flag (flæg) 1. Flagge; Fahne; Fliese; Schwertlilie *f*; 2. beflaggen; durch Flaggen signalisieren; ermatten; mutlos werden.

flagitious ☐ (flə'dʒiʃəs) schändlich.

flagrant ☐ ('fleigrənt) abscheulich; berüchtigt; offenkundig.

flag|staff Fahnenstange *f*; **~-stone** Fliese *f.*

flair (flɛə) Spürsinn *m*, feine Nase.

flake (fleik) 1. Flocke; Schicht *f*; 2. (sich) flocken; abblättern.

flame (fleim) 1. Flamme; Feuer *n*; *fig.* Hitze; *f*; 2. flammen, lodern.

flank (flæŋk) 1. Flanke; Weiche *f der Tiere*; 2. flankieren.

flannel ('flæn'l) Flane'll; **~s** (~z) *pl.* Flanellhose *f.*

flap (flæp) 1. (Ohr-)Läppchen *n*; Rockschoß *m*; Klappe *f*; Klaps; (Flügel-)Schlag *m*; 2. *v/t.* klatschen(d schlagen); *v/i.* lose herabhängen; flattern.

flare (flɛə) 1. flackern; sich nach außen erweitern, sich bauschen; ~ up aufflammen; *fig.* aufbrausen; 2. flackerndes Licht; Lichtsigna'l *n.*

flash (flæʃ) 1. aufgedonnert; unecht; Gauner...; 2. Blitz *m*; *fig.* Aufblitzen *n*; in a ~ im Nu; **~of** wit Geistesblitz *m*; 3. (auf)blitzen; auflodern (l.); *Blick usw.* werfen; flitzen; funken, telegraphieren; **~-light** *phot.* Blitzlicht *n*; *Am.* Taschenlampe *f*; **~y** ☐ auffallend.

flask (flɑ:sk) (Taschen-)Flasche *f.*

flat (flæt) 1. ☐ flach; platt; schal; † flau; klar; glatt; ~ um eine e-n halben Ton erniedrigt; ~ *price* Einheitspreis *m*; *fall* ~ keinen Eindruck m.; *sing* ~ zu tief singen; 2. Fläche, Ebene *f*; Flachland *n*; Untiefe *f*; Stock(werk *n*) *m*, Mietwohnung *f*; ♪ Be *n* (♭); **~-iron** Plätteisen *n*; **~ness** ('flætnis) Flachheit; Plattheit; † Flauheit *f*; **~ten** ('flætn) (sich) ab-, ver-flachen.

flatter ('flætə) schmeicheln (*dat.*); *j-m* gefallen; **~er** (~rə) Schmeichler (-in); **~y** (~ri) Schmeichelei *f.*

flavo(u)r ('fleivə) 1. Geschmack *m*; Aroma *n*; *fig.* Beigeschmack *m*; Würze *f*; 2. würzen; **~less** (~lis) geschmacklos, fad.

flaw (flɔ:) 1. Sprung, Riß; Fehler *m*; ♣ Bö *f*; 2. zerbrechen; beschädigen; **~less** ☐ ('flɔ:lis) fehlerlos.

flax ⚘ (flæks) Flachs, Lein *m.*

flay (flei) die Haut abziehen (*dat.*).

flea (fli:) Floh *m.*

fled (fled) floh; geflohen.

flee (fli:) [*irr.*] fliehen; meiden.

fleece (fli:s) 1. Vlies *n*; 2. scheren; prellen; **~y** (fli:si) wollig.

fleer (fliə) höhnen (at über *acc.*).

fleet (fli:t) 1. ☐ schnell; 2. Flotte *f.*

flesh (fleʃ) 1. *lebendiges* Fleisch; *fig.* Fleisch(eslust *f*) **n;** 2. Blut kosten lassen (a. *fig.*); **~ly** ('fleʃli) fleischlich; irdisch; **~y** (i) fleischig;

flew (flu:) flog. [fett.]

flexib|lity (fleksə'biliti) Biegsamkeit *f*; **~le** □ ('fleksəbl) biegsam.

flicker ('flikə) 1. flackern; flattern; flimmern; 2. Flackern *n usw.*

flier *s.* flyer Flieger *usw.*

flight (flait) Flucht *f*; Flug (*a. fig.*); Schwarm *m*; ✈, ✕, Kette; (~ of *stairs* Treppen-)Flucht *f*; *put to* ~ in die Flucht schlagen; **~y** □ ('flaiti) flüchtig; fahrig.

flimsy ('flimzi) dünn, locker, schwach; [zucken.]

flinch (flintʃ) zurückweichen;

fling ('fliŋ) 1. Wurf; Schlag *m*; *have one's* ~ sich austoben; 2. [*irr.*] *v/i.* eilen; ausschlagen (*Pferd*); *fig.* toben; *v/t.* werfen, schleudern; ~ *o.s.* sich stürzen; ~ *open* aufreißen.

flint (flint) Kiesel; Feuerstein *m*.

flip (flip) 1. Klaps; Ruck *m*; 2. schnippen; klapsen; flitzen.

flippan|cy ('flipənsi) Leichtfertigkeit *f*; **~t** □ ('flipənt) leichtfertig; vorlaut.

flirt (flə:t) 1. Kokette *f*; Hofmacher *m*; 2. liebeln, kokettieren; **~ation** (flə:'teiʃən) Liebelei *f*.

flit (flit) flitzen; wandern; umziehen.

float (flout) 1. Schwimmer *m*; Floß *n*; Plattenwagen *m*; 2. *v/t.* überfluten; flößen; tragen (*Wasser*) & flott machen, *fig.* in Gang bringen; ✝ gründen; verbreiten; *v/i.* schwimmen, treiben; schweben; umlaufen.

flock (flɔk) 1. Herde (*a. fig.*); Schar *f*; 2. sich scharen, zs.-strömen.

flog (flɔg) peitschen; prügeln.

flood (flʌd) 1. (*a.* ~*tide*) Flut; Überschwemmung *f*; 2. über-flu'ten, -schwemmen; **~gate** Schleusentor *n*; **~light** ⚡ Flutlicht *n*.

floor (flɔ:) 1. Fußboden *m*; Stockwerk *n*; ⚡ Tenne *f*; *have the* ~ *parl.* das Wort haben; 2. dielen; zu Boden schlagen; verblüffen; **~ing** ('flɔ:riŋ) Dielung *f*; Fußboden *m*.

flop (flɔp) 1. schlagen; flattern; (hin)plumpsen (lassen); *Am.* versagen; 2. Plumps *m*.

florid □ ('flɔrid) blühend.

florin (in) Zweischillingstück *n*.

florist ('flɔrist) Blumenhändler *m*.

floss (flɔs) Florettseide *f*.

flounce¹ (flauns) Vola'nt *m*.

flounce² (~) stürzen; zappeln.

flounder¹ *zo.* ('flaundə) Flunder *f*.

flounder² (~) sich (ab)mühen.

flour ('flauə) feines Mehl.

flourish ('flʌriʃ) 1. Schnörkel *m*; ♪ Tusch *m*; 2. *v/i.* blühen, gedeihen; *v/t.* schwingen.

flout (flaut) (ver)spotten.

flow (flou) 1. Fluß *m*; Flut *f*; 2. fließen, fluten; wallen.

flower ('flauə) 1. Blume; Blüte (*a. fig.*); Zierde *f*; 2. blühen; **~y** (ri) blumig.

flown (floun) geflogen.

flu F (flu:) = *influenza* Grippe.

fluctuat|e ('flʌktjueit) schwanken; **~ion** (flʌktju'eiʃən) Schwankung *f*.

flue (flu:) Kaminrohr; Heizrohr *n*.

fluen|cy ('flu:ənsi) *fig.* Fluß *m*; **~t** □ (t) fließend, geläufig (*Rede*).

fluff (flʌf) Flaum *m*; Flocke *f*; **~y** ('flʌfi) flaumig; flockig. [keit *f*.]

fluid ('flu:id) 1. flüssig; 2. Flüssig-]

flung (flʌŋ) warf; geworfen.

flunk *Am.* F (flʌŋk) versagen.

flunke|y ('flʌŋki) Lakai *m*.

flurry ('flʌri) Nervosität *f*.

flush (flʌʃ) 1. auf gleicher Höhe; reichlich; (über)voll; 2. (Wasser-)Guß *m*; Aufwallung *f*, Rausch *m*; Röte; Frische; (Fieber-)Hitze *f*; 3. *v/t.* (aus)spülen; röten; froh erregen; aufjagen; *v/i.* sich ergießen; erröten. [2. *v/t.* aufregen.]

fluster ('flʌstə) 1. Aufregung *f*;

flute (flu:t) 1. ♪ Flöte; Falte *f*; riefeln; fälteln.

flutter ('flʌtə) 1. Geflatter *n*; Erregung *f*; 2. *v/t.* aufregen; *v/i.* flattern.

flux (flʌks) *fig.* Fluß; 𝓼 Ausfluß *m*.

fly (flai) 1. Fliege *f*; Flug *m*; Droschke *f*; 2. [*irr.*] (*a. fig.*) fliegen (l.); ✕ führen; *Flagge* hissen; fliehen; ✕ überflie'gen; ~ *at* herfallen über; ~ *into a passion* in Zorn geraten.

flyer ('flaiə) Flieger; Renner *m*.

fly-flap ('flaiflæp) Fliegenklatsche *f*.

flying ('flaiiŋ) fliegend; Flug...; ~ *squad* Überfallkommando *n*.

fly-|weight *Boxen:* Fliegengewicht *n*; **~wheel** Schwungrad *n*.

foal (foul) 1. Fohlen *n*; 2. fohlen.

foam (foum) 1. Schaum *m*; 2. schäumen; **~y** ('foumi) schäumend.

focus ('foukəs) 1. Brennpunkt *m*; 2. (sich) im B. vereinigen; *opt.* einstellen (*a. fig.*); konzentrieren.

fodder ('fɔdə) (Trocken-)Futter *n*.

foe (fou) Feind, Gegner *m*.

fog (fɔg) 1. (dicker) Nebel; *fig.* Umne'belung *f; phot.* Schleier *m;* 2. *mst fig.* umne'beln; *phot.* verschleiern; **~gy** □ ('fɔgi) neb(e)lig; *fig.* nebelhaft.

foible ('fɔibl) *fig.* Schwäche *f.*

foil[1] (fɔil) Fo'lie *f;* Hintergrund *m.*

foil[2] (~) 1. vereiteln; 2. Flore'tt *n.*

fold[1] (fould) 1. Schafhürde (*mst* sheep~.) *f;* 2. einpferchen.

fold[2] (~) 1. Falte *f;* Falz *m;* 2. ...fach, ...fältig; 3. *v/t.* falten; falzen; *Arme* kreuzen; ein-hüllen, -wickeln; *v/i.* sich falten; **~er** ('fouldə) Falzbein *n; Am.* Broschüre *f.*

folding ('fouldiŋ) zs.-legbar; Klapp-...; **~-camera** *phot.* Klappkamera *f;* **~-chair** Klappstuhl *m;* **~-door**(s *pl.*) Flügeltür *f;* **~-screen** spanische Wand.

foliage ('fouliidʒ) Laub(werk) *n.*

folk (fouk) Volk *n;* Leute *pl.;* **~lore** ('fouklɔ:) Volkskunde *f;* **~-song** Volkslied *n.*

follow ('fɔlou) folgen (*dat.*); folgen auf (*acc.*); be-, ver-folgen; *s-m Beruf usw.* nachgehen; *Karten* **~suit** Farbe bekennen; **~er** ('foluə) Verfolger; Anhänger; **~ing** ('fouluiŋ) Anhängerschaft *f,* Gefolge *n.*

folly ('fɔli) Torheit; Narrheit *f.*

foment (fou'ment) *j-m* warme Umschläge m.; *Aufruhr usw.* erregen.

fond □ (fɔnd) zärtlich; vernarrt (of in *acc.*); be ~ of gern haben, lieben.

fond|le ('fɔndl) liebkosen; (ver)hätscheln; **~ness** (~nis) Zärtlichkeit; Vorliebe *f.*

font (fɔnt) Taufstein *m; Am.* Quelle *f.*

food (fu:d) Speise, Nahrung *f;* Futter *n;* Lebensmittel *n/pl.;* **~-stuffs** *pl.* Nahrungsmittel *n/pl.;* **~-value** Nährwert *m.*

fool (fu:l) 1. Narr, Tor; Hanswurst *m; make a ~ of a p.* e-n zum Narren halten; 2. *v/t.* narren; prellen (*out of* um *et.*); **~ away** vertrödeln; *v/i.* albern; tändeln.

fool|ery ('fu:ləri) Torheit *f;* **~hardy** □ ('fu:lha:di) tollkühn; **~ish** □ ('fu:liʃ) töricht; **~ishness** (~nis) Torheit *f;* **~-proof** kinderleicht.

foot (fut) 1. [*pl.* feet] Fuß *m* (*a. Maß*); Fußende; Infanterie *f; on ~* zu Fuß; im Gange, in Gang; 2. *v/t.* (*mst ~ up*) addieren; ~ *the bill* die Rechnung bezahlen; *v/i.* ~ *it* zu Fuß gehen; **~boy** Page *m;* **~fall** Tritt,

Schritt *m;* **~gear** Fußbekleidung *f;* **~hold** fester Stand; *fig.* Halt *m.*

footing ('futiŋ) Raum für den Fuß, Stand *m; der* feste Fuß; Basis; (Zs.-rechnung *f* der) Gesamtsumme *f; lose one's ~* ausgleiten.

foot|lights *pl. thea.* Rampenlichter *n/pl.;* **~man** ('futmən) Lakei' *m;* **~path** Fußpfad *m;* Gehbahn *f;* **~print** Fußstapfe *f;* **~sore** fußkrank; **~step** Fußstapfe, Spur *f;* **~stool** Fußbank *f;* **~wear** *bsd. Am.* = ~-*gear.*

fop (fɔp) Geck, Fatzke *m.*

for (fɔ:; fɔr; fə, fɔ,f) 1. *prp. mst* für; *Sonderfälle: a) Zweck, Ziel, Richtung:* zu; nach; b) *warten, hoffen usw.* auf (*acc.*); *sich sehnen usw.* nach; c) *Grund, Anlaß:* aus, vor (*dat.*), wegen; d) *Zeitdauer:* ~ *three days* drei Tage lang; seit drei Tagen; e) *Austausch:* (an)statt; 2. *cj.* denn; weil.

forage ('fɔridʒ) 1. Futter *n;* 2. Futter beschaffen; umherstöbern.

foray ('fɔrei) räuberischer Einfall.

forbad(e) (fə'beid) verbot.

forbear[1] (fɔ:'bɛə) [*irr.*] *v/t.* unterla'ssen; *v/i.* sich enthalten (*from gen.*); Geduld haben.

forbear[2] ('fɔ:bɛə) Vorfahr *m.*

forbid (fə'bid) [*irr.*] verbieten; hindern; **~ding** □ abstoßend.

forbor|e, ~ne (fɔ:'bɔ:[n]) unterließ; unterlassen.

force (fɔ:s) 1. *mst* Kraft; Gewalt *f;* Zwang *m;* Mannschaft; Streitmacht *f; armed ~s pl.* Streitkräfte *f/pl.; come in ~* in Kraft treten; 2. zwingen, nötigen; erzwingen; aufzwingen; Gewalt antun; beschleunigen; künstlich reif m.; *~* open aufbrechen; **~d** (~t): ~ *loan* Zwangsanleihe *f;* ~ *landing* Notlandung *f;* ~ *march* Eilmarsch *m;* **~ful** □ kräftig, nachdrücklich.

forcible □ ('fɔ:səbl) gewaltsam; Zwangs...; eindringlich; wirksam.

ford (fɔ:d) 1. Furt *f;* 2. durchwa'ten.

fore (fɔ:) 1. *adv.* vorn; 2. *adj.* vorder; Vorder...; **~bode** (fɔ:'boud) vorherverkünden; ahnen; **~boding** Vorbedeutung; Ahnung *f;* **~cast** 1. *f* (fɔ:'ka:st) Voraussage *f;* 2. ('fɔ:'ka:st) [*irr.* (*cast*)] vorhersehen; voraussagen; **~father** Vorfahr *m;* **~finger** Zeigefinger *m;* **~foot** Vorderfuß *m;* **~go** (fɔ:'gou) [*irr.* (*go*)] vorangehen;

~gone (fɔːˈgɔn, *attr.* ˈfɔːgɔn): **~ con-clusion** Selbstverständlichkeit *f*; **~ground** Vordergrund *m*; **~head** (ˈfɔrid) Stirn *f*.

foreign (ˈfɔrin) fremd; ausländisch; auswärtig; *the* ♀ *Office* das brit. Außenministerium; **~ policy** Außenpolitik *f*; **~er** (**~ə**) Ausländer(in), Fremde(r).

fore|leg Vorderbein *n*; **~lock** Stirnhaar *n*; *fig.* Schopf *m*; **~man** ⚖ Obmann; Vorarbeiter, (Werk-) Meister *m*; **~most** vorderst, erst; **~noon** Vormittag *m*; **~runner** Vorläufer(in), -bote *m*; **~see** (fɔːˈsiː) [*irr.* (see)] vorhersehen; **~sight** (ˈfɔːsait) Voraussicht; Vorsorge *f*.

forest (ˈfɔrist) 1. Forst, Wald *m*; 2. aufforsten.

forestall (fɔːˈstɔːl) *et.* vorwegnehmen; *j-m* zuvorkommen.

forest|er (ˈfɔristə) Förster; Waldbewohner *m*; **~ry** (**~tri**) Forstwirtschaft *f*.

fore|taste (ˈfɔːteist) Vorgeschmack *m*; **~tell** (fɔːˈtel) [*irr.* (tell)] vorhersagen; vorbedeuten.

forfeit (ˈfɔːfit) 1. Verwirkung; Strafe *f*; Pfand; 2. verwirken; einbüßen; **~able** (**~əbl**) verwirkbar.

forgave (fɔːˈgeiv) vergab.

forge¹ (fɔːdʒ) 1. Schmiede *f*; 2. schmieden (*fig. ersinnen*); fälschen; **~ry** (ˈfɔːdʒəri) Fälschung *f*.

forge² (**~**) (*mst* **~** *ahead*) sich vor-(wärts)arbeiten.

forget (fəˈget) [*irr.*] vergessen; **~ful** □ (**~ful**) vergeßlich; **~-me-not** ♣ (**~minɔt**) Vergißmeinnicht *n*.

forgiv|e (fəˈgiv) [*irr.*] vergeben, verzeihen; **~eness** (**~nis**) Verzeihung *f*; **~ing** □ versöhnlich; nachsichtig.

forgo (fɔːˈgou) [*irr.* (go)] verzichten auf (*acc.*); aufgeben.

forgot, **~ten** (fəˈgɔt[n]) vergaß, vergessen.

fork (fɔːk) Gabel *f*; (sich) gabeln.

forlorn (fəˈlɔːn) verloren; verlassen.

form (fɔːm) 1. Form; Gestalt; Formalitä't *f*; Formula'r *n*; (Schul-) Bank; (-)Klasse *f*; 2. (sich) formen, bilden (*a. fig.*), gestalten; ⚔ (sich) aufstellen.

formal □ (ˈfɔːməl) förmlich; forme'll; äußerlich; **~ity** (fɔːˈmæliti) Förmlichkeit *f*.

formation (fɔːˈmeiʃən) Bildung *f*.

former (ˈfɔːmə) vorig, früher; ehe-

malig; erstere(r, s); **~ly** (**~li**) ehemals, früher.

formidable □ (ˈfɔːmidəbl) furchtbar, schrecklich.

formula (ˈfɔːmjulə) Formel *f*; ⚗ Reze'pt *n*; **~te** (**~leit**) formulieren.

forsake (fəˈseik) [*irr.*] aufgeben; verlassen.

forswear (fɔːˈswɛə) [*irr.* (swear)] ab-, ver-schwören.

fort ⚔ (fɔːt) Fort, Vorwerk *n*.

forth (fɔːθ) vor(wärts), voran; heraus, hinaus; weiter; fort(an); **~coming** bereit; bevorstehend; **~with** sogleich.

fortieth (ˈfɔːtiiθ) vierzigste(r, s).

forti|fication (fɔːtifiˈkeiʃən) Befestigung *f*; **~fy** (fɔːˈtifai) ⚔ befestigen; *fig.* (ver)stärken; **~tude** (**~tjuːd**) Tapferkeit *f*.

fortnight (ˈfɔːtnait) vierzehn Tage.

fortress (ˈfɔːtris) Festung *f*.

fortuitous □ (fɔːˈtjuːitəs) zufällig.

fortunate (ˈfɔːtʃnit) glücklich; *adv.* **~ly** *mst*: glücklicherweise.

fortune (ˈfɔːtʃən) Glück; Schicksal *n*; Zufall *m*; Vermögen *n*; **~teller** Wahrsager(in).

forty (ˈfɔːti) 1. vierzig; 2. Vierzig *f*.

forward (ˈfɔːwəd) 1. *adj.* vorder; bereit(willig); fortschrittlich; vorwitzig, keck; 2. *adv.* vor(wärts); 3. *Fußball:* Stürmer *m*; 4. (be-) fördern; (ab-, ver-)senden.

forwarding-agent Spediteu'r *m*.

forwent (fɔːˈwent) verzichtete.

foster (ˈfɔstə) 1. *fig.* nähren, pflegen; **~ up** aufziehen; 2. Pflege...

fought (fɔːt) kämpfte; gekämpft.

foul (faul) 1. □ widerwärtig; schmutzig (*a. fig.*); unehrlich; regelwidrig; verwickelt; faul, verdorben; widrig; *run* **~** *of* zs.-stoßen mit; 2. Zs.-stoß *m*; *Sport:* regelwidriges Spiel; 3. be-, ver-schmutzen; (sich) verwickeln.

found (faund) fand; gefunden; (be-) gründen; stiften; ⊕ gießen.

foundation (faunˈdeiʃən) Gründung; Stiftung *f*; Fundame'nt *n*.

founder (ˈfaundə) 1. Gründer(in) *usw.*; 2. *v/i.* scheitern; lahmen.

foundry ⊕ (ˈfaundri) Gießerei *f*.

fountain (ˈfauntin) Quelle *f*; Springbrunnen *m*; **~-pen** Füllfederhalter *m*.

four (fɔː) 1. vier; 2. *Sport:* Vierer *m*; **~square** viereckig; *fig.* unerschütterlich; **~teen** ('fɔː'tiːn) vierzehn; **~teenth** (~θ) vierzehnte(r, s); **~th** (fɔːθ) 1. vierte(r, s); 2. Viertel *n*.

fowl (faul) Geflügel; Huhn *n*.

fox (fɔks) 1. Fuchs *m*; 2. überli'**sten**; **~y** ('fɔksi) fuchsartig; schlau.

fraction ('frækʃən) Bruch(teil) *m*.

fracture ('fræktʃə) 1. (*bsd.* Knochen-)Bruch *m*; 2. brechen.

fragile ('frædʒail) zerbrechlich.

fragment ('frægmənt) Bruchstück *n*.

fragran|ce ('freigrəns) Wohlgeruch, Duft *m*; **~t** □ (~t) wohlriechend.

frail □ (freil) zerbrechlich; schwach; **~ty** *fig.* Schwäche *f*.

frame (freim) 1. Gefüge *n*, Bau; Körper *m*; Gestell; Rahmen *m*; **~ of mind** Gemütsverfassung *f*; 2. bilden, formen, bauen; entwerfen; ersinnen,erdenken;einrahmen;**~work** ⊕ Gerippe *n*; Rahmen; *fig.* Bau *m*.

franchise ⅌ ('fræntʃaiz) Vorrecht; Wahlrecht; Bürgerrecht-*n*.

frank □ (fræŋk) frei, offen.

frankfurter *Am.* ('fræŋkfətə) Bockwurst *f*.

frankness ('fræŋknis) Offenheit *f*.

frantic ('fræntik) (~ally) wahnsinnig.

fratern|al □ (frə'təːnl) brüderlich; **~ity** (~niti) Brüderlichkeit; Brüderschaft; *Am. univ.* Verbindung *f*.

fraud (frɔːd) Betrug; F Schwindel*m*; **~ulent** □ ('frɔːdjulənt) betrügerisch.

fray (frei) 1. (sich) abnutzen; (sich) durchscheuern; 2. Schlägerei *f*.

freak (friːk) Einfall *m*, Laune *f*.

freckle ('frekl) Sommersprosse *f*.

free (friː) 1. □ *allg.* frei; freigebig (*of mit*); freiwillig; *he is* ~ *to* ... es steht ihm frei, zu ...; ~ *wheel* (Fahrrad mit) Freilauf *m*; *make* ~ *to inf.* sich die Freiheit nehmen zu; *set* ~ freilassen; 2. befreien; freilassen; *et.* freimachen; **~booter** ('friːbuːtə) Freibeuter*m*; **~dom** ('friːdəm) Freiheit *f usw.*; freie Benutzung; ~ *of a city* (Ehren-)Bürgerrecht *n*; **~holder** Grundeigentümer *m*; **~man** freier Mann; Vollbürger *m*; **~mason** Freimaurer *m*.

freez|e (friːz) [*irr.*] *v/i.* (ge)frieren; erstarren; *v/t.* gefrieren l.; **~er** ('friːzə) Eismaschine *f*; **~ing** □ eisig; ~ *point* Gefrierpunkt *m*.

freight (freit) 1. Fracht(-geld) *f*; *Am.* Güter...; 2. be-, ver-frachten; **~car** *Am.* ⊟ Güterwagen *m*.

French (frentʃ) 1. französisch;

---

take ~ *leave* heimlich weggehen; 2. Französisch *n*; *the* ~ die Franzosen *pl.*; **~man** ('frentʃmən) Franzose *m*. [(~zi) Wahnsinn *m*.|

frenz|ied ('frenzid) wahnsinnig; **~y** **frequen|cy** ('friːkwənsi) Häufigkeit; ⅌ Freque'nz *f*; **~t** 1. □ (~t) häufig; 2. (fri'kwent) (oft) besuchen.

fresh (freʃ) □ frisch; neu; unerfahren; *Am.* F frech; ~ *water* Süßwasser *n*; **~en** ('freʃn) frisch m. *od.* w.; **~et** ('freʃit) Hochwasser *n*; *fig.* Flut *f*; **~man** (~mən) *univ. sl.* Fuchs *m*; **~ness** (~nis) Frische; Neuheit, Unerfahrenheit *f*.

fret (fret) 1. Aufregung *f*; Ärger; ♪ Griff *m*; 2. zerfressen; (sich) ärgern; (sich) grämen; ~ *away*, ~ *out* aufreiben; **~ted** *instrument* Zupfinstrume'nt *n*.

fretful □ ('fretful) ärgerlich.

fretwork (~wəːk) (geschnitztes) Gitterwerk; Laubsägearbeit *f*.

friar ('fraiə) Mönch *m*.

friction ('frikʃən) Reibung *f* (*a. fig.*).

Friday ('fraidi) Freitag *m*.

friend (frend) Freund(in); Bekannte(r); **~ly** (~li) freund(schaft)lich; **~ship** (~ʃip) Freundschaft *f*.

frigate ⚓ ('frigit) Frega'tte *f*.

fright (frait) Schreck(en) *m*; *fig.* Vogelscheuche *f*; **~en** ('fraitn) erschrecken; **~ed** *at od.* *of* bange vor (*dat.*); **~ful** □ (~ful) schrecklich.

frigid □ ('fridʒid) kalt, frostig.

frill (fril) Krause, Rüsche *f*.

fringe (frindʒ) 1. Franse *f*; Rand *m*; 2. mit Fransen besetzen.

frippery ('fripəri) Flitterkram *m*.

frisk (frisk) 1. Luftsprung *m*; 2. hüpfen; **~y** □ ('friski) munter.

fritter ('fritə) 1. Pfannkuchen, Krapfen *m*; 2. ~ *away* verzetteln.

frivol|ity (fri'vɔliti) Geringfügigkeit; Leichtfertigkeit *f*; **~ous** □ ('frivələs) geringfügig; leichtfertig.

frizzle ('frizl) *Küche:* brutzeln.

fro (frou): *to and* ~ hin und her.

frock (frɔk) Kutte *f*; *Frauen-Kleid n*; Kittel; Gehrock (*mst* ~**coat**) *m*.

frog (frɔg) Frosch *m*.

frolic ('frɔlik) 1. Fröhlichkeit *f*; Scherz *m*; 2. scherzen, spaßen; **~some** □ (~səm) lustig, fröhlich.

from (frɔm, frəm) von; aus, von ...; her; von ... (an); aus, vor, wegen; nach, gemäß; *defend* ~ schützen vor (*dat.*); ~ *amidst* mitten aus.

front (frʌnt) 1. Stirn; Vorderseite; ✕ Front f; ✗ Vorhemd n; Einsatz m am Kleid; in ~ of räumlich vor; 2. Vorder...; 3. mit der Vorderseite liegen nach (a. ~ on, towards); gegenüber-stehen, -treten (dat.); ~al Stirn...; Front...; Vorder...; ~ier ('frʌntiə) 1. Grenz...; 2. Grenze f; ~ispiece ('frʌntispiːs) ⌂ Vorderseite f; typ. Titelbild n.

frost (frost) 1. Frost; Reif m; 2. (mit Zucker) bestreuen; glasieren; ~-bite ✱ Erfrierung f; ~y □ ('frosti) frostig; bereift.

froth (froθ) 1. Schaum m; 2. schäumen (m.); zu Schaum schlagen; ~y □ ('froθi) schaumig; fig. seicht.

frown (fraun) 1. Stirnrunzeln n; finsterer Blick; 2. v/i. die Stirn runzeln; finster blicken. [schlampig.]

frow|zy, ~sy ('frauzi) moderig;)

froze (frouz) fror; ~n (ʌn) (eis)kalt; (ein)gefroren.

frugal □ ('fruːgəl) mäßig; sparsam.

fruit (fruːt) 1. Frucht f; Früchte pl., Obst n; 2. Frucht tragen; ~erer ('fruːtərə) Obsthändler m; ~ful □ ('fruːtful) fruchtbar; ~less □ (~lis) unfruchtbar.

frustrat|e (frʌs'treit) vereiteln; ~ion (frʌs'treiʃən) Vereitelung f.

fry (frai) 1. Fischbrut f; 2. braten, backen; ~ing-pan ('fraiiŋpæn) Bratpfanne f.

fudge (fʌdʒ) 1. zurechtpfuschen; 2. a) Fälschung f; b) Nougat m.

fuel ('fjuəl) 1. Brennmateria'l n; Betriebs-, mot. Kraft-stoff m; 2. mot. tanken.

fugitive ('fjuːdʒitiv) 1. flüchtig (a. fig.); 2. Flüchtling m.

fulfil(l) (fu'fil) erfüllen; vollziehen; ~ment (~mənt) Erfüllung f.

full (ful) 1. □ allg. voll; Voll...; vollständig, völlig; reichlich; ausführlich; of ~ age volljährig; of ~ völlig, ganz; of ~ genau; 2. Ganze(s) n; Höhepunkt m; in ~ völlig; ausführlich; to the ~ vollständig; ~bred Vollblut n; ~dress Gala..., Gesellschafts...; ~fledged voll ausgewachsen, fertig.

ful|ness ('fulnis) Fülle f.

full-time vollbeschäftigt; Voll...

fulminate ('fʌlmineit) explodieren.

fumble ('fʌmbl) tasten; fummeln.

fume (fjuːm) 1. Dunst, Dampf m; 2. räuchern; aufgebracht sn.

fumigate ('fjuːmigeit) aus-, durchräu'chern.

fun (fʌn) Scherz, Spaß m; make ~ of Spaß treiben mit.

function ('fʌŋkʃən) 1. Funktio'n f; Amt n; Tätigkeit; Aufgabe f; 2. funktionieren; ~ary (~əri) Beamte(r) m.

fund (fʌnd) 1. Fonds m; ~s pl. Staatspapiere n/pl.; Geld(mittel n/pl.) n; Vorrat m; Schuld fundieren.

fundament|al □ (fʌndə'mentl) grundlegend; Grund...; ~als pl. Grund-lage f, -züge f, -begriffe m/pl.

funer|al ('fjuːnərəl) 1. Leichenbegängnis n; 2. Trauer..., Leichen...; ~eal □ (fjuː'niəriəl) traurig.

fun-fair ('fʌnfɛə) Rummelplatz m.

funnel ('fʌnl) Trichter; Schornstein m.

funny □ ('fʌni) spaßhaft, komisch.

fur (fəː) 1. Pelz m; ~s pl. Pelzwaren pl.; 2. mit Pelz besetzen od. füttern.

furbish ('fəːbiʃ) putzen, polieren.

furious □ ('fjuəriəs) wütend.

furl (fəːl) zs.-rollen; zs.-klappen.

furlough ✕ ('fəːlou) Urlaub m.

furnace ('fəːnis) Schmelz-, Hochofen; Heiz-, Kessel-raum m.

furnish ('fəːniʃ) versehen (with mit); et. liefern; möblieren.

furniture ('fəːnitʃə) Hausrat m; Möbel n/pl.; Ausstattung f.

furrier ('fʌriə) Kürschner m.

furrow ('fʌrou) Furche f; furchen.

further ('fəːðə) 1. ferner, weiter; 2. fördern; ~ance (~rəns) Förderung f; ~more (~mɔː) ferner, überdies.

furthest ('fəːðist) weitest.

furtive □ ('fəːtiv) verstohlen.

fury ('fjuəri) Raserei, Wut; Furie f.

fuse (fjuːz) 1. (ver)schmelzen; ⚡ durchbrennen; 2. ⚡ Schmelz-Sicherung f; ✕ Zünder m.

fusion ('fjuːʒən) Schmelzen n; Verschmelzung f.

fuss F (fʌs) 1. Lärm m; Wesen, Getue n; 2. viel Aufhebens machen (about um, von); (sich) aufregen.

fusty ('fʌsti) muffig; fig. verstaubt.

futile □ ('fjuːtail) nutzlos, eitel.

future ('fjuːtʃə) 1. (zu)künftig; 2. Zukunft f; ✝ ~s pl. Termi'ngeschäfte n/pl.

fuzz (fʌz) 1. feiner Flaum; Fussel f; 2. (zer)fasern.

G

gab F (gæb) Geschwätz *n*; *the gift of the* ~ ein gutes Mundwerk.

gabble ('gæbl) **1.** Geschnatter, Geschwätz *n*; **2.** schnattern.

gaberdine ('gæbədi:n) Kittel; Gabardine *m*.

gable ('geibl) Giebel *m*. [treiben.]

gad (gæd): ~ *about* (sich) umher-

gadfly *zo.* ('gædflai) Bremse *f*.

gadget *sl.* ('gædʒit) Dings *n* (*Maschin[enteil]chen*); Kniff, Pfiff *m*.

gag (gæg) **1.** Knebel; *Am.* Witz *m*; **2.** knebeln; *pol.* mundtot machen.

gage (geidʒ) Pfand *n*.

gaiety ('geiəti) Fröhlichkeit *f*.

gaily ('geili) *adv. von gay* lustig *usw.*

gain (gein) **1.** Gewinn; Vorteil *m*; **2.** gewinnen; erreichen; ~**ful** □ ('geinful) einträglich.

gait (geit) Gang(art *f*); *Am.* Schritt

gaiter ('geitə) Gamasche *f*. [*m*.]

gale (geil) Sturm *m*; steife Brise.

gall (gɔ:l) **1.** Galle *f*; ❀ Wolf *m*; Pein *f*; **2.** wundreiben; ärgern.

gallant ('gælənt) **1.** □ stattlich; tapfer; **2.** (*mst* gə'lænt) *adj.* □ gala'nt; *su.* Kavalie'r *m*; ~**ry** ('gæləntri) Tapferkeit; Galanterie *f*.

gallery ('gæləri) Galerie' *f*.

galley ('gæli) ⚓ Galeere; Kombüse *f*; ~**proof** Korrektu'rfahne *f*.

gallon ('gælən) Gallone *f* (4,54 *Liter*).

gallop ('gæləp) **1.** Galo'pp *m*; **2.** galoppieren (lassen).

gallows ('gælouz) *sg.* Galgen *m*.

gamble ('gæmbl) (hoch) spielen; **2.** Glücksspiel *n*; ~**r** (~ə) Spieler.

gambol ('gæmbəl) **1.** Luftsprung *m*; **2.** (fröhlich) hüpfen, tanzen.

game (geim) Spiel *n*; Scherz *m*; Wild *n*; **2.** F entschlossen; furchtlos; **3.** spielen; ~**ster** Spieler(in).

gander ('gændə) Gänserich *m*.

gang (gæŋ) **1.** Trupp *m*; Bande *f*; **2.** ~ *up* sich zs.-rotten, -tun; ~**board** ⚓ Laufplanke *f*.

gangway (~'wei) Durchgang *m*; ⚓ Laufplanke *f*.

gaol (dʒeil) *s. jail* Kerker.

gap (gæp) Lücke; *fig.* Kluft, Spalte *f*.

gape (geip) gähnen; klaffen; gaffen.

garb (gɑ:b) Gewand *n*, Tracht *f*.

garbage ('gɑ:bidʒ) Abfall; Schund *m*.

garden ('gɑ:dn) **1.** Garten *m*; **2.** Gartenbau treiben; ~**er** Gärtner; ~**ing** Gärtnerei *f*. [wasser *n*.]

gargle ('gɑ:gl) **1.** gurgeln; **2.** Gurgel-

garish □ ('gɛəriʃ) grell, auffallend.

garland ('gɑ:lənd) Girla'nde *f*.

garlic ❀ ('gɑ:lik) Knoblauch *m*.

garment ('gɑ:mənt) Gewand *n*.

garnish ('gɑ:niʃ) garnieren; zieren.

garret ('gærit) Dachstube *f*.

garrison ✕ ('gærisn) **1.** Besatzung; Garniso'n *f*; **2.** mit e-r B. belegen.

garrulous □ ('gæruləs) schwatzhaft.

garter ('gɑ:tə) Strumpfband *n*.

gas (gæs) **1.** Gas *n*; *Am.* F Benzin *n*; **2.** vergasen; F schwatzen; ~**eous** ('geiziəs) gasförmig.

gash (gæʃ) **1.** klaffende Wunde; Hieb; Riß *m*; **2.** zerschlitzen.

gas|-lighter G.anzünder *m*; ~**-mantle** Glühstrumpf *m*; ~**oline**, ~**oline** *Am.* ('gæsoli:n) *mot.* Benzi'n *n*.

gasp (gɑ:sp) **1.** Keuchen *n*; **2.** keuchen; nach Luft schnappen.

gas|sed (gæst) gasvergiftet; ~**stove** Gas-ofen, -herd *m*; ~**works** *pl.* Gas-werk *n*, -anstalt *f*.

gate (geit) Tor *n*; Pforte; Sperre *f*; ~**man** 🚉 Schrankenwärter *m*; ~**way** Tor(weg *m*) *n*.

gather ('gæðə) *v/t.* (ein-, ver-) sammeln; ernten; pflücken; schließen (*from* aus); zs.-ziehen; kräuseln; ~**speed** Fahrt aufnehmen; *v/i.* sich (ver)sammeln; sich vergrößern; ❀ *u. fig.* reifen; **2.** Falte *f*; ~**ing** Versammlung; Zs.-kunft *f*.

gaudy □ ('gɔ:di) grell, protzig.

gauge (geidʒ) **1.** (Norma'l-)Maß *n*; Maßstab *m*; ⊕ Lehre *f*; 🚉 Spurweite *f*; ...messer *m*; **2.** eichen; (aus)messen; *fig.* abschätzen.

gaunt (gɔ:nt) hager; finster.

gauntlet ('gɔ:ntlit) **1.** *fig.* Fehdehandschuh *m*; **2.** *run the* ~ Spießruten laufen.

gauze (gɔ:z) Gaze *f*.

gave (geiv) gab. [tölpisch.]

gawk F (gɔ:k) Tölpel *m*; ~**y** (gɔ:'ki)

gay □ (gei) lustig; lebhaft; glänzend.

gaze (geiz) 1. starre(r) *od.* aufmerksame(r) Blick; 2. starren.

gazette (gə'zet) 1. Amtsblatt *n*; 2. amtlich bekanntgeben.

gear (giə) 1. Gerät, Zeug; (Pferde-) Geschirr; ⊕ Triebwerk, Getriebe *n*; Überse'tzung *f am Fahrrad; mot.* Gang *m*; in ~ in Betrieb; 2. (ein-) schalten; ~ing ⊕ Getriebe *n*.

geese (gi:s) *pl.* Gänse *f/pl.*

gem (dʒem) Edelstein *m*; Gemme *f*; *fig.* Glanzstück *n*.

gender *gr.* ('dʒendə) Geschlecht *n*.

general ('dʒenərəl) 1. □ allgemein; gewöhnlich; Haupt..., Genera'l...; ~ *election* Landeswahl *f*; 2. ✗ Gene'ral *m*; Feldherr *m*; ~ity ('dʒenə-'ræliti) Allgemeinheit *f*; *die* große Masse; ~ize ('dʒenərəlaiz) verallgemeinern; ~ly (~li) im allgemeinen; überhaupt; gewöhnlich.

generat|e ('dʒenəreit) erzeugen; ~ion (dʒenə'reiʃən) (Er-)Zeugung *f*; Geschlecht; Menschenalter *n*.

gener|osity (dʒenə'rɔsiti) Großmut *f usw.*; ~ous □ ('dʒenərəs) groß-mütig, -zügig.

genial □ ('dʒi:njəl) freundlich; heiter.

genius ('dʒi:njəs) Geist *m*; Genie' *n*.

genteel (dʒen'ti:l) fein, elega'nt.

gentile ('dʒentail) 1. heidnisch; 2. Heid|e *m*, -in *f*.

gentle □ ('dʒentl) sanft, mild; zahm; leise, sacht; vornehm; ~man ('dʒentlmən) Herr *m*; feiner Mann *m*; Herren...; ~manlike, ~manly (~li) gebildet; vornehm; ~ness ('dʒentlnis) Sanftheit; Milde, Güte; Sanftmut *f*. [stand.]

gentry ('dʒentri) höherer Bürger-)

genuine □ ('dʒenjuin) echt; aufrichtig. [phie'*f*.]

geography (dʒi'ɔgrəfi) Geogra-)

geology (dʒi'ɔlədʒi) Geologie'*f*.

geometry (dʒi'ɔmitri) Geometrie'*f*.

germ (dʒə:m) 1. Keim *m*; 2. keimen.

German[1] ('dʒə:mən) 1. deutsch; ⊕ ~ *silver* Neusilber *n*; 2. Deutsche(r); Deutsch *n*.

german[2] (~): *brother* ~ leiblicher Bruder; ~e (dʒə:'mein) (*to*) verwandt (mit); entsprechend (*dat.*).

germinate ('dʒə:mineit) keimen.

gesticulat|e (dʒes'tikjuleit) gestikulieren; ~ion (~'tikjuleiʃən) Gebärdenspiel *n*.

gesture ('dʒestʃə) Geste, Gebärde *f*.

get (get) [*irr.*] 1. *v/t.* erhalten, bekommen, F kriegen; besorgen; ergreifen, fassen; (veran)lassen; *mit adv. mst* bringen, machen; *have got* haben; ~ *one's hair cut* sich das Haar schneiden lassen; ~ *by heart* auswendig lernen; 2. *v/i.* gelangen, geraten, kommen; gehen; werden; ~ *ready* sich fertig machen; ~ *about* auf den Beinen sn; ~ *abroad* bekannt w.; ~ *ahead* vorwärtskommen; ~ *at* (heran)kommen an ... (*acc.*); zu *et.* kommen; ~ *away* wegkommen; sich fortmachen; ~ *in* einsteigen; ~ *on with a p.* mit e-m auskommen; ~ *out* aussteigen; ~ *to hear* (*know, learn*) erfahren; ~ *up* aufstehen; ~ *up* (*get'ʌp*) Aufmachung *f*; *Am.* Unterne'hmungsgeist *m*.

ghastly ('gɑ:stli) gräßlich; (toten-) bleich; gespenstisch.

ghost (goust) Geist *m*, Gespenst *n*; *fig.* Spur *f*; ~like ('goustlaik), ~ly (~li) geisterhaft.

giant ('dʒaiənt) 1. riesig; 2. Riese *m*.

gibber ('dʒibə) kauderwelschen.

gibbet ('dʒibit) 1. Galgen; 2. hängen.

gibe (dʒaib) verspotten, aufziehen.

gidd|iness ('gidinis) ✗ Schwindel *m*; Unbeständigkeit *f*; Leichtsinn *m*; ~y □ (gidi) schwind(e)lig; leichtfertig; unbeständig.

gift (gift) Gabe *f*; Geschenk; Ta-le'nt *n*; ~ed (giftid) begabt.

gigantic (dʒai'gæntik) (~ally) riesenhaft. [*n.*]

giggle ('gigl) 1. kichern; 2. Kichern)

gild (gild) [*irr.*] vergolden; verschönen.

gill (gil) *zo.* Kieme; ♀ Lamelle *f*.

gilt (gilt) 1. vergoldete; vergoldet; 2. Vergoldung *f*.

gin (dʒin) Wacholderbranntwein *m*; Schlinge *f*; ⊕ Hebezeug *n*.

ginger ('dʒindʒə) 1. Ingwer; F Mumm *m*; 2. F aufmöbeln; ~bread Pfefferkuchen *m*; ~ly (~li) zimperlich; sachte.

gipsy ('dʒipsi) Zigeuner(in).

gird (gə:d) sticheln; [*irr.*] (um-) gü'rten; umge'ben.

girder ⊕ ('gə:də) Tragbalken *m*.

girdle ('gə:dl) 1. Gürtel *m*; 2. umgü'rten.

girl (gə:l) Mädchen *n*; ~hood ('gə:l-hud) Mädchentum *n*; Mädchenjahre *n/pl.*; ~ish □ mädchenhaft.

girt (gə:t) umgürtete; umgürtet. [m.]

girth (gə:θ) (Sattel-)Gurt; Umfang

gist (dʒist) Hauptpunkt, Kern *m*.

give (giv) [*irr.*] 1. *v/t.* geben; ab-, über-geben; her-, hin-geben; über-la'ssen; zum besten geben; schen-ken; gewähren; von sich geben; ergeben; ~ *birth to* zur Welt brin-gen; ~ *away* verschenken; F verraten; ~ *forth* von sich geben; her-ausgeben; ~ *in* einreichen; ~ *up* Recht *usw.* aufgeben; e-n auslie-fern; 2. *v/i.* ~ (*in*) nachgeben; wei-chen; ~ *into*, ~ (*up*)*on* hinausgehen auf (*acc.*) (*Fenster usw.*); ~ *out* auf-hören; versagen; ~*n* (givn) gege-ben; ~ *to* ergeben (*dat.*).

glaci|al □ ('gleisiəl) eisig; Eis...; Gletscher...; ~**er** Gletscher *m*.

glad □ (glæd) froh, erfreut; erfreu-lich; ~*ly* gern; ~**den** (glædn) er-freuen.

glade (gleid) Lichtung *f*.

gladness ('glædnis) Freude *f*.

glamo|rous ('glæmərəs) bezau-bernd; *fig.* blendend; ~(**u**)**r** ('glæ-mə) 1. Zauber *m*; 2. bezaubern.

glance (glɑ:ns) 1. Schimmer, Blitz *m*; flüchtiger Blick; 2. hinweggleiten; abprallen (*mst* ~ *aside, off*); blitzen; glänzen; ~ *at* flüchtig an-sehen; anspielen auf (*acc.*).

gland (glænd) Drüse *f*.

glare (gleə) 1. grelles Licht; wilder, starrer Blick; 2. grell leuchten; wild blicken; (*at* an)starren.

glass (glɑ:s) 1. Glas *n*; Spiegel *m*; Opern-, Fern-glas *n*; (*a pair of*) ~*es pl.* (eine) Brille *f*; 2. gläsern; Glas...; ~**shade** Glas-, Lampen-glocke *f*; ~**y** □ ('glɑ:si) gläsern; glasig.

glaz|e (gleiz) 1. Glasu'r *f*; 2. ver-glasen; glasieren; polieren; ~**ier** ('gleiziə) Glaser *m*.

gleam (gli:m) 1. Schimmer, Schein *m*; 2. schimmern. [Ähren lesen.]

glean (gli:n) *v/t.* sammeln; *v/i.*]

glee (gli:) Fröhlichkeit *f*; Wechsel-gesang *m*; ~ *club* Gesangverein *m*.

glib □ (glib) glatt, zungenfertig.

glid|e (glaid) 1. Gleiten *n*; ≁ Gleit-flug *m*; 2. (dahin)gleiten (l.); e-n Gleitflug m.; ~**er** ('glaidə) Gleit-, Segel-flugzeug *n*.

glimmer ('glimə) 1. Schimmer; *min.* Glimmer; 2. schimmern.

glimpse (glimps) 1. flüchtiger Blick

(*of* auf *acc.*); Schimmer *m*; 2. flüch-tig (er)blicken. [2. Lichtschein *m*.]

glint (glint) 1. blitzen, glitzern;]

glisten ('glisn), **glitter** ('glitə) glit-zern, glänzen. [weiden an (*dat.*).]

gloat (glout): ~ (*up*)*on, over* sich]

globe (gloub) (Erd-)Kugel *f*; Glo-bus *m*.

gloom (glu:m), ~**iness** ('glu:minis) Düster(*nis f*) *n*; Schwermut *f*; ~**y** □ ('glu:mi) dunkel, düster; schwer-mütig.

glori|fy ('glɔ:rifai) verherrlichen; ~**ous** □ ('glɔ:riəs) herrlich; glorreich.

glory ('glɔ:ri) 1. Ruhm *m*; Herrlich-keit, Pracht *f*; Glorienschein *m*; 2. frohlocken; stolz sein.

gloss (glɔs) 1. Glosse, Bemerkung *f*; Glanz *m*; 2. Glossen machen (zu); Glanz geben (*dat.*); ~ *over* be-schönigen.

glossary ('glɔsəri) Wörterbuch *n*.

glossy □ ('glɔsi) glänzend, blank.

glove (glʌv) Handschuh *m*.

glow (glou) 1. Glühen *n*; Glut *f*; 2. glühen; ~**worm** Glühwurm *m*.

glue (glu:) 1. Leim *m*; 2. leimen.

glut (glʌt) überfü'llen.

glutton ('glʌtn) Unersättliche(r); Vielfraß *m*; ~**ous** □ (~əs) gefräßig; ~**y** (~i) Gefräßigkeit *f*.

gnarl (nɑ:l) Knorren, Ast *m*.

gnash (næʃ) knirschen (mit).

gnat (næt) (Stech-)Mücke *f*.

gnaw (nɔ:) (zer)nagen; (zer)fressen.

gnome (noum) Erdgeist, Gnom *m*.

go (gou) 1. [*irr.*] *allg.* gehen; fahren; vergehen (*Zeit*); sich erstrecken; sich befinden; werden; *let* ~ los-lassen; ~ *shares* teilen; ~ *to* (*od. and*) *see* besuchen; ~ *at* losgehen auf (*acc.*); ~ *between* vermitteln (zwi-schen); ~ *by* sich richten nach; ~ *for* gehen nach, holen; ~ *for a walk, etc.* ... machen; ~ *in for an exami-nation* e-e Prüfung m.; ~ *on* weiter-gehen; fortfahren; ~ *through* durch-gehen; durchmachen; ~ *without* sich behelfen ohne; 2. F: Mode *f*; Schwung, Schneid *m*; *on the* ~ *auf* den Beinen; im Gange; *it is no* ~ *es* geht nicht; *in one* ~ auf Anhieb; *have a* ~ *es* versuchen.

goad (goud) 1. Stachelstock; *fig.* Ansporn *m*; 2. *fig.* anstacheln.

goal (goul) Mal; Ziel; *Fußball*: Tor *n*; ~**keeper** Torwächter *m*.

goat (gout) Ziege *f*.

gobble (gɔbl) *gierig* verschlingen; **~r** (ə) Vielfraß; Truthahn *m.* [ler.]

go-between ('goubitwi:n) Vermittl-

goblin ('gɔblin) Kobold, Gnom *m.*

god, *eccl.* ♀ Gott; *fig.* Abgott *m;* **~child** Patenkind *n;* **~dess** ('gɔdis) Göttin *f;* **~father** Pate *m;* **~head** Gottheit *f;* **~less** ('lis) gottlos; **~like** gottähnlich; göttlich; **~liness** ('linis) Frömmigkeit *f;* **~ly** ('li) gottesfürchtig; fromm; **~mother** Patin *f.*

goggle (gɔgl) 1. glotzen; 2. (*a pair of*) **~s** *pl.* (e-e) Schutzbrille *f.*

going ('gouiŋ) gehend; im Gange (*befindlich*); *be* **~** *to inf.* im Begriff sn zu, gleich *tun* wollen *od.* werden; 2. Gang; Ab-gang *m,* -fahrt *f.*

gold (gould) 1. Gold *n;* 2. golden; **~en** ('gouldən) golden, Gold...; **~finch** *zo.* Stieglitz *m;* **~smith** Goldschmied *m.*

golf (gɔlf) Golf(spiel) *n.*

gondola ('gɔndələ) Gondel *f.*

gone (gɔn) gegangen; fort; ♀ futsch; vergangen; tot; F hoffnungslos.

good (gud) 1. *allg.* gut; artig; gütig; ✝ zahlungsfähig; ordentlich; ♀ *Friday* Karfreitag *m;* **~** *at* geschickt in (*dat.*); 2. Gute(s); Wohl, Beste(s *n;* **~s** *pl.*: Waren *f/pl.*; Güter *n/pl.*; *that's no* **~** das nützt nichts; *for* **~** auf immer; **~-by(e)** 1. (gud'bai) Lebewohl *n;* 2. lebe wohl!; **~ly** ('gudli) anmutig, hübsch; *fig.* ansehnlich; **~-natured** gutmütig; **~ness** ('nis) Güte *f; das Beste; int.* Gott *m;* **~will** Wohlwollen *n;* ✝ Kundschaft *f;* ✝ Firmenwert *m.*

goody ('gudi) Bonbon *m.*

goose (gu:s), *pl.* **geese** (gi:s) Gans *f* (*a. fig.*); Bügeleisen *n.* [f.]

gooseberry ('gu:zbəri) Stachelbeere

goose-flesh, *Am.* **~-pimples** *pl. fig.* Gänsehaut *f.*

gore (gɔ:) 1. (geronnenes) Blut; *Schneiderei:* Keil *m;* 2. durchbo'hren, aufspießen.

gorge (gɔ:dʒ) 1. Kehle *f,* Schlund *m;* Bergschlucht *f;* 2. (ver)schlingen; (sich) vollstopfen.

gorgeous □ ('gɔ:dʒəs) prächtig.

gory ('gɔ:ri) blutig.

gospel ('gɔspəl) Evangelium *n.*

gossip ('gɔsip) 1. Geschwätz *n,* Klatschbase *f;* 2. schwatzen.

got (gɔt) erhielt; erhalten [risch.]

Gothic ('gɔθik) gotisch; *fig.* barba'-

gouge (gaudʒ) 1. ⊕ Hohlmeißel *m;* 2. ausmeißeln; *Am.* F betrügen.

gourd ⚲ (guəd) Kürbis *m.*

gout ⚟ (gaut) Gicht *f,* Po'dagra *n.*

govern ('gʌvən) *v/t.* regieren, beherrschen; lenken, leiten; *v/i.* herrschen; **~ess** ('is) Erzieherin *f;* **~ment** ('mənt) Regierung(sform); Leitung; Herrschaft *f* (*of* über *acc.*); Ministerium *n;* Statthalterschaft *f; attr.* Staats...; **~mental** (gʌvən-'mentl) Regierungs...; **~or** ('gʌvənə) (Be-)Herrscher; Statthalter; F Alte(r) (*Vater; Chef*).

gown (gaun) 1. (Frauen-)Kleid *n;* Robe *f,* Tala'r *m;* 2. kleiden.

grab F (græb) 1. grapsen; an sich reißen, packen; 2. plötzlicher Griff; ⊕ Greifer *m.*

grace (greis) 1. Gnade; Gunst; (Gnaden-)Frist *f;* Gra'zie, Anmut *f;* Anstand *m;* Zier(de) *f;* Reiz *m;* Tischgebet *n; Your* ♀ *Euer Gnaden;* 2. zieren, schmücken; begünstigen, auszeichnen; **~ful** □ ('greisful) anmutig; **~fulness** ('nis) Anmut *f.*

gracious □ ('greiʃəs) gnädig.

gradation (grə'deiʃən) Abstufung *f.*

grade (greid) 1. Grad, Rang *m;* Stufe; Qualität *f; Am. Schule:* (Klassen-)Stufe *f;* Zensur; 2. abstufen; einstufen; ⊕ planieren.

gradual □ ('grædjuəl) stufenweise, allmählich; **~te** 1. (eit) graduieren; (sich) abstufen; *Am.* die Abschlußprüfung m.; 2. (it) *univ.* Graduierte(r); **~tion** (grædju'eiʃən) Gradeinteilung; *Am.* Abschlußprüfung; *univ.* Promotio'n *f.*

graft (grɑ:ft) 1. ⚘ Pfropfreis *n; Am.* Schiebung *f;* 2. ⚘ pfropfen; verpfla'nzen; *Am.* schieben.

grain (grein) (Samen-)Korn; Getreide; Gefüge *n; fig.* Natu'r *f;* Gran *n* (*Gewicht*).

gramma|r ('græmə) Gramma'tik *f;* **~ school** Oberschule; *Am.* Mittelschule *f;* **~tical** □ (grə'mætikəl) grammati(kali)sch.

gram(me) (græm) Gramm *n.*

granary ('grænəri) Kornspeicher *m.*

grand □ (grænd) 1. *fig.* großartig; erhaben; groß; Groß..., Haupt...; 2. ♪ (*a. ~ piano*) Flügel *m;* **~child** Enkel(in); **~eur** ('grændʒə) Größe, Hoheit; Erhabenheit *f.* [artig.]

grandiose □ ('grændious) groß-

grandparents *pl.* Großeltern *pl.*

7

grange (greindʒ) Gehöft; Gut *n*.

grant (grɑːnt) 1. Gewährung *f usw.*; 2. gewähren; bewilligen; verleihen; zugestehen; *it* übertra'gen; *take for ~ed* als selbstverständlich annehmen.

granul|ate ('grænjuleit) (sich) körnen; *~e* ('grænjuːl) Körnchen *n*.

grape (greip) Wein-beere, -traube*f*; *~fruit* ⚘ Pampelmuse *f*.

graph (græf) graphische Darstellung; *~ic(al* □) ('græfik, ~ikəl) graphisch; anschaulich; *~ arts pl.* Graphik *f*; *~ite* ('græfait) *min.* Graphi't *m*. [packen; ringen.]

grapple ('græpl) entern; *fig.* (sich)

grasp (grɑːsp) 1. Griff; Bereich *m*; Beherrschung; Fassungskraft *f*; 2. (er)greifen; packen; begreifen.

grass (grɑːs) Gras *n*; *send to ~* auf die Weide schicken; *~hopper* Heuschrecke *f*; *~widow(er)* F Strohwitwe(r); *~y* grasig; Gras...

grate (greit) (Kamin-)Gitter *n*; (Feuer-)Rost *m*; (zer)reiben; **mit** *et.* knirschen; *fig.* verletzen.

grateful □ ('greitful) dankbar.

grater ('greitə) Reibeisen *n*.

grati|fication (grætifi'keiʃən) Befriedigung; Freude *f*; *~fy* ('grætifai) erfreuen; befriedigen.

grating ('greitiŋ) 1. □ schrill; unangenehm; 2. Gitter(werk) *n*. [*f.]*

gratitude ('grætitjuːd) Dankbarkeit

gratuit|ous □ (grə'tjuː[ː]itəs) unentgeltlich; freiwillig; grundlos; *~y* (~i) Gratifikatio'n *f*; Trinkgeld *n*.

grave (greiv) 1. □ ernst; gewichtig; gemessen; 2. Grab *n*; 3. [*irr.*] *mst fig.* (ein)graben; *~digger* Totengräber *m*.

gravel ('grævəl) 1. Kies; ⚕ Blasengrieß *m*; 2. mit Kies bedecken.

graveyard Kirchhof *m*.

gravitation (grævi'teiʃən) Schwerkraft *f*; *fig.* Hang *m*.

gravity ('græviti) Schwere; Wichtigkeit *f*; Ernst *m*; Schwerkraft *f*.

gravy ('greivi) Fleisch-saft *m*, -soße*f*.

gray (grei) grau. [*f.]*

graze (greiz) 1. (ab)weiden; (ab-) grasen; 2. streifen; schrammen.

grease (griːs) 1. Fett *n*; Schmiere *f*; 2. (griːz) (be)schmieren.

greasy □ ('griːzi) fettig; schmierig.

great □ (greit) *allg.* groß; Groß...; F großartig; *~grandchild* Urenkel (-in); *~coat* ('greit'kout) Überzieher

m; *~ly* ('greitli) sehr; *~ness* (nis) Größe; Stärke *f*.

greed (griːd) Gier *f*; *~y* □ ('griːdi) (be)gierig (*of*, *for* nach).

Greek (griːk) 1. griechisch; 2. Griech|e *m*, -in *f*; Griechisch *n*.

green (griːn) 1. □ grün (*a. fig.*); frisch (*Fisch usw.*); neu; Grün...; 2. Grün *n*; Rasen *m*; Wiese *f*; *~s pl.* Grünzeug *n*; *~back Am.* Dollarnote *f*; *~grocer* Gemüse-, Grünkram-händler(in); *~house* Gewächshaus *n*; *~ish* ('griːniʃ) grünlich; *~sickness* Bleichsucht *f*.

greet (griːt) (be)grüßen; *~ing* ('griːtiŋ) Begrüßung *f*; Gruß *m*.

grenade ⚔ (gri'neid) Granate *f*.

grew (gruː) wuchs.

grey □ (grei) 1. grau; 2. Grau *n*; 3. grau *m. od.* w.; *~hound* Windhund *m*.

grid (grid) Gitter *n*; ⚡, ⚡ Netz *n*; *~iron* (Brat-)Rost *m*.

grief (griːf) Gram, Kummer *m*; *come to ~* zu Schaden kommen.

griev|ance ('griːvəns) Beschwerde *f*; Mißstand *m*; *~e* (griːv) kränken; (sich) grämen; *~ous* □ (griːvəs) kränkend, schmerzlich; schlimm.

grill (gril) 1. rösten; 2. Bratrost *m*; *~room* Rostbratstube *f*. [*lich.]*

grim □ (grim) grimmig; schreck-)

grimace (gri'meis) 1. Fratze, Grimasse *f*; 2. Grimassen schneiden.

grim|e ('graim) Schmutz; Ruß *m*; *~y* □ ('graimi) schmutzig; rußig.

grin (grin) 1. Grinsen *n*; 2. grinsen.

grind (graind) [*irr.*] 1. *v/t.* (zer)reiben; mahlen; schleifen; *Leierkasten usw.* drehen; *fig.* schinden; mit den *Zähnen* knirschen; 2. Schinderei *f*; *~stone* Schleif-, Mühl-stein *m*.

grip (grip) 1. packen, fassen (*a. fig.*); 2. Griff *m*; Gewalt; Herrschaft *f*.

gripe (graip) Griff *m*; *~s pl.* Kolik *f*.

grisly ('grizli) gräßlich, schrecklich.

gristle ('grisl) Knorpel *m*.

grit (grit) 1. grober Sand; Mühlensandstein *m*; F Mumm *m*; *~s pl.* Grütze *f*; 2. knirschen (mit).

grizzly ('grizli) 1. grau; 2. grauer Bär.

groan (groun) seufzen, stöhnen.

grocer ('grousə) Materia'lwarenhändler *m*; *~ies* (riz) *pl.* Materia'lwaren, Kolonia'lwaren *f/pl.*; *~y* (~i) Kolonia'lwarenhandel *m*.

groggy ('grɔgi) taumelig; wackelig.

groin *anat.* (grɔin) Leistengegend *f*.

groom (grum) **1.** Reit-, Stallknecht; Bräutigam *m*; **2.** pflegen.

groove (gru:v) **1.** Rinne, Nut *f*; *fig.* Gleis *n*; **2.** nuten, falzen.

grope (group) (be)tasten; tappen.

gross (grous) **1.** □ dick; grob; derb; ✝ Brutto...; **2.** Gros *n* (= *12 Dutzend*); in the ~ im ganzen.

grotto ('grɔtou) Grotte *f*.

grouch *Am.* F (grautʃ) **1.** quengeln, meckern; **2.** Meckerei; schlechte Laune *f*; **~y** □ (grautʃi) quenglig.

ground¹ (graund) zermahlte; zermahlen; ~ *glass* Mattglas *n*.

ground² (graund) **1.** *mst* Grund: Boden *m*; Gebiet *n*; *Spiel- usw.* Platz *m*; *Beweg- usw.* Grund *m*; ⚡ Erde *f*; ~*s pl.*: Grundstück *n*; *Kaffee-*Satz *m*; *on the* ~(*s*) *of* auf Grund (*gen.*); *stand one's* ~ sich behaupten; **2.** niederlegen; (be)gründen; *e-m die* Anfangsgründe beibringen; ⚡ erden; **~floor** Erdgeschoß *n*; **~less** □ (~lis) grundlos; **~staff** ⚡ Bodenpersona'l *n*; **~work** Grundlage *f*. [gruppieren.]

group (gru:p) **1.** Gruppe *f*; **2.** (sich)⏎

grove (grouv) Hain *m*; Gehölz *n*.

grovel ('grɔvl) *mst fig.* kriechen.

grow (grou) [*irr.*] *v/i.* wachsen; werden; *v/t.* 🌿 bauen, ~ziehen; **~er** ('grouə) Bauer, Züchter *m*.

growl (graul) knurren, brummen.

grow|n (groun) **1.** gewachsen; **2.** *adj.* erwachsen (*a.* ~**up**); bewachsen (*a.* ~**over**); **~th** (grouθ) Wachstum *n*; Wuchs *m*; Gewächs, Erzeugnis *n*.

grub (grʌb) **1.** Raupe, Larve, Made *f*; **2.** graben; sich placken; **~by** ('grʌbi) schmierig.

grudge (grʌdʒ) **1.** Groll *m*; **2.** mißgönnen; ungern geben *od.* tun *usw.*

gruff □ (grʌf) grob, schroff, barsch.

grumble ('grʌmbl) murren, (grollen; **~r** (~ə) *fig.* Brummbär *m*.

grunt (grʌnt) grunzen.

guarant|ee (gærən'ti:) **1.** Bürge *m*; = *guaranty*; **2.** bürgen für; **~or** (gærənt'ɔ:) Bürge *m*; **~y** ('gærənti) Bürgschaft, Garantie; Gewähr *f*.

guard (gɑ:d) **1.** Wacht; ✕ Wache *f*; 🚂 Schaffner; *Am.* Gefangenenwärter *m*; Schutz(vorrichtung *n*) *m*; ✕ ~*s pl.* Garde *f*; *be off* ~ nicht auf der Hut sn; **2.** *v/t.* bewachen, (be)schützen (*from vor dat.*); *v/i.* sich hüten (*against vor dat.*); **~ian** ('gɑ:djən) Hüter, Wächter; ⚖ Vormund *m*; **~ianship** (~ʃip) Obhut; Vormundschaft *f*.

guess (ges) **1.** Vermutung *f*; **2.** vermuten; (er)raten; *Am.* denken.

guest (gest) Gast *m*.

guffaw (gʌ'fɔ:) schallendes Gelächter. [(An-)Leitung *f*.]

guidance ('gaidəns) Führung;⏎

guide (gaid) **1.** Führer *m*; ⊕ Führung *f*; *Girl* ~*s pl.* Pfadfinderinnen *f/pl.*; **2.** leiten; führen; lenken; **~book** Reiseführer *m*; **~post** Wegweiser *m*.

guild (gild) Gilde, Innung *f*.

guile (gail) Arglist *f*; **~ful** □ ('gailful) arglistig; **~less** □ (~lis) arglos.

guilt (gilt) Schuld *f*; Strafbarkeit *f*; **~less** □ ('giltlis) schuldlos; unkundig; **~y** □ ('gilti) schuldig; strafbar. [Maske *f*.]

guise (gaiz) Erscheinung, Gestalt,⏎

guitar ♪ (gi'ta:) Gitarre *f*.

gulf (gʌlf) Meerbusen; Abgrund *m*.

gull (gʌl) **1.** Möve *f*; Tölpel *m*; **2.** übertö'lpeln; verleiten (*into* zu).

gullet ('gʌlit) Speiseröhre; Gurgel *f*.

gulp (gʌlp) Schluck *m*; Schlucken *m*.

gum (gʌm) **1.** Zahnfleisch; Gummi *n*; ~*s pl. Am.* Gummischuhe *m/pl.*; **2.** gummieren; zukleben.

gun (gʌn) **1.** Gewehr *n*; Flinte *f*; Geschütz *n*, Kano'ne *f*; *Am.* Revolver *m*; F *big* ~ Kanone *f*; **2.** *Am.* auf Jagd gehen; **~boat** Kanonenboot *n*; **~man** *Am.* Revolverheld *m*; **~ner** (~ə) ✕, ⚓ ('gʌnə) Kanonie'r *m*; **~powder** Schießpulver *n*; **~smith** Büchsenmacher *m*.

gurgle (gə:gl) kluckern, glucksen.

gush (gʌʃ) **1.** Guß; *fig.* Erguß *m*; **2.** (sich) ergießen; *fig.* schwärmen; **~er** ('gʌʃə) *fig.* Schwärmer(in); *Am.* Ölquelle *f*.

gust (gʌst) Windstoß *m*, Bö *f*.

gut (gʌt) Darm (*fig. enger Durchgang*); ~*s pl. sl.* Mumm *m* (*Mut*).

gutter ('gʌtə) Dachrinne; (Regen-)Gosse *f*, Rinnstein *m*.

guy (gai) **1.** Halteseil *n*; *Am.* F Kerl *m*; **2.** verulken.

guzzle ('gʌzl) saufen; fressen.

gymnas|ium (dʒim'neizjəm) Turnhalle *f*, -platz *m*; ~**tics** (dʒim'næstiks) *pl.* Turnkunst *f*; Turnübungen *f/pl.*; Gymnastik *f*.

gyrate (dʒaiə'reit) kreisen; wirbeln.

gyroplane ('dʒaiəroplein) Hubschrauber *m*.

H

haberdashery ('hæbədæʃəri) Kurzwaren f/pl.; Am. Herrenarti'kel
m/pl.

habit ('hæbit) 1. Anlage, Art; Gewohnheit f; 2. (an)kleiden; **able**
('hæbitəbl) bewohnbar; **ation**
(hæbi'teiʃən) Wohnung f.

habitual □ (hə'bitjuəl) gewohnt, gewöhnlich; Gewohnheits...

hack (hæk) 1. ⊕ Hacke; Kerbe f;
Miet-; Arbeits-pferd n (a. fig.);
literarischer Lohnschreiber; 2. (zer-)
hacken. [schen.]

hackneyed ('hæknid) fig. abgedro-]

had (hæd) hatte; gehabt.

haddock ('hædək) Schellfisch m.

hag (hæg) (mst fig. alte) Hexe f.

haggard □ ('hægəd) verstört; hager.

haggle ('hægl) feilschen, knickern.

hail (heil) 1. Hagel; Anruf m;
2. (nieder)hageln (l.); anrufen; (be-)
grüßen; ~ from stammen aus;
stone Hagelkorn n; **storm** Ha-
gelschauer m.

hair (hɛə) Haar n; **breadth** Haa-
resbreite f; **cut** Haarschnitt m;
do Am. Frisu'r f; **dresser**
Friseu'r m, Friseu'se f; **less** ('hɛəlis)
ohne Haare, kahl; **pin** Haarnadel
f; **raising** haarsträubend; **-
splitting** Haarspalterei f; **y** (~ri)
haarig.

hale (heil) gesund, frisch, rüstig.

half (hɑːf) 1. halb; ~ a crown eine
halbe Krone; 2. Hälfte f; by halves
nur halb; go halves halbpart m.,
teilen; **back** Fußball: Läufer m;
breed Halbblut n; **caste** Halbblut n; **hearted** □ mattherzig,
lau; **length** (a. ~ portrait) Brust-
bild n; **penny** ('heipni) halber
Penny, Sechser m; **time** Sport:
Halbzeit f; **way** halbwegs;
witted einfältig, idiotisch.

halibut ('hælibət) Heilbutt m.

hall (hɔːl) Halle f; Saal m; Diele f;
Am. Hausflur m; Herrenhaus; univ.
Studienhaus n.

halloo (hə'luː) (hallo) rufen.

hallow ('hælou) heiligen, weihen;
mas (~mæs) Allerheiligenfest n.

halo ('heilou) ast. Hof; Heiligenschein m.

halt (hɔːlt) 1. Halt(estelle f); Stillstand m; 2. (an)halten; mst fig. hinken; schwanken; 3. lahm.

halter ('hɔːltə) Halfter f; Strick m.

halve (hɑːv) 1. halbieren; 2. **s**
(hɑːvz) pl. von half.

ham (hæm) Schenkel; Schinken m.

hamburger Am. ('hæmbəːgə) Bu-
lette f.

hamlet ('hæmlit) Weiler m.

hammer ('hæmə) 1. Hammer m;
2. (be)hämmern.

hammock ('hæmək) Hängematte f.

hamper ('hæmpə) 1. Pack-, Eßkorb
m; 2. behindern, hemmen.

hand (hænd) 1. Hand (a.fig.); Hand-
schrift; Handbreite f; (Uhr-)Zei-
ger; Mann, Arbeiter m; Karten:
Blatt n; at ~ bei der Hand; nahe bevorstehend; a good (poor) ~ at (un-)
geschickt in (dat.); ~ and glove ein
Herz und eine Seele; lend a ~ (mit)
anfassen; off ~ aus dem Handgelenk;
on ~ ⊥ vorrätig, auf Lager; on the
one ~ einerseits; on the other ~
andererseits; ~ to ~ Mann gegen
Mann; come to ~ sich bieten; einlaufen (Briefe); 2. (~ about, etc. her-
um- usw.)reichen; **down** vererben;
~ in ein-händigen; -reichen; ~ over
aushändigen; **bag** Handtasche f;
bill Hand-, ⊥ Reklame-zettel m;
brake ⊕ Handbremse f; **cuff**
Handfessel f; **ful** ('hændful) Hand-
voll; F Plage f; **glass** Hand-
spiegel m.

handicap ('hændikæp) 1. Vorgabe-
rennen; Tennis: -spiel n; (Extra-)
Belastung f; 2. (extra) belasten; beeinträchtigen; Sport: ausgleichen.

handi|**craft** (~krɑːft) Handwerk n;
craftsman Handwerker m; **
work** Handarbeit f; Werk n.

handkerchief ('hæŋkətʃi[ː]f) Ta-
schentuch n; Halstuch.

handle (hændl) 1. Handhabe f;
Griff m; Kurbel f; Henkel; Pum-
pen- usw. Schwengel m; 2. anfassen;
handhaben; behandeln.

hand|made handgearbeitet; **~-set** *Am. teleph.* Hörer *m*; **~shake** Händedruck *m*; **~some** □ ('hæn-səm) ansehnlich; hübsch; anständig; **~work** Handarbeit *f*; **~writing** Handschrift *f*; **~y** □ ('hændi) geschickt; handlich; zur Hand.

hang (hæŋ) **1.** [*irr.*] *v/t.* (auf-, Tür ein-)hängen; verhängen; (*mst pret. u. p.p.* ed) (er)hängen; hängen l.; *Tapete* ankleben; *v/i.* hängen; schweben; sich neigen; **~** *about* (*Am. around*) umherlungern; sich an *e-n* hängen; **~** *on* sich klammern an (*acc.*); *fig.* hängen an (*dat.*); **2.** Hang; Fall *m e-r Gardine usw.*; F Wesen *n*; F *fig.* Kniff, Dreh *m*.

hangar ('hæŋə) Flugzeughalle *f*.

hang-dog Armesünder...

hanger ('hæŋə) Aufhänger; Hirschfänger *m*; **~-on** *fig.* Anhängsel *n*.

hanging ('hæŋiŋ) Hänge...; **~s** (~s) *pl.* Behang *m*; Tapeten *f/pl.*

hangman ('hæŋmən) Henker *m*.

hang-over *Am.* F Katzenjammer *m*.

hap|hazard ('hæp'hæzəd) **1.** Zufall *m*; at ~ aufs Geratewohl, **2.** zufällig; **~less** □ (~lis) unglücklich.

happen ('hæpən) sich ereignen, geschehen; *he ~ed to be at home or* war zufällig zu Hause; **~** (up)on, *Am.* **~** *in with* zufällig treffen auf (*acc.*); **~ing** ('hæpniŋ) Ereignis *n*.

happi|ly ('hæpili) glücklicherweise; **~ness** (~nis) Glück(seligkeit *f*) *n*.

happy □ ('hæpi) *allg.* glücklich: beglückt; erfreut; erfreulich; geschickt; treffend.

harangue (hə'ræŋ) **1.** Ansprache, Rede *f*; **2.** *v/t.* feierlich anreden.

harass ('hærəs) belästigen, quälen.

harbo(u)r ('hɑːbə) **1.** Hafen; Zufluchtsort *m*; **2.** (be)herbergen; *Rache usw.* hegen; ankern; **~age** (~ridʒ) Herberge; Zuflucht *f*.

hard (hɑːd) **1.** *adj. allg.* hart: schwer; streng; hart(herzig); zäh; tüchtig; *Am.* stark (*Spirituosen*); **~** *cash* klingende Münze; **~** *currency* starke Währung; **~** *of hearing* schwerhörig; **2.** *adv.* stark; tüchtig; mit Mühe; **~** *by* nahe bei; **~** *up* in Not; **~-boiled** hartgesotten; *Am.* kaltblütig; **~en** ('hɑːdn) härten; hart m. *od.* w.; (sich) abhärten; *fig.* (sich) verhärten; † sich festigen (*Preise*); **~-headed** nüchtern denkend; **~-hearted** □ hartherzig; **~iness** ('hɑːdinis) Stolz; Hochmut *m*; **~y** □ (~ti) stolz; hochmütig.

Widerstandsfähigkeit, Härte *f*; **~ly** ('hɑːdli) mühsam; hart; kaum; schwerlich; **~ness** (~nis) Härte; Schwierigkeit; Not *f*; **~ship** (~ʃip) Bedrängnis, Not; Härte *f*; **~ware** Eisen-, Metallkurz-waren *f/pl.*; **~y** □ ('hɑːdi) kühn; dreist; widerstandsfähig, hart.

hare (hɛə) Hase *m*; **~-brained** zerfahren.

hark (hɑːk) horchen (*to auf acc.*).

harlot ('hɑːlət) Hure *f*.

harm (hɑːm) **1.** Schaden; Unrecht, Böse(s) *n*; **2.** beschädigen, verletzen; schaden, Leid zufügen (*dat.*); **~ful** □ ('hɑːmful) schädlich; **~less** □ (~lis) harmlos; unschädlich.

harmon|ic (hɑː'mɔnik) (~ally), **~ious** □ (hɑː'mounjəs) harmonisch; **~ize** ('hɑːmənaiz) *v/t.* in Einklang bringen; *v/i.* harmonieren; **~y** (~ni) Harmonie *f*.

harness ('hɑːnis) **1.** Harnisch *m*; Zug-Geschirr *n*; **2.** anschirren.

harp (hɑːp) **1.** Harfe *f*; **2.** Harfe spielen; **~** (up)on herumreiten auf (*dat.*).

harpoon (hɑː'puːn) **1.** Harpune *f*; **2.** harpunieren.

harrow ✴ ('hærou) **1.** Egge *f*; **2.** eggen; *fig.* quälen, martern.

harry ('hæri) plündern; quälen.

harsh □ (hɑːʃ) rauh; herb; grell; streng; schroff; barsch.

hart *zo.* (hɑːt) Hirsch *m*.

harvest ('hɑːvist) **1.** Ernte(zeit *f*) *f*; Ertrag *m*; **2.** (ein)ernten.

has (hæz) *er, sie, es* hat.

hash (hæʃ) **1.** gehacktes Fleisch; *fig.* Mischmasch *m*; **2.** (zer)hacken.

hast|e (heist) Eile; Hast *f*; *make ~* (sich be)eilen; **~en** ('heisn) (sich) beeilen, *j.* antreiben; *et.* beschleunigen; **~y** □ ('heisti) (vor)eilig; hastig; hitzig.

hat (hæt) Hut *m*.

hatch (hætʃ) **1.** Brut, Hecke; ⊕, ✕ Luke *f*; **2.** (aus)brüten (*a. fig.*).

hatchet ('hætʃit) Beil *n*.

hatchway ⊕ ('hætʃwei) Luke *f*.

hat|e (heit) **1.** Haß *m*; **2.** hassen; **~eful** □ ('heitful) verhaßt; abscheulich; **~red** ('heitrid) Haß *m*.

haught|iness ('hɔːtinis) Stolz; Hochmut *m*; **~y** □ (~ti) stolz; hochmütig.

haul (hɔːl) **1.** Ziehen *n*; (Fisch-)Zug; *Am.* Transpo'rt(weg) *m*; **2.** ziehen; schleppen; transportieren.

haunch (hɔːntʃ) Hüfte; Keule f *von Wild.*

haunt (hɔːnt) **1.** Aufenthaltsort; Schlupfwinkel m; **2.** oft besuchen; heimsuchen; verfolgen; spuken in (*dat.*); ~ed house Spukhaus n.

have (hæv) **1.** [irr.] v/t. haben; bekommen; *Mahlzeit* einnehmen; lassen; ~ to do tun müssen; I ~ my hair cut ich lasse mir das Haar schneiden; he will ~ it that ... er behauptet, daß ...; I had better go es wäre besser, daß ich ginge; I had rather go ich möchte lieber gehen; ~ about one bei sich haben; **2.** v/aux. haben; bei v/i. sein (z.B. ~ come gekommen sein).

haven ('heivn) Hafen m (*a. fig.*).

havoc ('hævək) Verwüstung f.

hawk (hɔːk) **1.** Habicht; Falke m; **2.** sich räuspern; hausieren mit.

hawthorn ♀ ('hɔːθɔːn) Hagedorn m.

hay (hei) **1.** Heu n; ~ fever Heuschnupfen m; **2.** heuen; ~cock, ~stack Heuschober m; ~loft Heuboden m.

hazard ('hæzəd) **1.** Zufall m; Gefahr f, Wagnis; Hasa'rd(spiel) n; **2.** wagen; ~ous □ ('hæzədəs) gewagt.

haze (heiz) **1.** Dunst m; **2.** Am. schinden; schurigeln.

hazel ('heizl) **1.** ♀ Hasel(staude) f; **2.** nußbraun; ~nut Haselnuß f.

hazy □ ('heizi) dunstig; *fig.* unklar.

he (hiː) **1.** er; ~ who derjenige, welcher; **2.** in Zssgn: ...männchen n; ...bock, ...hahn m.

head (hed) **1.** *allg.* Kopf m (*a. fig.*); Haupt n (*a. fig.*); *nach Zahlwort:* Mann m (*pl.*); Stück n (*pl.*); Leiter(in) f; Chef m; K.ende n e-s Bettes usw.; K.seite f e-r Münze; Gipfel m; Quelle f; Schiffs-Vorderteil; Hauptpunkt; Abschnitt m; Überschrift f; come to a ~ eitern (*Geschwür*); *fig.* sich zuspitzen, zur Entscheidung kommen; get it into one's ~ that ... es sich in den Kopf setzen, daß; **2.** erst; Ober...; Haupt...; **3.** v/t. (an)führen; an der Spitze von et. stehen; vorausgehen (*dat.*); mit e-r Überschrift versehen; ~ off ablenken; v/i. in e-r Richtung gehen, fahren, eilen usw.; ~ for lossteuern auf (*acc.*); ~ache ('hedeik) Kopfweh n; ~dress Kopfputz m; Frisu'r f; ~gear Kopfbedeckung f; Zaumzeug n; ~ing (~iŋ) Brief-; Titel-

kopf m, Rubri'k; Überschrift f; ~land Vorgebirge n; ~light ◉ Kopflaterne f; *mot.* Scheinwerfer m; ~line Kopf-, Titel-zeile f; ~long adj. ungestüm; adv. kopfüber; ~master (Schul-)Direktor m; ~phone Radio: Kopfhörer m; ~quarters pl. ✗ Hauptquartie'r n; Zentra'l(stell)e f; ~strong halsstarrig; ~waters pl. Quellgebiet n; ~way: make ~ vorwärtskommen; ~y □ ('hedi) ungestüm; voreilig; zu Kopfe steigend.

heal (hiːl) heilen; ~ up zuheilen.

health (helθ) Gesundheit f; ~ful □ ('helful) gesund; heilsam; ~-resort Kurort m; ~y □ ('helθi) gesund.

heap (hiːp) **1.** Haufe(n) m; **2.** (auf-) häufen (*a. ~ up*); überhäu'fen.

hear (hiə) [irr.] hören; zu-, an-, abhören; ♊ verhören; ~d (həːd) hörte; gehört; ~er ('hiərə) (Zu-) Hörer(in); ~ing (~iŋ) Gehör n; Audie'nz f; ♊ Verhör n; Hörweite f; ~say ('hiəsei) Hörensagen n.

hearse (həːs) Leichenwagen m.

heart (haːt) *allg.* Herz n (*a. fig.*): Innere(s) n; Kern m; *fig.* Schatz m; by ~ auswendig; out of ~ mutlos; lay to ~ sich zu Herzen nehmen; lose ~ den Mut verlieren; take ~ sich e. Herz fassen; ~ache ('haːteik) Herzweh n; ~break Herzeleid n; ~-broken gebrochenen Herzens; ~burn Sodbrennen n; ~en ('haːtən) ermutigen; ~felt innig, tief empfunden.

hearth (haːθ) Herd m (*a. fig.*).

heart|less □ ('haːtlis) herzlos; ~rending herzzerreißend; ~y □ ('haːti) □ herzlich; aufrichtig; gesund; herzhaft.

heat (hiːt) **1.** *allg.* Hitze: Wärme f; Eifer; *Sport:* Gang m, einzelner Lauf; Läufigkeit f; **2.** heizen; (sich) erhitzen (*a. fig.*); ~er ⊕ ('hiːtə) Erhitzer; Ofen m.

heath (hiːθ) Heide f; ♀ Heidekraut n.

heathen ('hiːðən) **1.** Heide m, Heidin f; **2.** heidnisch.

heating ('hiːtiŋ) Heizung f; Heiz...

heave (hiːv) **1.** Heben n; **2.** [irr.] v/t. heben; schwellen; *Seufzer* ausstoßen; *Anker* lichten; v/i. sich heben; wogen, schwellen.

heaven ('hevn) Himmel m; ~ly (~li) himmlisch.

heaviness ('hevinis) Schwere f, Druck m; Schwerfälligkeit f usw.

heavy ('hevi) allg. schwer: schwermütig; schwerfällig; trüb; drückend; heftig (Regen usw.); Schwer...; ⚡ current Starkstrom m; **~weight** Boxen: Schwerge-\

heckle ('hekl) ausfragen. [wicht n.\

hectic ⚕ ('hektik) hektisch (auszehrend; sl. fieberhaft erregt).

hedge (hed3) 1. Hecke f; 2. v/t. ein-hegen, -zäunen; umge'ben; up sperren; v/i. sich decken. **~hog** zo. Igel m.

heed (hi:d) 1. Acht, Aufmerksamkeit f (to auf acc.); take no ~ of nicht beachten; 2. beachten, achten auf (acc.); sl. fieberhaft erregt).

heel (hi:l) 1. Ferse f; Absatz m; Am. sl. Lump m; head over ~s Hals über Kopf; down at ~ am Absatz niedergetreten; fig. abgerissen; schlampig; 2. mit e-m Absatz versehen.

heifer ('hefə) Färse f (junge Kuh).

height (hait) Höhe f; Höhepunkt m; **~en** ('haitn) erhöhen; vergrößern.

heinous □ ('heinəs) abscheulich.

heir (8ə) Erbe m; ~ apparent rechtmäßiger Erbe; Erbschaft f; **~ess** ('8əris) Erbin f; **~loom** (~lu:m) Erbstück n.

held (held) hielt; gehalten.

helicopter ✈ ('helikɔptə) Hubschrauber m.

hell (hel) Hölle f; attr. Höllen...; F: what the ~ ...? was zum Teufel ...?; raise ~ Krach m.; **~ish** □ ('heliʃ) höllisch.

hello ('hʌlou, hə'lou) hallo!

helm ⚓ (helm) (Steuer-)Ruder n.

helmet (helmit) Helm m.

helmsman ⚓ ('helmzmən) Steuermann m.

help (help) 1. allg. Hilfe f; (Hilfs-)Mittel n; lady ~ Haustochter f; mother's ~ Kinderfräulein n; 2. v/t. (ab)helfen (dat.); unterla'ssen; bei Tische vorlegen, reichen; ~ o.s. sich bedienen, zulangen; I could not ~ laughing ich konnte nicht umhin zu lachen; v/i. helfen, dienen; **~er** ('helpə) Helfer(in), Gehilf|e m, -in f; **~ful** □ ('helpful) hilfreich; nützlich; **~ing** ('helpiŋ) Portio'n f; **~less** □ ('helplis) hilflos; **~lessness** (~nis) Hilflosigkeit f; **~mate** ('helpmeit), **~meet** (~mi:t) Gehilf|e m, -in; Gattin f.

helve (helv) Stiel, Griff m.

hem (hem) 1. Saum m; 2. säumen; sich räuspern; ~ in einschließen.

hemisphere ('hemisfiə) Halbkugel f.

hemlock ⚕ ('hemlɔk) Schierling(stanne f) m.

hemp (hemp) Hanf m.

hemstitch ('hemstitʃ) Hohlsaum m.

hen (hen) Henne f; Vogel-Weibchen n.

hence (hens) weg; hieraus; daher; von jetzt an; a year ~ heute übers Jahr; **~forth** ('hens'fɔ:θ), **~forward** ('hens'fɔ:wəd) von nun an.

henpecked unter dem Pantoffel (stehend).

her (hə:, hə) sie, ihr; ihr(e).

herald ('herəld) 1. Herold m; 2. (sich) ankündigen; ~ in einführen.

herb (hə:b) Kraut n; **~ivorous** (hə:'bivərəs) pflanzenfressend.

herd (hə:d) 1. Herde f (a. fig.); 2. v/t. Vieh hüten; v/i. (a. ~ together) in e-r Herde leben; zs.-hausen; **~sman** ('hə:dzmən) Hirt m.

here (hiə) hier; hierher; **~'s to ...!** auf das Wohl von ...!

here|after (hiər'ɑ:ftə) 1. künftig; 2. Zukunft f; **~by** hierdurch.

heredit|ary (hi'reditəri) erblich; Erb...; **~y** (~ti) Erblichkeit f.

here|in (hiər'in) hierin; **~of** hiervon.

heresy ('herisi) Ketzerei f.

heretic ('heritik) Ketzer(in).

here|tofore ('hiətu'fɔ:) ehemals; **~upon** hierauf; **~with** hiermit.

heritage ('heritid3) Erbschaft f.

hermit ('hə:mit) Einsiedler m.

hero ('hiərou) Held m; **~ic** (~'rouik) (~ally) heroisch; heldenhaft; Helden...; **~ine** ('herouin) Heldin f; **~ism** (~izm) Helden-mut m, -tum n.

heron zo. ('herən) Reiher m.

herring ('heriŋ) Hering m.

hers (hə:z) der (die, das) ihrige; ihr; **herself** (hə:'self) (sie, ihr) selbst; sich.

hesitat|e ('heziteit) zögern, unschlüssig sn; Bedenken tragen; **~ion** (hezi'teiʃən) Zögern n; Unschlüssigkeit f; Bedenken n.

hew (hju:) [irr.] hauen, hacken; **~n** (hju:n) gehauen.

hey (hei) ei!; hei!; he!, heda!

heyday ('heidei) fig. Höhepunkt m; Blüte f.

hicc|up, a. ~ough ('hikʌp) 1. Schlucken m; 2. schlucken; den Schl. h.

hid (hid), **hidden** ('hidn) versteckt(e).

hide (haid) [*irr.*] (sich) verbergen, verstecken; **~-and-seek** Versteckspiel *n.*

hidebound ('haidbaund) *fig.* engherzig.

hideous □ ('hidiəs) scheußlich.

hiding-place Versteck *n.*

high (hai) **1.** *adj.* □ *allg.* hoch: vornehm; stolz; hochtrabend; angegangen (*Fleisch*); teuer; stark; Hoch...; Ober...; *with a ~ hand* rücksichtslos; anmaßend; *~ spirits pl.* gehobene Stimmung; *~ life* die vornehme Welt; *~ lights pl.* Glanzlichter *n/pl.*; Höhepunkte *m/pl.*; *~ words* heftige Worte; **2.** *adv.* hoch; sehr, mächtig; *~ bred* vornehm erzogen; **~-brow** *Am. sl.* bildungsstolz; **~-class** erstklassig; **~-day** Fest-, Freuden-tag *m*; **~-grade** hochwertig; **~-handed** hochfahrend; **~lands** *pl.* Hochland *n*; **~ly** ('haili) hoch; sehr; *speak ~ of* achtungsvoll sprechen von; **~-minded** hochsinnig; **~ness** ('hainis) Höhe; *fig.* Hoheit *f*; **~-power:** *~ station* Großkraftwerk *n*; **~-road** Land-, Heer-straße *f*; **~-strung** überempfindlich; **~way** Land-, Heer-straße *f*; *fig.* Weg *m*; **~wayman** Straßenräuber *m.*

hike F (haik) **1.** wandern; **2.** Wanderung *f*; **~r** ('haikə) Wanderer *m.*

hilarious □ (hi'lɛəriəs) fröhlich.

hill (hil) Hügel, Berg *m*; **~billy** *Am.* ('hilbili) Hinterwäldler *m*; **~ock** ('hilək) kleiner Hügel; **~y** (~i) hügelig.

hilt (hilt) Griff *m* (*bsd. am Degen*).

him (him) ihn; ihm; den, dem (-jenigen); **~self** (him'self) (er, ihm, ihn, sich) selbst; sich; *of ~* von selbst.

hind (haind) **1.** Hirschkuh *f*; **2.** Hinter...; **~er** **1.** ('haində) *adj.* hintere(r, s); Hinter...; **2.** ('hində) *v/t.* hindern (*from an dat.*); **~most** hinterst, letzt.

hindrance ('hindrəns) Hindernis *n.*

hinge (hindʒ) **1.** Türangel *f*; Scharnie'r *n*; *fig.* Angelpunkt *m*; **2.** *~ upon fig.* sich drehen um.

hint (hint) **1.** Wink *m*; Anspielung *f*; **2.** andeuten; anspielen (*at auf acc.*).

hip (hip) Hüfte *f*; ♀ Hagebutte *f.*

hippopotamus (hipə'potəməs) Flußpferd *n.*

hire (haiə) **1.** Miete *f*; Lohn *m*; **2.** mieten; *Dienstboten* an-, einstellen; **~ out** vermieten.

his (hiz) sein(e), der, die, das seinige.

hiss (his) *v/i.* zischen; zischeln; *v/t.* aus-zischen, -pfeifen (*a. ~ off*).

histor|ian (his'tɔ:riən) Historiker *m*; **~ic(al** □) (his'tɔrik, ~rikal) historisch, geschichtlich; Geschichts...; **~y** ('histəri) Geschichte *f.*

hit (hit) **1.** Schlag, Stoß; Hieb; (Glücks-)Treffer; *thea.*, ♪ Schlager *m*; **2.** [*irr.*] schlagen, stoßen; treffen; auf *et.* stoßen; *Am.* F eintreffen in (*dat.*); *~ a p. a blow* j-m e-n Schlag versetzen; F *~ it off with* sich vertragen mit; *~ (up)on* zufällig stoßen auf (*acc.*).

hitch (hitʃ) **1.** Ruck; ♣ Knoten; *fig.* Haken *m*, Hindernis *n*; **2.** rükken; (sich) fest-machen, -haken; rutschen; **~hike** *Am.* F *mot.* mit Anhalter reisen.

hither *lit.* ('hiðə) hierher; **~to** *lit.* (~'tu:) bisher.

hive (haiv) **1.** Bienen-stock; -schwarm *m*; *fig.* Bienenhaus *n*; **2.** *~ up* aufspeichern; zs.-wohnen.

hoard (hɔ:d) **1.** Vorrat, Schatz *m*; **2.** aufhäufen; hamstern; bewahren.

hoarfrost ('hɔ:'frɔst) (Rauh-)Reif *m.*

hoarse □ (hɔ:s) heiser, rauh.

hoary ('hɔ:ri) eis-, alters-grau.

hoax (houks) **1.** Täuschung *f*; **2.** foppen.

hobble ('hɔbl) **1.** Hinken *n*; F Klemme *f*; **2.** *v/i.* hoppeln; humpeln; hinken (*a. fig.*); *v/t.* an den Füßen fesseln.

hobby ('hɔbi) *fig.* Steckenpferd *n.*

hobgoblin ('hɔbgɔblin) Kobold *m.*

hobo *Am.* F ('houbou) Landstreicher *m.*

hod (hɔd) Mörteltrog *m.*

hoe ✓ (hou) **1.** Hacke *f*; **2.** hacken.

hog (hɔg) **1.** Schwein (*a. fig.*) *n*; **2.** *Mähne* stutzen; *mot.* drauflos rasen; **~gish** □ ('hɔgiʃ) schweinisch; gefräßig.

hoist (hɔist) **1.** Aufzug *m*; **2.** hochziehen, hissen.

hold (hould) **1.** Halt, Griff *m*; Gewalt *f*, Einfluß *m*; ♣ Raum *m*; *catch* (*od.* .*get, lay, take*) *~ of* erfassen, ergreifen; *keep ~ of* festhalten; **2.** [*irr.*] *v/t. allg.*: halten; fest-, aufhalten; enthalten; *fig.* behalten; *Versammlung usw.* abhalten; (inne-)

haben; *Ansicht* vertreten; *Gedanken usw.* hegen; halten für; glauben; behaupten; ~ one's own sich behaupten; ~ the line *teleph.* am Apparat bleiben; ~ over aufschieben; ~ up aufrecht halten; (unter)stützen; aufhalten; (räuberisch) überfa'llen; **3.** *v/i.* (fest)halten; gelten; standhalten, sich halten; ~ forth Reden halten; ~ good (*od.* true) gelten; sich bestätigen; ~ off sich fernhalten; ~ on ausharren; fortdauern; sich festhalten; ~ to festhalten an (*dat.*); ~ up sich (aufrecht) halten; **~er** ('houldə) Pächter; Halter *m* (*Gerät*); (*bsd.* ✝) Inhaber(in); **~ing** (~iŋ) Pachtgut *n*; Besitz *m*; ~ company Dachgesellschaft *f*; **~up** *Am.* Raubüberfall *m*.

hole (houl) Loch *n*; Höhle; F *fig.* Klemme *f*; pick ~s in bekritteln.

holiday ('hɔlədi) Feiertag *m*; freier Tag; ~s *pl.* Ferien, Urlaub *m*.

hollow ('hɔlou) **1.** □ hohl; leer; falsch; **2.** Höhle, Aushöhlung; Land-Senke *f*; **3.** aushöhlen.

holly ♣ ('hɔli) Stechpalme, I'lex *f*.

holster ('houlstə) (Pistolen-)Halfter *f*.

holy ('houli) heilig; ~ *water* Weihwasser *n*; ♀ Week Karwoche *f*.

homage ('hɔmidʒ) Huldigung *f*; do (*od.* pay, render) ~ huldigen (to).

home (houm) **1.** Heim; Haus *n*, Wohnung; Heimat *f*; Mal *n*; at ~ zu Hause; **2.** *adj.* heimisch, inländisch; derb, tüchtig (*Schlag usw.*); ♀ Office, *Am.* ♀ Departement Ministe'rium *n* des Innern; ~ rule Selbstregierung *f*; ♀ Secretary Minister *m* des Innern; **3.** *adv.* heim, nach Hause; an die richtige Stelle; gründlich; hit (*od.* strike) ~ den rechten Fleck treffen; **~-felt** tief empfunden; **~less** ('houmlis) heimatlos; **~like** anheimelnd, gemütlich; **~ly** (~li) *fig.* hausbacken; schlicht; anspruchslos; reizlos; **~made** Hausmacher...; **~sickness** Heimweh *n*; **~stead** Anwesen *n*; **~ward(s)** (~wəd[s]) heimwärts (gerichtet); Heim...

homicide ('hɔmisaid) Totschlag; Mord *m*; Totschläger *m*.

homogeneous □ (hɔmo'dʒiːniəs) homoge'n, gleichartig.

hone ⊕ (houn) **1.** Abziehstein *m*; **2.** *Rasiermesser* abziehen.

honest □ ('ɔnist) ehrlich, rechtschaffen; aufrichtig; echt; **~y** (~i) Ehrlichkeit *f usw.*

honey ('hʌni) Honig *m*; my ~! mein Herzchen!; **~comb** ('hʌnikoum) (Honig-)Wabe *f*; **~ed** ('hʌnid) honigsüß; **~moon 1.** Flitterwochen *f/pl.*; **2.** die F. verleben.

honorary ('ɔnərəri) Ehren...; ehrenamtlich.

hono(u)r ('ɔnə) **1.** Ehre; Achtung; Würde; *fig.* Zierde *f*; Your ♀ Euer Gnaden; **2.** (be)ehren; ✝ honorieren; **~able** □ ('ɔnərəbl) ehrenvoll; redlich; ehrbar; ehrenwert.

hood (hud) **1.** Kapuze; (*a. mot.*) Haube; Kappe *f*; *mot.* Verdeck *n*; **2.** mit er Kappe *usw.* versehen.

hoodwink ('hudwiŋk) täuschen.

hoof (huːf) Huf *m*; Klaue *f*.

hook (huk) **1.** (*bsd.* ✝) Angel-Haken *m*; Sichel *f*; by ~ or by crook so oder so; **2.** (sich) (zu-, fest-)haken; angeln (*a. fig.*).

hoop (huːp) **1.** Faß- *usw.* Reif(en); ⊕ Ring *m*; **2.** Fässer binden.

hooping-cough Keuchhusten *m*.

hoot (huːt) **1.** Geschrei *n*; **2.** *v/i.* heulen; johlen; *mot.* hupen; *v/t.* aus-pfeifen, -zischen.

hop (hɔp) **1.** ♣ Hopfen *m*; Sprung *m*; *sl.* Hopserei *f* (*Tanz*); **2.** hüpfen, springen (über *acc.*).

hope (houp) **1.** Hoffnung *f*; **2.** hoffen (for auf *acc.*); ~ in vertrauen auf (*acc.*); **~ful** □ ('houpful) hoffnungsvoll; **~less** □ (~lis) hoffnungslos; verzweifelt.

horde (hɔːd) Horde *f*.

horizon (hə'raizn) Horizo'nt *m*.

horn (hɔːn) Horn *n*; Schalltrichter *m*; *mot.* Hupe *f*; ~s *pl.* Geweih *n*; ~ of -plenty Füllhorn *n*.

hornet *zo.* ('hɔːnit) Horni'sse *f*.

horny □ ('hɔːni) hornig; schwielig.

horrible □ ('hɔrəbl) entsetzlich; scheußlich; **~id** □ ('hɔrid) gräßlich, abscheulich; **~ify** ('hɔrifai) entsetzen; **~or** ('hɔrə) Entsetzen *n*, Schauder; Schrecken; Greuel *m*.

horse (hɔːs) Pferd *n*; Reiterei *f*; Bock *m*, Gestell *n*; take ~ aufsitzen; **~back:** on ~ zu Pferde; im Reitsitz; **~hair** Roßhaar *n*; **~laugh** F wiederndes Lachen; **~man** (~mən) Reiter *m*; **~manship** Reitkunst *f*; **~power** Pferdekraft *f*; **~radish** ♣ Meerrettich *m*; **~shoe** Hufeisen *n*.

horticulture ('hɔːtikʌltʃə) Garten-bau m.

hose (houz) ✝ (lange) Strümpfe m/pl.; Schlauch m. [waren f/pl.\
hosiery ('houʒəri) ✝ Strumpf-

hospitable (ˈhɔspitəbl) gastfrei.

hospital ('hɔspitl) Krankenhaus; ✖ Lazaret̃t n; ~ity (hɔspiˈtæliti) Gastfreundschaft f.

host (houst) Wirt; Gast-geber; -wirt m; fig. Heer n; Schwarm m; eccl. Hoˈstie f.

hostage ('hɔstidʒ) Geisel m u. f.

hostel ('hɔstəl) Herberge f.

hostess ('houstis) Wirtin f (s. host).

hostil|e ('hɔstail) feindlich (ge-sinnt); ~ity (hɔsˈtiliti) Feindselig-keit f.

hot (hɔt) heiß; scharf; hitzig, heftig; eifrig; ~ dogs heiße Würstchen; ~bed Mistbeet n; fig. Brutstätte f.

hotchpotch ('hɔtʃpɔtʃ) Mischmasch m; Gemüsesuppe f.

hotel (ho[u]'tel) Hotel n.

hot|head Hitzkopf m; ~-house Treibhaus n; ~spur Hitzkopf m.

hound (haund) 1. Jagd-, Spür-hund; fig. Hund m; 2. jagen, hetzen.

hour (auə) Stunde; Zeit, Uhr f; ~ly ('auəli) stündlich.

house 1. (haus) allg. Haus; univ. Kolle'g(ium) n; 2. (haus) v/t. ein-, unter-bringen; v/i. hausen; ~breaker Einbrecher; Abbruch-unterne'hmer m; ~check Am. Haussuchung f; ~hold Haushalt m; ~holder Hausherr m; ~keeper Haushälterin f; ~keeping Haushal-tung f; ~-warming Einzugsfeier f; ~wife Hausfrau; Haushälterin f; ~wifery ('hauswifəri) Haushal-tung f.

housing ('hauziŋ) Unterbringung f; Obdach n; Wohnungs...

hove (houv) hob; gehoben.

hovel ('hɔvəl) Schuppen m; Hütte f.

hover ('hɔvə) schweben; lungern; fig. schwanken; ⚡ ~ing plane Hub-schrauber m.

how (hau) wie; ~ about ...? wie steht's mit ...?; ~ever (hauˈevə) 1. adv. wie auch (immer); wenn auch noch so ...; 2. cj. jedoch.

howl (haul) 1. heulen; 2. Geheul n; ~er ('haulə) sl. grober Fehler.

hub (hʌb) (Rad-)Nabe f; fig. Mittel-, Dreh-punkt m.

hubbub ('hʌbʌb) Tumuˈlt, Lärm m.

huckster ('hʌkstə) Hausierer(in).

huddle ('hʌdl) 1. durcheinander-werfen; (sich) (zs.-)drängen; ~ on eilig üˈberwerfen; 2. Gewirr n.

hue (hju:) Farbe; Hetze f; ~ and cry Zetergeschrei n.

huff (hʌf) 1. üble Laune; 2. v/t. grob anfahren; v/i. wütend werden; schmollen.

hug (hʌg) 1. Umaˈrmung f; 2. an sich drücken; fig. festhalten an (dat.); sich dicht am Wege halten.

huge ☐ (hju:dʒ) ungeheuer, riesig; ~ness ('hju:dʒnis) ungeheure Größe.

hulk (hʌlk) fig. Klumpen, Klotz m.

hull (hʌl) 1. ⚘ Schale; Hülse f; ⚓ Rumpf m; 2. enthülsen; schälen.

hum (hʌm) summen; brumme(l)n; F make things ~ Schwung in die Sache bringen.

human ☐ ('hju:mən) 1. menschlich; ~ly nach menschlichem Ermessen; 2. F Mensch m; ~e ☐ (hju:'mein) huma'n, menschenfreundlich; ~itarian (hju:mæni'teəriən) 1. Men-schenfreund(in); 2. menschen-freundlich; ~ity (hju:'mæniti) menschliche Natu'r; Menschheit; Humaniˈtät f; ~kind ('hju:mən-'kaind) Menschengeschlecht n.

humble ('hʌmbl) 1. ☐ demütig; be-scheiden; 2. erniedrigen; demü-tigen.

humble-bee ('hʌmblbi:) Hummel f.

humbleness (~nis) Demut f.

humbug ('hʌmbʌg) (be)schwindeln.

humdrum ('hʌmdrʌm) eintönig.

humid ('hju:mid) feucht, naß; ~ity (hju:ˈmiditi) Feuchtigkeit f.

humiliat|e (hju:'milieit) erniedrigen, demütigen; ~ion (hju:mili'eiʃən) Erniedrigung, Demütigung f.

humility (hju:'militi) Demut f.

humming ('hʌmiŋ) F mächtig, gewaltig; ~bird zo. Kolibri m.

humorous ☐ ('hju:mərəs) humo-ri'stisch, humorvoll; spaßig.

humo(u)r ('hju:mə) 1. Laune, Stim-mung f; Humoˈr; Scherz m; out of ~ schlecht gelaunt; 2. e-m s-n Wil-len lassen; eingehen auf (acc.).

hump (hʌmp) 1. Höcker, Buckel m; 2. krümmen; ärgern, verdrießen.

hunch (hʌntʃ) 1. Höcker m; großes Stück n; Am. Ahnung f; 2. krümmen (a. ~ out, up); ~back Bucklige(r).

hundred ('hʌndrəd) 1. hundert; 2. Hundert *n*; **~th** (~θ) hundertste(r); **~weight** *englischer* Zentner = *50,8 kg.*

hung (hʌŋ) hängte, gehängt; hing, gehangen.

Hungarian (hʌŋ'gɛəriən) 1. u'n-garisch; 2. Ungar(in); Ungarisch *n*.

hunger ('hʌŋgə) 1. Hunger *m*; 2. *v/i.* hungern (*for, after* nach).

hungry □ ('hʌŋgri) hungrig.

hunk (hʌŋk) dickes Stück.

hunt (hʌnt) 1. Jagd *f* (*for* nach); 2. jagen; *Revier* bejagen; hetzen; **~ out** *od.* **up** aufspüren; **~ for** Jagd m. auf (*acc.*); **~er** ('hʌntə) Jäger *m*; Jagdpferd *n*; **~ing-ground** Jagdrevier *n*.

hurdle ('hə:dl) Hürde *f*; **~-race** Hürdenrennen *n*.

hurl (hə:l) 1. Schleudern *n*; 2. schleudern; *Worte* ausstoßen.

hurricane ('hʌrikən) Orka'n *m*.

hurried □ ('hʌrid) eilig; überei'lt.

hurry ('hʌri) 1. (große) Eile, Hast *f*; 2. *v/t.* (an)treiben; *et.* beschleunigen; eilig schicken *od.* bringen; *v/i.* eilen, hasten; **~ up** sich beeilen.

hurt (hə:t) 1. Verletzung *f*; Schaden *m*; 2. [*irr.*] (*a. fig.*) verletzen; weh tun (*dat.*); schaden (*dat.*).

husband ('hʌzbənd) 1. (Ehe-)Mann *m*; 2. haushalten mit.

hush (hʌʃ) 1. still!; 2. Stille *f*; 3. *v/t.* zum Schweigen bringen; beruhigen; **~ up** vertuschen; *v/i.* still sn.

husk (hʌsk) 1. ♧ Hülse, Schale *f*; 2. enthülsen; **~y** □ ('hʌski) heiser; *Am.* stramm.

hustle ('hʌsl) 1. *v/t.* anrennen, stoßen; drängen; *v/i.* (sich) drängen; eilen; *bsd. Am.* mit Hochdruck arbeiten; 2. Eile *f*; Drängen *n*; *Am.* F Rührigkeit *f*; **~ and bustle** Gedränge und Gehetze *n*.

hut (hʌt) Hütte *f*; ⚔ Bara'cke *f*.

hutch (hʌtʃ) Kasten *m*.

hybrid ⬚ ('haibrid) Mischling *m*; Kreuzung *f*; **~ize** ('haibridaiz) kreuzen.

hydro... ⬚ ('haidro...) Wasser...; **~chloric** (~'klɔrik): **~ acid** Salzsäure *f*; **~gen** 🜄 ('haidridʒən) Wasserstoff *m*; **~pathy** (hai'drɔpəθi) Wasser-heilkunde, -kur *f*; **~phobia** ('haidrə'foubiə) Wasserscheu *f*; **~plane** ('haidroplein) Wasserflugzeug; Gleitboot *n*.

hygiene ('haidʒi:n) Hygie'ne *f*.

hymn (him) 1. Hymne *f*; Lobgesang *m*; Kirchenlied *n*; 2. preisen.

hyphen ('haifən) 1. Bindestrich *m*; 2. mit B. schreiben *od.* verbinden.

hypnotize ('hipnətaiz) hypnotisieren.

hypo|chondriac (haipo'kɔndriæk) Hypocho'nder *m*; **~crisy** (hi'pɔkrəsi) Heuchelei *f*; **~crite** ('hipokrit) Heuchler(in); Scheinheilige(r); **~critical** □ (hipo'kritikəl) heuchlerisch; **~thesis** (hai'pɔθisis) Hypothe'se *f*.

hyster|ical □ (his'terikəl) hysterisch; **~ics** (his'teriks) *pl.* hysterischer Anfall.

I

I (ai) ich.

ice (ais) **1.** (Speise-)Eis *n*; **2.** gefrieren m.; vereisen; *Kuchen* mit Zuckerguß überzie'hen; in Eis kühlen; **~age** Eiszeit *f*; **~bound** eingefroren; **~box**, **~chest** Eisschrank *m*; **~cream** Speiseeis *n*; **~safe** Eisschrank *m*.

icicle ('aisikl) Eiszapfen *m*.

icing ('aisiŋ) Zuckerguß *m*; Vereisung *f*.

icy □ ('aisi) eisig (*a. fig.*).

idea (ai'diə) Idee *f*; Begriff *m*; Vorstellung *f*; Gedanke *m*; Meinung; Ahnung *f*; **~l** (~l) **1.** □ idee'll, eingebildet; idea'l; **2.** Idea'l *n*.

identi|cal □ (ai'dentikəl) identisch, gleich(bedeutend); **~fication** (ai- denti'fi'keiʃən) Identifizierung *f*; Ausweis *m*; **~fy** (~fai) identifizieren; *e-n* ausweisen (*as* als); **~ty** (~ti) Identitä't *f*; **~ card** Persona'lausweis *m*.

idiom ('idiəm) Mundart; Redensart *f*.

idiot ('idiət) Schwachsinnige(r); **~ic** (idi'ɔtik) blödsinnig.

idle ('aidl) **1.** □ müßig: untätig; träg, faul; unnütz; nichtig; ⊕ leerlaufend; **~ hours** *pl.* Mußestunden *f*/*pl.*; **2.** *v/t.* vertrödeln (*mst ~away*); *v/i.* faulenzen; ⊕ leer laufen; **~ness** (~nis) Muße, Trägheit; Nichtigkeit *f*; **~r** (~ə) Müßiggänger(in).

idol ('aidl) Götzenbild *n*; *fig.* Abgott *m*; **~atry** (ai'dɔlətri) Abgötterei; Vergötterung *f*; **~ize** ('aidəlaiz) vergöttern.

idyl[l] ('aidil) Idy'll(e *f*) *n*.

if (if) **1.** wenn, falls; ob; **2.** Wenn *n*.

ignit|e (ig'nait) (sich) entzünden; zünden; **~ion** (ig'niʃən) Entzündung; *mot.* Zündung *f*; *attr.* Zünd...

ignoble □ (ig'noubl) unedel; niedrig, gemein.

ignor|ance ('ignərəns) Unwissenheit *f*; **~ant** (~rənt) unwissend; unkundig; **~e** (ig'nɔ:) ignorieren, nicht beachten; ɪⅰɪ verwerfen.

ill (il) **1.** *adj. u. adv.* übel, böse; schlimm, schlecht; krank; *adv.* kaum; **2.** Übel; Üble(s), Böse(s) *n*.

ill|-advised übel beraten; unbesonnen; **~-bred** ungebildet.

illegal □ (i'li:gəl) ungesetzlich.

illegible □ (i'ledʒəbl) unleserlich.

illegitimate □ (ili'dʒitimit) illegiti'm: unrechtmäßig; unehelich.

ill|-favo(u)red häßlich; **~-humo(u)red** übellaunig.

illiberal □ (i'libərəl) unfein; engherzig; knauserig.

illicit □ (i'lisit) unerlaubt.

illiterate □ (i'litərit) **1.** ungelehrt, ungebildet; **2.** Analphabe't(in).

ill|-mannered unmanierlich, grob; **~-natured** □ boshaft, bösartig.

illness ('ilnis) Krankheit *f*.

ill|-timed ungelegen; **~-treat** mißhandeln.

illumin|ate (i'lju:mineit) be-, erleuchten (*a. fig.*); erläutern; aufklären; **~ating** (~neitiŋ) aufschlußreich; **~ation** (ilju:mi'nei- ʃən) Er-, Be-leuchtung; Erläuterung; Aufklärung *f*.

illus|ion (i'lu:ʒən) Täuschung *f*; **~ive** (~siv), **~ory** □ (~səri) illuso'risch, täuschend.

illustrat|e ('iləstreit) illustrieren; erläutern; **~ion** (iləs'treiʃən) Erläuterung; Illustratio'n *f*; **~ive** □ ('iləstreitiv) erläuternd.

illustrious □ (i'lʌstriəs) berühmt; erlaucht.

ill-will Mißgunst *f*; Groll *m*.

image ('imidʒ) Bild; Standbild; Ebenbild *n*; Vorstellung *f*.

imagin|able □ (i'mædʒinəbl) denkbar; **~ary** (~nəri) eingebildet; **~ation** (imædʒi'neiʃən) Einbildung(skraft) *f*; **~ative** □ (i'mæd- dʒinətiv) ideen-, phantasie-reich; **~e** (i'mædʒin) sich et. einbilden *od.* vorstellen *od.* denken.

imbecile □ ('imbisail) **1.** geistesschwach; **2.** Schwachsinnige(r).

imbibe (im'baib) einsaugen; *fig.* sich zu eigen machen.

imbue (im'bju:) (durch)tränken; tief färben; *fig.* erfüllen.

imita|te ('imiteit) nachmahmen; imitieren; **~tion** (imi'teiʃən) Nachahmung f; attr. künstlich, Kunst...

immaculate □ (i'mækjulit) unbefleckt, rein; fehlerlos.

immaterial □ (imə'tiəriəl) unkörperlich; unwesentlich (to für).

immature (imə'tjuə) unreif.

immediate □ (i'mi:djət) unmittelbar; unverzüglich, sofortig; **~ly** (~li) adv. sofort; cj. gleich nachdem.

immense □ (i'mens) ungeheuer.

immerse (i'mə:s) (ein-, unter-) tauchen; fig. ~ o. s. in sich versenken od. vertiefen in (acc.).

immigra|nt ('imigrənt) Einwanderer(in); **~te** (~greit) einwandern; **~tion** (imi'greiʃən) Einwanderung f. [hend.]

imminent □ ('iminənt) bevorste-|

immobile (i'moubail) unbeweglich.

immoderate (i'mɔdərit) maßlos.

immodest □ (i'mɔdist) unbescheiden; unanständig.

immoral □ (i'mɔrəl) unmora'lisch.

immortal □ (i'mɔ:tl) unsterblich.

immovable □ (i'mu:vəbl) □ unbeweglich; unerschütterlich.

immun|e (i'mju:n) immu'n, gefeit (from gegen); **~ity** (~iti) Immunität f; Freiheit (from von); **~** Unempfänglichkeit f (für).

imp (imp) Teufelchen n; Schelm m.

impair (im'pɛə) schwächen; (ver-) mindern; beeinträchtigen.

impart (im'pɑ:t) verleihen; weitergeben.

impartial □ (im'pɑ:ʃəl) unparteiisch; **~ity** ('impa:ʃi'æliti) Unparteilichkeit, Objektivitä't f.

impassible □ (im'pɛsəbl) unempfindlich, gefühllos (to gegen).

impassioned (im'pæʃənd) leidenschaftlich.

impassive □ (im'pæsiv) unempfindlich; teilnahmslos; heiter.

impatien|ce (im'peiʃəns) Ungeduld f; **~t** □ (~t) ungeduldig.

impeach (im'pi:tʃ) anklagen (of, with gen.); anfechten, anzweifeln.

impeccable □ (im'pekəbl) unfehlbar.

impede (im'pi:d) (ver)hindern.

impediment (im'pedimənt) Hindernis n.

impel (im'pel) (an)treiben.

impend (im'pend) hängen, **schweben**; bevorstehen, drohen.

impenetrable □ (im'penitrəbl) undurchdringlich; fig. unergründlich.

imperative (im'perətiv) □ befehlend; gebieterisch; dringend.

imperceptible □ (impə'septəbl) unmerklich.

imperfect (im'pə:fikt) unvollkommen; unvollendet.

imperial (im'piəriəl) □ kaiserlich; Reichs...; gebietend; großartig.

imperil (im'peril) gefährden.

imperious □ (im'piəriəs) gebieterisch; dringend.

impermeable (im'pə:miəbl) undurchlässig.

impersonal □ (im'pə:snl) unpersönlich.

impersonate (im'pə:səneit) verkörpern; darstellen.

impertinen|ce (im'pə:tinəns) Unverschämtheit f; **~t** □ (~nənt) unverschämt; ungehörig.

impervious □ (im'pə:viəs) unzugänglich (to für); undurchlässig.

impetu|ous □ (im'petjuəs) ungestüm, heftig; **~s** ('impitəs) Antrieb m.

impiety (im'paiəti) Gottlosigkeit f.

impinge (im'pinʤ) v/i. (ver-) stoßen ([up]on gegen).

impious □ ('impiəs) gottlos; pietä'tlos; frevelhaft.

implacable □ (im'pleikəbl) unversöhnlich, unerbittlich.

implant (im'plɑ:nt) einpflanzen.

implement ('implimənt) **1.** Gerät; Werkzeug n; **2.** ausführen.

implicat|e ('implikeit) verwickeln; in sich schließen; **~ion** (impli'keiʃən) Verwick(e)lung; Folgerung f.

implicit □ (im'plisit) mit eingeschlossen; blind (Glaube usw.).

implore (im'plɔ:) (an-, er-)flehen.

imply (im'plai) mit einbegreifen, enthalten; bedeuten; andeuten.

impolite □ (impo'lait) unhöflich.

impolitic □ (im'pɔlitik) unklug.

import 1. ('impɔ:t) Bedeutung; Wichtigkeit; Einfuhr f; pl. Einfuhrwaren f/pl.; **2.** (im'pɔ:t) einführen; bedeuten; **~ance** (im'pɔ:təns) Wichtigkeit f; **~ant** □ (~tənt) wichtig; wichtigtuerisch; **~ation** (impɔ:'teiʃən) Einfuhr(artikel m) f.

importun|ate (im'pɔ:tjunit) zudringlich; **~e** (im'pɔ:tju:n) belästigen.

impos|e (im'pouz) v/t. auf(er)legen, aufbürden ([up]on dat.); v/i. ~ upon *j-m* imponieren; *j.* täuschen; ~-**ition** (impo'ziʃən) Auf(er)legung; Steuer; Betrügerei *f.*

impossib|ility (im'posə''biliti) Unmöglichkeit *f;* ~**le** □ (im'posəbl) unmöglich.

impost|or (im'postə) Betrüger *m;* ~**ure** (im'postʃə) Betrug *m.*

impoten|ce ('impotəns) Unfähigkeit *f;* ~**t** (~tənt) unvermögend, schwach.

impoverish (im'povəriʃ) arm m.

impracticable □ (im'præktikəbl) unausführbar; unwegsam.

impregnate (im'pregneit) schwängern; ⚥ sättigen; ⊕ imprägnieren.

impress 1. (im'pres) (Ab-, Ein-)Druck; *fig.* Stempel *m;* **2.** (im'pres) eindrücken, prägen; *Gedanken usw.* einprägen (*on dat.*); *j.* beeindrucken; *j. mit et.* erfüllen; ~**ion** (im'preʃən) Eindruck *m;* *typ.* Abdruck, Abzug *m;* Auflage *f;* *be under the* ~ *that* den Eindruck haben, daß ; ~**ive** □ (im'presiv) eindrucksvoll.

imprint 1. (im'print) aufdrücken, prägen; *fig.* einprägen (*on, in dat.*); **2.** ('imprint) Eindruck; Stempel (*a. fig.*); *typ.* Druckvermerk *m.*

imprison (im'prizn) ins Gefängnis stecken; ~**ment** (~mənt) Haft *f;* Gefängnis(strafe *f*) *n.*

improbable □ (im'probəbl) unwahrscheinlich.

improper □ (im'propə) ungeeignet; unschicklich; falsch.

improve (im'pru:v) *v/t.* verbessern; veredeln; aus-, be-nutzen; *v/i.* sich (ver)bessern; ~ *upon* vervollkommnen; ~**ment** (~mənt) Verbesserung, Vervollkommnung *f;* Fortschritt *m* [(uʃ)on gegenüber *dat.*). [sieren.)

improvise ('improvaiz) improvi-)

imprudent □ (im'pru:dənt) unklug.

impuden|ce (im'pjudəns) Unverschämtheit *f;* ~**t** □ (~dənt) unverschämt.

impuls|e ('impʌls), ~**ion** (im'pʌlʃən) Impu'ls: (An-)Stoß *m;* *fig.* (An-)Trieb *m.*

impunity (im'pju:niti) Straflosigkeit *f; with* ~ ungestraft.

impure □ (im'pjuə) unrein (*a. fig.*); unkeusch.

imput|ation (impju'teiʃən) Beschuldigung *f;* ~**e** (im'pju:t) zurechnen, beimessen; zur Last legen.

in (in) **1.** *prp. allg.* in (*dat.*); *engS.:* (~ *number,* ~ *itself*) an (*dat.*); (~ *the street,* ~ *English*) auf (*dat.*); (~ *this manner*) auf (*acc.*); (*coat* ~ *velvet*) aus; (~ *crossing the road*) bei; (*engaged* ~ *reading,* ~ *a word*) mit; (~ *my opinion*) nach (*dat.*); (*rejoice* ~ *a th.*) über (*acc.*); (~ *the circumstances*) unter (*dat.*); (*cry out* ~ *alarm*) vor (*dat.*); (*grouped* ~ *tens*) zu; ~ 1949 im Jahre 1949; ~ *that* ... insofern als, weil; **2.** *adv.* drin(nen); herein; hinein; *be* ~ *for:* a) *et.* zu erwarten haben; b) sich zu *et.* gemeldet haben; *I'be* ~ *with* sich gut mit *j-m* stehen; **3.** *adj.* Innen-.

inability (inə'biliti) Unfähigkeit *f.*

inaccessible □ (inæk'sesəbl) unzugänglich.

inaccurate □ (in'ækjurit) ungenau; unrichtig.

inactiv|e □ (in'æktiv) untätig, ♦ lustlos; ~**ity** (inæk'tiviti) Untätig-, Lustlosig-keit *f.*

inadequate □ (in'ædikwit) unangemessen; unzulänglich.

inadmissible (inəd'misəbl) unzulässig.

inadvertent □ (inəd'və:tənt) unachtsam; unbeabsichtigt; versehentlich. [äußerlich.)

inalienable □ (in'eiliənbl) unver-)

inane □ (i'nein) *fig.* leer; albern.

inanimate □ (in'ænimit) leblos; *fig.* unbelebt.

inapproachable (inə'prout'ʃəbl) unnahbar, unzugänglich.

inappropriate □ (inə'prout'priit) unpassend.

inapt □ (in'æpt) ungeeignet; ungeschickt.

inarticulate □ (inɑ:'tikjulit) undeutlich.

inasmuch (inəz'mʌtʃ): ~ *as* insofern als. [merksam.)

inattentive □ (inə'tentiv) unauf-)

inaugura|te (i'nɔ:gjureit) (feierlich) einführen, einweihen; beginnen; ~**tion** (inɔgju'reiʃən) Einführung, Einweihung *f.*

inborn ('in'bɔ:n) angeboren.

incalculable □ (in'kælkjuləbl) unberechenbar.

incandescent (inkæn'desnt) weiß glühend; Glüh...

incapa|ble □ (in'keipəbl) unfähig, ungeeignet (*of zu*); ~**citate** (inkə'pæsiteit) unfähig machen.

incarnate (in'kɑ:nit) Fleisch geworden; *fig.* verkörpert.

incautious □ (in'kɔ:ʃəs) unvorsichtig.

incendiary (in'sendjəri) 1. brandstifterisch; *fig.* aufwieglerisch; 2. Brandstifter; Aufwiegler *m.*

incense¹ ('insens) Weihrauch *m.*

incense² (in'sens) in Wut bringen.

incentive (in'sentiv) Antrieb *m.*

incessant □ (in'sesnt) unaufhörlich.

incest ('insest) Blutschande *f.*

inch (intʃ) Zoll *m* (2,54 cm); *fig.* Bißchen *n;* by ~es allmählich.

inciden|ce ('insidəns) Vorkommen *n;* Wirkung *f;* ~t (~t) 1. vorkommend (to bei), eigen (dat.); 2. Zu-, Vor-, Zwischen-fall *m;* ~tal □ (insi'dentl) zufällig, gelegentlich; be ~ to gehören zu; ~ly nebenbei.

incinerate (in'sinəreit) einäschern.

incis|e (in'saiz) einschneiden; ~ion (in'siʒən) Einschnitt *m;* ~ive □ (in'saisiv) (ein)schneidend, scharf.

incite (in'sait) anspornen, anregen; ~ment (~mənt) Anregung *f;* Ansporn *m.*

inclement (in'klemənt) rauh.

inclin|ation (inkli'neiʃən) Neigung *f* (a. *fig.*); ~e (in'klain) 1. *v/i.* sich neigen; *fig.* ~ to zu *et.* neigen; *v/t.* neigen; geneigt machen; 2. Neigung *f,* Abhang *m.*

inclose (in'klouz) *s.* enclose.

inclu|de (in'klu:d) einschließen; enthalten; ~sive □ (~siv) einschließlich; alles einbegriffen.

incoheren|ce (inko'hiərəns) Zs.-hangslosigkeit; Inkonsequez'nz *f;* ~t □ (~t) unzs.-hängend; inkonseque'nt.

income ('inkəm) Einkommen *n.*

incommode (inkə'moud) belästigen.

incomparable □ (in'kɔmpərəbl) unvergleichlich.

incompatible (inkəm'pætəbl) unvereinbar; unverträglich.

incompetent □ (in'kɔmpitənt) unfähig; unzuständig, unbefugt.

incomplete □ (inkəm'pli:t) unvollständig.

incomprehensible □ (in'kɔmpri-'hensəbl) unbegreiflich.

inconceivable □ (inkən'si:vəbl) unbegreiflich.

incongruous □ (in'kɔŋgruəs) unangemessen; unpassend.

inconsequent(ial) □ (in'kɔnsikwənt, ˌ'kwenʃəl) inkonseque'nt.

inconsidera|ble □ (inkən'sidərəbl) unbedeutend; ~te □ (ˌrit) unüberlegt; rücksichtslos.

inconsisten|cy (inkən'sistənsi) Inkonseque'nz *f;* ~t □ (ˌtənt) widerspruchsvoll; inkonsequ'ent.

inconstant □ (in'kɔnstənt) unbeständig.

incontinent □ (in'kɔntinənt) unmäßig; ausschweifend.

inconvenien|ce (inkən'vi:njəns) 1. Unbequemlichkeit; Schwierigkeit *f;* 2. belästigen; ~t □ (ˌnjənt) unbequem; ungelegen.

incorporate 1. (in'kɔ:pəreit) einverleiben (into dat.); (sich) vereinigen; 2. (ˌrit) einverleibt; vereinigt; ~ed (ˌreitid) Eingetragener Verein (E. V.); ~ion (in'kɔ:pə-'reiʃən) Einverleibung; Verbindung *f.*

incorrect □ (inkə'rekt) unrichtig; fehlerhaft; ungehörig.

incorrigible □ (in'kɔridʒəbl) unverbesserlich.

increase 1. (in'kri:s) *v/i.* zunehmen; sich vergrößern *od.* vermehren; *v/t.* vermehren, vergrößern; erhöhen; 2. ('inkri:s) Zunahme *f;* Vergrößerung *f;* Zuwachs *m.* [lich.]

incredible □ (in'kredəbl) unglaub-]

incredul|ity (inkri'dju:liti) Unglaube *m;* ⊕ Belag *m;* ~ous □ (in'kredjuləs) ungläubig.

incriminate (in'krimineit) beschuldigen; belasten.

incrustation (inkrʌs'teiʃən) Bekrustung; Kruste *f;* ⊕ Belag *m.*

incub|ate (inkjubeit) (aus)brüten; ~ator (ˌbeitə) Brutapparat *m.*

inculcate ('inkʌlkeit) einschärfen (upon dat.).

incumbent (in'kʌmbənt) obliegend; be ~ on a p. j-m obliegen.

incur (in'kə:) sich *et.* zuziehen; geraten in (acc.); *Verpflichtung* eingehen.

incurable (in'kjuərəbl) 1. □ unheilbar; 2. Unheilbare(r).

incurious □ (in'kjuəriəs) gleichgültig.

incursion (in'kə:ʃən) Einfall *m.*

indebted (in'detid) verschuldet; *fig.* (zu Dank) verpflichtet.

indecen|cy (in'di:snsi) Unanständigkeit *f;* ~t □ (ˌsnt) unanständig.

indecisi|on (indi'siʒən) Unentschlossenheit f; **~ve** □ (ˌsaisiv) nicht entscheidend; unbestimmt.

indecorous □ (in'dekərəs) unziemlich.

indeed (in'di:d) in der Tat; allerdings, zwar; so?; nicht möglich!

indefensible □ (indi'fensəbl) unhaltbar.

indefinite □ (in'definit) unbestimmt; unbeschränkt.

indelible □ (in'delibl) untilgbar.

indelicate □ (in'delikit) unfein.

indemni|fy (in'demnifai) sicherstellen; entschädigen (für); **~ty** (ˌti) Sicherstellung; Entschädigung f.

indent (in'dent) 1. einkerben, auszacken; Zeile einrücken; vertraglich verpflichten; ✝ bestellen; 2. ✝ Auftrag m; = ~ure; **~ation** (inden'teiʃən) Einkerbung f; Einschnitt m; **~ure** (in'dentʃə) 1. Vertrag; Lehrbrief m; 2. vertraglich verpflichten.

independen|ce (indi'pendəns) Unabhängigkeit; Selbständigkeit f; Auskommen n; **~t** □ (ˌt) unabhängig; selbständig.

indescribable □ (indis'kraibəbl) unbeschreiblich. [zerstörbar.]

indestructible □ (ˌstrʌktəbl) un-|

indeterminate □ (indi'tə:minit) unbestimmt.

index ('indeks) 1. (An-)Zeiger m; Anzeichen n; Zeigefinger; Index m, (Inhalts-)Verzeichnis n; 2. Buch mit e-m Inhaltsverzeichnis versehen; registrieren.

India ('indjə): **~ rubber** Radiergummi m; **~n** (ˌn) 1. indisch; india'nisch; **~ corn** Mais m; 2. Inder (-in); (Red ~) India'ner(in).

indicat|e ('indikeit) (an)zeigen; hinweisen auf (acc.); andeuten; **~ion** (indi'keiʃən) Anzeige f; Anzeichen n; Andeutung f.

indict (in'dait) anklagen (for wegen); **~ment** (ˌmənt) Anklage f.

indifferen|ce (in'difrəns) Gleichgültigkeit f; **~t** □ (ˌt) gleichgültig (to gegen); unparteiisch; (nur) mäßig; unwesentlich.

indigenous (in'didʒinəs) eingeboren, einheimisch.

indigent □ ('indidʒənt) (be)dürftig.

indigest|ible □ (indi'dʒestəbl) unverdaulich; **~ion** (ˌtʃən) Verdauungsstörung; Unverdaulichkeit f.

indign|ant □ (in'dignənt) entrüstet; **~ation** (indig'neiʃən) Entrüstung f; **~ity** (in'digniti) Beleidigung f.

indirect □ (indi'rekt) indirekt: nicht gerade; umwegig; fig. krumm.

indiscre|et □ (indis'kri:t) unbesonnen; unachtsam; indiskret; **~tion** (ˌ'kreʃən) Unachtsamkeit f usw.

indiscriminate □ (indis'kriminit) unterschieds-, wahl-los.

indispensable □ (indis'pensəbl) unentbehrlich, unerläßlich.

indispos|ed (indis'pouzd) unpäßlich; abgeneigt; **~ition** ('indispə-'ziʃən) Abneigung (to gegen); Unpäßlichkeit f. [lich; unklar.|

indistinct □ (indis'tiŋkt) undeut-|

indite (in'dait) ab-, ver-fassen.

individual (indi'vidjuəl) 1. □ persönlich, individue'll; besonder; einzeln; Einzel...; 2. Individuum n; **~ity** (ˌvidju'æliti) Individualität f.

indivisible □ (indi'vizəbl) unteilbar.

indolen|ce ('indoləns) Trägheit f; **~t** □ (ˌt) träg, lässig.

indomitable □ (in'dəmitəbl) unbezähmbar.

indoor ('indɔ:) im Hause (befindlich): Haus..., Zimmer..., Sport: Hallen...; **~s** (in'dɔ:z) zu Hause; im (od. ins) Haus.

indorse s. endorse indossieren usw.

induce (in'dju:s) veranlassen; **~ment** (ˌmənt) Anlaß, Antrieb m.

induct (in'dʌkt) einführen; **~ion** (in'dʌkʃən) Einführung, Einsetzung f.

indulge (in'dʌldʒ) v/t. nachsichtig sn gegen j.; nachgeben; **~ with** j. erfreuen mit; v/i. **~ in** a th. sich et. gönnen; sich e-r S. hin-, er-geben; **~nce** (ˌəns) Nachsicht; Nachgiebigkeit f; Sichgehenlassen n; Vergünstigung; **~nt** □ (ˌənt) nachsichtig.

industri|al (in'dʌstriəl) □ gewerbetreibend, gewerblich; industrie'll; Gewerbe...; Industrie'...; **~alist** (ˌist) Industrie'lle(r); Industrie'arbeiter m; **~ous** □ (in'dʌstriəs) fleißig.

industry ('indəstri) Fleiß m; Gewerbe n; Industrie' f.

inebriate (in'i:brieit) betrunken machen; 2. (ˌit) Trunkenbold m.

ineffable □ (in'efəbl) unaussprechlich.

ineffect|ive (ini'fektiv), **∼ual** □ (∼tjuəl) unwirksam, fruchtlos.

inefficient □ (ini'fiʃənt) wirkungslos; (leistungs)unfähig.

inelegant □ (in'eligənt) geschmacklos.

inept □ (i'nept) unpassend; albern.

inequality (ini'kwɔliti) Ungleichheit; Ungleichmäßigkeit; Unzulänglichkeit f.

inequitable □ (in'ekwitəbl) unbillig.

inert □ (i'nəːt) träg; **∼ia** (i'nəːʃiə), **∼ness** (i'nəːtnis) Trägheit f.

inestimable □ (in'estiməbl) unschätzbar.

inevitable □ (in'evitəbl) unvermeidlich.

inexact □ (inig'zækt) ungenau.

inexhaustible □ (inig'zɔːstəbl) unerschöpflich; unermüdlich.

inexorable □ (in'eksərəbl) unerbittlich.

inexpedient □ (iniks'piːdiənt) unzweckmäßig, unpassend.

inexpensive □ (iniks'pensiv) nicht teuer, billig.

inexperience (iniks'piəriəns) Unerfahrenheit f; **∼d** (∼t) unerfahren.

inexpert □ (ineks'pəːt) unerfahren.

inexplicable □ (in'eksplikəbl) unerklärlich.

inexpress|ible □ (iniks'presəbl) unaussprechlich; **∼ve** □ (∼siv) ausdruckslos.

inextinguishable □ (iniks'tiŋgwiʃəbl) unauslöschlich.

inextricable □ (in'ekstrikəbl) unentwirrbar.

infallible □ (in'fæləbl) unfehlbar.

infam|ous □ (infəməs) ehrlos; schändlich; verrufen; **∼y** (∼mi) Ehrlosigkeit; Schande; Niedertracht f.

infan|cy (infənsi) Kindheit f; **∼t** (∼t) Säugling m; (Klein-)Kind n.

infanti|le (infəntail), **∼ine** (∼tain) kindlich; Kindes...; b. s. kindisch.

infantry ✕ (infəntri) Infanterie f.

infatuate (in'fætjueit) betören.

infect (in'fekt) infizieren, anstecken (a. fig.); **∼ion** (in'fekʃən) Ansteckung(sgift n) f; **∼ious** □ (∼ʃəs), **∼ive** (∼tiv) ansteckend; Ansteckungs...

infer (in'fəː) folgern, schließen; **∼ence** (infərəns) Folgerung f.

inferior (in'fiəriə) **1.** untere(r, s) untergeordnet, niedriger; geringer (sämtlich: **to** als); unterle'gen (to

dat.); minderwertig; **2.** Untergebene(r); **∼ity** (in'fiɔri'ɔriti) Untergeordnetheit f; geringerer Wert od. Stand, geringere Zahl; Unterle'genheit; Minderwertigkeit f.

infernal □ (in'fəːnl) höllisch.

infertile (in'fəːtail) unfruchtbar.

infest (in'fest) heimsuchen.

infidelity (infi'deliti) Unglaube m; Untreue f (to gegen).

infiltrate (in'filtreit) v/t. durchdri'ngen; v/i. durch-, ein-sickern.

infinit|e □ (infinit) unendlich; **∼y** (in'finiti) Unendlichkeit f.

infirm □ (in'fəːm) kraftlos, schwach (a. fig.); **∼ary** (∼əri) Krankenhaus n; **∼ity** (∼iti) Schwäche f (a. fig.).

inflame (in'fleim) entflammen (mst fig.); (sich) entzünden (a. fig. u. ✲).

inflamma|ble □ (in'flæməbl) entzündlich; feuergefährlich; **∼tion** (inflə'meiʃən) Entzündung f; **∼tory** (in'flæmətəri) entzündlich; hetzerisch; Hetz...

inflat|e (in'fleit) aufblasen, aufblähen (a. fig.); **∼ion** (∼ʃən) Aufblähung; Inflatio'n; fig. Aufgeblasenheit f.

inflexi|ble □ (in'fleksəbl) unbiegsam; fig. unbeugsam; **∼on** (∼ʃən) Biegung; Modulatio'n f.

inflict (in'flikt) auferlegen; zufügen; Hieb versetzen; **∼ion** (infli'kʃən) Auferlegung usw.; Plage f.

influen|ce (influəns) **1.** Einfluß m; **2.** beeinflussen; **∼tial** □ (influ'enʃəl) einflußreich.

influx (inflʌks) Einströmen n.

inform (in'fɔːm) v/t. benachrichtigen, unterri'chten (of von); v/i. anzeigen (against a p. j.); **∼al** □ (∼l) formlos, zwanglos; **∼ality** (info:'mæliti) Formlosigkeit f; Formfehler m; **∼ation** (infə'meiʃən) Unterwei'sung; Auskunft; Nachricht f; **∼ative** (in'fɔːmətiv) lehrreich.

infrequent □ (in'friːkwənt) selten.

infringe (in'frindʒ) Vertrag usw. verletzen (a. ∼ upon); übertre'ten.

infuriate (in'fjuərieit) wütend m.

infuse (in'fjuːz) einflößen; aufgießen.

ingen|ious □ (in'dʒiːnjəs) geistsinn-reich; genia'l; **∼uity** (indʒini'juiti) Genialität f; **∼uous** □ (in'dʒenjuəs) freimütig; unbefangen, nai'v.

ingot (iŋgət) Gold- usw. Barren m.

ingratitude (in'grætitju:d) Undankbarkeit f.

ingredient (in'gri:diənt) Bestandteil m.

inhabit (in'hæbit) bewohnen; ~ant (~itənt) Bewohner(in).

inhal|ation (inhə'leiʃən) Einatmung f; ~e (in'heil) einatmen.

inherent ☐ (in'hiərənt) anhaftend; innewohnend (in dat.).

inherit (in'herit) (er)erben; ~ance (itəns) Erbteil n; Erbschaft; biol. Vererbung f.

inhibit (in'hibit) (ver)hindern; verbieten; ~ion (inhi'biʃən) (Ver-)Hinderung; Hemmung f; Verbot n.

inhospitable ☐ (in'hɔspitəbl) ungastlich, unwirtlich.

inhuman ☐ (in'hju:mən) unmenschlich.

inimitable ☐ (i'nimitəbl) unnachahmlich.

iniquity (i'nikwiti) Ungerechtigkeit; Schlechtigkeit f.

initia|l (i'niʃəl) **1.** ☐ Anfangs...; anfänglich; **2.** Anfangsbuchstabe m; ~te **1.** (~iit) Eingeweihte(r); **2.** (~ieit) beginnen; anbahnen; einführen, einweihen; ~tive (i'niʃiətiv) Initiati've; erste Einführung f; einleitender Schritt; Entschlußkraft f; Volksbegehren n; ~tor (~ieitə) Bahnbrecher, Urheber m.

inject (in'dʒekt) einspritzen.

injunction (in'dʒʌŋkʃən) Einschärfung f; ausdrücklicher Befehl.

injur|e (in'dʒə) (be)schädigen; schaden (dat.); verletzen; ~ious ☐ (in'dʒuəriəs) schädlich; ungerecht; beleidigend; ~y (in'dʒəri) Unrecht n; Schaden m; Verletzung f.

injustice (in'dʒʌstis) Ungerechtigkeit f; Unrecht m.

ink (iŋk) **1.** Tinte; (mst printer's ~) Druckerschwärze f; Tinten...; **2.** (mit Tinte) schwärzen; beklecksen.

inkling ('iŋkliŋ) Gemunkel n; Wink m; leise Ahnung.

ink|pot Tintenfaß n; ~stand Schreibzeug n; ~y ('iŋki) tintig; Tinten...; tintenschwarz.

inland ('inlənd) **1.** inländisch; Binnen...; **2.** Landesinnere, Binnenland n; **3.** (in'lænd) landeinwärts.

inlay (in'lei) **1.** [irr. (lay)] einlegen; **2.** Einlage; Einlegearbeit f.

inlet ('inlet) Einlaß m; Bucht f.

inmate ('inmeit) Insass|e, -in; Hausgenoss|e, -in.

inmost ('inmoust) innerst.

inn (in) Gasthof m, Wirtshaus n.

innate ☐ ('i'neit) angeboren.

inner ('inə) inner, inwendig; geheim; ~most (~moust) innerst.

innings ('iniŋz) Sport: Dransein n.

innkeeper Gastwirt(in f) m.

innocen|ce ('inosns) Unschuld; Harmlosigkeit f; ~t (~snt) **1.** ☐ unschuldig; harmlos; **2.** Unschuldige(r).

innocuous ☐ (i'nɔkjuəs) harmlos.

innovation (ino'veiʃən) Neuerung f.

innuendo (inju'endou) Andeutung f.

innumerable ☐ (in'ju:mərəbl) unzählig.

inoculate (i'nɔkjuleit) (ein)impfen.

inoffensive (ino'fensiv) harmlos.

inoperative (in'ɔpərətiv) unwirksam.

inopportune ☐ (in'ɔpətju:n) ungelegen.

inordinate ☐ (i'nɔ:dinit) unmäßig.

inquest ʒ (̩ 'inkwest) Untersu'chung; coroner's ~ Leichenschau f.

inquir|e (in'kwaiə) fragen, sich erkundigen (of bei j-m); ~ into untersu'chen; ~ing (~riŋ) forschend; ~y (~ri) Erkundigung, Nachfrage; Untersu'chung; Ermittlung f.

inquisit|ion (inkwi'ziʃən) Untersu'chung f; ~ive ☐ (in'kwizitiv) neugierig; wißbegierig.

inroad ('inroud) feindlicher Einfall; Ein-, Über-griff m.

insan|e ☐ (in'sein) wahnsinnig; ~ity (in'sæniti) Wahnsinn m.

insatia|ble ☐ (in'seiʃiəbl), ~te (~ʃiət) unersättlich (of nach).

inscribe (in'skraib) ein-, auf-, beschreiben; beschriften; fig. einprägen (in, on dat.); Buch zueignen.

inscription (in'skripʃən) In-, Aufschrift f.

inscrutable ☐ (ins'kru:təbl) unerforschlich, unergründlich.

insect ('insekt) Inse'kt n; ~icide (in'sektisaid) Insektenpulver n.

insecure ☐ (insi'kjuə) unsicher.

insens|ate (in'senseit) gefühllos; unvernünftig; ~ible ☐ (~əbl) unempfindlich; bewußtlos; unmerklich; gleichgültig; ~itive (~itiv) unempfindlich.

inseparable ☐ (in'sepərəbl) untrennbar.

insert 1. (in'sə:t) ein-setzen, -schalten, -fügen; **2.** ('insə:t) Bei-, Einlage f; **~ion** (in'sə:ʃən) Einsetzung f usw.; Inser'at n.

inside ('in'said) **1.** Innenseite f; Innere(s) n; **2.** adj. inner, inwendig; Innen...; **3.** adv. im Innern; **4.** prp. innerhalb.

insidious □ (in'sidiəs) heimtückisch.

insight ('insait) Ein-sicht f, -blick m.

insignia (in'signiə) pl. Abzeichen n/pl.

insignificant (insig'nifikənt) unbedeutend.

insincere (insin'siə) unaufrichtig.

insinuat|e (in'sinjueit) einmogeln; unterste'llen; andeuten; **~ion** (in-'sinju'eiʃən) Einflüsterung f, Wink m.

insipid (in'sipid) geschmacklos, fad.

insist (in'sist) **~** (up)on: bestehen auf (dat.); dringen auf (acc.); **~ence** (~əns) Bestehen n; Beharrlichkeit f; Drängen n; **~ent** □ (~ənt) beharrlich.

insolent □ ('insələnt) unverschämt.

insoluble (in'sɔljubl) unlöslich.

insolvent (in'sɔlvənt) zahlungsunfähig.

inspect (in'spekt) besichtigen; be-, nach-sehen; **~ion** (in'spekʃən) Besichtigung; Aufsicht f.

inspir|ation (inspə'reiʃən) Einatmung; Eingebung; Begeisterung f; **~e** (in'spaiə) einatmen; fig. eingeben; j. begeistern.

install (in'stɔ:l) einsetzen, einweihen; ⊕ installieren; **~ation** (instɔ:'leiʃən) Einsetzung f usw.

instalment (in'stɔ:lmənt) Teilzahlung, Rate; Teillieferung f.

instance ('instəns) Ersuchen; Beispiel n; (besonderer) Fall m; ᵵᵵ Insta'nz f; for **~** zum Beispiel.

instant □ ('instənt) **1.** dringend; sofortig; on the 10th **~** am 10. dieses (Monats); **2.** Augenblick m; **~aneous** □ (instən'teinjəs) augenblicklich; Mome'nt...; **~ly** ('instəntli) sogleich.

instead (in'sted) dafür; **~** of anstatt.

instep ('instep) Spann m.

instigat|e ('instigeit) anstiften; aufhetzen; **~or** (~ə) Anstifter, Hetzer m.

instil(l) (in'stil) einträufeln; fig. einflößen (into dat.).

instinct ('instiŋkt) Insti'nkt m; **~ive** □ (in'stiŋktiv) instinkti'v.

institut|e ('institju:t) **1.** Institu't n; **2.** einsetzen, stiften, einrichten; **~ion** (insti'tju:ʃən) Einsetzung usw.; Satzung f; Institu't n.

instruct (in'strʌkt) unterri'chten; j. anweisen; **~ion** (in'strʌkʃən) Vorschrift; Unterwei'sung; Anweisung f; **~ive** □ (~tiv) lehrreich; **~or** (~tiv) Lehrer m.

instrument ('instrumənt) Instrume'nt; Werkzeug (a. fig.); ᵵᵵ Urkunde f; **~al** □ (instru'mentl) als Werkzeug dienend; dienlich; ♪ Instrumenta'l...; **~ality** (~men'tæliti) Mitwirkung f, Mittel n.

insubordinate (insə'bɔ:dnit) unbotmäßig, widerse'tzlich.

insufferable □ (in'sʌfərəbl) unerträglich.

insufficient (insə'fiʃənt) □ unzulänglich, ungenügend.

insula|r □ ('insjulə) Insel...; **~te** (~leit) isolieren; **~tion** (insju'leiʃən) Isolierung f.

insult 1. ('insʌlt) Beleidigung f; **2.** (in'sʌlt) beleidigen.

insur|ance (in'ʃuərəns) Versicherung f; attr. Versicherungs...; **~e** (in'ʃuə) versichern.

insurgent (in'sə:dʒənt) **1.** aufrührerisch; **2.** Aufrührer m.

insurmountable □ (insə'mauntəbl) unüber-stei'glich, fig. -wi'ndlich.

insurrection (insə'rekʃən) Aufstand m, Empörung f. [sehrt.|

intact (in'tækt) unberührt; unver-|

intangible □ (in'tændʒəbl) unfühlbar; unfaßbar; unantastbar.

integ|ral ('intigrəl) □ ganz, vollständig; wesentlich; **~rate** (~greit) ergänzen; zs.-tun; einfügen; **~rity** (in'tegriti) Vollständigkeit; Redlichkeit f.

intellect ('intilekt) Verstand m; **~ual** □ (inti'lektjuəl) **1.** intellektue'll: Verstandes..., geistig; verständig; **2.** Intellektue'lle(r).

intelligence (in'telidʒəns) Intellige'nz f; Verstand m; Verständnis n; Nachricht, Auskunft, Spiona'ge f; Intelligence service Geheimdienst m.

intellig|ent □ (in'telidʒənt) intelligent; verständig; **~ible** □ (~dʒəbl) verständlich (to für).

intemperance (in'tempərəns) Unmäßigkeit; Trunksucht f.

8*

intend (in'tend) beabsichtigen, wollen; ~ *for* bestimmen für *od.* zu.

intense □ (in'tens) intensi'v: angestrengt; heftig; kräftig (*Farbe*).

intensify (in'tensifai) (sich) verstärken *od.* steigern.

intensi|ty (in'tensiti) Intensitä't *f*.

intent (in'tent) 1. □ gespannt, bedacht; beschäftigt (*on* mit); 2. Absicht *f*, Vorhaben *n*; *to all* ~*s and purposes* in jeder Hinsicht; ~**ion** (in'tenʃən) Absicht *f*; Zweck *m*; ~**ional** □ (~l) absichtlich.

inter (in'tə:) beerdigen, begraben.

inter... ('intə) zwischen; Zwischen-...; gegenseitig, einander.

interact (intər'ækt) sich gegenseitig beeinflussen.

intercede (intə'si:d) vermitteln.

intercept (~'sept) ab-, auf-fangen; abhören; aufhalten; unterbre'chen; ~**ion** (~pʃən) Abfangen *n usw.*

intercess|ion (intə'seʃən) Fürbitte *f*; ~**or** (~sə) Fürsprecher *m*.

interchange 1. (intə'tʃeindʒ) *v/t.* aus-tauschen, -wechseln; *v/i.* abwechseln; 2. ('intə'tʃeindʒ) Austausch *m*; Abwechs(e)lung *f*.

intercourse (intəko:s) Verkehr *m*.

interdict 1. (intə'dikt) untersa'gen, verbieten; 2. ('intədikt), ~**ion** (intə'dikʃən) Verbot *n*.

interest (intrist) 1. *allg.* Intere'sse *n*; Anteil (*in an dat.*); Vorteil *m*; Aufmerksamkeit *f*; Zinsen *m/pl.*; ~*s pl.* Belange *f*; Interesse'nten *m/pl.*; 2. *allg.* interessieren (*in* für *et.*); ~**ing** □ (~iŋ) interessa'nt.

interfere (intə'fiə) sich einmischen (*with in acc.*); vermitteln; (ea.) stören; ~**nce** (~rəns) Einmischung, Störung *f*.

interim (intərim) 1. Zwischenzeit *f*; 2. vorläufig; Interims-...

interior (in'tiəriə) 1. □ inner; innerlich; Innen-...; 2. Innere(s) *n*; Innenansicht *f*; *pol.* innere Angelegenheit *f/pl.* [*ruf m.*]

interjection (intə'dʒekʃən) Ausruf *m.*]

interlace (intə'leis) *v/t.* durch-fle'chten, -we'ben; *v/i.* sich kreuzen.

interlock (intə'lɔk) in-ea.-greifen; in-ea.-schlingen; in-ea.-haken.

interlocut|ion (intəlo'kju:ʃən) Unterre'dung *f*; ~**or** (intə'lɔkjutə) Gesprächspartner *m*.

interlope (intə'loup) sich eindrängen; ~**r** (~ə) Eindringling *m*.

interlude ('intəlu:d) Zwischenspiel *n*.

intermeddle (intə'medl) sich einmischen (*with, in* in *acc.*).

intermedia|ry (~'mi:diəri) 1. = intermediate; vermittelnd; 2. Vermittler *m*; ~**te** (~'mi:djət) in der Mitte liegend; Mittel-..., Zwischen-...

interment (intə:mənt) Beerdigung *f*.

interminable □ (in'tə:minəbl) endlos, unendlich.

intermingle (intə'miŋgl) (sich) vermischen.

intermission (~'miʃən) Aussetzen *n*, Unterbre'chung; Pause *f*.

intermit (~'mit) unterbre'chen, aussetzen; ~**tent** (~ənt) □ aussetzend; ~ *fever* Wechselfieber *n*.

intermix (intə'miks) (sich) vermischen.

intern (in'tə:n) internieren.

internal □ (in'tə:nl) inner(lich); inländisch.

international (intə'næʃnl) □ interna'tiona'l; ~ *law* Völkerrecht *n*.

interpolate (in'tə:poleit) einschieben.

interpose (intə'pouz) *v/t.* einschieben; *Wort* einwerfen; *v/i.* dazwischenkommen; vermitteln.

interpret (in'tə:prit) auslegen, erklären; (ver)dolmetschen; darstellen; ~**ation** (~'eiʃən) Auslegung; Darstellung *f*; ~**er** (~ə) Ausleger (-in); Dolmetscher(in); Darsteller(in).

interrogat|e (in'terogeit) (be-, aus-) fragen; verhören; ~**ion** (~'geiʃən) (Be-, Aus-)Fragen, Verhör(en) *n*; Frage *f*; ~**ive** □ (intə'rɔgətiv) fragend; Frage...

interrupt (intə'rʌpt) unterbre'chen; ~**ion** (~'rʌpʃən) Unterbre'chung *f*.

intersect (intə'sekt) (sich) schneiden; ~**ion** (~kʃən) Durchschnitt; Schnittpunkt *m*; 🚇 Kreuzung *f*.

intersperse (intə'spə:s) einstreuen; untermе'ngen, durchse'tzen.

intertwine (intə'twain) verflechten.

interval ('intəvəl) Zwischen-raum *m*, -zeit, Pause *f*; Abstand *m*.

interven|e (intə'vi:n) dazwischenkommen; sich einmischen; einschreiten; dazwischenliegen; ~**tion** (~'venʃən) Dazwischen-kunft *f*, -treten *n*.

interview ('intəvju:) 1. Zusammenkunft, Unterre'dung *f*; Interview *n*; 2. aus-, be-fragen.

intestine (in'testin) 1. inner; 2. Darm *m*; ~s *pl.* Eingeweide *n/pl.*

intima|cy ('intiməsi) Intimitä't, Vertraulichkeit *f*; ~te 1. (~meit) bekanntgeben; zu verstehen geben; 2. (~mit) a) ~ inti'm; b) Vertraute(r); ~tion (inti'meiʃən) Andeutung *f*, Wink *m*.

intimidate (in'timideit) einschüchtern.

into ('intu, *vor Konsonant* 'intə) *prp.* in (*acc.*), in ... hinein.

intolera|ble □ (in'tolərəbl) unerträglich; ~nt □ (~rənt) unduldsam.

intonation (intou'neiʃən) Anstimmen *n*; Tonfall *m*.

intoxica|nt (in'tɔksikənt) berauschend(es Getränk); ~te (~keit) berauschen; ~tion (~'keiʃən) Rausch *m*.

intractable □ (in'træktəbl) unlenksam, störrisch; unbändig.

intrepid (in'trepid) unerschrocken.

intricate □ (in'trikit) verwickelt.

intrigue (in'triːg) 1. Ränkespiel *n*; Liebeshandel *m*; 2. intrigieren, Ränke schmieden; neugierig m.; ~r (~ə) Intriga'nt(in).

intrinsic(al □) (in'trinsik, ~sikəl) inner(lich); wirklich, wahr.

introduc|e (intrə'djuːs) einführen (*a. fig.*); bekannt m. (to mit), vorstellen; einleiten; ~tion (~'dʌkʃən) Einführung; Einleitung; Vorstellung *f*; ~tory (~'dʌktəri) einleitend, einführend.

intru|de (in'truːd) hineinzwängen; (sich) ein- od. auf-drängen; ~der (~ə) Eindringling *m*; ~sion (~ʒən) Eindringen *n*; Zudringlichkeit *f*; ~sive □ (~siv) zudringlich.

intrust (in'trʌst) *s.* entrust.

intuition (intju'iʃən) unmittelbare Erkenntnis, Intuitio'n *f*.

inundate ('inʌndeit) überschwe'mmen.

inure (i'njuə) gewöhnen (to an *acc.*).

invade (in'veid) eindringen in, einfallen in (*acc.*); *fig.* befallen; ~r (~ə) Angreifer(in); Eindringling *m*.

invalid 1. (in'vælid) (rechts)ungültig; 2. ('invaliːd) a) dienstunfähig; kränklich; b) Invali'de *m*; ~ate (in'vælideit) entkräften; ɟ̵ ungültig machen. [schätzbar.]

invaluable □ (in'væljuəbl) un-]

invariable □ (in'vɛəriəbl) unveränderlich.

invasion (in'veiʒən) Einfall, Angriff; ɟ̵ Eingriff; ⚔ Anfall *m*.

inveigh (in'vei) schimpfen.

invent (in'vent) erfinden; ~ion (in'venʃən) Erfindung(sgabe) *f*; ~ive □ (~tiv) erfinderisch; ~or (~tə) Erfinder(in); ~ory ('inventri) 1. Inventa'r *n*; *Am.* Inventu'r *f*; 2. inventarisieren.

inverse □ (in'vəːs) umgekehrt.

invert (in'vəːt) umkehren; umstellen.

invest (in'vest) *fig.* bekleiden; ⚔ einschließen; * Geld anlegen.

investigat|e (in'vestigeit) (er)forschen; untersu'chen; ~ion (in'vesti'geiʃən) Erforschung *f usw.*; ~or (in'vestigeitə) Forscher(in); Untersu'cher(in).

invest|ment (in'vestmənt) Geldanlage *f*; ~or (~ə) Geldgeber *m*.

inveterate □ (in'vetərit) eingewurzelt.

invidious □ (in'vidiəs) verhaßt; gehässig; beneidenswert.

invigorate (in'vigəreit) kräftigen.

invincible □ (in'vinsəbl) unbesiegbar; unüberwi'ndlich.

inviola|ble □ (in'vaiələbl) unverletzlich; ~te (~lit) unverletzt.

invisible □ (in'vizəbl) unsichtbar.

invit|ation (invi'teiʃən) Einladung *f*; ~e (in'vait) einladen; auffordern; (an)locken.

invoice † (in'vois) Faktu'ra, (Waren-)Rechnung *f*.

invoke (in'vouk) *Gott, j-s Rat usw.* anrufen; *Geist* heraufbeschwören.

involuntary □ (in'vɔləntəri) unfreiwillig; unwillkürlich.

involve (in'vɔlv) in sich schließen, enthalten; mit sich bringen; verwickeln; verwickelt machen.

invulnerable □ (in'vʌlnərəbl) unverwundbar; *fig.* unanfechtbar.

inward ('inwəd) 1. □ inner(lich); 2. *adv.* (*mst* ~s [~z]) einwärts; nach innen; 3. ~s *pl.* Eingeweide *n/pl.*

inwrought ('in'rɔːt) hineingearbeitet (in, on in *acc.*); verarbeitet (with).

iodine ('aiədiːn) Jod *n*.

IOU ('aiou'juː) [= l owe you] Schuldschein *m*.

irascible □ (i'ræsibl) jähzornig.

irate (ai'reit) zornig, wütend.

iridescent (iri'desnt) schillernd.

iris ('aiəris) Iris: *anat.* Regenbogenhaut; ♣ Schwertlilie *f*.

Irish ('aiəriʃ) 1. irisch; 2. Irisch *n*; the ~ die Irländer *pl.*

irksome ('ə:ksəm) lästig, ermüdend.

iron ('aiən) 1. Eisen; (*mst flat-~*) Bügeleisen *n*; ~s *pl.* Fesseln *f/pl.*; 2. eisern (*a. fig.*); Eisen...; 3. bügeln; ~clad 1. gepanzert; 2. Panzerschiff *n*; ~hearted *fig.* hartherzig.

ironic(al □) (aiə'rɔnik, ~nikəl) ironisch, spöttisch.

iron|ing ('aiəniŋ) 1. Plätten *n*; 2. Plätt..., Bügel...; ~mongery Eisenwaren *f/pl.*; ~mould Rostfleck *m*; ~work Eisenwerk *n an e-m Gebäude usw.*; ~works *mst sg.* Eisenhütte *f.*

irony ('aiərəni) Ironie *f.*

irradiate (i'reidieit) erleuchten; *fig.* aufklären; strahlen machen.

irrational (i'ræʃnl) unvernünftig.

irreconcilable □ (i'rekənsailəbl) unversöhnlich; unvereinbar.

irrecoverable □ (iri'kʌvərəbl) unersetzlich; unwiederbringlich.

irredeemable □ (iri'di:məbl) unkündbar; nicht einlösbar.

irrefutable □ (i'refjutəbl) unwiderle'glich, unwiderle'gbar.

irregular (i'regjulə) □ unregelmäßig, regelwidrig; unrichtig.

irrelevant □ (i'relivənt) nicht zur Sache gehörig; unzutreffend; unerheblich, belanglos (*to* für).

irreligious □ (iri'lidʒəs) gottlos.

irremediable □ (iri'mi:diəbl) unheilbar; unersetzlich.

irreparable □ (i'repərəbl) nicht wieder gutzumachen(d).

irreproachable □ (iri'proutʃəbl) vorwurfsfrei, untadelig.

irresistible □ (iri'zistəbl) unwiderste'hlich. [schlossen.]

irresolute □ (i'rezəlu:t) unent-)

irrespective □ (iris'pektiv) (*of*) rücksichtslos (gegen); ohne Rücksicht (auf *acc.*); unabhängig (von).

irresponsible □ (iris'pɔnsəbl) unverantwortlich; verantwortungslos.

irreverent □ (i'revərənt) unehrerbietig.

irrevocable □ (i'revəkəbl) unwiderruflich; unabänderlich.

irrigate ('irigeit) bewässern.

irrita|ble □ (i'ritəbl) reizbar; ~nt (~tənt) Reizmittel *n*; ~te (~teit) reizen; ärgern; ~tion (iri'teiʃən) Reizung; Gereiztheit *f*, Ärger *m.*

irruption (i'rʌpʃən) Einbruch *m.*

is (iz) *er, sie, es* ist (*s. be*).

island ('ailənd) Insel; Verkehrsinsel; ~er (~ə) Inselbewohner(in).

isle (ail) Insel *f*; ~t (ai'lit) Inselchen *n.*

isolat|e ('aisəleit) absondern; isolieren; ~ion (aisə'leiʃən) Isolierung *f.*

issue ('isju:) 1. Aus-, Ab-fluß; Ausgang *m*; Nachkommen(schaft*f*) *m/pl.*; *fig.* Ausgang *m*, Ergebnis *n*; Streitfrage *f*; Ausgabe *f v. Material usw.*, Erlaß *m v. Befehlen*; Nummer *f e-r Zeitung*; ~ *in law* Rechtsfrage*f*; *be at* ~ uneinig sn; *point at* ~ strittiger Punkt; 2. *v/i.* herauskommen; herkommen, entspringen; endigen (*in in acc.*); *v/t.* von sich geben; *Material usw.* ausgeben; *Befehl* erlassen; *Buch* herausgeben.

isthmus ('isməs) Landenge *f.*

it (it) es; *nach prp.* da... (*z. B.* **by it** dadurch; *for it* dafür).

Italian (i'tæljən) 1. italie'nisch; ~ *warehouse* Kolonia'lwarenhandlung *f*; 2. Italiener(in); 3. Italienisch *n.*

italics (i'tæliks) *typ.* Kursi'vschrift*f.*

itch (itʃ) 1. 🐾 Krätze *f*; Jucken; Verlangen *n*; 2. jucken; *be* ~*ing to inf.* darauf brennen, zu ...

item ('aitem) 1. desgleichen; 2. Einzelheit *f*, Punkt; Posten; (Zeitungs-) Arti'kel *m*; ~ize *bsd. Am.* ('aitemaiz) einzeln angeben od. aufführen.

iterate ('itəreit) wiederho'len.

itinerary (i'tinərəri, ai't-) Reisebericht *m*; Reisebuch *n*; Reiseweg*l.*

its (its) sein(er); dessen, deren. [m.]

itself (it'self) (es) selbst; sich; *in* ~ in sich, an sich; *by* ~ für sich allein, besonders.

ivory ('aivəri) Elfenbein *n.*

ivy ♀ ('aivi) Efeu *m.*

J

jab F (dʒæb) **1.** stechen; stoßen; **2.** Stich, Stoß *m*.

jabber ('dʒæbə) plappern.

jack (dʒæk) **1.** *Kartenspiel:* Bube *m*; ⚓ Gösch *m* (*f*); Wagenheber; Flaschenzug *m*; Winde *f*; **2.** hoch-heben, -winden; *Am. sl. Preise* hochschrauben; **ass** Esel (*a. fig.*) *m*.

jacket ('dʒækit) Jacke *f*; ⊕ Mantel; Schutzumschlag *m e-s Buches*.

jack|-knife (großes) Klappmesser *n*; **-of-all-trades** Hans *m* in allen Gassen; **-of-all-work** Faktotum *n*.

jade (dʒeid) (Schind-)Mähre, Kracke *f*; *contp.* Frauenzimmer *n*.

jag (dʒæg) Zacken *m*; **-ged** ('dʒægid), **-gy** (ˌi) zackig; gekerbt.

jail (dʒeil) Kerker *m*; einkerkern; **-er** ('dʒeilə) Kerkermeister *m*.

jam¹ (dʒæm) Marmelade *f*.

jam² (ˌ) **1.** Gedränge *n*; ⊕ Hemmung; *Radio:* Störung *f*; *traffic* ~ Verkehrsstockung *f*; *Am.* be in a ~ in der Klemme sn; **2.** (sich) (fest-, ver-)klemmen; pressen, quetschen; versperren; *Radio:* stören; ~ the brakes mit aller Kraft bremsen.

jangle ('dʒæŋgl) gellen *od.* schrillen (lassen).

janitor ('dʒænitə) Portie'r *m*.

January ('dʒænjuəri) Januar *m*.

Japanese (dʒæpə'niːz) **1.** japa'nisch; **2.** Japa'ner(in); Japanisch *n*; the ~ *pl.* die Japaner.

jar (dʒɑː) **1.** Krug; Topf *m*; Glas *n* Senf *usw.*; Knarren *n*, Mißton; Streit *m*; mißliche Lage; **2.** knarren; unangenehm berühren; erzittern (machen); streiten.

jaundice ('dʒɔːndis) Gelbsucht *f*; **-d** (ˌt) gelbsüchtig; *fig.* neidisch.

jaunt (dʒɔːnt) **1.** Ausflug *m*; **2.** umherstreifen; **-y** □ ('dʒɔːnti) munter; flott.

javelin ('dʒævlin) Wurfspeer *m*.

jaw (dʒɔː) Kinnbacken, Kiefer *m*; **-s** *pl.* Rachen *m*; Maul *n*; Schlund *m*; ⊕ Backen *f*/*pl.*; **-bone** Kieferknochen *m*.

jealous □ ('dʒeləs) eifersüch-tig; besorgt (*of* um), neidisch; **-y** (ˌi) Eifersucht *f*; Neid *m*.

jeep *Am.* ⚔ (dʒiːp) Streifenwagen *m*.

jeer (dʒiə) **1.** Spott *m*, Spötterei *f*; **2.** spotten; (ver)höhnen.

jejune □ (dʒi'dʒuːn) nüchtern, fad.

jelly ('dʒeli) **1.** Gallert(e *f*); Gelee *n*; **2.** gelieren; **-fish** Qualle *f*.

jeopardize ('dʒepədaiz) gefährden.

jerk (dʒəːk) **1.** Ruck; (Muskel-)Krampf *m*; **2.** rucken *od.* zerren (an *dat.*); schnellen; schleudern; **-y** □ ('dʒəːki) ruckartig; krampfhaft.

jersey ('dʒəːzi) (Unter-)Jacke.

jest (dʒest) **1.** Spaß *m*; **2.** scherzen; **-er** ('dʒestə) Spaßmacher *m*.

jet (dʒet) **1.** (Wasser-, Gas-)Strahl *m*; Röhre; ⊕ Düse *f*; **2.** hervorsprudeln.

jet-powered mit Düsenantrieb.

jetty ⚓ ('dʒeti) Mole *f*; Pier *m*.

Jew (dʒuː) Jude *m*; *attr.* Juden...

jewel ('dʒuːəl) Juwe'l *n* (*m*); **-(l)er** (ˌə) Juwelie'r *m*; **-(le)ry** (ˌri) Juwe'len *pl.*, Schmuck(sachen *f*/*pl.*) *m*.

Jew|ess ('dʒuːis) Jüdin *f*; **-ish** (ˌiʃ) jüdisch.

jib ⚓ (dʒib) Klüver *m*. [jüdisch.]

jiffy F ('dʒifi) Augenblick *m*.

jig-saw *Am.* Spannsäge *f*; ~ *puzzle* Mosai'kspiel *n*.

jilt (dʒilt) **1.** Kokette *f*; **2.** kokettieren mit *j-m*; *Liebhaber* versetzen.

jingle ('dʒiŋgl) **1.** Geklingel *n*; **2.** klingeln, klimpern (mit).

job (dʒɔb) **1.** (Stück *n*) Arbeit *f*; Geschäft *n*, Sache; Stellung *f*; by the ~ stückweise; in Akkord; ~ *lot* Ramschware *f*; ~ *work* Akkordarbeit *f*; **2.** *v*/*t*. *Pferd usw.* (ver)mieten; ✝ vermitteln; *v*/*i*. in Akkord arbeiten; Maklergeschäfte *m.*; **-ber** ('dʒɔbə) Akkordarbeiter; Makler; Schieber *m*. [len.]

jockey ('dʒɔki) **1.** Jockei *m*; **2.** prellen.

jocose (dʒə'kous) scherzhaft, spaßig.

jocular ('dʒɔkjulə) lustig; spaßig.

jocund □ ('dʒɔkənd) lustig, fröhlich.

jog (dʒɔg) **1.** Stoß(en *n m*); Rütteln *n*; Trott *m*; **2.** *v*/*t*. (an)stoßen; (auf-)rütteln; *v*/*i*. (*mst* ~ *along*, ~ *on*) dahintrotten.

join (dʒɔin) 1. v/t. verbinden; zs.-fügen (to mit); sich vereinigen mit; sich gesellen zu; eintreten in (acc.); ~ battle handgemein w.; ~ hands die Hände falten; sich die Hände reichen (a. fig.); v/i. sich verbinden, sich vereinigen; ~ in mitmachen bei; ~ up ins Heer eintreten; 2. Verbindung(sstelle) f.

joiner ('dʒɔinə) Tischler m; ~y (ˌri) Tischler-handwerk n, -arbeit f.

joint (dʒɔint) 1. Verbindung(sstelle) f; Scharnier; anat. Gelenk n; ♀ Knoten m; Bratenstück n; put out of ~ verrenken; 2. □ gemeinsam; Mit...; ~ heir Miterbe m; 3. zs.-fügen; zerlegen; ~ed (dʒɔintid) gegliedert; Glieder...; ~-stock Aktienkapital n; ~ company Aktiengesellschaft f.

jok|e (dʒouk) 1. Scherz, Spaß m; 2. v/i. scherzen; schäkern; v/t. necken (about mit); ~er ('dʒoukə) Spaßvogel m; ~y □ (ˌki) spaßig.

jolly ('dʒɔli) lustig, fidel; F nett.

jolt (dʒoult) 1. stoßen, rütteln; 2. Stoß m; Rütteln n.

jostle ('dʒɔsl) 1. anrennen; zs.-stoßen; 2. Stoß; Zs.-Stoß m.

jot (dʒɔt) 1. Jota, Pünktchen n; 2. ~ down notieren.

journal ('dʒəːnl) 1. Journal n; Tagebuch n; Tageszeitung; Zeitschrift f; ⊕ Wellzapfen m; ~ism ('dʒəːnlizm) Zeitungswesen n.

journey ('dʒəːni) 1. Reise; Fahrt f; 2. reisen; ~man Geselle m.

jovial ('dʒouviəl) heiter; gemütlich.

joy (dʒɔi) Freude; Fröhlichkeit f; ~ful □ ('dʒɔiful) freudig; erfreut; fröhlich; ~less □ (ˌlis) freudlos; unerfreulich; ~ous □ (ˌəs) freudig, fröhlich.

jubil|ant ('dʒuːbilənt) jubilierend, frohlockend; ~ate (ˌleit) jubeln; ~ee ('dʒuːbiliː) Jubiläum n.

judge (dʒʌdʒ) 1. Richter(in); Schiedsrichter(in); Beurteiler(in); Kenner(in); 2. v/i. urteilen (of über acc.); v/t. richten; aburteilen; beurteilen (by nach); meinen.

judg(e)ment ('dʒʌdʒmənt) Urteil n; Urteilsspruch m; Urteilskraft; Meinung f; göttliches (Straf-)Gericht n. [hof m; Rechtspflege f.]

judicature ('dʒuːdikətʃə) Gerichts-[

judicial □ (dʒuː'diʃəl) gerichtlich; Gerichts...; kritisch; unparteiisch.

judicious □ (dʒuː'diʃəs) verständig, klug; ~ness (ˌnis) Einsicht f.

jug (dʒʌg) Krug m.

juggle ('dʒʌgl) 1. Gaukelei f; 2. gaukeln; betrügen; ~r (ˌə) Gaukler(in); Taschenspieler(in).

juic|e (dʒuːs) Saft m; ~y □ ('dʒuːsi) saftig; F interessant.

July (dʒuː'lai) Ju'li m.

jumble ('dʒʌmbl) 1. Durcheinander n; 2. durch-ea.-werfen, vermengen; ~-sale Ramschverkauf m.

jump (dʒʌmp) 1. Sprung m; nervöses Zs.-Fahren n; 2. v/i. (auf-)springen; ~ at sich stürzen auf (acc.); ~ to conclusions übereilte Schlüsse ziehen; v/t. hinwegspringen über (acc.); überspringen; springen l.; ~er ('dʒʌmpə) Springer m; Schlupfbluse f; ~y (ˌpi) nervös.

junct|ion ('dʒʌŋkʃən) Verbindung; Kreuzung f; ₲ Knotenpunkt m; ~ure (ˌktʃə) Verbindungspunkt m, -stelle f; Zeitpunkt m (kritischer) Zeitpunkt; at this ~ of things bei diesem Stand der Dinge.

June (dʒuːn) Juni m.

jungle ('dʒʌŋgl) Dschungel f, Dickicht n.

junior ('dʒuːnjə) 1. jünger (to als); 2. Jüngere(r); F Kleine(r) m.

junk ⚓ (dʒʌŋk) Dschunke f; Am. Trödel, Plunder m.

juris|diction (dʒuəris'dikʃən) Rechtsprechung; Gerichts-barkeit f; -bezirk m; ~prudence ('dʒuərisˌpruːdəns) Rechtswissenschaft f.

juror ('dʒuərə) Geschworene(r) m.

jury (ˌri) Geschworenen-; Preisgericht n; ~man Geschworene(r) m.

just □ (dʒʌst) 1. adj. gerecht; rechtschaffen; richtig; genau; 2. adv. gerade, genau; so)eben; eben nur; ~ now eben od. gerade jetzt.

justice ('dʒʌstis) Gerechtigkeit f; Richter m; Recht; Rechtsverfahren n; court of ~ Gericht(shof m) n.

justification (dʒʌstifi'keiʃən) Rechtfertigung f.

justify ('dʒʌstifai) rechtfertigen.

justly ('dʒʌstli) mit Recht.

justness (ˌnis) Gerechtigkeit f usw.

jut (dʒʌt) hervorragen (a. ~ out).

juvenile ('dʒuːvinail) 1. jung, jugendlich; Kinder...; 2. junger Mensch m.

K

kangaroo (kæŋgə'ru:) Kä'nguruh *n.*
keel (ki:l) **1.** Kiel *m*; **2.** ~ over kieloben legen *od.* liegen; umschlagen.
keen □ (ki:n) scharf (*a. fig.*); eifrig, heftig; **~ness** ('ki:nnis) Schärfe; Heftigkeit *f*; Scharfsinn *m.*
keep (ki:p) **1.** *Lebens*-Unterhalt *m*; F *bsd. Am.* for ~s für immer; **2.** [*irr.*] *v/t. allg.* halten; behalten; unterha'lten; (er)halten; (inne-)halten; (ab)halten; *Buch, Ware usw.* führen; *Bett usw.* hüten; fest-, auf-halten; (bei)behalten; (auf-)bewahren; ~ company with verkehren mit; ~ one waiting j. warten l.; ~ away fernhalten; ~ a th. from a p. e-m et. vorenthalten; ~ in zurückhalten; *Schüler* nachbleiben l.; ~ on *Kleid* anbehalten, *Hut* aufbehalten; ~ up aufrecht (er)halten; **3.** *v/i.* sich halten; F *od. Am.* sich aufhalten; ~ doing immer wieder tun; ~ away sich fernhalten; ~ from sich enthalten (*gen*); ~ off sich fernhalten; ~ on (*talking*) fortfahren (zu sprechen); ~ to sich halten an (*acc.*); ~ up sich aufrecht(er)halten; ~ up with Schritt halten mit.
keep|er ('ki:pə) Verwahrer(in); Aufseher(in); Wärter(in); **~ing** ('ki:piŋ) Verwahrung; Obhut *f*; Gewahrsam *m* (*n*); Unterhalt *m*; be in (out of) ~ with ... (nicht) übereinstimmen mit ...; **~sake** ('ki:pseik) Andenken *n.*
keg (keg) Fäßchen *n.*
kennel ('kenl) Hunde-hütte *f*, -zwinger *m.*
kept (kept) hielt; gehalten.
kerb(stone) ('kə:b[stoun]) Randstein *m.*
kerchief ('kə:tʃif) (Kopf-)Tuch *n.*
kernel ('kə:nl) Kern *m* (*a. fig.*); Hafer-, Mais- *usw.* -korn *n.*
kettle ('ketl) Kessel *m*; **~drum** *♪* Kesselpauke; F Teegesellschaft *f.*
key (ki:) **1.** Schlüssel (*a. fig.*); Schlüßstein; ⊕ Keil; Schraubenschlüssel *m*; Klavier- usw. Taste *f*; *♪* Stromschließer, Schalter *m*; *♪* Tonart *f*; *fig.* Ton *m*; **2.** festkeilen; *♪* stim-

men; ~ up *♱* erhöhen; *fig.* anspornen; be ~ed up *Am.* gespannt sn; **~board** Klaviatu'r, Tastatu'r *f*; **~hole** Schlüsselloch *n*; **~note** Grundton *m*; **~stone** Schlußstein *m.*
kick (kik) **1.** (Fuß-)Stoß, Tritt *m*; Stoßkraft *f*; F Widerstand *m*; **2.** *v/t.* (mit dem Fuße) stoßen *od.* treten; *Am. sl.* ~ out hinauswerfen; *v/i.* (hinten) ausschlagen; stoßen (*Gewehr*); sich auflehnen; **~er** ('kikə) Fußballspieler *m.*
kid (kid) **1.** Zicklein; F Gör; Ziegenleder *n*; **2.** *sl.* (ver)kohlen.
kidnap ('kidnæp) entführen; **~(p)er** (~ə) Kinder-, Menschen-räuber *m.*
kidney ('kidni) *anat.* Niere; F Art *f.*
kill (kil) töten (*a. fig.*); *fig.* vernichten; *parl.* zu Fall bringen; ~ off abschlachten; ~ time die Zeit totschlagen; **~er** ('kilə) Totschläger (-in).
kiln (kiln) Brenn-, Darr-ofen *m.*
kin (kin) (Bluts-)Verwandtschaft *f.*
kind (kaind) **1.** □ gütig, freundlich; **2.** Art, Gattung *f*, Geschlecht *n*; Art und Weise *f*; *pay in* ~ in Waren (*fig.* mit gleicher Münze) zahlen; **~hearted** gütig.
kindle ('kindl) anzünden; (sich) entzünden (*a. fig.*).
kindling ('kindliŋ) Kleinholz *n.*
kind|ly ('kaindli) freundlich; günstig; **~ness** (~nis) Güte, Freundlichkeit; Gefälligkeit *f.*
kindred ('kindrid) **1.** verwandt, gleichartig; **2.** Verwandtschaft *f.*
king (kiŋ) König *m*; *Damspiel:* Dame *f*; **~dom** ('kiŋdəm) Königreich *n*; *bsd.* ⬙ *zo.* Reich, Gebiet *n*; **~like** (laik), **~ly** (~li) königlich.
kink (kiŋk) Schlinge *f*, Knoten *m*; *fig.* Schrulle *f*, Fimmel *m.*
kin|ship ('kinʃip) Verwandtschaft *f*; **~sman** ('kinzmən) Verwandte(r) *m.*
kiss (kis) **1.** Kuß *m*; **2.** (sich) küssen.
kit (kit) Tasche *f*; Etui'; Handwerkszeug *n*; **~bag** ⚔ Tornister *m*; Ränzel *n*; ⊕ Werkzeugtasche *f.*

kitchen ('kitʃin) Küche *f*.
kite (kait) *Papier*-Drache(n) *m*.
kitten ('kitn) Kätzchen *n*.
knack (næk) Kniff *m*; Geschicklichkeit *f*.
knapsack ('næpsæk) Tornister *m*.
knave (neiv) Schurke; *Kartenspiel* Bube *m*.
knead (ni:d) kneten; massieren.
knee (ni:) Knie *n*; **~cap** Kniescheibe *f*; **~l** (ni:l) [*irr*.] knien (*to* vor *dat*.).
knell (nel) Totenglocke *f*.
knelt (nelt) kniete; gekniet.
knew (nju:) wußte.
knickknack ('niknæk) Spielerei *f*, Tand *m*, Nippsache *f*.
knife (naif) **1.** [*pl*. knives] Messer *n*; **2.** schneiden; (er)stechen.
knight (nait) **1.** Ritter; Springer *m im Schach*; **2.** zum Ritter schlagen; **~-errant** fahrender Ritter; **~hood** ('naithud) Rittertum *n*; **~ly** (~li) ritterlich.
knit (nit) [*irr*.] stricken; (ver)knüpfen; (sich) eng verbinden; *~ the brows* die Stirn runzeln; **~ting** ('nitiŋ) **1.** Strickzeug *n*; **2.** Strick...
knives (naivz) *pl*. Messer *n*/*pl*.
knob (nɔb) Knopf; Buckel; Brocken *m*.

knock (nɔk) **1.** Schlag *m*; Anklopfen *n*; **2.** klopfen; stoßen; schlagen; F *~ about* sich umhertreiben; *~ down* niederschlagen; *Auktion*: zuschlagen; ⊕ aus-ea.-nehmen; *be ~ed down* überfa'hren w.; *~ off* aufhören mit; F zs.-hauen (*schnell erledigen*); *Summe* abziehen; *~ out Boxen*: durch Niederschlag besiegen; **~-kneed** x-beinig; *fig*. hinkend; **~-out** *Boxen*: (*a*. *~ blow*) Niederschlag *m*.
knoll (noul) kleiner Erdhügel.
knot (nɔt) **1.** Knoten; Knorren *m*; Seemeile; Schleife *f*, Band (*a*. *fig*.) *n*; Schwierigkeit *f*; **2.** (ver)knoten, (ver)knüpfen (*a*. *fig*.); verwickeln; **~ty** ('nɔti) knotig, knorrig; *fig*. verwickelt.
know (nou) [*irr*.] wissen; (er)kennen; erfahren; *~ French* Französisch können; *come to ~* erfahren; **~ing** □ ('nouiŋ) erfahren; klug; schlau; verständnisvoll; wissentlich; **~ledge** ('nɔlidʒ) Kenntnis(se *pl*.) *f*; Wissen *n*; *to my ~* meines Wissens; **~n** (noun) gewußt; *come to be ~* bekannt werden; *make ~* bekanntmachen.
knuckle ('nʌkl) **1.** Knöchel *m*; **2.** *~ down*, *~ under* nachgeben.

L

label ('leibl) **1.** (Gepäck- *usw.*) Zettel *m*, Etike'tt *n*; Aufschrift *f*; **2.** etikettieren; *fig.* abstempeln (*as* als).

laboratory (lə'bɔrətəri)/Laborato'rium *n*; ~ *assistant* Labora'nt(in).

laborious □ (lə'bɔːriəs) mühsam; arbeitsam; gefeilt (*Stil*).

labo(u)r ('leibə) **1.** Arbeit; Mühe *f*; (Geburts-)Wehen *f/pl.*; Arbeiter *m/pl.*; *hard* ~ Zwangsarbeit *f*; **2.** Arbeiter...; Arbeits...; ♀ *Exchange* Arbeitsnachweis *m*; **3.** *v/i.* arbeiten; sich abmühen; *v/t.* ausarbeiten; **~-creation** Arbeitsbeschaffung *f*; **~er** (~.rə) Arbeiter *m*.

lace (leis) **1.** Spitze; Borte; Schnur *f*; **2.** (zu)schnüren; mit Spitze *usw.* besetzen; *Schnur* durch-, einziehen; verprügeln (*a.* ~ *into a p.*).

lacerate ('læsəreit) zerreißen.

lack (læk) **1.** Fehlen *n*, Mangel *m*; **2.** ~ *of* ermangeln (*gen.*); *he* ~*s money* es fehlt ihm an Geld; *v/i.* be ~*ing* fehlen, mangeln; **~-lustre** glanzlos, matt.

lacquer ('lækə) **1.** Lack *m*; **2.** lackieren.

lad (læd) Bursche, Junge *m*.

ladder ('lædə) Leiter; Laufmasche *f*; **~-proof** maschenfest (*Strumpf usw.*).

laden ('leidn) beladen.

lading ('leidiŋ) Ladung, Fracht *f*.

ladle ('leidl) **1.** Schöpf-, Gieß-löffel *m*; **2.** auslöffeln (*a.* ~ *out*).

lady ('leidi) Dame; Edelfrau, Frau von ... (*als Titel*); Herrin; Gemahlin *f*; **~like** damenhaft; **~love** Geliebte *f*; **~ship** (~ʃip): *her* ~ die gnädige Frau.

lag (læg) **1.** zögern; (*a.* ~ *behind*) zurückbleiben; **2.** Verzögerung *f*.

laggard ('lægəd) Zauderer *m*.

lagoon (lə'guːn) Lagune *f*.

laid (leid) legte; gelegt; ~ *up* bett-lägerig (*with* infolge).

lain (lein) gelegen.

lair (lɛə) Lager *n e-s wilden Tieres*.

laity ('leiiti) Laien *m/pl.*

lake (leik) See; Lack(farbe *f*) *m*.

lamb (læm) **1.** Lamm *n*; **2.** lammen.

lambent ('læmbənt) leckend; züngelnd (*Flamme*); funkelnd.

lambkin ('læmkin) Lämmchen *n*.

lame (leim) **1.** □ lahm (*a. fig.* = *mangelhaft*); **2.** lähmen.

lament (lə'ment) **1.** Wehklage *f*; **2.** (be)klagen; trauern; **~able** ('læməntəbl) beklagenswert; kläglich; **~ation** (læmən'teiʃən) Wehklage *f*.

lamp (læmp) Lampe *f*; *fig.* Leuchte *f*.

lampoon (læm'puːn) **1.** Schmähschrift *f*; **2.** schmähen.

lamp-post Laternenpfahl *m*.

lampshade Lampenschirm *m*.

lance (lɑːns) **1.** Lanze *f*; **2.** aufschneiden; **~corporal** ✕ Gefreite(r) *m*.

land (lænd) **1.** Land *n*; Grundstück *n*; ~ *s pl.* Ländereien *f/pl.*; ~ *register* Grundbuch *n*; **2.** landen; ♣ löschen; *Preis* gewinnen; **~ed** ('lændid) grundbesitzend; Land..., Grund...; **~holder** Guts-, Grundbesitzer(in).

landing ('lændiŋ) Landung *f*; Treppenabsatz *m*; ~ *ground* ✠ Rollfeld *f*; **~stage** Landungsbrücke *f*.

land|lady Gutsherrin; Wirtin *f*; **~lord** Gutsherr; Wirt *m*; **~mark** Grenz-, Mark-stein *m* (*a. fig.*); Wahrzeichen *n*; **~owner** Grundbesitzer(in); **~scape** ('lænskeip) Landschaft *f*; *fig.* Katastro'phe *f*; **~slide** Erdrutsch *m*; *pol.* Umbruch *m*.

lane (lein) Heckenweg *m*; ✕, ♣ Route; Gasse *f*; Spalie'r *n*.

language ('læŋgwidʒ) Sprache *f*; *strong* ~ Kraftausdrücke *m/pl.*

languid □ ('læŋgwid) matt; träg.

languish ('læŋgwiʃ) matt w.; schmachten; dahinsiechen.

languor ('læŋgə) Mattigkeit *f*; Schmachten *n*; Schwüle *f*.

lank □ ('læŋk) schmächtig, dünn; schlicht; **~y** (~) ('læŋki) schmächtig.

lantern ('læntən) Late'rne *f*; **~slide** Diapositi'v, Lichtbild *n*.

lap (læp) 1. Schoß; ⊕ Vorstoß *m*; Runde *f*; 2. über-ea.-legen; (ein-)hüllen; (auf)lecken; schlürfen.

lapel (lə'pel) Aufschlag *m am Rock.*

lapse (læps) 1. Verlauf *m der Zeit*; Verfallen; Versehen *n*; 2. (ab-, ver-)fallen; verfließen; fehlen.

larceny *ƶⁿⁱⁿ* ('la:sni) Diebstahl *m*.

lard (la:d) 1. (Schweine-)Schmalz *n*; 2. spicken; **~er** ('la:də) Speisekammer *f*.

large □ (la:dʒ) groß; weit; reichlich; weitherzig; flott; Groß...; *at ~* auf freiem Fuße; ausführlich; *als Ganzes*; **~ly** ('la:dʒli) zum großen Teil, weitgehend; **~ness** (~nis) Größe; Weite *f*.

lark (la:k) Lerche *f*; Streich *m*.

larva *zo.* ('la:və) Larve, Puppe *f*.

larynx ('læriŋks) Kehlkopf *m*.

lascivious □ (lə'siviəs) lüstern.

lash (læʃ) 1. Peitsche(nschnur) *f*; Hieb *m*; Wimper *f*; 2. peitschen; *fig.* geißeln; schlagen; anbinden.

lass, ~ie (læs, 'læsi) Mädchen *n*.

lassitude ('læsitju:d) Mattigkeit *f*.

last¹ (la:st) 1. *adj.* letzt; vorig; äußerst; geringst; *~ but one* vorletzt; *~ night* gestern abend; 2. Letzte(r); Ende *n*; *at ~* zuletzt, endlich; 3. *adv.* zuletzt.

last² (~) dauern; halten (*Farbe*); ausreichen; ausdauern.

last³ (~) *Schuhmacher*-Leisten *m*.

lasting ('la:stiŋ) □ dauerhaft; beständig.

lastly ('la:stli) zuletzt, schließlich.

latch (lætʃ) 1. Klinke *f*, Drücker *m*; Druckschloß *n*; 2. ein-, zuklinken.

late (leit) spät; (kürzlich) verstorben; ehemalig; jüngst; *at (the) ~st* spätestens; *of ~* letzthin; *be ~* (zu) spät kommen; **~ly** ('leitli) kürzlich.

latent □ ('leitənt) verborgen, gebunden (*Wärme usw.*); Ⓛ late'nt.

lateral □ ('lætərəl) seitlich; Seiten...

lath (la:θ) 1. Latte *f*; 2. belatten.

lathe (leið) Drehbank *f*; Lade *f*.

lather ('la:ðə) 1. (Seifen-)Schaum *m*; 2. *v/t.* einseifen; *v/i.* schäumen.

Latin ('lætin) 1. latei'nisch; 2. Latei'n *n*.

latitude ('lætitju:d) Breite *f*; *fig.* Umfang *m*, Weite *f*; Spielraum *m*.

latter ('lætə) neuer; *der, die, das letztere*; **~ly** (~li) neuerdings.

lattice ('lætis) Gitter *n* (*a. ~-work*).

laud (lɔ:d) loben, preisen; **~able** □ ('lɔ:dəbl) lobenswert, löblich.

laugh (la:f) 1. Gelächter, Lachen *n*; 2. lachen; *~ at a p. j.* auslachen; **~able** □ ('la:fəbl) lächerlich; **~ter** ('la:ftə) Gelächter *n*.

launch (lɔ:ntʃ) 1. ⚓ Barka'sse *f*; 2. schleudern; vom Stapel laufen lassen; *fig.* in Gang bringen.

laund|ress ('lɔ:ndris) Wäscherin *f*; **~ry** (~ri) Waschanstalt; Wäsche *f*.

laurel ♀ ('lɔrəl) Lorbeer *m* (*a. fig.*).

lavatory ('lævətəri) Waschraum *m*; *public ~* Bedürfnisanstalt *f*.

lavender ♀ ('lævində) Lave'ndel *m*.

lavish ('læviʃ) 1. □ verschwenderisch; 2. verschwenden.

law (lɔ:) Gesetz *n*; (Spiel-)Regel *f*; Recht(swissenschaft *f*); Gericht(sverfahren) *n*; *go to ~* vor Gericht gehen; *lay down the ~* den Ton angeben; **~-abiding** (~ə) friedlich; **~-court** Gericht(shof *m*) *n*; **~ful** □ ('lɔ:ful) gesetzlich; gültig; **~less** □ ('lɔ:lis) gesetzlos; ungesetzlich; zügellos.

lawn (lɔ:n) Rasenplatz; Bati'st *m*.

law|suit ('lɔ:sju:t) Proze'ß *m*; **~yer** ('lɔ:jə) Juri'st; (Rechts-)Anwalt *m*.

lax (læks) locker; schlaff (*a. fig.*); lasch; **~ative** ('læksətiv) abführend(es Mittel).

lay¹ (lei) 1. lag; 2. weltlich; Laien...

lay² (~) 1. Lage, Richtung *f*; 2. [*irr.*] *v/t.* legen; umlegen; *Plan usw.* anlegen; stellen, setzen; *Tisch* decken; lindern; besänftigen; auferlegen; *Summe* wetten; *~ before a p.* e-m vorlegen; *~ in stocks* sich eindecken; *~ low* niederwerfen; *~ open* darlegen; *~ out* auslegen; *Garten usw.* anlegen; *~ up* Vorräte hinlegen, sammeln; *ans Bett fesseln*; *~ with* belegen mit; *v/i.* (Eier) legen; wetten (*a. ~ a wager*).

layer ('leiə) Lage, Schicht *f*.

layman ('leimən) Laie *m*.

lay|off Arbeitsunterbre'chung *f*; **~out** ('leizi) faul. [**~out** Anlage *f*.]

lazy □ ('leizi) faul. [

lead¹ (led) Blei; ⚓ Lot, Senkblei *n*; *typ.* Durchschuß *m*.

lead² (li:d) 1. Führung, Leitung *f*; Beispiel *n*; *thea.* Hauptrolle; *Kartenspiel*: Vorhand *f*; *⚡* Leiter *m*; *Hunde-Leine f*; 2. [*irr.*] *v/t.* (an-)führen, leiten; bewegen (*zu zu*); *Karte* ausspielen; *~ on* (ver)locken; *v/i.* vorangehen; *~ off* den Anfang *m*.

leaden ('ledn) bleiern (*a. fig.*); Blei...

leader ('li:də) (An-)Führer(in), Leiter(in); Erste(r); Leitarti'kel *m*.

leading ('li:diŋ) 1. leitend; Leit...; Haupt...; 2. Leitung, Führung *f*.

leaf (li:f) Blatt *n*; *Tür- usw.* Flügel *m*; *Tisch-*Platte *f*; **~let** ('li:flit) Blättchen; Flug-, Merk-blatt *n*; **~y** ('li:fi) belaubt.

league (li:g) 1. Bund *m*; *Sport:* Liga; (See-)Meile *f* (*4,8 km*); 2. (sich) verbünden.

leak (li:k) 1. Leck *n*; 2. leck sn; tropfen; ~ out durchsickern; **~age** ('li:kidʒ) Lecken *n usw.*; *fig.* Verlust *m*; **~y** ('li:ki) leck; undicht.

lean (li:n) 1. [*irr.*] (sich) (an)lehnen; (sich) stützen; (sich) (hin)neigen; 2. mager.

leant (lent) lehnte; gelehnt.

leap (li:p) 1. Sprung *m*; 2. [*irr.*] (über)spri'ngen; ~ (lept) sprang; gesprungen; **~year** Schaltjahr *n*.

learn (lə:n) [*irr.*] lernen; erfahren; ~ from ersehen aus; **~ed** □ ('lə:nid) gelehrt; **~ing** ('lə:niŋ) Lernen *n*; Gelehrsamkeit *f*; **~t** (lə:nt) lernte; gelernt.

lease (li:s) 1. Ver-pachtung, -mietung; Pacht, Miete *f*; Pacht-, Mietvertrag *m*; 2. (ver-)pachten, (-)mieten.

least (li:st) *adj.* kleinst, geringst; wenigst, mindest; *adv.* am wenigsten; *at* (*the*) ~ wenigstens.

leather ('leðə) 1. Leder *n* (*fig. Haut*); 2. (*a. ~n*) ledern; Leder...

leave (li:v) 1. Erlaubnis *f*; (*a. ~ of absence*) Urlaub; Abschied *m*; 2. [*irr.*] *v/t.* (ver)lassen; zurück-, hinter-lassen; übriglassen; überla'ssen; *Am.* erlauben; ~ *off* aufhören (*mit*); *Kleid* ablegen; *v/i.* ablassen; weggehen; abreisen.

leaves (li:vz) *pl.* Blätter *n/pl.*; Laub *n*.

leavings ('li:viŋz) Überbleibsel *n/pl.*

lecture ('lektʃə) 1. Vorlesung *f*; Verweis *m*; 2. *v/i.* Vorlesungen *od.* Vorträge halten; *v/t.* abkanzeln; **~r** (~rə) Vortragende(r); *univ.* Lektor, Doze'nt *m*.

led (led) leitete; geleitet.

ledge (ledʒ) Leiste *f*; Sims; Riff *n*.

ledger ('ledʒə) † Hauptbuch *n*.

leech *zo.* (li:tʃ) Blutegel *m* (*a. fig.*).

leer (liə) 1. (verliebter *od.* böser) Seitenblick *m*; 2. schielen (*at* nach).

leeway ⚓ ('li:wei) Abtrift *f*; *fig.* make up for ~ Versäumtes nachholen.

left¹ (left) verließ; verlassen; be ~ übrigbleiben.

left² (~) 1. link(s); 2. Linke *f*; **~-handed** linkshändig; linkisch.

leg (leg) Bein *n*; Keule *f*; (*Stiefel-*) Schaft *m*.

legacy ('legəsi) Vermächtnis *n*.

legal □ ('li:gəl) gesetzlich; rechtsgültig; juristisch; Rechts...; **~ize** (~aiz) rechtskräftig m.; beurkunden.

legation (li'geiʃən) Gesandtschaft *f*.

legend ('ledʒənd) Lege'nde *f*; **~ary** (~əri) legenden-, sagen-haft.

leggings ('legiŋz) Gamaschen *f/pl.*

legible □ ('ledʒəbl) leserlich.

legionary ('li:dʒənəri) Legiona'r *m*.

legislat|ion (ledʒis'leiʃən) Gesetzgebung *f*; **~ive** ('ledʒisleitiv) gesetzgebend; **~or** Gesetzgeber *m*.

legitima|cy (li'dʒitiməsi) Rechtmäßigkeit *f*; **~te** 1. (~meit) legitimieren; 2. (~mit) rechtmäßig.

leisure ('leʒə) Muße *f*; at your ~ wenn es Ihnen paßt; **~ly** gemächlich.

lemon ('lemən) Zitrone *f*; **~ade** (lemə'neid) Limonade *f*.

lend (lend) [*irr.*] (ver-, aus-)leihen, verborgen; *Hilfe* leisten, gewähren.

length (leŋθ) Länge; Strecke; (Zeit-)Dauer *f*; at ~ endlich, zuletzt; go all ~s aufs Ganze gehen; **~en** ('leŋθən) (sich) verlängern, (sich) ausdehnen; **~wise** (~waiz) der Länge nach; **~y** (~i) sehr lang.

lenient □ ('li:niənt) mild, gelind.

lens (lenz) *Glas-*Linse *f*.

lent¹ (lent) lieh; ge-, verliehen.

Lent² (~) Fasten *pl.*; Fastenzeit *f*.

less (les) *adj. u. adv.* kleiner, geringer; weniger; *prp.* minus.

lessen ('lesn) *v/t.* vermindern, schmälern; *v/i.* abnehmen.

lesser ('lesə) kleiner; geringer.

lesson ('lesn) Lektio'n *n*; Aufgabe; (*Lehr-*)Stunde; Lehre *f*; **~s** *pl.* *Schul-*Unterricht *m*.

lest (lest) damit nicht, daß nicht.

let (let) [*irr.*] lassen; vermieten; verpachten; ~ *alone* in Ruhe lassen; *adv.* geschweige denn; ~ *down* j. im Stich lassen; ~ *go* loslassen; ~ *into* einweihen in (*acc.*); ~ *off* abschießen; j. laufen lassen; ~ *out* hinauslassen; ausplaudern; vermieten; ~ *up Am.* aufhören.

lethargy ('leθədʒi) Lethargie' f.

letter ('letə) 1. Buchstabe m; Type f; Brief m; ~s pl. Literatu'r, Wissenschaft f; attr. Brief...; to the ~ buchstäblich; 2. (mit Buchstaben) bezeichnen; ~-**case** Brieftasche f; ~-**cover** Briefumschlag m; ~**ed** (~d) (literarisch) gebildet; ~-**file** Briefordner m; ~**ing** (~riŋ) Beschriftung f; ~**press** Text m.

lettuce ('letis) Lattich, Sala't m.

level ('levl) 1. waagerecht; eben; gleich; ausgeglichen; my ~ best mein möglichstes; 2. ebene Fläche; (gleiche) Höhe, Niveau n; Stand m; fig. Maßstab m; Wasserwaage f; ~ of the sea Meeresspiegel m; on the ~ Am. offen, aufrichtig; 3. v/t. gleichmachen; ebnen; planieren; richten, zielen mit; ~ up erhöhen; v/i. ~ at, against zielen auf (acc.). ~-**headed** ruhig urteilend.

lever ('li:və) Hebel m; Hebestange f; ~**age** (~ridʒ) Hebelkraft f.

levity ('leviti) Leicht(fert)igkeit f.

levy ('levi) 1. Erhebung von Steuern; ✗ Aushebung f; Aufgebot n; 2. Steuern erheben; ausheben.

lewd □ (lju:d) liederlich, unzüchtig.

liability (laiə'biliti) Verantwortlichkeit; t⁂ Haftpflicht; Verpflichtung f; fig. Hang m; liabilities pl. Verbindlichkeiten f/pl., † Passiva pl.

liable □ ('laiəbl) verantwortlich; haftpflichtig; verpflichtet; ausgesetzt (to dat.); be ~ to neigen zu.

liar ('laiə) Lügner(in).

libel ('laibəl) 1. Schmähschrift; Verleumdung f; 2. schmähen; verunglimpfen.

liberal ('libərəl) 1. □ libera'l; freigebig; reichlich; pol. freisinnig; 2. Libera'le(r); ~**ity** (~'ræliti) Freigebigkeit; Freisinnigkeit f.

liberat|e ('libəreit) befreien; freilassen; ~**ion** (libə'reiʃən) Befreiung f; ~**or** ('libəreitə) Befreier m.

libertine ('libətain) Wüstling m.

liberty (~ti) Freiheit f; be at ~ frei sein.

librar|ian (lai'brɛəriən) Bibliotheka'r(in); ~**y** ('laibrəri) Bücherei f.

lice (lais) pl. Läuse f/pl.

licen|ce, Am. ~**se** ('laisəns) 1. Lize'nz; Erlaubnis; Konzessio'n; Freiheit; Zügellosigkeit f; driving ~ Führerschein m; 2. lizenzieren, berechtigen; et. genehmigen.

licentious □ (lai'senʃəs) unzüchtig; ausschweifend.

lick (lik) 1. Lecken n; Schlag m; 2. (be)lecken; F verdreschen; ~ the dust ins Gras beißen; ~ into shape zustutzen.

lid (lid) Deckel m; (Augen-)Lid n.

lie¹ (lai) 1. Lüge f; give a p. the ~ j. Lügen strafen; 2. lügen.

lie² (lai) 1. Lage f; 2. [irr.] liegen; ~ by still-, brachliegen; ~ down sich niederlegen; ~ in wait for j-m auflauern.

lien t⁂ ('liən) Pfandrecht n.

lieu (lju:): in ~ of (an)statt.

lieutenant (lef'tenənt, ⚓ u. Am. lut.) Leutnant; Statthalter m; ~-**commander** Korvettenkapitän m.

life (laif) Leben; Menschenleben n; Lebensbeschreibung f; for ~ auf Lebenszeit; for one's ~, for dear ~ aus Leibeskräften; to the ~ naturgetreu; ~ sentence lebenslängliche Gefängnisstrafe; ~-**assurance** Lebensversicherung f; ~-**boat** Rettungsboot n; ~-**guard** Leibwache f; ~**less** □ leblos; matt (a. fig.); ~-**like** lebenswahr; ~-**long** lebenslänglich; ~-**preserver** Schwimmgürtel; Totschläger (Stock mit Bleiknopf) m; ~-**time** Lebenszeit f.

lift (lift) 1. Heben n; phys., ⚡ Auftrieb m; fig. Erhebung f; Fahrstuhl m; give a p. a ~ j-m helfen; j. mitfahren l.; 2. v/t. (auf)heben; erheben; beseitigen; sl. mausen; v/i. sich heben.

light¹ (lait) 1. Licht (a. fig.); Fenster n; fig. Erleuchtung f; Gesichtspunkt m; pl. ~s Fähigkeiten f/pl.; will you give me a ~ darf ich Sie um Feuer bitten; put a ~ to anzünden; 2. licht, hell; blond; 3. [irr.] v/t. (be-, er-)leuchten; anzünden; v/i. (mst ~ up) aufleuchten.

light² (lait) 1. adj. □ u. adv. leicht (a. fig.); ⚡ ~ current Schwachstrom m; make ~ of et. leicht nehmen; 2. ~ on stoßen, fallen, geraten auf (acc.); sich niederlassen auf (dat.).

lighten ('laitn) blitzen; (sich) erhellen; leichter machen; (sich) erleichtern.

lighter ('laitə) Anzünder m; Taschenfeuerzeug n; ⚓ L(e)ichter m.

light|headed wirr im Kopfe, irr; ~-**hearted** □ leichtherzig; fröhlich; ~**house** Leuchtturm m.

lighting ('laitiŋ) Beleuchtung f.

light|-minded leichtsinnig; **~ness** Leichtigkeit f; Leichtsinn m.

lightning (~niŋ) Blitz m; **~-conductor**, **~-rod** Blitzableiter m.

light-weight Sport: Leichtgewicht n.

like (laik) 1. gleich; ähnlich; wie; such ~ dergleichen; F feel ~ sich aufgelegt fühlen zu et.; what is he ~? wie sieht er aus?; wie wird er?; wie ist er?; 2. Gleiche m, f, n; ~s pl. Neigungen f/pl.; his ~ seinesgleichen; the ~ der-, des-gleichen; 3. mögen, gern haben; how do you ~ London? wie gefällt Ihnen L.?; I should ~ to know ich möchte wissen.

like|lihood ('laiklihud) Wahrscheinlichkeit f; **~ly** ('laikli) wahrscheinlich; geeignet; he is ~ to die er wird wahrscheinlich sterben.

like|n ('laikən) vergleichen (to mit); **~ness** ('laiknis) Ähnlichkeit f; (Ab-)Bild n; Gestalt f; **~wise** (~waiz) gleich-, eben-falls.

liking ('laikiŋ) (for) Neigung f (für, zu), Gefallen m (an dat.).

lilac ('lailək) 1. lila; 2. Flieder m.

lily ('lili) Lilie f; **~ of the valley** Maiglöckchen n.

limb (lim) Körper-Glied n; Ast m.

limber ('limbə) biegsam, geschmeidig.

lime (laim) Kalk m; ❦ Limo'ne; Linde f; **~light** Bühnenlicht n; fig. Mittelpunkt m des öffentlichen Interesses.

limit ('limit) 1. Grenze f; in (Ggs. off) ~s Zutritt gestattet (Ggs. verboten) (to für); 2. begrenzen, beschränken (to auf acc.); **~ation** (limi'teiʃən) Begrenzung, Beschränkung; ⚖ Verjährung f; **~ed** ('limitid): (private) ~ (liability) company Gesellschaft mit beschränkter Haftung; **~less** □ ('limitlis) grenzenlos. [3. schlaff; weich.]

limp (limp) 1. hinken; 2. Hinken n;]

limpid ('limpid) klar, durchsichtig.

line (lain) 1. Linie; Reihe; Zeile f; Vers; Strich m; Verkehrs-Linie f; ⛴ Leitung f; tel. Leitung; Branche f, Fach n; Leine, Schnur f; Äquator m; Richtung; ✗ Linie (-n-truppe) f; ~s pl.: Richtlinien f/pl.; Grundlage f; ~ of conduct Lebensweise f; hard ~s F hartes Los, Pech n; in ~ with in Übereinstimmung mit; stand in ~ Am.

Schlange stehen; 2. v/t. liniieren; aufstellen; Weg usw. säu'men, einfassen; Kleid (ab-, aus-)füttern; ~ out entwerfen; v/i. ~ up sich auf-, an-stellen.

linea|ge ('liniidʒ) Abstammung f; Stamm(baum) m; **~l** □ ('liniəl) gerade, direkt; **~ment** (~mənt) (Gesichts-)Zug m; **~r** ('liniə) geradlinig.

linen ('linin) 1. Leinen n; Leinwand; Wäsche f; 2. leinen.

liner ('lainə) Post-, Passagie'rdampfer m; Verkehrsflugzeug n.

linger ('liŋgə) zögern; (ver)weilen; sich aufhalten; sich hinziehen; ~ at, ~ about sich umherdrücken an od. bei (dat.).

lingerie † ('læ:ŋʒəri:) Damenunterwäsche f.

lining ('lainiŋ) Kleider- usw. Futter n; ⊕ Verkleidung f.

link (liŋk) 1. Ketten-Glied; fig. Bindeglied n; 2. (sich) verbinden.

linseed ('linsi:d) Leinsame(n) m; ~ oil Leinöl n.

lion ('laiən) Löwe m; **~ess** (~is) Löwin f.

lip (lip) Lippe f; Rand; Mund m; Sprache f; **~-stick** Lippenstift m.

liquefy ('likwifai) schmelzen.

liquid ('likwid) 1. flüssig; † liqui'd; klar (Luft usw.); 2. Flüssigkeit f.

liquidat|e ('likwideit) † liquidieren; bezahlen; **~ion** (likwi'deiʃən) Abwicklung, Liquidatio'n f.

liquor ('likə) Flüssigkeit f; Schnaps m (a. strong ~).

lisp (lisp) 1. Lispeln n; 2. lispeln.

list (list) 1. Liste f, Verzeichnis n; (in e-e Liste) eintragen; verzeichnen.

listen ('lisn) (to) lauschen, horchen (auf acc.), anhören (acc.), zuhören (dat.); hören auf (acc.); ~ in teleph., Radio: (mit)hören (to acc.); **~er(-in)** (~ə'rin) Radio: Hörer m.

listless □ ('listlis) gleichgültig; matt.

lists (lists) pl. Schranken f/pl.

lit (lit) beleuchtete; beleuchtet.

literal □ ('litərəl) buchstäblich; am Buchstaben klebend.

litera|ry □ ('litərəri) litera'risch; Literatu'r...; Schrift...; **~ture** ('litəritʃə) Literatu'r f.

lithe (laið) geschmeidig.

lithography (li'θɔgrəfi) Steindruck m.

litigation (liti'geifən) Prozeß m.

litter ('litə) 1. Sänfte; Tragbahre; Streu; Unordnung f; Wurf m junger Tiere; 2. mit Streu versehen; in Unordnung bringen.

little ('litl) 1. adj. klein; gering (-fügig); wenig; a ~ one ein Kleines (Kind); 2. adv. wenig; 3. Kleinigkeit f; a ~ biß-chen; ~ by ~ nach und nach; not a ~ nicht wenig.

live 1. (liv) allg. leben: wohnen; ~ to see erleben; ~ down vergessen m. od. überwi'nden; ~ out überle'ben; ~ up to a standard nach e-r Norm leben; 2. (laiv) lebendig; glühend; ✕ scharf (Patrone); ⚡ geladen; ~lihood ('laivlihud) Unterhalt m; ~liness (~nis) Lebhaftigkeit f; ~ly ('laivli) lebhaft.

liver ('livə) Leber f; Lebende(r) m.

livery ('livəri) Livree f; at ~ in Futter stehen usw. (Pferd).

live|s (laivz) pl. von life Leben; ~-stock ('laivstɔk) Vieh(stand m) n.

livid ('livid) bläulich; fahl.

living ('liviŋ) 1. □ lebend(ig); glühend; 2. Leben n; Lebens-weise f; ~-unterhalt m; ~-room Wohnzimmer n.

lizard ('lizəd) Eidechse f.

load (loud) 1. Last; Ladung f; 2. (be-)laden; fig. überhäu'fen; überla'den; ~ing ('loudiŋ) 1. Lade...; 2. Laden n; Ladung f.

loaf (louf) 1. [pl. loaves] Brot-Laib; Zucker-Hut m; 2. umherlungern.

loafer ('loufə) Bummler m.

loam (loum) Lehm m.

loan (loun) 1. Anleihe f, Darlehen n; on ~ leihweise; 2. ausleihen.

lo(a)th □ (louθ) abgeneigt; ~e (louð) sich ekeln vor (dat.); verabscheuen; ~some □ ('louðsəm) ekelhaft; verhaßt.

loaves (louvz) pl. Brot-Laibe.

lobby ('lɔbi) 1. Vor-raum, -saal; parl. Wandelgang m; thea. Foyer n; 2. bsd. Am. parl. beeinflussen.

lobe anat., ♀ (loub) Lappen m.

lobster ('lɔbstə) Hummer m.

local ('loukəl) 1. örtlich; Orts...; ~ government Gemeindeverwaltung f; 2. Zeitung: Loka'lnachricht f; ◻ (a. ~ train) Vorortzug m; ~ity (lou'kæliti) Örtlichkeit; Lage f; ~ize ('loukəlaiz) lokalisieren.

locat|e (lou'keit) v/t. ver-setzen, -legen; ausfindig m.; Am. Grenzen

von et. abstecken; be ~d gelegen sn; wohnen; v/i. sich niederlassen; Am. Ort m.

lock (lɔk) 1. Tür-, Gewehr- usw. Schloß n; Schleuse(nkammer); Stauung; Locke; (Woll-)Flocke f; 2. v/t. (ein-, ver-, zu-)schließen (oft ~ up); ⊕ sperren; Rad hemmen; schließen; ~ in ein-schließen, -sperren; ~ up Kapital usw. festlegen; v/i. (sich) schließen, eingreifen (Räder).

lock|er ('lɔkə) Schrank, Kasten m; ~et ('lɔkit) Medaillon n; ~-out Aussperrung f von Arbeitern; ~smith Schlosser m; ~-up Haftzelle f.

locomotive ('loukəmoutiv) 1. Fortbewegungs...; beweglich; 2. (od. ~ engine) Lokomoti've f.

locust ('loukəst) Heuschrecke f.

lodestar Leitstern (a. fig.) m.

lodge ('lɔdʒ) 1. Häus-chen f; Portie'rloge; Freimaurer-Loge f; 2. v/t. beherbergen, aufnehmen; Geld hinterle'gen; Klage anbringen; v/i. (bsd. zur Miete) wohnen; logieren; ~er ('lɔdʒə) Mieter(in); Zimmergast m; ~ing ('lɔdʒiŋ) Logieren n; Wohnung f (a. ~s pl.).

loft (lɔːft) (Dach-)Boden m; Empore f; ~y □ ('lɔfti) hoch; erhaben; stolz.

log (lɔg) Klotz; Block m; ♧ Log n; ~-cabin Blockhaus n; ~gerhead ('lɔgəhed): be at ~s sich in den Haaren liegen.

logic ('lɔdʒik) Logik f; ~al □ ('lɔdʒikəl) logisch.

loin (lɔin) Lende(nstück n) f.

loiter ('lɔitə) trödeln; schlendern od. lümmeln; lungern.

loll (lɔl) (sich) strecken; (sich) rekeln.

lone|liness ('lounlinis) Einsamkeit f; ~ly □ (~li), ~some □ (~səm) einsam.

long¹ (lɔŋ) 1. Länge f; before ~ binnen kurzem; for ~ lange; 2. adj. lang; langfristig; langsam; in the ~ run am Ende; auf die Dauer; be ~ lange dauern (Ding); lange machen (P.); 3. adv. lang(e); so ~! bis dann! (auf Wiedersehen); ~er länger; mehr.

long² (~) sich sehnen (for nach).

long|distance Fern..., Weit...; ~evity (lɔn'dʒeviti) Langlebigkeit f; langes Leben; ~hand Langschrift f.

longing ('lɔŋiŋ) **1.** □ sehnsüchtig; **2.** Sehnsucht f; Verlangen n.

longitude ('lɔndʒitjuːd) geogr. Länge f.

long|shoreman('lɔŋʃɔːmən)Werft-, Hafen-arbeiter m; ~sighted weitsichtig; ~-suffering **1.** langmütig; **2.** Langmut f; ~-term langfristig; ~-winded □ langatmig.

look (luk) **1.** Blick; Anblick m; (oft ~s pl.) Aussehen n; have a ~ at a th. sich et. ansehen; **2.** v/i. sehen, blicken; zusehen, daß, wie ...; nachsehen, wer usw. ...; krank usw. aussehen; nach e-r Richtung liegen; ~ at ansehen; ~ for erwarten; suchen; ~ forward to sich freuen auf (acc.); ~ into prüfen; erforschen; ~ out! vorsehen!; ~ (up)on fig. ansehen (as als); v/t. ~ disdain verächtlich blicken; ~ over et. durchsehen; e-n mustern; ~ up et. nachschlagen.

looker-on ('lukər'ɔn) Zuschauer(in).

looking-glass Spiegel m.

look-out ('luk'aut) Ausguck; Ausblick m, -sicht (a. fig.); Wacht f; that is my ~ das ist meine Sache.

loom (luːm) **1.** Webstuhl m; **2.** undeutlich zu sehen sn, sich abzeichnen.

loop (luːp) **1.** Schlinge, Schleife, Öse f; **2.** v/t. in Schleifen legen; schlingen; v/i. e-e Schleife m.; sich winden; ~hole Guck-, Schlupf-loch n; ✗ Schießscharte f.

loose (luːs) **1.** □ allg. lose, locker, frei; un-zs.-hängend; ungenau; liederlich; **2.** lösen; aufbinden; lockern; ~n ('luːsn) (sich) lösen, (sich) lockern.

loot (luːt) **1.** plündern; **2.** Beute f.

lop (lɔp) Baum beschneiden; stutzen; schlaff herunterhängen (l.); ~-sided schief; einseitig.

loquacious (loˈkweiʃəs) geschwätzig.

lord (lɔːd) Herr; Lord m; the ℒ der Herr (Gott); my ~ (miˈlɔːd) gnädiger Herr; the ℒ's Prayer das Vaterunser; the ℒ's Supper das Abendmahl; ~ly ('lɔːdli) vornehm; b.s. herrisch; ~ship ('lɔːdʃip) Lordschaft f (Titel).

lorry ('lɔri) ⅙ Lore f; Lastwagen m.

lose (luːz) [irr.] v/t. verlieren; vergeuden; verpassen; ~ o.s. sich verirren; v/i. verlieren; nachgehen (Uhr).

loss (lɔs) Verlust; Schaden m; at a ~ in Verlegenheit; außerstande.

lost (lɔst) verlor; verloren; be ~ verlorengehen; verschwunden sn; fig. versunken sein.

lot (lɔt) Los (a. fig.) n; Anteil m; ✝ Partie f; Posten m; Ϝ Menge f; Am. Parzelle f; Ϝ a ~ of people eine Menge Leute; draw ~s losen; fall to a p.'s ~ e-m zufallen.

lotion ('louʃən) (Haut-)Wasser n.

lottery ('lɔtəri) Lotterie' f.

loud □ (laud) laut (a. adv.); fig. schreiend.

lounge (laundʒ) **1.** schlendern; sich rekeln; faulenzen; **2.** Bummel m; Diele f; thea. Foyer n; Chaiselongue f.

lour ('lauər) finster blicken od. aussehen; die Stirn runzeln.

lous|e (laus) [pl. lice] Laus f; ~y ('lauzi) verlaust; lausig; Laus...

lout (laut) Tölpel; Lümmel m.

lovable □ ('lʌvəbl) liebenswürdig.

love (lʌv) **1.** Liebe f; Liebchen n; Liebschaft f; Sport: nichts, null; attr. Liebes...; give (od. send) one's ~ to a p. j. freundlicher grüßen l.; in ~ with verliebt in (acc.); make ~ to den Hof m. (dat.); **2.** lieben; gern haben; ~ to do gern tun; ~-affair Liebschaft f; ~ly ('lʌvli) lieblich; entzückend, reizend; ~r ('lʌvə) Liebhaber(in).

loving □ ('lʌviŋ) liebevoll.

low¹ (lou) niedrig; tief; gering; leise; fig. niedergeschlagen; schwach; gemein; ~est bid Mindestgebot n.

low² (lou) brüllen (Rind).

lower¹ ('louə) **1.** unter(e); Unter...; **2.** v/t. nieder-, herunter-lassen; erniedrigen; abschwächen; Preis usw. herabsetzen; v/i. fallen, sinken.

lower² ('lauə) s. lour finster blicken.

low|land Tief-, Unter-land n; ~liness ('loulinis) Demut f; ~ly demütig; bescheiden; ~necked (tief) ausgeschnitten (Kleid); ~-spirited niedergeschlagen.

loyal □ ('lɔiəl) treu; ~ty (~ti) Treue f.

lozenge ('lɔzindʒ) Pasti'lle f.

lubber ('lʌbə) Tölpel, Lümmel m.

lubric|ant ('luːbrikənt) Schmiermittel n; ~ate (~keit) schmieren; ~ation (luːbri'keiʃən) Schmierung f.

lucid □ ('lu:sid) leuchtend, klar.

luck (lʌk) Glück(sfall *m*) *n*; *good* ~ Glück *n*; *bad* ~, *hard* ~, *ill* ~ Unglück, Pech *n*; ~ily ('lʌkili) glücklicherweise; ~y □ ('lʌki) glücklich; Glücks...

lucr|ative □ ('lu:krətiv) einträglich; ~e ('lu:kə) Gewinn(sucht *f*) *m*.

ludicrous □ ('lu:dikrəs) lächerlich.

lug (lʌg) zerren, schleppen.

luggage ('lʌgidʒ) Gepäck *n*; ~-office ⬚ Gepäckschalter *m*.

lugubrious □ (lu:gju:briəs) traurig.

lukewarm ('lu:kwɔ:m) lau (*a. fig.*).

lull (lʌl) 1. einlullen; (sich) beruhigen; 2. Ruhepause *f*.

lullaby ('lʌləbai) Wiegenlied *n*.

lumber ('lʌmbə) 1. Gerümpel *n*; Beule *f*; Stück *n Zucker usw.*; *in the* ~ in Bausch und Bogen; ~*sum* Pauscha'lsumme *f*; 2. *v/t.* zs.-werfen, -fassen; *v/i.* (sich) klumpen; ~ish ('lʌmpiʃ) schwerfällig; ~y □ ('lʌmpi) klumpig.

lunatic ('lu:nətik) 1. irrsinnig; 2. Irr(sinnig(e(r); ~ *asylum* Irrenhaus *n*.

lunch(eon) ('lʌntʃ[ən]) 1. (Gabel-) Frühstück *n*; 2. frühstücken.

lung (lʌŋ) Lungenflügel *m*; (*a pair of*) ~*s pl.* (eine) Lunge *f*.

lunge (lʌndʒ) 1. *Fechten:* Ausfall *m*; 2. *v/i.* ausfallen (*at* gegen).

lurch (lə:tʃ) 1. taumeln, torkeln; 2. *leave in the* ~ im Stich lassen.

lure (ljuə) 1. Köder *m*; *fig.* Lockung *f*; 2. ködern, (an)locken.

lurid ('ljuərid) fahl; düster; finster.

lurk (lə:k) lauern; versteckt liegen.

luscious □ ('lʌʃəs) süß(lich).

lustr|e ('lʌstə) Glanz; Kronleuchter *m*; ~ous □ ('lʌstrəs) glänzend.

lute¹ (lu:t, lju:t) Laute *f*.

lute² (~) 1. Kitt *m*; 2. (ver)kitten.

Lutheran ('lu:θərən) luthe'risch.

luxur|iant □ (lʌg'zjuəriənt) üppig; ~ious □ (~riəs) luxuriö's, üppig; ~y ('lʌkʃəri) Luxus; Luxusarti'kel *m*; Genußmittel *n*.

lye (lai) Lauge *f*.

lying ('laiiŋ) 1. lügend; liegend; 2. *adj.* lügnerisch; ~*-in* (~'in) Wochenbett *n*; ~ *hospital* Entbindungsanstalt *f*.

lymph (limf) Lymphe *f*.

lynch (lintʃ) lynchen; ~*-law* ('lintʃlɔ:) Lynch-, Volks-justi'z *f*.

lynx *zo.* (links) Luchs *m*.

lyric ('lirik), ~al □ (~ikəl) lyrisch; ~*s pl.* Lyrik *f*.

M

macaroni (mækə'rouni) Makkaroni *pl.*

macaroon (mækə'ru:n) Makrone *f.*

machin|ation (mæki'neiʃən) Anschlag *m;* ~s *pl.* Ränke *pl.;* ~e (mə'ʃi:n) **1.** Maschine *f;* Mechani'smus *m (a. fig.); attr.* Maschinen...; ~ *fitter* Maschinenschlosser *m;* **2.** maschine'll herstellen *od.* (be)arbeiten; ~e-made maschine'll hergestellt; ~ery (~əri) Maschinen *f/pl.;* Maschinerie' *f;* ~ist (~ist) Maschini'st; Maschinenbauer *m,* -arbeiter(in).

mackerel *zo.* ('mækrəl) Makre'le *f.*   [mantel *m.*\

mackintosh ('mækintɔʃ) Regen-\

mad □ (mæd) wahnsinnig; toll (-wütig); *fig.* wild; *Am.* wütend; *go* ~ verrückt w.; *drive* ~ verrückt m.

madam ('mædəm) gnädige Frau, gnädiges Fräulein.

mad|cap **1.** toll; **2.** Tollkopf *m;* ~den ('mædn) toll *od.* rasend m.

made (meid) machte; gemacht.

made-up zurechtgemacht; fertig (*z.B. clothes*); ~ *of* bestehend aus.

mad|house Irrenhaus *n;* ~man Wahnsinnige(r) *m;* ~ness ('mædnis) Wahnsinn *m;* (Toll-)Wut *f.*

magazine (mægə'zi:n) Magazi'n *n;* (Munitio'ns-)Lager *n;* Zeitschrift *f.*

maggot ('mægət) Made *f.*

magic ('mædʒik) **1.** (*a.* ~**al** □, 'mædʒikəl) magisch; Zauber...; **2.** Zauberei *f;* ~ian (mə'dʒiʃən) Zauberer *m.*

magistra|cy ('mædʒistrəsi) Magistratu'r *f;* Obrigkeit *f;* ~te (~trit) Polizei-, Friedens-richter *m.*

magnanimous □ (mæg'næniməs) großmütig.

magnet ('mægnit) Magne't *m;* ~ic (mæg'netik) (~ally) magne'tisch.

magni|ficence (mæg'nifisns) Pracht, Herrlichkeit *f;* ~ficent □ (~snt) prächtig, herrlich; ~fy ('mægnifai) vergrößern; ~tude ('mægnitju:d) Größe, Wichtigkeit *f.*   [(-holz) *m.*\

mahogany (mə'hɔgəni) Mahago'ni\

maid (meid) (Dienst-)Mädchen *n,*

Magd *f; old* ~ alte Jungfer; ~ *of honour* Ehren-, Hof-dame *f.*

maiden ('meidn) **1.** Jungfrau *f;* **2.** jungfräulich; unverheiratet; *fig.* Jungfern..., Erstlings...; ~ *name* Mädchenname *m* e-r Frau; ~head, ~hood Jungfernschaft *f;* ~ly (~li) jungfräulich; mädchenhaft.

mail¹ (meil) (Ketten-)Panzer *m.*

mail² (~) **1.** Post(sendung) *f; attr.* Post..., Brief...; **2.** *Am.* mit der Post schicken, aufgeben; ~bag Briefbeutel *m;* ~man *Am.* Briefträger *m.*

maim (meim) verstümmeln.

main (mein) **1.** Haupt..., hauptsächlich; *by* ~ *force* mit voller Kraft; **2.** Haupt-rohr *n,* -leitung *f;* ~s *pl.* *é* (Strom-)Netz *n; in the* ~ in der Hauptsache, im wesentlichen; ~land ('meinlənd) Festland *n;* ~ly ('meinli) hauptsächlich; ~spring *fig.* Haupttriebfeder *f;* ~stay *fig.* Hauptstütze *f.*

maintain (men'tein) (aufrecht)erhalten; beibehalten; (unter)stützen; unterha'lten; behaupten.

maintenance ('meintinəns) Erhaltung *f;* Unterhalt *m.*

maize ♀ (meiz) Mais *m.*

majest|ic (mə'dʒestik) (~ally) majestä'tisch; ~y ('mædʒisti) Majestä't *f.*

major ('meidʒə) **1.** größer; wichtig(er); majore'nn; ♪: Dur; ~ *key* Dur-Tonart *f;* **2.** Majo'r *m; Am. univ.* Hauptfach *n;* ~-general Genera'lmajor *m;* ~ity (mə'dʒɔriti) Mehrheit; Mündigkeit *f;* Majorsrang *m.*

make (meik) **1.** [*irr.*] *v/t. allg.* machen; verfertigen; fabrizieren; bilden; (aus)machen; ergeben; (veran)lassen; gewinnen, verdienen; sich erweisen als, abgeben; *Regel usw.* aufstellen; *Frieden usw.* schließen; *e-e Rede* halten; ~ *good* wieder gutm.; wahr machen; *do you* ~ *one of us?* machen Sie mit?; ~ *a port* to-n Hafen anlaufen; ~ *sure* of sich e-r *S.* vergewissern; ~ *way* vorwärtskommen; ~ *into* verarbeiten zu; ~ out ausfindig machen; entziffern; *Rechnung usw.* ausstellen; ~ over übertra'gen; ~ up ergänzen; vervollständigen; zs.-stellen; bilden, ausmachen; *Streit* beilegen; zurecht-, auf-machen; = ~ up for (v/i.); ~ up one's mind sich entschließen; 2. v/i. sich *in e-r Richtung* bewegen; ~ away with beseitigen; *Geld* vertun; ~ for zugehen auf (*acc.*); sich aufmachen nach; ~ off sich fortmachen; ~ up for nach-, auf-holen; für *et.* entschädigen; 3. Mach-, Bau-art f; Bau *m des Körpers*; Form f; Fabrika't, Erzeugnis n; **~believe** Vorwand m; **~shift** 1. Notbehelf m; 2. behelfsmäßig; **~up** Aufmachung f.

maladjustment ('mæləd'dʒʌstmənt) mangelhafte Anordnung f.

maladministration ('mælədminis'treiʃən) schlechte Verwaltung f.

malady ('mælədi) Krankheit f.

malcontent ('mælkəntent) 1. mißvergnügt; 2. Mißvergnügte(r).

male (meil) 1. männlich; 2. Mann m; Männchen *n der Tiere.*

malediction (mæli'dikʃən) Fluch m.

malefactor ('mælifæktə) Übeltäter m.

malevolen|ce (mə'levələns) Böswilligkeit f; **~t** (..'ʃənt) böswillig.

malice ('mælis) Bosheit f; Groll m.

malicious (mə'liʃəs) boshaft; böswillig; **~ness** (..nis) Bosheit f.

malign (mə'lain) 1. □ schädlich; 2. verleumden; **~ant** □ (mə'lignənt) böswillig; *☞* bösartig; **~ity** (..niti) Bosheit f; Schadenfreude f; *bsd. ☞* Bösartigkeit f. [fig. schmiegsam.]

malleable ('mæliəbl) hämmerbar;]

mallet ('mælit) Schlegel m.

malnutrition ('mælnju:'triʃən) Unterernährung f. [riechend.]

malodorous('mæ'loudərəs) übel-]

malt (mɔ:lt) Malz; F Bier n.

maltreat (mæl'tri:t) schlecht behandeln; mißhandeln.

mammal ('mæməl) Säugetier n.

mammoth ('mæməθ) riesig.

man (mæn) 1. [*pl.* men] Mann; Mensch(engeschlecht n); Diener m; *Schach:* Figu'r f; Damstein m; *attr.* männlich; 2. ⚔, ⚓ bemannen; ~ o.s. sich ermannen.

manage ('mænidʒ) v/t. handhaben; verwalten, leiten; *Pferd usw.* regieren; mit *e-m* fertig w.; ~ to *inf.*

es fertigbringen, zu ...; die Leitung h.; auskommen (with; without); **~able** □ (..əbl) handlich; lenksam; **~ment** (..mənt) Verwaltung, Leitung, Direktio'n; geschickte Behandlung f; **~r** (..ə) Leiter, Direktor; Regisseu'r m; **~ress** (..əres) Leiterin, Direkto'rin f.

managing ('mænidʒiŋ) geschäftsführend; Betriebs...; ~ clerk Prokuri'st m.

mandat|e ('mændeit) Manda't n; Befehl; Auftrag m; **~ory** ('mændətəri) befehlend.

mane (mein) Mähne f.

manful □ ('mænful) mannhaft.

mange *vet.* (meindʒ) Räude f.

manger ('meindʒə) Krippe f.

mangle ('mæŋgl) 1. Mangel, (Wäsche-)Rolle f; 2. mangeln; zerstückeln; *fig.* verstümmeln.

mangy (meindʒi) räudig; schäbig.

manhood ('mænhud) Mannesalter n; Mannheit f; Männer *m/pl.*

mania ('meiniə) Wahnsinn m; Sucht, Manie' f; **~c** (meiniæk) 1. Wahnsinnige(r); 2. wahnsinnig.

manicure ('mænikjuə) 1. Manikü're; Handpflege f; 2. manikü'ren.

manifest ('mænifest) 1. □ offenbar; 2. ⚓ Ladungsverzeichnis n; 3. v/t. offenbaren; kundtun; **~ation** ('mænifes'teiʃən) Offenbarung; Kundgebung f; **~o** (..'festou) Manife'st n. [nigfaltig; 2. vervielfältigen.]

manifold □ ('mænifould) 1. man-]

manipulat|e (mə'nipjuleit) (geschickt) handhaben; **~ion** (mənipju'leiʃən) Handhabung, Behandlung f, Verfahren n; Kniff m.

man|kind (mæn'kaind) Menschheit; ('mænkaind) Männerwelt f; **~ly** (..li) männlich, mannhaft.

manner ('mænə) Art, Weise; Gattung; Manie'r f; **~s** pl. Manieren, Sitten f/pl.; in a ~ gewissermaßen; **~ed** (d) ...geartet; gekünstelt; **~ly** (..li) manierlich.

manœuvre (mə'nu:və) 1. Manöver n (a. fig.); 2. manövrieren (l.).

man-of-war Kriegsschiff n.

manor ('mænə) Rittergut n.

mansion ('mænʃən) (herrschaftliches) Wohnhaus n.

manslaughter ('mænslɔ:tə) Totschlag m, fahrlässige Tötung f.

mantel ('mæntl) Kaminmantel m; **~piece, ~shelf** Kaminsims m.

mantle ('mæntl) **1.** Mantel *m*; *fig.* Hülle *f*; Glühstrumpf *m*; **2.** *v/t.* verhüllen; *v/i.* sich röten.

manual (ˌmjuəl) **1.** Hand...; mit der Hand (gemacht); **2.** Handbuch *n*.

manufactory (mænjuˈfæktəri) Fabri'k *f*.

manufactur|e (mænjuˈfæktʃə) **1.** Fabrikatio'n *f*; Fabrika't *n*; **2.** fabrizieren; ver-, be-arbeiten; ~**er** (ˌrə) Fabrika'nt *m*; ~**ing** (ˌriŋ) Fabri'k...; Gewerbe...; Industrie'...

manure (mənˈjuə) **1.** Dünger *m*; **2.** düngen.

many ('meni) **1.** viele; ~ *a* manche(r, s); **2.** Menge *f*; *a good* ~ ziemlich viele; *a great* ~ sehr viele.

map (mæp) **1.** (Land-)Karte *f*; **2.** aufzeichnen; ~ *out* darstellen.

mar (mɑː) schädigen; verderben.

marble ('mɑːbl) **1.** Marmor; Marmel, Murmel *m*; **2.** marmorn.

March[1] (mɑːtʃ) März *m*.

march[2] (ˌ) **1.** Marsch; Fortschritt; Gang *m der Ereignisse usw.*; **2.** marschieren (l.); (*fig.*vorwärts)schreiten.

marchioness('mɑːʃənis) Marquise*f*.

mare (mɛə) Stute*f*; ~*'s nest fig.* Seeschlange, Zeitungs-ente *f*.

margin ('mɑːdʒin) Rand *m*; Grenze *f*; Spielraum *f*; (Verdienst-) Spanne *f*; Überschuß *m*; ~**al** □ (ˌl) am Rande (befindlich); Rand...; ~ *note* Randbemerkung *f*.

marine (məˈriːn) **1.** See...; Marine...; **2.** Seesoldat *m*; Marine *f, paint.* Seestück *n*; ~**r** ('mærinə) Seemann *m*.

marital □ (məˈraitl) ehe(männ)lich.

maritime ('mæritaim) an der See liegend *od.* lebend; See...; Küsten...; Schiffahrt(s)...

mark[1] (mɑːk) Mark *f* (*Geldstück*).

mark[2] (ˌ) **1.** Marke *f*, Merkmal, Zeichen *n*; Fabri'k-, Schutz-marke *f*; (Körper-)Mal *n*, Abdruck *m*; Norm; *Schule:* Zensu'r, Note; *Sport:* Startlinie *f*; Ziel *n*; *a man of* ~ ein Mann von Bedeutung; *fig. up to the* ~ auf der Höhe; **2.** *v/t.* (be)zeichnen, markieren; *Sport:* anschreiben; kennzeichnen; be(ob)achten; ~ *off* abtrennen; ~ *out* bezeichnen; abstecken; ~ *time* auf der Stelle treten; **3.** *v/i.* achtgeben; ~**ed** (mɑːkt) auffallend; merklich.

market ('mɑːkit) **1.** Markt(platz); Handel; † *Absatz m; in the* ~ *am*

Markt; **2.** auf den Markt bringen, verkaufen; *go* ~*ing* einkaufen gehen; ~**able** □ (ˌəbl) marktfähig, -gängig. [Meister-schütze *m.*]

marksman ('mɑːksmən) Scharf-\|

marmalade ('mɑːməleid) Marmela'de *f, bsd.* Apfelsinenmus *n*.

maroon (məˈruːn) *j.* aussetzen.

marquee (mɑːˈkiː) (großes) Zelt *n*.

marquis ('mɑːkwis) Marqui's *m*.

marriage ('mæridʒ) Heirat, Ehe (-stand *m*) *f*; Hochzeit *f*; *civil* ~ standesamtliche Trauung *f*; ~**able** (ˌəbl) heiratsfähig; ~**-lines** *pl.* Trauschein *m*.

married ('mærid) verheiratet; ehelich; Ehe...; ~ *couple* Ehepaar *n*.

marrow ('mærou) Mark *n*; *fig.* Kern *m*, Beste(s) *n*; ~**y** (ˌi) markig.

marry ('mæri) *v/t.* (ver)heiraten; *eccl.* trauen; *v/i.* (sich) verheiraten.

marsh (mɑːʃ) Sumpf, Morast *m*.

marshal ('mɑːʃəl) **1.** Marschall; *Am.* Landrat; (Fest-)Ordner *m*; **2.** ordnen; führen; zs.-stellen.

marshy (mɑːʃi) sumpfig. [*m.*]

mart (mɑːt) Markt; Auktio'nsraum|

marten *zo.* ('mɑːtin) Marder *m*.

martial □ (ˈmɑːʃl) kriegerisch; Kriegs...; ~ *law* Standrecht *n*.

martyr ('mɑːtə) **1.** Märtyrer(in) (*to gen.*); **2.** (zu Tode) martern.

marvel ('mɑːvel) **1.** Wunder *n*; **2.** sich wundern; ~**lous** □ ('mɑːvələs) wunderbar, erstaunlich.

mascot ('mæskət) Masko'ttchen *n*.

masculine ('mɑːskjulin) männlich.

mash (mæʃ) **1.** Gemisch *n*; Maische *f*; Mengfutter *n*; **2.** mischen; zerdrücken; (ein)maischen; ~**ed** *potatoes pl.* Kartoffelbrei *m*.

mask (mɑːsk) **1.** Maske *f*; **2.** maskieren; *fig.* verbergen; tarnen; ~**ed** (ˌt): ~ *ball* Maskenball *m*.

mason ('meisn) Maurer; Freimaurer *m*; ~**ry** (ˌri) Mauerwerk *n*.

masquerade (mæskəˈreid) **1.** Maskenball *m*; Verkleidung *f*; **2.** *fig.* sich maskieren.

mass (mæs) **1.** *eccl.* Messe; Masse; Menge *f*; ~ *meeting* Massenversammlung *f*; **2.** (sich) (an)sammeln.

massacre ('mæsəkə) **1.** Blutbad *n*; **2.** niedermetzeln.

massage ('mæsɑːʒ) **1.** Massa'ge *f*; **2.** massieren.

massive ('mæsiv) massi'v; schwer.

mast ⚓ (mɑːst) Mast *m*.

master ('mɑ:stə) 1. Meister; Herr; Lehrer; Kapitä'n e-s *Kauffahrers*; *univ.* Rektor *m*; ♀ *of Arts* Magister *m* (der freien Künste); 2. Meister...; *fig.* führend; 3. (be)meistern; beherrschen; **~builder** Baumeister *m*; **~ful** ('mɑ:stəful) herrisch; meisterhaft; **~key** Hauptschlüssel; Nachschlüssel *m*; **~ly** (~li) meisterhaft; **~piece** Meisterstück *n*; **~ship** (~ʃip) Meisterschaft; Herrschaft *f*; Lehramt *n*; **~y** ('mɑ:stəri) Herrschaft; Oberhand; Meisterschaft; Beherrschung *f*.

masticate ('mæstikeit) kauen.

mastiff ('mæstif) Bullenbeißer *m*.

mat (mæt) 1. Matte *f*; 2. *fig.* bedecken; (sich) verflechten.

match¹ (mætʃ) Zünd-, Streichhölzchen *n*; Lunte *f*.

match² (~) 1. Gleiche *m, f, n*; Partie' *f*; Wettspiel *n*; Heirat *f*; *be a* ~ *for j-m* gewachsen sein; 2. *v/t.* anpassen; passen zu; et. Passendes finden (*od.* geben) zu; es aufnehmen mit; verheiraten; *well* ~*ed* zs.-passend; *v/i.* zs.-passen; *to* ~ dazu passend; **~less** (~mætʃlis) unvergleichlich, ohnegleichen.

mate (meit) 1. Gefährt|e *m*, -in *f*; Kamera'd(in *f*) *m*; Gatt|e *m*, -in *f*; Männchen, Weibchen *n von Tieren*; Gehilf|e *m*, -in *f*; ♣ Maat *m*; 2. (sich) verheiraten; (sich) paaren.

material □ (mə'tiəriəl) 1. materie'll; körperlich; sachlich; wesentlich; 2. Materia'l *n*, Stoff; Werkstoff *m*.

matern|al □ (mə'tɔ:nl) mütterlich; Mutter...; mütterlicherseits; **~ity** (~niti) Mutterschaft; Mütterlichkeit; Entbindungsanstalt *f* (*mst* ~ *hospital*).

mathematic|ian (mæθimə'tiʃən) Mathema'tiker *m*; **~s** (~mæ'tiks) (*mst sg.*) Mathemati'k *f*.

matriculate (mə'trikjuleit) (sich) immatrikulieren (l.).

matrimon|ial □ (mætri'mounjəl) ehelich; Ehe...; **~y** ('mætriməni) Ehe(stand *m*) *f*.

matrix (meitriks) Matri'ze *f*.

matron ('meitrən) Matro'ne; Hausmutter; Oberin *f*.

matter ('mætə) 1. Mate'rie *f*, Stoff; Eiter; Gegenstand *m*; Ursache; Sache, Angelegenheit *f*; Geschäft *n*; *printed* ~ Drucksache *f*; *what's the* ~? was gibt es?; *no* ~ *who* gleich-gültig wer; ~ *of course* Selbstverständlichkeit *f*; *for that* ~ natürlich; ~ *of fact* Tatsache *f*; 2. von Bedeutung sn; *it does not* ~ es macht nichts; **~-of-fact** tatsächlich; sachlich.

mattress ('mætris) Matra'tze *f*.

matur|e (mə'tjuə) 1. □ reif; reiflich; ✝ fällig; 2. reifen; zur Reife bringen; ✝ fällig werden; **~ity** (~riti) Reife; ✝ Fälligkeit *f*.

maudlin □ ('mɔ:dlin) rührselig.

maul (mɔ:l) beschädigen; *fig.* heruntermachen; achtlos umgehen mit.

maw (mɔ:) *Tier-*Magen; Rachen *m*.

mawkish □ ('mɔ:kiʃ) widerlich; empfindsam.

maxim ('mæksim) Grundsatz *m*; **~um** (~siməm) 1. Höchst-maß *n*, -stand, -betrag *m*; 2. Höchst...

May¹ (mei) Mai *m*.

may² (~) [*irr.*] mag, kann, darf.

maybe *Am.* ('meibi) vielleicht.

May-day ('meidei) erster Mai.

mayor (mɛə) Bürgermeister *m*.

maz|e ('meiz) Irrgarten *m*; *fig.* Wirrnis *f*; *be* ~*d od. in a* ~ verwirrt sn; **~y** □ ('meizi) labyrinthisch; wirr.

me (mi:, mi) mich; mir; F ich.

meadow ('medou) Wiese *f*. [tig.]

meagre ('mi:gə) mager, dürr; dürf-]

meal (mi:l) Mahl(zeit *f*); Mehl *n*.

mean¹ □ (mi:n) gemein, niedrig, gering; armselig; knauserig.

mean² (~) 1. mittler, mittelmäßig; Durchschnitts...; *in the* ~ *time* inzwischen; 2. Mitte *f*; ~*s pl.* (Geld-) Mittel *n/pl.*; (*a. sg.*) Mittel *n*; *by all* ~*s* jedenfalls; *by no* ~*s* keineswegs; *by* ~*s of* vermittelst.

mean³ (~) [*irr.*] meinen; beabsichtigen; bestimmen; bedeuten; ~ *well* (*ill*) es gut (schlecht) meinen.

meaning ('mi:niŋ) 1. □ bedeutsam; 2. Sinn *m*, Bedeutung *f*; **~less** (~lis) bedeutungslos; sinnlos.

meant (ment) meinte; gemeint.

mean|time, ~while mittlerweile.

measles ('mi:zlz) *pl.* Masern *pl.*

measure ('meʒə) 1. Maß *n*; ♪ Takt *m*; Maßregel *f*; ~ *of capacity* Hohlmaß *n*; *beyond* ~ über alle Maßen; *in a great* ~ großenteils; *made to* ~ nach Maß gemacht; 2. (ab-, aus-, ver-)messen; *j-m* Maß nehmen; **~less** (~lis) unermeßlich; **~ment** (~mənt) Messung *f*; Maß *n*.

meat (mi:t) Fleisch *n*; *fig.* Gehalt *m*; **~y** ('mi:ti) fleischig; *fig.* gehaltvoll.

mechanic (mi'kænik) Handwerker; Mechaniker *m*; **~al** □ (**~**nikəl) mechanisch; Maschinen...; **~ian** (mekə'niʃən) Mechaniker *m*; **~s** (mi'kæniks) *mst sg.* Mechanik *f*.

mechanize ('mekənaiz) mechanisieren; ⚔ motorisieren.

medal ('medl) Medaille *f*.

meddle ('medl) (*with, in*) sich (ein-) mengen (*in acc.*); **~some** □ (**~**səm) zu-, auf-dringlich.

media|l □ ('mi:diəl), **~n** (**~**ən) Mittel..., in der Mitte (befindlich).

mediat|e ('mi:dieit) vermitteln; **~ion** (mi:di'eiʃən) Vermittlung *f*; **~or** (mi:dieitə) Vermittler *m*.

medical □ ('medikəl) medizinisch; ärztlich; **~** *certificate* Krankenschein *m*, Atte'st *n*; **~** *man* Arzt, Medizi'ner.

medicin|al □ (me'disinl) medizi'nisch; heilend, heilsam; **~e** ('med[i]sin) Medizi'n *f*; [alterlich.|

medi(a)eval □ (medi'i:vəl) mittel-|

mediocre ('mi:diouka) mittelmäßig.

meditat|e ('mediteit) *v/i.* nachdenken, überle'gen; *v/t.* sinnen auf (*acc.*); erwägen; **~ion** (medi'teiʃən) Nachdenken *n*; *innere* Betrachtung *f*; **~ive** ('mediteitiv) nachdenklich.

Mediterranean □ (meditə'reinʒən) (*od.* **~** *Sea*) Mittelländisches Meer.

medium ('mi:diəm) **1.** Mitte *f*; Mittel *n*; Vermittlung *f*; Medium; *Lebens*-Eleme'nt *n*; **2.** mittler; Mittel..., Durchschnitts... [pourri.|

medley ('medli) Gemisch; ♪ Pot-|

meek □ (mi:k) sanft-, de-mütig; **~ness** ('mi:knis) Sanft-, De-mut *f*.

meet (mi:t) [*irr.*] *v/t.* treffen; begegnen (*dat.*); Anschluß h. zu; *j.* abholen; zs.-treffen mit; *Wunsch usw.* befriedigen; *e-r Verpflichtung* nachkommen; *Am. j-m* vorgestellt w.; go to **~** *a p.* j-m entgegengehen; *v/i.* sich treffen; zs.-treffen; sich versammeln; **~** *with* stoßen auf (*acc.*); erleiden; **~ing** ('mi:tiŋ) Begegnung *f*; (Zs.-)Treffen *n*, Versammlung; Tagung *f*.

melancholy ('melənkəli) **1.** Schwermut *f*; **2.** melancho'lisch.

mellow ('melou) **1.** □ mürbe; reif; weich; mild; **2.** reifen (l.); weich machen *od.* w.; (sich) mildern.

melo|dious □ (mi'loudjəs) melodisch; **~dy** ('melədi) Melodie' *f*.

melon ♣ ('melən) Melo'ne *f*.

melt (melt) (zer)schmelzen; *fig.* zerfließen; *Gefühl* erweichen.

member ('membə) (Mit-)Glied *n*; *parl.* Abgeordnete(r); **~ship** (**~**ʃip) Mitgliedschaft; Mitgliederzahl *f*.

membrane ('membrein) Häutchen *n*.

memento (me'mentou) Andenken *n*.

memoir ('memwa:) Denkschrift *f*; **~s** *pl.* Memoiren *f/pl.* [würdig.|

memorable □ ('memərəbl) denk-|

memorandum (memə'rændəm) Noti'z *f*; *pol.* Note *f*; Schriftsatz *m*.

memorial (mi'mɔːriəl) **1.** Gedächtnis..., Gedenk...; **2.** Denk-mal, -zeichen *n*; -schrift; Eingabe *f*.

memorize *bsd. Am.* ('meməraiz) auswendig lernen, memorieren.

memory ('meməri) Gedächtnis *n*; Erinnerung *f*; Andenken *n*.

men (men) [*pl. von* man] Männer; Menschen *m/pl.*; Mannschaft *f*.

menace ('menəs) **1.** (be)drohen; **2.** *lit.* Drohung *f*.

mend (mend) **1.** *v/t.* (ver)bessern; ausbessern, flicken; besser m.; *one's ways* sich bessern; *v/i.* sich bessern; **2.** Flicken *m*; *on the* **~** auf dem Wege der Besserung.

mendacious □ (men'deiʃəs) lügnerisch, verlogen.

mendicant ('mendikənt) **1.** bettelnd; Bettel...; **2.** Bettler; Bettelmönch *m*.

menial ('mi:niəl) *contp.* **1.** □ knechtisch; **2.** Knecht; Lakai' *m*.

mental □ ('mentl) geistig; Geistes...; **~** *arithmetic* Kopfrechnen *n*; **~ity** (men'tæliti) Mentalitä't *f*.

mention ('menʃən) **1.** Erwähnung *f*; **2.** erwähnen; *don't* **~** *it!* bitte!

mercantile ('mə:kəntail) kaufmännisch; Handels...

mercenary ('mə:sinəri) **1.** □ gedungen; gewinnsüchtig; **2.** Söldner *m*.

mercer ('mə:sə) Schnitt-, Seidenwarenhändler *m*. [re(n *pl.*) *f*.|

merchandise ('mə:tʃəndaiz) Wa-|

merchant ('mə:tʃənt) Kaufmann *m*; *law* **~** Handelsrecht *n*; **~man** (**~**mən) Handelsschiff *n*.

merci|ful □ ('mə:siful) barmherzig; **~less** □ (**~**lis) unbarmherzig.

mercury ('mə:kjuri) Quecksilber *n*.

mercy (ˏsi) Barmherzigkeit; Gnade f; be at a p.'s ˏ in j-s Gewalt sn.

mere □ (miə) rein, lauter; bloß; ˏly bloß, lediglich, allein.

meretricious □ (meri'triʃəs) aufdringlich; kitschig.

merge (məːdʒ) (in) verschmelzen (mit); ˏr ('məːdʒə) Verschmelzung f.

meridian (mə'ridiən) 1. Mittags...; 2. geogr. Meridia'n; fig. Gipfel m.

merit ('merit) 1. Verdienst n; Wert; Vorzug m; make a ˏ of als Verdienst ansehen; 2. fig. verdienen; ˏorious □ (meri'tɔːriəs) verdienstlich.

mermaid ('məːmeid) Nixe f.

merriment ('merimənt) Lustigkeit f.

merry □ ('meri) lustig; fröhlich; make ˏ sich amüsieren; ˏ-go-round Karusse'll n; ˏmaking Lustbarkeit f.

mesh (meʃ) 1. Masche f; fig. ˏes (pl.) Netz n; ⊕ be in ˏ in-ea.-greifen; 2. fig. umga'rnen.

mess¹ (mes) 1. Schmutz(erei f) m; sl. Schweinerei f; make a ˏ of verpfuschen; 2. v/t. in Unordnung bringen; verpfuschen; v/i. F ˏ about herummurksen.

mess² (ˏ) ✕ Kasino n, Messe f.

message ('mesidʒ) Botschaft f.

messenger ('mesindʒə) Bote m.

Messieurs, mst **Messrs.** ('mesəz) (die) Herren m/pl.; Firma f.

met (met) traf; getroffen.

metal ('metl) 1. Meta'll n; Schotter m; 2. beschottern; ˏlic (mi'tælik) (ˏally) metallisch; Meta'll...; ˏlurgy ('metələːdʒi) Hüttenkunde f.

meteor (miːtjə) Meteo'r n (a. fig.); ˏology (miːtjə'rələdʒi) Wetterkunde f.

meter ('miːtə) Messer, Zähler m.

method ('meθəd) Metho'de; Lehrweise f; (Heil-)Verfahren n; Ordnung f, Syste'm n; ˏic, mst ˏical □ (mi'θɔdik, ˏdikəl) methodisch.

meticulous □ (mi'tikjuləs) peinlich genau.

metre ('miːtə) Meter n (m).

metric ('metrik) (ˏally) metrisch; ˏ system Dezima'lsystem n.

metropoli|s (mi'trɔpəlis) Hauptstadt, Metropo'le f; ˏtan (metrə-'pɔlitən) hauptstädtisch.

mettle ('metl) Eifer m, Feuer n,

Mut m; be on one's ˏ sein Bestes tun. [nisch; 2. Mexika'ner(in).]

Mexican ('meksikən) 1. mexika'-/

miauw (mi'au) miauen; mauzen.

mice (mais) pl. Mäuse f/pl.

Michaelmas ('miklməs) Michae'lis (-tag m) n (29. September).

micro... ('maikro) klein..., Klein...

micro|phone ('maikrəfoun) Mikropho'n n; ˏscope Mikrosko'p n.

mid (mid) mittler; Mitt(el)...; ˏair: in ˏ in freier Luft; ˏday 1. Mittag m; 2. mittägig; Mittags...

middle ('midl) 1. Mitte f; Hüften f/pl.; 2. mittler; Mittel...; ⚥ Ages pl. Mittelalter n; ˏaged von mittlerem Alter; ˏclass Mittelstands-...; ˏman Mittelsmann m; ˏsized mittelgroß; ˏweight Boxen: Mittelgewicht n. [leidlich; Mittel...]

middling ('midliŋ) (mittel)mäßig;/

middy F ('midi) = midshipman.

midge (midʒ) Mücke f; ˏt ('midʒit) Zwerg, Knirps m.

mid|land ('midlənd) Binnenland n; ˏmost mittelste(r, s); ˏnight Mitternacht f; ˏriff ('midrif) Zwerchfell n; ˏshipman Leutnant zur See; Am. Oberfähnrich m zur See; ˏst (midst) Mitte f; in the ˏ of inmitten (gen.); ˏsummer Hochsommer m; ˏway mittwegs (befindlich); ˏwife Hebamme f; ˏwifery ('midwifəri) Geburtshilfe f; ˏwinter Hochwinter m.

mien (miːn) Miene f.

might (mait) 1. Macht, Gewalt, Kraft f; with ˏ and main mit aller Gewalt; 2. möchte, könnte, dürfte; ˏy ('maiti) mächtig, gewaltig.

migrat|e (mai'greit) (aus)wandern; ˏion (ˏʃən) Wanderung f; ˏory ('maigrətəri) wandernd; Zug...

mild □ (maild) mild, sanft; gelind.

mildew ⚘ ('mildjuː) Meltau m.

mildness ('maildnis) Milde f.

mile (mail) Meile f (1609.33 m).

milelage ('mailidʒ) Meilenlänge f.

milit|ary ('militəri) 1. □ milita'risch; Kriegs...; ⚥ Government Milita'rregierung f; 2. das Milita'r n; ˏia (mi'liʃə) Land-, Bürger-wehr f.

milk (milk) 1. Milch f; powdered (whole) ˏ (Voll-)Milchpulver n; 2. melken; ˏmaid Milch-, Kuhmagd f; ˏman Milchmann m; ˏsop Weichling m; ˏy ('milki) milchig; Milch...; ⚥ Way Milchstraße f.

mill¹ (mil) 1. Mühle; Fabri'k, Spinnerei *f*; 2. mahlen; ⊕ fräsen; *Münze* rändeln.

mill² *Am.* (∼) = ¹/₁₀ cent. [fuß *m.*]

millepede zo. ('milipi:d) Tausend-

miller ('milə) Müller; ⊕ Fräser *m.*

millet ♃ ('milit) Hirse *f.*

milliner ('milinə) Putzmacherin, Modistin *f*; ∼y (∼ri) Putzwaren *f/pl.*; Putzgeschäft *n.*

million ('miljən) Millio'n *f*; ∼aire (miljə'neə) Millionä'r(in); ∼th ('miljənθ) 1. millio'nste(r, s); 2. Millionstel *n.* [Mühlstein *m.*]

mill∣-pond Mühlteich *m*; ∼stone∤

milt (milt) Milch *f* der Fische.

mimic ('mimik) 1. mimisch; Schein...; 2. Mimiker *m*; 3. nachahmen, nachäffen; ∼ry (∼ri) Nachahmung; zo. Angleichung *f.*

mince (mins) 1. *v/t.* (zer)hacken; *he does not* ∼ *matters* er nimmt kein Blatt vor den Mund; *v/t.* sich zieren; 2. Hackfleisch *n* (*mst* ∼d *meat*); ∼meat *Art* Tortenfüllung *f*; ∼pie Torte *f* aus *mincemeat.*

mincing-machine (Fleisch-)Hackmaschine *f.*

mind (maind) 1. Sinn *m*, Gemüt *n*; Geist, Verstand *m*; Meinung, Absicht; Neigung, Lust *f*; Gedächtnis *n*; *to my* ∼ meiner Ansicht nach; *out of one's* ∼ von Sinnen; *change one's* ∼ sich anders besinnen; *bear a th. in* ∼ (immer) an et. denken; *have* (*half*) *a* ∼ *to* (beinahe) Lust h. zu; *have a th. on one's* ∼ et. auf dem Herzen h.; *make up one's* ∼ e-n Entschluß fassen; 2. merken *od.* achten auf (*acc.*); sich kümmern um; etwas (ein-zuwenden) h. gegen; *never* ∼! macht nichts!; *I don't* ∼ (it) ich habe nichts dagegen; *would you* ∼ *taking off your hat?* würden Sie bitte den Hut abnehmen?; ∼ful ⃞ ('maindful) eingedenk (*gen.*); achtsam (auf *acc.*).

mine¹ (main) 1. der (die, das) meinige; mein; 2. die Mein(ig)en *pl.*

mine² (∼) 1. Bergwerk *n*, Grube; *fig.* Fundgrube; ✕ Mine *f*; 2. *v/i.* graben, minieren; *v/t.* graben; ✕ fördern; ✕ unterminie'ren; ✕ verminen; ∼r (mainə) Bergmann *m.*

mineral ('minərəl) 1. Minera'l; ∼s *pl.* Mineralwasser *n*; 2. minera'lisch.

mingle ('miŋgl) (sich) mengen

(*with* unter *acc.*); (sich) (ver-)mischen.

miniature ('minjətʃə) 1. Miniatu'r (-gemälde *n*) *f*; 2. in Miniatur; Miniatur...; Klein...

minim∣ize ('minimaiz) möglichst klein m.; *fig.* verringern; ∼um (∼iməm) 1. Mi'nimum; Mindestmaß *n*, -betrag *m*; 2. Mindest...

mining ('mainiŋ) Bergbau *m.*

minister ('ministə) 1. Diener; Priester; Mini'ster; Gesandte(r) *m*; 2. *v/t.* darreichen; *v/i.* dienen; Gottesdienst halten.

ministry ('ministri) geistliches Amt; Ministe'rium *n.*

mink zo. (miŋk) Nerz *m.*

minor ('mainə) 1. kleiner, geringer, weniger bedeutend; ♩: Moll; *A* ∼ A minor; 2. Minderjährige(r) *m*; *Am. univ.* Nebenfach *n*; ∼ity (mai'nɔriti) Minderheit; Unmündigkeit *f.*

minstrel ('minstrəl) Minnesänger *m*; ∼s *pl.* Negersänger *m/pl.*

mint (mint) 1. ♃ Minze; Münze; *fig.* Goldgrube *f*; *a* ∼ *of money* e-e Masse Geld; 2. münzen, prägen.

minuet ♩ (minju'et) Menue'tt *n.*

minus ('mainəs) 1. *prp.* weniger; F ohne; 2. *adj.* negati'v.

minute 1. (mai'nju:t) ⃞ sehr klein; unbedeutend; sehr genau; 2. ('minit) Minu'te *f*; Augenblick *m*; ∼s *pl.* Protoko'll *n*; ∼ness (mai'nju:t-nis) Kleinheit; Genauigkeit *f.*

mirac∣le ('mirəkl) Wunder *n*; ∼ulous ⃞ (mi'rækjuləs) wunderbar.

mirage ('mira:ʒ) Luftspiegelung *f.*

mire ('maiə) 1. Sumpf, Kot, Schlamm *m*; 2. im Sumpf *usw.* stecken. [der)spiegeln (*a. fig.*).∤

mirror ('mirə) 1. Spiegel *m*; 2. (wi-∤

mirth (mə:θ) ⃞ Fröhlichkeit *f*; ∼ful ⃞ ('mə:θful) fröhlich; ∼less ⃞ (∼lis) [freudlos.∤

miry ('maiəri) kotig. ∤

mis... (∼) (mis) miss..., übel, falsch.

misadventure ('misəd'ventʃə) Mißgeschick *n*, Unfall *m.*

misanthrop∣e ('mizənθroup), ∼ist (mi'zænθropist) Menschenfeind *m.*

misapply ('misə'plai) falsch anwenden. [mißverstehen.∤

misapprehend ('misæpri'hend) falsch

misbehave ('misbi'heiv) sich schlecht aufführen.

misbelief ('misbi'li:f) Irrglaube *m.*

miscalculate ('mis'kælkjuleit) falsch (be)rechnen.

miscarr|iage ('mis'kærid3) Miß-
lingen n; Verlust m v. Briefen;
Fehlgeburt f; ~ of justice Fehl-
spruch m; ~y (~ri) mißlingen; verlorengehen (Brief); fehlgebären.
miscellaneous □ (misi'leinjəs) ge-,
ver-mischt; vielseitig.
mischief ('mis-tʃif) Schaden; Unfug, Mutwille, Übermut m.
mischievous □ ('mis-tʃivəs)
schädlich; schadenfroh; mutwillig.
misconceive ('miskən'si:v) falsch
auffassen od. verstehen.
misconduct 1. ('mis'kɔndəkt)
schlechtes Benehmen; schlechte
Verwaltung; 2. (ˌkən'dʌkt) schlecht
verwalten; ~ o.s. sich schlecht aufführen. [deuten.]
misconstrue ('miskən'stru:) miß-
miscreant ('miskriənt) Schurke m.
misdeed ('mis'di:d) Missetat f.
misdemeano(u)r ɪʒ ('misdi'mi:nə)
Vergehen n.
misdirect ('misdi'rekt) irreleiten;
an die falsche Adresse richten.
miser ('maizə) Geizhals m.
miserable □ ('mizərəbl) elend; unglücklich, erbärmlich.
miserly ('maizəli) geizig, filzig.
misery ('mizəri) Elend n, Not f.
misfortune (mis'fɔ:tʃən) Un-
glück(sfall m); Mißgeschick n.
misgiving (mis'giviŋ) böse Ahnung,
Befürchtung f.
misguide (mis'gaid) irreleiten.
mishap ('mishæp) Unfall m.
misinform ('misin'fɔ:m) falsch
unterrichten. [deuten.]
misinterpret ('misin'tə:prit) miß-
mislay (mis'lei) [irr. (lay)] verlegen.
mislead (mis'li:d) [irr. (lead)] irreleiten; verleiten. [verwalten.]
mismanage ('mis'mænid3) schlecht
misplace ('mis'pleis) falsch stellen,
verstellen; übel anbringen.
misprint ('mis'print) 1. verdrucken;
2. Druckfehler m.
misread ('mis'ri:d) [irr. (read)]
falsch lesen od. deuten.
misrepresent ('misrepri'zent) falsch
darstellen, verdrehen.
miss[1] (mis) Fräulein n.
miss[2] (~) 1. Verlust; Fehl-schuß,
-stoß, -wurf m; 2. v/t. (ver)missen;
verfehlen; verpassen; auslassen;
über-se'hen; -hö'ren; v/i. fehlen
(nicht treffen); fehlgehen.
missile ('misail) Wurfgeschoß n.

missing ('misiŋ) fehlend; ✕ vermißt; be ~ fehlen, vermißt werden.
mission ('miʃən) Sendung f,
Auftrag; innerer Beruf m, Lebens-
ziel n; Gesandtschaft; eccl. Missio'n
f; ~ary ('miʃnəri) Missiona'r m.
misspell ('mis'spel) [irr. (spell)]
falsch buchstabieren od. schreiben.
mist (mist) Nebel m; (um)ne'beln.
mistake (mis'teik) 1. [irr. (take)]
sich irren in (dat.), verkennen;
mißverstehen; verwechseln (for
mit); be ~n sich irren; 2. Irrtum m;
Versehen n; Fehler m; ~n (~ən)
irrig, falsch (verstanden).
mister ('mistə) Herr m (abbr. Mr.).
mistletoe ♀ ('misltou) Mistel f.
mistress ('mistris) Herrin; Lehre-
rin; Geliebte; Meisterin f; (gnädige) Frau.
mistrust ('mis'trʌst) 1. mißtrauen
(dat.); 2. Mißtrauen n; ~ful □
(~ful) mißtrauisch.
misty □ ('misti) neb(e)lig; unklar.
misunderstand ('misʌndə'stænd)
[irr. (stand)] mißverstehen; ~ing
(~iŋ) Mißverständnis n.
misuse 1. ('mis'ju:z) miß-brauchen,
-handeln; 2. (~'ju:s) Mißbrauch m.
mite (mait) zo. Milbe f; Heller m;
Scherflein n; Knirps m.
mitigate ('mitigeit) mildern, lindern.
mitre ('maitə) Bischofsmütze f.
mitten ('mitn) Fausthandschuh;
Halbhandschuh m (ohne Finger).
mix (miks) (sich) (ver)mischen;
verkehren (with mit); ~ed ge-
mischt (fig. zweifelhaft); ~ up
durch-ea.-bringen; be ~ed up with
in e-e S. verwickelt sn; ~ture
('mikstʃə) Mischung f.
moan (moun) Stöhnen n; stöhnen.
moat (mout) Burg-, Stadt-graben m.
mob (mɔb) 1. Pöbel; 2. anpöbeln.
mobil|e ('moubail) beweglich; ~
mobi'l; ~ization ✕ (moubilai'zeiʃən) Mobi'lmachung f; ~ize ✕
('moubilaiz) mobil machen.
moccasin ('mɔkəsin) India'ner-
schuh m.
mock (mɔk) 1. Spott m; 2. Schein...;
falsch, nachgemacht; 3. v/t. verspotten; nachmachen; täuschen; v/i.
spotten (at über acc.); ~ery (~əri)
Spötterei f, Gespött n; Äfferei f.
mode (moud) Art u. Weise; (Er-
scheinungs-)Form; Sitte, Mode f.

model ('mɔdl) 1. Mode'll; Muster; *fig.* Vorbild *n*; Vorführdame *f*; *attr.* Muster...; 2. modellieren; (ab-) formen; *fig.* modeln, bilden.

moderat|e 1. □ ('mɔdərit) (mittel-) mäßig; 2. ('mɔdəreit) (sich) mäßigen; **~ion** (mɔdə'reiʃən) Mäßigung; Mäßigkeit *f.*

modern ('mɔdən) mode'rn, neu; **~ize** (**~aiz**) (sich) modernisieren.

modest □ ('mɔdist) bescheiden; sittsam; **~y** (**~i**) Bescheidenheit *f.*

modi|fication (mɔdifi'keiʃən) Ab-, Ver-änderung; Einschränkung *f*; **~fy** ('mɔdifai) (ab)ändern; mildern.

modulate ('mɔdjuleit) modulieren.

moist (mɔist) feucht; **~en** ('mɔisn) be-, an-feuchten; **~ure** ('mɔistʃə) Feuchtigkeit *f.*

molar ('moulə) Backenzahn *m.*

molasses (mə'læsiz) Melasse *f*; Sirup *m.*

mole (moul) *zo.* Maulwurf *m*; Muttermal *n*; Hafendamm *m*, Mole *f.*

molecule ('mɔlikjuːl) Moleküľ *n.*

molest (mo'lest) belästigen.

mollify ('mɔlifai) besänftigen.

mollycoddle ('mɔlikɔdl) 1. weichlich(er Mensch); 2. verzärteln.

molten ('moultən) geschmolzen.

moment ('moumənt) Augenblick *m*; Bedeutung *f*; = **~um**; **~ary** (**~əri**) augenblicklich; Augenblicks...; **~ous** □ (mou'mentəs) wichtig, von Bedeutung; **~um** (**~təm**) *phys.* Mome'nt *n*; Triebkraft *f.*

monarch ('mɔnək) Mona'rch(in); **~y** ('mɔnəki) Monarchie' *f.*

monastery ('mɔnəstri) (Mönchs-) Kloster *m.*

Monday ('mʌndi) Montag *m.*

monetary ('mʌnitəri) Geld...

money ('mʌni) Geld *n*; *ready ~* bares Geld; **~-box** Sparbüchse *f*; **~-changer** (Geld-)Wechsler *m*; **~-order** Postanweisung *f.*

mongrel ('mʌŋgrəl) 1. Mischling, Bastard *m*; 2. Bastard...

monitor ('mɔnitə) Ermahner; (Klassen-)Ordner *m.*

monk (mʌŋk) Mönch *m.*

monkey ('mʌŋki) 1. Affe (*a. fig.*); ⊕ Rammblock *m*; 2. F (herum-) kalbern; **~ with** herumturken am (*dat.*); **~-wrench** ⊕ Engländer *m* (*Schraubenschlüssel*).

monkish ('mʌŋkiʃ) mönchisch.

mono|cle ('mɔnɔkl) Einglas *n*; **~gamy** (mɔ'nɔgəmi) Einehe *f*; **~logue** (**~lɔg**) Monolo'g *m*; **~polist** (mə'nɔpəlist) Monopo'lbesitzer(in); **~polize** (**~laiz**) monopolisieren; *fig.* an sich reißen; **~poly** (**~li**) Monopo'l *n* (*of auf* [*acc.*]); **~tonous** □ (mə'nɔtənəs) monoto'n: eintönig; **~tony** (**~təni**) Monotonie' *f.*

monsoon (mɔn'suːn) Monsun *m.*

monster ('mɔnstə) Ungeheuer (*a. fig.*); Monstrum *n*, *attr.* Riesen...

monstro|sity (mɔns'trɔsiti) Ungeheuer(lichkeit *f*) *n*; **~us** □ ('mɔnstrəs) ungeheuer(lich); gräßlich.

month (mʌnθ) Monat *m*; **~ly** ('mʌnθli) 1. monatlich; Monats...; 2. Monatsschrift *f.*

monument ('mɔnjumənt) Denkmal *n*; **~al** (mɔnju'mentl) monumenta'l; Gedenk...; großartig.

mood (muːd) Stimmung, Laune *f.*

moody □ (muːdi) launisch; schwermütig; übellaunig.

moon (muːn) 1. Mond *m*; 2. F umherdösen; **~light** Mond-licht *n*, -schein *m*; **~lit** mondhell; **~struck** mondsüchtig.

Moor[1] (muə) Maure; Mohr *m.*

moor[2] (**~**) Ödland, Heideland *n.*

moor[3] ⚓ (**~**) (sich) vertäuen; **~ings** ('muəriŋz) *pl.* Vertäuungen *f/pl.*

moot (muːt): **~** *point* Streitpunkt *m.*

mop (mɔp) 1. Mopp (*Fransenbesen*) *m*; 2. auf-, ab-wischen.

mope (moup) den Kopf hängen l.

moral ('mɔrəl) 1. □ Mora'l...; mora'lisch; 2. Mora'l; Nutzanwendung *f*; **~s** *pl.* Sitten *f/pl.*; **~e** (mo'raːl) *bsd.* ⚔ Mora'l, Geisteszucht *f*; **~ity** (mə'ræliti) Moralitä't; Sittlichkeit *f*; **~ize** ('mɔrəlaiz) moralisieren.

morass (mə'ræs) Morast, Sumpf *m.*

morbid □ ('mɔːbid) krankhaft.

more (mɔː) mehr; *once ~* noch einmal, wieder; *so much the ~* um so mehr; *no ~* nicht mehr; **~over** (mɔː'rouvə) überdies, ferner.

moribund ('mɔribʌnd) im Sterben (liegend).

morning ('mɔːniŋ) Morgen; Vormittag *m*; *tomorrow ~* morgen früh; **~** *dress* Besuchsanzug *m.*

morose □ (mə'rous) mürrisch.

morphia ('mɔːfiə), **morphine** ('mɔːfiːn) Morphium *n.*

morsel ('mɔːsəl) Bissen *m*; Bißchen *n.*

mortal ('mɔːtl) **1.** □ sterblich; tödlich; Tod(es)...; **2.** Sterbliche(r); **~ity** (mɔːˈtæliti) Sterblichkeit *f*.

mortar ('mɔːtə) Mörser; Mörtel *m*.

mortgage ('mɔːgidʒ) **1.** Pfandgut *n*, Hypothe´k *f*; **2.** verpfänden; **~e** (mɔːgəˈdʒiː) Hypothe´kengläubiger *m*. [pothe´kenschuldner *m*.\

mortgag|er, **~or** ('mɔːgədʒə) Hy-\
morti|fication (mɔːtifiˈkeiʃən) Kasteiung; Kränkung *f*; **~fy** ('mɔːtifai) kasteien; kränken. [loch *n*.\

morti|se, **~ce** ('mɔːtis) Zapfen-\
mortuary('mɔːtjuəri)Leichenhalle*f*.

mosaic (məˈzeiik) Mosai´k *n* u. *f*.

moss (mɔs) Moos *n*; **~y** moosig.

most (moust) **1.** adj. □ meist; **2.** adv. meist, am meisten; höchst; **3.** Meiste(s) *n*; Meisten *pl.*; Höchste(s) *n*; at (the) **~** höchstens; **~ly** ('moustli) meistens.

moth (mɔθ) Motte *f*; **~-eaten** mottenzerfressen.

mother ('mʌðə) **1.** Mutter *f*; **2.** bemuttern;**~hood**('mʌðəhud)Mutterschaft *f*; **~ly** (ˌli) mütterlich; **~-in-law** (ˌrinlɔː) Schwiegermutter *f*; **~-of-pearl** (ˌrevˈpɔːl) Perlmutter *f*; **~-tongue** Muttersprache *f*.

motif (mouˈtiːf) (Leit-)Motiv *n*.

motion ('mouʃən) **1.** Bewegung *f*; Gang (*a.* ⊕); *parl.* Antrag *m*; **2.** *v/t.* durch Gebärden auffordern *od.* andeuten; *v/i.* winken; **~less** (ˌlis) bewegungslos; **~-picture** Film...; **~s** *pl.* Film *m*; Kinovorstellung *f*.

motive ('moutiv) **1.** bewegend; **2.** Moti´v *n*; Beweggrund *m*; **3.** motivieren; **~less** grundlos.

motley ('mɔtli) (bunt)scheckig.

motor ('moutə) **1.** Mo´tor *m*; Bewegende(s) *n*; = **~-car**; **2.** Mo´tor...; Kraft...; Auto...; **~** mechanic, **~** fitter Autoschlosser *m*; **3.** (im) Auto(mobi´l) fahren; **~-bicycle** Motorrad *n*; **~-bus** Autobus *m*; **~-car** Auto(mobi´l) *n*; **~-cycle** Motorrad *n*; **~ing** ('moutəriŋ) Automobi´lfahren *n*; **~ist** (ˌrist) Automobi´l-, Kraft-(fahrer(in); **~lorry**, *Am.* **~-truck** Lastauto *n*.

mottled ('mɔtld) gefleckt.

mould (mould) **1.** Gartenerde *f*; Schimmel, Moder *m*; (Guß-)Form (*a. fig.*); Abdruck *m*; Art *f*; **2.** formen; gießen.

moulder ('mouldə) zerfallen.

moulding ('mouldiŋ) △ Fries *m*.

mouldy ('mouldi) schimm(e)lig.

moult (moult) (*fig.* sich) mausern.

mound (maund) Erdwall *m*.

mount (maunt) **1.** Berg *m*; Reitpferd *n*; **2.** *v/i.* (empor)steigen; aufsteigen (*Reiter*); *v/t.* be-, ersteigen; beritten machen; montieren; aufziehen, -kleben; *Edelstein* fassen.

mountain ('mauntin) **1.** Berg *m*; **~s** *pl.* Gebirge *n*; **2.** Berg..., Gebirgs...; **~eer** (mauntiˈniə) Bergbewohner (-in); Bergsteiger(in); **~ous** ('mauntinəs) bergig, gebirgig.

mourn (mɔːn) (be)trauern; **~er** ('mɔːnə) Leidtragende(r); **~ful** ('mɔːnful) Trauer-; traurig; **~ing** ('mɔːniŋ) Trauer *f*; *attr.* Trauer...

mouse (maus) [*pl.* mice] Maus *f*.

m(o)ustache (məsˈtɑːʃ) Schnurrbart *m*.

mouth (mauθ), *pl.* **~s** (ˌz) Mund *m*; Maul *n*; Mündung *f*; Öffnung *f*; **~ful** (ˌful) Mundvoll *m*; **~-organ** Mundharmonika *f*; **~-piece** Mundstück; *fig.* Sprachrohr *n*.

move (muːv) **1.** *v/t. allg.* bewegen; in Bewegung setzen; (weg)rücken; (an)treiben; *Leidenschaft* erregen; *seelisch* rühren; beantragen; *v/i.* sich (fort)bewegen; *fig.* von der Stelle kommen; sich rühren; *Schach:* ziehen; (um)ziehen (*Mieter*); **~** for a th. et. beantragen; **~** in einziehen; **~** on weitergehen; **2.** Bewegung *f*; *Schach:* Zug; *fig.* Schritt *m*; on the **~** in Bewegung; make a **~** die Tafel aufheben; **~ment** ('muːvmənt) Bewegung *f*; ♩ Tempo *n*; ♩ Satz *m*; ⊕ (Geh-)Werk *n*. [Kintopp *m*.\

movies *sl.* ('muːviz) *pl.* Kino *m*, *sl.*\
moving □ ('muːviŋ) beweglich; **~** staircase Rolltreppe *f*.

mow (mou) [*irr.*] mähen.

much (mʌtʃ) adj. viel; adv. sehr; viel; bei weitem; fast; I thought as **~** das dachte ich mir; make **~** of viel Wesens m. von; I am not **~** of a dancer ich bin kein großer Tänzer.

muck (mʌk) Mist *m* (*F a. fig.*).

mucus ('mjuːkəs)(Nasen-)Schleim*m*.

mud (mʌd) Schlamm; Kot *m*; **~dle** ('mʌdl) **1.** *v/t.* verwirren; verengen (*a.* **m.~** up, together); benebeln; *v/i.* stümpern; F wursteln; Wirrwarr *m*; F Wurstelei *f*; **~dy** ('mʌdi) schlammig; trüb; **~-guard** Kot-blech *n*, -flügel *m*.

muff (mʌf) Muff *m*; ~etee (mʌfi'ti:) Pulswärmer *m*.

muffin ('mʌfin) Teekuchen *m*.

muffle ('mʌfl) ein-, um-hüllen, -wickeln; *Stimme usw.* dämpfen; ~r (~ə) Halstuch *n*; Boxhandschuh; *mot.* Auspufftopf *m*.

mug (mʌg) Krug *m*.

muggy ('mʌgi) schwül.

mulatto (mju'lætou) Mulatt|e *m*, -in *f*.

mulberry ('mʌlbəri) Maulbeere *f*.

mule (mju:l) Maulesel *m*; störrischer Mensch; ~teer (mju:li'tiə) Maultiertreiber *m*.

mull[1] (mʌl) Mull *m* (*n*).

mull[2] *Am.* (~) ~ over überde'nken.

mulled (mʌld): *wine* Glühwein *m*.

multi|farious □ (mʌlti'fɛəriəs) mannigfaltig; ~form ('mʌltifɔ:m) vielförmig; ~ple ('mʌltipl) 1. vielfach; 2. Vielfache(s) *n*; ~plication (mʌltipli'keiʃən) Vervielfältigung, Vermehrung; Multiplikatio'n *f*; compound (simple) ~ Großes (Kleines) Einmaleins; ~ table Einmaleins *n*; ~plicity (~'plisiti) Vielfältigkeit *f*; ~ply ('mʌltiplai) (sich) vervielfältigen; multiplizieren; ~tude (~tju:d) Vielheit, Menge *f*; ~tudinous (mʌlti'tju:dinəs) zahl-[reich.)

mum (mʌm) still.

mumble ('mʌmbl) murmeln, nuscheln; mummeln (*mühsam essen*); ~ menschmanz *m*.)

mummery ('mʌməri) *contp.* Mum-)

mumm|ify ('mʌmifai) mumifizieren; ~y ('mʌmi) Mumie *f*.

mumps (mʌmps) *sg.* Ziegenpeter *m*.

mundane □ ('mʌndein) weltlich.

municipal □ (mju'nisipəl) städtisch, Gemeinde...; ~ity (~nisi'pæliti) Stadtbezirk *m*; Stadtverwaltung *f*.

munificen|ce (mju:'nifisns) Freigebigkeit *f*; ~t (~t) freigebig.

murder ('mə:də) 1. Mord *m*; 2. (er-)morden; *fig.* verhunzen; ~er (~rə) Mörder *m*; ~ess (~ris) Mörderin *f*; ~ous □ (~rəs) mörderisch.

murky □ ('mə:ki) dunkel, finster.

murmur ('mə:mə) 1. Gemurmel; Murren *n*; 2. murmeln; murren.

murrain ('mʌrin) Viehseuche *f*.

musc|le ('mʌsl) Muskel(kraft *f*) *m*; ~ular ('mʌskjulə) Muskel...; mus-)

Muse[1] (mju:z) Muse *f*. [kulö's.)

muse[2] (~) (nach)sinnen, grübeln.

museum (mju:'ziəm) Museum *n*.

mushroom ('mʌʃrum) 1. Pilz, *bsd.* Champignon *m*; 2. (sich) breitdrücken; *Am.* ~ up emporschießen.

music ('mju:zik) Musi'k *f*; Musikstück *n*; Noten *f/pl.*; set to ~ in Musik setzen; ~al □ ('mju:zikəl) musika'lisch; Musi'k...; wohlklingend; ~ box Spieldose *f*; ~hall Varieté(thea'ter) *n*; ~ian (mju:'ziʃən) Mu'siker(in); ~stand Notenständer *m*; ~stool Klaviersessel *m*.

musketry ('mʌskitri) Schießwesen *n*.

muslin ('mʌzlin) Musseli'n *m*.

mussel ('mʌsl) Muschel *f*.

must (mʌst) 1. muß(te) *usw.*; *I* ~ not ich darf nicht; 2. Most; Schimmel, Moder *m*.

mustache *Am.* = moustache.

mustard ('mʌstəd) Senf *m*.

muster ('mʌstə) 1. ⚔ Musterung; *fig.* Heerschau *f*; 2. ⚔ mustern; auf-bieten, -bringen.

musty ('mʌsti) modrig, muffig.

muta|ble □ ('mju:təbl) veränderlich; wankelmütig; ~tion (mju:'teiʃən) Veränderung *f*.

mute (mju:t) 1. □ stumm; 2. Stumme(r) Stati'st *m*; 3. dämpfen.

mutilat|e ('mju:tileit) verstümmeln; ~ion (~'eiʃən) Verstümmelung *f*.

mutin|eer (mju:ti'niə) Meuterer *m*; ~ous □ ('mju:tinəs) meuterisch; ~y (~ni) 1. Meuterei *f*; 2. meutern.

mutter ('mʌtə) 1. Gemurmel; Gemurr *n*; 2. murmeln; murren.

mutton ('mʌtn) Hammelfleisch *n*; leg of ~ Hammelkeule *f*; ~ chop Hammel-rippchen, -kotele'tt *n*.

mutual □ ('mju:tjuəl) gegenseitig, gemeinsam.

muzzle ('mʌzl) 1. Maul *n*, Schnauze; Mündung *f* e-r *Feuerwaffe*; Maulkorb *m*; 2. e-n Maulkorb anlegen (*dat.*); *fig.* den Mund stopfen)

my (mai, *a.* mi) mein. [(*dat.*).)

myrtle ♀ ('mə:tl) Myrte *f*.

myself (mai'self, mi~) ich selbst; mir; mich.

myster|ious □ (mis'tiəriəs) geheimnisvoll, rätselhaft; ~y (~ri) Myste'rium; Geheimnis, Rätsel *n*.

mysti|c ('mistik) (*a.* ~al □, ~ikəl) mystisch, geheimnisvoll; ~fy (~tifai) mystifizieren: irre-, an-führen.

myth (miθ) Mythe, Sage *f*.

N

nab sl. (næb) schnappen, erwischen.

nacre ('neikə) Perlmutter f.

nag (næg) F 1. Klepper m; 2. nörgeln.

nail (neil) 1. Nagel m; Kralle f; 2. (an-, fest-)nageln; *Augen* usw. heften (to auf acc.).

naïve (nɑːˈiːv, nɑːˈiv), **naive** (neiv) naïˈv; ungekünstelt.

naked □ ('neikid) nackt, bloß; kahl; **~ness** (~nis) Nacktheit, Blöße f usw.

name (neim) 1. Name; Ruf m; of (F by) the ~ of ... namens ...; call a p. ~s j. (aus)schimpfen; 2. (be-)nennen; erwähnen; ernennen; **~less** □ ('neimlis) namenlos; **~ly** (~li) nämlich; **~-plate** Namen-, Firmen-schild n; **~sake** Namensvetter m.

nap (næp) 1. *Tuch*-Noppe f; Schläfchen n; 2. schlummern.

nape (neip) Genick n.

napkin ('næpkin) Serviette; Windel; Monatsbinde f.

narcotic (nɑːˈkɔtik) 1. (~ally) narkotisch; 2. Betäubungsmittel n.

narrat|e (næˈreit) erzählen; **~ion** (~ʃən) Erzählung f; **~ive** ('nærətiv) 1. □ erzählend; 2. Erzählung f.

narrow ('nærou) 1. □ eng, schmal beschränkt; knapp (*Mehrheit, Entkommen*); engherzig; 2. **~s** pl. Engpaß m; Meerenge f; 3. (sich) verengen; beschränken; einengen; abnehmen; **~-chested** schmalbrüstig; **~-minded** □ engherzig; **~ness** (~nis) Enge; Beschränktheit; Engherzigkeit f.

nasal □ ('neizəl) nasaˈl; Nasen...

nasty □ ('nɑːsti) schmutzig; garstig; eklig; unflätig; ungemütlich.

natal ('neitl) Geburts...

nation ('neiʃən) Natioˈn f, Volk n.

national ('næʃnl) 1. □ nationaˈl; Volks...; Staats...; 2. Staatsangehörige(r); **~ity** (næʃəˈnæliti) Nationaliˈtät f; **~ize** ('næʃnəlaiz) nationalisieren; verstaatlichen.

native (neitiv) 1. □ angeboren; heimatlich, Heimat...; eingeboren; einheimisch; ~ *language* Muttersprache f; 2. Eingeborene(r).

natural ('nætʃrəl) □ natürlich; ~ *science* Naturkunde f; **~ist** (~ist) Naturaliˈst; Natuˈrforscher; Tierhändler m; **~ize** (~aiz) einbürgern; **~ness** (~nis) Natürlichkeit f.

nature ('neitʃə) Natuˈr.

naught (nɔːt) Null f; set at ~ für nichts achten; **~y** □ ('nɔːti) unartig.

nause|a ('nɔːsiə) Übelkeit f; Ekel m; **~ate** (~eit) v/i. Ekel empfinden; v/t. verabscheuen; be ~d sich ekeln; **~ous** (~əs) ekelhaft.

nautical ('nɔːtikəl) nautisch; See...

naval ('neivəl) See..., Mariˈne...

nave △ (neiv) (Kirchen-)Schiff n.

navel ('neivəl) Nabel m; Mitte f.

naviga|ble ('nævigəbl) schiffbar; lenkbar; **~te** (~geit) v/i. schiffen, fahren; v/t. See usw. befahren; steuern; **~tion** (nævi'geiʃən) Schiffahrt; Navigatioˈn f; **~tor** ('nævigeitə) Seefahrer m.

navy ('neivi) (Kriegs-)Marine f.

nay (nei) nein; nein vielmehr.

near (niə) 1. adj. nahe; gerade (*Weg*); nahe verwandt; vertraut; genau; knauserig; ~ at hand dicht dabei; ~ silk Halbseide f; 2. adv. nahe; 3. prp. nahe (dat.), nahe bei od. an; 4. sich nähern (dat.); **~by** ('niə'bai) in der Nähe (gelegen); nah; **~ly** ('niəli) nahe; fast, beinahe; genau; **~ness** (~nis) Nähe f.

neat (niːt) nett; niedlich; geschickt; ordentlich; sauber, rein; **~ness** ('niːtnis) Nettigkeit f usw.

nebulous □ ('nebjuləs) neblig.

necess|ary □ ('nesisəri) 1. notwendig; unvermeidlich; 2. Bedürfnis n; **~itate** (ni'sesiteit) 2. erfordern; zwingen; **~ity** (~ti) Notwendigkeit f; Zwang m; Not f.

neck (nek) Nacken m, (a. *Flaschen*-) Hals m; *Kleid*-Ausschnitt m; ~ of land Landenge f; ~ and ~ Kopf an Kopf; **~band** Halspriese f; **~erchief** ('nekətʃif) Halstuch n; **~lace** (~lis) Hals-band n, -kette f; **~tie** Krawatte f.

née (nei) *bei Frauennamen*: geborene.

need (ni:d) **1.** Not *f*, Bedürfnis *n*; Mangel, Bedarf *m*; **be in ~ of** brauchen; **2.** nötig h., brauchen, bedürfen; müssen; **~ful** □ ('ni:dful) notwendig.

needle ('ni:dl) Nadel *f*.

needless ('ni:dlis) unnötig.

needlewoman Näherin *f*.

needy □ ('ni:di) bedürftig, arm.

nefarious (ni'fɛəriəs) schändlich.

negat|ion (ni'geiʃən) Verneinung *f*; Nichts *n*; **~ive** ('negətiv) **1.** □ negati'v; verneinend; *phot.* Negati'v *n*; **3.** ablehnen.

neglect (ni'glekt) **1.** Vernachlässigung; Nachlässigkeit *f*; **2.** vernachlässigen; **~ful** □ (~ful) nachlässig.

negligen|ce ('neglidʒəns) Nachlässigkeit *f*; **~t** □ (~t) nachlässig.

negotia|te (ni'gouʃieit) verhandeln (über *acc.*); zustande bringen; bewältigen; *Wechsel* begeben; **~tion** (nigouʃiˈeiʃən) Begebung *e-s Wechsels usw.*; Ver-, Unter-ha'ndlung; Bewältigung *f*; **~tor** (ni'gouʃieitə) Unterhändler *m*.

negr|ess ('ni:gris) Negerin *f*; **~o** ('ni:grou), *pl.* **~es** (~z) Neger *m*.

neigh (nei) Wiehern *n*; **2.** wiehern.

neighbo(u)r ('neibə) Nachbar(in); Nächste(r); **~hood** (~hud) Nachbarschaft *f*; **~ing** (~riŋ) benachbart.

neither ('naiðə) **1.** keiner (von beiden); **2.** weder; auch nicht.

nephew ('nevju:) Neffe *m*.

nerve (nə:v) **1.** Nerv *m*; Sehne; Kraft *f*; Dreistigkeit *f*; **2.** kräftigen; ermutigen; **~less** □ ('nə:vlis) kraftlos.

nervous □ ('nə:vəs) Nerven...; nervig, kräftig, nervö's; **~ness** (~nis) Nervigkeit; Nervositä't *f*.

nest (nest) **1.** Nest *n* (*a. fig.*); **2.** nisten; **~le** ('nesl) *v/i.* (sich ein-)nisten; sich (an)schmiegen; *v/t.* schmiegen.

net¹ (net) **1.** Netz *n*; **2.** mit e-m Netz fangen *od.* umge'ben.

net² (~) **1.** netto; Rein...; **2.** netto einbringen; [ärgern.]

nettle ('netl) **1.** ⚘ Nessel *f*; **2.**]

network ('netwə:k) Netz(werk) *n*.

neuter ('nju:tə) **1.** geschlechtslos; **2.** geschlechtsloses Tier *n*.

neutral ('nju:trəl) **1.** □ neutra'l; un-

parteiisch; **2.** Neutrale(r); Null (-punkt *m*) *f*; **~ity** (nju'træliti) Neutralitä't *f*; **~ize** ('nju:trəlaiz) neutralisieren.

never ('nevə) nie(mals); gar nicht; **~more** nimmermehr; **~theless** (nevəðə'les) nichtsdestoweniger.

new (nju:) neu; frisch; unerfahren; **~comer** Ankömmling *m*; **~ly** ('nju:li) neulich; neu.

news (nju:z) Neuigkeit(en *pl.*), Nachricht(en *pl.*) *f*; **~agent** Zeitungshändler *m*; **~boy** Zeitungsausträger *m*; **~monger** Neuigkeitskrämer *m*; **~paper** Zeitung *f*; **~print** Zeitungspapier *n*; **~reel** *Film:* Wochenschau *f*; **~stall**, *Am.* **~stand** Zeitungskiosk *m*.

New Year Neujahr *n*; **~'s Eve** Silve'ster(abend) *m*.

next (nekst) **1.** *adj.* nächst; **~ but one** der übernächste; **~ door to** beinahe; **~ to** nächst (*dat.*); **2.** *adv.* zunächst, gleich darauf; nächstens.

nibble ('nibl) *v/t.* knabbern an (*dat.*); *v/i.* **~ at** nagen *od.* knabbern an (*dat.*); kritteln an (*dat.*).

nice □ (nais) fein; wählerisch; peinlich (genau); heikel; nett; niedlich; hübsch; **~ty** ('naisiti) Feinheit; Genauigkeit; Spitzfindigkeit *f*.

niche (nitʃ) Nische *f*.

nick (nik) **1.** Kerbe *f*; **in the ~ of time** gerade zur rechten Zeit; **2.** (ein)kerben; *sl. j.* schnappen.

nickel ('nikl) **1.** *min.* Nickel *m* (*Am. a. Fünfcentstück*); **2.** vernickeln.

nickname ('nikneim) **1.** Spitzname *m*; **2.** e-n Spitznamen geben (*dat.*).

niece (ni:s) Nichte *f*.

niggard ('nigəd) Geizhals *m*; **~ly** (~li) knauserig; karg.

night (nait) Nacht *f*; Abend *m*; **by ~ at ~** nachts; **~club** Nachtloka'l *n*; **~fall** Einbruch *m* der Nacht; **~dress**, **~gown** *Frauen*-Nachthemd *n*; **~ingale** ('naitiŋgeil) Nachtigall *f*; **~ly** ('naitli) nächtlich; jede Nacht; **~mare** Alp(drucken *n*) *m*; **~shirt** *Männer*-Nachthemd *n*.

nil (nil) *bsd. Sport:* nichts, null.

nimble □ ('nimbl) flink, behend.

nimbus ('nimbəs) Heiligenschein *m*; Regenwolke *f*.

nine (nain) neun; **~pins** *pl.* Kegel (-spiel *n*) *m/pl.*; **~teen** ('nain'ti:n) neunzehn; **~ty** ('nainti) neunzig.

ninny F ('nini) Dummkopf *m.*

ninth (nainθ) 1. neunte(r, s); 2. Neuntel *n*; **~ly** ('nainθli) neuntens.

nip (nip) 1. Kniff; scharfer Frost *m*; Schlückchen *n*; 2. zwicken; schneiden (*Kälte*); nippen; ~ *in the bud* im Keime ersticken.

nipper ('nipə) Krebsschere; (*a pair of*) ~*s pl.* (eine) (Kneif-)Zange *f.*

nipple (nipl) Brustwarze *f.*

nitre ♈ ('naitə) Salpe'ter *m.*

nitrogen ('naitridʒən) Stickstoff *m.*

no (nou) 1. *adj.* kein; *in* ~ *time* im Nu; ~ *one* keiner; 2. *adv.* nein; nicht; 3. Nein *n.*

nobility (nou'biliti) Adel *m* (*a. fig.*).

noble ('noubl) 1. □ adlig; edel; vortrefflich; 2. Adlige(r) *m*; **~man** Adlige(r) *m*; **~ness** ('noublnis) Adel *m*; Würde *f.*

nobody ('noubədi) niemand.

nocturnal (nɔk'təːnl) Nacht...

nod (nɔd) 1. nicken; schlafen; (sich) neigen; 2. Nicken *n*; Wink *m.*

node (noud) Knoten *m* (*a. ♉ u. ast.*); ♎ Überbein *n.*

noise (nɔiz) 1. Lärm *m*; Geräusch; Geschrei *n*; 2. ~ *abroad* ausschreien; **~less** □ ('nɔizlis) geräuschlos.

noisome ('nɔisəm) schädlich; widerlich.

noisy □ ('nɔizi) geräuschvoll, lärmend; aufdringlich (*Farbe*).

nomin|al □ ('nɔminl) nomine'll; (nur) dem Namen nach (vorhanden); namentlich; ~ *value* Nennwert *m*; **~ate** ('nɔmineit) ernennen; zur Wahl vorschlagen; **~ation** (nɔmi'neiʃən) Ernennung *f*; Vorschlagsrecht *n.*

non (nɔn) *in Zssgn*: nicht, un..., Nicht...

nonage ('nounidʒ) Minderjährigkeit *f.*

non-alcoholic alkoholfrei.

nonce (nɔns): *for the* ~ nur für diesen Fall.

non-commissioned ('nɔnkə'miʃənd): ~ *officer* Unteroffizier *m.*

non-committal unverbindlich.

non-conductor ♱ Nichtleiter *m.*

nonconformist ('nɔnkən'fɔːmist) Disside'nt(in), Freikirchler(in).

nondescript ('nɔndiskript) unbestimmbar.

none (nʌn) 1. keine(r, s); nichts; 2. keineswegs, gar nicht; ~ *the less* nichtsdestoweniger.

nonentity (nɔ'nentiti) Nichtsein; Unding; Nichts *n*; *fig.* Null *f.*

non-existence Nicht(da)sein *n.*

non-party ('nɔn'pɑːti) parteilos.

non-performance Nichterfüllung *f.*

nonplus (~'plʌs) 1. Verlegenheit *f*; 2. in Verlegenheit bringen.

non-resident nicht am Platze wohnend.

nonsens|e ('nɔnsəns) Unsinn *m*; **~ical** □ (nɔn'sensikəl) unsinnig.

non-skid ('nɔn'skid) Gleitschutz *m.*

non-stop ♒ durchgehend; ♳ Ohnehalt...

non-union nicht organisiert (*Arbeiter*).

noodle ('nuːdl) Nudel *f.*

nook (nuk) Ecke *f*, Winkel *m.*

noon (nuːn) Mittag *m* (*a.* **~day, ~tide, ~time**).

noose (nuːs) 1. Schlinge *f*; 2. (mit der Schlinge) fangen; schlingen.

nor (nɔː) noch; auch nicht.

norm (nɔːm) Norm, Regel *f*; Muster *n*; Maßstab *m*; **~al** □ ('nɔːməl) norma'l; **~alize** (~aiz) norm(alisier)en.

north (nɔːθ) 1. Nord(en) *m*; 2. nördlich; Nord...; **~east** 1. Nordost *m*; 2. nordöstlich (*a.* **~eastern,** ~ən); **~erly** ('nɔːðəli), **~ern** ('nɔːðən) nördlich; Nord...; **~ward(s)** ('nɔːθwəd[z]) *adv.* nördlich; nordwärts; **~west** 1. Nordwest *m*; 2. nordwestlich (*a.* **~western,** ~ən).

nose (nouz) 1. Nase; Spitze; Schnauze *f*; 2. *v/t.* riechen; ♱ *Weg* suchen; *v/i.* schnüffeln; **~dive** ♒ Sturzflug *m*; **~gay** Blumenstrauß.

nostril ('nɔstril) Nasenloch *n*, Nüster *f.*

nostrum ('nɔstrəm) Geheimmittel *n.*

nosy ('nouzi) F neugierig.

not (nɔt) nicht.

notable ('noutəbl) 1. □ bemerkenswert; 2. angesehene Perso'n *f.*

notary ('noutəri) Nota'r *m* (*a.* ~ *public*).

notation (nou'teiʃən) Bezeichnung *f.*

notch (nɔtʃ) 1. Kerbe; Scharte *f*; 2. einkerben; einscharten.

note (nout) 1. Zeichen *n*; Noti'z *f*; Anmerkung *f*; Briefchen *n*; (*bsd.* Schuld-)Schein *m*; Note *f*; Ton; Ruf *m*; Beachtung *f*; *take* ~*s* sich Noti'zen m.; 2. be(ob)achten; besonders erwähnen; (a. ~ down) notieren; ~book Noti'zbuch n; ~ed ('noutid) bekannt; ~worthy beachtenswert.

nothing ('nʌθiŋ) nichts; Nichts n; Null f; for ~ umsonst; bring (come) to ~ zunichte machen (werden).

notice ('noutis) 1. Noti'z; Nachricht; Bekanntmachung; Kündigung; Warnung; Beachtung f; at short ~ in kurzer Frist; give ~ bekanntgeben; 2. bemerken; be(ob)achten; ~able □ (~tisəbl) wahrnehmbar; bemerkenswert.

noti|fication (noutifi'keiʃən) Anzeige; Meldung; Bekanntmachung f; ~fy ('noutifai) et. anzeigen, melden; bekanntmachen.

notion ('nouʃən) Begriff m, Vorstellung f; ~s pl. Am. Kurzwaren f/pl.

notorious □ (nou'tɔːriəs) all-, weltbekannt; b.s. berüchtigt.

notwithstanding (nɔtwiθ'stændiŋ) prp. ungeachtet, trotz (gen.).

nought (nɔːt) Null f; Nichts n.

nourish ('nʌriʃ) (er)nähren; fig. hegen; ~ing (~iŋ) nahrhaft; ~ment (~mənt) Nahrung f.

novel ('nɔvəl) 1. neu; ungewöhnlich; 2. Roman m; ~ist (~ist) Roma'nschreiber(in); ~ty ('nɔvəlti) Neuheit f. [m.]

November (no'vembə) November]

novice ('nɔvis) Neuling m; eccl. Novi'ze m u. f.

now (nau) 1. nun, jetzt; eben; just ~ soeben; ~ and again (od. then) dann u. wann; 2. cj. nun da.

nowadays ('nauədeiz) heutzutage.

nowhere ('nouwɛə) nirgends.

noxious □ ('nɔkʃəs) schädlich.

nozzle ('nɔzl) ⊕ Düse; Tülle f.

nucle|ar ('njuːkliə) Kern...; ~ pile Ato'msäule f; ~us (~əs) Kern m.

nude (njuːd) nackt; paint. Akt m.

nudge F (nʌdʒ) 1. j. heimlich anstoßen; 2. Rippenstoß m.

nuisance ('njuːsns) Mißstand m; Ärgernis n; Unfug m; fig. Plage f.

null (nʌl) nichtig; nichtssagend; ~ and void null u. nichtig; ~ify ('nʌlifai) aufheben, ungültig m., ~ity (~ti) Nichtigkeit, Ungültigkeit f.

numb (nʌm) 1. starr; taub; (empfindungslos); 2. starr (od. taub) machen.

number ('nʌmbə) 1. Nummer; (An-)Zahl f; 2. zählen; numerieren; ~less (~lis) zahllos.

numera|l ('njuːmərəl) 1. Zahl...; 2. Ziffer f; ~tion (njuːmə'reiʃən) Zählung f; Numerierung f.

numerical □ (njuː'merikəl) zahlenmäßig; Zahl...

numerous □ ('njuːmərəs) zahlreich.

nun (nʌn) Nonne f; zo. Blaumeise f.

nunnery ('nʌnəri) Nonnenkloster n.

nuptial ('nʌpʃəl) 1. Hochzeits..., Ehe...; 2. ~s (~z) pl. Hochzeit f.

nurse (nəːs) 1. Amme (mst wet-~) f; Kindermädchen n (a. ~maid) (Kranken-)Pflegerin, (-)Schwester f; at ~ in Pflege; 2. stillen, säugen; großziehen; pflegen; hätscheln; ~ry ('nəːsri) Kinderstube; Pflanzschule f; ~ school Kindergarten m.

nurs(e)ling ('nəːsliŋ) Pflegling m.

nurture ('nəːtʃə) 1. Pflege; Erziehung f; 2. aufziehen; nähren.

nut (nʌt) Nuß f; ⊕ (Schrauben-) Mutter f; ~s pl. Nußkohle f; ~cracker Nußknacker m; ~meg ('nʌtmeg) Muska'tnuß f.

nutriment ('njuːtrimənt) Nahrung f.

nutri|tion (njuː'triʃən) Ernährung; Nahrung f; ~tious (~ʃəs), ~tive □ ('njuːtritiv) nahrhaft; Ernährungs...

nut|shell Nußschale f; in a ~ in aller Kürze; ~ty ('nʌti) nußreich, -artig.

nymph (nimf) Nymphe f.

O

oaf (ouf) Dummkopf; Tölpel *m.*

oak (ouk) Eiche *f.*

oar (ɔ:) 1. Ruder *n*; 2. rudern; **~sman** (ˈɔːzmən) Ruderer *m.*

oasis (ouˈeisis) Oaˈse *f.*

oat (out) Hafer *m* (*mst* ~s *pl.*).

oath (ouθ) Eid; Schwur; Fluch *m.*

oatmeal (ˈoutmiːl) Hāfermehl *n.*

obdurate (ˈɔbdjurit) verstockt.

obedien|ce (oˈbiːdjəns) Gehorsam *m*; **~t** (~t) gehorsam.

obeisance (oˈbeisəns) Ehrerbietung; Verbeugung *f*; *do* ~ huldigen.

obesity (oˈbiːsiti) Fettleibigkeit *f.*

obey (oˈbei) gehorchen (*dat.*); *Befehl usw.* befolgen, Folge leisten (*dat.*).

obituary (oˈbitjuəri) Totenliste; Todesanzeige *f*; Nachruf *m*; Todes...

object 1. (ˈɔbdʒikt) Gegenstand *m*; Ziel *n*, *fig.* Zweck *m*; 2. (əbˈdʒekt) *v/t.* einwenden (*to ger.* daß), dagegen haben (*to ger.* daß).

objection (əbˈdʒekʃən) Einwand *m*; **~able** (~əbl) nicht einwandfrei; unangenehm.

objective (ɔbˈdʒektiv) 1. □ objekti'v, sachlich; 2. ✕ Ziel *n.*

object-lens *opt.* Objekti'v *n.*

obligat|ion (ɔbliˈgeiʃən) Verpflichtung, Schuldverschreibung *f*; *be under* ~ *to inf.* die Verpflichtung haben, zu *inf.*; **~ory** □ (ˈɔbligətəri) verpflichtend; verbindlich.

oblige (əˈblaidʒ) (zu Dank) verpflichten; nötigen; ~ *a p.* e-m e-n Gefallen tun; *much* ~d sehr verbunden; danke bestens; **~ing** □ (~in) verbindlich, gefällig.

oblique □ (oˈbliːk) schief, schräg.

obliterate (oˈblitəreit) auslöschen, tilgen (*a. fig.*); ausstreichen.

oblivi|on (oˈbliviən) Vergessen(heit *f*) *n*; **~ous** □ (~əs) vergeßlich.

obnoxious □ (əbˈnɔkʃəs) anstößig; widerwärtig, verhaßt.

obscene □ (əbˈsiːn) unanständig.

obscur|e (əbˈskjuə) 1. □ dunkel (*a. fig.*); unbekannt; 2. verdunkeln; **~ity** (~riti) Dunkelheit *f usw.*

obsequies (ˈɔbsikwiz) *pl.* Leichenbegängnis *n.*

obsequious □ (əbˈsiːkwiəs) unterwürfig.

observ|able □ (əbˈzəːvəbl) bemerkbar; **~ance** (~vəns) Befolgung *f*; Brauch *m*; **~ant** □ (~vənt) beobachtend; achtsam; **~ation** (ɔbzəˈveiʃən) Beobachtung; Bemerkung *f*; **~atory** (əbˈzəːvətri) Sternwarte *f*; **~e** (əbˈzəːv) *v/t.* be(ob)achten; acht(geb)en auf (*acc.*); bemerken; *v/i.* sich äußern.

obsess (əbˈses) heimsuchen, quälen; **~ed** *by, a.* with besessen von.

obsolete (ˈɔbsoliːt, -səl-) veraltet.

obstacle (ˈɔbstəkl) Hindernis *n.*

obstinate □ (ˈɔbstinit) halsstarrig; eigensinnig; hartnäckig.

obstruct (əbˈstrʌkt) verstopfen, versperren; hindern; **~ion** (əbˈstrʌkʃən) Verstopfung; Hemmung *f*; Hindernis *n*; **~ive** (~tiv) hinderlich.

obtain (əbˈtein) *v/t.* erlangen, erhalten; *v/t.* sich erhalten (h.); **~able** □ (~əbl) erhältlich.

obtru|de (əbˈtruːd) (sich) aufdrängen (*on dat.*); **~sive** (~siv) aufdringlich.

obtuse □ (əbˈtjuːs) stumpf(sinnig).

obviate (ˈɔbvieit) vorbeugen (*dat.*).

obvious □ (ˈɔbviəs) offensichtlich, augenfällig, einleuchtend.

occasion (əˈkeiʒən) 1. Gelegenheit *f*; Anlaß *m*; F (festliches) Ereignis; *on the* ~ *of* anläßlich (*gen.*); 2. veranlassen; **~al** □ (~ʒnl) gelegentlich; Gelegenheits...

occident (ˈɔksidənt) Abendland *n*; **~al** □ (ɔksiˈdentl) abendländisch.

occult □ (ɔˈkʌlt) geheim, verborgen.

occup|ant (ˈɔkjupənt) Besitzergreifer(in); Bewohner(in); **~ation** (ɔkjuˈpeiʃən) Besitz(ergreifung *f*) *m*; ✕ Besetzung *f*; Beruf *m*; Beschäftigung *f*; **~y** (ˈɔkjupai) einnehmen; in Besitz nehmen, besetzen; innehaben; in Anspruch nehmen, beschäftigen.

occur (əˈkəː) vorkommen; sich ereignen; ~ *to a p.* j-m einfallen; **~rence** (əˈkʌrəns) Vorkommen *n*; Vorfall *m*, Ereignis *n.*

ocean (ˈouʃən) Ozean *m*, Meer *n.*

o'clock (ə'klɔk): *five* ~ fünf Uhr.

ocul|ar □ ('ɔkjulə) Augen...; **~ist** ('ɔkjulist) Augenarzt *m*.

odd □ (ɔd) ungerade; einzeln; und einige (*od.* etwas) darüber; überzählig; gelegentlich; sonderbar; **~ity** ('ɔditi) Seltsamkeit *f*; **~s** (ɔdz) *pl.* (*oft sg.*) Unterschied *m*; Ungleichheit *f*; ungleiche Wette; Vorgabe, Überle'genheit *f*, Vorteil *m*; *at* ~ uneinig; ~ *and ends* Abfälle *m/pl.*; dies und das.

odious ('oudiəs) verhaßt; eklig.

odo(u)r ('oudə) Geruch; Duft *m*.

of (ɔv; *im Satz mst* əv, v) *prp. allg.* von; *Ort:* bei (*the battle* ~ *Quebec*); um (*cheat* ~ *a th.*); aus (~ *charity*); vor (*dat.*) (*afraid* ~); auf (*acc.*) (*proud* ~); über (*acc.*) (*ashamed* ~); nach (*smell* ~ *roses; desirous* ~); hinsichtlich, in betreff; an (*acc.*) (*think* ~ *a th.*).

off (ɔf, ɔf) **1.** *adv.* weg; ab; herunter; aus; *Zeit:* hin (*3 months* ~); ~ *and on* ab u. an; hin u. her; *well etc.* ~ gut *usw.* daran; **2.** *prp.* weg ... (weg, ab, herunter); frei von, ohne; unweit (*gen.*), neben; & auf der Höhe von; **3.** *adj.* entfernt(er); abseitig; Neben...; *bei Pferd, Wagen:* recht; arbeits-, dienst-frei; ✝ ~ *shade* Fehlfarbe *f*.

offal ('ɔfəl) Abfall; Schund *m*; **~s** *pl. Fleischerei:* Innereien *f/pl.*

offen|ce, *Am.* **~se** ('fens) Angriff *m*; Beleidigung *f*; Ärgernis *n*; Anstoß *m*; Vergehen *n*.

offend (ə'fend) *v/t.* beleidigen, verletzen; ärgern; *v/i.* sich vergehen; **~er** Schuldige(r); Missetäter(in); *first* ~ noch nicht Vorbestrafte(r).

offensive (ə'fensiv) **1.** □ beleidigend; anstößig; ekelhaft; Angriffs...; **2.** Offensi've *f*.

offer ('ɔfə) **1.** (An-)Gebot *n*; **2.** *v/t.* (an-, dar-)bieten; (als Opfer) darbringen; *Ansicht usw.* vorbringen; *e-m Gewalt* antun; *v/i.* sich (dar-)bieten; (*vor inf.*) sich erbieten; *Miene machen*; **~ing** (~riŋ) Opfer; Anerbieten *n*.

off-hand F ('ɔ:f'hænd) aus dem Handgelenk; ungezwungen, frei.

office ('ɔfis) Amt *n*, Dienst *m*; Geschäft *n*; Gottesdienst *m*; Büro; ♀ Ministe'rium *n*; **~r** ('ɔfisə) Beamte(r); ♀ ✕ Offizie'r *m*.

official □ (ə'fiʃəl) **1.** offizie'll, amtlich; Amts...; ~ *channel* Dienstweg *m*; ~ *hours pl.* Bürostunden *f/pl.*; **2.** Beamte(r) *m*.

officiate (ə'fiʃieit) amtieren.

officious □ (ə'fiʃəs) aufdringlich, übereifrig; offizio's, halbamtlich.

off|set ausgleichen; **~shoot** Sproß; Ausläufer *m*; **~spring** Nachkommen(schaft *f*) *m*; Ergebnis *n*.

often ('ɔ:fn; *a.* 'ɔ:ftən) oft(mals).

ogle ('ougl) liebäugeln (mit).

ogre ('ougə) Menschenfresser *m*.

oil (ɔil) **1.** Öl *n*; **2.** ölen; (*a. fig.*) schmieren; **~cloth** Wachstuch *n*; **~skin** Ölhaut *f*; **~y** □ ('ɔili) ölig; fettig, schmierig (*a. fig.*).

ointment ('ɔintmənt) Salbe *f*.

O. K., okay F ('ou'kei) **1.** richtig, stimmt!; **2.** annehmen, gutheißen.

old (ould) *allg.* alt; (*in times*) *of* ~ vor alters; ehedem; ~ *age* (Greisen-)Alter *n*; **~-fashioned** ('ould-'fæʃənd) altmodisch; **~ish** ('ouldiʃ) ältlich. [ruchs...]

olfactory *anat.* (ɔl'fæktəri) Ge-

olive ('ɔliv) ♀ Oli've *f*; Oli'vgrün *n*.

ominous □ ('ɔminəs) unheilvoll.

omission (o'miʃən) Unter-, Ausla'ssung *f*. [lassen.]

omit (o'mit) unterla'ssen; aus-

omnipoten|ce (ɔm'nipotəns) Allmacht *f*; **~t** □ (~tənt) allmächtig.

on (ɔn) **1.** *prp. mst* auf; *engS.:* an (~ *the wall, Thames*); auf ... (los), nach ... (hin) (*march* ~ *London*); auf ... (hin) (~ *his authority*); *Zeit:* an (~ *the 1st of April*); (gleich) nach, bei (~ *his arrival*); über (*acc.*) (*talk* ~ *a subject*); nach (~ *this model*); ~ *hearing it* als ich *usw.* es hörte; **2.** *adv.* darauf; auf (*keep one's hat* ~), an (*have a coat* ~); vor-aus, -wärts; weiter (*and so* ~); *be* ~ im Gange sein; auf sn (*Hahn usw.*); an sn (*Licht usw.*).

once (wʌns) **1.** *adv.* einmal; einst (-mals); *at* ~ so'gleich; zugleich; ~ *for all* ein für allemal; ~ *in a while* dann u. wann; *this* ~ dieses eine Mal; **2.** *cj.* sobald einmal.

one (wʌn) **1.** ein; einzig; eine(r), ein; eins; man; ~ *day* eines Tages; **2.** Eine(r) *m*; Eins *f*; *the little* ~s die Kleinen; ~ *another* einander; *at* ~ einig; ~ *by* ~ einzeln; *I for* ~ ich für meinen Teil.

onerous □ ('ɔnərəs) lästig.

one|self (wʌn'self) (man) selbst, sich; **~-sided** □ einseitig; **~-way:** ~ street Einbahnstraße f.

onion ('ʌnjən) Zwiebel f.

onlooker ('ɔnlukə) Zuschauer(in).

only ('ounli) **1.** adj. einzig; **2.** adv. nur; bloß; ~ yesterday erst gestern; **3.** cj. ~ (that) nur daß.

onset ('ɔnset), **onslaught** (~slɔːt) Angriff; bsd. fig. Anfall; Anfang m.

onward ('ɔnwəd) **1.** adj. fortschreitend; **2.** adv. vorwärts, weiter.

ooze (uːz) **1.** Schlamm m; **2.** (durch-)sickern; ~ away schwinden.

opaque □ (ou'peik) undurchsichtig.

open □ ('oupən) **1.** □ allg. offen: frei; mild (Wetter usw.); offenkundig; freimütig; ~ to zugänglich für od. dat.; in the ~ air unter freiem Himmel; **2.** bring into the ~ an die Öffentlichkeit bringen; **3.** v/t. öffnen; eröffnen (a. fig.); v/i. (sich) öffnen; anfangen; ~ into führen in (acc.) (Tür usw.); ~ on to hinausgehen auf (acc.) (Fenster usw.); **~-handed** freigebig; **~ing** ('oupniŋ) Öffnung; Eröffnung; Gelegenheit f; **~-minded** fig. aufgeschlossen.

opera ('ɔpərə) Oper f; **~-glass(es** pl.) Opernglas n.

operat|e ('ɔpəreit) v/t. operieren; bsd. Am. in Gang bringen; Maschine bedienen; Unternehmen leiten; v/i. (ein)wirken; sich auswirken; arbeiten; **~ion** (ɔpə'reiʃən) Wirkung; Tätigkeit; Operation f; be in ~ in Kraft sn; ~ive **1.** □ ('ɔpəreitiv) wirksam, tätig; praktisch; ⚕ operativ; **2.** ('ɔpərətiv) Arbeiter m; **~or** ('ɔpəreitə) Operateur m; Telephoni'st(in); ⊕ Maschinenmeister.

opinion (ə'pinjən) Meinung; Ansicht; Stellungnahme f; Gutachten n; in my ~ meines Erachtens.

opponent (ə'pounənt) Gegner m.

opportun|e □ ('ɔpətjuːn) passend; rechtzeitig; günstig; **~ity** (ɔpə'tjuːniti) (günstige) Gelegenheit f.

oppos|e (ə'pouz) entgegen-, gegenüber-stellen; bekämpfen; **~ed** (~d) entgegengesetzt; be ~ to gegen ... sn; **~ite** ('ɔpəzit) **1.** □ gegenüberliegend; entgegengesetzt; **2.** prp. u. adv. gegenüber; **3.** Gegenteil n; **~ition** (ɔpə'ziʃən) Gegenüberstehen n; Widerstand; Gegensatz;

Wider-spruch, -streit m; Oppo-sitio'n f.

oppress (ə'pres) be-, unter-drücken; **~ion** (~ʃən) Unter-, Be-drü'ckung f; Druck m; **~ive** □ (~siv) (be-)drückend; gewaltsam.

optic ('ɔptik) Augen..., Seh...; = **~al** □ (~tikəl) optisch; **~ian** (ɔp'tiʃən) O'ptiker m.

option ('ɔpʃən) Wahl(freiheit) f; ~ right Vorkaufsrecht n; **~al** □ ('ɔpʃənl) freigestellt, wahlfrei.

opulence ('ɔpjuləns) Reichtum m.

or ('ɔː) oder; ~ else sonst, wo nicht.

oracular □ (ɔ'rækjulə) orakelhaft.

oral □ ('ɔːrəl) mündlich; Mund...

orange ('ɔrindʒ) **1.** Ora'nge(farbe), Apfelsi'ne f; **2.** orangefarben.

orat|ion (ɔ'reiʃən) Rede f; **~or** ('ɔrətə) Redner m; **~ory** (~ri) Redekunst; Betkammer f. [m.|

orb (ɔːb) Ball; fig. Himmelskörper|

orchard ('ɔːtʃəd) Obstgarten m.

orchestra ♪ ('ɔːkistrə) Orche'ster n.

ordain (ɔː'dein) an-, ver-ordnen.

ordeal (ɔː'diːl) fig. (Feuer-)Probe f.

order ('ɔːdə) **1.** Ordnung; Anordnung f; Befehl m; Regel f; ♰ Auftrag m; Klasse f; Rang; Orden m (a. eccl.); take (holy) ~s in den geistlichen Stand treten; in ~ to ... um zu ...; in ~ that damit; make to ~ auf Bestellung anfertigen; parl. standing ~s pl. Geschäftsordnung f; **2.** (an)ordnen; befehlen; ♰ bestellen; j. beordern; **~ly** (~li) **1.** ordentlich; ruhig; regelmäßig; **2.** ✖ Ordonna'nz f; Bursche m.

ordinance ('ɔːdinəns) Verordnung f.

ordinary □ ('ɔːdnri) □ gewöhnlich.

ordnance ✖, ⚓ ('ɔːdnəns) schweres Geschütz n; Zeughaus n.

ordure ('ɔːdjuə) Kot, Schmutz m.

ore ('ɔː) Erz n.

organ ('ɔːgən) ♪ Orgel f; Orga'n n; **~-grinder** Leierkastenmann m; **~ic** (ɔː'gænik) (~ally) organisch; **~ization** (ɔːgənai'zeiʃən) Organisatio'n f; **~ize** ('ɔːgənaiz) organisieren; **~izer** (~ə) Organisa'tor(in).

orgy ('ɔːdʒi) Ausschweifung f.

orient ('ɔːrient) **1.** Osten, Orie'nt m, Morgenland n; **2.** orientieren; **~al** (ɔːri'entl) **1.** □ östlich; orienta'lisch; **2.** Orienta'l|e m, -in f; **~ate** ('ɔːrienteit) orientieren.

orifice ('ɔrifis) Mündung, Öffnung f.

origin ('ɔridʒin) Ursprung; Anfang m; Herkunft f.

original (ə'ridʒənl) **1.** □ ursprünglich; origine'll; Ur...; Origina'l...; ✝ Stamm...; **2.** Origina'l n; **~ity** (əridʒi'næliti) Originalitä't f.

originat|e (ə'ridʒineit) v/t. hervorbringen, schaffen; v/i. entstehen; **~or** (~ə) Urheber m.

ornament 1. ('ɔ:nəmənt) Verzierung f; fig. Zierde f; **2.** (~ment) verzieren; schmücken; **~al** □ (ɔ:nə'mentl) zierend; schmückend.

ornate □ (ɔ:'neit) geziert; zierlich.

orphan ('ɔ:fən) **1.** Waise f; **2.** verwaist (a. ~ed); **~age** (~idʒ), **~-asylum** Waisenhaus n.

orthodox ('ɔ:θədɔks) rechtgläubig.

oscillate ('ɔsileit) schwingen; fig. schwanken.

ossify ('ɔsifai) verknöchern.

ostensible □ (ɔs'tensəbl) angeblich.

ostentatio|n (ɔstən'teiʃən) Schaustellung f; Gepränge n; **~us** □ (~ʃəs) prahlend, prahlerisch.

ostler ('ɔslə) Stallknecht m.

ostrich zo. ('ɔstritʃ) Strauß m.

other ('ʌðə) andere(r, s); the ~ day neulich; the ~ morning neulich morgens; every ~ day einen Tag um den andern; **~wise** (waiz) anders; sonst.

otter ('ɔtə) Otter(pelz m) f.

ought ('ɔ:t) sollte; you ~ to have done it Sie hätten es tun sollen.

ounce (auns) Unze f (= 28,35 g).

our ('auə) unser; **~s** ('auəz) der (die, das) unsrige; unsere(r, s); pred. unser, **~selves** (auə'selvz) wir selbst; uns (selbst).

oust (aust) verdrängen, vertreiben.

out (aut) **1.** adv. aus; hinaus, heraus; draußen; außerhalb; (bis) zu Ende; be ~ with böse sn mit; ~ and ~ durch u. durch; way ~ Ausgang m; **2.** parl. the ~s pl. die Oppositio'n; **3.** ✝ übernorma'l (Größe); **4.** prp. ~ of: aus, aus ... heraus; außerhalb; außer; aus; von.

out... (~) a) aus..., Aus...; heraus..., Heraus...; b) bezeichnet ein Übertreffen; **~balance** (aut'bæləns) überbie'gen; **~bid** (~'bid) [irr. (bid)] überbie'ten; **~board** (~bɔ:d) Außenbord...; **~break** ('autbreik) Ausbruch m; **~building** ('autbildiŋ) Nebengebäude n; **~burst** (~'bə:st) Ausbruch m; **~cast** (~kɑ:st) **1.** aus-

gestoßen; **2.** Ausgestoßene(r); **~come** (~'kʌm) Ergebnis n; **~cry** (~krai) Aufschrei m; **~distance** (~'distəns) überho'len; **~do** (aut'du:) [irr. (do)] übertre'ffen; **~door** ('autdɔ:) adj., **~doors** (aut'dɔ:z) adv. Außen...; draußen, außer dem Hause.

outer ('autə) äußer; Außen...; **~most** (autəmoust) äußerst.

out|fit (~fit) Ausrüstung, Ausstattung f; **~going** (~gouiŋ) **1.** weg-, ab-gehend; **2.** Ausgehen n; pl. Ausgaben f/pl.; **~grow** (aut'grou) [irr. (grow)] entwachsen; **~house** (~haus) Nebengebäude n.

outing ('autiŋ) Ausflug m.

out|last (aut'lɑ:st) überdau'ern; **~law** ('autlɔ:) **1.** Geächtete(r); **2.** ächten; **~lay** (~lei) Geld-Auslage(n pl.) f; **~let** (~let) Ausgang m; **~line** (~lain) **1.** Umriß, Überblick m; Skizze f; **2.** umreißen; skizzieren; **~live** (aut'liv) überle'ben; **~look** ('autluk) Ausblick m (a. fig.); Auffassung f; **~lying** (~laiiŋ) abgelegen; **~number** (aut'nʌmbə) an Zahl übertre'ffen; **~post** (~poust) Vorposten m; **~pouring** (~pɔ:riŋ) Erguß m (a. fig.); **~put** (~put) Produktio'n f, Ertrag m.

outrage ('autreidʒ) **1.** Gewalttätigkeit f; Attenta't n; Beleidigung f; **2.** gröblich verletzen; vergewaltigen; **~ous** □ (aut'reidʒəs) übermäßig; abscheulich; gewalttätig.

out|right (aut'rait) gerade heraus; völlig; **~run** (aut'rʌn) [irr. (run)] schneller laufen als; fig. überschrei'ten; **~set** (autset) Anfang; Aufbruch m; **~shine** (aut'ʃain) [irr. (shine)] überstra'hlen; **~side** (aut'said) **1.** Außenseite f; fig. Äußerste(s) n; at the ~ höchstens; **2.** außenstehend; äußerst (Preis); **3.** (nach) (dr)außen; **4.** prp. außerhalb; **~sider** (aut'saidə) Außenseiter m; **~skirts** ('autskə:ts) pl., bsd. (Stadt-)Rand m; **~spoken** □ (aut'spoukən) freimütig; **~standing** ('autstændiŋ) hervorragend (a. fig.); ausstehend (Schuld); offenstehend (Frage); **~stretch** (~aut'stretʃ) ausstrecken; **~strip** (~'strip) überho'len (a. fig.).

outward (autwəd) **1.** äußer(lich); nach (dr)außen gerichtet; **2.** adv.

(mst ~s [z]) auswärts, nach (dr)außen.

outweigh (aut'wei) überwie'gen.

oven ('ʌvn) Brat-, Back-ofen *m.*

over ('ouvə) **1.** *adv.* über; hin-, her-über; vorbei; übermäßig; darüber; von Anfang bis zu Ende; ~ *and above* überdies; (*all*) ~ *again* noch einmal (von vorn); ~ *against* gegenüber (*dat.*); *all* ~ ganz u. gar; ~ *and* ~ (*again*) immer wieder; *read* ~ durchlesen; **2.** *prp.* über; *all* ~ *the town* durch die ganze (*od.* in der ganzen) Stadt.

over... (*mst* ~ über...; ~**act** ('ouvər'ækt) übertrei'ben; ~**all** ('ouvərɔ:l) Arbeits-kittel, -anzug *m;* ~**awe** (ouvər'ɔ:) einschüchtern; ~**balance** (ouvə'bæləns) umkippen; überwie'gen; ~**bearing** [] (~bɛə-riŋ) anmaßend; ~**board** ⚓ ('ouvə-bɔ:d) über Bord; ~**cast** (ouvə'tʃɑ:dʒ) bewölkt; ~**charge** (ouvə'tʃɑ:dʒ) **1.** überla'den; überteu'ern; **2.** Überla'dung; Überteu'erung *f;* ~**coat** (~kout) Überzieher *m;* ~**come** (~'kʌm) [*irr.* (*come*)] überwä'ltigen; ~**crowd** (ouvə'kraud) überfü'llen; ~**do** (~'du:) [*irr.* (*do*)] zu viel tun; übertrei'ben; zu sehr kochen; übera'nstrengen; ~**draw** (ouvə-'drɔ:) [*irr.* (*draw*)] † *Konto* überzie'hen; ~**dress** (~'dres) (sich) übertrie'ben putzen; ~**due** (~'dju:) (über)fällig; ~**eat** (ouvər'i:t) [*irr.* *eat*)]: ~ *o. s.* sich übere'ssen; ~**flow 1.** (ouvə'flou) [*irr.* (*flow*)] *v/t.* überflu'ten; *v/i.* überfließen; **2.** ('ouvəflou) Überschwe'mmung; Überfü'llung *f;* ~**grow** (ouvə'grou) [*irr.* (*grow*)] überwu'chern; zu sehr wachsen; ~**hang 1.** ('ouvə'hæŋ) [*irr.* (*hang*)] *v/t.* über (*dat.*) hängen; *v/i.* überhängen; **2.** ('ouvəhæŋ) Überhang *m;* ~**head 1.** ('ouvə'hed) *adv.* (dr)oben; **2.** ('ouvəhed) *adj.* Ober...; † allgemein (*Unkosten*); **3.** † ~*s pl.* allgemeine Unkosten *pl.;* ~**hear** (ouvə'hiə) [*irr.* (*hear*)] belauschen; ~**lap** (ouvə'læp) *v/t.* übergreifen auf (*acc.*); überschnei'den; *v/i.* ineinandergreifen; ~**lay** (ouvə'lei) [*irr.* (*lay*)] belegen; ⊕ überla'gern; ~**load** (ouvə'loud) überla'den; ~**look** (ouvə'luk) überse'hen; beaufsichtigen; ~**master** (ouvə'mɑ:stə) überwä'ltigen; ~-

much ('ouvə'mʌtʃ) zu viel; ~**pay** (~'pei) [*irr.* (*pay*)] zu viel bezahlen; ~**power** (ouvə'pauə) überwä'ltigen; ~**reach** (ouvə'ri:tʃ) übervo'rteilen; ~ *o. s.* sich überne'hmen; ~**ride** (~'raid) [*irr.* (*ride*)] überrei'ten; *fig.* beiseitesetzen; ~**run** (~'rʌn) [*irr.* (*run*)] überre'nnen; überlau'fen; bedecken; ~**sea** ('ouvə'si:) **1.** überseeisch; Übersee...; **2.** (~-**seas**) über See; ~**see** (~'si:) [*irr.* (*see*)] beaufsichtigen; ~**seer** ('ouvə-siə) Aufseher *m;* ~**shadow** (ouvə-'ʃædou) überscha'tten; ~**sight** (~sait) Versehen *n;* ~**sleep** ('ouvə'sli:p) [*irr.* (*sleep*)] verschlafen; ~**spread** (ouvə'spred) [*irr.* (*spread*)] überzie'hen; ~**state** ('ouvə'steit) übertrei'ben; ~**strain** (~'strein) **1.** übera'nstrengen; *fig.* übertrei'ben; **2.** Übera'nstrengung *f;* ~**take** (ouvə'teik) [*irr.* (*take*)] einholen; *j.* überra'schen; ~**tax** ('ouvə'tæks) zu hoch besteuern; *fig.* überschä'tzen; übermäßig in Anspruch nehmen; ~**throw 1.** (ouvə-'θrou) [*irr.* (*throw*)] (um)stürzen (*a. fig.*); vernichten; **2.** ('ouvəθrou) Sturz *m;* Vernichtung *f;* ~**time** ('ouvətaim) Überstunden *f/pl.*

overture ('ouvətjuə) ♩ Ouvertü're *f,* Vorspiel *n;* Vorschlag, Antrag *m.*

over|turn (ouvə'tə:n) (um)stürzen; ~**weening** (ouvə'wi:niŋ) eingebildet; ~**whelm** (ouvə'welm) überschü'tten (*a. fig.*); ~-wä'ltigen; ~**work 1.** (~wə:k) **1.** Übera'rbeitung *f;* **2.** [*irr.* (*work*)] (sich) übera'rbeiten; ~**wrought** ('ouvə'rɔ:t) übera'rbeitet; überrei'zt.

owe (ou) *Geld, Dank usw.* schulden, schuldig sn; verdanken.

owing ('ouiŋ) schuldig; ~ *to* infolge.

owl (aul) Eule *f.*

own (oun) **1.** eigen; richtig; innig geliebt; **2.** *my* ~ mein Eigentum; *a house of one's* ~ ein eigenes Haus; *hold one's* ~ aushalten; **3.** besitzen; zugeben; anerkennen; sich bekennen (*to* zu).

owner ('ounə) Eigentümer(in); ~**ship** (~ʃip) Eigentum(srecht) *n.*

ox (ɔks) Ochs, Ochse *m;* Rind *n.*

oxide ⚛ ('ɔksaid) Oxy'd *n;* ~**ize** ('ɔksidaiz) oxydieren.

oxygen ⚛ ('ɔksidʒən) Sauerstoff *m.*

oyster ('ɔistə) Auster *f.*

P

pace (peis) 1. Schritt; Gang *m*; Tempo *n*; 2. *v/t.* abschreiten; *v/i.* schreiten; (im) Paß gehen.

pacific (pə'sifik) (~ally) friedlich; ♀ *Ocean* Stiller Ozean; **~ation** ('pæsifi'keiʃən) Beruhigung *f*.

pacify ('pæsifai) beruhigen.

pack (pæk) 1. Pack(en) *m*; Pake't *n*; Ballen *m*; Spiel *n Karten*; Meute; Rotte, Bande; Packung *f*; *v/t.* (*oft ~ up*) (zs.-, ver-, ein-)packen; (*a. ~ off*) fortjagen; bepacken, vollstopfen; ⊕ dichten; *v/i.* packen (*oft ~ up*); sich packen (l.); **~age** ('pækidʒ) Pack, Ballen *m*; Packung *f*; Frachtstück *n*; **~er** ('pækə) Packer(in); *Am.* Konse'rvenfabrika'nt *m*; **~et** ('pækit) Pake't *n*; Päckchen *n*; Postschiff *n*; **~thread** Bindfaden *m*.

pact (pækt) Vertrag, Pakt *m*.

pad (pæd) 1. Polster *n* (Schreib-) Block *m*; 2. (aus)polstern; **~ding** ('pædiŋ) Polsterung *f*; *fig.* Lückenbüßer *m*.

paddle ('pædl) 1. (Paddel-)Ruder *n*; ⛴ (Rad-)Schaufel *f*; 2. paddeln; p(l)an(t)schen; **~wheel** Schaufelrad *n*. [*f*; *Sport*: Sattelplatz *m*.]

paddock ('pædək) (Pferde-)Koppel⌡

padlock ('pædlɔk) Vorlegeschloß *n*.

pagan ('peigən) 1. heidnisch; 2. Heid|e *m*, -in *f*.

page (peidʒ) 1. Page *m*; *Buch*-Seite *f*; 2. paginieren.

pageant ('pædʒənt) (historisches) Festspiel; Prunkaufzug *m*.

paid (peid) zahlte; gezahlt.

pail (peil) Eimer *m*.

pain (pein) 1. Pein *f*, Schmerz *m*; Strafe *f*; **~s** *pl.* (*oft sg.*) Mühe *f*; *on ~ of* bei Strafe von; *be in ~* leiden; *take ~s* sich Mühe geben; 2. *j.* schmerzen; *j.* peinigen; **~ful** ☐ ('peinful) schmerzhaft; schmerzlich; peinlich; **~less** ☐ (~lis) schmerzlos; **~staking** ☐ ('peinzteikiŋ) fleißig.

paint (peint) 1. Farbe; Schminke *f*; Anstrich *m*; 2. (be)malen; anstreichen; (sich) schminken; **~brush** Malerpinsel *m*; **~er** ('peintə)

Maler(in); **~ing** ('peintiŋ) Malerei *f*; Gemälde *n*; **~ress** (~tris) Malerin *f*.

pair (pɛə) 1. Paar *n*; *a ~ of scissors* eine Schere; 2. (sich) paaren; zs.-⌉

pal *sl.* (pæl) Kamera'd *m*. [passen.⌡

palace ('pælis) Pala'st *m*.

palatable ('pælətəbl) schmackhaft.

palate ('pælit) Gaumen; Geschmack *m*.

pale[1] (peil) 1. ☐ blaß, bleich; fahl; *~ ale* helles Bier; 2. (er)bleichen.

pale[2] (~) Pfahl; Bereich *m*.

paleness ('peilnis) Blässe *f*.

pall (pɔ:l) übersättigen (*on acc.*).

pallet ('pælit) Strohsack *m*.

palliat|e ('pælieit) bemänteln; lindern; **~ive** ('pælietiv) Linderungsmittel *n*. [(~nis),**~or** (~lə) Blässe *f*.⌡

pall|id ☐ ('pælid) blaß; **~idness**⌡

palm (pɑ:m) 1. Handfläche; ♀ Palme *f*; *in the ~ of one's hand* verbergen; **~ off on a p.** j-m *et.* aufschwindeln; **~-tree** Palmbaum *m*.

palpable ☐ ('pælpəbl) fühlbar; *fig.* handgreiflich.

palpitat|e ('pælpiteit) klopfen (*Herz*); **~ion** (~ʃən) Herzklopfen *n*.

palsy ('pɔ:lzi) 1. Lähmung; *fig.* Ohnmacht *f*; 2. *fig.* lähmen.

palter ('pɔ:ltə) unredlich handeln.

paltry ☐ ('pɔ:ltri) erbärmlich.

pamper ('pæmpə) verzärteln.

pamphlet ('pæmflit) Flugschrift *f*.

pan (pæn) Pfanne *f*; Tiegel *m*.

pan... (~) all...; gesamt...

panacea (pænə'siə) Allheilmittel *n*.

pancake ('pænkeik) Pfann-, Eierkuchen *m*; ≫ Bumslandung *f*.

pandemonium Ⓤ (pændi'mounjəm) *fig.* Hölle(nlärm *m*) *f*.

pander ('pændə) 1. Vorschub leisten (*to dat.*); kuppeln; 2. Kuppler(in).

pane (pein) (Fenster-)Scheibe *f*.

panegyric (pæni'dʒirik) Lobrede *f*.

panel ('pænl) 1. ⌂ Fach *n*; *Tür*-Füllung *f*; ⚖ Geschwornenliste; Kassenarztliste *f*; 2. täfeln.

pang (pæŋ) plötzlicher Schmerz, Weh *n*; *fig.* Angst, Qual *f*.

panic ('pænik) 1. panisch; 2. Panik *f*.

pansy ♀ ('pænzi) Stiefmütterchen *n*.

pant (pænt) *nach Luft* schnappen; keuchen; klopfen (*Herz*); lechzen (*for, after* nach).

panties *Am.* F ('pæntiz) (*a pair of* ~ ein) Damenschlüpfer *m.*

pantry ('pæntri) Vorratskammer *f.*

pants (pænts) *pl. Am. od.* P (*a pair of* ~ eine) (Unter-)Hose *f.*

pap (pæp) Brei *m.*

papal □ ('peipəl) päpstlich.

paper ('peipə) **1.** Papie'r *n;* Zeitung; Tape'te; Abhandlung; Prüfungsarbeit *f;* **2.** tapezieren; **~-bag** Tüte *f;* **~-clip** Aktenklammer *f;* **~-fastener** Musterklammer *f;* **~-hanger** Tapezierer *m;* **~-weight** Briefbeschwerer *m.*

pappy ('pæpi) breiig.

par (pɑː) Gleichheit *f;* ✝ Pari *n;* *at* ~ gleich an Wert; *be on a* ~ *with* gleich *od.* ebenbürtig sn (*dat.*).

parable ('pærəbl) Gleichnis *n.*

parachut|e ('pærəʃuːt) Fallschirm *m;* **~ist** (~ist) Fallschirmspringer.

parade (pə'reid) **1.** Prunk *m;* ✕ Parade *f;* ✕ Paradeplatz *m* (= ~ **-ground**); Promenade; *make a* ~ *of* prunken mit; **2.** prunken mit; ✕ in Parade aufziehen (lassen).

paradise ('pærədais) Paradie's *n.*

paragon (~gən) Vorbild; Muster *n.*

paragraph ('pærəgrɑːf) Paragra'ph, Absatz *m;* kurze Zeitungsnoti'z.

parallel ('pærəlel) **1.** paralle'l; **2.** Paralle'le *f* (*a. fig.*); *geogr.* Parallelkreis *m;* Gegenstück *n; without* ~ ohnegleichen; **3.** paralle'l *m. od.* sn; entsprechen (*dat.*); vergleichen.

paraly|se ('pærəleiz) lähmen; fig. unwirksam m.; **~sis** ✕ (pə'rælisis) Lähmung *f.*

paramount ('pærəmaunt) oberst; größer, höher stehend (*to* als).

parapet ('pærəpit) ✕ Brustwehr; Brüstung *f;* Geländer *n.*

paraphernalia (pærəfə'neiljə) *pl.* Ausrüstung *f;* Zubehör *m.* [(-in).]

parasite ('pærəsait) Schmarotzer.

parasol ('pærəsɔl) Sonnenschirm *m.*

paratroop ✕ ('pærətruːp) Luftlandetruppe *f.*

parboil ('pɑːbɔil) ankochen.

parcel ('pɑːsl) **1.** Pake't *n;* Parze'lle *f;* **2.** aus-, auf-teilen (*mst* ~ *out*).

parch (pɑːtʃ) rösten, (aus)dörren.

parchment (~mənt) Pergame'nt *n.*

pardon ('pɑːdn) **1.** Verzeihung *f;* ✝ Begnadigung *f;* **2.** verzeihen; *j.*

begnadigen; **~able** □ (~əbl) verzeihlich. [schälen.]

pare (pɛə) beschneiden (*a. fig.*);

parent ('pɛərənt) Vater *m,* Mutter *f; fig.* Ursprung *m;* **~s** *pl.* Eltern; **~age** (~idʒ) Abstammung, Familie *f;* **~al** □ (pə'rentl) elterlich.

parenthe|sis (pə'renθisis), *pl.* **~ses** (~siːz) Einschaltung; *typ.* (runde) Klammer *f.*

paring ('pɛəriŋ) Schale; *pl.* **~s** Schalen *f/pl.;* Späne *m/pl.,* Abfall *m.*

parish ('pæriʃ) **1.** Kirchspiel *n,* Gemeinde; (*a. civil* ~) Armenfürsorge(bezirk *m*) *f;* **2.** Pfarr...; Gemeinde...

parity ('pæriti) Gleichheit *f.*

park (pɑːk) **1.** Park *m; mot.,* ✕ Parkplatz *m;* **2.** *mot.* parken; **~ing** ('pɑːkiŋ) *mot.* Parken *n; attr.* Park... [*f.*]

parlance ('pɑːləns) Ausdrucksweise

parley ('pɑːli) **1.** Unterha'ndlung *f;* **2.** unterha'ndeln.

parliament ('pɑːləmənt) Parlame'nt *n;* **~ary** (~'mentəri) parlamenta'risch; Parlaments...

parlo(u)r ('pɑːlə) Wohn-; Empfangs-; Gast-zimmer *n; Am.* Salo'n *m* (*a.* = *Laden*); **~-maid** Stubenmädchen *n.*

parochial □ (pə'roukjəl) Pfarr...; Gemeinde...; *fig.* eng-herzig, -stirnig. [wort *n.*]

parole (pə'roul) ✕ Paro'le *f;* Ehren-

parquet ('pɑːkei) Parke'tt(fußboden *m*) *n.*

parrot ('pærət) **1.** Papagei' *m* (*a. fig.*); **2.** (nach)plappern.

parry ('pæri) abwehren, parieren.

parsimonious □ (pɑːsi'mounjəs) sparsam, karg; *b.s.* knauserig.

parsley ✿ ('pɑːsli) Petersilie *f.*

parson ('pɑːsn) Pfarrer *m.*

part (pɑːt) **1.** Teil; Anteil *m;* Partei; Rolle (*thea. u. fig.*); ♪ Einzel-Stimme *f;* Gegend *f; a man of* ~s e. fähigen Kopf; *take in good* (*bad*) ~ gut (übel) aufnehmen; *for my* (*own*) ~ meinerseits; *in* ~ teilweise; *on the* ~ *of* von seiten (*gen.*); **2.** *adv.* teils; **3.** *v/t.* (zer-, zu)teilen; *Haar* scheiteln; ~ *company* sich trennen (*with* von); *v/i.* sich trennen (*with* von); scheiden.

partake (pɑː'teik) [*irr.* (*take*)] teilnehmen, -haben; grenzen an (*acc.*).

partial □ ('pɑ:ʃəl) Teil...; teilweise; parteiisch; eingenommen (to von, für); ~ity (pɑ:ʃi'æliti) Parteilichkeit; Vorliebe f.

particip|ant (pɑ:'tisipənt) Teilnehmer(in); ~ate (~peit) teilnehmen; ~ation (~'peiʃən) Teilnahme f.

particle ('pɑ:tikl) Teilchen n.

particular (pə'tikjulə) 1. □ mst besonder; einzeln; Sonder...; genau; eigen; wählerisch; 2. Einzelheit f, Umstand m; in ~ insbesondere; ~ity (pətikju'læriti) Ausführlichkeit; Eigenheit f; ~ly (pə'tikjuləli) besonders.

parting ('pɑ:tiŋ) 1. Trennung f; Haar-Scheitel m; ~ of the ways bsd. fig. Scheideweg m; 2. Abschieds...

partisan (pɑ:ti'zæn) 1. Parteigänger (-in); ⚔ Partisa'n m; 2. Partei...

partition (pɑ:'tiʃən) 1. Teilung f, Scheidewand f; 2. (ver)teilen.

partly ('pɑ:tli) teilweise, zum Teil.

partner ('pɑ:tnə) 1. Partner(in); 2. (sich) zs.-tun; zs.-arbeiten mit; ~ship (~ʃip) Teilhaberschaft; † Handelsgesellschaft f.

part-owner Miteigentümer(in).

part-time Kurzarbeit f; attr. (nur) teilweise beschäftigt; ~ worker Kurzarbeiter m.

party ('pɑ:ti) Partei f; Beteiligte(r) m (to an dat.); Gesellschaft f; ~ line parl. Partei'direkti've f; ~ ticket Am. Partei'progra'mm n.

pass ('pɑ:s) 1. Paß m; Freikarte f; (kritische) Lage; univ. gewöhnlicher Grad; Fußball: Zuspielen n; 2. v/i. von e-m Ort zum andern gehen, kommen usw.; vorbeigehen usw., passieren; übergehen (from ... to ... usw. zu ...); vergehen, vorübergehen; gelten, hingehen; durchgehen (Gesetz); durchkommen (Prüfling): sich ereignen; come to ~ sich zutragen; ~ as, for gelten als, für; ~ away fort-, dahingehen; ~ by vorübergehen an (dat.); ~ into übergehen in (acc.); werden zu; ~ off vergehen; ~ on weitergehen; ~ out hinausgehen; 3. v/t. vorüber-, vorbei-gehen, -kommen usw. an (dat.); passieren; hinausgehen über (acc.); Zeit zu-, verbringen; gehen l.; weitergeben (a. ~ on); (zu)reichen; durchlassen; Prüfung bestehen; überstei'gen; gelten l.; Gesetz durchbringen,

annehmen; Urteil usw. aussprechen; Hand, Auge gleiten l.; ~able ('pɑ:səbl) passierbar; gangbar (Geld); □ leidlich.

passage ('pæsidʒ) Durchgang m; Überfahrt; Durchreise f; Korridor, Gang; Weg m; Annahme e-s Gesetzes; Text-Stelle f.

passenger ('pæsindʒə) Passagie'r m, Reisende(r); ~-train Personenzug m.

passer-by ('pɑ:sə'bai) Passa'nt(in).

passion ('pæʃən) Leidenschaft f; Zorn m; 2 eccl. Passio'n f; 2 Week Karwoche f; ~ate □ (~it) leidenschaftlich. [untätig; geduldig.]

passive □ ('pæsiv) passi'v; leidend;]

passport ('pɑ:spɔ:t) (Reise-)Paß m.

password ⚔ (~wə:d) Losung f.

past (pɑ:st) 1. adj. vergangen; früher; for some time ~ seit einiger Zeit; 2. adv. vorbei; 3. prp. nach, über; über ... (acc.) hinaus; half ~ two halb drei; ~ endurance unerträglich; ~ hope hoffnungslos; 4. Vergangenheit f.

paste (peist) 1. Teig; Kleister m; Paste f; 2. (be)kleben; ~board Pappe f; attr. Papp-.

pastell ('pæstel) Paste'll(bild) n.

pasteurize ('pæstəraiz) keimfrei m.

pastime ('pɑ:staim) Zeitvertreib m.

pastor ('pɑ:stə) Pastor m; ~al (~rəl) Hirten...; pastora'l.

pastry ('peistri) Tortengebäck n; Paste'ten f/pl.; ~-cook Kondi'tor m.

pasture ('pɑ:stʃə) 1. Vieh-Weide f; Futter n; 2. (ab)weiden.

pat (pæt) 1. Klaps; Klecks m Butter; 2. klapsen; 3. gelegen; bereit.

patch (pætʃ) 1. Fleck; Flicken m; Stück n Land; 2. flicken.

pate (peit) Schädel, Kopf m.

patent ('peitənt) 1. offenkundig; patentiert; Pate'nt...; ~ fastener Druckknopf m; ~ leather Lackleder n; 2. (a. letters ~ pl.) Pate'nt n; Freibrief m; ~ agent Patentanwalt m; 3. patentieren; ~ee (peitən'ti:) Pate'ntinhaber m.

patern|al (pə'tə:nl) väterlich; ~ity (~niti) Vaterschaft f. [m.]

path (pɑ:θ) pl. ~s (pɑ:ðz) Pfad; Weg]

pathetic (pə'θetik) (~ally) pathetisch; rührend, ergreifend.

patien|ce ('peiʃəns) Geduld; Ausdauer; ~t (~t) 1. □ geduldig; 2. Patie'nt(in). [Erbteil.]

patrimony ('pætriməni) väterliches]

patrol ✕ (pə'troul) 1. Patrouille, Streife f; 2. (ab)patrouillieren.

patron ('peitrən) (Schutz-)Patron; Gönner; Kunde m; ~age ('pætrənidʒ) Gönnerschaft; Kundschaft f; Schutz m; ~ize (~naiz) beschützen; begünstigen; Kunde sn bei; gönnerhaft behandeln.

patter ('pætə) v/i. platschen; trappeln; v/t. herplappern.

pattern ('pætən) 1. Muster (a. fig.); Mode'll m; 2. formen (on nach).

paunch ('pɔ:ntʃ) Wanst m.

pauper ('pɔ:pə) Almosenempfänger (-in); ~ize (~raiz) arm machen.

pause (pɔ:z) 1. Pause f; 2. pausieren.

pave (peiv) pflastern; fig. bahnen; ~ment ('peivmənt) Pflaster n; Bürgersteig m.

paw (pɔ:) 1. Pfote, Tatze f; 2. scharren.

pawn (pɔ:n) 1. Bauer m im Schach; Pfand n; in, at ~ verpfändet; 2. verpfänden; ~broker Pfandleiher m; ~shop Leihhaus n.

pay (pei) 1. (Be-)Zahlung f; Lohn m; 2. [irr.] v/t. (be)zahlen; (be)lohnen; sich lohnen für j.; Ehre usw. erweisen; Besuch abstatten; ~ attention to achtgeben auf (acc.); ~ down bar bezahlen; v/i. zahlen; sich lohnen; ~ for (für) et. bezahlen; ~able ('peiəbl) zahlbar; ~day Zahltag m; ~ing ('peiiŋ) lohnend; ~master Zahlmeister m; ~ment (~mənt) (Be-)Zahlung f; Lohn m; ~roll Lohnliste f.

pea ♀ (pi:) Erbse f; attr. Erbsen...

peace (pi:s) Friede(n) m, Ruhe f; ~able ('pi:səbl) friedliebend, friedlich; ~ful □ (~ful) friedlich; ~maker Friedensstifter(in).

peach (pi:tʃ) Pfirsich(baum) m.

pea|cock ('pi:kɔk) Pfau(hahn) m; ~hen (~hen) Pfauhenne f.

peak (pi:k) Spitze f; Gipfel; Mützen-Schirm m; attr. Spitzen..., Höchst-...; ~ed (pi:kt) spitz.

peal (pi:l) 1. Glockenspiel; Dröhnen n; ~ of laughter dröhnendes Gelächter; 2. erschallen (l.); laut verkünden; dröhnen.

peanut ('pi:nʌt) Erdnuß f.

pear ♀ (pɛə) Birne f.

pearl (pə:l) Perle (a. fig.); attr. Perl(en)...; ~y (~li) perlengleich.

peasant ('pezənt) 1. Bauer m; 2. bäuerlich; ~ry (~ri) Landvolk n.

peat (pi:t) Torf m.

pebble ('pebl) Kiesel(stein) m.

peck (pek) 1. Viertelscheffel m (9,087 Liter); fig. Menge f; 2. picken.

peculate ('pekjuleit) unterschla'gen.

peculiar □ (pi'kju:ljə) eigen(tümlich); besonder; ~ity (pikju:li'æriti) Eigenheit; Eigentümlichkeit f.

pecuniary (pi'kju:njəri) Geld... [m.]

pedagogue ('pedəgɔg) Pädago'g(e)

pedal ('pedl) 1. Peda'l n; 2. Fuß...; 3. Radfahren: fahren, treten.

peddle ('pedl) hausieren (mit).

pedest|al ('pedistl) Sockel (a. fig.); ~rian (pi'destriən) 1. zu Fuß; nüchtern; 2. Fußgänger(in).

pedigree ('pedigri:) Stammbaum m.

pedlar ('pedlə) Hausierer m.

peek Am. (pi:k) 1. spähen, gucken, lugen; 2. flüchtiger Blick.

peel (pi:l) 1. Schale; Rinde f; 2. (a. ~ off) v/t. (ab)schälen; Kleid abstreifen; v/i. sich (ab)schälen.

peep (pi:p) 1. verstohlener Blick; 2. (verstohlen) gucken; fig. (hervor-)gucken; piepen; ~hole Gucklochn.

peer (piə) 1. spähen; ~ at angucken; 2. Gleiche(r); Pair m; ~less □ ('piəlis) unvergleichlich.

peevish □ ('pi:viʃ) verdrießlich.

peg (peg) 1. Holz-Pflock; Kleider-Haken; ♪ Wirbel m; Wäsche-Klammer f; fig. take a p. down a ~ j. ducken; 2. festpflöcken; Grenze abstecken; F ~ away, along darauflosarbeiten; ~top Kreisel m.

pellet ('pelit) Kügelchen; Pille f; Schrotkorn n.

pell-mell ('pel'mel) durcheinander.

pelt (pelt) 1. Fell n; † rohe Haut; 2. v/t. bewerfen; v/i. niederprasseln.

pen (pen) 1. (Schreib-)Feder; Hürde f; 2. schreiben; [irr.] einpferchen.

penal □ ('pi:nl) Straf...; strafbar; ~ servitude Zuchthausstrafe f; ~ize ('pi:nəlaiz) bestrafen; ~ty ('penlti) Strafe f; Sport: Strafpunkt m.

penance ('penəns) Buße f.

pence (pens) pl. von penny.

pencil ('pensl) 1. Blei-, Farb-stift m; 2. zeichnen; (mit Bleistift) zeichnen od. schreiben; Augenbrauen nachziehen.

pendant ('pendənt) Anhänger m.

pending ('pendiŋ) 1. ⚖ schwebend; 2. prp. während; bis zu.

pendulum ('pendjuləm) Pendel n.

penetra|ble □ ('penitrəbl) durchdri'ngbar; ~te (~treit) durchdri'ngen (a. fig. = ergründen); eindringen (in acc.); vordringen (to bis zu); **~tion** (peni'treiʃən) Durch-, Eindringen n; Scharfsinn m; **~tive** ('penitreitiv) durchdri'ngend (a. fig.); eindringlich.

penholder Federhalter m.

peninsula (pi'ninsjulə) Halbinsel f.

peniten|ce ('penitəns) Buße, Reue f; **~t** 1. □ reuig, bußfertig; 2. Büßer(in); **~tiary** (peni'tenʃəri) Besserungsanstalt f; Am. Zuchthaus n. [Schriftsteller m.\]

penman ('penmən) Schönschreiber;\]

pen-name Schriftstellername m.

pennant ⚓ ('penənt) Wimpel m.

penniless □ ('penilis) ohne Geld.

penny ('peni) (englischer) Penny (¹/₁₂ Schilling); Am. Cent m; Kleinigkeit f; **~weight** englisches Pennygewicht (1¹/₂ Gramm).

pension 1. ('penʃən) Pensio'n f; 2. pensionieren; P. zahlen (dat.); **~ary**, **~er** ('penʃənəri, ~ʃənə) Pensionä'r(in).

pensive □ ('pensiv) gedankenvoll.

pent ('pent) eingepfercht; **~-up** aufgestaut (Zorn usw.).

penthouse ('penthaus) Schutzdach n.

penu|rious (pi'njuəriəs) geizig; **~ry** ('penjuri) Armut f; Mangel m.

people ('pi:pl) 1. Volk n; coll. die Leute pl.; man; 2. bevölkern.

pepper ('pepə) 1. Pfeffer m; 2. pfeffern; **~mint** ⚘ Pfefferminze f; **~y** □ (~ri) pfefferig; fig. hitzig.

per (pə:) per, durch, für; laut; je; **~ cent** Prozent n (⁰/₀).

perambulat|e (pə'ræmbjuleit) (durch)wa'ndern; bereisen; **~or** ('præmbjuleitə) Kinderwagen m.

perceive (pə'si:v) (be)merken, wahrnehmen; empfinden; erkennen.

percentage (pə'sentidʒ) Prozent (-satz; -gehalt m) n; ✝ Provisio'n f.

percepti|ble □ (pə'septəbl) wahrnehmbar; **~on** (~ʃən) Wahrnehmung(svermögen n); Erkenntnis; Auffassung(skraft) f.

perch (pə:tʃ) 1. zo. Barsch m; Rute (= 5.029 m); Sitzstange f; 2. (sich) setzen; sitzen.

percolate ('pə:kəleit) durch-seihen, -dri'ngen; (durch)sickern.

percussion (pə:'kʌʃən) Schlag m.

perdition (pə:'diʃən) Verderben n.

peregrination (perigri'neiʃən) Wanderschaft; Wanderung f.

peremptory (pə'remptəri) bestimmt, zwingend; rechthaberisch.

perennial □ (pə'renjəl) dauernd; immerwährend; ⚘ perennierend.

perfect 1. ('pə:fikt) □ vollkommen; vollendet; 2. (pə'fekt) vervollkommnen; vollenden; **~ion** (~ʃən) Vollkommenheit f; fig. Gipfel m.

perfidious □ (pə'fidiəs) treulos.

perfidy ('pə:fidi) Treulosigkeit f.

perforate ('pə:fəreit) durchlö'chern.

perform (pə'fɔ:m) verrichten; ausführen; tun; thea., ♪ aufführen; (a. v/i.) spielen, vortragen; **~ance** (~əns) Verrichtung f; thea. Aufführung f; Vortrag m; **~er** (~ə) Vortragende(r).

perfume 1. ('pə:fju:m) Wohlgeruch m; Parfü'm n; 2. (pə'fju:m) parfümieren; **~ry** (~əri) Parfümerie(n pl.) f. [mechanisch]

perfunctory □ (pə'fʌŋktəri) fig.]

perhaps (pə'hæps, præps) vielleicht.

peril ('peril) 1. Gefahr f; 2. gefährden; **~ous** □ (~əs) gefährlich.

period ('piəriəd) Perio'de f; gr. Absatz; gr. Punkt m; Am. (Unterrichts-)Stunde f; ~ic (piəri'ɔdik) periodisch; **~ical**, **~ical** (~dikəl) 1. □ periodisch; 2. Zeitschrift f.

perish ('periʃ) umkommen, zugrunde gehen; **~able** □ ('periʃəbl) vergänglich; leicht verderblich.

periwig ('periwig) Perücke f.

perjur|e ('pə:dʒə): ~ o.s. falsch schwören; **~y** (~ri) Meineid m.

perk F (pə:k) mst ~ up: v/i. selbstbewußt auftreten; v/t. putzen.

perky □ (pə:ki) keck, dreist; flott.

permanen|ce ('pə:mənəns) Dauer f; **~t** □ (~t) dauernd; ständig; Dauer...

permea|ble (pə:'miəbl) durchlässig; **~te** (~mieit) durchdri'ngen.

permissi|ble □ (pə'misəbl) zulässig; **~on** (~ʃən) Erlaubnis f.

permit 1. (pə'mit) erlauben, gestatten; 2. ('pə:mit) Erlaubnis, Genehmigung f; Passierschein m.

pernicious (pə:'niʃəs) verderblich.

perpendicular □ (pə:pən'dikjulə) senkrecht; aufrecht; steil.

perpetrate ('pə:pitreit) verüben.

perpetu|al (pə'petjuəl) fortwährend, ewig; **~ate** (~ueit) verewigen.

perplex (pə'pleks) b stürzt machen; **~ity** (~iti) Verwirrung f.

perquisites (pə:kwizts) pl. Nebeneinkünfte f/pl.

persecut|e ('pə:sikju:t) verfolgen; **~ion** (pə:si'kju:ʃən) Verfolgung *f*.

persever|ance (pə:si'viərəns) Beharrlichkeit, Ausdauer *f*; **~e** (~'viə) beharren; aushalten.

persist (pə'sist) beharren (*in* auf *dat.*); **~ence** (~əns) Beharrlichkeit *f*; **~ent** □ (~ənt) beharrlich.

person (pə:sn) Perso'n *f*; Mensch *m*; **~age** (~idʒ) Persönlichkeit *f*; **~al** □ (~l) persönlich; **~ality** (pə:sə'næliti) Persönlichkeit; Anzüglichkeit *f*; **~ate** ('pə:səneit) darstellen; sich ausgeben für; **~ify** (pə:'sonifai) verkörpern; **~nel** (pə:-sə'nel) Persona'l *n*.

perspective (pə'spektiv) Perspekti've *f*; Ausblick *m*, Fernsicht *f*.

perspicuous □ (pə'spikjuəs) klar.

perspir|ation (pə:spə'reiʃən) Schwitzen *n*; Schweiß *m*; **~e** (pəs'paiə) (aus)schwitzen.

persua|de (pə'sweid) überre'den; überzeu'gen; **~sion** (~ʒən) Überre'dung; Überzeu'gung *f*; Glaube *m*; **~sive** □ (~siv) über-re'dend, -zeu'gend.

pert □ (pə:t) keck, vorlaut, naseweis.

pertain (pə:'tein) (*to*) gehören (*dat. od.* zu); betreffen (*acc.*).

pertinacious □ (pə:ti'neiʃəs) hartnäckig, zäh.

pertinent □ ('pə:tinənt) sach-dienlich, -gemäß; einschlägig.   [ren.]

perturb (pə:'tə:b) beunruhigen; stö-⌐

perus|al (pə'ru:zəl) Durchsicht *f*; **~e** (pə'ru:z) durchlesen; prüfen.

pervade (pə:'veid) durchdri'ngen.

pervers|e □ (pə'və:s) verkehrt; ⌐ perve'rs; eigensinnig; **~ion** (~ʃən) Verdrehung; Abkehr *f*.

pervert 1. (pə'və:t) verdrehen; verführen; **2.** ('pə:və:t) Abtrünnige(r).

pest (pest) Pest; Plage *f*; Schädling *m*; **~er** ('pestə) belästigen.

pesti|ferous □ (pes'tifərəs) verpestend; **~lence** (~'pestiləns) Pest *f*; **~lent** (~t) verderblich; **~lential** □ (pesti'lenʃəl) pestartig.

pet (pet) **1.** üble Laune; Stubentier *n*; Liebling *m*; **2.** Liebling...; ~ *dog* Schoßhund *m*; ~ *name* Kosename *m*; **3.** (ver)hätscheln.

petition (pi'tiʃən) **1.** Bitte; Bittschrift, Eingabe *f*; **2.** bitten, ansuchen; e-e Eingabe machen.

petrify ('petrifai) versteinern.

petrol *mot.* ('petrəl) Benzi'n *n*.

petticoat ('petikout) Unterrock *m*.

pettish □ ('petiʃ) launisch.

petty □ ('peti) klein, geringfügig.

petulant ('petjulənt) reizbar.

pew (pju:) Kirchen-sitz *m*; -bank *f*.

pewter ('pju:tə) Zinn(geschirr) *n*.

phantasm ('fæntæzm) Trugbild *n*.

phantom ('fæntəm) Phanto'm, Trug-, Schatten-bild; Gespenst *n*.

Pharisee ('færisi) Pharisä'er *m*.

pharmacy ('fɑ:məsi) Apothe'ker-kunst; Apothe'ke *f*.

phase (feiz) Phase *f*.

phenomen|on (fi'nominən), *pl.* **~a** (~nə) Phänome'n *n*.

phial ('faiəl) Phio'le *f*, Fläschchen *n*.

philander ('fi'lændə) schäkern.

philanthropist (fi'lænθrəpist) Menschenfreund(in).

philologist (fi'lolədʒist) Philo-lo'g|e, -in.

philosoph|er (fi'losəfə) Philoso'ph *m*; **~ize** (~faiz) philosophieren; **~y** (~fi) Philosophie' *f*.   [ma *n*.]

phlegm (flem) Schleim *m*; Phleg-⌐

phone F (foun) *s. telephone*.

phonetics (fo'netiks) *pl.* Phonetik, Lautbildungslehre *f*.

phosphorus ('fosfərəs) Phosphor *m*.

photograph ('foutəgrɑ:f) **1.** Photographie' *f* (*Bild*); **2.** photographieren; **~er** (fə'togrəfə) Photogra'ph(in); **~y** (~fi) Photographie' *f*.

phrase (freiz) **1.** Phrase, Redensart *f*; Ausdruck *m*; **2.** ausdrücken.

physic|al □ ('fizikəl) physisch; körperlich; physika'lisch; **~ian** (fi'ziʃən) Arzt *m*; **~ist** ('fizisist) Physiker *m*; **~s** ('fiziks) *sg.* Physi'k*f*.

physique (fi'zi:k) Körperbau *m*.

pick (pik) **1.** Spitzhacke; Auswahl *f*; **2.** (auf)picken, (auf)hacken, stochern; (ab)nagen; pflücken; zupfen; *Streit* suchen; wählen, bestehlen; ~ *out* (sich) *et.* (her)aussuchen; ~ *up* auf-picken; -nehmen, -lesen; sammeln; *j.* abholen; mitnehmen; **~-a-back** ('pikəbæk) huckepack; **~axe** Spitzhacke *f*.

picket ('pikit) **1.** Pfahl *m*; ⚔ Feldwache *f*; Streikposten *m*; **2.** einpfählen; an e-n Pfahl binden; mit Streikposten besetzen.

picking ('pikiŋ) Picken *n usw.*; Abfall; *mst* **~s** *pl.* Nebengewinn *m*.

pickle ('pikl) **1.** Pökel *m*; Eingepökelte(s) *n*; F mißliche Lage; **2.** (ein-) pökeln; **~d herring** Salzhering *m*.

pick|lock ('piklɔk) Dietrich m; ~pocket Taschendieb m.

pictorial (pik'tɔ:riəl) 1. malerisch; illustriert; 2. illustriertes Blatt.

picture ('piktʃə) 1. Bild n; the ~s pl. Kino(vorstellung f) n; attr. Bilder...; ~ (post)card Ansichts-(post)karte f; 2. (aus)malen; sich et. ausmalen; ~sque (piktʃə'resk) malerisch.

pie (pai) Pastete; Obst-Torte f.

piebald ('paibɔ:ld) scheckig.

piece (pi:s) 1. Stück n; Figu'r f (Schach usw.); ~ of advice Ratschlag m; ~ of news Neuigkeit f; by the ~ stückweise; give a p. a ~ of one's mind j-m s-e Meinung sagen; take to ~s zerlegen; 2. flicken, (an-)stücken; zs.-setzen; ~meal stückweise; ~work Stückarbeit f.

pier (piə) Pfeiler; Wellenbrecher; Pier, Hafendamm, Landungsplatz m.

pierce (piəs) durch-bo'hren; -dri'n-gen; eindringen (in acc.). [tä'tf.]

piety ('paiəti) Frömmigkeit; Pie-ʃ

pig (pig) Ferkel; Schwein n.

pigeon ('pidʒin) Taube f; ~hole 1. Fach n; 2. in ein Fach legen.

pig|headed ('pig'hedid) dickköpfig; ~iron Roheisen n; ~skin Schweins-leder n; ~sty Schweinestall m; ~tail Haarzopf m.   [m.]

pike (paik) ✗ Pike; Spitze f; Hecht ʃ

pile (pail) 1. Haufen; Scheiter-haufen; Klotz (großer Bau); Pfahl m; ~s pl. Hämorrhoi'den f/pl.; 2. auf-, an-häufen.

pilfer ('pilfə) mausen, stibitzen.

pilgrim ('pilgrim) Pilger m; ~age ('pilgrimidʒ) Pilgerfahrt f.

pill (pil) Pille f.   [2. plündern.]

pillage ('pilidʒ) 1. Plünderung f;ʃ

pillar ('pilə) Pfeiler, Ständer m; ~box (Säulen-)Briefkasten m.

pillion mot. ('piljən) Soziussitz m.

pillory ('piləri) 1. Pranger m; 2. an den Pranger stellen; anprangern.

pillow ('pilou) (Kopf-)Kissen n; ~case, ✝ ~slip (Kissen-)Bezug m.

pilot ('pailət) 1. ✈ Pilo't; ⚓ Lotse; fig. Führer m; 2. lotsen, steuern; ~balloon Versuchsballon m.

pimp (pimp) Kuppler(in); kuppeln.

pimple ('pimpl) Pickel m, Finne f.

pin (pin) 1. (Steck-, Busen-)Nadel; Reißzwecke f; Nagel, Pflock; ⊕ Wirbel; Kegel m; 2. (an)heften; befestigen; fig. festnageln.

pinafore ('pinəfɔ:) Schürze f.

pincers ('pinsəz) pl. Kneifzange f.

pinch (pintʃ) 1. Kniff m; Prise f (Tabak usw.); Druck m, Not f; 2. v/t. kneifen, zwicken; bedrücken; v/i. drücken; in Not sein; knausern.

pine (pain) 1. ♀ Kiefer f; 2. sich abhärmen; schmachten; ~apple Ananas f; ~cone Kienapfel m.

pinion ('pinjən) 1. Flügel(spitze f) m; Schwungfeder f; ⊕ Ritzel m (Antriebsrad); 2. die Flügel be-schneiden (dat.); fig. fesseln.

pink (piŋk) 1. ♀ Nelke f; fig. Gipfel m; 2. rosa(farben).

pinnacle ('pinəkl) △ Spitztürmchen n; (Berg-)Spitze f; fig. Gipfel m.

pint (paint) Pinte f (0,57 Liter).

pioneer (paiə'niə) 1. ✗ u. fig. Pio-nier m; 2. den Weg bahnen (für).

pious □ ('paiəs) fromm; liebe-voll.

pip (pip) vet. Pips; Obstkern m; Auge n auf Würfeln usw.

pipe (paip) 1. Pfeife (a. ♪); Röhre f, Gas- usw. Rohr; Pipe f (Weinfaß = 572,4 Liter); 2. pfeifen; quieken; ~climber Fassadenkletterer m; ~layer Rohrleger m; ~line Röh-renleitung f; ~r ('paipə) Pfeifer m.

piping ('paipiŋ) 1. ~ hot siedend heiß; 2. Paspel m am Kleid.

pique (pi:k) 1. Groll m; 2. Zorn usw. reizen; ~ o.s. on sich brüsten mit.

pira|cy ('paiərəsi) Seeräuberei f; Bücher-Nachdruck m; ~te (~rit) 1. Seeräuber; Nachdrucker m; 2. nachdrucken.

pistol ('pistl) Pisto'le f.

piston ⊕ ('pistən) Kolben m; ~rod K.stange f; ~stroke K.hub m.

pit (pit) 1. Grube f; thea. Parterre n; (Blattern-)Narbe f; Am. Obst-Stein m; 2. Rüben usw. einmieten; mit Narben bedecken.

pitch (pitʃ) 1. Pech n; Wurf; Grad m, Stufe; Höhe; ♪ Tonhöhe; ⊕ Neigung f; ⚓ Stampfen; 2. v/t. werfen; schleudern; Zelt usw. auf-schlagen; ♪ stimmen (a. fig.); ~ too high fig. zu hoch stecken (Ziel usw.); v/i. ✗ (sich) lagern; fallen; ⚓ stampfen; F ~ into herfallen über (acc.).

pitcher ('pitʃə) Krug m.

pitchfork ('pitʃfɔ:k) Heu-, Mist-gabel; ♪ Stimmgabel f.

pitfall ('pitfɔ:l) Fallgrube, Falle f.

pith (piθ) Mark *n*; *fig.*: Kern *m*; Kraft *f*; **~y** ('piθi) markig, kernig.
pitiable □ ('pitiəbl) erbärmlich.
pitiful □ ('pitiful) mitleidig; (*a. contp.*) erbärmlich, jämmerlich.
pitiless □ ('pitilis) unbarmherzig.
pittance ('pitəns) Hungerlohn *m*.
pity ('piti) **1.** Mitleid *n* (on mit); *it is a ~* es ist schade; **2.** bemitleiden.
pivot ('pivət) **1.** ⊕ Zapfen *m*; (Tür-)Angel *f*; *fig.* Drehpunkt *m*; **2.** sich drehen ([up]on um).
placable □ ('pleikəbl) versöhnlich.
placard ('plækɑ:d) Plaka'tn; **2.** anschlagen; mit e-m P. bekleben.
place (pleis) **1.** Platz; Ort *m*; Stelle *f*; Wohnsitz; Dienst *m*; Amt *n*; Rang *m*; Stätte *f*; Loka'l *n*; *~ of delivery* Erfüllungsort *m*; *give ~* to *j-m* Platz m.; *in ~* of an Stelle (*gen.*); *out of ~* fehl am Platze; stellungslos; **2.** stellen, legen, setzen; unterbringen; *Auftrag* erteilen.
placid □ ('plæsid) sanft; ruhig.
plagiar|ism ('pleidʒiərizm) Plagia't *n*; **~ize** (~raiz) abschreiben.
plague (pleig) **1.** Plage, Seuche; Pest *f*; **2.** plagen, quälen.
plaid † (plæd) Schottenstoff *m*.
plain (plein) □ **1.** flach, eben; klar; deutlich; rein; einfach; schlicht; unscheinbar; offen, ehrlich; einfarbig; **2.** *adv.* klar, deutlich; **3.** Ebene; Fläche *f*; **~-clothes man** Geheimpolizist *m*; **~-dealing** ehrlich(e Handlungsweise).
plaint|iff ('pleintif) Kläger(in); **~ive** □ ('pleintiv) kläglich.
plait (plæt, *Am.* pleit) **1.** Haar-Flechte *f*; Zopf *m*; **2.** flechten.
plan (plæn) **1.** Plan *m*; **2.** e-n Plan machen von *od.* zu; *fig.* planen.
plane (plein) **1.** flach, eben; **2.** Ebene, Fläche; ✗ Tragfläche *f*; Flugzeug *n*; *fig.* Stufe *f*; ⊕ Hobel *m*; **3.** (ab)hobeln; ✗ fliegen.
plank (plæŋk) **1.** Planke, Bohle, Diele *f*; *Am. pol.* Progra'mmpunkt *m*; **2.** dielen; verschalen; *sl.* **~ down** Geld auf den Tisch legen.
plant (plɑ:nt) **1.** Pflanze; ⊕ Anlage *f*; **2.** (an-, ein-)pflanzen (*a. fig.*); (auf-)stellen; anlegen; (hin)setzen; bepflanzen; besiedeln; **~ation** (plæn'teiʃən) Pflanzung; Planta'ge *f*; **~er** ('plɑ:ntə) Pflanzer *m*.
plaque (plɑ:k) Platte *f*.
plash (plæʃ) platschen.

plaster ('plɑ:stə) **1.** *pharm.* Pflaster *n*; ⊕ Putz *m*; (*mst ~ of Paris*) Gips, Stuck *m*; **2.** bepflastern; verputzen.
plastic ('plæstik) (~ally) plastisch.
plat (plæt) Plan *m*; Parze'lle *f*.
plate (pleit) **1.** *allg.* Platte *f*; Schild *n*; *Kupfer*-Stich *m*; Tafelsilber *n*; Teller *m*; ⊕ Grobblech *n*; **2.** plattieren; panzern.   [nen—]Walze *f*.]
plat[t]en ('plætn) (Schreibmaschi-]
platform ('plætfo:m) Plattform *f*; Bahnsteig *m*; Rednerbühne *f*; Partei'progra'mm *n*.
platinum *min.* ('plætinəm) Platin *n*.
platitude ('plætitju:d) *fig.* Plattheit *f*.
platoon ✗ (plə'tu:n) Zug *m*.
platter ('plætə) Servierplatte *f*.
plaudit ('plɔ:dit) Beifall *m*.
plausible □ ('plɔ:zəbl) glaubhaft.
play (plei) **1.** Spiel; Schauspiel *n*; ⊕ Spiel *n*, Gang; Spielraum *m*; **2.** spielen; ⊕ laufen; *~ (up)on* einwirken auf (*acc.*); *~ off fig.* ausspielen (*against each other*); *~ed out* erledigt; **~-bill** Thea'terzettel *m*; **~er** ('pleiə) (Schau-)Spieler(in) *m*; **~er-piano** elektrisches Klavier; **~fellow, ~mate** Spielgefährt|e *m*, -in *f*; **~ful** □ ('pleiful) spielerisch, scherzhaft; **~goer** Thea'terbesucher(in); **~ground** Spielplatz; Schulhof *m*; **~house** Schauspielhaus *n*; **~thing** Spielzeug *n*; **~wright** Schauspieldichter(in).
plea (pli:) Einspruch *m*; Ausrede *f*; Gesuch *n*; *on the ~ that* unter dem Vorwand (*gen.*) *od.* daß.
plead (pli:d) *v/i.* plädieren; *~ for* für *j.* sprechen; sich einsetzen für; *~ guilty* sich schuldig bekennen; *v/t.* *Sache* vertreten; *als Grund* geltend m.; **~er** ⚖ ('pli:də) Verteidiger *m*; **~ing** ⚖ ('pli:diŋ) Schriftsatz *m*.
pleasant ('pleznt) angenehm; erfreulich; **~ry** (~ri) Scherz, Spaß *m*.
please (pli:z) *v/i.* gefallen; belieben; *if you ~* gefälligst, bitte; *~ come in!* bitte, treten Sie ein!; *v/t.* *j-m* gefallen, angenehm sn; befriedigen; *be ~d to do* geruhen zu tun; *be ~d with* Vergnügen haben an (*dat.*); *~d* (pli:zd) erfreut, zufrieden.
pleasing □ ('pli:ziŋ) angenehm.
pleasure ('pleʒə) Vergnügen *n*, Freude *f*; Belieben *n*; *attr.* Vergnügungs...; *at ~* nach Belieben.
pleat (pli:t) **1.** (Plissee-)Falte *f*; **2.** fälteln, platschen.

pledge (pledʒ) 1. Pfand; Zutrinken; Gelöbnis n; 2. verpfänden; *j-m* zutrinken; *he ~d himself* er gelobte.

plenary (pliːnəri) Voll...

plenipotentiary (plenipəˈtenʃəri) Bevollmächtigte(r).

plentiful □ ('plentiful) reichlich.

plenty (ˌti) 1. Fülle *f*, Überfluß *m*; *~ of* reichlich; 2. F reichlich.

pliable □ ('plaiəbl) biegsam; *fig.* geschmeidig, nachgiebig.

pliancy ('plaiənsi) Biegsamkeit *f*.

pliers ('plaiəz) *pl.* Drahtzange *f*.

plight (plait) 1. *Wort* verpfänden; verloben; 2. (Not-)Lage *f*.

plod (plod) (*a. ~ along, on*) einherstapfen, sich placken, schuften.

plot (plot) 1. Platz *m*; Parzelle *f*; Plan *m*; Komplott *n*, Anschlag *m*; Handlung *f e-s Dramas usw.*; 2. *v/t.* aufzeichnen; *b. s.* planen, anzetteln; *v/i.* intrigieren.

plough, *Am. a.* **plow** (plau) 1. Pflug *m*; 2. pflügen; (*a. fig.*) furchen; *~-share* Pflugschar *f*.

pluck (plʌk) 1. Zug, Ruck *m*; *Tier*-Geschlinge *n*; F Mut *m*; 2. pflücken; *Vogel* rupfen (*a. fig.*); reißen; *~ at* greifen nach; *~ up courage* Mut fassen; *~y* ('plʌki) mutig.

plug (plʌg) 1. Pflock; Stöpsel; *é* Stecker *m*; Zahn-Plombe *f*; Priem *m* (*Tabak*); *~ socket* Steckdose *f*; 2. *v/t.* zustopfen; *Zahn* plombieren; stöpseln. [(*a. fig.*).]

plum (plʌm) Pflaume; Rosine *f*]

plumage ('pluːmidʒ) Gefieder *n*.

plumb (plʌm) 1. lotrecht; gerade; richtig; 2. (Blei-)Lot *n*; 3. *v/t.* lotrecht m.; loten; (*a. fig.*) sondieren; *v/i.* als Rohrleger arbeiten; *~er* ('plʌmə) Installateur; Rohrleger *m*; *~ing* (ˌiŋ) (Blei-)Rohranlage *f*.

plume (pluːm) 1. Feder *f*; Federbusch *m*; 2. mit Federn schmücken; *~ o.s.* sich brüsten mit.

plummet ('plʌmit) Senkblei *n*.

plump (plʌmp) 1. *adj.* drall; F □ glatt (*Absage usw.*); 2. (hin)plumpsen (l.); 3. Plumps *m*; 4. F *adv.* geradeswegs.

plunder ('plʌndə) 1. Plünderung *f*; Raub *m*, Beute *f*; 2. plündern.

plunge (plʌndʒ) 1. (Unter-)Tauchen *n*; Sturz *m*; *take the ~* den entscheidenden Schritt tun; 2.(unter)tauchen; (sich) stürzen (*into* in *acc.*).

plurality (pluəˈræliti) Vielheit, Mehrheit; Mehrzahl *f*.

plush (plʌʃ) Plüsch *m*.

ply (plai) 1. Lage *Tuch*; Strähne *f*; *three-~* dreifach; 2. *v/t.* fleißig anwenden; *j-m* zusetzen, *j.* überhäufen; *v/i. regelmäßig* fahren; *~-wood* Sperrholz *n*.

pneumatic (njuːˈmætik) 1. (*~ally*) Luft...; *pneumatisch*; *~post*Rohrpost *f*; 2.Lufreifen*m.* [genentzündung.|

pneumonia ℱ (njuːˈmounjə) Lun-]

poach (poutʃ) wildern; *Erde* zertreten; *~ed eggs* verlorene Eier *n/pl.*

poacher ('poutʃə Wilddieb *m*.

pocket ('pokit) 1. Tasche *f*; ⚔ Luft-Loch *n*; 2. einstecken (*a. fig.*); *Gefühl* unterdrücken; 3. Taschen...

pod ⚘ (pod) Hülse, Schale, Schote *f*.

poem ('pouim) Gedicht *n*.

poet ('pouit) Dichter *m*; *~ess* (ˌis) Dichterin *f*; *~ic(al* □) *poˈetik, ˌtikəl*) dichterisch; *~ics* (ˌtiks) *pl.* Poetik *f*; *~ry* ('pouitri) Dichtkunst *f*; Dichtungen *f/pl.*

poignan|cy ('poi[g]nənsi) Schärfe *f*; *~t* (ˌt) scharf; *fig.* eindringlich.

point (point) 1. Spitze; Pointe *f*; Punkt; Fleck; Kompaßstrich *m*; Auge *n auf Karten usw.*; Grad; Zweck *m*; ⚙ *~s pl.* Weichen *f/pl.*; *~ of view* Stand-, Gesichts-punkt *m*; *the ~ is that* ... die Sache ist die, daß ...; *make a ~ of ger.* es sich zur Aufgabe m., zu *inf.*; *in ~ of* in Hinsicht auf (*acc.*); *off the ~* nicht zur Sache (gehörig); *on the ~ of ger.* im Begriff zu *inf.*; *win on ~s* nach Punkten siegen; *to the ~* zur Sache (gehörig); 2. *v/t.* (zu)spitzen; (*oft ~ out*) zeigen, hinweisen auf (*acc.*); punktieren; *~ at Waffe usw.* richten auf (*acc.*); *v/t. ~ at* weisen auf (*acc.*); *~ to* nach *e-r Richtung* weisen; *~ed* □ ('pointid) spitz; *fig.* scharf; *~er* ('pointə) 1. Zeiger; Zeigestock; 2. Hühnerhund *m*; *~less* (ˌlis) stumpf; witzlos.

poise (poiz) 1. Gleichgewicht *n*; *Körper*-Haltung *f*; 2. *v/t.* im Gleichgewicht erhalten; *Kopf usw.* tragen; halten; *v/i.* schweben.

poison ('poizn) 1. Gift *n*; 2. vergiften; *~ous* (ˌəs) giftig (*a. fig.*).

poke (pouk) 1. Stoß, Puff *m*; 2. *v/t.* stoßen; schüren; *Nase usw. wohin* stecken; *~ fun at* sich über *j.* lustig machen; *v/i.* stoßen; stochern.

poker ('poukə) Feuerhaken *m*.

poky ('pouki) eng; dürftig; kleinlich.

polar ('poulə) po'la'r; ~ *bear* Eisbär *m*.

pole (poul) Pol *m*; Stange; Deichsel *f*; *Spring*-Stab *m*; ~**cat** *zo*. Iltis *m*.

polemic (po'lemik) (*a*. ~**al** □ [~mikəl]) polemisch; feindselig.

pole-star Pola'r-, *fig*. Leit-stern *m*.

police (pə'li:s) 1. Polizei *f*; 2. überwa'chen; ~**man** Polizi'st *m*; ~**station** Polizeiwache *f*.

policy ('pɔlisi) Politi'k; (Welt-) Klugheit *f*; Poli'ce *f*.

Polish[1] ('pouliʃ) polnisch.

polish[2] ('pɔliʃ) 1. Politu'r *f*; *fig*. Schliff *m*; 2. polieren; *fig*. verfeinern.

polite (pə'lait) artig, höflich; fein; ~**ness** (~nis) Höflichkeit *f*.

politic □ ('politik) poli'tisch; schlau; ~**al** □ (pə'litikəl) poli'tisch; staatskundig; Staats...; ~**ian** (poli-'tiʃən) Poli'tiker *m*; ~**s** ('politiks) *pl*. Staatswissenschaft, Politi'k *f*.

poll (poul) 1. Wählerliste; Stimmenzählung; Wahl; Stimmenzahl *f*; 2. *v/t*. Stimmen erhalten; *v/t*. wählen; ~**book** Wählerliste *f*.

pollen ♀ ('pɔlin) Blütenstaub *m*.

poll-tax ('pɔltæks) Kopfsteuer *f*.

pollute (pə'lu:t) beschmutzen, beflecken; entweihen. [Poly'p *m*.]

polyp(e) *zo*. ('pɔlip), ~**us** ♂ (~lipəs)]

pommel ('pʌml) 1. *Degen*-, *Sattel*-Knopf *m*; 2. knuffen, schlagen.

pomp (pɔmp) Pomp *m*, Gepränge *n*.

pompous □ ('pɔmpəs) prunkvoll; hochtrabend.

pond (pɔnd) Teich, Weiher *m*.

ponder ('pɔndə) *v/t*. erwägen; *v/i*. nachdenken; ~**able** (~rəbl) wägbar; ~**ous** □ (~rəs) schwer(fällig). [*m*.]

pontiff ('pɔntif) Hohepriester; Papst]

pontoon ⚓ (pɔn'tu:n) Brückenkahn *m*; ~**bridge** Schiffsbrücke *f*.

pony ('pouni) Pony, Pferdchen *n*.

poodle ('pu:dl) Pudel *m*.

pool (pu:l) 1. Teich, Pfuhl *m*, Lache *f*; (Spiel-)Einsatz *m*; ♈ Ring *m*, Karte'll *n*; 2. ♈ zu e-m Ring vereinigen; *Gelder* zu.-werfen.

poop ⚓ (pu:p) Heck *n*; Achterhütte *f*.

poor □ (puə) arm; armselig; dürftig; schlecht; ~**house** Armenhaus *n*; ~**law** Armenrecht *n*; ~**ly** ('puəli) *adj*. unpäßlich; ~**ness** ('puənis) Armut *f*.

pop (pɔp) 1. Knall *m*; F Brause *f* (*Limonade*); 2. *v/t*. knallen l.;

schnell *wohin* tun, stecken; *v/i*. puffen, knallen; *mit adv*. huschen; ~ *in* hereinplatzen.

popcorn *Am*. ('pɔpkɔ:n) Puffmais *m*.

pope (poup) Papst *m*.

poplar ♀ ('pɔplə) Pappel *f*.

poppy ♀ ('pɔpi) Mohn *m*.

popu|lace ('pɔpjuləs) Pöbel *m*; ~**lar** □ (~lə) Volks...; volkstümlich, populä'r; ~**ity** (~'læriti) Popularitä't *f*.

populat|e ('pɔpjuleit) bevölkern; ~**ion** (pɔpju'leiʃən) Bevölkerung *f*.

populous □ ('pɔpjuləs) volkreich.

porcelain ('pɔ:slin) Porzella'n *n*.

porch (pɔ:tʃ) Vorhalle *f*; *Am*. Veranda *f*.

pore (pɔ:) 1. Pore *f*; 2. *fig*. brüten.

pork (pɔ:k) Schweinefleisch *n*.

porous □ ('pɔ:rəs) porö's.

porridge ('pɔridʒ) Haferbrei *m*.

port (pɔ:t) 1. Hafen *m*; ⚓ Pfortluke *f*; Backbord *n*; Portwein *m*; 2. ⚓ links halten.

portable ('pɔ:təbl) transporta'bel.

portal ('pɔ:tl) Porta'l, Tor *n*.

portend (pɔ:'tend) vorbedeuten.

portent ('pɔ:tent) (*bsd*. üble) Vorbedeutung; Wunder *n*; ~**ous** □ (pɔ:'tentəs) unheilvoll; wunderbar.

porter ('pɔ:tə) Pförtner; (Gepäck-) Träger *m*; Porterbier *n*.

portion ('pɔ:ʃən) 1. (An-)Teil *m*; *fig*. Los *n*; 2. teilen; ausstatten.

portly ('pɔ:tli) stattlich. [koffer *m*.]

portmanteau (pɔ:t'mæntou) Hand-]

portrait ('pɔ:trit) Porträ't, Bildnis *n*.

portray (pɔ:'trei) (ab)malen, porträtieren; schildern; ~**al** (~əl) Porträtieren *n*; Schilderung *f*.

pose (pouz) 1. Pose *f*; 2. (sich) in Positu'r stellen; *Frage* aufwerfen; ~ *as* (sich) hinstellen als.

position (pə'ziʃən) Lage, Stellung *f* (*a. fig.*); Stand; *fig*. Standpunkt *m*.

positive ('pɔzətiv) 1. □ bestimmt, ausdrücklich; feststehend; sicher; unbedingt; positi'v; überzeu'gt; rechthaberisch; 2. Positi'v (*gr*.: *m*; *phot*.: *n*).

possess (pə'zes) besitzen; beherrschen; *fig*. erfüllen; ~**ed** besessen; ~ *o.s. of et*. in Besitz nehmen; ~**ion** (~ʃən) Besitz *m*; *fig*. Besessenheit *f*; ~**or** (~sə) Besitzer *m*.

possib|ility (pɔsə'biliti) Möglichkeit *f*; ~**le** □ ('pɔsəbl) möglich; ~**ly** (~i) möglicherweise, vielleicht; *if I* ~ *can* wenn ich irgend kann.

post (poust) 1. Pfosten; Posten *m*; Stelle *f*, Amt *n*; Post *f*; *Am.* ~ *exchange* Marketenderei *f*; 2. *v/t.* Zettel *usw.* anschlagen; postieren; eintragen; zur Post geben; per P. senden; *well* ~*ed* gut unterri'chtet; *v/i.* (dahin)eilen. [Briefmarke*f.*]

postage (ˌtidʒ) Porto *n*; ~*-stamp*/

postal □ ('poustəl) posta'lisch; *Post...*; ~ *order* Postanweisung *f.*

post-card Postkarte *f.* [*m.*]

poster ('poustə) Plaka't *n*, Anschlag/

posterior (pɔs'tiəriə) 1. □ später (*to* als); hinter; 2. Hintere(r) *m.*

posterity (pɔs'teriti) Nachwelt; Nachkommenschaft *f.*

post-free portofrei.

post-haste ('poust'heist) eilig(st).

posthumous □ ('pɔstjuməs) nachgeboren; hinterla'ssen.

post|man Briefträger *m*; ~**mark** 1. Poststempel *m*; 2. abstempeln; ~**master** Post-meister, -direktor *m.*

post-mortem ('poust'mɔːtem) 1. nach dem Tode; 2. Leichenschau *f.*

post(-)**office** Postamt *n*; ~ *box* Post(schließ)fach *n*; ~**-paid** frankiert.

postpone (poust'poun) ver-, aufschieben; ~**ment** (ˌmənt) Aufschub *m*.   [schrift *f* (*mst* P.S.).]

postscript ('pous[s]kript) Nach-/

postulate 1. ('pɔstjulit) Forderung *f*; 2. (ˌleit) fordern; **als** wahr voraussetzen.

posture ('pɔstʃə) 1. Stellung, Haltung *f des Körpers*; 2. (sich) zurechtstellen; posieren.

post-war ('poust'wɔː) Nachkriegs-.

posy ('pouzi) Blumenstrauß *m.*

pot (pɔt) 1. Topf *m*, Kanne *f*; 2. in e-n Topf tun- einlegen.

potation (pou'teiʃən) Zecherei *f* (*bsd. pl.* ~s); Trunk *m.*

potato (pə'teitou) Kartoffel *f.*

pot-belly Schmerbauch *m.*

poten|cy ('poutənsi) Macht; Stärke *f*; ~**t** □ (ˌtənt) mächtig; stark; ~**tial** (pə'tenʃəl) 1. potentie'll; möglich; 2. Leistungsfähigkeit *f.*

pother ('pɔðə) Aufregung *f.*

pot|-herb Küchenkraut *n*; ~**house** Bierhaus *n.*

potion ('pouʃən) (Arznei-)Trank *m.*

potter ('pɔtə) Töpfer *m*; ~**y** (ˌri) Töpferei; Töpferware *n pl.) f.*

pouch (pautʃ) 1. Tasche *f*; Beutel *m*; 2. einstecken; (sich) beuteln.

poultry ('poultri) Federvieh *n.*

pounce (pauns) 1. Stoß, Sprung *m*; 2. sich stürzen ([up]on auf [*acc.*]).

pound (paund) 1. Pfund *n*; ~ (*sterling*) Pfund Sterling (*abbr.* £ = 20 *s.*); Pfandstall *m*; 2. (zer)stoßen; stampfen; schlagen.

pour (pɔː) *v/t.* gießen, schütten; ~ *v/i.* sich ergießen, strömen.

pout (paut) 1. Schmollen *n*; 2. *v/t.* Lippen aufwerfen; *v/i.* schmollen.

poverty ('pɔvəti) Armut *f.*

powder ('paudə) 1. Pulver *n*; Puder *m*; 2. pulverisieren; (sich) pudern; bestreuen; ~**box** Puderdose *f.*

power ('pauə) Kraft; Macht, Gewalt; ⚡ Vollmacht; ⚖ Pote'nz *f*; ~**-current** Starkstrom *m*; ~**ful** (ˌful) mächtig, kräftig; wirksam; ~**less** (ˌlis) macht-, kraft-los; ~**-plant** Kraftanlage *f*; ~**-station** Kraftwerk *n.*

pow-wow ('pau'wau) Medizi'nmann *m*; *Am.* lärmende Versammlung.

practica|ble □ ('præktikəbl) ausführbar; gangbar (*Weg*); brauchbar; ~**l** □ (ˌkəl) praktisch; tatsächlich; eigentlich; sachlich; ~ *joke* Schabernack *m.*

practice ('præktis) Praxis; Übung; Gewohnheit *f*; Brauch *m*; Praktik *f*; Schliche *pl.*; *put into* ~ in die Praxis umsetzen.

practise (ˌ) *v/t.* in die Praxis umsetzen; ausüben; betreiben; üben; *v/i.* (sich) üben; praktizieren; ([up]on einwirken auf (*acc.*); sich zunutze m.; ~**d** (ˌt) geübt (*P.*).

practitioner (præk'tiʃnə) praktischer Arzt *od.* Anwalt.

praise (preiz) 1. Preis *m*, Lob *n*; 2. loben, preisen.   [benswert.]

praiseworthy ('preizwɔːði) lo-/

prance (prɑːns) sich bäumen; paradieren; einherstolzieren.

prank (præŋk) Possen, Streich *m.*

prate (preit) 1. Geschwätz *n*; 2. schwatzen, plappern.   [bitte.]

pray (prei) beten; (er)bitten; ~/

prayer (preə) Gebet *n*; Bitte; (*oft* ~*s pl.*) Andacht *f*; *Lord's* ~ Vaterunser *n*; ~**-book** Gebetbuch *n*; ~**ful** □ (ˌful) andächtig.   [früher.]

pre... (priː, pri) vor(her)...; Vor...;/

preach (priːtʃ) predigen; ~**er** (ˈpriːtʃə) Prediger *m.*

preamble (priːˈæmbl) Einleitung *f.*

precarious (priˈkɛəriəs) unsicher.

precaution (pri'kɔ:ʃən) Vorsicht(s-maßregel) f.

precede (pri'si:d) voraus-, vorangehen (dat.); ~nce, ~ncy (~əns[i]) Vortritt, Vorrang m; ~nt ('presidənt) Präzedenzfall m.

precept ('pri:sept) Vorschrift, Regel; ~or (pri'septə) Lehrer m.

precinct ('pri:siŋkt) Bezirk; (a. ~s pl.) Bereich m; Grenze f.

precious ('preʃəs) 1. ☐ kostbar; edel; 2. F adv. recht, äußerst.

precipi|ce ('presipis) Abgrund m; ~tate 1. (pri'sipiteit) (hinab)stürzen; ⚗ überstürzen; 2. (~tit) a) ☐ kopfüber(stürzend) überei.lt, hastig; b) ⚗ Niederschlag m; ~tation (prisipi'teiʃən) Sturz m; Übereilung, Hast f; ⚗ Niederschlag(en n) m; ~tous ☐ (pri'sipitəs) steil, jäh.

precis|e ☐ (pri'sais) genau; ~ion (~'siʒən) Genauigkeit f; Präzision f.

preclude (pri'klu:d) ausschließen; vorbeugen (dat.); j. hindern.

precocious ☐ (pri'kouʃəs) frühreif; altklug.

preconceive (pri:kən'si:v) vorher ausdenken; ~d vorgefaßt (Meinung).

preconception ('pri:kən'sepʃən) vorgefaßte Meinung.

precursor (pri:'kə:sə) Vorläufer m.

predatory ('predətəri) räuberisch.

predecessor ('pri:disesə) Vorgänger m.

predestin|ate (pri'destineit) vorherbestimmen; ~ed (~tind) auserkoren. [liche) Lage.|

predicament (pri'dikəmənt) (miß-)

predicate ('predikeit) aussagen.

predict (pri'dikt) vorhersagen; ~ion (~kʃən) Prophezeiung f. [liebe.)

predilection (pri:di'lekʃən) Vor-)

predispos|e (pri:dis'pouz) vorher geneigt (od. empfänglich) machen.

predomina|nce (pri'dominəns) Vorherrschaft f; Übergewicht n; Vormacht(stellung) f; ~nt ☐ (~nənt) vorherrschend; ~te (~neit) die Oberhand haben; vorherrschen.

pre-eminent ☐ (pri:'eminənt) hervorragend.

pre-emption (pri:'emʃən) Vorkauf(srecht n, a. right of ~) m.

pre-exist (pri:ig'zist) vorher dasein.

prefabricate (pri:'fæbrikeit) Fertigteile für ein Haus usw. herstellen.

preface ('prefis) 1. Vorrede f; 2. einleiten.

prefect ('pri:fekt) Präfekt m.

prefer (pri'fə:) vorziehen; Gesuch usw. vorbringen; Klage einreichen; befördern; ~able ☐ ('prefərəbl) (to) vorzuziehen(d) (dat.); vorzüglicher (als); ~ably (~rəbli) vorzugsweise; besser; ~ence ('prefərəns) Vorliebe f; Vorzug m; ~ential ☐ (prefə'renʃəl) bevorzugt; Vorzugs...

prefix ('pri:fiks) Vorsilbe f.

pregnan|cy ('pregnənsi) Schwangerschaft f; Bedeutungsreichtum m; ~t ☐ (~nənt) schwanger; fig. fruchtbar, inhaltvoll.

prejud|ge ☐ (pri:'dʒʌdʒ) vorher (ver)urteilen; ~ice ('predʒudis) 1. Voreingenommenheit f; Vorurteil n; Schaden m; 2. voreinnehmen; benachteiligen; e-r S. Abbruch tun; ~icial (predʒu'diʃəl) nachteilig.

prelate ('prelit) Prälat m.

preliminar|y (pri'liminəri) 1. ☐ vorläufig, einleitend; Vor...; 2. Einleitung f.

prelude ♪ ('prelju:d) Vorspiel n.

prematur|e (premə'tjuə) fig. frühreif; vorzeitig; vorschnell.

premeditation (primedi'teiʃən) Vorbedacht m. [mie'rminister m.|

premier ('premjə) 1. erst; 2. Pre-)

premises ('premisiz) s/pl. Haus n nebst Zubehör; Grundstück n.

premium ('pri:mjəm) Prämie f; ⚰ Agio n; Versicherungsprämie f; at a ~ über pari; sehr gesucht.

premonit|ion (pri:mo'niʃən) Warnung f.

preoccup|ied (pri:'okjupaid) in Gedanken verloren; ~y (~pai) vorher in Besitz nehmen; ausschließlich beschäftigen.

preparat|ion (prepə'reiʃən) Vor-Zubereitung f; ~ory ☐ ('pri'pærətəri) vorbereitend; ~ (school) Vorschule f.

prepare (pri'pɛə) v/t. vorbereiten; (zu)bereiten; (aus)rüsten; v/i. sich vorbereiten; sich anschicken; ~d ☐ (~d) bereit.

prepondera|nce (pri'pondərəns) Übergewicht n; ☐ ~nt (~rənt) überwie'gend; ~te (~reit) überwie'gen.

prepossess (pri:pə'zes) voreinnehmen; ~ing (~iŋ) einnehmend.

preposterous (pri'postərəs) widersinnig, albern; grotesk.

prerequisite ('pri:'rekwizit) Vorbedingung, Voraussetzung f.

prerogative (pri'rogətiv) Vorrecht n.

presage ('presidʒ) **1.** Vorbedeutung; Ahnung f; **2.** (a. pri'seidʒ) vorbedeuten; ahnen; prophezeien.

prescribe (pris'kraib) vorschreiben; ⁂ verschreiben.

prescription (pris'kripʃən) Vorschrift, Verordnung f; ⁂ Reze'pt n.

presence ('prezns) Gegenwart; Anwesenheit; Erscheinung f; ~ of mind Geistesgegenwart f.

present¹ ('preznt) **1.** □ gegenwärtig; anwesend, vorhanden; jetzig; **2.** Gegenwart f; Geschenk n; at ~ jetzt; for the ~ einstweilen.

present² (pri'zent) präsentieren: (dar)bieten; (vor)zeigen; j. vorstellen; vorschlagen; (über)rei'chen; (be)schenken.

presentation (prezen'teiʃən) Dar-, Vor-stellung; Ein-, Über-reichung; Schenkung; Vorzeigung f.

presentiment (pri'zentimənt) Vorgefühl n, Ahnung f.

presently ('prezntli) sogleich, bald.

preservati|on (prezə'veiʃən) Bewahrung, Erhaltung f; ~ve (pri'sɔːvətiv) **1.** bewahrend; **2.** Schutz-, Konservierungsmittel n.

preserve (pri'zɔːv) **1.** bewahren, behüten; erhalten; einmachen; Wild hegen; **2.** hunt. Gehege n (a. fig.); Eingemachte(s) n. [(over bei).]

preside (pri'zaid) den Vorsitz führen⌋

presiden|cy ('prezidənsi) Vorsitz m; Präside'ntschaft f; ~t (~dənt) Präside'nt, Vorsitzende(r) m.

press (pres) **1.** Presse f; (An-)Drang m; Gedränge n; Druck; Schrank m; **2.** v/t. (aus)pressen; drücken (auf acc.); (be)drängen; dringen auf (acc.); aufdrängen (on dat.); Am. plätten; be ~ed for time es eilig h.; v/i. drücken; (sich) drängen; ~ for sich eifrig bemühen um; ~ on weitereilen; ~ (up)on ein-dringen auf (acc.); ~ing □ ('presiŋ) dringend; ~ure ('preʃə) Druck (a. fig.); Drang(sal f) m.

presum|able □ (pri'zjuːməbl) vermutlich; ~e (pri'zjuːm) v/t. annehmen, vermuten; voraussetzen; v/i. vermuten; sich erdreisten; anmaßend sn; ~ (up)on sich et. einbilden auf (acc.).

presumpt|ion (pri'zʌmpʃən) Mutmaßung; Wahrscheinlichkeit; Anmaßung f; ~ive □ (~tiv) mutmaß-

lich; ~uous □ (~tjuəs) überhe'blich; vermessen.

presuppos|e (priːsə'pouz) voraussetzen; ~ition ('priːsʌpə''ziʃən) Voraussetzung f.

pretence (pri'tens) Vortäuschung f; Vorwand; Schein m.

pretend (pri'tend) vorgeben; vortäuschen; heucheln; Anspruch m.

pretension (pri'tenʃən) Anspruch m (to auf acc.); Anmaßung f.

pretentious □ (~ʃəs) anmaßend.

pretext ('priːtekst) Vorwand m.

pretty (priti) **1.** □ hübsch, niedlich; nett; **2.** adv. ziemlich.

prevail (pri'veil) die Oberhand h. od. gewinnen; (vor)herrschen; ~ (up)on a p. to do j. dazu bewegen, et. zu tun; ~ing □ (~iŋ) (vor)herr-schend. [schend, weit verbreitet.]

prevalent □ ('prevələnt) vorher-⌋

prevaricat|e (pri'værikeit) Ausflüchte machen.

prevent (pri'vent) verhüten, e-r S. vorbeugen; j. hindern; ~ion (pri'venʃən) Verhütung f; ~ive (~tiv) **1.** □ vorbeugend; **2.** Schutzmittel n. [tigung f.]

pre|view ('priːvjuː) Vorbesich-⌋

previous □ ('priːvjəs) vorhergehend; vorläufig; Vor...; ~ to vor; ~ly vorher.

pre-war ('priːwɔː) Vorkriegs...

prey (prei) **1.** Raub m, Beute f; beast (bird) of ~ Raub-tier n (-vogel m); **2.** ~ (up)on rauben, plündern; fressen; fig. nagen an (dat.).

price (prais) **1.** Preis m; **2.** auspreisen; den P. festsetzen (für); ~less ('praislis) unbezahlbar.

prick (prik) Stich; Stachel m (a. fig.); **2.** v/t. (durch)ste'chen; fig. peinigen; Muster usw. punktieren; ~ up one's ears die Ohren spitzen; v/i. stechen; ~le ('prikl) Stachel, Dorn m; ~ly ('prikli) stachelig.

pride (praid) **1.** Stolz m; take ~ in stolz sn auf (acc.); **2.** ~ o.s. sich brüsten (up)on mit.

priest (priːst) Priester m.

prim □ (prim) steif; zimperlich.

prima|cy ('praiməsi) Vorrang m; ~ry □ (~ri) ursprünglich; haupt-sächlich; Ur..., Anfangs..., Haupt...; Elementa'r...

prime (praim) **1.** □ erste(r, s) Haupt...; vorzüglich(st); ♰ ~ cost Selbstkosten pl.; ♀ Minister Ministerpräside'nt *m*; **2.** *fig.* Blüte(zeit) *f*; Beste(s) *n*; **3.** *v/t. j.* instruieren, vorbereiten. [ta'rbuch *n.*\

primer ('praimə) Fibel *f*, Elemen-\

primeval (prai'mi:vəl) uranfänglich; Ur...

primitive □ ('primitiv) erst, ursprünglich; Stamm...; primiti'v.

primrose ♀ ('primrouz) Primel *f*.

prince (prins) Fürst; Prinz *m*; **~ss** (prin'ses) Fürstin; Prinze'ssin*f*.

principal ('prinsəpəl) **1.** □ erst, hauptsächlich(st); Haupt...; **2.** Vorsteher; Rektor; Chef; Hauptschuldige(r) *m*; Kapita'l *n*.

principle ('prinsəpl) Prinzi'p *n*; Grund(satz); Ursprung *m*; on ~ grundsätzlich.

print (print) **1.** Abdruck; Eindruck *m*, Spur *f*; *typ.* Druck; *phot.* Abzug; *Stahl- usw.* Stich; Stempel *m*; Druckschrift *f*; ✝ bedruckter Kattu'n; *out of* ~ vergriffen; **2.** (ab-, auf-, be-)drucken; *phot.* kopieren; *fig.* einprägen (*on dat.*); **~er** ('printə) Drucker *m*.

printing ('printiŋ) Druck *m*; Drucken; *phot.* Kopieren *n*; *attr.* Druck(er)...; *phot.* Kopier...; **~ink** Druckerschwärze *f*; **~office**(Buch-) Druckerei *f*.

prior ('praiə) **1.** früher, älter (*to* als); **2.** *adv.* ~ *to* vor (*dat.*); **3.** *eccl.* Prior *m*; **~ity** (prai'oriti) Priorität *f*; Vorrang *m*; Vorfahrtsrecht *n*.

prism ('prizm) Prisma *n*.

prison ('prizn) Gefängnis *n*; **~er** (~ə) Gefangene(r).

privacy ('praivəsi) Zurückgezogenheit; Geheimhaltung *f*.

private ('praivit) **1.** □ priva't; Priva't...; persönlich, vertraulich; geheim; **2.** ✕ Gemeine(r) *m*; *in* ~ priva'tim; im geheimen.

privation (prai'veiʃən) Mangel *m*, Entbehrung *f*.

privilege ('privilidʒ) **1.** Vorrecht *n*; **2.** bevorrechten.

privy ('privi) ~ *to* eingeweiht in (*acc.*); ♀ *Council* Staatsrat*m*; ♀ *Councillor* Geheimer Rat; ♀ *Seal* Geheimsiegel *n*.

prize (praiz) **1.** Preis *m*; ✕ Beute, Prämie *f*; (Lotterie'-)Gewinn *m*; **2.** preisgekrönt, Preis...; **3.** (hoch-)schätzen; aufbrechen (*öffnen*); **~-fighter** Berufsboxer *m*.

probability (probə'biliti) Wahr-

scheinlichkeit *f*; **~le** □ ('probəbl) wahrscheinlich.

probation (prə'beiʃən) Probe, Probezeit, Bewährungsfrist *f*.

probe ✘ (proub) **1.** Sonde *f* (*a. fig.*); **2.** sondieren (*a. fig.*).

probity ('proubiti) Redlichkeit *f*.

problem ('probləm) Proble'm *n*; **~atic(al** □) (probli'mætik, ~tikəl) problematisch, zweifelhaft.

procedure (prə'si:dʒə) Verfahren *n*; Handlungsweise *f*.

proceed (prə'si:d) weitergehen; fortfahren, vor sich gehen; vorgehen; ~ *from* von (*od.* aus) *et.* kommen; ausgehen von; ~ *to* zu *et.* ü'bergehen; **~ing** (~iŋ) Vorgehen *n*; Handlung *f*; **~s** *pl.* ♊ Verfahren; Verhandlungen *f/pl.*, (Tätigkeits-)Bericht *m*; **~s** ('prousi:dz) *pl.*Ertrag, Gewinn *m*.

process **1.** ('prouses) Fort-schreiten *n*, -schritt; Vorgang; Verlauf *der Zeit*; Proze'ß *m*, Verfahren *n*; *in* ~ im Gange; *in* ~ *of construction* im Bau begriffen, im Werden; **2.** (prə'ses) gerichtlich belangen; ⊕ bearbeiten; **~ion** (~ʃən) Umzug *m*.

proclaim (prə'kleim) proklamieren; ausrufen (*a. j.* zum *König usw.*); *Krieg usw.* erklären.

proclamation (proklə'meiʃən) Proklamatio'n; Bekanntmachung *f*.

proclivity (prə'kliviti) Neigung *f*.

procurat|ion (prokjuə'reiʃən) Vollmacht; ✝ Prokura *f*; **~or** ('prokjuəreitə) Bevollmächtigte(r) *m*.

procure (prə'kjuə) *v/t.* be-, verschaffen; *v/i.* kuppeln.

prod (prod) **1.** Stich; Stoß *m*; **2.** stechen; stoßen; *fig.* anstacheln.

prodigal ('prodigəl) **1.** verschwenderisch; **2.** Verschwender(in).

prodig|ious □ (prə'didʒəs) erstaunlich, ungeheuer; **~y** ('prodidʒi) Wunder (*a. fig.*); Ungeheuer *n*.

produc|e 1. (prə'dju:s) vor-bringen, -führen, -legen; beibringen; hervorbringen; produzieren, erzeugen; *Zinsen usw.* (ein)bringen; heraus-bringen; **2.** ('prodju:s) (Nat'ur-)Erzeugnis(se *pl.*) *n*; Ertrag *m*; **~er** (prə'dju:sə) Erzeuger, Hersteller; Regisseu'r *m*.

product ('prodəkt) Produ'kt, *n*; Erzeugnis *n*; **~ion** (prə'dakʃən) Vorlegung, Beibringung; Produktio'n; Erzeugung *f*; Vorführung *f*; Er-

zeugnis n; ~ive □ (prə'dʌktiv)
schöpferisch; produkti'v, erzeu-
gend; ertragreich; fruchtbar; ~ive-
ness (~nis), ~ivity (prodʌk'tiviti)
Produktivitä t f.

profan|e (prə'fein) 1. □ weltlich;
uneingeweiht; gottlos; 2. entweihen; ~ity (prə'fæniti) Gottlosigkeit;
Flucherei f.

profess (prə'fes) (sich) bekennen
(zu); erklären; Reue usw. bekunden;
Beruf ausüben; lehren; ~ion
(prə'feʃn) Bekenntnis n; Erklärung f; Beruf m; ~ional (~l) 1. □
Berufs...; Amts...; berufsmäßig;
freiberuflich; 2. Fachmann; Sport:
Berufsspieler m usw.; ~or (~sə) Bekenner; Professor m. [erbieten n.]

proffer ('prɔfə) 1. anbieten; 2. An-|
proficien|cy (prə'fiʃnsi) Tüch-
tigkeit f; ~t (~ʃənt) 1. □ tüchtig;
bewandert; 2. Meister m.

profile ('proufi:l) Profi'l n.

profit (profit) 1. Vorteil, Nutzen,
Gewinn m; 2. v/t. j-m Nutzen
bringen; v/i. ~ by Nutzen ziehen
aus; ausnutzen; ~able □ (prə'-
fitəbl) nützlich vorteilhaft, einträglich; ~eer (prɔfi'tiə) 1. Wucher
treiben; 2. Profitmacher m; ~-shar-
ing Gewinnbeteiligung f.

profligate ('prɔfligit) 1. □ liederlich; 2. Liderjahn m.

profound □ (prə'faund) tief; tief-
gründig, gründlich; fig. dunkel.

profundity (prə'fʌnditi) Tiefe m

profus|e □ (prə'fju:s) verschwende-
risch; über-mäßig, -reich; ~ion
(prə'fju:ʒən) Überfluß m.

progen|itor (prou'dʒenitə) Ahn m;
~y ('prɔdʒini) Nachkommenschaft f. [Program'mm n.]

program, mst ~me ('prougræm)|
progress 1. ('prougres) Fortschritt(e
pl.) m; in ~ im Gang; 2. (prə'gres)
fortschreiten; ~ion (prə'greʃən)
Fortschreiten n; Reihe f; ~ive
(~siv) 1. □ fortschreitend; fortschrittlich; 2. pol. Fortschrittler m.

prohibit (prə'hibit) verhindern, verhindern; ~ion (proui'biʃən) Verbot
n; ~ive □ (prə'hibitiv) verbie-
tend; Sperr...

project 1. ('prɔdʒekt) Proje'kt; Vorhaben n, Plan m; 2. (prə'dʒekt) v/t.
werfen; planen, vorhaben, proji-
zieren; v/i. vorspringen; ~ile (prə-
'dʒektail) Projekti'l, Geschoß n;

~ion (prə'dʒekʃən) Entwurf; Vorsprung m; Projektio'n f; ~or (~tə)
✝ Gründer; opt. Bildwerfer m.

proletarian (proule'tɛəriən) 1. pro-
leta'risch; 2. Proletarier(in).

prolific (prə'lifik) (~ally) fruchtbar.

prolix □ (prouliks) weitschweifig.

prologue ('proulog) Prolo'g m.

prolong (prə'lɔŋ) verlängern.

promenade (prɔmi'na:d) 1. Promenade f; 2. promenieren.

prominent □ ('prɔminənt) hervorragend (a. fig.); fig. promine'nt.

promiscuous □ (prə'miskjuəs) ge-
mischt; gemeinsam; unterschiedslos.

promis|e ('prɔmis) 1. Versprechen
n; fig. Aussicht f; 2. versprechen;
~ing (~iŋ) vielversprechend;
~sory (~əri) versprechend; ✝ ~ note
Eigenwechsel m. [birge n.]

promontory (prɔməntri) Vorge-|
promot|e (prə'mout) et. fördern
j. befördern; ✝ gründen; ~ion
(prə'mouʃən) Förderung f usw.

prompt (prɔmpt) 1. □ schnell;
bereit(willig); sofortig; pünktlich;
2. j. veranlassen; Gedanken eingeben; j-m vorsagen, soufflieren; ~er
('prɔmptə) Souffleur m; ~ness
(prɔmptnis) Schnelligkeit; Bereitschaft f. [den, verbreiten.]

promulgate ('prɔmʌlgeit) verkün-|

prone (proun) mit dem Gesicht
nach unten (liegend); hingestreckt;
~ to geneigt (od. neigend) zu.

prong (prɔŋ) Zinke; Spitze f.

pronounce (prə'nauns) aussprechen; erklären (für). [sprache f.]

pronunciation (~nʌnsi'eiʃən) Aus-|

proof (pru:f) 1. Probe f, Versuch;
Beweis; typ. Korrektu'rbogen; typ.,
phot. Probeabzug m; 2. fest; ...dicht,
...sicher; ~reader Korrektor m.

prop (prɔp) Stütze f; stü'tzen.

propaga|te ('prɔpəgeit) sich fort-
pflanzen; verbreiten; ~tion (prɔpə-
'geiʃən) Verbreitung f.

propel (prə'pel) (vorwärts)treiben;
~ler (~ə) Propeller m, (Schiffs-,
Luft-)Schraube f.

propensity (prə'pensiti) Neigung f.

proper □ ('prɔpə) eigen(tümlich);
eigentlich; passend, richtig; anständig; ~ty (~ti) Eigentum n,
Besitz m; Vermögen n, Besitzung f,
Eigenheit f.

prophe|cy ('prɔfisi) Prophezeiung
f; ~sy (~sai) prophezeien.

prophet ('prɔfit) Prophe't m.

propi|tiate (prə'piʃieit) günstig stimmen, versöhnen; **~tious** ᴑ (prə'piʃəs) gnädig; günstig.

proportion (prə'pɔ:ʃən) 1. Verhältnis; Gleichmaß n; (An-)Teil m; pl. **~s** Maße n/pl.; 2. in ein Verhältnis bringen; **~al** ᴑ (~l) verhältnismäßig.

propos|al (prə'pouzl) Vorschlag, (a. Heirats-)Antrag m; **~e** (prə'pouz) v/t. vorschlagen; e-n Toast ausbringen auf (acc.); **~ to o.s.** sich vornehmen; v/i. beabsichtigen, anhalten (to um); **~ition** (prɔpə-'ziʃən) Vorschlag, Antrag m.

propound (prə'paund) Frage usw. vorlegen; vorschlagen.

propriet|ary (prə'praiətəri) gesetzlich geschützt (bsd. Arzneimittel); Besitz(er)...; **~or** (~ə) Eigentümer m; **~y** (~ti) Richtigkeit; Schicklichkeit f; the proprieties pl. die Anstandsformen f/pl. [trieb m.]

propulsion ⊕ (prə'pʌlʃən) An-]

pro-rate Am. (prou'reit) anteilmäßig verteilen. [isch (nüchtern, trocken).]

prosaic (prou'zeiik) (~ally) fig. prosa-]

proscribe (pros'kraib) ächten.

prose (prouz) 1. Prosa f; 2. prosa'isch.

prosecut|e ('prɔsikju:t) (a. gerichtlich) verfolgen; Gewerbe usw. betreiben; **~ion** (prɔsi'kju:ʃən) (gerichtliche) Verfolgung f; **~or** (~ə) ('prɔsikju:tə) Kläger; Anklagevertreter m; public **~** Staatsanwalt.

prospect 1. ('prɔspekt) Aussicht f (a. fig.); † Reflekta'nt m; 2. (prəs-'pekt) ⚒ schürfen; **~ive** ᴑ (prəs-'pektiv) vorausblickend; voraussichtlich; **~us** (~təs) Prospe'kt m.

prosper ('prɔspə) v/t. beglücken; v/i. gedeihen; Glück h.; **~ity** (prɔs'periti) Gedeihen n; Wohlstand m; Glück n; fig. Blüte f; **~ous** ᴑ ('prɔspərəs) glücklich, gedeihlich; fig. blühend; günstig.

prostitute ('prɔstitju:t) 1. Dirne f; 2. zur Dirne m., (der Schande) preisgeben, feilbieten (a. fig.).

prostrat|e 1. ('prɔstreit) hingestreckt; fußfällig; kraftlos; 2. (prɔs-'treit) niederwerfen; entkräften; **~ion** (~ʃən) Niederwerfung f; Fußfall m. [langweilig.]

prosy ᴑ ('prouzi) fig. prosa'isch;]

protect (prə'tekt) (be)schützen; **~ion** (prə'tekʃən) Schutz; Wirt-schaftsschutz m; **~ive** (~tiv) schützend; Schutz...; **~ duty** Schutzzoll m; **~or** (~tə) (Be-)Schützer m; **~orate** (~tərit) Protektora't n.

protest 1. ('proutest) Prote'st; Einspruch m; 2. (prə'test) beteuern; protestieren.

Protestant ('prɔtistənt) 1. protesta'ntisch; 2. Protesta'nt(in).

protestation (proutes'teiʃən) Beteuerung; Verwahrung f.

protocol ('proutəkɔl) Protoko'll n.

prototype (~taip) Urbild; Mode'll n. [(od. hin)ziehen.]

protract (prə'trækt) in die Länge]

protru|de (prə'tru:d) (sich) (her-) vorstrecken; (her)vor-stehen, -treten; **~sion** (~ʒən) Vorstrecken n.

protuberance (prə'tju:bərəns) Hervortreten n, Auswuchs, Höcker m.

proud ᴑ (praud) stolz (of auf acc.).

prove (pru:v) v/t. be-, nach-weisen; prüfen; erleben, erfahren; v/i. sich herausstellen (od. erweisen) (als); ausfallen.

provender ('prɔvində) Futter n.

proverb ('prɔvəb) Sprichwort n.

provide (prə'vaid) v/t. besorgen, beschaffen; versehen, versorgen; **~ ⚭** versehen, besetzen; v/i. (vor-) sorgen; **~d (that)** vorausgesetzt, daß.

providen|ce ('prɔvidəns) Vorsehung; Vorsorge f; **~t** ᴑ (~dənt) vorsorglich; haushälterisch; **~tial** ᴑ (prɔvi'denʃəl) durch die göttliche Vorsehung bewirkt; glücklich.

provider (prə'vaidə) Liefera'nt(in).

provin|ce ('prɔvins) Provi'nz f; fig. Gebiet n; Aufgabe f; **~cial** (prə'vinʃəl) 1. provinzie'll; kleinstädtisch; 2. Provi'nzbewohner(in).

provision (prə'viʒən) Beschaffung; Vorsorge; Versorgung; ⚖ Bestimmung; Vorkehrung f; Vorrat m; **~s** pl. Provia'nt m, Lebensmittel n/pl.; **~al** ᴑ (~l) proviso'risch.

proviso (prə'vaizou) Vorbehalt m.

provocation (prɔvə'keiʃən) Herausforderung f; **~ive** (prə'vɔkətiv) herausfordernd; (auf)reizend.

provoke (prə'vouk) auf-, an-reizen; herausfordern; hervorrufen.

provost ('prɔvəst) Vorsteher; ⚔ (prə'vou) Profo'ß m.

prow ⚓ (prau) Bug m, Vorschiff n.

prowess ('prauis) Tapferkeit f.

prowl (praul) 1. v/i. umherstreifen; v/t. durchstrei'fen; 2. Streife f.

proximity (prɔk'simiti) Nähe f.

proxy ('prɔksi) Stellvertreter m; Stellvertretung; Vollmacht f.

prude (pru:d) Spröde, Zimperliese f.

pruden|ce ('pru:dəns) Klugheit, Vorsicht f; ~t □ (~t) klug, vorsichtig.

prud|ery ('pru:dəri) Sprödigkeit f; ~ish □ (~diʃ) zimperlich, spröde.

prune (pru:n) **1.** Backpflaume f; **2.** ✗ beschneiden (a. fig.); wegschneiden.

prurient □ ('pruəriənt) geil.

pry (prai) **1.** neugierig gucken; ~ into s-e Nase stecken in (acc.); Am. ~ open aufbrechen; ~ up hochheben; **2.** Hebel(bewegung f) m.

psalm (sɑ:m) Psalm m. [namem.]

pseudonym ('[p]sju:dənim) Deck-\

psychiatrist (sai'kaiətrist) Psychia'-\ ter m (Irrenarzt). [chisch,seelisch.]

psychic, ~al □ ('saikik, ~kikəl) psy-\

psycholog|ical □ (saikə'lɔdʒikəl) psychologisch; ~ist (sai'kɔlədʒist) Psycholo'g(in); ~y (~dʒi) Psychologie' f (Seelenkunde).

pub F (pʌb) Kneipe f.

puberty (pju:bəti) Pubertä't f.

public ('pʌblik) **1.** □ öffentlich; staatlich, Staats...; allbekannt; ~ house Wirtshaus n; ~ law Staats-, Völker-recht n; ~ spirit Gemeinsinn m; **2.** Publikum n; Öffentlichkeit f; ~an ('pʌblikən) Gastwirt m; ~ation (pʌbli'keiʃən) Bekanntmachung; Veröffentlichung f; Verlagswerk n; monthly ~ Monatsschrift f; ~ity (pʌ'blisiti) Öffentlichkeit f; Propaganda f.

publish ('pʌbliʃ) bekanntmachen, veröffentlichen; Buch usw. herausgeben, verlegen; ~ing house Verlagsbuchhandlung f; ~er (~ə) Herausgeber, Verleger m; ~s pl. Verlag m. [falten, Naht einhalten.]

pucker ('pʌkə) **1.** Falte f; **2.** (sich)\

pudding ('pudiŋ) Pudding m; Wurst f; black ~ Blutwurst f.

puddle ('pʌdl) Pfütze f.

puerile □ ('pjuərail) kindisch.

puff (pʌf) **1.** Hauch; Paff m der Pfeife; Rauch-Wölkchen n; Puderquaste; (aufdringliche) Rekla'me f; **2.** v/t. (auf)blasen, pusten; paffen; anpreisen; ~ up Preise hochtreiben; ~ed eyes geschwollene Augen; v/i. puffen; pusten; ~ out sich (auf-) blähen; ~-paste Blätterteig m; ~y

('pʌfi) böig; kurzatmig; geschwollen; dick; bauschig.

pug (pʌg), ~-dog Mops m.

pugnacious (pʌg'neiʃəs) kämpferisch; kampflustig; streitsüchtig.

pug-nose ('pʌgnouz) Stupsnase f.

puke (pju:k) (sich) erbrechen.

pull (pul) **1.** Zug; Griff; Klingel-Zug m; **2.** ziehen; zerren; reißen; zupfen; pflücken; rudern; durchkommen (Kranker); ~ down niederab-reißen; ~ out ✈ ausfahren; ~ through Kranken durchbringen; ~ o.s. together sich zs.-reißen; ~ up emporziehen; Pferd usw. anhalten; ~ up an-, ein-halten.

pulley ⊕ ('puli) Rolle f; Flaschenzug m; Riemenscheibe f.

pulp (pʌlp) Brei m; Frucht-, Zahn-Mark; ⊕ Papierzeug n.

pulpit ('pulpit) Kanzel f.

pulpy □ ('pʌlpi) breiig; fleischig.

puls|ate (pʌl'seit) pulsieren; schlagen; ~e (pʌls) Puls(schlag) m.

pulverize ('pʌlvəraiz) v/t. pulverisieren; v/i. zu Staub werden.

pumice ('pʌmis) Bimsstein m.

pump (pʌmp) **1.** Pumpe f; Tanzschuh m; **2.** pumpen; F j. aushorchen.

pumpkin ♀ ('pʌmpkin) Kürbis m.

pun (pʌn) **1.** Wortspiel n; **2.** mit Worten spielen, witzeln.

Punch[1] (pʌntʃ) Kasperle m.

punch[2] (pʌntʃ) **1.** ⊕ Punze(n m) f), Locheisen n, Locher m; Lochzange f; Schlag; Knuff; Punsch m; **2.** punzen, durchbo'hren; lochen; knuffen, puffen.

punctilious (pʌŋk'tiliəs) peinlich (genau), spitzfindig; förmlich.

punctual □ ('pʌŋktjuəl) pünktlich; ~ity (pʌŋktju'æliti) Pünktlichkeit f.

punctuat|e ('pʌŋktjueit) (inter-) punktieren; fig. unterbre'chen; ~ion (pʌŋktju'eiʃən) Interpunktio'n f.

puncture ('pʌŋktʃə) **1.** Punktu'r f, Stich m; Reifenpanne f; **2.** (durch-) ste'chen; platzen (Luftreifen).

pungen|cy (pʌndʒənsi) Schärfe f; ~t (~t) stechend, beißend, scharf.

punish ('pʌniʃ) (be)strafen; ~able □ (~əbl) strafbar; ~ment (~mənt) Strafe, Bestrafung f.

puny □ ('pju:ni) winzig; schwächlich.

pupil ('pju:pl) anat. Pupi'lle f; Schüler m; Mündel n.

puppet ('pʌpit) Marione'tte, Puppe *f*; ~-**show** Puppenspiel *n*.

puppy ('pʌpi) Welpe (*junge*[r] *Hund*) *fig.* Laffe, Schnösel *m*.

purchase ('pəːtʃəs) **1.** (Ein-, An-) Kauf *m*; Anschaffung; ⊕ Hebevorrichtung; *f*; *fig.* Angriffspunkt *m*; **2.** kaufen; *fig.* erkaufen; anschaffen; ~**r** (~ə) Käufer(in).

pure □ (pjuə) *allg.* rein; *engS.*: lauter; echt; gediegen; ~-**bred** *Am.* ('pjuəbred) reinrassig.

purgat|ive ('pəːgətiv) abführend(es Mittel); ~**ory** (~t[ə]ri) Fegefeuer *n*.

purge (pəːdʒ) **1.** *s* Abführmittel *n*; *pol.* Säuberung *f*; **2.** reinigen; *pol.* säubern; *s* abführen (lassen).

purify ('pjuərifai) reinigen; läutern.

purity ('pjuəriti) Reinheit *f* (*a. fig.*).

purl (pəːl) murmeln.

purlieus ('pəːljuːz) *pl.* Umgebung *f*.

purloin (pəː'lɔin) entwenden.

purple ('pəːpl) **1.** purpurn; **2.** Purpur *m*; **3.** (sich) purpurn färben.

purport ('pəːpət) **1.** Sinn; Inhalt *m*; **2.** ~ to be angeblich sein.

purpose ('pəːpəs) **1.** Vorsatz *m*; Absicht *f*, Zweck *m*; on ~ absichtlich; to the ~ zweckdienlich; to no ~ vergebens; **2.** vorhaben, bezwecken; ~**ful** (~ful) zweckmäßig; absichtlich; ~**less** □ (~lis) zwecklos; ~**ly** (~li) vorsätzlich.

purr (pəː) schnurren (*Katze*).

purse (pəːs) **1.** Börse *f*; Geldbeutel; Geldpreis *m*; *public* ~ Staatssäckel *m*; **2.** *Mund* spitzen; *Augen* zs.-kneifen.

pursuan|ce (pə'sjuː|əns): in ~ of zufolge (*dat.*); ~**t** (~ənt): ~ to zufolge.

pursu|e (pə'sjuː) verfolgen (*a. fig.*); *e-m Beruf usw.* nachgehen; fortsetzen; ~**er** (~ə) Verfolger(in); ~**it** (pə'sjuːt) Verfolgung; *mst* ~**s** *pl.* Beschäftigung *f*.

purvey (pəː'vei) Lebensmittel liefern; ~**or** (~ə) Liefera'nt *m*.

pus Ⓤ (pʌs) Eiter *m*.

push (puʃ) **1.** Stoß; Schub; Vorstoß *m*; Energie' *f*; Unterne'hmungsgeist *m*; **2.** stoßen; schieben; drängen; (an)treiben; *Studien usw.* betreiben; *Anspruch usw.* durchdrücken; ~ *one's way* sich durchdrängen; ~-**button** ⚡ Druckknopf *m*.   [kleinmütig.]

pusillanimous □ (pjuːsi'læniməs)

puss(y) ('pus[i]) Mieze, Katze *f*.

put (put) [*irr.*] **1.** setzen, legen, stellen, stecken; *Frage* stellen, vorlegen; ausdrücken, sagen; ~ *across* Erfolg h. mit; ~ *back* zurückstellen; ~ *by Geld* zurücklegen; ~ *down* nieder-legen, -setzen, -werfen; notieren; zuschreiben (*to dat.*); unterdrü'cken; ~ *forth* herausstellen *usw.*; ausstrecken; *Knospen usw.* treiben; aufbieten; ~ *in* (hin)einsetzen; (hin)einstecken; ~ *off Kleid* ablegen, ausziehen, *Hut* abnehmen; *j.* abspeisen; *et.* verschie'ben; anstellen; ~ *on Kleid* anlegen, anziehen, *Hut* aufsetzen; *fig.* annehmen; (er)heucheln; *Fett* ansetzen; ~ *on airs* sich aufspielen; ~ *out* hinauslegen *usw.*; *Hand* ausstrecken; *Knospen usw.* treiben; *Geld* ausleihen; auslöschen; verstimmen; ~ *through teleph.* verbinden (to mit); ~ *to* hinzufügen; *Pferd* anspannen; ~ *to death* hinrichten; ~ *to the rack* auf die Folter spannen; ~ *up* aufstellen *usw.*; errichten; *Schirm* aufspannen; *Zettel* anschlagen; anbieten; ein-, ver-packen; **2.** *v/i.*: ⚓ ~ *off*, ~ *to sea* auslaufen; ⚓ ~ *in* einlaufen; ~ *up at* einkehren, absteigen in (*dat.*); ~ *up with* sich gefallen lassen; sich abfinden mit.

putrefy ('pjuːtrifai) (ver)faulen.

putrid □ ('pjuːtrid) faul; *sl.* saumäßig; ~**ity** (pjuː'triditi) Fäulnis *f*.

putty ('pʌti) **1.** Kitt *m*; **2.** kitten.

puzzle ('pʌzl) **1.** schwierige Aufgabe, Rätsel *n*; Verwirrung *f*; Geduldspiel *n*; **2.** *v/t.* irremachen; *j-m* Kopfzerbrechen machen; ~ *out* austüfteln; *v/i.* sich den Kopf zerbrechen; ~-**headed** ('pʌzl'hedid) konfu's.

pygm|ean (pig'miːən) zwerghaft; ~**y** ('pigmi) Zwerg *m*; zwerghaft.

pyjamas (pə'dʒɑːməz) *pl.* Schlafanzug *m*.

pyramid ('pirəmid) Pyrami'de *f*; ~**al** □ (pi'ræmidl) pyramida'l.

pyre ('paiə) Scheiterhaufen *m*.

pyrotechnic (pairo'teknik) pyrotechnisch, Feuerwerks...; ~ *display* Feuerwerk *n*.

Pythagorean (pai'θægə''riːən) pythago're'isch.

pyx (piks) *eccl.* Monstra'nz *f*.

Q

quack (kwæk) **1.** Quaken *n*; Scharlatan; Quacksalber; Kurpfuscher; Marktschreier *m*; **2.** quacksalberisch; **3.** quaken; **~ery** ('kwækəri) Quacksalberei *f*.
quadrangle (kwɔ'dræŋgl) Viereck *n*; (Schul-)Hof *m*.
quadrennial □ (kwɔ'dreniəl) vierjährig; vierjährlich.
quadru|ped ('kwɔdruped) Vierfüßer *m*; **~ple** □ ('kwɔdrupl) vierfach.
quagmire ('kwægmaiə) Sumpf(land *n*) *m*, Moor *n*.
quail (kweil) verzagen; beben.
quaint □ (kweint) putzig; seltsam.
quake (kweik) beben; zittern.
Quaker ('kweikə) Quäker *m*.
quali|fication (kwɔlifi'keiʃən) (erforderliche) Befähigung; Einschränkung *f*; **~fy** ('kwɔlifai) *v/t*. befähigen; (be)nennen; einschränken, mäßigen; mildern; *v/i*. seine Befähigung nachweisen; **~ty** (~ti) Eigenschaft, Beschaffenheit; ✝ Qualitä't *f*; vornehme(r) Stand.
qualm (kwɔ:m, kwɑ:m) Übelkeit *f*; Zweifel *m*; Bedenken *n*.
quantity ('kwɔntiti) Quantitä't, Menge *f*; großer Teil.
quarantine ('kwɔrənti:n) **1.** Quarantä'ne *f*; **2.** unter Qu. stellen.
quarrel ('kwɔrəl) **1.** Zank, Streit *m*; **2.** (sich) zanken, streiten; **~some** □ (~səm) zänkisch; streitsüchtig.
quarry ('kwɔri) **1.** Steinbruch *m*; *Jagd*-Beute *f*; **2.** *Steine* brechen; *fig*. stöbern.
quart (kwɔ:t) Quart *n* (*1,136 l*).
quarter ('kwɔ:tə) **1.** Viertel; Viertel (-jahr *n*, -stunde *f*, -zentner *m*) *n*; (Himmels-)Gegend; Richtung; Gnade *f*, Pardo'n *m*; **~s** *pl.*: Wohnung *f*; ⚔ Quartie'r *n*; *fig*. Kreise *m/pl.*; *from all* **~s** von allen Seiten; **2.** vierteln, vierteilen; beherbergen; ⚔ einquartieren; **~-day** Quarta'ls; tag *m*; **~-deck** Achterdeck *n*; **~ly** (~li) **1.** vierteljährlich; **2.** Vierteljahrsschrift *f*; **~master** ⚔ Quartie'rmeister *m*.
quartet(te) ♪ (kwɔ:'tet) Quarte'tt *n*.
quash (kwɔʃ) ⚖ aufheben, verwerfen; unterdrü'cken.
quaver ('kweivə) **1.** Zittern *n*; ♪ Triller *m*; **2.** mit zitternder Stimme sprechen; trillern.
quay (ki:) Kai *m*; Uferstraße *f*.
queasy □ ('kwi:zi) empfindlich (*Magen, Gewissen*); ekelhaft.
queen (kwi:n) Königin *f*; **~like**, **~ly** ('kwi:nli) wie eine Königin, königlich.
queer (kwiə) sonderbar, seltsam.
quench (kwentʃ) *fig*. löschen, stillen, kühlen; unterdrü'cken.
querulous □ ('kweruləs) quengelig.
query ('kwiəri) **1.** Frage(zeichen *n*) *f*; **2.** (be)fragen; (be)zweifeln.
quest (kwest) **1.** Suche(n *n*) *f*, Nachforschen *n*; **2.** suchen, forschen.
question ('kwestʃən) **1.** Frage *f*; Zweifel *m*; Sache, Angelegenheit *f*; *beyond (all)* ~ ohne Frage; *in* ~ fraglich, in Rede stehend; *call in* ~ in Zweifel ziehen; *that is out of the* ~ das steht außer (*od.* kommt nicht in) Frage; **2.** befragen; bezweifeln; **~able** □ (~əbl) fraglich; fragwürdig; **~naire** (kestiə'nεə, kwestʃə'nεə) Fragebogen *m*.
queue (kju:) **1.** Reihe *v. Personen usw.*, Schlange *f*; Zopf *m*; **2.** anstehen, Schlange stehen (*mst* ~ *up*).
quibble ('kwibl) **1.** Wortspiel *n*; Spitzfindigkeit; Ausflucht *f*; **2.** *fig*. ausweichen; witzeln.
quick (kwik) **1.** lebendig, lebhaft; schnell; voreilig; scharf (*Gehör usw.*); **2.** lebendes Fleisch; *to the* ~ (bis) ins Fleisch; *fig*. (bis) ins Herz, tief; **~en** ('kwikən) *v/t*. beleben; beschleunigen; *v/i*. aufleben; sich regen; **~ness** ('kwiknis) Lebhaftigkeit; Schnelligkeit; Voreiligkeit; Schärfe *f des Verstandes usw.*; **~sand** Triebsand *m*; **~silver** Quecksilber *n*; **~-witted** schlagfertig.
quiescen|ce (kwai'esns) Ruhe, Stille *f*; **~t** (~t) ruhend; *fig*. ruhig.

quiet ('kwaiət) **1.** □ ruhig, still; **2.** Ruhe *f*; **3.** (sich) beruhigen; **~ness** (~nis), **~ude** (~ju:d) Ruhe, Stille *f*.

quill (kwil) Federkiel *m*; *fig.* Feder *f*; Stachel *m des Igels usw.*; **~ing** ('kwiliŋ) Rüsche *f*.

quilt (kwilt) **1.** Steppdecke *f*; **2.** steppen.

quince ♀ (kwins) Quitte *f*.

quinine (kwi'ni:n, *Am.* 'kwainain) *pharm.* Chini'n *n*.

quintuple ('kwintjupl) fünffach.

quip (kwip) Stich(elei *f*) *m*; Witz (-wort *n*) *m*; Spitzfindigkeit *f*.

quirk (kwə:k) Spitzfindigkeit *f*; Witz (-elei *f*); Kniff; Schnörkel *m*; Eigentümlichkeit *f*.

quit (kwit) **1.** verlassen; aufgeben;

Schuld tilgen; *give notice to* ~ kündigen; **2.** quitt; frei, los.

quite (kwait) ganz, gänzlich; recht; durchaus; ~ *a hero* ein wirklicher Held; ~ (*so*)!, ~ *that!* ganz recht!

quittance ('kwitəns) Quittung *f*.

quiver ('kwivə) zittern, beben.

quiz (kwiz) **1.** Neckerei *f*; Spottvogel *m*; Rätsel(frage *f*) *n*; *bsd. Am.* Ausfragung *f*; **2.** hänseln; *bsd. Am.* ausfragen.

quorum *parl.* ('kwɔ:rəm) beschlußfähige Mitgliederzahl.

quota ('kwoutə) Quote *f*, Anteil *m*.

quotation (kwou'teiʃən) Anführung *f*, Zita't *n*; ✝ Preisnotierung *f*.

quote (kwout) anführen, zitieren; ✝ berechnen, notieren (*at* mit).

R

rabbi ('ræbai) Rabbi'ner *m.*

rabbit ('ræbit) Kaninchen *n.*

rabble ('ræbl) Pöbel(haufen) *m.*

rabid □ ('ræbid) wütend; toll.

rabies ('reibi:z) Tollwut *f.*

race (reis) **1.** Geschlecht *n*, Stamm *m*; Rasse *f*, Schlag *m*; Lauf (*a.fig.*); Wettrennen *n*; Strömung *f*; ~s *pl. Pferde- usw.* Rennen *n*; **2.** rennen, rasen; um die Wette laufen (mit); **~-course** Rennbahn *f*; **~r** ('reisə) Rennpferd; Rennboot *n*; Rennwagen *m.*

racial ('reifəl) Rassen...

rack (ræk) **1.** Gestell *n*; *Kleider- usw.* Ständer *m*; Raufe; Folter (-bank) *f*; 🚆 *luggage* ~ Gepäcknetz *n*; **2.** strecken; foltern, quälen (*a. fig.*); ~ *one's brains* sich den Kopf zermartern; *go to* ~ *and ruin* ganz und gar zugrunde gehen.

racket ('rækit) *Tennis*-Schläger; Lärm; Trubel *m*; Erpressung *f*; **~eer** *Am.* (ræki'tiə) Erpresser *m.* [würzig; *fig.* gehaltvoll.]

racy □ ('reisi) rassig; kräftig, stark;]

radar ('reidɑ:) Radar *n (Funkortungsgerät)*; ~ *set* R.gerät *n.*

radian|ce ('reidiəns) Strahlen *n*; ~**t** □ (~t) strahlend, leuchtend.

radiat|e ('reidieit) (aus)strahlen; (rund-)funken; **~ion** (reidi'eifən) Ausstrahlung *f*; **~or** ('reidieitə) Heizkörper; *mot.* Kühler *m.*

radical ('rædikəl) **1.** □ Wurzel..., Grund...; gründlich; eingewurzelt; *pol.* radika'l; **2.** *pol.* Radika'le(r).

radio ('reidiou) **1.** Radio *n*; Funk(-spruch) *m*; ~ *drama*, ~ *play* Hörspiel *n*; ~ *set* Radiogerät *n*; **2.**(rund-)funken; **~graph** (~grɑ:f) **1.** Röntgenbild *n*; **2.** ein R. m. von; **~scopy** (reidi'ɔskəpi) Röntgendurchleu'chtung *f*; **~-telegram** Funkspruch *m.*

radish ('rædiʃ) Rettich *m*; (red) ~ Radies-chen *n.*

raffle ('ræfl) **1.** (aus-)würfeln, (-)losen; *v/i.* würfeln, losen (*for* um); **2.** Auslosung *f.*

raft (rɑ:ft) **1.** Floß *n*; **2.** flößen; **~er** ('rɑ:ftə) ⊕ (Dach-)Sparren *m.*

rag (ræg) Lumpen; Fetzen; Lappen *m.*

ragamuffin ('rægəmʌfin) Lumpenkerl; Gassenjunge *m.*

rage (reidʒ) **1.** Wut; Raserei; Sucht; Manie'; Eksta'se *f*; *it is all the* ~ es ist allgemein Mode; **2.** wüten, rasen.

ragged □ ('rægid) rauh; zottig; zackig; zerlumpt.

raid (reid) **1.** Über-, Ein-fall, Streif-, Beute-zug *m*; Razzia *f*; **2.** einfallen (in *acc.*); überfa'llen.

rail (reil) **1.** Querholz; Geländer *n*; 🚆 Schiene; (*main*) ~ ⚓ Reling *f*; *run off the* ~s entgleisen; **2.** schimpfen.

railing ('reiliŋ) Geländer; Stake't *n.*

raillery ('reiləri) Spötterei *f.*

railroad *bsd. Am.* ('reilroud) = **railway** (~wei) Eisenbahn *f.*

rain (rein) **1.** Regen *m*; **2.** regnen; **~bow** Regenbogen *m*; **~coat** *Am.* Regenmantel *m*; **~fall** Regenmenge *f*; **~proof** regendicht; **~y** □ ('reini) regnerisch; Regen...

raise (reiz) (*oft* ~ *up*) heben; (*oft fig.*) erheben; errichten; erhöhen (*a. fig.*); *Geld usw.* aufbringen; verursachen; *fig.* erwecken; anstiften; züchten, ziehen; *Belagerung usw.* aufheben.

raisin ('reizn) Rosi'ne *f.*

rake (reik) **1.** Rechen *m*, Harke *f*; Wüstling; Lebemann *m*; **2.** *v/t.* (zs.-)harken; (zs.-)scharren; *fig.* (durch-)stö'bern.

rally ('ræli) **1.** Sammeln; Treffen *n*; *Am.* Massenversammlung *f*; **2.**(sich) wieder sammeln; sich erholen; necken.

ram (ræm) **1.** Widder *m*; Ramme *f*; **2.** (fest)rammen; rammen.

rambl|e ('ræmbl) **1.** Streifzug *m*; **2.** umherstreifen; abschweifen; **~er** (~ə) Umherstreicher(in); Kletterrose *f*; **~ing** (~iŋ) weitläufig.

ramify ('ræmifai) (sich) verzweigen.

ramp (ræmp) Rampe *f*; **~ant** ('ræmpənt) wuchernd; *fig.* zügellos.

rampart ('ræmpɑ:t) Wall *m.*

ramshackle ('ræmʃækl) wackelig.

ran (ræn) lief.

ranch *Am.* (ræntʃ) Viehwirtschaft *f.*

rancid □ ('rænsid) ranzig.

ranco(u)r ('ræŋkə) Groll, Haß *m.*

random ('rændəm) **1.** *at ~* aufs Geratewohl, blindlings; **2.** ziel-, wahl-los; zufällig.

rang (ræŋ) läutete; klang.

range (reindʒ) **1.** Reihe; (Berg-)Kette; Kochmaschine *f;* Umfang, Bereich *m;* Reichweite; Schußweite; Fläche *f;* Schießstand *m;* **2.** *v/t.* (ein)reihen, ordnen; *ein Gebiet usw.* durchstrei'fen; ♫ *längs et.* fahren; *v/i.* (umher)streifen; sich erstrecken, reichen.

rank (ræŋk) **1.** Reihe, Linie *f;* Klasse *f;* Rang, Stand *m; ~ and file* die Mannschaften *f/pl.;* *fig.* die große Masse; **2.** *v/t.* (ein)reihen, (ein)ordnen; *v/i.* sich reihen, sich ordnen; gehören (*with* zu); im Range stehen (*above* über *dat.*); **3.** gelten als; üppig; ranzig; stinkend.

rankle ('ræŋkl) *fig.* schwären,fressen.

ransack ('rænsæk) durchwü'hlen; ausrauben.

ransom ('rænsəm) **1.** Lösegeld *n;* Auslösung *f;* **2.** loskaufen; erlösen.

rant (rænt) **1.** Schwulst *m;* **2.** schwadronieren; mit Pathos vortragen.

rap (ræp) **1.** Klaps *m;* Klopfen *n; fig.* Heller *m;* **2.** schlagen, klopfen.

rapaci|ous □ (rə'peiʃəs) raubgierig; **~ty** (rə'pæsiti) Raubgier *f.*

rape (reip) **1.** Raub *m;* Notzucht *f;* Raps *m;* **2.** rauben; notzüchtigen.

rapid ('ræpid) **1.** □ schnell, reißend, rapi'd(e); steil; **2.** ~*s pl.* Stromschnelle(n *pl.*) *f;* **~ity** (rə'piditi) Schnelligkeit *f.*

rapt (ræpt) entzückt; versunken; **~ure** ('ræptʃə) Entzücken *n; go into* ~s in Entzücken geraten.

rare □ (rɛə) selten; *phys.* dünn.

rarefy ('rɛərifai) (sich) verdünnen.

rarity (~riti) Seltenheit; Dünnheit *f.*

rascal ('rɑ:skəl) Schuft *m;* **~ity** (rɑ:s'kæliti) Schurkerei *f;* **~ly** ('rɑ:skəli) schuftig; erbärmlich.

rash[1] □ (ræʃ) vorschnell; übereilt; unbesonnen; waghalsig.

rash[2] □ (ræʃ) Hautausschlag *m.*

rasp (rɑ:sp) **1.** Raspe *f;* **2.** raspeln; *j-m* weh(e) tun; kratzen.

raspberry ('rɑ:zbəri) Himbeere *f.*

rat (ræt) Ratte *f; sl.* Verräter *m;* *smell a ~* den Braten riechen.

rate (reit) **1.** Verhältnis, Maß *n,* Satz *m;* Rate *f;* Preis *m;* Taxe; (Gemeinde)Steuer *f;* Rang *m;* Klasse; Geschwindigkeit *f; at any ~* auf jeden Fall; *~ of exchange* (Umrechnungs-)Kurs *m;* **2.** (ein)schätzen; besteuern; *~ among* rechnen unter (*acc.*); ausschelten.

rather ('rɑ:ðə) eher, lieber; vielmehr; ziemlich; *I had ~ do* ich möchte lieber tun.

ratify ('rætifai) ratifizieren.

rating ('reitiŋ) Steuersatz; Grad *m;* Klasse *f.*

ratio ⟨ι⟩ ('reiʃiou) Verhältnis *n.*

ration ('ræʃən) **1.** Ratio'n *f;* **2.** rationieren.

rational □ ('ræʃnl) vernunftgemäß; vernünftig, (*a.* A) rationa'l; **~ity** (ræʃ'næliti) Vernunft(mäßigkeit) *f;* **~ize** ('ræʃnəlaiz) rationalisieren; wirtschaftlich vereinfachen.

ratten ('rætn) sabotieren.

rattle ('rætl) **1.** Gerassel *n;* Klapper *f;* Röcheln *n;* **2.** rasseln (mit); klappern; röcheln; *~ off* herunterrasseln, **~snake** Klapperschlange *f;* **~trap** *fig.* Klapperkasten *m.*

rattling ('rætliŋ) *fig.* scharf (*Tempo*); hervorragend.

raucous □ ('rɔkəs) heiser, rauh.

ravage ('rævidʒ) **1.** Verheerung *f;* **2.** verheeren; plündern.

rave (reiv) rasen, toben; schwärmen.

ravel ('rævl) *v/t.* aufräufeln; *fig.* entwirren; *v/i.* ausfasern (*a. ~ out*).

raven ('reivn) Rabe *m.*

raven|ing ('ræviniŋ), **~ous** (~əs) gefräßig; heißhungrig; raubgierig.

ravine (rə'vi:n) Hohlweg *m;* Schlucht *f.*

ravish ('ræviʃ) entzücken; vergewaltigen; rauben; **~ment** (~mənt) Schändung *f;* Entzücken *n.*

raw □ (rɔ:) roh; Roh...; wund; rauh (*Wetter*); ungeübt, unerfahren; **~-boned** knochig.

ray (rei) Strahl; *fig.* Schimmer *m;* 𝒫 ~ *treatment* Bestrahlung *f.*

raze (reiz) *Haus usw.* niederlegen; *Festung* schleifen; tilgen.

razor ('reizə) Rasiermesser *n;* **~-blade** Rasierklinge *f.*

re... (riː) wieder...; zurück...; neu...; um...

reach (riːtʃ) **1.** Reichweite f, Bereich m; Strecke f; *beyond* ~ unerreichbar; *within easy* ~ leicht erreichbar; **2.** v/i. reichen, langen, greifen; sich erstrecken; v/t. (hin-, her-)reichen, (-)langen; ausstrecken; erreichen.

react (riˈækt) reagieren: rückwirken (*upon* auf *acc.*); empfindlich sn (*to* für); entgegenwirken (*against* dat.).

reaction (riˈækʃən) Reaktio'n f, ~**ary** (~ʃənəri) **1.** reaktionä'r; **2.** Reaktionä'r(in).

read 1. (riːd) [*irr.*] lesen (in *dat.*); deuten; (an)zeigen (*Thermometer*); studieren; sich *gut usw.* lesen (l.); lauten; ~ *to a p.* j-m vorlesen; **2.** (red) *a)* las; gelesen; *b) adj.* belesen; ~**able** □ (ˈriːdəbl) lesbar; ~**er** (ˈriːdə) Leser(in); Lektor m; Lesebuch n.

readi|ly (ˈredili) *adv.* gleich, leicht; gern; ~**ness** (~nis) Bereitschaft; Bereitwilligkeit; Schnelligkeit f.

reading (ˈriːdiŋ) Lesen n; *parl.* Lesung f; Vorlesung f; Stand m des *Thermometers*; Lektü're; Lesart f; *attr.* Lese...

readjust (ˈriːəˈdʒʌst) wieder in Ordnung bringen; ~**ment** (~mənt) Wiederherstellung; Neuordnung f.

ready □ (ˈredi) *adj.* bereit, fertig; bereitwillig; (*to do*) im Begriff (zu tun); schnell; gewandt; leicht; zur Hand; † bar; *make* (*od. get*) ~ (sich) fertig m.; ~**-made** (~) fertig, Konfektio'ns...

reagent (riˈeidʒənt) Rea'gens n.

real □ (riəl) wirklich, tatsächlich, rea'l; echt; ~ *estate* Grundbesitz m; ~**ity** (riˈæliti) Wirklichkeit f; ~**ization** (riəlaiˈzeiʃən) Verwirklichung; Erkenntnis; † Realisierung f; ~**ize** (ˈriəlaiz) verwirklichen; erzielen; sich vorstellen, erkennen; zu Geld machen.

realm (relm) Königreich, Reich n.

realty (ˈriəlti) Grundeigentum n.

reap (riːp) *Korn* schneiden; (ein-, ab-)ernten; ~**er** (ˈriːpə) Schnitter (-in); Mähmaschine f.

reappear (ˈriːəˈpiə) wieder erscheinen.

rear (riə) **1.** v/t. auf-; er-ziehen; züchten; v/i. sich bäumen; **2.** Hinterseite f; Hintergrund; ✕ Nach-

trab m; *at the* ~ *of, in* (*the*) ~ *of* hinter; **3.** Hinter..., Nach...; ~**-admiral** ⚓ Ko'nteradmira'l m; ~**guard** ✕ Nachhut f.

re-arm (ˈriːˈɑːm) (wieder)aufrüsten.

reason (ˈriːzn) **1.** Vernunft f; Verstand m; Ursache f, Grund m; *by* ~ *of* wegen; *for this* ~ aus diesem Grund; *it stands to* ~ *that* ... es ist jedem Vernünftigdenkenden klar, daß; **2.** v/i. vernünftig denken; schließen; urteilen; *mit indirekter Frage*: erörtern; v/t. durchde'nken (*a.* ~ *out*); ~ *away* fortdisputieren; ~**able** □ (ˈriːznəbl) vernünftig; billig; angemessen; leidlich.

reassure (ˈriːəˈʃuə) wieder versichern; (wieder) beruhigen.

rebate (ˈriːbeit) † Raba'tt, Abzug m; Rückzahlung f.

rebel 1. (ˈrebl) Rebe'll(in); Aufständische(r); **2.** (~) verleitlich (*a.* ~**lious**, riˈbeljəs); **3.** (riˈbel) sich auflehnen; ~**lion** (riˈbeljən) Empörung f.

rebirth (ˈriːbəːθ) Wiedergeburt f.

rebound (riˈbaund) **1.** zurückprallen; **2.** Rück-prall, -schlag m.

rebuff (riˈbʌf) **1.** Zurück-, Abweisung f; **2.** zurück-, ab-weisen.

rebuild (ˈriːˈbild) [*irr.* (*build*)] wieder (auf)bauen.

rebuke (riˈbjuːk) **1.** Rüge f; **2.** rügen.

rebut (riˈbʌt) zurückweisen.

recall (riˈkɔːl) **1.** Zurückrufung; Abberufung f; † Abruf; Widerruf m; **2.** zurückrufen; ab(be)rufen; (sich) erinnern an (*acc.*); widerru'fen; † *Kapital* kündigen.

recapitulate (riːkəˈpitjuleit) kurz wiederho'len, zs.-fassen.

recast (ˈriːˈkɑːst) [*irr.* (*cast*)] ⊕ umgießen; umformen, neu gestalten.

recede (riˈsiːd) zurücktreten.

receipt (riˈsiːt) **1.** Empfang; Eingang m v. *Waren*; Quittung f; *Koch-* Rezept n; ~*s pl.* Einnahmen f/pl.; **2.** quittieren.

receiv|able (riˈsiːvəbl) † noch zu fordern(d), ausstehend; ~**e** (riˈsiːv) empfangen; erhalten; bekommen; aufnehmen; ~**ed** (~d) anerkannt; ~**er** (~ə) Empfänger m; *teleph.* Hörer; Hehler; *Steuer- usw.* Einnehmer; † (*official* ~) Masseverwalter.

recent □ (ˈriːsnt) neu; frisch; mode'rn; ~**ly** (~li) neulich, vor kurzem.

receptacle (riˈseptəkl) Behälter m.

reception (ri'sepʃən) Aufnahme f, Empfang m; Annahme f.

receptive □ (ri'septiv) empfänglich, aufnahmefähig (of für).

recess (ri'ses) Ferien pl.; Winkel m; Nische f; ~es pl. fig. Tiefe(n pl.) f; **~ion** (~ʃən) Rück-; Weg-gang m.

recipe ('resipi) Reze'pt n. [(-in).|

recipient (ri'sipiənt) Empfänger.|

reciproc|al (ri'siprəkəl) wechsel-, gegen-seitig; adv. ~ly dafür; **~ate** (~keit) v/i. abwechseln(d wirken); Vergeltung üben; v/t. erwidern; **~ity** (resi'prositi) Gegenseitigkeit f.

recit|al (ri'saitl) Bericht m; Erzählung f; ♪ Vortrag m; **~ation** (resi'teiʃən) Hersagen n; Vortrag m; **~e** (ri'sait) vortragen; aufsagen; berichten.

reckless □ ('reklis) unbekümmert; rücksichtslos; leichtsinnig.

reckon ('rekən) v/t. rechnen; schätzen, halten für; v/i. rechnen; denken, vermuten; ~ (up)on fig. rechnen auf (acc.); **~ing** (~iŋ) Rechnen n; (Ab-, Be-)Rechnung f.

reclaim (ri'kleim) j. bessern; zivilisieren; urbar machen.

recline (ri'klain) (sich) (zurück-)lehnen; ~ upon sich stützen auf.

recluse (ri'klu:s) Einsiedler(in).

recogni|tion (rekəg'niʃən) An-; Wieder-erkennung f; **~ze** ('rekəgnaiz)anerkennen;(wieder)erkennen.

recoil (ri'kɔil) 1. zurückprallen; 2. Rück-prall, -stoß, -lauf (✗) m.

recollect (rekə'lekt) sich erinnern an (acc.); **~ion** (rekə'lekʃən) Erinnerung f (of an acc.); Gedächtnis n.

recommend (rekə'mend) empfehlen; **~ation** (rekəmen'deiʃən) Empfehlung f; Vorschlag m.

recompense ('rekəmpəns) 1. Belohnung, Vergeltung f; Ersatz m; 2. belohnen, vergelten; entschädigen; ersetzen.

reconcil|e ('rekənsail) aus-, versöhnen; in Einklang bringen; schlichten; **~iation** ('rekənsili'eiʃən) Ver-, Aussöhnung f.

recondition ('ri:kən'diʃən) wieder herrichten.

reconn|aissance ✗ (ri'kɔnisəns)Erkundung f; **~oitre** (rekə'nɔitə) erkunden. [wägen.|

reconsider ('ri:kən'sidə) wieder er-|

reconstitute ('ri:'kɔnstitju:t) wiederherstellen.

reconstruct ('ri:kəns'trʌkt) wiederaufbauen; ~ion (~ʃən) Wieder-aufbau m, -herstellung f.

reconvert ('ri:kən'və:t) umstellen.

record 1. ('rekɔ:d) Aufzeichnung f; ♯♯ Protoko'll n; Ruf, Leumund m; Schallplatte f; Reko'rd m; place on ~ schriftlich niederlegen; ♀ Office Staatsarchi'v n; Am.: off the ~ inoffizie'll; on the ~ offizie'll; 2. (ri'kɔ:d) auf-, ver-zeichnen; auf Schallplatte aufnehmen; **~er** (ri'kɔ:də) Registra'tor; Stadtrichter; Registrierapparat m.

recount (ri'kaunt) erzählen.

recoup (ri'ku:p) j. schadlos halten (für); et. wieder einbringen.

recourse (ri'kɔ:s) Zuflucht f; have ~ to s-e Z. nehmen zu.

recover (ri'kʌvə) v/t. wiedererlangen, -finden; wieder einbringen; sich erholen von; be ~ed wiederhergestellt w.; v/i. sich erholen (a. ~ o.s.); **~y** (~ri) Wiedererlangung f; Wiederherstellung; Erholung f.

recreat|e ('rekrieit) v/t. erfrischen; v/i. sich erholen (a. ~ o.s.); **~ion** (rekri'eiʃən) Erholung(spause) f.

recrimination (rikrimi'neiʃən) Gegenbeschuldigung; Gegenklage f.

recruit (ri'kru:t) 1. Rekru't m; fig. Neuling m; 2. ergänzen; Truppe rekrutieren; (Rekruten) ausheben.

rectangle ('rektæŋgl) Rechteck n.

recti|fy ('rektifai) berichtigen; verbessern; ♂, Radio: gleichrichten; **~tude** ('rektitju:d) Geradheit f.

rector ('rektə) Pfarrer; Rektor m; **~y** (~ri) Pfarre f; Pfarrhaus n.

recumbent □ (ri'kʌmbənt) liegend.

recuperate (ri'kju:pəreit) wiederherstellen; sich erholen (von).

recur (ri'kə:) zurück-kehren (to zu), -kommen (to auf acc.); wiederkehren, j-m wieder einfallen; **~rence** (ri'kʌrəns) Wieder-, Rück-kehr f; **~rent** □ (~rənt) wiederkehrend.

red (red) 1. rot; ~ heat Rotglut f; ~ herring Bückling m; ~ tape Amtsschimmel m; 2. Rot n; (bsd. pol.) Rote(r).

red|breast ('redbrest) Rotkehlchen n; **~den** ('redn) (sich) röten; erröten; **~dish** ('rediʃ) rötlich.

redeem (ri'di:m) zurück-, loskaufen; ablösen; Versprechen einlösen; büßen; entschädigen (für); erlösen; **~er** (~ə) Erlöser, Heiland m.

redemption (ri'dempʃən) Rückkauf m; Auslösung; Erlösung f.

red-handed ('red'hændid): take a p. ~ j. auf frischer Tat ertappen.

red-hot rotglühend; fig. hitzig.

red-letter: ~ day Festtag m.

redness ('rednis) Röte f.

redolent ('redolənt) duftend.

redouble (1i'dʌbl) (sich) verdoppeln.

redound (ri'daund): ~ to beitragen, gereichen, führen zu.

redress (ri'dres) **1.** Abhilfe; Wiedergutmachung f; ťż Regreß m; **2.** abhelfen (dat.); wiedergutmachen.

reduc|e (ri'dju:s) fig. zurückführen, bringen (to auf, in acc., zu); verwandeln (to in acc.); ver-ringern, -mindern; herabsetzen; (be)zwingen; ɟ̊ einrenken; ~ to writing schriftlich hiederlegen; **~tion** (ri-'dʌkʃən) Verwandlung; Herabsetzung; Verminderung; Verkleinerung f.

redundant ☐ (ri'dʌndənt) überflüssig; übermäßig; weitschweifig.

reed (ri:d) Schilfrohr n; Rohrflöte f.

reef (ri:f) (Felsen-)Riff n.

reek (ri:k) **1.** Rauch, Dampf; Dunst m; **2.** rauchen, dampfen (with von); dunsten, unangenehm riechen.

reel (ri:l) **1.** Haspel m; Rolle, Spule f; Film-Akt m; **2.** v/t. haspeln; wickeln, spulen; v/i. wirbeln; schwanken; taumeln.

re-elect ('ri:i'lekt) wiederwählen.

re-enter ('ri:'entə) wieder eintreten (in acc.).

re-establish ('ri:is'tæbliʃ) wiederherstellen.

refection (ri'fekʃən) Erfrischung f.

refer (ri'fə:) ~ to: v/t. zuschreiben (dat.); zuweisen, an, j. überwei'sen; verweisen an, j. auf et.; v/i. sich beziehen auf (acc.); sich berufen auf (acc.); verweisen auf (acc.); erwähnen; **~ee** (refə'ri:) Schiedsrichter m; **~ence** ('refrəns) Refere'nz, Verweisung; Bezugnahme; Anspielung; Beziehung; Auskunft(geber m); Überwei'sung f; Verweisungszeichen; Zeugnis n; in ~ to in betreff (gen.); ~ book Nachschlagewerk n; ~ library Handbibliothe'k f; make ~ to erwähnen.

referendum (refə'rendəm) Volksentscheid m.

refill ('ri:'fil) neu füllen, auffüllen.

refine (ri'fain) (sich) verfeinern od. veredeln; ⊕ raffinieren; (sich) läutern (a. fig.); klügeln; ~ (up)on et. verfeinern, verbessern; **~ment** (~mənt) Verfeinerung, Veredlung; Läuterung; Feinheit, Bildung; Spitzfindigkeit f; **~ry** (~əri) Raffinerie f.

reflect (ri'flekt) v/t. zurückwerfen; zurückstrahlen, widerspiegeln; v/i. ~ (up)on: nachdenken über (acc.); sich abfällig äußern über (acc.); ein schlechtes Licht werfen auf (acc.); **~ion** (ri'flekʃən) Zurückstrahlung, Widerspiegelung f; Spiegelbild n; Überle'gung f; Gedanke; Makel m.

reflex ('ri:fleks) **1.** Refle'x...; **2.** Widerschein, (a. physiol.) Refle'x m.

reforest ('ri:'forist) aufforsten.

reform (ri'fo:m) **1.** Verbesserung, Refo'rm f; **2.** verbessern, reformieren; (sich) bessern; **~ation** (refə'meiʃən) Umgestaltung, Besserung; eccl. ♀ Reformatio'n f; **~atory** (ri'fo:mətəri) Besserungsanstalt f; **~er** (mə) Reforma'tor m.

refract|ion (ri'frækʃən) Strahlenbrechung f; **~ory** ☐ (~təri) widerspenstig; hartnäckig; ⊕ feuerfest.

refrain (ri'frein) **1.** v/t. et. zurückhalten; v/i. sich enthalten (from gen.); **2.** Kehrreim, Refrain m.

refresh (ri'freʃ) (sich) erfrischen; auffrischen; **~ment** (~mənt) Erfrischung f.

refrigerat|e (ri'fridʒəreit) kühlen; **~ion** (rifridʒə'reiʃən) Kühl-apparat, -raum; Eisschrank m.

refuel mot. ('ri:'fjuəl) tanken.

refuge ('refju:dʒ) Zuflucht(stätte); Verkehrsinsel f; **~e** (refju'dʒi:) Flüchtling m.

refulgent (ri'fʌldʒənt) strahlend.

refund (ri'fʌnd) zurückzahlen.

refusal (ri'fju:zəl) abschlägige Antwort; (Ver-)Weigerung f, Vorkauf (-srecht n) m.

refuse 1. (ri'fju:z) v/t. verweigern; abweisen; scheuen vor (dat.); v/i. sich weigern; scheuen (Pferd); **2.** ('refju:s) Ausschuß; Abfall m, Müll n.

refute (ri'fju:t) widerle'gen.

regain (ri'gein) wiedergewinnen.

regal ☐ ('ri:gəl) königlich; Königs...

regale (ri'geil) v/t. festlich bewirten; v/i. schwelgen (on in dat.).

regard (ri'gɑ:d) 1. *fester* Blick; (Hoch-)Achtung, Rücksicht; Beziehung f; with ~ to im Hinblick auf (acc.); kind ~s herzliche Grüße; 2. ansehen; (be)achten; betrachten; betreffen; as ~s ... was ... anbetrifft; ~ing (~iŋ) hinsichtlich (gen.); ~less □ (~lis) rücksichtslos (of gegen); adv. ~ of ohne Rücksicht auf (acc.).

regenerate 1. (ri'dʒenəreit) wiedererzeugen; erneuern; 2. (~rit) wiedergeboren.

regent ('ri:dʒənt) Rege'nt m.

regiment ('redʒimənt) 1. Regime'nt n; 2. organisieren; ~als (redʒi'mentlz) pl. Unifo'rm f.

region (ri:dʒən) Gegend f; Bereich m; ~al (~l) örtlich; Orts...

register (redʒistə) 1. Regi'ster, Verzeichnis n; ⊕ Schieber m; ♪ Regi'ster n; Registrie'rapparat m; 2. auf-, verzeichnen; (sich) eintragen; ୫ einschreiben (l.); *Empfindung* ausdrücken.

registrar (redʒis'trɑ:) Registra'tor; Standesbeamte(r) m; ~ation (redʒis'treiʃən) Eintragung f; ~y ('redʒistri) Eintragung f; Registratu'r f; Regi'ster n.

regret (ri'gret) 1. Bedauern n; Schmerz m; 2. bedauern; *Verlust* beklagen; ~ful □ (~ful) bedauernd; ~table □ (~əbl) bedauerlich.

regular □ ('regjulə) regelmäßig; regelrecht, richtig; ✕ regulä'r; ~ity (regju'læriti) Regelmäßigkeit f.

regulate ('regjuleit) regeln, ordnen; regulieren; ~ion (regju'leiʃən) 1. Regulierung; Vorschrift f; 2. vorschriftsmäßig.

rehearsal (ri'hə:səl) thea., ♪ Probe f; ~e (ri'hə:s) her-, auf-sagen; thea. proben.

reign (rein) 1. Regierung f; fig. Herrschaft f; 2. herrschen, regieren.

reimburse (ri:im'bə:s) j. entschädigen; *Kosten* wiedererstatten.

rein (rein) 1. Zügel m; 2. zügeln.

reinforce (ri:in'fɔ:s) verstärken; ~ment (~mənt) Verstärkung f.

reinstate ('ri:in'steit) wieder einsetzen; wieder instand setzen.

reinsure ('ri:in'ʃuə) (sich) rückversichern. [derho'len.\

reiterate (ri:'itəreit) (dauernd) wie-/

reject (ri'dʒekt) verwerfen; ablehnen; zurückweisen; ~ion (ri'dʒekʃən) Verwerfung; Ablehnung f.

rejoice (ri'dʒɔis) v/t. erfreuen; v/i. sich freuen (at, in über acc.); ~ing (~iŋ) (oft ~s pl.) Freude(n-fest n) f.

rejoin ('ri:'dʒɔin) (sich) wieder vereinigen (mit); wieder zurückkehren zu; (ri'dʒɔin) erwidern.

rejuvenate (ri'dʒu:vineit) verjüngen.

relapse (ri'læps) 1. Rückfall m; 2. zurückfallen, rückfällig werden.

relate (ri'leit) v/t. erzählen; in Beziehung bringen; v/i. sich beziehen; ~d (~id) verwandt (to mit).

relation (ri'leiʃən) Erzählung; Beziehung f; Verhältnis n; Verwandtschaft f; Verwandte(r); in ~ to in bezug auf (acc.); ~ship (~ʃip) Verwandtschaft f.

relative ('relətiv) 1. □ bezüglich (to auf acc.); relati'v, verhältnismäßig; entsprechend; 2. Verwandte(r).

relax (ri'læks) erschlaffen; (sich) lockern; (sich) mildern; nachlassen (in dat.); (sich) entspannen; ~ation (ri:læk'seiʃən) Erschlaffung; Lockerung f; Nachlassen n; Entspannung f.

relay (ri'lei) 1. Ablösung f; *Sport*: ~ race Stafettenlauf m; 2. *Radio*: übertra'gen.

release (ri'li:s) 1. Freilassung f, fig. Befreiung; Freigabe; Urauffüh-rung f; 2. freilassen; erlösen; freigeben; *Recht* aufgeben.

relegate ('religeit) verbannen; verweisen (to an acc.).

relent (ri'lent) sich erweichen l.; ~less □ (~lis) unbarmherzig.

relevant ('relivənt) sachdienlich; zutreffend; wichtig, erheblich.

reliability (rilaiə'biliti) Zuverlässigkeit f; ~le □ (ri'laiəbl) zuverlässig. [n; Verlaß m.\

reliance (ri'laiəns) Ver-, Zutrauen/

relic ('relik) Überrest m; Reli'quie f.

relief (ri'li:f) Erleichterung f; (angenehme) Unterbre'chung; Unterstü'tzung; ✕ Ablösung; Hilfe f; Reli-e'f n; ~ works pl. Notstandsarbeiten f/pl.

relieve (ri'li:v) erleichtern; mildern; unterstü'tzen; ✕ ablösen; befreien; (angenehm) unterbre'chen.

religion (ri'lidʒən) Religio'n f.

religious □ (ri'lidʒəs) Religio'ns-...; religiö's; eccl. Ordens...; gewissenhaft.

relinquish (ri'liŋkwiʃ) aufgeben; verzichten auf (acc.); loslassen.

relish ('reliʃ) 1. (Bei-)Geschmack m; Würze f; Genuß m; Gefallen n; 2. gern essen; Geschmack finden an (dat.); schmackhaft machen.

reluctan|ce (ri'lʌktəns) Widerstre'ben n; Widerstand m; **~t** □ (~t) wider-stre'bend, -willig.

rely (ri'lai): **~** (up)on sich verlassen auf (acc.).

remain (ri'mein) (ver)bleiben; übrigbleiben; **~der** (~ə) Rest m.

remark (ri'ma:k) 1. Beachtung; Bemerkung f; 2. v/t. bemerken; v/i. sich äußern; **~able** □ (ri'ma:kəbl) bemerkenswert; merkwürdig.

remedy ('remidi) 1. (Heil-, Hilfs-, Gegen-, Rechts-)Mittel n; (Ab-)Hilfe f; 2. heilen; abhelfen (dat.).

rememb|er (ri'membə) sich erinnern (gen.); beherzigen; im Brief: j. empfehlen; **~rance** (~brəns) Erinnerung f; Gedächtnis; Andenken n; **~s** pl. Empfehlungen f/pl.

remind (ri'maind) erinnern; mahnen (of an acc.); **~er** (~ə) Mahnung f. [nerung f.]

reminiscence (remi'nisns) Erin-]

remiss □ (ri'mis) schlaff, (nach-)lässig; **~ion** (ri'miʃən) Sünden-Vergebung; Erlassung f v. Strafe usw.; Nachlassen n.

remit (ri'mit) Sünden vergeben; erlassen; nachlassen (in dat.); überwei'sen; **~tance** (~əns) (Geld-)Sendung; Rime'sse f.

remnant ('remnənt) (Über-)Rest m.

remodel (ri'mɔdl) umbilden.

remonstra|nce (ri'mɔnstrəns) Vorstellung, Einwendung f; **~te** (~treit) Vorstellungen machen; einwenden.

remorse (ri'mɔ:s) Gewissensbisse m/pl.; **~less** □ (~lis) hartherzig.

remote (ri'mout) entfernt, entlegen; **~ness** (~nis) Entfernung.

remov|al (ri'mu:vl) Beseitigung f; Umzug m; Entlassung f; **~ van** Möbelwagen m; **~e** (ri'mu:v) v/t. entfernen; weg-räumen, -rücken; beseitigen; entlassen; v/i. (aus-, um-, ver-)ziehen; **~er** (~ə) (Möbel-)Speditu'r m.

remunerat|e (ri'mju:nəreit) (be-)lohnen; entschädigen; **~ive** □ (ri'mju:nərətiv) lohnend.

renascence (ri'næsns) Wiedergeburt; Renaissa'nce f.

rend (rend) [irr.] (zer)reißen.

render ('rendə) wieder-, zurück-geben; Dienst usw. leisten; Ehre usw. erweisen; Dank abstatten; überse'tzen; ♪ vortragen; darstellen; **†** Rechnung überrei'chen; überge'ben machen (zu); Fett auslassen.

renew (ri'nju:) erneuern; **~al** (~əl) Erneuerung f.

renounce (ri'nauns) entsagen (dat.); verzichten auf (acc.); verleugnen.

renovate ('renoveit) erneuern.

renown rhet. (ri'naun) Ruhm m; **~ed** rhet. (~d) berühmt, namhaft.

rent[1] (rent) 1. zerriß, zerrissen; 2. Riß m; Spalte f.

rent[2] (~) 1. Miete; Pacht f; 2. (ver-)mieten, (ver)pachten; **~al** (re'ntl) Miet-, Pacht-betrag, -preis m.

renunciation (rinʌnsi'eiʃən) Entsagung f; Verzicht m (of auf acc.).

repair[1] (ri'pεə) 1. Ausbesserung, Reparatu'r f; in (good) **~** in gutem baulichem Zustande, gut erhalten; 2. reparieren; ausbessern; erneuern; wiedergutmachen.

repair[2] (~): **~ to** sich begeben nach.

reparation (repə'reiʃən) Ersatz m; Entschädigung f; pol. make **~** s pl. Reparatio'nen leisten.

repartee (repa:'ti:) schlagfertige Antwort; Schlagfertigkeit f.

repast (ri'pɑ:st) Mahl(zeit) f n.

repay [irr. (pay)] (ri'pei) et. zurückzahlen; fig. erwidern; et. vergelten; j. entschädigen; **~ment** (~mənt) Rückzahlung f.

repeal (ri'pi:l) 1. Aufhebung f von Gesetzen; 2. aufheben, widerru'fen.

repeat (ri'pi:t) 1. (sich) wiederho'len; aufsagen; 2. ♪ wiederho'lung(szeichen n); **†** Nachbestellung f.

repel (ri'pel) zurück-stoßen, -treiben, -weisen; fig. abstoßen.

repent (ri'pent) bereuen; **~ance** (~əns) Reue f; **~ant** (~ənt) reuig.

repetition (repi'tiʃən) Wiederho'lung f; Aufsagen n; Nachbildung f.

replace (ri:'pleis) wieder hinstellen od. einsetzen; ersetzen; an j-s Stelle treten; **~ment** (~mənt) Ersatz m.

replenish (ri'pleniʃ) wieder auf-füllen; **~ment** (~mənt) Auffüllung f.

replete (ri'pli:t) angefüllt, voll.

replica ('replikə) Nachbildung f.

reply (ri'plai) 1. antworten, erwidern (to auf acc.); 2. Erwiderung f.

report (ri'pɔ:t) 1. Bericht m; Schul-Zeugnis; Gerücht n; guter Ruf; Knall m; 2. berichten (über acc.); (sich) melden; anzeigen; **~er** (~ə) Berichterstatter(in).

repos|e (ri'pouz) 1. allg. Ruhe f; 2. v/t. ausruhen; (aus-)ruhen l.; **~** trust etc. in Vertrauen usw. setzen auf (acc.); v/i. (sich) aus-ruhen (a. ~ o.s.); ruhen; beruhen; **~itory** (ri'pɔzitəri) Verwahrungs-ort m; Warenlager n; fig. Fund-grube f.

reprehend (repri'hend) tadeln.

represent (repri'zent) dar-, vor-stellen; thea. aufführen; hinstellen (as als); vertreten; **~ation** (~zen-'teiʃən) Darstellung f; thea. Auf-führung f; Vorstellung; Vertretung f; **~ative** (repri'zentətiv) 1. dar-, vor-stellend (of acc.); vorbildlich; parl. repräsentativ; typisch; 2. Ver-treter(in); House of **~s** pl. Am. parl. Unterhaus n.

repress (ri'pres) unterdrü|cken; **~ion** (ri'preʃən) Unterdrü'ckung f.

reprimand ('reprima:nd) 1. Ver-weis m; 2. j-m e-n V. geben.

reprisal (ri'praizəl) Repressa'lie f.

reproach (ri'proutʃ) 1. Vorwurf m; Schande f; 2. vorwerfen (a p. with a th. j-m et.); Vorwürfe machen.

reprobate ('reprobeit) Schuft m.

reproduc|e (ri:prə'dju:s) wiederer-zeugen; (sich) fortpflanzen; wie-dergeben, reproduzieren; **~tion** ('dʌkʃən) Wiedererzeugung f; Fort-pflanzung f; Reproduktio'n f.

reproof (ri'pru:f) Vorwurf, Tadel m.

reprove (ri'pru:v) tadeln, rügen.

reptile ('reptail) Repti'l n.

republic (ri'pʌblik) Republi'k f; **~an** (~likən) 1. republika'nisch; 2. Republika'ner(in).

repudiate (ri'pju:dieit) nicht an-erkennen; zurückweisen.

repugnan|ce (ri'pʌgnəns) Wider-wille; Widerspruch m; **~t** □ (~nənt) widerstre'bend; widerwärtig.

repuls|e (ri'pʌls) 1. Zurück-, Ab-weisung f; 2. zurück-, ab-weisen; **~ive** □ (~iv) abstoßend.

reput|able □ ('repjutəbl) achtbar; **~ation** (repju'teiʃən) (bsd. guter) Ruf m; **~e** (ri'pju:t) 1. Ruf m; Meinung f; 2. halten für; **~ed** (ri'pju:tid) angeblich.

request (ri'kwest) 1. Gesuch n, Bitte; **✝** Nachfrage f; in (great) **~** (sehr) gesucht; 2. um et. bitten od. ersuchen; j. bitten.

require (ri'kwaiə) verlangen, for-dern; **~d** (~d) erforderlich; **~ment** (~mənt) (An-)Forderung f; Er-fordernis n.

requisit|e ('rekwizit) 1. erforderlich; 2. Erfordernis n; Bedarfsarti'kel m; **~ion** (rekwi'ziʃən) 1. Anforde-rung; ✗ Requisitio'n f; 2. anfor-dern; ✗ requirieren.

requital (ri'kwaitl) Vergeltung f.

requite (ri'kwait) et., j-m vergelten.

rescind (ri'sind) aufheben.

rescission (ri'siʒən) Aufhebung f.

rescue ('reskju:) 1. (🏃 gewaltsame) Befreiung, Rettung f; 2. (🏃 gewalt-sam) befreien; retten.

research (ri'sə:tʃ) Nachforschung; gelehrte Forschung.

resembl|ance (ri'zembləns) Ähn-lichkeit f (to mit); **~e** (ri'zembl) gleichen, ähnlich sn (dat.).

resent (ri'zent) übelnehmen; **~ful** □ (~ful) übelnehmerisch; ärgerlich; **~ment** (~mənt) Ärger; Groll m.

reservation (rezə'veiʃən) Vorbe-halt m; Am.: vorbehaltenes Gebiet; Vorbestellung f von Zimmern usw.

reserve (ri'zə:v) 1. Vorrat m; ✗ Rücklage f; ✗ Reserve; Zurück-haltung; Vorsicht f; 2. auf-bewah-ren, -sparen; vorbehalten; zurück-legen; Platz usw. reservieren; **~d** □ (~d) fig. zurückhaltend.

resid|e (ri'zaid) wohnen; (orts)an-sässig sn; **~** in innewohnen (dat.); **~nce** ('rezidəns) Wohnen n; Orts-ansässigkeit f; (Wohn-)Sitz m; Reside'nz f; **~nt** (~dənt) 1. wohn-haft; ortsansässig; 2. Ortsansässi-ge(r), Einwohner m.

residu|al (ri'zidjuəl) übrigbleibend; **~e** ('rezidju:) Rest (a. ✝); Rück-stand m.

resign (ri'zain) v/t. aufgeben; Amt niederlegen; überlassen; **~** o.s. to sich ergeben in (acc.); v/i. zurück-treten; **~ation** (rezig'neiʃən) Rück-tritt m; Ergebung f; Entlassungs-gesuch n; **~ed** □ (ri'zaind) ergeben

resilien|ce (ri'ziliəns) Elastizitä't *f*; **~t** (~t) elastisch, *fig.* spannkräftig.

resin ('rezin) 1. Harz *n*; 2. harzen.

resist (ri'zist) widerste'hen (dat.); sich widerse'tzen (*dat.*); **~ance** (~əns) Widerstand *m*; **~ant** (~ent) widerste'hend; widerstandsfähig.

resolut|e ('rezəlu:t) entschlossen; **~ion** (rezə'lu:ʃən) (Auf-)Lösung *f*; Entschluß *m*; Entschlossenheit; Resolutio'n *f*.

resolve (ri'zɔlv) 1. *v/t.* auflösen; *fig.* lösen; entscheiden; *v/i.* beschließen; **~** (*up*)*on* sich entschließen zu; 2. Entschluß *m*; *Am.* Beschluß *m*; **~d** (~d) entschlossen.

resonant □ ('reznənt) nach-, widerhallend.

resort (ri'zɔ:t) 1. Zuflucht *f*; Besuch; Aufenthalt(sort) *m*; summer **~** Sommerfrische *f*; 2. **~** to: oft besuchen; seine Zuflucht nehmen zu.

resound (ri'zaund) widerhallen (l.).

resource (ri'sɔ:s) Hilfs-quelle *f*, -mittel *n*; Zuflucht; Findigkeit *f*; Zeitvertreib *m*; **~ful** □ (~ful) findig.

respect (ri'spekt) 1. Rücksicht (to, of auf *acc.*); Beziehung; Achtung *f*; **~s** *pl.* Empfehlungen *f/pl.*; 2. *v/t.* (hoch)achten; Rücksicht nehmen auf (*acc.*); betreffen; **~able** □ (~əbl) achtbar; ansehnlich; anständig; *bsd.* † soli'd; **~ful** □ (~ful) ehrerbietig; **~ing** (~iŋ) hinsichtlich (*gen.*); **~ive** □ (~iv) jeweilig; we went to our **~** *places* wir gingen an unsere Plätze, **~ively** (~ivli) beziehungsweise, je.

respirat|ion (respə'reiʃən) Atmen *n* Atemzug *m*; **~or** ('respəreitə) Atemfilter *m*; Gasmaske *f*.

respire (ris'paiə) atmen; aufatmen.

respite ('respait) Frist *f*; Stunden *f*; Pause *f*; 2. *v/i.* ruhen; rasten; (sich) lehnen, sich stützen (on auf *acc.*); *fig.* **~** (*up*)*on* beruhen auf (*dat.*); *v/t.* (aus)ruhen (l.); stutzen.

restaurant ('restərɔ:ŋ) Gaststätte *f*.

restitution (resti'tju:ʃən) Wiederhe'rstellung *f*; Wiedererstattung *f*.

restive □ ('restiv) widerspenstig.

restless ('restlis) ruhelos; rastlos; unruhig; **~ness** (~nis) Ruhelosigkeit; Rastlosigkeit; Unruhe *f*.

restorat|ion (resto'reiʃən) Wiederher-he'rstellung *f*; -einsetzung *f*; **~ive** (ris'tɔrətiv) stärkend(es Mittel).

restore (ris'tɔ:) wieder-her'stellen; -ei'nsetzen (to in *acc.*); -geben; **~** to health wieder gesund machen.

restrain (ris'trein) zurückhalten (from von); in Schranken halten; unterdrü'cken; einsperren; **~t** (~t) Zurückhaltung; Beschränkung *f*, Zwang *m*; Zwangshaft *f*.

restrict (ris'trikt) be-, ein-schränken; **~ion** (ris'trikʃən) Be-, Einschränkung; Hemmung *f*.

result (ri'zʌlt) 1. Ergebnis *n*, Folge *f*; 2. sich ergeben (from aus); **~** in hinauslaufen auf (*acc.*), zur Folge h.

resum|e (ri'zju:m) wieder-nehmen, -erlangen; -aufnehmen; zs.-fassen; **~ption** (ri'zʌmpʃən) Zurücknahme; Wiederau'fnahme *f*.

resurrection (rezə'rekʃən) (Wieder-)Auferstehung *f*.

resuscitate (ri'sʌsiteit) wieder-erwecken, -beleben.

retail 1. (ri:teil) Kleinhandel *m*; by **~** im Einzelverkauf; 2. (~) Klein..., Detail...; 3. (ri:'teil) im kleinen verkaufen; **~er** (~ə) Kleinhändler(in).

retain (ri'tein) behalten (a. *fig.*); zurück-, fest-halten; beibehalten; *Anwalt* annehmen.

retaliat|e (ri'tælieit) (wieder)vergelten; **~ion** (ritæli'eiʃən) (Wieder-)Vergeltung *f*.   [verspäten.]

retard (ri'ta:d) verzögern; aufhalten;

retention (ri'tenʃən) Zurück-, Behalten *n*; Beibehaltung *f*.

reticent ('retisənt) verschwiegen; schweigsam.

retinue ('retinju:) Gefolge *n*.

retir|e (ri'taiə) *v/t.* zurückziehen; pensionieren; *v/i.* sich zurückziehen; zurück-, ab-treten; in den Ruhestand treten; **~ed** □ (~d) zurückgezogen; (im Ruhestand lebend); entlegen; **~** *pay* Pensio'n *f*; **~ement** (~mənt) Aus-, Rück-tritt; Ruhestand *m*; Zurückgezogenheit *f*; **~ing** (~riŋ) zurückhaltend; schüchtern.

12*

retort (ri'tɔːt) **1.** Erwiderung; ⚥ Retorte *f*; **2.** erwidern.

retouch ('riːtʌtʃ) *et.* übera'rbeiten; *phot.* retuschieren.

retrace (ri'treis) zurückverfolgen; ~ one's steps *fig.* das Geschehene ungeschehen machen.

retract (ri'trækt) (sich) zurückziehen; ⊕ einziehen; widerru'fen.

retreat (ri'triːt) **1.** Rückzug *m*; Zurückgezogenheit; Zuflucht(sort *m*) *f*; ✗ Zapfenstreich *m*; **2.** sich zurückziehen; *fig.* zurücktreten.

retrench (ri'trentʃ) (sich) einschränken; kürzen; *Wort usw.* streichen.

retrieve (ri'triːv) wiederbekommen; wiederhe'rstellen; wiedergu't-machen; *hunt.* apportieren.

retro... ('retro[u], 'riːtro[u]) (zu-)rück...; **~active** (retrou'æktiv) rückwirkend; **~grade** ('retrougreid) **1.** rückläufig; **2.** zurückgehen; **~gression** (retrou'greʃən) Rück(wärts)-gang *m*; **~spect** ('retrouspekt) Rückblick *m*; **~spective** ☐ (retrou'spektiv) (zu)rückblickend; rückwirkend.

return (ri'təːn) **1.** Rückkehr; Wiederkehr; *parl.* Wiederwahl *f*; ↑ (*oft* ~s *pl.*) Gewinn, Ertrag; Umsatz; ≈ Rückfall *m*; Rückgabe, -zahlung; Erwiderung *f*; (*bsd.* Wahl-)Bericht *m*; Steuererklärung *f*; *attr.* Rück...; many happy ~s *pl.* of the day herzliche Glückwünsche zum heutigen Tage; *in* ~ dafür; als Ersatz (*for* für); *by* ~ (*of post*) postwendend; ~ ticket Rückfahrkarte *f*; **2.** *v/i.* zurückkehren; wiederkehren; *v/t.* zurück-geben; -tun; -zahlen; -senden; erwidern; berichten, angeben; *parl.* wählen; *Gewinn* abwerfen.

reunion ('riː'juːnjən) Wiedervereinigung *f*. [Auf-, Um-wertung *f*.]

revalorization (riːvæləraiˈzeiʃən)]

reveal (ri'viːl) enthüllen; offenbaren; **~ing** (~iŋ) aufschlußreich.

revel ('revl) **1.** Lustbarkeit *f*; **2.** ausgelassen sn; schwelgen.

revelation (reviˈleiʃən) Enthüllung; Offenbarung *f*.

revel|(l)er ('revlə) (Nacht-)Schwärmer(in); **~ry** (~ri) Lustbarkeit *f*.

revenge (ri'vendʒ) **1.** Rache; *Sport:* Revanche *f*; **2.** rächen; **~ful** ☐ (~ful) rachsüchtig.

revenue ('revinjuː) Einkommen *n*; (Staats-)Einkünfte *pl.*; ~ board, ~ office Finanzamt *n*.

reverberate (ri'vəːbəreit) zurückwerfen; widerhallen.

revere (ri'viə) (ver)ehren; **~nce** ('revərəns) **1.** Verehrung *f*; **2.** (ver-)ehren; **~nd** (~d) **1.** ehrwürdig; **2.** Geistliche(r) *m*.

reverent|(ial) ('revərənt, revə'ren-ʃəl) ehrerbietig, ehrfurchtsvoll.

reverie ('revəri) Träumerei *f*.

revers|al (ri'vəːsəl) Umkehrung *f*; **~e** (ri'vəːs) **1.** Gegenteil *n*; Kehrseite *f*; Rückschlag *m*; **2.** ☐ umgekehrt; Rück(wärts)...; **3.** umkehren, umdrehen; *Urteil* umstoßen; **~ion** (ri'vəːʃən) Umkehrung *f*; *biol.* Rückartung *f*.

revert (ri'vəːt) zurückkehren; *biol.* zurückkaren; *Blick* wenden.

review (ri'vjuː) **1.** Nachprüfung; ♯ Revision; ✗, ⚓ Parade *f*; Rückblick; Überblick *m*; Rezensio'n; Rundschau *f* (*Zeitschrift*); **2.** (über-nach-)prüfen; zurückblicken auf (*acc.*); überbli'cken; ✗, ⚓ besichtigen; rezensieren.

revile (ri'vail) schmähen.

revis|e (ri'vaiz) wieder durchsehen, revidieren; **~ion** (ri'viʒən) Revisio'n; Übera'rbeitung *f*.

reviv|al (ri'vaivəl) Wiederbelebung *f*; Wieder-au'fleben *n*; **~e** (ri'vaiv) wiederbeleben; wieder aufleben (lassen).

revocation (revə'keiʃən) Widerruf *m*; Aufhebung *f*.

revoke (ri'vouk) *v/t.* widerru'fen; *v/i. Karten:* nicht bedienen.

revolt (ri'voult) **1.** Revolte *f*, Aufruhr *m*; **2.** *v/i.* sich empören; *fig.* abfallen; *v/t. fig.* abstoßen.

revolution (revə'luːʃən) Umwälzung, Umdrehung, *pol.* Revolutio'n *f*; **~ary** (~əri) **1.** revolutionä'r; **2.** Revolutionä'r(in); **~ize** (~aiz) aufwiegeln; umgestalten.

revolve (ri'vɔlv) *v/i.* sich drehen; umlaufen; *v/t.* umdrehen; erwägen; **~ing** (~iŋ) sich drehend; *Dreh...* [schwung *m*.]

revulsion (ri'vʌlʃən) *fig.* Um-]

reward (ri'wɔːd) **1.** Belohnung; Vergeltung *f*; **2.** belohnen; vergelten.

rewrite (ri'rait) [*irr.* (*write*)] neu (*od.* um)schreiben.

rhapsody ('ræpsədi) Rhapsodie'; *fig.* Schwärmerei *f*; Wortschwall *m*.

rheumatism ♪ ('ru:mətizm) Rheumati'smus m.

rhubarb ♀ ('ru:bɑ:b) Rhabarber m.

rhyme (raim) 1. Reim n (to auf acc.); Vers m; without ~ or reason ohne Sinn u. Verstand; 2. (sich) reimen.

rhythm ('riðm) Rhythmus m; ~ic(al) (~mik, ~mikəl) rhythmisch.

rib (rib) 1. Rippe f; 2. rippen.

ribald ('ribəld) lästerlich; unflätig.

ribbon ('ribən) Band n; ~s pl. Fetzen m/pl.; ~ building Reihenbau m.

rice (rais) Reis m.

rich □ (ritʃ) reich (in an dat.); prächtig, kostbar; voll (Ton); schwer (Speise); satt (Farbe); ~ milk Vollmilch f; ~es ('ritʃiz) pl. Reichtum m, Reichtümer m/pl.

rick ✓ (rik) (Heu-)Schober m.

ricket|s ('rikits) englische Krankheit; ~y (~i) rachitisch; wackelig.

rid (rid) [irr.] befreien, frei machen (of von); get ~ of loswerden.

ridden ('ridn) geritten; in Zssgn: bedrückt (od. geplagt) von ...

riddle ('ridl) 1. Rätsel; grobes Sieb n; 2. sieben; durchlöchern.

ride (raid) 1. Ritt m; Fahrt f; 2. [irr.] v/i. reiten; rittlings sitzen; fahren; treiben; schweben; v/t. Pferd usw. reiten; Land durchrei(t)en; plagen; ✓ ('raidə) Reiter (-in); Fahrende(r).

ridge (ridʒ) 1. Grat; Gebirgs-Kamm m; Berg-Kette f; △ First; ✓ Rain m; 2. (sich) furchen.

ridicul|e ('ridikju:l) 1. das Lächerliche; Spott m; 2. lächerlich m.; ~ous □ (ri'dikjuləs) lächerlich.

riding ('raidiŋ) Reiten n; Reit...

rife □ (raif) häufig; vorherrschend; ~ with voll von.

riff-raff ('rifræf) Gesindel n.

rifle ('raifl) 1. Gewehr n; 2. berauben; ~man ✗ Schütze m.

rift (rift) Riß, Sprung m; Spalte f.

rig (rig) 1. ♣ Takelung, F Auftakelung f; 2. auftakeln (F a. fig.); ~ging ('rigiŋ) ♣ Takelage f.

right (rait) 1. □ recht; richtig; rechts (Ggs. left); be ~ recht h.; put ~ in Ordnung bringen; berichtigen; 2. adv. recht, richtig; gerade; direkt; ganz (und gar); ~ away sogleich; ~ on geradeaus; 3. Recht n; Rechte f; the ~s pl. of a story der wahre Sachverhalt; by ~ of auf

Grund (gen.); on (od. to) the ~ rechts; 4. et. in Ordnung bringen; (sich) aufrichten; ~eous (~'rait-ʃəs) rechtschaffen; ~ful □ ('raitful) recht(mäßig); gerecht.

rigid □ ('ridʒid) starr; fig. a. streng, hart; ~ity (ri'dʒiditi) Starrheit; Strenge, Härte f.

rigo(u)r ('rigə) Strenge f.

rigorous □ (~rəs) streng, rigoro's.

rim (rim) Felge(nband n) f; Radkranz m; Rand m.

rime (raim) Reim m; Reif m.

rind (raind) Rinde, Schale; Speck-Schwarte f.

ring (riŋ) 1. Ring; Kreis; Klang m; Geläut(e); Klingeln n; 2. beringen; (mst ~ in, round, about) umri'ngen; [irr.] läuten; klingen (l.); erschallen (with von); ~ again widerhallen; ~ the bell klingeln; ~ a p. up j. anklingeln, teleph. anrufen; ~leader Rädelsführer m; ~let ('riŋlit) Ringellocke f.

rink (riŋk) Eis-; Rollschuh-bahn f.

rinse (rins) (aus)spülen.

riot ('raiət) 1. Tumu'lt; Aufruhr m; O'rgie f (a. fig.); run ~ durchgehen; (sich aus)toben; ~ Krawall machen, im Aufruhr sn; schwelgen; ~er (~ə) Aufrührer(in); ~ous □ (~əs) aufrührerisch; lärmend; liederlich (Leben).

rip (rip) 1. Riß m; 2. (auf)trennen; (zer)reißen; (dahin)sausen.

ripe □ (raip) reif; ~n (raipn) reifen; ~ness ('raipnis) Reife f.

ripple ('ripl) 1. Kräuselung f; Geriesel n; 2. (sich) kräuseln; rieseln.

rise (raiz) 1. Steigen n; Erhöhung f; fig. Aufstieg m; Steigung; Anhöhe f; Ursprung m; take (one's) ~ entstehen; entspringen; 2. [irr.] sich erheben, aufstehen; die Sitzung schließen; steigen; aufsteigen (a. fig.); aufgehen (Sonne); entspringen (Fluß); ~ to sich de'r Lage gewachsen zeigen; ~r (raizə) early ~ Frühaufsteher(in).

rising ('raiziŋ) Erhebung, Steigung f; Aufstand m.

risk (risk) 1. Gefahr f, Wagnis; † Risiko m; run a (od. the) ~ Gefahr laufen; 2. wagen, riskieren; ~y □ ('riski) gefährlich, gewagt.

rit|e (rait) Ritus, Brauch m; ~ual ('ritjuəl) 1. ritue'll; 2. Ritua'l n.

rival ('raivəl) 1. Nebenbuhler(in); 2. nebenbuhlerisch; † Konkurrenz...; 3. wetteifern (mit); ~ry (~ri) Rivalitä't f; Wetteifer m.

rive (raiv) [irr.] (sich) spalten.

river ('rivə) Fluß; Strom m (a.fig.); ~side Flußufer n; attr. am Wasser (gelegen).

rivet ('rivit) 1. Niet n (m); 2. (ver-)nieten; fig. heften (acc.) to an.

rivulet ('rivjulit) Bach m.

road (roud) Straße f, Weg m; ♣ mst ~s pl. Reede f (a. ~stead); ~ster ('roudstə) Touren-rad n, -wagen m; ~way Fahrdamm m.

roam (roum) v/t. umherstreifen; v/t. durch-streifen, -wandern.

roar (rɔː) 1. brüllen; brausen; tosen; 2. Gebrüll; Brausen; Krachen n; brüllendes Gelächter.

roast (roust) 1. rösten, braten; 2. geröstet; gebraten; ~ meat Braten m.

rob (rob) (be)rauben; ~ber ('robə) Räuber(in); ~bery (~ri) Räuberei f.

robe (roub) Robe f; Staatskleid n; Tala'r m; Amtstracht f.

robust □ (ro'bʌst) robust.

rock (rɔk) 1. Felsen m; Klippe f; Gestein n; ~ crystal Bergkrista'll m; 2. schaukeln; (ein-)wiegen.

rocket ('rɔkit) Rake'te f; attr. Raketen...; ~-powered mit Raketenantrieb.

rocking-chair Schaukelstuhl m.

rocky ('rɔki) felsig; Felsen...

rod (rɔd) Rute f; Stab m; ⊕ Stange; Meßrute f (= 5½ yards).

rode (roud) ritt; fuhr.

rodent ('roudənt) Nagetier n.

rodeo Am. (rou'deiou) Einkreisung; Wildwestschau f.

roe (rou) Reh n; Fisch-Rogen m; soft ~ Fisch-Milch f.

rogu|e (roug) Schurke; Schelm m; ~ish ('rougij) schurkisch; schelmisch.

roister ('rɔistə) krakeelen. [misch.]

rôle thea. (roul) Rolle f (a. fig.).

roll (roul) 1. Rolle f; Walze; Semmel f; Verzeichnis; Donner-Rollen n; 2. v/t. rollen; wälzen; walzen; Zigarette drehen; ~ up zs.-rollen; v/i. rollen; sich wälzen; wirbeln (Trommel); ♣ schlingern; ~-call ✗ Appe'll m; ~er ('roulə) Rolle, Walze f; ~ skate Rollschuh m.

rollick ('rɔlik) tollen.

rolling ('rouliŋ) Roll..., Walz...; ~ mill ⊕ Walzwerk n.

Roman ('roumən) 1. römisch; 2. Römer(in); typ. Anti'qua f.

romance (rə'mæns) 1. Romanze f; Roman(e pl.) m; 2. fig. aufschneiden; 3. ♀ romanisch; ~r (~ə) Romanschreiber(in); Aufschneider(in).

romantic (ro'mæntik) (~ally) romantisch; ~ism (~tisizm) Romantik f; ~ist (~tisist) Romantiker(in).

romp (rɔmp) 1. Range f, Wildfang m; Balgerei f; 2. sich balgen, toben.

röntgenogram (rɔnt'genəgræm) Röntgenbild n.

rood (ruːd) Kruzifix n; Viertelmorgen n (10,117 Ar).

roof (ruːf) 1. Dach n; ~ of the mouth Gaumen m; 2. überda'chen; ~ing ('ruːfiŋ) 1. Bedachung f; 2. Dach...; ~ felt Dachpappe f.

rook (ruk) 1. Schach: Turm m; fig. Gauner m; 2. Krähe; 3. betrügen.

room (rum) 1. Raum; Platz m; Zimmer n; Möglichkeit; ~s pl. Wohnung f; in my ~ an meiner Stelle; 2. Am. wohnen; ~er ('rumə) (Unter-)Mieter(in); ~mate Stubenkamera'd m; ~y □ ('rumi) geräumig.

roost (ruːst) 1. Hühnerstange f; Hühnerstall m; 2. sich (zum Schlaf) niederhocken; fig. übernachta'nten; ~er ('ruːstə) Haushahn m.

root (ruːt) 1. Wurzel f; 2. (ein-)wurzeln; (auf)wühlen; ~ out ausrotten; ausgraben (a. ~ up); ~ed ('ruːtid) eingewurzelt.

rope (roup) 1. Tau, Seil n; Strick m; Schnur f Perlen usw.; F: be at the end for one's ~ mit s-m Latein zu Ende sn; know the ~s pl. den Rummel kennen; 2. mit e-m Seil befestigen od. (mst ~ in, off, out) absperren; anseilen.

rosary eccl. ('rouzəri) Rosenkranz m.

rose (rouz) 1. Rose; (Gießkannen-)Brause f; Rosenrot n; 2. erhob sich.

rosin ('rɔzin) Geigen-Harz n.

rostrum ('rɔstrəm) Rednertribüne f.

rosy □ ('rouzi) rosig.

rot (rɔt) 1. Fäulnis f; 2. v/t. faulen machen; v/i. verfaulen, vermodern.

rota|ry ('routəri) drehend; Rotatio'ns...; ~te (rou'teit) (sich) drehen, (ab)wechseln; ~tion (rou'teifən) Umdrehung f; Kreislauf m; Abwechs(e)lung f; ~tory (rou'teitəri): s. rotary; abwechselnd; Dreh...

rote (rout): by ~ rein mechanisch.
rotten □ ('rɔtn) verfault, faul(ig); modrig; morsch (*alle a. fig.*).
rouge (ru:ʒ) 1. (rote) Schminke; 2. (sich) (rot) schminken.
rough (rʌf) 1. □ rauh; roh; grob; *fig.* ungehobelt; ungefähr (*Schätzung*); ~ **and ready** grob(gearbeitet); Notbehelfs...; 2. Lümmel *m*; 3. ~ **it** sich mühsam durchschlagen; ~**cast** 1. ⊕ Rohputz *m*; 2. unfertig; 3. ⊕ roh verputzen; roh entwerfen; ~**en** ('rʌfən) rauh *m. od. w.*; ~**ness** ('rʌfnis) Rauheit; Roheit; Grobheit *f*; ~**shod**: *ride* ~ **over** rücksichtslos behandeln.
round (raund) 1. □ rund; voll (*Stimme usw.*); flott (*Gangart*); unverblümt; ~ **game** Gesellschaftsspiel *n*; ~ **trip** Rundreise *f*; 2. *adv.* rund-, rings-um(her); in der Runde (*oft* ~ *about*); *all* ~ rings-um; *fig.* ohne Unterschied; *all the year* ~ das ganze Jahr hindurch; 3. *prp.* um ... herum (*oft* ~ *about*); 4. **Round** *n*, Kreis *m*; Runde *f*; Kreislauf *m*; (Leiter-)Sprosse *f*; Rundgesang *m*; *Lach- usw.* Salve *f*; 100 ~*s pl.* 100 Schuß; 5. *v/t.* runden; herumgehen *od.* ~ *about* um; ~ *up* einkreisen; *v/i.* sich runden; sich umdrehen; ~**about** ('raundəbaut) 1. umschweifig; 2. Umweg *m*; Karusse'll *n*; ~**_** ('raundiʃ) rundlich; ~**up** Einkreisung *f*; Razzia *f*.
rous|e (rauz) *v/t.* wecken; ermuntern; aufjagen; aufreizen; ~ *o.s.* sich aufraffen; *v/i.* aufwachen; ~**ing** ('rauziŋ) brausend (*Beifall usw.*).
rout (raut) 1. Rotte; wilde Flucht *f*; *put to* ~ vernichten; 2. vernichten; aufwühlen. [Marschroute *f*.]
route (ru:t, ⚔ raut) Weg *m*; ⚔]
routine (ru:'ti:n) 1. Routine *f*; 2. üblich. [dern.]
rove (rouv) umher-streifen, -wan-]
row[1] (rou) 1. Reihe; Ruderfahrt *f*; 2. rudern.
row[2] F (rau) 1. Spekta'kel *m*; Keilerei *f*; 2. Radau machen (mit *j-m*).
row-boat ('roubout) Ruderboot *n*.
rower ('rouə) Ruderer(in).
royal □ ('rɔiəl) königlich; prächtig; ~**ty** (⊕) Königtum *n*; Königswürde; königliche Persönlichkeit; Tantie'me *f*.
rub (rʌb) 1. Reiben *n*; Schwierig-

keit *f*; *fig.* Stich *m*; Unannehmlichkeit *f*; 2. *v/t.* reiben; (ab)wischen; (wund)scheuern; schleifen; ~ *out* auslöschen; ~ *up* auffrischen; verreiben; *v/i.* sich reiben; *fig.* ~ *along, on, through* sich durchschlagen.
rubber ('rʌbə) Gummi *n* (*m*); Gummireifen; Radiergummi *m*; Wischtuch *n*; *Whist:* Robber *m*; *Am.* F ~*s pl.* Gummischuhe *m/pl.; attr.* Gummi...
rubbish ('rʌbiʃ) Schutt; Abfall; Kehricht; *fig.* Schund; Unsinn *m*.
rubble ('rʌbl) (Stein-)Schutt *m*.
ruby ('ru:bi) Rubi'n(rot *n*) *m*.
rudder ('rʌdə) ⚓ Steuer-Ruder; ✈ Seitenruder *n*.
rudd|iness ('rʌdinis) Röte *f*; ~**y** ('rʌdi) rot; rotbäckig.
rude □ (ru:d) *allg.* roh; rauh; grob (*unhöflich*); *fig.* wild; robust.
rudiment ('ru:dimənt) *biol.* Ansatz *m*; ~*s pl.* Anfangsgründe *m/pl.*
rueful □ ('ru:ful) reuig; traurig.
ruff (rʌf) Halskrause *f*.
ruffian ('rʌfjən) brutaler Mensch; Raufbold; Strolch *m*.
ruffle ('rʌfl) 1. Krause, Rüsche *f*; Gekräusel *n*; 2. kräuseln; zerdrücken; -knüllen; *fig.* aus der Ruhe bringen; stören.
rug (rʌg) (Reise-)Decke; Vorleger *m*, Brücke *f*; ~**ged** □ ('rʌgid) rauh (*a. fig.*); gefurcht; stramm.
ruin ('ruin) 1. Ru'in, Zs.-bruch; Untergang *m*; *mst* ~*s pl.* Rui'ne(n *pl.*) *f*, Trümmer *pl.*; 2. ruinieren; zugrunde richten; zerstören; verderben; ~**ous** □ ('ruinəs) rui'nenhaft; verfallen; verderblich; ruinö's.
rul|e (ru:l) 1. Regel; Vorschrift; Ordnung; Herrschaft *f*; Linea'l *n*; *as a* ~ in der Regel; 2. *v/t.* regeln; leiten; beherrschen; verfügen; linieren; ~ *out* ausschließen; *v/i.* herrschen; ~**er** ('ru:lə) Herrscher (-in); Linea'l *n*.
rum (rʌm) Rum; *Am.* Schnaps *m*.
Rumanian (ru[:]'meinjən) 1. rumänisch; 2. Rumän|e, -in; Rumänisch *n*.
rumble ('rʌmbl) 1. Rumpeln *n*; Notsitz *m* (*Am.* ~**-seat**); 2. rumpeln, rasseln; grollen (*Donner*).
rumina|nt ('ru:minənt) Wiederkäuer *m*; ~**te** (~neit) wiederkäuen; *fig.* (nach)sinnen.

rummage ('rʌmidʒ) **1.** ✝ Restwaren f/pl.; **2.** v/t. (durch-)su'chen, (-)stö'bern, (-)wü'hlen; v/i. wühlen.

rumo(u)r ('ru:mə) **1.** Gerücht n; **2.** it is ~ed es geht das Gerücht.

rump (rʌmp) Steiß; Rumpf m.

rumple ('rʌmpl) zerknittern; (zer-)zausen.

rum-runner Am. Alkoholschmugg-

run (rʌn) **1.** [irr.] v/i. allg. laufen; rennen (Mensch, Tier); zerlaufen (Farbe usw.); lauten (Text); gehen (Melodie); sich stellen (Preis); ~ across a p. j-m in die Arme laufen; ~ away davonlaufen; ~ down ablaufen (Uhr usw.); Am. fig. herunterkommen; ~ dry aus-, vertrocknen; ~ for parl. kandidieren für; ~ into geraten in (acc.); werden zu; j-m in die Arme laufen, ~ on fortfahren; out, short zu Ende gehen; ~ through durchmachen; durchlesen; ~ to sich belaufen auf (acc.); sich entwickeln zu; ~ up to sich belaufen auf (acc.); **2.** v/t. rennen, laufen; laufen l.; Hand usw. gleiten l.; stecken, stoßen; Geschäft betreiben; (wett)rennen mit; schmuggeln; heften; ~ the blockade die Blockade brechen; ~ down umrennen; zur Strecke bringen; fig. schlecht m.; Am. herunterwirtschaften; be ~ down abgearbeitet sn; ~ over j. überfa'hren; Text überflie'gen; ~ up Preis, Neubau usw. emportreiben; Rechnung usw. auflaufen l.; **3.** Laufen, Rennen n, Lauf; Verlauf m; Reihe(nfolge); Reise f, Ausflug; ✝ Andrang, Ansturm; Am. Bach m; Am. Laufmasche f; Vieh-Trift f; freie Benutzung; Art f, Schlag m; the common ~ die große Masse; thea. have a ~ of 20 nigths 20mal nacheinander gegeben werden; in the long ~ auf die Dauer.

run|about ('rʌnəbaut) Kleinauto n; ~**away** Ausreißer m.

rung¹ (rʌŋ) geläutet.

rung² (~) Leiter-Sprosse f (a. fig.).

run|let ('rʌnlit), ~**nel** ('rʌnl) Rinnsal n; Rinnstein m.

runner ('rʌnə) Läufer m; Schlitten-Kufe f; ⚜ Ausläufer m; ~**up** ('rʌ'ʌp) Sport: Zweitbeste(r).

running ('rʌniŋ) **1.** laufend; two days ~ zwei Tage nacheinander; ✗ ~ fire Schnellfeuer n; ~ hand Kurre'ntschrift f; **2.** Rennen n; ~**board** Trittbrett n.

runt (rʌnt) Zwerg m; Zwerg...

runway ✈ ('rʌnwei) Rollbahn f.

rupture ('rʌptʃə) **1.** Bruch m (a. ⚕); **2.** brechen; sprengen.

rural □ ('ruərəl) ländlich; Land...

rush (rʌʃ) **1.** ⚘ Binse f; Jagen, Stürmen s; (An-)Sturm; Andrang m; ✝ stürmische Nachfrage f; ~ hours pl. Hauptverkehrs-stunden f/pl.; **2.** v/i. stürzen, jagen, stürmen; ~ at sich stürzen auf (acc.); ~ into print sich in die Öffentlichkeit flüchten; v/t. jagen, hetzen; ✗ u. fig. stürmen.

russet ('rʌsit) braunrot; grob.

Russian ('rʌʃən) **1.** russisch; **2.** Russ|e, -in; Russisch n.

rust (rʌst) **1.** Rost m; **2.** rosten (lassen).

rustic ('rʌstik) **1.** (~ally) ländlich; bäurisch; Bauern...; **2.** Bauer m.

rustle ('rʌsl) **1.** rascheln (mit od. in dat.); rauschen; **2.** Rascheln n.

rust|less ('rʌstlis) rostfrei; ~**y** ('rʌsti) rostig; eingerostet (a. fig.); verschossen (Stoff); rostfarben.

rut (rʌt) Wagenspur f, (a. fig.) ausgefahrenes Geleise; Brunst f.

ruthless □ ('ru:θlis) unbarmherzig.

rutted ('rʌtid) ausgefahren (Weg).

rutty ('rʌti) ausgefahren (Weg).

rye ⚘ (rai) Roggen m.

S

sabotage ('sæbota:ʒ) 1. Sabota′ge f; 2. sabotieren (a. ~ on a th.).

sabre ('seibə) Säbel m.

sack (sæk) 1. Plünderung f; Sack; kurzer, weiter Mantel; Sakko; F Laufpaß m; 2. plündern; einsacken; F j-m den Laufpaß geben; **~cloth**, **~ing** ('sækiŋ) Sackleinwand f.

sacrament eccl. ('sækrəmənt) Sakrame′nt n.

sacred □ ('seikrid) heilig; geistlich.

sacrifice ('sækrifais) 1. Opfer n; † at a ~ mit Verlust; 2. opfern.

sacrileg|e ('sækrilidʒ) Kirchenraub m; Kirchen-, Tempel-schändung f; **~ious** □ (sækri′lidʒəs) frevelhaft.

sad □ (sæd) traurig; jämmerlich, kläglich; schlimm, arg; dunkel.

sadden ('sædn) (sich) betrüben.

saddle ('sædl) 1. Sattel m; 2. satteln; fig. belasten; **~r** Sattler m.

sadism ('sa:dizm) Sadi′smus m.

sadness ('sædnis) Traurigkeit f.

safe (seif) 1. □ allg. sicher; unversehrt; zuverlässig; 2. Speiseschrank; Geldschrank m; Bankfach n; **~conduct** freies Geleit; Schutzbrief m; **~guard** 1. Schutz m; 2. sichern, schützen.

safety ('seifti) 1. Sicherheit f; 2. Sicherheits...; **~pin** Sicherheitsnadel f; **~razor** Rasierapparat m.

saffron ('sæfrən) Krokus, Safran m.

sag (sæg) durchsacken; ⊕ durchhängen; ⚓ (ab)sacken (a. fig.).

sagacious (sə′geiʃəs) scharfsinnig; **~ty** (sə′gæsiti) Scharfsinn m.

sage (seidʒ) 1. □ klug, weise; 2. Weise(r); ♀ Salbei′ f.

said (sed) sagte; gesagt.

sail (seil) 1. Segel(schiff) n; Segelfahrt f; 2. v/i. (ab)segeln, fahren; v/t. durchse′geln; Schiff führen; **~boat** Am. Segelboot n; **~or** ('seilə) Seemann; Matrose m; be a good (bad) ~ (nicht) seefest sn; **~plane** Segelflugzeug n.

saint (seint) 1. Heilige(r); (vor npr. sint) Sankt ...; 2. heiligsprechen; **~ly** ('seintli) adj. heilig, fromm.

sake (seik): for the ~ of um ... (gen.) willen; for my ~ meinetwegen.

sal(e)able ('seiləbl) verkäuflich.

salad ('sæləd) Sala′t m.

salary ('sæləri) 1. Besoldung f; Gehalt n; 2. besolden.

sale (seil) (Aus-)Verkauf; Um-, Absatz m; Auktio′n f; for ~, on ~ zum Verkauf, zu verkaufen(d).

sales|man, **~woman** Verkäufer(in).

salient ('seiljənt) vorspringend; fig. hervor-ragend, -tretend; Haupt...

saline ('seilain) salzig; Salz...

saliva ⨆ (sə′laivə) Speichel m.

sallow ('sælou) blaß; gelblich.

sally ('sæli) 1. ✗ Ausfall; witziger Einfall m; 2. ✗ ausfallen; ~ forth, ~ out sich aufmachen.

salmon ('sæmən) Lachs, Salm m.

saloon (sə′lu:n) Salon; (Gesellschafts-)Saal m; erste Klasse auf Schiffen; Am. Kneipe f.

salt (sɔ:lt) 1. Salz n; fig. Würze f; old ~ alter Seebär; 2. salzig; gesalzen; Salz...; Pökel...; 3. (ein-)salzen; Salz...; **~cellar** Salzfäßchen n; **~petre** ('sɔ:ltpi:tə) Salpe′ter m; **~y** ('sɔ:lti) salzig.

salubrious (sə′lu:briəs), **salutary** □ ('sæljutəri) heilsam, gesund.

salut|ation (sælju′teiʃən) Gruß m, Begrüßung f; **~e** (sə′lu:t) 1. Gruß, co. Kuß; ✗ Salu′t m; 2. (be)grüßen; ✗ salutieren.

salvage ('sælvidʒ) Bergung(sgut n) f; Bergegeld n; 2. bergen.

salvation (sæl′veiʃən) Erlösung f; (Seelen-)Heil n; fig. Rettung f; ≈ Army Heilsarmee′ f.

salve¹ (sælv) Schiff retten; bergen.

salve² (sa:v) 1. mst fig. Salbe f; 2. mst fig. salben; beruhigen.

salvo ('sælvou) 1. Vorbehalt m; 2. ✗ Salve f (fig. Beifall).

same (seim): the ~ der-, die-, dasselbe; it is all the ~ to me es ist mir (ganz) gleich.

sample ('sa:mpl) 1. Probe f, Muster n; 2. bemustern; (aus)probieren.

sanct|ify ('sæŋktifai) heiligen; weihen; **~imonious** □ (sæŋkti′mou-

njəs) scheinheilig; **~ion** ('sæŋkʃən)
1. Sanktio'n; Bestätigung; Genehmigung; Zwangsmaßnahme *f*;
2. bestätigen, genehmigen; **~ity**
(~titi) Heiligkeit *f*; **~uary** (~tjuəri)
Heiligtum *n*; Freistätte *f*.
sand (sænd) **1.** Sand; **~s** *pl*. Sand
(-massen *f/pl*.) *m*; Sand-wüste,
-bank *f*; **2.** mit Sand bestreuen.
sandal ('sændl) Sanda'le *f*.
sandwich ('sænwidʒ, -witʃ) **1.** be-
legtes Butterbrot; **2.** einlegen.
sandy ('sændi) sandig; sandfarben.
sane (sein) geistig gesund; vernünftig (*Antwort usw.*).
sang (sæŋ) sang.
sanguin|ary □ ('sæŋgwinəri) blut-
dürstig; **~e** (~gwin) leichtblütig;
zuversichtlich; vollblütig.
sanitary □ ('sænitəri) Gesund-
heits...; gesundheitlich.
sanit|ation (sæni'teiʃən) Gesund-
heitspflege; sanitä're Einrichtung *f*;
~y ('sæniti) gesunder Verstand.
sank (sæŋk) sank.
sap (sæp) **1.** ⚓ Saft *m*; *fig*. Lebenskraft; ⚔ Sappe *f*; **2.** untergra'ben
(*a. fig.*); **~less** ('sæplis) saft-, kraftlos; **~ling** ('sæpliŋ) junger Baum *m*.
sapphire *min.* ('sæfaiə) Saphir *m*.
sappy ('sæpi) saftig; *fig*. kraftvoll.
sarcasm ('sɑːkæzm) bitterer Spott.
sardine (sɑː'diːn) Sardine *f*.
sardonic (sɑː'dɔnik) (~ally) sardo-
nisch; grimmig.
sash (sæʃ) Schärpe *f*.
sash-window Schiebefenster *n*.
sat (sæt) saß; gesessen.
satchel ('sætʃəl) Schulmappe *f*.
sate (seit) über'sättigen.
sateen (sæ'tiːn) Satin *m*. [telli't *m*.]
satellite ('sætəlait) Anhänger, Sa-
satiate ('seifieit) über'sä'ttigen.
satin ('sætin) Atlas *m* (*Stoff*).
satir|e ('sætaiə) Sati're *f*; **~ist**
('sætərist) Sati'riker *m*; **~ize** (~raiz)
verspotten.   [tigen.]
satisfaction (sætis'fækʃən) Befrie-
digung; Genugtuung; Zufriedenheit; Sühne; Gewißheit *f*.
satisfactory (sætis'fæktəri) befrie-
digend, zufriedenstellend.
satisfy ('sætisfai) befriedigen; genügen; zufriedenstellen; überzeu'gen.
saturate ('sætʃəreit) 🜄 *u. fig*. sät-
Saturday ('sætədi) Sonnabend
(Samstag) *m*.

sauce (sɔːs) **1.** Soße; *fig*. Würze; F
Keßheit *f*; **2.** würzen; F keß w. zu
j-m; **~pan** Kasserol'le *f*; **~r** ('sɔːsə)
Untertasse *f*.
saucy □ F ('sɔːsi) keß (*dreist*; *flott*).
saunter ('sɔːntə) **1.** Schlendern *n*;
Bummel *m*; **2.** (umher)schlendern.
sausage ('sɔsidʒ) Wurst *f*.
savage ('sævidʒ) **1.** □ wild; roh,
grausam; **2.** Wilde(r) *f*; *fig*. Barbar *f*
(-in); **~ry** (~ri) Wildheit; Barbarei *f*.
save (seiv) retten; erlösen; bewahren; (er)sparen; schonen.
saver ('seivə) Retter(in); Sparer(in).
saving ('seiviŋ) **1.** □ sparsam;
2. Rettung *f*; **~s** *pl*. Ersparnisse *f/pl*.
savings-bank Sparkasse *f*.   [*m*.]
saviour ('seivjə) Retter; ⸒ Heiland
savo(u)r ('seivə) **1.** Geschmack; *fig*.
Beigeschmack *m*; **2.** *fig*. schmecken,
riechen (of nach); **~y** (~ri)
schmackhaft; appeti'tlich; pika'nt.
saw (sɔː) **1.** sah; **2.** Spruch *m*; Säge *f*;
3. [*irr*.] sägen; **~dust** Sägespäne
m/pl.; **~mill** Schneidemühle *f*;
~n (sɔːn) gesägt.
Saxon ('sæksn) **1.** sächsisch; **2.**
Sachse *m*, Sächsin *f*.
say (sei) **1.** [*irr*.] sagen; hersagen;
berichten; **~** *grace* das Tischgebet
sprechen; *that is to* **~** das heißt;
you don't **~** *so!* was Sie nicht sagen!;
I **~**! höre(n Sie) mal!; *he is said to*
be ... er soll ... sein; **2.** Rede *f*,
Wort *n*; *it is my* **~** *now* jetzt ist die
Reihe zu reden an mir; *have a (no)*
~ *in a th.* etwas (nichts) zu sagen
haben bei et.; **~ing** ('seiiŋ) Rede;
Redensart *f*; Ausspruch *m*.
scab (skæb) Schorf *m*; Räude *f*; *sl*.
Streikbrecher *m*.
scabbard ('skæbəd) Säbel-Scheide *f*.
scabrous ('skeibrəs) heikel.
scaffold ('skæfəld) Gerüst; Schafo'tt
n; **~ing** (~iŋ) (Bau-)Gerüst *n*.
scald (skɔːld) **1.** Verbrühung *f*;
2. verbrühen; *Milch* abkochen.
scale[1] (skeil) **1.** Schuppe *f*; Kesselstein, Zahnstein *m*; Waagschale *f*;
(*a pair of*) **~s** *pl*. (eine) Waage *f*;
2. (sich) ab-schuppen, -lösen; ⊕
Kesselstein abklopfen; *Zähne* von
Zahnstein reinigen; wiegen.
scale[2] (**~**) **1.** Stufenleiter; ⸒ Ton-
leiter; Skala *f*; Maßstab *m*; *fig*.
Ausmaß *n*; **2.** ersteigen; nach
Maßstab vergrößern (**~** *up*) *od*. verkleinern (**~** *down*).

scallop ('skɔləp) 1. *zo.* Kammmuschel; ⊕ Lange'tte *f*; 2. ausbogen. [*m*; 2. skalpieren.]

scalp (skælp) 1. Kopfhaut *f*; Skalp]

scaly ('skeili) schuppig; Schuppen...

scamp (skæmp) 1. Taugenichts *m*; 2. pfuschen; **~er** (~ə) 1. (umhertollen; hetzen; 2. *fig.* Hetzjagd *f.*

scandal ('skændl) Skanda'l *m*; Ärgernis *n*; Schmach *f*; Klatsch *m*; **~ize** ('skændəlaiz) *j-m* Ärgernis geben; **~ous** □ (~ləs) anstößig; schimpflich; klatschhaft.

scant (skænt), **~y** (skænt, 'skænti) knapp; spärlich; kärglich, dürftig. [*m.*]

scapegoat ('skeipgout) Sündenbock]

scapegrace ('greis) Taugenichts *m.*

scar (skɑ:) 1. Narbe; Klippe *f*; 2. *v/t.* schrammen, *v/i.* vernarben.

scarc|e (skɛəs) knapp; selten; **~ely** ('skɛəsli) kaum; **~ity** (~siti) Mangel *m*; Knappheit; Teuerung *f.*

scare (skɛə) 1. er-, auf-schrecken; scheuchen; 2. Panik *f*; **~crow** Vogelscheuche *f* (*a. fig.*).

scarf (skɑ:f) Schärpe *f*; Schal *m*; Hals-, Kopf-tuch *n*; Krawatte *f.*

scarlet ('skɑ:lit) 1. Scharlach(rot *n*) *m*; 2. scharlachrot; ☞ **~fever** Scharlach *m.*

scarred (skɑ:d) narbig. [tend.]

scathing ('skeiðiŋ) *fig.* vernich-]

scatter ('skætə) (sich) zerstreuen; aus-, ver-streuen; (sich) verbreiten.

scavenger ('skævindʒə) Straßenkehrer *m.* [buch *n.*]

scenario (si'nɑ:riou) *Film:* Dreh-]

scene (si:n) Szene; Bühne *f*; Schauplatz *m*; **~s** *pl.* Kulissen *f/pl.*; **~ry** ('si:nəri) Szene'rie *f*; Bühnenausstattung; Landschaft *f.*

scent (sent) 1. (Wohl-)Geruch *m*; Parfü'm *n*; *hunt.* Witterung(svermögen *n*); Fährte *f*; 2. wittern; parfümieren; **~less** ('sentlis) geruchlos. [□ (~tikəl) skeptisch.]

sceptic ('skeptik) Skeptiker(in); **~al**]

scept|re, **~er** ('septə) Zepter *n.*

schedule ('ʃedju:l, *Am.* 'skedju:l) 1. Verzeichnis *n*; Tabelle *f*; *Am.* Fahrplan *m*; 2. auf-, ver-zeichnen; festsetzen.

scheme (ski:m) 1. Schema *n*; Zs.-stellung *f*; Plan *m*; 2. *v/t.* planen; *v/i.* Pläne m.; Ränke schmieden.

schism ('sizm) (Kirchen-)Spaltung *f.*

scholar ('skɔlə) Schüler(in); Gelehrte(r) *m*; **~ly** (~li) *adj.* gelehrt;

~ship (~ʃip) Gelehrsamkeit *f*; *univ.* Stipe'ndium *n.*

scholastic (skə'læstik) (~ally) scholastisch; schulmäßig; Schul...

school (sku:l) 1. Schwarm *m*; Schule *f*; *at* ~ in der Schule; *primary* ~ Volksschule *f*; *secondary* ~ Oberschule *f*; 2. schulen, erziehen; **~boy** Schüler *m*; **~fellow**, **~mate** Mitschüler(in); **~girl** Schülerin *f*; **~ing** ('sku:liŋ) Schulunterricht *m*; **~master** Schulmeister, (Schul-)Lehrer *m*; **~mistress** (Schul-)Lehrerin *f*; **~room** Klassenzimmer *n.*

science ('saiəns) Wissenschaft *f*; Naturwissenschaft(en *pl.*); Kenntnis *f.*

scientific (saiən'tifik) (~ally) (*eng S.* natu'r)wissenschaftlich.

scientist ('saiəntist) (**Natur-**)Wissenschaftler *m.*

scintillate ('sintileit) funkeln.

scion ('saiən) Sproß, Sprößling *m.*

scissors ('sizəz) *pl.* (*a pair of* ~ eine) Schere *f.*

scoff (skɔf) 1. Spott *m*; 2. spotten.

scold (skould) 1. zänkisches Weib; 2. (aus)schelten.

scon(e) (skoun) Mürbekuchen *m.*

scoop (sku:p) 1. Schaufel, Schippe *f*; Schöpfeimer; Erstmeldung *f* e-r *Zeitung*; 2. schaufeln; einscheffeln.

scooter ('sku:tə) Kinder-Roller *m.*

scope (skoup) Bereich *m*; *geistiger* Gesichtskreis; Spielraum *m.*

scorch (skɔ:tʃ) *v/t.* ver-sengen, -brennen; *v/i.* F (dahin)sausen.

score (skɔ:) 1. Kerbe, Zeche, Rechnung *f*; 20 Stück; *Sport:* Punktzahl *f*; Grund *m*; ♩ Partitu'r; Menge *f*; *run up* ~ *pl.* Schulden m.; *on the* ~ *of* wegen; *what's the* ~? wie steht das Spiel?; 2. (ein)kerben; anschreiben; *Sport:* (Punkte) m.; *Fußball:* ein Tor schießen; gewinnen; instrumentieren; *Am.* schelten.

scorn (skɔ:n) 1. Verachtung *f*; Spott *m*; 2. verachten; verschmähen; **~ful** □ ('skɔ:nful) verächtlich.

Scotch (skɔtʃ) 1. schottisch; 2. Schottisch *n*; *the* ~ die Schotten *pl.*; **~man** ('skɔtʃmən) Schotte *m.*

scot-free ('skɔt'fri:) straflos.

scoundrel ('skaundrəl) Schurke *m.*

scour (skauə) *v/t.* scheuern; reinigen; durchstrei'fen, absuchen; *v/i.* eilen. [2. geißeln.]

scourge (skə:dʒ) 1. Geißel *f*;

scout (skaut) 1. Späher, Kundschafter; ✕ Aufklärer *m*; Boy ♂s *pl.* Pfadfinder *m/pl.*; ✕ ~ party Spähtrupp *m*; 2. (aus)kundschaften, spähen; verächtlich zurückweisen.

scowl (skaul) 1. finsteres Gesicht; 2. finster blicken.

scrabble ('skræbl) (be)kritzeln; scharren; krabbeln.

scramble ('skræmbl) 1. klettern; sich balgen (*for* um); ~d eggs *pl.* Rührei *n*; 2. Kletterei; Balgerei *f*.

scrap (skræp) 1. Stückchen *n*; Zeitungs-Ausschnitt *m*, Sammel-Bild *n*; ~s *pl.* Reste *m/pl.*; 2. ausrangieren; verschrotten; ~-book Sammelalbum *n*.

scrap|e (skreip) 1. Kratzen, Scharren *n*; Kratzfuß *m*; Not, Klemme *f*; 2. schrap(p)en; (ab)schaben; (ab)kratzen; scharren; (entlang)streifen; **~er** ('skreipə) Kratzeisen *n*.

scrap-heap Abfall-, Schrott-haufen *m*; **~-iron** Alteisen *n*.

scratch (skrætʃ) 1. Schramme *f*; *Sport:* Ablaufmal *n*; 2. zs.-gewürfelt; Zufalls...; *Sport:* ohne Vorgabe; 3. (zer-)kratzen; (zer-)schrammen; *Sport:* streichen; ~ out ausstreichen. [kritzel *n*.]

scrawl (skrɔːl) 1. kritzeln; 2. Ge-]

scream (skriːm) 1. Gekreisch *n*; 2. kreischen; schreien; **~y** (~i) schrill, grell.

screech (skriːtʃ) kreischen.

screen (skriːn) 1. Ofen- *usw.* Schirm *m*; *Film:* Leinwand *f*; (Sand-, Korn- *usw.*) Sieb *n*; ✕ Schützenschleier *m*; the ~ der Film; 2. schirmen, (be)schützen; abschirmen; *opt.* auf die Leinwand werfen; (durch)sieben.

screw (skruː) 1. Schraube *f*; = screw-propeller; 2. (fest)schrauben; *fig.* quetschen; ver-, um-drehen; ~ up Mund *usw.* zs.-kneifen; **~-driver** Schraubenzieher *m*; **~-propeller** Schiffs-, Flugzeug-schraube *f*. [2. kritzeln.]

scribble ('skribl) 1. Gekritzel *n*;]

scrimp (skrimp) *v/t.* knapp halten; *v/i.* knausern. [schein(e *pl.*) *m*.]

scrip ✝ (skrip) Interims(anleihe)-]

script (skript) Schrift; Schreibschrift *f*; Manuskri'pt; *Film:* Drehbuch *n*. [Schrift.]

Scripture ('skriptʃə) Heilige]

scroll (skroul) (Schrift-)Rolle, Liste; Δ Schnecke *f*; Schnörkel *m*.

scrub (skrʌb) 1. Gestrüpp *n*; Zwerg *m*; 2. schrubben, scheuern.

scrubby ('skrʌbi) (st)ruppig.

scrup|le ('skruːpl) 1. Skrupel *m*, Bedenken *n*; 2. Bedenken tragen; **~ulous** □ ('skruːpjuləs) (allzu-)bedenklich; gewissenhaft; ängstlich.

scrutin|ize ('skruːtinaiz) (genau) prüfen; **~y** ('skruːtini) forschender Blick; genaue (*bsd.* Wahl-)Prüfung.

scud (skʌd) 1. leichtes Windgewölk; Bö *f*; 2. eilen, jagen; gleiten.

scuff (skʌf) schlurfen, schlorren.

scuffle ('skʌfl) 1. Balgerei, Rauferei *f*; 2. sich balgen, raufen.

scullery ('skʌləri) Aufwaschküche *f*.

sculptor ('skʌlptə) Bildhauer *m*.

sculptur|e ('skʌlptʃə) 1. Bildhauerkunst, -arbeit *f*; 2. meißeln, aushauen; Bildhauer *m*.

scum (skʌm) (Ab-)Schaum.

scurf (skəːf) (Haut-)Schuppen *f/pl.*

scurrilous □ ('skʌriləs) gemein.

scurry ('skʌri) hasten, rennen.

scurvy ('skəːvi) hundsgemein.

scuttle ('skʌtl) 1. Kohleneimer *m*; 2. eilen; *fig.* sich drücken.

scythe (saið) Sense *f*.

sea (siː) See *f*: Meer *n* (*a. fig.*); hohe Welle; at ~ *fig.* ratlos; **~board** Seeküste *f*; **~faring** ('siːfɛəriŋ) seefahrend; **~going** Hochsee...

seal (siːl) 1. Seehund *m*, Robbe *f*; Siegel *n*, Stempel *m*; Bestätigung *f*; 2. versiegeln; *fig.* besiegeln; ~ up (fest) verschließen; ⊕ abdichten; ~ (with lead) durchlöchern.

sea-level ('levl) Meeresspiegel *m*.

sealing-wax Siegellack *m*.

seam (siːm) 1. Saum *m*; (*a.* ⊕) Naht; ⊕ Fuge *f*; Flöz *n*; Narbe *f*; 2. schrammen; furchen.

seaman ('siːmən) Seemann *m*.

seamstress ('semstris) Näherin *f*.

sea-plane Wasserflugzeug *n*.

sear (siə) austrocknen, versengen; 🔥 brennen; *fig.* verhärten.

search (səːtʃ) 1. Suchen, Forschen *n*; Unter-, Durch-suchung *f*; in ~ of auf der Suche nach; 2. *v/t.* durch-, unter-su'chen; sondieren; erforschen; durchdri'ngen; *v/i.* suchen, forschen (*for* nach); ~ into ergründen; **~ing** (~iŋ) eingehend (Prüfung *usw.*); **~-light** Scheinwerfer(licht *n*) *m*; **~-warrant** Haussuchungsbefehl *m*.

sea|-shore Seeküste f; **~sick** seekrank; **~side** Strand m; ~ place, ~ resort Seebad n.

season ('si:zn) 1. Jahreszeit; (rechte) Zeit; Saiso'n f; cherries are in ~ jetzt ist die Kirschenzeit; out of ~ zur Unzeit; with the compliments of the ~ mit den besten Wünschen zum Fest; 2. v/t. reifen (l.); würzen; abhärten (to gegen); v/i. ablagern; **~able** □ (~əbl) zeitgemäß; rechtzeitig; **~al** □ ('si:zənl) Saison-...; periodisch; **~ing** ('si:zniŋ) Würze f; **~ticket** Dauerkarte f.

seat (si:t) 1. Sitz (a. fig.); Sessel, Stuhl m; Bank f; Sitz-Platz; Landsitz m; Gesäß n; Schauplatz m; 2. (hin)setzen; j. einsetzen; Sitzplätze haben für; ~ ed sitzend; be ~ed sitzen; sich setzen.

sea|-urchin See-igel m; **~ward** ('si:wəd) adj. seewärts gerichtet; adv. (a. ~s seewärts); **~weed** (See-)Tang m; **~worthy** seetüchtig.

secede (si'si:d) sich trennen.

secession (si'seʃən) Lossagung f; Abfall m; **~ist** (~ist) Abtrünnige(r).

seclu|de (si'klu:d) abschließen; **~sion** (si'klu:ʒən) Abgeschlossenheit f.

second ('sekənd) 1. □ zweite(r, s); nächste(r, s); geringer (to als); on ~ thoughts bei genauerer Überle'gung; 2. Zweite(r, s); Sekunda'nt; Beistand m; Seku'nde f; ✝ ~s pl. zweite Sorte; 3. sekundieren (dat.); unterstü'tzen; **~ary** □ (~əri) sekunda'r; untergeordnet; Neben...; **~-hand** aus zweiter Hand; gebraucht; antiqua'risch; **~ly** (~li) zweitens; **~-rate** zweiten Ranges; zweitklassig.

secre|cy ('si:krisi) Heimlichkeit; Verschwiegenheit f; **~t** ('si:krit) 1. □ geheim; Geheim...; verschwiegen; 2. Geheimnis n; in ~ insgeheim; be in the ~ eingeweiht sn.

secretary ('sekrətri) Schriftführer m; Sekretä'r(in).

secret|e (si'kri:t) verbergen; absondern; **~ion** (~ʃən) Absonderung f; **~ive** (~iv) geheimtuerisch.

section ('sekʃən) ♣ Sektio'n f; (Durch-)Schnitt; Teil; m; Abschnitt, Paragra'ph; typ. Absatz m; Abteilung; Gruppe f.

secular □ ('sekjulə) weltlich.

secur|e (si'kjuə) 1. □ sicher; 2. (sich et.) sichern; schützen; festmachen;

~ity (~riti) Sicherheit; Sorglosigkeit; Gewißheit f; Schutz m; Kautio'n f; **~ities** pl. Wertpapiere n/pl.

sedate □ (si'deit) gesetzt; ruhig.

sedative ('sedətiv) mst ♣ beruhigend(es Mittel).

sedentary □ ('sedntəri) sitzend.

sediment ('sedimənt) (Boden-)Satz m.

sedition (si'diʃən) Aufruhr m.

seditious □ (~ʃəs) aufrührerisch.

seduc|e (si'dju:s) verführen; **~tion** (si'dʌkʃən) Verführung f; **~tive** □ (~tiv) **verführerisch.**

sedulous □ ('sedjuləs) emsig.

see (si:) [irr.] v/i. sehen; einsehen; I ~ ich verstehe; ~ about a th. sich um et. kümmern; ~ through a p. j. durchschau'en; ~ to achten auf (acc.); v/t. sehen; beobachten; einsehen; sorgen (daß et. geschieht); besuchen; ~ a p. home j. nach Hause begleiten; ~ off Besuch usw. wegbringen; ~ a th. through et. durchhalten; ~ a p. through j-m durchhelfen; (live) to ~ erleben.

seed (si:d) 1. Same(n m, Saat f; Obst-Kern; Keim m (a. fig.); go to ~ Samen schießen; fig. herunterkommen; 2. v/t. (be)säen; entkernen; v/i. in Samen schießen; **~ling** ♀ ('si:dliŋ) Sämling m; **~y** ('si:di) schäbig; F elend.

seek (si:k) [irr.] suchen (nach); begehren (nach); trachten nach.

seem (si:m) (er)scheinen; **~ing** □ ('si:miŋ) anscheinend; scheinbar; **~ly** (~li) schicklich.

seen (si:n) gesehen.

seep (si:p) durchsickern, tropfen.

seer ('si:[ə) Seher(in), Prophe't(in).

seesaw ('si:'sɔ:) 1. Schaukeln n; Wippe, Schaukel f; 2. schaukeln.

seethe (si:ð) sieden, kochen.

segment ('segmənt) Abschnitt m.

segregate ('segrigeit) absondern.

seiz|e (si:z) ergreifen, fassen; sich e-r S. bemächtigen (a. ~ upon); mit Beschlag belegen; fig. erfassen; **~ure** ('si:ʒə) Ergreifung; ♣ Beschlagnahme f; ♣ plötzlicher Anfall.

seldom ('seldəm) adv. selten.

select (si'lekt) 1. aus-wählen; -lesen; 2. auserwählt; exklusi'v; **~ion** (si'lekʃən) Auswahl f.

self (self) 1. pron. selbst; ✝ od. F = myself usw.; 2. adj. einfarbig;

3. *su.* (*pl.* **selves**, selvz) Selbst, Ich *n*; Persönlichkeit *f*; **~centred** egozentrisch; **~command** Selbstbeherrschung *f*; **~conceit** Eigendünkel *m*; **~conceited** dünkelhaft; **~conscious** befangen; **~contained** (in sich) abgeschlossen; *fig.* verschlossen; **~control** Selbstbeherrschung *f*; **~defence**: *in ~* in (der) Notwehr; **~denial** Selbstverleugnung *f*; **~evident** selbstverständlich; **~interest** Eigennutz *m*; **~ish** ('selfiʃ) selbstsüchtig; **~possession** Selbstbeherrschung *f*; **~reliant** selbstsicher; **~seeking** eigennützig; **~willed** eigenwillig.

sell (sel) [*irr.*] *v/t.* verkaufen (*a. fig.*); *v/i.* handeln; gehen (*Ware*); **~ off**, *~ out* ausverkaufen; **~er** ('selə) Verkäufer *m*; **~ good etc. ~** gut *usw.* gehende Ware.

semblance ('semblans) Anschein *m*; Gestalt *f*.

semi... ('semi...) Halb...; **~final** *Sport*: Vorschlußrunde *f*.

seminary ('seminəri) *fig.* Pflanzschule *f*; (Priester-)Semina'r *n*.

sempstress (~stris) Näherin *f*.

senate ('senit) Sena't *m*.

senator ('senətə) Sena'tor *m*.

send (send) [*irr.*] senden, schicken; (*mit adj. od. p.pr.*) machen; **~ for** kommen l, holen; **~ forth** aussenden; veröffentlichen; **~ up** in die Höhe treiben; **~ word** sagen l.

senile ('si:nail) greisenhaft; **~ity** (si'niliti) Greisenalter *n*.

senior ('si:njə) **1.** älter; dienstälter; Ober...; **~ partner** Chef *m*; **2.** Ältere(r) *m*; Dienstältere(r); Senior *m*; *he is my ~ by a year* er ist ein Jahr älter als ich; **~ity** (si:ni'ɔriti) höheres Alter *od.* Dienstalter.

sensation (sen'seiʃən) Sinnesempfindung *f*, Gefühl *n*; Sensation *n*; **~al** □ (~ʃnl) Empfindungs...; sensatione'll.

sense (sens) **1.** *allg.* Sinn *m* (*of* für); Empfindung *f*, Gefühl *n*; Verstand *m*; Bedeutung *f*; Ansicht *f*; *in* (*out of*) *one's ~s pl.* bei (von) Sinnen; *bring one to his ~s pl.* j. zur Vernunft bringen; *make ~* Sinn haben (*S.*); **2.** spüren.

senseless □ ('senslis) sinnlos; bewußtlos; gefühllos; **~ness** (~nis) Sinnlosigkeit *f usw.*

sensibility (~i'biliti) Empfindungsvermögen *n*; Empfindlichkeit *f*.

sensible □ ('sensəbl) fühl-, spür-, (be)merk-bar; verständig, vernünftig; *be ~ of* Empfinden haben für *et.*; *sich e-r S.* bewußt sn.

sensitive □ ('sensitiv) empfindlich (*to* für); Empfindungs...; **~ity** (~'tiviti) Empfindlichkeit *f* (*to* für).

sensual □ ('sensjuəl) sinnlich.

sensuous □ ('sensjuəs) Sinnen...; sinnenfreudig.

sent (sent) sandte; gesandt.

sentence ('sentəns) **1.** ᵵᵗᵎ Urteil *n*; *gr.* Satz *m*; *serve one's ~* s-e Strafe absitzen; **2.** verurteilen.

sententious (sen'tenʃəs) spruchreich; bündig; salbungsvoll.

sentient ('senʃənt) empfindend.

sentiment ('sentimənt) Empfindung *f*, Gefühl *n*; Gedanke *m*; Meinung *f*; *s. ~ality*; **~al** □ (senti'mentl) empfindsam; sentimenta'l; **~ality** (sentimen'tæliti) Sentimentalitä't *f*.

sentinel ('sentinl), **sentry** ('sentri) [⚔ Schildwache *f*, Posten *m*].

separa|ble □ ('sepərəbl) trennbar; **~te 1.** □ ('seprit) getrennt, gesondert, besonder; **2.** ('sepəreit) (sich) trennen; (sich) absondern; (sich) scheiden; **~tion** (sepə'reiʃən) Trennung, Scheidung *f*. [*m.*]

September (sep'tembə) September]

sepul|chre *rhet.* ('sepəlkə) Grab *n*; **~ture** ('sepəltʃə) Begräbnis *n*.

sequel ('si:kwəl) Folge *f*; Nachspiel *n*; Fortsetzung *f e-r Geschichte*.

sequen|ce ('si:kwəns) Reihenfolge *f*; **~t** (~kwənt) aufeinanderfolgend.

sequestrate ᵵᵗᵎ (si'kwestreit) *Eigentum* einziehen; beschlagnahmen.

serenade (seri'neid) **1.** ♪ Serenade *f*, Ständchen *n*; **2.** ein Ständchen bringen (*dat.*).

seren|e □ (si'ri:n) klar, heiter; ruhig; *Your ♀ Highness* Ew. Durchlaucht; **~ity** (si'reniti) Heiterkeit; Ruhe; ♀ Durchlaucht *f*.

serf (sə:f) Leibeigene(r), Hörige(r).

sergeant ⚔ ('sɑ:dʒənt) Feldwebel, (*a. Polizei*-)Wachtmeister *m*.

serial □ ('siəriəl) **1.** Reihen..., Lieferungs...; **2.** Fortsetzungswerk *n*.

series *pl.* ('siəri:z) Reihe; Serie *f*.

serious □ ('siəriəs) *allg.* ernst, ernst-haft, -lich; *be ~* es im Ernst meinen; **~ness** (~nis) Ernst(haftigkeit *f*) *m*.

sermon ('səːmən) Predigt f.

serpent ('səːpənt) Schlange f.; ~**ine** (~ain) schlangen-gleich, -förmig.

servant ('səːvənt) Diener, Knecht m; Dienerin, Magd f.

serve (səːv) 1. v/t. dienen (dat.); Zeit abdienen; bedienen; Speisen reichen; Speisen auftragen; behandeln; nützen, dienlich sn (dat.); Zweck erfüllen; Tennis: aufgeben; (it) ~s him right (das) geschieht ihm recht; ~ out et. austeilen; v/i. dienen (a. ✕; as, for als, statt) bedienen; nützen, zweckmäßig sn; ~ at table servieren; 2. Tennis: Aufschlag m.

service ('səːvis) 1. Dienst m; Bedienung; Gefälligkeit f; (a. divine ~) Gottesdienst; Betrieb; Verkehr; Nutzen m; Servi'ce n; Tennis: Aufschlag m; the (army) ~s pl. die Wehrmacht; be at a p.'s ~ j-m zu Diensten stehen; 2. Am. ⊕ überho'len; ~**able** □ ('səːvisəbl) dienlich, nützlich; benutzbar.

servil|e □ ('səːvail) Sklaven...; knechtisch, sklavisch; ~**ity** (səːviliti) Sklaverei; Unterwürfigkeit f.

servitude ('səːvitjuːd) Knechtschaft f.

session ('seʃən) Sitzung f.

set (set) 1. (irr.) v/t. setzen, stellen; legen; zurechtstellen, (ein)richten, ordnen; Aufgabe, Wecker stellen; schärfen; Edelstein fassen; festsetzen; erstarren m.; ✳ einrenken; ~ a p. laughing j. zum Lachen bringen; ~ sail unter Segel gehen; ~ one's teeth die Zähne zs.-beißen; ~ aside beiseite-stellen, -legen; aufheben; ~ store by Wert legen auf (acc.); ~ forth dartun; ~ off hervorheben; anrechnen; ~ up auf-, er-, ein-richten; aufstellen; j. etablieren; 2. v/i. ast. untergehen; gerinnen; laufen (Flut usw.); sitzen (Kleid usw.); ~ about a th. et. anfangen; ~ forth aufbrechen; ~ (up)on anfangen; angreifen; ~ out aufbrechen; ~ to sich daran m.; ~ up sich niederlassen; ~ up for sich aufspielen als; 3. fest; starr; festgesetzt, bestimmt; vorgeschrieben; ~ (up)on versessen auf (acc.); ~ with besetzt mit; Barometer: ~ fair beständig; hard ~ in großer Not; ~ speech wohlüberlegte Rede; 4. Reihe, Folge, Sammlung f,

Satz m; Garnitu'r f; Servi'ce; Radio: Gerät n; ♣ Kollektio'n; Gesellschaft f; Tennis: Satz m; Neigung; Richtung f; Sitz m e-s Kleides usw.; Bühnenausstattung f.

set|back ('set'bæk) fig. Rückschlag m; ~**down** fig. Dämpfer m; ~**off** Kontra'st; Ausgleich m.

setting ('setiŋ) Setzen n usw. (s. set); Fassung e-s Edelsteins; fig. Umra'hmung; ♪ Kompositio'n f.

settle ('setl) v/t. (fest)setzen; j. etablieren; regeln; Geschäft abschließen, abmachen, erledigen; Frage entscheiden; Rechnung begleichen; ordnen; beruhigen; Streit beilegen; Rente aussetzen; ansiedeln; Land besiedeln; v/i. (oft ~ down) sich niederlassen; sich einrichten; sich setzen (a. Haus); sich legen (Wut usw.); beständig w. (Wetter); sich entschließen; ~**d** ('setld) fest; beständig; ~**ment** ('setlmənt) Festsetzung f usw.; (An-)Siedlung; ✝ Eigentums-Übertra'gung f; ~**r** ('setlə) (An-)Siedler m.

set-to Kampf m; Schlägerei f.

seven ('sevn) sieben(s; ~**teen(th** (~tiːnθ) siebzehn[te(r, s)]; ~**th** ('sevnθ) 1. □ siebente(r, s); 2. Siebentel n; ~**tieth** ('sevntiiθ) siebzigste(r, s); ~**ty** ('sevnti) siebzig. [lösen; zerreißen.]

sever ('sevə) (sich) trennen; (auf-)]

several □ ('sevrəl) besonder, einzeln; verschieden; mehrere, verschiedene; ~**ly** besonders, einzeln.

severance ('sevərəns) Trennung f.

sever|e □ (si'viə) streng; rauh; hart (Winter); scharf; ernst (Mühe); heftig (Schmerz usw.); schlimm; schwer (Unfall usw.); ~**ity** (si'veriti) Strenge, Härte; Schwere f; Ernst m.

sew (sou) (irr.) nähen; heften.

sewer ('sjuə) Abzugskanal m; ~**age** ('sjuəridʒ) Kanalisatio'n f.

sew|ing ('souiŋ) 1. Nähen n; Näherei f; 2. Näh...; ~**n** (soun) genäht.

sex (seks) Geschlecht n. [gräber m.]

sexton ('sekstən) Küster, Toten-]

sexual □ ('seksjuəl) geschlechtlich; Geschlechts...; sexue'll; Sexua'l...

shabby □ ('ʃæbi) schäbig (a. fig.).

shack Am. (ʃæk) Hütte, Bude f.

shackle ('ʃækl) 1. Fessel f (fig. mst ~s pl.); 2. fesseln.

shade (ʃeid) 1. Schatten (*a. fig.*); (*Lampen- usw.*) Schirm *m*; Schattierung; *fig.* Spur *f*; 2. beschatten; (*a. fig.*) verdunkeln; abschirmen; schützen; schattieren; ~ *off* allmählich übergehen (lassen) (*into in acc.*).

shadow ('ʃædou) 1. Schatten(bild *n*) *m* (*a. fig.*); *s.* shade; Schutz *m*; 2. beschatten; (*mst ~ forth*) andeuten; versinnbildlichen; *j.* überwa'chen; ~y (~i) schattig, dunkel; schattenhaft.

shady ('ʃeidi) schattenspendend; schattig; dunkel; F zweifelhaft.

shaft (ʃɑːft) Schaft; Stiel; Pfeil *m*; ⊕ Welle; Deichsel *f*; Schacht *m*.

shaggy ('ʃægi) zottig.

shake (ʃeik) 1. [*irr.*] *v/t.* schütteln, rütteln; erschüttern; ~ *hands* sich die Hände geben *od.* schütteln; *v/i.* zittern, beben (*with, at* vor *dat.*); ♩ trillern; 2. Schütteln *n*; Erschütterung *f*; Beben *n*; ♩ Triller *m*; ~**hands** *pl.* Händedruck *m*; ~**n** ('ʃeikən) 1. geschüttelt; gezittert; 2. *adj.* erschüttert.

shaky (□ ('ʃeiki) wacklig (*a. fig.*); (sch)wankend; zitterig.

shall (ʃæl) [*irr.*] *v/aux.* soll; werde.

shallow ('ʃælou) 1. seicht; *fig.* oberflächlich; 2. Untiefe *f*.

sham (ʃæm) 1. falsch; Schein...; 2. Trug *m*; Täuschung *f*; Schwindler(in); 3. *v/t.* vortäuschen; *v/i.* sich *tot usw.* stellen; sich verstellen.

shamble ('ʃæmbl) watscheln; ~**s** (~z) Schlachthaus *n*.

shame (ʃeim) 1. Scham; Schande *f*; *for* ~! pfui!; *put to* ~ beschämen; 2. beschämen; *j-m* Schande m.; ~**faced** □ ('ʃeimfeist) schamhaft; ~**ful** □ ('ʃeimful) schändlich; ~**less** □ ('ʃeimlis) schamlos.

shampoo (ʃæm'puː) 1. Haar waschen; 2. Haarwäsche *f*.

shamrock ('ʃæmrɔk) Kleeblatt *n*.

shank (ʃæŋk) (Unter-)Schenkel; Stiel; Schaft *m*.

shanty ('ʃænti) Hütte, Bude *f*.

shape (ʃeip) 1. Gestalt; (*a. fig.*) Form *f*; 2. *v/t.* gestalten; formen, bilden; anpassen (*to dat.*); *v/i.* sich gestalten; ~**less** ('ʃeiplis) formlos; ~**ly** (~li) wohlgestaltet.

share (ʃɛə) 1. (An-)Teil *m*; A'ktie *f*; ✗ Kux *m*; *go* ~*s pl.* teilen; 2. *v/t.*

teilen; *v/i.* teilhaben (*in an dat.*); ~**holder** ✝ Aktieninhaber(in).

shark (ʃɑːk) Hai(fisch); Gauner *m*.

sharp (ʃɑːp) 1. □ *allg.* scharf (*a. fig.*); spitz; *fig.* schneidend, stechend; schrill; hitzig; pfiffig, schlau, gerissen; F ~ Fis *n*; 2. *adv.* ♩ zu hoch; pünktlich; *look* ~! (mach') schnell!; 3. ♩ Kreuz *n*; durch ein Kreuz erhöhte Note; ~**en** ('ʃɑːpən) (ver)schärfen; spitzen; ~**er** ('ʃɑːpə) Gauner; abessen; ~**ness** ('ʃɑːpnis) Schärfe (*a. fig.*); ~**sighted** scharfsichtig; ~**witted** scharfsinnig.

shatter ('ʃætə) zer-schmettern, -schlagen; *Nerven usw.* zerrütten.

shave (ʃeiv) 1. [*irr.*] *v/t.* rasieren; (ab)schälen; knapp vorbeikommen an (*dat.*); 2. Rasu'r *f*; *have a* ~ sich rasieren (l.); *a close* ~ ein Entkommen *n* mit knapper Not; ~**n** ('ʃeivn) rasiert.

shaving ('ʃeiviŋ) 1. ~*s pl.* (bsd. Hobel-)Späne *m/pl.*; 2. Rasie'r...

shawl (ʃɔːl) Schal *m*, Umschlagtuch *n*.

she (ʃiː) 1. sie; 2. Sie *f*; **she-**... Weibchen *n* von Tieren.

sheaf (ʃiːf) Garbe *f*; Bündel *n*.

shear (ʃiə) 1. [*irr.*] scheren; *fig.* rupfen; 2. ~*s pl. große* Schere.

sheath (ʃiːθ) Scheide *f*; ~**e** (ʃiːð) (in die Scheide) stecken; einhüllen; ⊕ bekleiden; beschlagen.

sheaves (ʃiːvz) *pl.* Garben *f/pl.*; Bündel *n/pl.*

shed[1] (ʃed) [*irr.*] aus-, ver-gießen; verbreiten; *Blätter usw.* abwerfen.

shed[2] (~) Schuppen *m*.

sheen (ʃiːn) Glanz *m*.

sheep (ʃiːp) Schaf(e *pl.*) *n*; Schafleder *n*; ~**cot**, ~**fold** Schafhürde *f*; ~**dog** Schäferhund *m*; ~**ish** □ ('ʃiːpiʃ) blöd(e); ~**skin** Schaffell; Schafleder *n*.

sheer (ʃiə) rein; glatt; *Am.* hauchdünn; steil; senkrecht; direkt.

sheet (ʃiːt) Platte *f*; Bogen *m*; Blatt; Laken *n*; Fläche; ✝ Schot(e) *f*; ~ *iron* Eisenblech *n*; ~**lightning** Wetterleuchten *n*.

shelf (ʃelf) Brett, Rega'l, Fach; Riff *n*; *on the* ~ *fig.* ausrangiert.

shell (ʃel) 1. Schale; Hülse; Muschel *f*; Gehäuse; Gerippe *n* e-s *Hauses*; Granate *f*; 2. schälen, enthülsen; bombardieren; ~**fish** Schaltier *n*; ~**proof** bombensicher.

shelter ('ʃeltə) 1. Obdach n; fig. Schutz, Schirm m; 2. v/t. (be-)schützen; (be)schirmen; v/i. Schutz suchen (a. take ~).

shelve (ʃelv) auf ein Brett stellen; fig. zu den Akten legen; fig. beiseite lassen; sich allmählich neigen.

shelves (ʃelvz) pl. Regale n/pl.

shepherd ('ʃepəd) 1. Schäfer, Hirt m; 2. (be)hüten; leiten. [nade f.]

sherbet ('ʃɔ:bət) (Brause-) Limo-f

shield (ʃi:ld) 1. Schutz-Schild m; 2. (be)schirmen (from vor dat.).

shift (ʃift) 1. Veränderung f, Wechsel; Behelf m; List f, Kniff m; Arbeits-Schicht f; make ~ es möglich m. (to inf. zu); sich behelfen; 2. v/t. (ver-, weg-)schieben; (ab)wechseln; verändern; Platz, Szene usw. verlegen, verlagern; v/i. wechseln; sich verlagern; umziehen; sich behelfen; ~ for o.s. sich selbst helfen; ~less □ ('ʃiftlis) hilflos; faul; ~y □ ('ʃifti) fig. gerissen.

shilling ('ʃiliŋ) engl. Schilling m.

shin (ʃin) 1. (od. ~bone) Schienbein n; 2. ~ up hinaufklimmen.

shine (ʃain) 1. Schein; Glanz m; 2. [irr.] scheinen; leuchten; fig. glänzen, strahlen; blank putzen.

shingle ('ʃiŋgl) Schindel f; Am. Schild n; Strandkiesel m/pl.; ~s pl. ♂ Gürtelrose f.

shiny □ ('ʃaini) blank.

ship (ʃip) 1. Schiff n; 2. an Bord nehmen od. bringen; verschiffen, versenden; ♩ heuern; ~board ♩ on ~ an Bord; ~ment ('ʃipmənt) Verschiffung f; Versand m; Schiffsladung f; ~owner Reeder m; ~ping ('ʃipiŋ) 1. Verschiffung f; Schiffe n/pl., Flotte f; 2. Schiffs...; Verschiffungs..., Verlade...; ~wreck 1. Schiffbruch m; 2. scheitern (l.); ~wrecked schiffbrüchig; ~yard Schiffswerft f.

shire ('ʃaiə, ...ʃiə) Grafschaft f.

shirk (ʃə:k) sich drücken (um et.); ~er ('ʃə:kə) Drückeberger m.

shirt (ʃə:t) Männer-Hemd n; Hemdbluse f (a. ~blouse).

shiver ('ʃivə) 1. Schauer m; 2. schau(d)ern; (er)zittern; ~y (~ri) fröstelnd.

shoal (ʃoul) 1. Schwarm m, Schar; Untiefe f; 2. flacher w.; 3. seicht.

shock (ʃɔk) 1. Garbenhaufen; Haar-

Schopf; Stoß; Anstoß m; Erschütterung f, Schlag; ♩ Nervenschock m; 2. fig. verletzen; empören, Anstoß erregen bei; erschüttern; ~ing □ ('ʃɔkiŋ) anstößig; empörend; haarsträubend.

shod (ʃɔd) beschuht; beschlagen.

shoddy ('ʃɔdi) 1. Lumpenwolle f; fig. Schund; Am. Protz m; 2. falsch; schundmäßig; Am. protzig.

shoe (ʃu:) 1. Schuh m; Hufeisen n; 2. [irr.] beschuhen; beschlagen; ~black Schuhputzer m; ~blacking, ~polish Schuhputz m; ~horn Schuhanzieher m; ~lace; Am. ~string Schnürsenkel m; ~maker Schuhmacher m.

shone (ʃɔn) schien; geschienen.

shook (ʃuk) schüttelte.

shoot (ʃu:t) 1. fig. Schuß m; ♀ Schößling m; 2. [irr.] v/t. schießen; abschießen; erschießen; Film aufnehmen, drehen; fig. unter e-r Brücke usw. hindurch-, über et. hinweg-schießen; ♀ treiben; v/i. schießen; stechen (Schmerz); stürzen; (a. ~ forth) ♀ ausschlagen; ~ ahead vorwärts-eilen, -schießen; ~er ('ʃu:tə) Schütze m.

shooting ('ʃu:tiŋ) Schießen n; Jagd f; ~ star Sternschnuppe f.

shop (ʃɔp) 1. Laden m; Werkstatt f, Betrieb m; talk ~ fachsimpeln; 2. einkaufen gehen (mst go ~ping); ~keeper Ladeninhaber(in); ~man Ladengehilfe m; ~steward Betriebsobmann m; ~window Schaufenster n.

shore (ʃɔ:) 1. Ufer n; Strand m; (on ~ an[s]) Land n; Stütze f; 2. ~ up (unter)stützen.

shorn (ʃɔ:n) geschoren.

short (ʃɔ:t) kurz (a. fig.); klein; knapp; bröck(e)lig, mürbe; in ~ kurz(um); ~ of knapp an (dat.), ohne; abgesehen von; come (od. fall) ~ of nicht erreichen; cut ~ plötzlich unterbre'chen; fall (od. run) ~ ausgehen (Vorräte); stop ~ of innehalten vor (dat.); ~age ('ʃɔ:tidʒ) Fehlbetrag; Gewichtsverlust m; Knappheit f; ~coming Unzulänglichkeit; Verknappung f; ~cut Abkürzungs-, Richt-weg m; ~dated of kurze Sicht; ~en ('ʃɔ:tn) v/t. ab-, ver-kürzen; v/i. kürzer w.; ~ening (~iŋ) Backfett n; ~hand Kurzschrift f; ~ly ('ʃɔ:tli)

13

adv. kurz; bald; **~ness** (~nis) Kürze *f*; Mangel(haftigkeit *f*) *m*; **~sighted** kurzsichtig; **~term** kurzfristig; **~winded** kurzatmig.

shot (ʃɔt) **1.** schoß; geschossen; **2.** Schuß *m*; Geschoß *n*, Kugel *f*; Schrot(korn) *n*; Schußweite *f*; Schütze; *Sport:* Stoß, Schlag, Wurf *m*; *phot., Film:* Aufnahme, ⚕ Spritze *f*; *have a* ~ *at et.* versuchen; F *not by a long* ~ noch lange nicht; **~gun** Schrotflinte *f*.

should (ʃud, ʃəd) sollte, würde.

shoulder (ˈʃouldə) **1.** Schulter (*a. v. Tieren;* *fig.* Vorsprung) *f*; Achsel *f*; **2.** auf die Schulter (*fig.* auf sich) nehmen; ✕ schultern; drängen; **~blade** Schulterblatt *n*.

shout (ʃaut) **1.** lauter Schrei *od.* Ruf; Geschrei *n*; **2.** laut schreien.

shove (ʃʌv) **1.** Stoß *m*; **2.** schieben, stoßen. [schaufeln.]

shovel (ˈʃʌvl) **1.** Schaufel *f*; **2.**⟩

show (ʃou) **1.** [*irr.*] *v/t.* zeigen; ausstellen; erweisen; beweisen; ~ *in* hereinführen; ~ *up* hinaufführen; entlarven; *v/i.* sich zeigen; zu sehen sn; ~ *off* hervorstechen; **2.** Schau(-stellung) *f*; Ausstellung *f*; Aufzug *m*; Vorführung *f*; Anschein *m*; **~-case** Vitri'ne *f*.

shower (ˈʃauə) **1.** (Regen-)Schauer *m*; Dusche; *fig.* Fülle *f*; **2.** überschütten; sich ergießen; **~y** (ˈʃauəri) regnerisch.

show|n (ʃoun) gezeigt; **~room** Ausstellungsraum *m*; **~window** *Am.* Schaufenster; **~y** □ (ˈʃoui) prächtig; prunkhaft.

shrank (ʃræŋk) schrumpfte.

shred (ʃred) **1.** Stückchen *n*; Schnitz(el *n*) *m*; Fetzen *m* (*a. fig.*); **2.** [*irr.*] (zer)schnitzeln; zerfetzen.

shrew (ʃru:) Zankteufel *m*.

shrewd (ʃru:d) scharfsinnig, schlau.

shriek (ʃri:k) **1.** (Angst-)Schrei *m*; Gekreisch *n*; **2.** kreischen.

shrill (ʃril) **1.** □ schrill; **2.** schrillen, gellen; herauskreischen.

shrimp (ʃrimp) (*a. fig.*) Krabbe *f*.

shrine (ʃrain) Schrein; Alta'r *m*.

shrink (ʃriŋk) [*irr.*] (ein-, zs.-) schrumpfen (l.); einlaufen; sich zurückziehen; zurückschrecken (*from, at vor dat.*); **~age** (ˈʃriŋkidʒ) Einlaufen *n*; Schrumpfung; *fig.* Verminderung *f*.

shrivel (ˈʃrivl) einschrumpfen (l.).

shroud (ʃraud) **1.** Leichentuch; *fig.* Gewand *n*; **2.** einhüllen (*a. fig.*).

shrub (ʃrʌb) Strauch; Busch *m*.

shrug (ʃrʌg) **1.** (die Achseln) zucken; **2.** Achselzucken *n*.

shrunk (ʃrʌŋk) schrumpfte; (ein-, zs.-)geschrumpft (*a.* **~en**).

shudder (ˈʃʌdə) **1.** schaudern; (er)beben; **2.** Schauder *m*.

shuffle (ˈʃʌfl) **1.** schieben; durchea.-bringen; *Kartenspiel:* mischen; schlurren; Ausflüchte m.; ~ *off* ab-schieben, -streifen; **2.** Schieben *n*; schleppender Gang *m*; Ausflucht *f*.

shun (ʃʌn) (ver)meiden.

shunt (ʃʌnt) **1.** ⛟ Rangieren *n*; ⛟ Weiche *f*; ⚡ Nebenschluß *m*; **2.** ⛟ rangieren; ⚡ ableiten; *fig.* verschieben.

shut (ʃʌt) [*irr.*] **1.** (sich) schließen; zumachen; ~ *down* Betrieb schließen; ~ *up* ein-, ver-schließen; halte den Mund!; **2.** schloß; geschlossen; **~ter** (ˈʃʌtə) Fensterladen; *phot.* Verschluß *m*.

shuttle (ˈʃʌtl) **1.** ⊕ Schiffchen *n*; Pendelverkehr *m*; **2.** pendeln.

shy (ʃai) **1.** □ scheu; schüchtern; **2.** (zurück)scheuen (*at* vor *dat.*).

shyness (ˈʃainis) Schüchternheit; Scheu *f*. [**2.** Sibirier(in).]

Siberian (sai'biəriən) **1.** sibirisch;⟩

sick (sik) krank (*of an dat.*; *with* vor *dat.*); übel; überdrüssig; *be* ~ *for* lechzen nach; **~en** (ˈsikn) *v/i.* siechen; erkranken; ~ *at* sich ekeln vor (*dat.*); *v/t.* krank machen; anekeln; **~-fund** Krankenkasse *f*.

sickle (ˈsikl) Sichel *f*.

sick|-leave Krankheitsurlaub *m*; **~ly** (ˈsikli) kränklich; siech; ungesund (*Klima*); ekelhaft; matt (*Lächeln*); **~ness** (~nis) Krankheit; Übelkeit *f*.

side (said) **1.** *allg.* Seite *f*; ~ *by* Seite an Seite; *take* ~ *with* Partei ergreifen für; **2.** Seiten...; Neben...; **3.** Partei' nehmen (*with* für); **~board** Büfe'tt *n*; **~car** *mot.* Beiwagen *m*; **~light** Streiflicht *n*; **~long** *adv.* seitwärts; *adj.* seitlich; Seiten...; **~path** Bürgersteig *m*; **~stroke** Seitenschwimmen *n*; **~track 1.** ⛟ Nebengleis *n*; **2.** auf ein N. schieben; **~walk** *Am.* Bürgersteig *m*; **~ward(s)** (ˈsaidwədz), **~ways** seitlich; seitwärts.

siding 🔊 ('saidiŋ) Nebengleis n.

sidle ('saidl) seitwärts gehen.

siege (si:dʒ) Belagerung f; lay ~ to belagern.

sieve (siv) Sieb n.

sift (sift) sieben; fig. sichten; prüfen.

sigh (sai) 1. Seufzer m; 2. seufzen.

sight (sait) 1. Gesicht n, Sehkraft f; fig. Auge n; Anblick m; Visie'r n; Sicht f; ~s pl. Sehenswürdigkeiten f/pl.; catch ~ of zu Gesicht bekommen; lose ~ of aus den Augen verlieren; 2. sichten; anvisieren; ~ly ('saitli) ansehnlich, stattlich; ~-seeing ('saitsi:iŋ) Besuchen n von Sehenswürdigkeiten.

sign (sain) 1. Zeichen; Schild n; in ~ of zum Zeichen (gen.); 2. v/i. winken; v/t. (unter)zei'chnen.

signal ('signl) 1. Signa'l n; 2. □ bemerkenswert, außerordentlich, 3. signalisieren; ~ize ('signəlaiz) auszeichnen.

signat|ory ('signətəri) 1. Unterzei'chner m; 2. unterzei'chnend; ~ powers pl. Signata'rmächte f/pl.; ~ure ('signitʃə) Signatu'r; Unterschrift f; ~ tune Radio: Sendezeichen n.

sign|board (Aushänge-)Schild n; ~er ('sainə) Unterzei'chner(in).

signet ('signit) Siegel n.

signific|ance (sig'nifikəns) Bedeutung f; ~ant □ (~kənt) bedeutsam; bezeichnend (of für); ~ation (signifi'keiʃən) Bedeutung f.

signify ('signifai) bezeichnen, andeuten; bedeuten.

signpost Wegweiser m.

silence ('sailəns) 1. (Still-)Schweigen n; ~! Ruhe!; 2. zum Schweigen bringen; ~r (~ə) Schalldämpfer m.

silent □ ('sailənt) still; schweigend; schweigsam; stumm.

silk (silk) 1. Seide f; 2. Seiden...; ~en □ ('silkən) seiden; ~worm Seidenraupe f; ~y ('silki) seidig.

sill (sil) Schwelle f; Fensterbrett n.

silly □ ('sili) albern, töricht.

silt (silt) 1. Schlamm m; 2. verschlammen (mst ~ up).

silver ('silvə) 1. Silber n; 2. silbern; Silber...; 3. versilbern; ~y (~ri) silberglänzend; silberhell.

similar □ ('similə) ähnlich, gleich; ~ity (simi'læriti) Ähnlichkeit f.

simile ('simili) Gleichnis n.

similitude (si'militju:d) Gestalt f; Ebenbild; Gleichnis n.

simmer ('simə) sieden, brodeln (l.).

simper ('simpə) 1. einfältiges Lächeln; 2. einfältig lächeln.

simple □ ('simpl) einfach; schlicht; einfältig; arglos; ~-hearted nai'v; ~ton (~tən) Tropf m.

simpli|city (sim'plisiti) Einfachheit; Klarheit, Schlichtheit; Einfalt f; ~fy (~fai) vereinfachen.

simply ('simpli) einfach; bloß.

simulate ('simjuleit) vortäuschen; (er)heucheln.

simultaneous □ (siməl'teinjəs) gleichzeitig.

sin (sin) 1. Sünde f; 2. sündigen.

since (sins) 1. prp. seit; 2. adv. seitdem; 3. cj. seit(dem); da (ja).

sincer|e □ (sin'siə) aufrichtig; ~ity (sin'seriti) Aufrichtigkeit f.

sinew ('sinju:) Sehne f; fig. mst ~s pl. Nerven(kraft f) m/pl.; Seele f; ~y (~jui) sehnig; nervig, stark.

sinful □ ('sinful) sündig, sündhaft.

sing (siŋ) [irr.] singen; besingen; ~ to a p. j-m vorsingen; ~ing bird Singvogel m.

singe (sindʒ) (ver)sengen.

singer ('siŋə) Sänger(in).

single ('siŋgl) 1. □ einzig; einzeln; Einzel...; einfach; ledig; ~ entry einfache Buchführung; ~ file Gänsemarsch m; 2. Tennis: Einzelspiel m; 3. ~ out ab-, aus-sondern; ~-breasted einreihig (Rock); ~-handed ohne Hilfe, selbständig; ~t ✝ ('siŋglit) Unterjacke f; ~-track eingleisig.

singular ('siŋgjulə) einzigartig; eigenartig; sonderbar; ~ity (siŋgju'læriti) Einzigartigkeit f.

sinister ('sinistə) unheilvoll; böse.

sink (siŋk) 1. [irr.] v/i. sinken; nieder-, unter-, ver-sinken; sich senken; v/t. (ver)senken; Brunnen bohren; Geld festlegen; Namen usw. aufgeben; 2. Ausguß m; ~ing (~iŋ) 🔊 Schwäche(gefühl n) f; ~ fund (Schulden-)Tilgungsfonds m.

sinless ('sinlis) sünd(en)los.

sinner ('sinə) Sünder(in).

sinuous □ ('sinjuəs) gewunden.

sip (sip) 1. Schlückchen n; 2. schlürfen; nippen.

sir (sə:) Herr; ⚲ Sir (Titel).

siren ('saiərin) Sire'ne f.

sirloin ('sə:lɔin) Lendenstück n.

13*

sister ('sistə) Schwester *f*; **~hood** (~hud) Schwesternschaft *f*; **~in--law** (~rinlɔ:) Schwägerin *f*; **~ly** (~li) schwesterlich.

sit (sit) [*irr.*] *v/i.* sitzen; Sitzung halten, tagen; *fig.* liegen; ~ *down* sich setzen; *v/t.* setzen; sitzen auf (*dat.*).

site (sait) Lage *f*; (Bau-)Platz *m*.

sitting ('sitiŋ) Sitzung *f*; **~-room** Wohnzimmer *n*.

situat|ed ('sitjueitid) gelegen; **~ion** (sitju'eiʃən) Lage; Stellung *f*.

six (siks) 1. sechs; 2. Sechs *f*; **~teen** ('siks'ti:n) sechzehn; **~teenth** (~θ) sechzehnte(r, s); **~th** (siksθ) 1. sechste(r, s); 2. Sechstel *n*; **~tieth** ('siktiiθ) sechzigste(r, s); **~ty** ('siksti) 1. sechzig; 2. Sechzig *f*.

size (saiz) 1. Größe *f*; Forma't *n*; 2. nach der Größe ordnen; ~ *up* *j.* abschätzen; **~d** (~d) von ... Größe.

siz(e)able ('saizəbl) ziemlich groß.

sizzle ('sizl) zischen; knistern.

skat|e (skeit) 1. Schlittschuh; (= roller-~) Rollschuh *m*; 2. Schlittschuh laufen; **~er** ('skeitə) Schlittschuhläufer(in).

skein (skein) Strähne, Docke *f*.

skeleton ('skelitn) Skele'tt; Gerippe; Gestell *n*; *attr.* ✕ Stamm...; ~ *key* Nachschlüssel *m*.

sketch (sketʃ) 1. Skizze *f*; Entwurf *m*; 2. skizzieren; entwerfen.

ski (ʃi:, *Am.* ski:) 1. *pl.* ~ Schi, Schneeschuh *m*; 2. Schi laufen.

skid (skid) 1. Hemm-schuh *m*, -kette; ✗ Kufe *f*; Rutschen *n*; 2. *v/t.* hemmen; *v/i.* (aus)rutschen.

skiful □ ('skilful) geschickt; kundig.

skill (skil) Geschicklichkeit, Fertigkeit *f*; **~ed** geschickt; gelernt; Fach...

skim (skim) 1. abschöpfen; abrahmen; dahingleiten über (*acc.*); *Buch* überflie'gen; ~ *through* durchblättern; 2. ~ *milk* Magermilch *f*.

skimp (skimp) *j.* knapp halten; knausern (*mit et.*); **~y** □ ('skimpi) knapp, dürftig.

skin (skin) 1. Haut *f*; Fell *n*; Schale; Rinde *f*; 2. *v/t.* häuten; abbalgen; *Baum* abrinden; ~ *off* abstreifen; *v/i.* zuheilen (*a.* ~ *over*); **~-deep** (nur) oberflächlich; **~-flint** Knicker *m*; **~ny** ('skini) mager.

skip (skip) 1. Sprung *m*; 2. *v/i.* hüpfen, springen; *v/t.* überspri'ngen.

skipper ('skipə) Schiffer, Kapitä'n *m*.

skirmish ✕ ('skə:miʃ) 1. Scharmützel *n*; 2. plänkeln.

skirt (skə:t) 1. (Frauen-)Rock *m*; (Rock-)Schoß; Saum *m*; 2. umsäu'men; (sich) entlangziehen (an *dat.*). □ ('skitiʃ) ungebärdig.

skit (skit) Stichelei; Sati're *f*; **~tish** □ ('skitiʃ) ungebärdig.

skittle ('skitl) Kegel *m*; *play* (*at*) ~*s* *pl.* K. schieben; **~-alley** K.bahn *f*.

skulk (skʌlk) schleichen; sich verstecken; lauern; sich um *et.* drükken; **~er** ('skʌlkə) Drückeberger *m*.

skull (skʌl) Schädel *m*.

sky (skai) Himmel *m*; **~-lark** 1. Feldlerche *f*; 2. Ulk treiben; **~light** Oberlicht; Dachfenster *n*; **~-line** Horizo'nt *m*; Silhouette *f*; **~-scraper** Wolkenkratzer *m*; **~ward(s)** ('skaiwəd[z]) himmelwärts.

slab (slæb) Platte; Scheibe; Fliese *f*.

slack (slæk) 1. schlaff; locker; (nach)lässig; ♣ flau; 2. ♣ Lose *f* (*loses Tauende*); ♣ flaue Zeit; Kohlengrus *m*; **~s** *pl.* weite (Arbeits-)Hose; 3. = ~*en*; = *slake*; **~en** ('slækn) schlaff m. *od.* w.; verringern; nachlassen; (sich) lockern; (sich) entspannen; (sich) verlangern; **slag** (slæg) Schlacke *f*. [samen.]

slain (slein) erschlagen. [stillen.]

slake (sleik) *Durst*, *Kalk* löschen; *fig.*]

slam (slæm) 1. Zuschlagen *n*; Knall *m*; 2. *Tür usw.* zuschlagen, knallen; *et. auf den Tisch usw.* knallen.

slander ('slɑ:ndə) 1. Verleumdung *f*; 2. verleumden; **~ous** □ (~rəs) verleumderisch. [Umgangssprache.]

slang (slæŋ) Zunftsprache *f*; lässige]

slant (slɑ:nt) 1. Abhang *m*; Neigung *f*; *Am.* Standpunkt *m*; 2. schräg legen (*od.* liegen); sich neigen; **~ing** □ ('slɑ:ntiŋ) *adj.*, **~wise** (~waiz) *adv.* schief, schräg.

slap (slæp) 1. Klaps, Schlag *m*; 2. klapsen; schlagen; klatschen.

slash (slæʃ) 1. Hieb *m*; Schmarre *f*; Schlitz *m*; 2. (auf)schlitzen; (um sich) hauen (*od.* schlagen).

slate (sleit) 1. Schiefer *m*; Schiefertafel *f*; 2. mit Schiefer decken; abkanzeln; **~-pencil** Griffel *m*.

slattern ('slætən) Schlampe *f*.

slaughter ('slɔ:tə) 1. Schlachten; Gemetzel *n*; 2. schlachten; niedermetzeln; **~-house** Schlachthaus *n*.

Slav (slɑ:v) 1. Slaw|e *m*, -in *f*; 2. slawisch.

slave (sleiv) **1.** Sklav|e *m*, -in *f*; *attr.* Sklaven...; **2.** sich placken.

slaver ('slævə) **1.** Geifer, Sabber *m*; **2.** (be)geifern, (be)sabbern.

slav|ery ('sleivəri) Sklaverei; Plackerei *f*; ~ish □ (~viʃ) sklavisch.

slay (slei) [*irr.*] erschlagen; (hin-) morden.

sled (sled), ~ge¹ (sledʒ) Schlitten *m*.

sledge² (~) Schmiedehammer *m*.

sleek (sli:k) **1.** □ glatt, geschmeidig; **2.** glätten; ~ness (sli:knis) Glätte *f*.

sleep (sli:p) **1.** [*irr.*] *v/i.* schlafen; ~ (up)on *et.* beschlafen; *v/t. j.* für die Nacht unterbringen; ~ away verschlafen; **2.** Schlaf *m*; ~er (~ə) Schläfer(in) *m*; ⚒ Schwelle *f*; F Schlafwagen *m*; ~ing (~iŋ): ~ partner stiller Teilhaber *m*; ~ing-car(riage) ⚒ Schlafwagen *m*; ~less (~lis) schlaflos; ~walker Schlafwandler (-in); ~y □ (~i) schläfrig; verschlafen.

sleet (sli:t) **1.** Graupelregen *m*; **2.** graupeln; ~y ('sli:ti) graupelig.

sleeve (sli:v) Ärmel *m*; ⊕ Muffe *f*.

sleigh (slei) Schlitten *m*.

sleight (slait) (*mst* ~ of hand) Taschenspielerei *f*; Kunststück *n*.

slender □ ('slendə) schlank; schmächtig; schwach; dürftig.

slept (slept) schlief; geschlafen.

sleuth (slu:θ) *fig.* Spürhund *m*.

slew (slu:) erschlug.

slice (slais) **1.** Schnitte, Scheibe *f*; Teil *m*; **2.** (in Scheiben) zer-, abschneiden.

slick (slik) F glatt; *Am.* schlau; ~er *Am.* ('slikə) Schwindler *m*.

slid (slid) glitt; geglitten.

slide (slaid) **1.** [*irr.*] gleiten (l.); rutschen; schlittern; ausgleiten; geraten (*into in acc.*); let things ~ die Dinge laufen l.; **2.** Gleiten *n*; *Am. Erd- usw.* Rutsch *m*, Lawi'ne; Gleit-, Schlitter-bahn *f*; ⊕ Schieber *m*; Lichtbild *n*; ~-rule Rechenschieber *m*.

slight (slait) **1.** □ schmächtig; schwach; gering, unbedeutend; **2.** Geringschätzung *f*; **3.** geringschätzig behandeln; unbeachtet l.

slim|e (slaim) Schlamm; ‖Schleim *m*; ~y ('slaimi) schlammig; schleimig.

sling (sliŋ) **1.** Schleuder *f*; Tragriemen *m*, -seil *n*; ⚔ Schlinge *f*; **2.** [*irr.*] schleudern; auf-, überhängen; hissen.

slink (sliŋk) [*irr.*] schleichen.

slip (slip) **1.** [*irr.*] *v/i.* schlüpfen, gleiten, rutschen; ausgleiten; ausrutschen; entschlüpfen (*oft ~ away*); sich versehen; *v/t.* schlüpfen (*od.* gleiten) l.; loslassen; entschlüpfen, -gleiten (*dat.*); ~ a p.'s memory j-m entfallen; ~ on (*off*) Kleid über-, (ab-)streifen; **2.** (Aus-) Gleiten *n*; Fehltritt *m* (*a. fig.*); Versehen *n*; Streifen; Zettel *m*; Unterkleid *n*; ⚒ Helling *f*; (Kissen-)Überzug *m*; ~s *pl.* Badehose *f*; give a p. the ~ j-m entwischen; ~per ('slipə) Pantoffel, Hausschuh *m*; ~pery □ ('slipəri) schlüpfrig; ~shod ('slipʃod) latschig; lotterig; ~t (slipt) schlüpfte; geschlüpft.

slit (slit) **1.** Schlitz *m*; Spalte *f*; **2.** [*irr.*] auf-, (zer-)schlitzen.

sliver ('slivə) Splitter *m*.

slogan ('slougən) Schlagwort *n*, Losung *f*.

sloop ⚓ (slu:p) Schaluppe *f*.

slop (slop) **1.** ~s *pl.* Spül-, Schmutzwasser; labberiges Zeug *n*; **2.** *v/t.* verschütten; *v/i.* überlaufen.

slope (sloup) **1.** Abhang *m*; Abdachung; Neigung *f*; **2.** schräg legen *od.* verlaufen; abfallen; (sich) neigen.

sloppy □ ('slopi) naß, matschig; [lotterig; labberig.‖

slot (slot) Schlitz *m*.

sloth (slouθ) Faulheit *f*.

slot-machine Verkaufs-Automa'tm.

slouch (slautʃ) **1.** schlaff herabhängen; krumm gehen; **2.** schlaffe Haltung; ~ hat Schlapphut *m*.

slough¹ (slau) Sumpf(loch *n*) *m*.

slough² (slʌf) Haut abwerfen.

sloven ('slʌvn) Liederjan *m*; Schlampe *f*; ~ly (~li) liederlich.

slow (slou) **1.** □ langsam (*in in dat.*); schwerfällig; lässig; be ~ nachgehen (*Uhr*); **2.** (*oft ~ down, up, off*) *v/t.* verlangsamen; *v/i.* langsam(er) werden *od.* gehen, fahren; ~-coach Nölpeter *m*, -liese *f*; ~-motion Film: ~ picture Zeitlupenaufnahme *f*; ~-worm *zo.* Blindschleiche *f.* [m.‖

sludge (slʌdʒ) Schlamm; Matsch‖

slug (slʌg) **1.** Wegschnecke *f*; Hackblei *n*; *Am.* F (Faust-)Schlag *m*; **2.** *Am.* F hauen.

slugg|ard ('slʌgəd) Faulenzer(in); ~ish □ ('slʌgiʃ) träg, faul.

sluice (slu:s) **1.** Schleuse *f*; **2.** ausströmen; spülen; schleusen.

slum (slʌm) schmutzige Gasse; ~s *pl*. Elendsviertel *n*.

slumber ('slʌmbə) 1. (*a*. ~s *pl*.) Schlummer *m*; 2. schlummern.

slump (slʌmp) *Börse*: 1. fallen, stürzen; 2. (Kurs-, Preis-)Sturz *m*.

slung (slʌŋ) schlenderte; geschlendert.

slunk (slʌŋk) schlich; geschlichen.

slur (slə:) 1. Fleck; *fig*. Tadel *m*; ♩ Bindezeichen *n*; 2. *v/t*. übergehen; ♩ *Töne* binden.

slush (slʌʃ) Schlamm; Matsch *m*.

sly □ (slai) schlau, verschmitzt; *on the* ~ heimlich.

smack (smæk) 1. (Bei-)Geschmack *m*; Prise; *fig*. Spur *f*; 2. Schmatz; Schlag, Klatsch *m*; 2. schmecken (of nach); e-n Beigeschmack h.; klatschen, knallen (mit); schmatzen (mit).

small (smɔ:l) *allg*. klein; dünn (*Regen*); kleinlich; ~ *change* Kleingeld *n*; ~ *fry das kleine Volk*; *anat*. ~ *of the back* Kreuz *n*; **~arms** *pl*. Handfeuerwaffen *f/pl*.; **~ish** (smɔːliʃ) ziemlich klein; **~pox** ♯ *pl*. Blattern *f/pl*.; **~talk** Plauderei *f*.

smart (smɑ:t) 1. □ scharf; gewandt; gescheit; gerissen; schmuck, elegant, fesch; 2. Schmerz *m*; 3. schmerzen; leiden; **~money** Schmerzensgeld *n*; **~ness** ('smɑ:tnis) Schärfe; Gewandtheit; Eleganz *f*.

smash (smæʃ) 1. *v/t*. schmettern; *fig*. vernichten; schmettern; *v/i*. zerschmettern, *fig*. zs.-brechen; (dahin)stürzen; 2. Zerschmettern *n*; Krach; Zs.-bruch (*a*. ♱); *Tennis*: Schmetterschlag *m*; **~up** Zs.-stoß; Zs.-bruch *m*.

smattering ('smætəriŋ) oberflächliche Kenntnis *f*.

smear (smiə) 1. beschmieren, schmieren; 2. Schmierfleck *m*.

smell (smel) 1. Geruch *m*; 2. [*irr*.] riechen (an *dat*., *a*. ~ *at*; of nach *et*.).

smelt[1] (smelt) roch; gerochen.

smelt[2] (~) schmelzen. [lächeln.]

smile (smail) 1. Lächeln *n*; 2.]

smirch *rhet*. (smə:tʃ) besudeln.

smirk (smə:k) grinsen; schmunzeln.

smite (smait) [*irr*.] schlagen; heimsuchen; *schwer* treffen; quälen.

smith (smiθ) Schmied *m*.

smithereens ('smiðə'ri:nz) *pl*. Stücke *n/pl*., Splitter, Fetzen *m/pl*.

smithy ('smiði) Schmiede *f*.

smitten ('smitn) 1. geschlagen; 2. ergriffen; bezaubert (with von).

smock (smɔk) 1. fälteln; 2. Arbeitskittel *m* (*a*. **~frock**).

smoke (smouk) 1. Rauch *m*; *have a* ~ rauchen; 2. rauchen; dampfen; (aus)räuchern; **~dried** geräuchert; **~r** ('smoukə) Raucher; ♏ F Raucher-wagen *m*, -abteil *n*; **~stack** ♏, ♺ Schornstein *m*.

smoking ('smoukiŋ) Rauch(er)...; **~compartment** Raucherabteil *n*.

smoky (~ki) rauchig; verräuchert.

smooth (smu:ð) 1. □ glatt; *fig*. fließend; mild; schmeichlerisch; 2. glätten; ebnen (*a. fig.*); plätten; *fig*. wegräumen (*a*. ~ over); **~ness** ('smu:ðnis) Glätte *f*.

smote (smout) schlug.

smother ('smʌðə) ersticken.

smoulder ('smouldə) schwelen.

smudge (smʌdʒ) 1. (be)schmutzen; 2. Schmutzfleck *m*.

smug (smʌg) selbstzufrieden.

smuggle ('smʌgl) schmuggeln; **~r** (~ə) Schmuggler(in).

smut (smʌt) 1. Schmutz; Ruß(fleck) *m*; Zoten *f/pl*.; 2. beschmutzen.

smutty □ ('smʌti) schmutzig.

snack (snæk) Imbiß *m*; **~bar** Imbiß-

snaffle ('snæfl) Trense *f*. [halle *f*.]

snag (snæg) (Ast-, Zahn-)Stumpf *m*; *fig*. Haken; *Am*. Baumstamm *m*.

snail *zo*. (sneil) Schnecke *f*.

snake *zo*. (sneik) Schlange *f*.

snap (snæp) 1. Schnapp; Knack(s), Knall; *fig*. Schwung, Schmiß *m*; Schnappschloß *n*; *cold* ~ Kältewelle *f*; 2. *v/i*. schnappen (at nach); zuschnappen (*Schloß*); krachen; knacken; (zer)brechen; schnauzen; *Am*. funkeln; *v/t*. (er)schnappen; (zu)schnappen l.; *phot*. knipsen; zerbrechen; ~ *out Wort* hervorstoßen; ~ *up* wegschnappen; **~fastener** □ Druckknopf *m*; **~pish** □ ('snæpiʃ) bissig; F flott; **~shot** Schnappschuß *m*, *phot*. Mome'ntaufnahme *f*.

snare (snɛə) 1. Schlinge *f*; 2. fangen; *fig*. umga'rnen.

snarl (snɑ:l) 1. knurren; murren; *Am*. verfitzen; 2. *Am*. Verfitzung *f*.

snatch (snætʃ) 1. schneller Griff; Ruck *m*; Stückchen *n*; 2. (er)schnappen; (an sich) reißen; ~ *at* greifen nach; ~ *up* aufraffen.

sneak (sni:k) 1. v/i. schleichen; v/t. F stibitzen; 2. Schleicher *m*; ~ers ('sni:kəz) *pl.* Am. Turnschuhe *m/pl.*

sneer (sniə) 1. Hohnlächeln *n*; Spott *m*; 2. hohnlächeln; spötteln.

sneeze (sni:z) 1. niesen; 2. Niesen *n*.

snicker ('snikə) kichern; wiehern.

sniff (snif) schnüffeln; riechen; die Nase rümpfen.

snigger ('snigə) kichern.

snip (snip) 1. Schnitt *m*; Schnipsel *n*; 2. schnippeln, schnipseln.

snipe (snaip) aus dem Hinterhalt (ab)schießen. [hochnäsig.]

snippy Am. F ('snipi) schnippisch;)

snivel ('snivl) schluchzen; plärren.

snob (snɔb) Großtuer; Streber *m*; ~bish ('snɔbiʃ) vornehm tuend.

snoop Am. (snu:p) 1. fig. (umher-) schnüffeln; 2. Schnüffler(in).

snooze F (snu:z) 1. Schläfchen *n*;)

snore (snɔ:) schnarchen. [2. dösen.]

snort (snɔ:t) schnauben, schnaufen.

snout (snaut) Schnauze *f*.

snow (snou) 1. Schnee *m*; 2. (be-) schneien; be ~ed under fig. erdrückt w.; ~-drift Schneewehe *f*; ~y □ ('snoui) schneeig; schneeweiß.

snub (snʌb) 1. fig. anfahren; 2. Verweis *m*; ~-nosed stumpfnasig.

snuff (snʌf) 1. Schnuppe *f* e-r Kerze; Schnupftabak *m*; 2. schnupfen (*a.* take ~); Licht putzen; ~le ('snʌfl) schnüffeln; näseln.

snug □ (snʌg) geborgen; behaglich; dicht; ~gle ('snʌgl) (sich) schmiegen *od.* kuscheln (to an *acc.*).

so (sou) *so*; also; I hope ~ ich hoffe es; *are you tired? ~ I am* bist du müde? ja; *you are tired, ~ am I* du bist müde, ich auch; ~ *far* bisher.

soak (souk) v/t. einweichen; durchnä'ssen; ein-, auf-saugen; v/i. weichen; durchsickern.

soap (soup) 1. Seife; *soft* ~ Schmierseife *f*; 2. (ein)seifen; ~-box Seifenkiste *f*; -behälter *m*; ~y □ ('soupi) seifig. [schwingen; ℟ segelfliegen.]

soar (sɔ:) sich erheben, sich auf-)

sob (sɔb) 1. Schluchzen *n*; 2. schluchzen.

sober ('soubə) 1. □ nüchtern; 2. (sich) ernüchtern; ~ness (~nis), **sobriety** (sou'braiəti) Nüchternheit *f*.

so-called ('souko:ld) sogenannt.

sociable □ ('souʃəbl) 1. gesellig; gemütlich; 2. Am. gemütliches Zs.-sein *n*.

social ('souʃəl) 1. □ gesellschaftlich; gesellig; sozia'l...; Sozia'l...; ~ *service* Sozialeinrichtung *f*; 2. geselliges Zs.-sein; ~ize (~aiz) sozialisieren. [Verein *m*.]

society (sə'saiəti) Gesellschaft *f*;)

sociology (sousi'ɔlədʒi) Sozia'lwissenschaft *f*.

sock (sɔk) Socke; Einlegesohle *f*.

socket (⊕ 'sɔkit) Tülle, Hülse; *Augen*-Höhle; ⊕ Muffe; ℟ Fassung *f*.

soda ('soudə) Soda *f*; ~-fountain Siphon *m*; Am. Minera'lwasserausschank *m*.

sodden ('sɔdn) durchwei'cht; teigig.

soft □ (sɔft) *allg.* weich; *eng* S.: mild; sanft; sacht, leise; weichlich; Am. F ~ *drink* alkoholfreies Getränk; ~en ('sɔfn) weich machen; (sich) erweichen; mildern.

soggy ('sɔgi) durchnä'ßt; feucht.

soil (sɔil) 1. Boden *m*, Erde *f*; Fleck; Schmutz *m*; 2. (be-) schmutzen.

sojourn ('sɔdʒə:n, 'sʌdʒ-) 1. Aufenthalt *m*; 2. sich aufhalten.

solace ('sɔləs) 1. Trost *m*; 2. trösten.

sold (sould) verkaufte; verkauft.

solder ('sɔ[l]də) 1. Lot *n*; 2. löten.

soldier ('souldʒə) Solda't *m*; ~like, ~ly (~li) soldatisch; ~y (~ri) Militä'r *n*.

sole[1] □ (soul) alleinig, einzig.

sole[2] (~) 1. Sohle *f*; 2. besohlen.

solemn □ ('sɔləm) feierlich; ernst; ~ity (sə'lemniti) Feierlichkeit; Steifheit *f*; ~ize ('sɔləmnaiz) feiern; feierlich vollziehen.

solicit (sə'lisit) (dringend) bitten; ansprechen, belästigen; ~ation (səlisi'teiʃən) dringende Bitte *f*; ~or (sə'lisitə) ℟℟ Anwalt; *Am.* Werbea'gent *m*; ~ous □ (~əs) besorgt; ~ *of* begierig nach; ~ude (~ju:d) Besorgnis; Bemühung *f*.

solid □ ('sɔlid) 1. fest; derb; massi'v; ℟ körperlich, Raum...; *fig.* gediegen; soli'd; triftig; solida'risch; *a* ~ *hour* e-e volle Stunde; ~ *tire* Vollgummireifen *m*; 2. (fester) Körper, *~arity* (sɔli'dæriti) Solidari'tät *f*; ~ify (sə'lidifai) (sich) verdichten; ~ity (~ti) Festigkeit *f*; Gediegenheit *f*. [*n*, Monolo'g *m.*]

soliloquy (sə'liləkwi) Selbstgespräch)

solit|ary □ ('sɔlitəri) einsam; einzeln; einsiedlerisch; ~ude (~tju:d) Einsamkeit; Öde *f*.

solo ('soulou) Solo *n*; ✈ Alleinflug *m*; **~ist** ('soulouist) Soli'st(in).

solu|ble ('soljubl) löslich; (auf-) lösbar; **~tion** (sə'lu:ʃən) (Auf-) Lösung; ⊕ Gummilösung *f*.

solv|e (sɔlv) lösen; **~ent** (~vənt) **1.** (auf)lösend; ✝ zahlungsfähig; **2.** Lösungsmittel *n*.

somb|re, ~er □ ('sɔmbə) düster.

some (sʌm, səm) irgendein; etwas; einige, manche *pl.*; **~ 20 miles** etwa 20 Meilen; **in ~ degree, to ~ extent** einigermaßen; **~body** ('sʌmbədi), **~one** (~wʌn) jemand; **~how** (~hau) irgendwie; **~ or other** so oder so.

somer|sault ('sʌməsɔːlt), **~set** (~set) Purzelbaum *m*; **turn ~s** *pl.* radschlagen.

some|thing ('sʌmθiŋ) (irgend) etwas; **~ like** so etwas wie, so ungefähr; **~time** (~taim) **1.** einmal, dereinst; **2.** ehemalig; **~times** manchmal; **~what** (~wɔt) etwas, ziemlich; **~where** (~wɛə) irgendlich.

son (sʌn) Sohn *m*. [wo(hin).|

song (sɔŋ) Gesang *m*; Lied; Gedicht *n*; F **for a ~** für e-n Pappenstiel; **~-bird** Singvogel *m*; **~ster** ('sɔŋstə) Singvogel; Sänger *m*.

son-in-law Schwiegersohn *m*.

sonorous □ (sə'nɔːrəs) klangvoll.

soon (su:n) bald; früh; gern; **as** (*od.* **so**) **~ as** sobald (*od.* wie); **~er** ('su:nə) eher; früher; lieber; **no ~ ... than** kaum ... als; **no ~ said than done** gesagt, getan.

soot (su:t) **1.** Ruß *m*; **2.** verrußen.

soothe (su:ð) beruhigen; mildern; **~sayer** ('su:θseiə) Wahrsager(in).

sooty □ ('su:ti) rußig.

sop (sɔp) **1.** eingeweichter Brocken; *fig.* Bestechung *f*; **2.** einweichen.

sophist|icate (sə'fistikeit) verdrehen; verfälschen; **~icated** (~id) aufgeklärt; kultiviert; intellektu'ell; **~ry** ('sofistri) Spitzfindigkeit *f*.

soporific (soupə'rifik) (~ally) einschläfernd(es Mittel), Schlafmittel *n*.

sorcer|er ('sɔːsərə) Zauberer *m*; **~ess** (~ris) Zauberin; Hexe *f*; **~y** (~ri) Zauberei *f*.

sordid □ ('sɔːdid) schmutzig.

sore (sɔː) **1.** □ schlimm; wund; weh; empfindlich; **~ throat** Halsweh *n*; **2.** wunde Stelle *f*.

sorrel ('sɔːrəl) **1.** rötlichbraun (*bsd. Pferd*); **2.** Fuchs *m* (*Pferd*).

sorrow ('sɔrou) **1.** Sorge *f*; Kum-

mer *m*; **2.** trauern; sich grämen; **~ful** □ ('sɔrouful) traurig; selbd.

sorry □ ('sɔri) traurig; (*I am*) (so) **~!** es tut mir (sehr) leid; Verzeihung!; **I am ~ for you** Sie tun mir leid.

sort (sɔːt) **1.** Sorte; Art *f*; **people of all ~s** *pl.* allerlei; Leute; F **~ of** gewissermaßen; eigentlich; **out of ~s** *pl.* unpäßlich; verdrießlich; **2.** sortieren; **~ out** (aus)sondern.

sot (sɔt) Trunkenbold *m*. [schen.|

sough (sau) **1.** Sausen *n*; **2.** rau-|

sought (sɔːt) suchte; gesucht.

soul (soul) Seele *f*.

sound (saund) **1.** □ *allg.* gesund; ganz; vernünftig; gründlich; fest; ✝ gültig; **2.** Ton, Schall, Laut, Klang *m*; ♪ Sonde; Meerenge; Fischblase *f*; (er)tönen, (er) klingen; erschallen (l.); **sich gut** *usw.* anhören; sondieren; ⚓ loten; ♪ abhorchen; **~ing** ('saundiŋ) Lotung *f*; **~s** *pl.* lotbare Wassertiefe; **~less** □ (~lis) lautlos; **~ness** (~nis) Gesundheit *f*; **~proof** schalldicht.

soup (su:p) Suppe *f*. [schalldicht.|

sour ('sauə) **1.** □ sauer; *fig.* bitter; mürrisch; **2.** *v/t.* säuern; *fig.* verer-bittern; *v/i.* sauer werden.

source (sɔːs) Quelle *f*; Ursprung *m*.

sour|ish □ ('sauəriʃ) säuerlich; **~ness** (~nis) Säure; *fig.* Bitterkeit *f*.

souse (saus) (ein)pökeln; eintauchen; durchnä'ssen; gießen.

south (sauθ) **1.** Süd(en) *m*; **2.** Süd...; südlich; **~-east** □ Südost(en) *m*; **2.** südöstlich (*a.* **~-eastern**).

souther|ly ('sʌðəli), **~n** (~ðən) südlich; Süd...; **~ner** (~ə) Südländer(in), *Am.* -staatler(in).

southernmost (~moust) südlichst.

southward, ~ly ('sauθwəd, ~li), **~s** (~z) *adv.* süd-wärts, -lich.

south|-west **1.** Südwest(en) *m*; **2.** südwestlich (*a.* **~-westerly, ~-western,**)**~-wester** Südwestwind; ⚓ Südwester *m*.

souvenir ('su:vəniə) Andenken *n*.

sovereign □ ('sɔvrin) **1.** □ höchst; unübertre'fflich; unumschränkt; **2.** Herrscher(in); Sovereign *m* (20-Schilling-Stück); **~ty** (~ti) Oberherrschaft, Landeshoheit *f*.

soviet ('souviet) Sowjet *m*.

sow[1] (sau) *zo.* Sau (*a.* ⊕ = Masself.

sow² (sou) [irr.] (aus)säen, aus-streuen; besäen; **~n** (soun) gesät.

spa (spɑ:) Heilbad *n*; Kurort *m*.

space (speis) 1. Raum; Zwischen-raum; Zeitraum *m*; 2. *typ.* sperren.

spacious (ˈspeiʃəs) geräumig; weit, umfassend; [*spiel:* Pik *n*.]

spade (speid) Spaten *m*; Karten-]

span (spæn) 1. Spanne; Spann-weite *f*; *Am.* Gespann *n*; 2. (um-, über-)spannen; (aus)messen.

spangle (ˈspæŋgl) 1. Flitter *m*; 2. beflittern; *fig.* übersäen.

Spaniard (ˈspænjəd) Spanier(in).

Spanish (ˈspæniʃ) spanisch.

spank F (spæŋk) 1. (ver)hauen; Klaps *m*; **~ing** (ˈspæŋkiŋ) scharf.

spar (spɑ:) 1. ♣ Spiere *f*; ⚓ Holm *m*; 2. boxen; *fig.* sich streiten.

spare (spɛə) 1. □ spärlich, spar-sam; mager; überflüssig; über-schüssig; Ersatz...; Reserve...; ~ time Freizeit *f*; 2. ⊕ Ersatzteil *n*; 3. sparen (mit); *j-m et.* ersparen; entbehren; erübrigen; *j-m et.* ab-geben; (ver)schonen.

sparing □ (ˈspɛəriŋ) sparsam.

spark (spɑ:k) 1. Funke(n); lustiger Gesell; Galan *m*; 2. Funken sprühen; **~(ing)-plug** *mot.* Zünd-kerze *f*.

sparkle (ˈspɑ:kl) 1. Funke(n) *m*; Funkeln *n*; 2. funkeln; blitzen; schäumen; *sparkling wine* Schaum-wein *m*.

sparrow (ˈspærou) Sperling *m*.

sparse □ (spɑ:s) spärlich, dünn.

spasm (spæzm) Krampf *m*; **~odic** (-al □)(spæzˈmɔdik, ˌdikəl)krampf-haft. [*f*; 2. spie; gespien.]

spat (spæt) 1. (Knöchel-)Gamasche]

spatter (ˈspætə) (be)spritzen.

spawn (spɔ:n) 1. Laich *m*; *fig. contp.* Brut *f*; 2. laichen; *fig.* aushecken.

speak (spi:k) [irr.] 1. *v/i.* sprechen; reden; ~ out, ~ up laut sprechen; sich aussprechen; ~ to *j.* (*od.* mit *j-m*) sprechen; *v/t.* aus)sprechen; äußern; **~er** (ˈspi:kə) Sprecher(in); *parl.* Vorsitzende(r) *m*; **~ing-trumpet** Sprachrohr *n*.

spear (spiə) 1. Speer, Spieß *m*; Lanze *f*; 2. (auf)spießen.

special (ˈspeʃəl) 1. □ besonder; Sonder...; spezie'll; Spezial...; 2. Hilfspolizist *m*; Sonderausgabe *f*; Sonderzug *m*; **~ist** (ˌist) Spe-ziali'st *m*; **~ity** (speʃiˈæliti) Be-sonderheit *f*; Spezia'lfach *n*; ✝ Spezialitä't *f*; **~ize** (ˈspeʃəlaiz) (sich) spezialisieren; **~ty** (ˈspe-ʃəlti) *s.* speciality.

specie (ˈspi:ʃi) Meta'll, Hartgeld *n*; **~s** (ˈspi:ʃi:z) Art, Gattung *f*.

speci|fic (spiˈsifik) (*~ally*) spezi-fisch; besonder; bestimmt; **~fy** (ˌfai)spezifizieren, einzeln angeben; **~men** (ˌmin) Probe *f*, Exempla'r *n*.

specious □ (ˈspi:ʃəs) blendend, bestechend; trügerisch; Schein...

speck (spek) 1. Fleck *m*; Stückchen *n*; 2. flecken; **~le** (ˈspekl) 1. Fleck-chen *n*; 2. flecken, sprenkeln.

spectacle (ˈspektəkl) Schauspiel *n*; Anblick *m*; **~s** *pl.* Brille *f*.

spectacular □ (spekˈtækjulə) ein-drucksvoll; auffallend.

spectator (spekˈteitə) Zuschauer *m*.

spect|ral □ (ˈspektrəl) gespenstisch; **~re**, *✝* (ˈspektə) Gespenst *n*.

speculat|e (ˈspekjuleit) (nach)sin-nen; ✝ spekulieren; **~ion** (spekju-ˈleiʃən) theoretische Betrachtung; Grübelei; ✝ Spekulatio'n *f*; **~ive** □ (ˈspekjulətiv) grüblerisch; theo-retisch; ✝ spekulierend; **~or** (ˌleitə) Denker; ✝ Spekula'nt *m*.

sped (sped) eilte; geeilt.

speech (spi:tʃ) Sprache; Rede *f*; **~less** □ (ˈspi:tʃlis) sprachlos.

speed (spi:d) 1. Geschwindigkeit; Eile *f*; *mot.* Gang *m*; *good* ~! viel Glück!; 2. [irr.] *v/i.* sich sputen, eilen; Erfolg h.; *v/t.* fördern; *j-m* Glück auf den Weg wünschen; ~ *up* beschleunigen; **~-limit** zulässige Höchstgeschwindigkeit *f*; **~ometer** *mot.* (spiˈdɔmitə) Geschwindig-keitsmesser *m*; Auto(renn)bahn *f*; **~y** □ (ˈspi:di) schnell.

spell (spel) 1. (Arbeits-)Zeit, ⊕ Schicht *f*; Weilchen *n*; Zauber (-spruch) *m*; 2. [irr.] *v/i.* buchstabie-ren; richtig schreiben; bedeuten; **~bound** *fig.* (fest)gebannt; **~er** (ˈspelə) *bsd. Am.* Fibel *f*; **~ing** (ˌiŋ) Rechtschreibung *f*; **~ing-book** Fi-]

spelt (spelt) buchstabiert(e). [bel *f*.]

spend (spend) [irr.] verwenden; (Geld) ausgeben; verbrauchen; verschwenden; verbringen; (*o.s.* sich) erschöpfen; **~thrift** (ˈspend-θrift) Verschwender *m*.

spent (spent) 1. verwendet(e); 2. *adj.* erschöpft, matt.

sperm (spɑ:m) Same(n) *m*.

spher|e (sfiə) Kugel; Erd-, Himmels-kugel; *fig.* Sphäre *f*; (Wirkungs-, Denk-)Kreis; Bereich *m*; *fig.* Gebiet *n*; **~ical** □ ('sferikəl) kugelförmig.

spice (spais) 1. Gewürz(e *pl.*) *n*); *fig.* Würze *f*; Anflug *m*; 2. würzen.

spick and span ('spikən'spæn) funkelnagelneu; schmuck.

spicy □ ('spaisi) würzig; pika'nt.

spider *zo.* ('spaidə) Spinne *f*.

spigot *Am.* ('spigət) Faß-Zapfen *m*.

spike (spaik) 1. langer Nagel; Stachel *m*; ♀ Ähre *f*; 2. festnageln; mit *eisernen* Stacheln versehen.

spill (spil) 1. [*irr.*] *v/t.* verschütten; vergießen; F *Reiter* usw. abwerfen; schleudern; *v/i.* überlaufen; 2. Fl

spilt (spilt) verschüttet(e). [Sturz.]

spin (spin) 1. [*irr.*] spinnen (*a. fig.*); wirbeln; sich drehen; ~ *along* dahinrollen; 2. Drehung *f*; (rasche) Fahrt.

spinach ♀ ('spinidʒ) Spina't *m*.

spinal □ ('spainl) Rückgrat...; ~ *column* Wirbelsäule *f*; ~ *cord*, ~ *marrow* Rückenmark *n*.

spindle ('spindl) Spindel *f*.

spine (spain) Rückgrat *n*; Dorn *m*.

spinning-**mill** Spinnerei *f*; ~**-wheel** Spinnrad *n*.

spinster ('spinstə) unverheiratete Frau; (alte) Jungfer *f*.

spiny ('spaini) dornig.

spiral ('spaiərəl) 1. □ spira'lig; ~ *staircase* Wendeltreppe *f*; 2. Spira'le; *fig.* Wirbel *m*. [Spitze *f*.]

spire ('spaiə) Turm-, Berg- usw.]

spirit ('spirit) 1. *allg.* Geist; Sinn *m*; Temperame'nt, Leben *n*; Spiritus, Sprit; *mot.* Kraftstoff *m*; **~s** *pl.* (high gehobene, low gedrückte) Stimmung *f*; Spirituo'sen *pl.*; 2. ~ *away*, off wegzaubern; **~ed** □ ('~id) geistvoll; temperame'ntvoll; mutig; **~less** □ ('~lis) geistlos; temperame'ntlos; mutlos.

spiritual □ ('spiritjuəl) geistig; geistlich; geistvoll; **~ism** ('~izm) Spiriti'smus *m*.

spirituous ('spiritjuəs) alkoholisch.

spirt (spəːt) (hervor)spritzen.

spit (spit) 1. Bratspieß *m*; Landzunge *f*; Speichel *m*; F Ebenbild *n*; 2. [*irr.*] (aus)speien, (-)spucken; fauchen; sprühen (*fein regnen*); aufspießen.

spite (spait) 1. Bosheit *f*; Groll *m*; *in* ~ *of* trotz; 2. ärgern; kränken; **~ful** ('spaitful) boshaft, gehässig.

spitfire ('spitfaiə) Hitzkopf *m*.

spittle ('spitl) Speichel *m*, Spucke *f*.

spittoon (spi'tuːn) Spucknapf *m*.

splash (splæʃ) 1. Spritzfleck *m*; P(l)atschen *n*; 2. (be)spritzen; p(l)atschen.

splayfoot ('spleifut) Spreizfuß *m*.

spleen (spliːn) Milz *f*; üble Laune.

splend|id □ ('splendid) glänzend, prächtig, herrlich; **~o(u)r** (~ə) Glanz *m*, Pracht, Herrlichkeit *f*.

splice (splais) (ver)spleißen.

splint ♀ ('splint) 1. Schiene *f*; 2. schienen; **~er** ('splintə) 1. Splitter *m*; 2. (zer)splittern.

split (split) 1. Spalt, Riß *m*; *fig.* Spaltung *f*; 2. spaltete; gespalten; 3. [*irr.*] *v/t.* (zer)spalten; zerreißen; ~ *hairs* Haarspalterei treiben; ~ *one's sides with laughing* sich totlachen; *v/i.* sich spalten; platzen; **~ting** ('splitiŋ) heftig, rasend. [deln.]

splutter ('splʌtə) s. *sputter* spru-]

spoil (spoil) 1. (*oft* **~s** *pl.*) Beute *f*, Raub *m*; *fig.* Ausbeute; *pol. bsd. Am.* **~s** *pl.* Futterkrippe *f*; 2. [*irr.*] (be)rauben; plündern; verderben; verwöhnen; *Kind* verziehen.

spoke (spouk) 1. sprach; 2. Speiche; (Leiter-)Sprosse *f*; **~n** ('spoukən) gesprochen; **~sman** ('spouksmən) Wortführer *m*.

sponge (spʌndʒ) 1. Schwamm *m*; 2. *v/t.* mit e-m Sch. (ab)wischen; ~ *up* aufsaugen; *v/i.* schmarotzen; **~cake** Biskui'tkuchen *m*; **~r** ('spʌndʒə) Schmarotzer(in).

spongy ('spʌndʒi) schwammig.

sponsor ('spɔnsə) 1. Pate; Bürge; Förderer; *Am.* Rundfunkreklameabonnent *m*; 2. Pate stehen bei; fördern.

spontane|ity (spɔntə'niːiti) Freiwilligkeit; eigener Antrieb *m*; **~ous** □ (spɔn'teinjəs) freiwillig, von selbst (entstanden); Selbst...; unwillkürlich; unvermittelt.

spook (spuːk) Spuk *m*.

spool (spuːl) 1. Spule *f*; 2. spulen.

spoon (spuːn) 1. Löffel *m*; 2. löffeln; **~ful** ('spuːnful) Löffelvoll *m*.

sport (spɔːt) 1. Sport *m*; Spiel *n*; *fig.* Spielball *m*; Scherz *m*; *sl.* feiner Kerl; 2. *v/i.* sich belustigen; spielen; *v/t.* F protzen mit; **~ive** □ ('spɔːtiv) lustig; scherzhaft; **~sman** ('spɔːtsmən) Sportler *m*.

spot (spot) 1. *allg.* Fleck; Makel *m*; Stelle *f*; 2. sofort liefer- *od.* zahlbar; 3. flecken; F ausfindig m.; F erkennen; **~less** □ ('spotlis) fleckenlos; **~light** Scheinwerfer (-licht *n*) *m*; **~ty** ('spoti) fleckig.

spouse (spauz) Gatte *m*; Gattin *f*.

spout (spaut) 1. Tülle *f*; Strahlrohr *n*; (Wasser-)Strahl *m*; 2. (aus-) spritzen; F salba'dern.

sprain (sprein) 1. Verstauchung *f*; 2. verstauchen.

sprang (spræŋ) sprang.

sprawl (sprɔ:l) (sich) rekeln; ausgestreckt daliegen; ~ wuchern.

spray (sprei) 1. zerstäubte Flüssigkeit; Sprühregen; Gischt; Zerstäuber *m* (*a.* **~er**); 2. zer-, bestäuben.

spread (spred) 1. *[irr.] v/t.* (*a.* ~ out) (aus)breiten; (aus)dehnen; verbreiten; belegen; *Butter usw.* aufstreichen; *Brot* bestreichen; ~ the table den Tisch decken; *v/i.* sich aus-, ver-breiten; 2.verbreitete, breitete aus; verbreitet, ausgebreitet; 3. Aus-, Ver-breitung; Spannweite; Fläche *f*; *Brot*-Aufstrich *m*.

spree F (spri:) Spaß, Jux *m*; Bummel(zeit *f*) *m*; Zechgelage *n*.

sprig (sprig) Sproß *m*, Reis *n* (*a. fig.*); ⊕ Zwecke *f*, Stift *m*.

sprightly ('spraitli) lebhaft.

spring (spriŋ) 1. Sprung *m*; Satz *m*; Sprungfeder; Federkraft; Triebfeder; Quelle *f*; *fig.* Ursprung; Frühling *m*; 2. *[irr.] v/t.* springen l.; (zer)sprengen; *Wild* aufjagen; ⊕ ~ a leak luck w.; ~ a th. (up)on a p. j-m mit e-r *Überraschung usw.* ins Gesicht springen; *v/i.* springen; entspringen; ⊕ sprießen; ~ up aufkommen (*Ideen usw.*); **~board** Sprungbrett n; **~-tide** Springflut; Frühling(szeit *f*) *m* (*a.* **~-time**); **~y** □ ('spriŋi) federnd.

sprinkl|e ('spriŋkl) sprenkeln; (be-) sprengen; **~ing** (.iŋ) Sprühregen *m*; *a* ~ ein wenig, ein paar.

sprint (sprint) *Sport*: 1. Kurzstreckenlauf; Sprint *m*; 2. sprinten.

sprite (sprait) Geist, Kobold *m*.

sprout (spraut) 1. sprossen, wachsen (lassen); 2. ⅌ Sproß *m*.

spruce □ (spru:s) schmuck, nett.

sprung (sprʌŋ) sprang; gesprungen.

spry *bsd. Am.* (sprai) munter, flink.

spun (spʌn) spann; gesponnen.

spur (spə:) 1. Sporn; *fig.* Ansporn *m*; *act on the* ~ *of the moment* der Eingebung des Augenblicks folgen; 2. (an)spornen.

spurious □ ('spuəriəs) unecht.

spurn (spə:n) mit dem Fuße (weg-) stoßen; verächtlich zurückweisen.

spurt (spə:t) 1. sich zs.-reißen; *Sport*: spurten; s. *spirt*; 2. plötzliche Anstrengung, Ruck; *Sport*: Spurt *m*.

sputter ('spʌtə) 1. Gesprudel *n*; 2. (hervor)sprudeln; spritzen.

spy (spai) 1. Späher(in) Spio'n(in); 2. (er)spähen; spionieren; **~-glass** Fernglas *n*.

squabble ('skwɔbl) 1. Zank *m*, Kabbelei *f*; 2. (sich) zanken.

squad (skwɔd) Rotte *f*, Trupp *m*; **~ron** ('skwɔdrən) ⚔ Schwadro'n; ✈ Staffel *f*; ⚓ Geschwader *n*.

squalid □ ('skwɔlid) schmutzig.

squall (skwɔ:l) 1. Bö *f*; Schrei *m*; **~s** *pl.* Geschrei *n*; 2. (auf)kreischen.

squander ('skwɔndə) verschwenden.

square (skwɛə) 1. □ viereckig; qua-dra'tisch; rechtwinklig; eckig; gründlich; in Ordnung; quitt, gleich; ehrlich; offen; ~ *measure* Quadra't-, Flächen-maß *n*; 2 *feet* ~ zwei Fuß im Quadra't(en); 2. Qua-dra't; Viereck; *Schach*-Feld *n*; öffentlicher Platz; Winkelmaß *n*; 3. *v/t.* viereckig m.; einrichten (*with* nach), anpassen (*dat.*); ♱ be-aus-gleichen; *v/i.* passen (*with* zu); überei'nstimmen; **~-toes** F Pe-da'nt *m*.

squash (skwɔʃ) 1. Brei *m*; F Gedränge *n*; 2. (zer-, zs.-)quetschen.

squat (skwɔt) 1. untersetzt; 2. hocken, kauern; **~ter** ('skwɔtə) *Am.* Schwarzsiedler *m*.

squawk (skwɔ:k) 1. kreischen, schreien; 2. Gekreisch, Geschrei *n*.

squeak (skwi:k) quieken, quietschen.

squeal (skwi:l) quäken; quieken.

squeamish □ ('skwi:miʃ) empfindlich; mäkelig; ek(e)lig.

squeeze (skwi:z) 1. (sich) drücken; (sich) quetschen; auspressen; *fig.* (be)drängen; 2. Druck *m*; Gedränge *n*; **~r** ('skwi:zə) Presse *f*.

squelch F (skweltʃ) (z)erdrücken.

squint (skwint) schielen; blinzeln.

squire (skwaiə) 1.(Land-)Junker *m*; 2. *e-e Dame* begleiten.

squirm F (skwə:m) sich winden.
squirrel ('skwirəl, *Am.* 'skwə:rəl) Eichhörnchen *n.*
squirt (skwə:t) 1. Spritze *f*; Strahl; F *Am.* Wichtigtuer *m*; 2. spritzen.
stab (stæb) 1. Stich *m*; 2. *v*/*i.* (er-)stechen; *v*/*i.* stechen (*at* nach).
stabili|ty (stə'biliti) Standfestig-, Beständig-keit *f*; **~ze** ('stæbilaiz) stetig m., stabilisieren.
stable[1] □ ('steibl) stabil'l, fest.
stable[2] (~) 1. Stall *m*; 2. einstallen.
stack (stæk) 1. ♪ Schober *Heu usw.*; Stapel; Schornstein(reihe *f*) *m*; Rega'l *n*; *Am.* F Haufen *m*; 2. aufstapeln. [*n.*]
stadium ('steidiəm) *Sport:* Stadion
staff (stɑ:f) 1. Stab (*a.* ✗), Stock *m*; ♪ Notensyste'm; Persona'l *n*; 2. mit Personal versehen.
stag *zo.* (stæg) Hirsch *m.*
stage (steidʒ) 1. Gerüst *n*; Bühne *f*; Schauplatz *m*; Statio'n, Haltestelle; Etappe *f*, Stadium *n*; 2. inszenieren; **~-coach** Postkutsche *f*; **~-manager** Regisseu'r *m.*
stagger ('stægə) 1. *v*/*i.* (sch)wanken, taumeln; *v*/*t.* wankend m.; staffeln; 2. Schwanken *n*; Staffelung *f.*
stagna|nt □ ('stægnənt) stockend; träg; ✝ still; **~te** (~neit) stocken.
staid □ (steid) gesetzt, ruhig.
stain (stein) 1. Fleck(en) *m* (*a. fig.*); ⊕ Beize *f*; 2. fleckig m., fig. beflecken; ⊕ beizen, färben; **~ed** *glass* buntes Glas; **~less** (steinlis) ungefleckt; *fig.* fleckenlos rostfrei.
stair (steə) Stufe *f*; **~s** *pl.* Treppe *f*; **~case**, *Am.* **~way** Treppe(nhaus *n*) *f.*
stake (steik) 1. Pfahl; Marterpfahl; *Spiel*-Einsatz (*a. fig.*); *Sport:* **~s** *pl.* Preis *m*; *be at* ~ auf dem Spiele stehen; 2. (um)pfä'hlen; aufs Spiel setzen; ~ *out*, ~ *off* abstecken.
stale □ (steil) alt; schal, abgestanden; verbraucht (*Luft*); fad.
stalk (stɔ:k) 1. Stengel, Stiel, Halm *m*; *hunt.* Pirsch *f*; 2. *v*/*i.* einherschleichen; einherstolzieren; pirschen; *v*/*t.* beschleichen.
stall (stɔ:l) 1. (*Verkaufs-, Pferde-*)Stand *m*, (Markt-)Bude *f*; *thea.* Sperrsitz *m*; 2. einstallen; *mot.* aussetzen.
stallion ('stæljən) Hengst *m.*
stalwart ('stɔ:lwət) stramm, stark.
stamina ('stæminə) Ausdauer *f.*

stammer ('stæmə) 1. stottern, stammeln; 2. Stottern *n.*
stamp (stæmp) 1. (Auf-)Stampfen *n*; ⊕ Stampfe(r *m*) *f*; Stempel *m* (*a. fig.*); (Brief-)Marke; Art *f*; 2. stampfen; prägen; stanzen; (ab)stempeln (*a. fig.*); frankieren.
stampede (stæm'pi:d) 1. Pa'nik, wilde Flucht *f*; 2. durchgehen (m.).
stanch (stɑ:ntʃ) 1. hemmen; stillen; 2. fest; zuverlässig; treu.
stand (stænd) 1. [*irr.*] *v*/*i.* allg. stehen; stillstehen, stehenbleiben; bestehen (bleiben); ~ *against* j-m widerste'hen; ~ *aside* beiseite treten; ~ *back* zurücktreten; ~ *by* dabeistehen; *fig.* (fest)stehen zu; bereitstehen; ~ *for* kandidieren für; F sich *et.* gefallen l.; ~ *off* zurücktreten (von); ~ *out* hervorstehen; sich abheben (*against* gegen); ~ *over* stehen (*od.* liegen) bleiben; ~ *to* bleiben bei; ~ *up* aufstehen; sich erheben; ~ *up for* eintreten für; 2. *v*/*t.* (hin)stellen; aushalten; (v)ertragen; über sich ergehen l.; F spendieren (*a.* ~ *treat*); 3. Stand *m*; Stelle *f*; Stillstand; Widerstand; Ständer *m*; Tribüne *f*; *make a* ~ *against* standhalten (*dat.*).
standard ('stændəd) 1. Standa'rte, Fahne *f*; Ständer *m*; Norm, Regel *f*; Norma'lmaß *n*; Währung *f*; Maß (-stab *m*) *n*; 2. maßgebend; Norma'l...; **~ize** (~aiz) norm(ier)en.
stand-by ('stænd'bai) Beistand *m.*
standing ('stændiŋ) 1. □ stehend; fest; (be)ständig; *parl.* ~ *orders pl.* Geschäftsordnung *f*; 2. Stellung *f*; Rang; Ruf *m*; Dauer *f*; **~-room** Stehplatz *m.*
stand|-offish zurückhaltend; **~point** Standpunkt *m*; **~still** Stillstand *m*; **~-up:** ~ *collar* Stehkragen *m.*
stank (stæŋk) stank. [kragen *m.*]
stanza ('stænzə) Stanze; Strophe *f.*
staple ('steipl) 1. Haupterzeugnis *n*; Hauptgegenstand *m*; 2. Haupt...
star (stɑ:) 1. Stern *m*; *thea.* Star *m*; **~s** *and stripes pl. Am.* Sternbanner *n*; 2. besternen; die Hauptrolle spielen.
starboard ⚓ ('stɑ:bəd) 1. Steuerbord *n*; 2. *Ruder* steuerbord legen.
starch (stɑ:tʃ) 1. Wäsche-Stärke *f*; *fig.* Steifheit *f*; 2. stärken.
stare (steə) 1. Starren; Staunen *n*; starrer Blick *m*; 2. starren, staunen.
stark (stɑ:k) starr; völlig.

star|ry ('stɑːri) gestirnt; Stern(en)...; **~-spangled** ('spæŋgld) sternenbesät; *Am.* ~ banner Sternenbanner *n.*

start (stɑːt) 1. Auffahren, Stutzen *n;* Ruck; *Sport:* Start; Aufbruch; Anfang; *fig.* Vorsprung *m; get the* ~ *of a p.* j-m den Rang ablaufen; 2. *v/i.* auf-springen, -fahren; stutzen; *Sport:* starten; aufbrechen; *mot.* anspringen; anfangen (on mit; doing zu tun); *v/t.* in Gang bringen; *mot.* anlassen; *Sport:* starten; aufjagen; *fig.* anfangen; veranlassen (a p. doing j. zu tun); *Plan* anregen; **~er** ('stɑːtə) *Sport:* Starter; *mot.* Anlasser *m; fig.* Veranlasser(in).

startl|e ('stɑːtl) (er)schrecken; **~ing** ('stɑːtliŋ) aufsehenerregend.

starv|ation (stɑː'veiʃən) Hungertod *m;* **~e** (stɑːv) verhungern (l.); *fig.* verkümmern (lassen).

state (steit) 1. Zustand; Stand Staat (*pol. a.* ♀) *m; attr.* Staats...; *in* ~ in Gala; 2. angeben; dar-legen, -stellen; feststellen; *e-e Regel usw.* aufstellen; **~ly** stattlich; würdevoll; erhaben; **~ment** Angabe; Darstellung; Feststellung; Aufstellung *f,* ✝ (~ *of account* Konto-)Auszug *m;* **~room** Staatszimmer *n;* ♱ Luxuskajüte *f;* **~sman** ('steitsmən) Staatsmann *m.*

static ('stætik) feststehend.

station ('steiʃən) 1. Stand(ort) *m;* Stelle; Stellung; Statio'n *f;* Bahnhof; Rang, Stand *m;* 2. stellen; postieren; **~ary** □ ('steiʃnəri) stillstehend; feststehend; **~ery** (~) Schreibwaren *f/pl.;* **~-master** 🚂 Statio'nsvorsteher *m.*

statistics (stə'tistiks) Statistik *f.*

statu|ary ('stætjuəri) Bildhauer (-kunst *f) m;* **~e** (~juː) Standbild *n.*

stature ('stætʃə) Statu'r *f.*

status ('steitəs) Zustand; Stand *m.*

statute ('stætjuːt) Statu't *n,* Satzung *f;* (Landes-)Gesetz *n.*

staunch (stɔːntʃ) *s.* stanch.

stave (steiv) 1. Faßdaube; Strophe *f;* 2. [irr.] (mst ~ in) den Boden einschlagen (dat.); ~ off abwehren.

stay (stei) 1. ♱ Stag *n;* ⊕ Strebe; Stütze; Stockung *f;* Aufenthalt *m;* **~s** *pl.* Korse'tt *n;* 2. *v/t.* hemmen; stützen; *Hunger* stillen; (ab)warten; *v/i.* bleiben; sich aufhalten; warten (for auf *acc.); Sport:* durchhalten; **~er** ('steiə) *Sport:* Steher *m.*

stead (sted) Stelle, Statt *f;* **~fast** ('stedfəst) fest, beständig; standhaft.

steady ('stedi) 1. □ stetig; sicher; fest; ruhig; gleichmäßig; 2. stetig *od.* sicher machen *od.* werden; (sich) festigen; (sich) beruhigen.

steal (stiːl) [*irr.*] *v/t.* stehlen (a. fig.); *v/i.* sich stehlen *od.* schleichen.

stealth (stelθ) Heimlichkeit *f; by* ~ heimlich; **~y** □ ('stelθi) verstohlen.

steam (stiːm) 1. Dampf; Dunst *m;* 2. Dampf...; 3. *v/i.* dampfen; *v/t.* ausdünsten; dämpfen; **~er** ('stiːmə) ♱ Dampfer *m;* **~y** □ ('stiːmi) dampfig; dämpfend; dunstig.

steel (stiːl) 1. Stahl *m;* 2. stählern (a. ~y); Stahl...; 3. (ver)stählen.

steep (stiːp) 1. steil; F toll; 2. einweichen; tränken; *fig.* versenken.

steeple ('stiːpl) Kirchturm *m;* **~-chase** Hindernisrennen *n.*

steer¹ (stiə) *Am.* junger Ochs *m.*

steer² (~) steuern; **~age** ♱ ('stiəridʒ) Steuerung *f;* Zwischendeck *n;* **~sman** ('stiəzmən) Steuermann *m.*

stem (stem) 1. Stamm (a. fig.); Stiel; Stengel; ♱ Vordersteven *m;* 2. sich stemmen (*od.* ankämpfen) gegen.

stench (stentʃ) Gestank *m.*

stencil ('stensl) Schablone *f.*

stenographer (ste'nɔgrəfə) Stenogra'ph(in).

step¹ (step) 1. Schritt, Tritt *m; fig.* Strecke; Fußstapfe; Stufe *f;* **~s** *pl.* Trittleiter *f;* 2. *v/i.* schreiten; treten; gehen; ~ out ausschreiten; *v/t.* abschreiten (a. ~ off, out); ~ up ankurbeln.

step² (~) *in Zssgn* Stief..., *z.B.* **~-father** ('stepfɑːðə) Stiefvater *m.*

steppe (step) Steppe *f.*

stepping-stone *fig.* Sprungbrett *n.*

steril|e ('sterail) unfruchtbar; keimfrei; **~ity** (ste'riliti) Unfruchtbarkeit *f;* **~ize** ('sterilaiz) sterilisieren.

sterling ('stəːliŋ) vollwertig, echt; gediegen; ✝ Sterling (*Währung*) *m.*

stern (stəːn) 1. □ ernst; finster; streng; 2. ♱ Heck *n;* **~ness** ('stəːnnis) Ernst *m;* Strenge *f;* **~-post** ♱ Hintersteven *m.*

stevedore ('stiːvidɔː) Stauer *m.*

stew (stjuː) 1. schmoren; dämpfen; 2. Schmorgericht *n;* F Aufregung *f.*

steward (stjuəd) Verwalter; ♱, 🚢 Steward; *Fest- usw.* Ordner *m;* **~ess** ♱, 🚢 ('stjuədis) Aufwärterin *f.*

stick (stik) **1.** Stock (F a. fig.); Stab; Besen- usw. Stiel m; Stange f; **2.** [irr.] v/i. stecken; haften; kleben (to an dat.); stocken; bleiben (to bei); ~ at nothing vor nichts zurückscheuen; ~ out, ~ up hervorstehen; F standhalten; v/t. (ab)stechen; (an)stecken; (an)heften; (an)kleben.

sticky □ ('stiki) kleb(e)rig; zäh.

stiff □ (stif) steif; hart; fest; mühsam; ~en ('stifn) (sich) (ver)steifen; ~-necked ('stif'nekt) halsstarrig.

stifle ('staifl) ersticken (a. fig.).

stigma ('stigmə) (Brand-, Wund-) Mal; ~tize (~taiz) brandmarken.

still (stil) **1.** adj. still; **2.** adv. noch (immer); **3.** cj. doch, dennoch; **4.** stillen; beruhigen; **5.** Destillierapparat m; ~born totgeboren; ~life Stilleben n; ~ness ('stilnis) Stille f. [gespreizt, hochtrabend.]

stilt (stilt) Stelze f; ~ed ('stiltid))

stimul|ant ('stimjulənt) **1.** ⚕ stimulierend; **2.** ⚕ Reizmittel n; ~ate (~leit) (an)reizen; anregen; ~ation (stimju'leiʃən) Reizung f, Antrieb m; ~us ('stimjuləs) Antrieb m; Reizmittel n.

sting (stiŋ) **1.** Stachel; Stich, Biß m; fig. Schärfe f; **2.** [irr.] stechen; brennen; schmerzen; ~iness ('stindʒinis) Geiz m; ~y ('stindʒi) geizig; knapp, karg.

stink (stiŋk) **1.** Gestank m; **2.** [irr.] v/i. stinken; v/t. verstänkern.

stint (stint) **1.** Einschränkung; Arbeit f; **2.** knausern mit; einschränken; j. knapp halten.

stipend ('staipend) Steiggehalt n.

stipulat|e ('stipjuleit) (aus)bedingen, ausmachen, vereinbaren (a. ~ for a th.); ~ion (stipju'leiʃən) Abmachung; Klausel f.

stir (stəː) **1.** Regung; Aufregung f; Aufsehen; fig. Leben, n; **2.** (sich) rühren; bewegen; erregen (a. ~ up); ~ up aufrühren; aufrütteln.

stirrup ('stirəp) Steigbügel m.

stitch (stitʃ) **1.** Stich m; Masche f; **2.** nähen; heften.

stock (stɔk) **1.** Stock (a. fig.); Stamm (a. fig.); Griff; Gewehr-Schaft, Kolben; Vorrat m; ✝ Lager; Vieh (-stand m) n (oft live ~); Material n; ✝ (Stamm-; Anleihe-)Kapital n; ~s pl. Effekten f/pl.; Staatspapiere n/pl.; ⚓ ~s pl. Stapel m; ✝ take ~ of Inventur m. von; fig. sich klar

w. über (acc.); **2.** vorrätig; ständig; **3.** versorgen; füllen; ✝ vorrätig h.

stockade (stɔ'keid) Pfahlzaun m.

stock|-breeder Viehzüchter m; ~-broker Börsenmakler m; ♀ Exchange (Effek'ten)-Börse f; ~-holder Am. Aktionär(in).

stockinet (stɔ'kinet) Triko't n.

stocking ('stɔkiŋ) Strumpf m.

stock|-jobber Börsenspekula'nt m; ~-taking Inventur; (Selbst-)Besinnung f; ~y ('stɔki) stämmig.

stoic ('stouik) **1.** stoisch; **2.** Stoiker m.

stoker ('stoukə) Heizer m.

stole (stoul) stahl; ~n ('stoulən) gestohlen. [gleichmütig; stur.]

stolid □ ('stɔlid) schwerfällig;)

stomach ('stʌmək) **1.** Magen; Leib, Bauch m; fig. Lust f; **2.** verdauen.

stone (stoun) **1.** Stein; Obst-Kern m; **2.** steinern; Stein...; **3.** steinigen; entsteinen; ~-blind stockblind; ~-dead mausetot; ~ware Steinzeug n.

stony ('stouni) steinig; fig. steinern.

stood (stud) stand; gestanden.

stool (stuːl) Schemel; ⚕ Stuhlgang m; ~-pigeon Am. Lockspitzel m.

stoop (stuːp) **1.** v/i. sich bücken; sich erniedrigen od. herablassen; krumm gehen; v/t. neigen; **2.** gebeugte Haltung; Am. Terra'sse f.

stop (stɔp) **1.** v/t. (ver)stopfen (a. ~ up); (ver)sperren; Zahn plombieren; (auf)halten; anhalten, abstellen; (ver)hindern; Blut stillen; Zahlung usw. einstellen; aufhören mit; v/i. (an)halten; (stehen)bleiben; aufhören; warten; **2.** (Ein-)Halt m; Pause; Hemmung f; ⊕ Anschlag m; Aufhören, Ende n; Haltestelle f; gr. (a. full ~) Punkt m; ~-gap Notbehelf m; ~-page ('stɔpidʒ) Verstopfung; (Zahlungsusw.) Einstellung; Sperrung f; Lohn- usw. Abzug; Aufenthalt m; ⊕ Hemmung; (Betriebs- usw.) Störung f; ~-per ('stɔpə) Stöpsel m; ~-ping ('stɔpiŋ) Plombe f.

storage ('stɔːridʒ) Lagerung, Aufspeicherung f; Lagergeld n.

store (stɔː) **1.** Vorrat m; fig. Fülle f; Maga'zin n, Speicher; Am. Laden m; ~s pl. Warenhaus n; in ~ vorrätig, auf Lager; **2.** aufspeichern; lagern; versorgen; ~house Lagerhaus n; fig. Schatzkammer f; ~-keeper Magazinverwalter m; Am. Ladenbesitzer m.

stor(e)y ('stɔːri) Stock(werk *n*) *m*.

stork (stɔːk) Storch *m*.

storm (stɔːm) 1. Sturm *m*; 2. stürmen; toben; **~y** □ stürmisch.

story ('stɔːri) Geschichte; Erzählung; *thea.* Handlung; F Lüge *f*.

stout (staut) 1. □ stark; kräftig; derb; dick; tapfer; 2. Starkbier *n*.

stove (stouv) Ofen *m*.

stow (stou) (ver)stauen, packen; **~away** □ blinder Passagier.

straddle ('strædl) (die Beine) spreizen; überspreiʹzen.

straggl|e ('strægl) zerstreut (*od.* einzeln) liegen *od.* gehen; umherstreifen; *fig.* abschweifen; ♀ wuchern; **~ing** (**~iŋ**) weitläufig, lose.

straight (streit) 1. *adj.* gerade (*a. fig.*); *Am.* rein; *put* ~ in Ordnung bringen; 2. *adv.* gerade(swegs); **~en** ('streitn) gerade *m. od.* w.; ~ *out* in Ordnung bringen; **~forward** ('fɔːwəd) gerade; ehrlich, redlich.

strain (strein) 1. Abstammung; Art *f*; ⊕ Spannung; Anstrengung (*on* für); starke Inanspruchnahme *f* (*on gen.*); Druck *m*; ♪♫ Zerrung *f*; Ton *m*; ♪ *mst* ~s *pl.* Weise *f*; Hang *m* (*of zu*); 2. *v/t.* (an)spannen; (über)anstrengen; überspaʹnnen; ⊕ beanspruchen; ♪♫ zerren; durchseihen; *v/i.* sich spannen; sich anstrengen; sich abmühen (*after um*); zerren (*at an dat.*); **~er** ('streinə) Durchschlag; Filter *m*; Sieb *n*.

strait (streit) Meerenge, Straße; **~s** *pl.* Not *f*; ~ *waistcoat* Zwangsjacke *f*; **~ened** ('streitnd) dürftig; in Not.

strand (strænd) 1. Strand *m*; Strähne *f* (*a. fig.*); 2. auf den Strand setzen; *fig.* stranden (lassen).

strange □ (streindʒ) fremd (*a. fig.*); seltsam; **~r** ('streindʒə) Fremde(r).

strangle ('stræŋgl) erwürgen.

strap (stræp) 1. Riemen; Gurt *m*; *Schuh*-Spange *f*; ⊕ Band *n*; 2. mit e-m Riemen befestigen, festschnallen; mit Riemen peitschen.

stratagem ('strætidʒəm) (Kriegs-)List *f*.

strateg|ic (strə'tiːdʒik) (**~ally**) strategisch; **~y** ('strætidʒi) Kriegskunst *f*.

strat|um ('streitəm), *pl.* **~a** (**~tə**) *geol.* Schicht (*a. fig.*), Lage *f*.

straw (strɔː) 1. Stroh(halm *m*) *n*; 2. Stroh...; ~ *vote Am.* Probeabstimmung *f*; **~berry** Erdbeere *f*.

stray (strei) 1. irregehen; abirren; umherschweifen; 2. (*a. ~ed*) verirrt; vereinzelt; 3. verirrtes Tier *n*.

streak (striːk) 1. Strich, Streifen *m*; *fig.* Ader, Spur *f*; 2. streifen.

stream (striːm) 1. Bach; Strom *m*; Strömung *f*; 2. *v/i.* strömen; triefen; flattern; **~er** ('striːmə) Wimpel *m*; (fliegendes) Band *n*; Lichtstrahl *m*; *typ.* Schlagzeile *f*.

street (striːt) Straße *f*; **~-car** *Am.* Straßenbahnwagen *m*.

strength (streŋθ) Stärke, Kraft *f*; *on the* ~ *of* auf ... hin, auf Grund; **~en** ('streŋθən) *v/t.* stärken, kräftigen; bestärken; *v/i.* erstarken.

strenuous □ ('strenjuəs) tätig, emsig; eifrig; anstrengend.

stress (stres) 1. Druck; Nachdruck *m*; Betonung *f*; 2. betonen.

stretch (stretʃ) 1. *v/t.* strecken; (aus)dehnen; ausstrecken (*mst* ~ *out*); (an)spannen; *fig.* übertreiʹben, -schreiʹten; *v/i.* sich (er-)strecken; sich dehnen; 2. Strecken *n*; Dehnung; (An-)Spannung; Über-treiʹbung, -schreiʹtung; Strecke, Fläche *f*; **~er** ('stretʃə) Tragbahre *f*.

strew (struː) [*irr.*] (be)streuen.

stricken ('strikn) ge-, betroffen.

strict (strikt) streng; genau; **~ness** ('striktnis) Genauigkeit; Strenge *f*.

stridden ('stridn) durchschritʹten.

stride (straid) 1. [*irr.*] *v/t.* über-, durch-schreiʹten; 2. (weiter) Schritt.

strident □ ('straidnt) kreischend.

strife *lit.* (straif) Streit, Hader *m*.

strike (straik) 1. Streik *m*; *be on* ~ streiken; 2. [*irr.*] *v/t.* treffen, stoßen; schlagen; gegen *od.* auf (*acc.*) schlagen *od.* stoßen; stoßen (*od.* treffen) auf (*acc.*); *Flagge usw.* streichen; *Arbeit* einstellen; ausfallen (*dat.*); ergreifen; *Handel* abschließen; *Zündhölzchen* anstreichen; *Licht* anzünden; *Wurzel* schlagen; *Pose* annehmen; *Bilanz* ziehen; ~ *up Bekanntschaft* anknüpfen; *v/i.* schlagen; ⚓ auf Grund stoßen; streiken; ~ *home* (richtig) treffen; **~r** ('straikə) Streikende(r) *m*.

striking □ ('straikiŋ) Schlag...; auffallend; eindrucksvoll; treffend.

string (striŋ) 1. Schnur; *Bogen*-Sehne; ♀ Faser; ♪ Saite; *Perlen*-Kette *f*; ~s *pl.* ♪ Streicher *m/pl.*; *pull the* ~s der Drahtzieher sn; 2. [*irr.*] spannen; aufreihen; besai-

ten (*a. fig.*), bespannen; *Am.* (ver-, zu-)schnüren; **~-band** Streichorche'ster *n*.

stringent ('strindʒənt) streng, scharf; bindend, zwingend; knapp.

strip (strip) 1. entkleiden (*a. fig.*), (sich) ausziehen; *fig.* entblößen, berauben; ⊕ auseinandernehmen; ⚓ abtakeln; abziehen, abstreifen (*a.* ~ *off*); 2. Streifen *m*.

stripe (straip) Streifen *m*; ✕ Tresse *f*.

strive (straiv) [*irr.*] streben; sich bemühen; ringen (*for* um).

strode (stroud) durchschri'tt.

stroke (strouk) 1. Schlag (*a. ⚕*); Streich; Stoß; Strich *m*; ~ *of luck* Glücksfall *m*; 2. streiche(l)n.

stroll (stroul) 1. schlendern, umherziehen; 2. Bummel, Spaziergang *m*.

strong □ (strɔŋ) *allg.* stark; kräftig; energisch, eifrig; fest; **~-hold** Feste *f*; *fig.* Bollwerk *n*; **~-room** Stahlkammer *f*; **~-willed** willensstark. [2. *Messer* abziehen.|

strop (strɔp) 1. Streichriemen *m*;|

strove (strouv) strebte; rang.

struck (strʌk) schlug; geschlagen.

structure ('strʌktʃə) Bau *m*; Gefüge; Gebilde *n*.

struggle ('strʌgl) 1. sich (ab)mühen; kämpfen, ringen; sich sträuben; 2. Anstrengung *f*; Kampf *m*.

strung (strʌŋ) spannte; gespannt.

strut (strʌt) 1. *v/i.* stolzieren; *v/t.* ⊕ absteifen; 2. Stolzieren *n*; ⊕ Strebe(balken *m*) *f*.

stub (stʌb) 1. Stumpf *f*; Stummel *m*; 2. (aus)roden; sich *den* Fuß stoßen.

stubble ('stʌbl) Stoppel(n *pl.*) *f*.

stubborn □ ('stʌbən) eigensinnig; widerspenstig; stur; hartnäckig.

stuck (stʌk) steckte; gesteckt; **~-up** F hochnäsig.

stud (stʌd) 1. (Wand-)Pfosten; Ziernagel, Knauf; Manschetten-, Kragen-knopf *m*; Gestüt *n*; 2. beschlagen; besetzen; **~-horse** Zuchthengst *m*.

student ('stju:dənt) Stude'nt(in).

studied ('stʌdid) einstudiert; gesucht; gewollt; raffiniert (*Kleidung*).

studio ('stju:diou) Atelie'r *n*; *Radio:* Senderaum *m*.

studious □ ('stju:djəs) fleißig; bedacht; bemüht; geflissentlich.

study ('stʌdi) 1. Studium *n*; Studie'rzimmer *n*; *paint. usw.* Studie *f*; 2. (ein)studieren; sich bemühen um.

stuff (stʌf) 1. Stoff *m*; Zeug; *fig.* dummes Zeug *n*; 2. *v/t.* (voll-, aus-) stopfen; *v/i.* sich vollstopfen; **~ing** ('stʌfiŋ) Füllung *f*; **~y** □ ('stʌfi) dumpfig, muffig.

stultify ('stʌltifai) lächerlich m., blamieren; *et.* hinfällig machen.

stumble ('stʌmbl) 1. Stolpern *n*; Fehltritt *m*; 2. stolpern; straucheln; ~ *upon* stoßen auf (*acc.*).

stump (stʌmp) 1. Stumpf, Stummel *m*; 2. *v/t.* F verblüffen; ~ *the country* als Wahlredner im Land umherziehen; *v/i.* (daher)stapfen; **~y** □ ('stʌmpi) gedrungen.

stun (stʌn) betäuben (*a. fig.*).

stung (stʌŋ) stach; gestochen.

stunk (stʌŋk) stank; gestunken.

stunning F ('stʌniŋ) famo's.

stunt¹ *Am.* F (stʌnt) Kraft-, Kunst-stück *n*; Schaunummer *f*.

stunt² (˜) im Wachstum hindern; **~ed** ('stʌntid) verkümmert.

stup|efy ('stju:pifai) *fig.* betäuben; verblüffen; verdummen; **~endous** □ (stju:'pendəs) erstaunlich; **~id** □ ('stju:pid) dumm, stumpfsinnig; **~idity** (stju:'piditi) Dummheit *f usw.*; **~or** ('stju:pə) Erstarrung, Betäubung *f*.

sturdy ('stə:di) derb, kräftig; stramm; handfest.

stutter ('stʌtə) stottern.

sty (stai) Schweinestall, Koben *m*.

style (stail) 1. Stil *m*; Mode; Betitelung *f*; 2. (be)nennen, betiteln.

stylish □ ('stailiʃ) stilvoll; elega'nt; **~ness** (˜nis) Elega'nz *f*.

suave (sweiv) verbindlich; mild.

sub... (sʌb): *mst* Unter...; unter...; Neben...; Hilfs...; fast...

subdivision ('sʌbdi'viʒən) Untertei'lung; Unterabteilung *f*.

subdue (səb'dju:) unterwerfen; bezwingen; bändigen; dämpfen.

subject 1. ('sʌbdʒikt) 1. unterwo'rfen; untertänig, untertan; *fig.* ~ *to* unterlie'gend (*dat.*); neigend zu; 2. *adv.* ~ *to* vorbehaltlich (*gen.*); 3. Untertan *m*; Subje'kt *n*; Perso'n *f*; (*a.* ~ *matter*) Thema *n*, Gegenstand *m*; 4. (səb'dʒekt) unterwe'rfen; *fig.* aussetzen; **~ion** (səb'dʒekʃən) Unterwe'rfung *f*. [jo'chen.|

subjugate ('sʌbdʒugeit) unter-|

sublease ('sʌb'li:s), **sublet** ('sʌb'let) [*irr.* (*let*)] untervermieten.

sublime □ (sə'blaim) erhaben.

sub-machine ('sʌbmə'ʃiːn): ~ gun Maschinenpistole f.

submarine ('sʌbməriːn) **1.** unterseeisch; **2.** ⚓ Unterseeboot n.

submerge (sʌb'məːdʒ) untertauchen; überschwe'mmen.

submiss|ion (səb'miʃən) Unterwe'rfung; Unterbrei'tung f; ~ive □ (~misiv) unterwürfig.

submit (səb'mit) (sich) unterwe'rfen; anheimstellen; unterbrei'ten; fig. sich fügen (to in acc.).

subordinate 1. (sə'bɔːdnit) untergeordnet; **2.** (~) Unterge'bene(r) m; **3.** (sə'bɔːdineit) unterordnen.

suborn ⚏ (sʌ'bɔːn) verleiten.

subscribe (səb'skraib) v/t. unterschrei'ben (a. fig.); Summe zeichnen; v/i. zeichnen (to für); abonnieren (for auf acc.); ~r (~ə) (Unter-)Zeichner(in); Abonne'nt(in); teleph. Teilnehmer(in).

subscription (səb'skripʃən) (Unter-)Zeichnung f; Abonneme'nt n.

subsequent □ (~absikwənt) folgend; später; ~ly hinterher.

subservient (səb'səːviənt) dienlich; dienstbar; unterwürfig.

subsid|e (səb'said) sinken, sich senken; fig. sich setzen; sich legen (Wind); ~iary (səb'sidjəri) **1.** □ Hilfs...; Neben...; **2.** Filia'le f; ~ize ('sʌbsidaiz) mit Geld unterstü'tzen; ~y (~di) (Geld-)Beihilfe f.

subsist (səb'sist) bestehen; leben (on, by von); ~ence (~əns) Dasein n; (Lebens-)Unterhalt m.

substance ('sʌbstəns) Substa'nz n; Wesen n; Hauptsache f; Inhalt m; Wirklichkeit f; Vermögen n.

substantial □ (səb'stænʃəl) wesentlich; wirklich; kräftig; stark; soli'd; vermögend.

substantiate (səb'stænʃieit) beweisen, begründen, dartun.

substitut|e ('sʌbstitjuːt) **1.** an die Stelle setzen (for von); **2.** Stellvertreter; Ersatz m; ~ion (sʌbsti'tjuːʃən) Stellvertretung f; Ersatz m.

subterfuge ('sʌbtəfjuːdʒ) Ausflucht f.

subterranean □ (sʌbtə'reinjən) unterirdisch. ~ty (~ti) Feinheit f.

subtle □ ('sʌtl) fein; spitzfindig; ~ty (~ti) Feinheit; f

subtract ⚏ (səb'trækt) abziehen.

suburb ('sʌbəːb) Vor-stadt f, -ort m; ~an (~bən) vorstädtisch.

subver|sion (sʌb'vəːʃən) Umsturz m; ~sive (~siv) zerstörend (of acc.);

umstürzlerisch; ~t (sʌb'vəːt) (um-) stürzen; untergra'ben.

subway ('sʌbwei) Unterfü'hrung; Am. Untergrundbahn f.

succeed (sək'siːd) (nach)folgen; Erfolg haben; glücken, gelingen; ~ to überne'hmen; erben.

success (sək'ses) Erfolg m; ~ful □ (sək'sesful) erfolgreich; ~ion (~'seʃən) Nach-, Erb-, Reihen-folge f; in ~ nacheinander; ~ive □ (~'sesiv) aufeinanderfolgend; ~or (~'sesə) Nachfolger(in). [fen.]

succo(u)r ('sʌkə) **1.** Hilfe f; **2.** helfen (~'sʌkjulənt) saftig.

succulent ('sʌkjulənt) saftig.

succumb (sə'kʌm) unter-, er-liegen.

such (sʌtʃ) solch(er, -e, -es); derartig; so groß; ~ a man ein solcher Mann; ~ as die, welche.

suck (sʌk) **1.** (ein)saugen; saugen an (dat.); aussaugen; **2.** Saugen n; ~er ('sʌkə) Saugorga'n n; ♣ Wurzelsproß m; ~le ('sʌkl) säugen, stillen; ~ling ('sʌkliŋ) Säugling m.

suction ('sʌkʃən) **1.** (An-)Saugen n; Sog m; **2.** Saug... [ganz plötzlich.]

sudden □ ('sʌdn) plötzlich; all of a ~ suds (sʌdz) pl. Seifenwasser n.

sue (sjuː) v/t. verklagen; ~ out erwirken; v/i. nachsuchen (to bei); klagen.

suède (sweid) (feines) Wildleder n.

suet (sjuit) roher Talg m.

suffer ('sʌfə) v/i. leiden (from an dat.); v/t. erleiden; dulden; ~ance (~rəns) Duldung f; ~er (~rə) Dulder(in); ~ing (~riŋ) Leiden n.

suffice (sə'fais) genügen.

sufficien|cy (sə'fiʃənsi) genügende Menge f; Auskommen n; ~t □ (~ənt) genügend, ausreichend.

suffocate ('sʌfəkeit) ersticken.

suffrage ('sʌfridʒ) (Wahl-)Stimme f; Stimmrecht n. [zie'hen.]

suffuse (sə'fjuːz) übergie'ßen; über-)

sugar ('ʃugə) **1.** Zucker m; **2.** zuckern; ~y (~ri) zuckerig; zuckersüß.

suggest (sə'dʒest) Gedanken eingeben; anregen; andeuten; denken l. an (acc.); ~ion (~ʃən) Anregung; Suggestio'n; Eingebung; Andeutung f; ~ive □ (~iv) anregend; andeutend (of acc.); inhaltvoll; zweideutig. [Selbstmörder(in).]

suicide ('sjuisaid) Selbstmord m;)

suit (sjuːt) **1.** Reihenfolge f; Satz m, Garnitu'r f; (a. ~ of clothes) Anzug m; Karten: Farbe f; ⚏ Proze'ß m; **2.** v/t. (to, with) anpassen (an

14

acc.); passen für *et.*; *j-m* passen; *j-m* bekommen; *j.* kleiden, *j-m* stehen (*a. with a p.*); ~ed geeignet; *v/i.* passen; **~able** □ ('sju:təbl) passend, geeignet; **~case** Handkoffer *m*; ~e (swi:t) Gefolge *n*; *Reihen*-Folge; (*od.* ~ *of rooms*) Zimmerflucht; Garnitu'r *f*; ~or ('sju:tə) Freier *m*; ᵗ⁄₂ Kläger(in).

sulk (sʌlk) 1. schmollen, bocken; 2. ~s (ʌs) *pl.* üble Laune *f*; ~y □ ('sʌlki) verdrießlich; schmollend.

sullen ('sʌlən) verdrossen, mürrisch.

sully ('sʌli) *mst fig.* beflecken.

sulphur ⚗ ('sʌlfə) Schwefel *m*; **~ic** (sʌl'fjuərik) Schwefel...

sultriness ('sʌltrinis) Schwüle *f*.

sultry □ ('sʌltri) schwül.

sum (sʌm) 1. Summe *f*; *fig.* Inbegriff, Inhalt *m*; Rechenaufgabe *f*; 2. (*a.* ~ *up*) zs.-rechnen; zs.-fassen.

summar|ize ('sʌməraiz) (kurz) zs.-fassen; ~y (ʌri) 1. □ kurz (zs.-gefaßt); ᵗ⁄₂ Schnell...; 2. (kurze) Inhaltsangabe *f*, Auszug *m*.

summer ('sʌmə) Sommer *m*; ~(I)y (ʌri, ʌli) sommerlich.

summit ('sʌmit) Gipfel *m* (*a. fig.*).

summon ('sʌmən) auffordern; (be-)rufen; ᵗ⁄₂ vorladen; *fig.* aufbieten; ~s(ʌz) Aufforderung *f*; ᵗ⁄₂ Vorladung *f*.

sumptuous ('sʌmptjuəs) kostbar.

sun (sʌn) 1. Sonne *f*; 2. Sonnen...; 3. (sich) sonnen; **~burn** ('sʌnbəːn) Sonnenbrand *m*.

Sunday ('sʌndi) Sonntag *m*.

sun|-dial Sonnenuhr *f*; **~-down** *Am.* Sonnenuntergang *m*.

sundries ('sʌndriz) *pl. bsd.* ✝ Verschiedenes *n*; Extraausgaben *f/pl.*

sun-glasses *pl.* Sonnenbrille *f*.

sunk (sʌŋk) sank; gesunken.

sunken ('sʌŋkən) *fig.* eingefallen.

sun|ny □ ('sʌni) sonnig; **~rise** Sonnenaufgang *m*; **~set** Sonnenuntergang *m*; **~shade** Sonnenschirm *m*; **~shine** Sonnenschein *m*; **~stroke** ⚕ Sonnenstich *m*; **~up** *Am.* ('sʌnʌp) Sonnenaufgang *m*.

sup (sʌp) zu Abend essen.

super... ('sju:pə) Über...; über...; Ober..., ober...; Groß...; **~abundant** □ (sju:pərə'bʌndənt) überreichlich; überschwenglich; **~annuate** (sju:pə'rænjueit) als zu alt entfernen, pensionieren; **~d** ausgedient; vera'ltet (*S.*).

superb (sju'pəːb) prächtig; herrlich.

super|charger ('sju:pətʃɑːdʒə) Kompressor *m*; **~cilious** □ (sju:-pə'siliəs) hochmütig; **~ficial** □ (sju:pə'fiʃəl) oberflächlich; **~fine** ('sju:pə'fain) extrafein; **~fluity** (sju:pə'fluiti) Überfluß *m*; **~fluous** □ (sju:pə'fluəs) überflüssig; **~heat** ⊕ (sju:pə'hiːt) überhi'tzen; **~intend** (sju:prin'tend) die Oberaufsicht h. über (*acc.*); überwa'chen; **~intendent** (ʌənt) Oberaufseher; Amtsvorsteher *m*.

superior (sju'piəriə) 1. □ ober; höher(stehend); besser; überle'gen (*to dat.*); vorzüglich; 2. Höherstehende(r), *bsd.* Vorgesetzte(r); *eccl.* Obere(r) *m*, (*mst lady ~*) Oberin *f*; **~ity** (sjupiəri'ɔriti) Überle'genheit *f*.

super|lative (sju'pəːlətiv) 1. □ höchst; überra'gend; 2. Superlati'v *m*; **~numerary** (sju:pə'nju:mərəri) 1. überzählig; 2. Überzählige(r); *thea.* Stati'st(in); **~scription** (sju:pə'skripʃən) Über-, Auf-schrift *f*; **~sede** (ʌ'siːd) ersetzen; verdrängen; absetzen; *fig.* überho'len; **~stition** (ʌ'stiʃən) Aberglaube *m*; **~stitious** (ʌ'stiʃəs) abergläubisch; **~vene** (sju:pə'viːn) noch hinzukommen; unerwartet eintreten; **~vise** ('sju:pəvaiz) beaufsichtigen; **~vision** (sju:pə'viʒən) (Ober-)Aufsicht *f*; **~visor** ('sju:pəvaizə) Aufseher *m*.

supper ('sʌpə) Abendessen *n*; the (Lord's) ♀ das Heilige Abendmahl.

supplant (sə'plɑːnt) verdrängen.

supple (sʌpl) geschmeidig (m.).

supplement 1. ('sʌplimənt) Ergänzung *f*; Nachtrag *m*; Beilage *f*; 2. (ʌmənt) ergänzen; **~al** □ (sʌpli'mentl), **~ary** (ʌtəri) Ergänzungs...; nachträglich; Nachtrags...

suppliant ('sʌpliənt) Bittsteller(in).

supplicat|e ('sʌplikeit) anflehen; **~ion** (sʌpli'keiʃən) demütige Bitte *f*.

supplier (sə'plaiə) Liefera'nt(in).

supply (sə'plai) 1. ergänzen; *e-m* Mangel abhelfen; *e-e* Stelle ausfüllen, vertreten; versorgen; liefern; 2. Vertretung; Versorgung; Vorrat *m*; ✝ Angebot *n*; *mst* supplies *pl. parl.* Etat *m*.

support (sə'pɔːt) 1. Stütze; Unterstü'tzung *f*; 2. (unter)stü'tzen; *sich, e-e Familie usw.* (unter)ha'lten; (aufrecht)erhalten; (v)ertragen.

suppose (sə'pouz) annehmen; voraussetzen, vermuten; F ~ *we do so?* wie wär's, wenn wir es täten?

supposed □ (sə'pouzd) vermeintlich; **~ly** (~zidli) vermutlich.

supposition (sapə'ziʃən) Voraussetzung; Annahme; Vermutung *f*.

suppress (sə'pres) unterdrücken; **~ion** (sə'preʃən) Unterdrückung *f*.

suppurate ('sapjuəreit) eitern.

suprem|acy (sju'preməsi) Obergewalt, -hoheit *f*; **~e** □ (sju'pri:m) höchst; oberst; Ober...; größt.

surcharge (sə:'tʃɑ:dʒ) 1. überla'den; 2. Überla'dung *f*; (Straf-) Zuschlag *m*; *&* Überdruck *m*.

sure □ (ʃuə) *allg.* sicher; *to be ~!* Am. ~! sicher(lich)!; **~ly** ('ʃuəli) sicherlich; **~ty** (~ti) Bürge *m*.

surf (sə:f) Brandung *f*.

surface ('sə:fis) 1. (Ober-)Fläche; *&* *supporting* ~ Tragfläche *f*; 2. oberflächlich.

surfeit ('sə:fit) 1. Übersä'ttigung *f*; Ekel *m*; 2. (sich) überla'den.

surge (sə:dʒ) 1. Woge *f*; 2. wogen.

surg|eon ('sə:dʒən) Chiru'rg, (Wund-)Arzt *m*; **~ery** (sə:dʒəri) Chirurgie *f*; Operatio'nszimmer *n*.

surgical □ ('sə:dʒikəl) chiru'rgisch.

surly □ (sə:li) mürrisch; grob.

surmise ('sə:maiz) 1. Vermutung *f*; Argwohn *m*; 2. vermuten.

surmount (sə:'maunt) überwi'nden; überra'gen.

surname ('sə:neim) Zuname *m*.

surpass (sə:'pɑ:s) *fig.* über-stei'gen, -tre'ffen; **~ing** ('gənd) überra'gend.

surplus ('sə:pləs) 1. Überschuß *m*, Mehr *n*; 2. überschüssig; Über...

surprise (sə'praiz) 1. Überra'schung; *&* Überru'mp(e)lung *f*; 2. überra'schen; überru'mpeln.

surrender (sə'rendə) 1. Übergabe, Ergebung *f*; 2. *v/t.* überge'ben; aufgeben; *v/i.* sich ergeben (*a.* ~ *o.s.*).

surround (sə'raund) umge'ben; umzi'ngeln; **~ing** (~iŋ) umliegend; **~ings** (~iŋz) *pl.* Umgebung *f*.

surtax ('sə:tæks) Steuerzuschlag *m*.

survey 1. (sə:'vei) überbli'cken; mustern; surv. vermessen; 2. ('sə:-vei) Überblick *m* (*a. fig.*); Besichtigung; surv. Vermessung *f*; **~or** (sə:'veiə) Feldmesser *m*.

surviv|al (sə'vaivəl) Über-, Fortleben *n*; **~e** (sə'vaiv) *v/t.* über-

le'ben; *v/i.* noch leben; **~or** (~ə) Überle'bende(r).

susceptible □ (sə'septəbl) empfänglich (*to* für); empfindlich (gegen); *be ~ of* zulassen (*S.*).

suspect (səs'pekt) 1. (be)argwöhnen; im Verdacht haben; vermuten; 2. Verdächtige(r); verdächtig.

suspend (səs'pend) (auf)hängen; in der Schwebe l.; *Zahlung* einstellen; aussetzen; suspendieren, sperren; **~ed** schwebend; **~ers** (~əz) *pl.* Am. Hosenträger *m/pl.*; Strumpfhalter *m/pl.*

suspens|e (səs'pens) Ungewißheit; Unentschiedenheit; Spannung *f*; **~ion** (səs'penʃən) Aufhängung; Suspensio'n, Sperre *f*; ~ *bridge* Hängebrücke *f*.

suspici|on (səs'piʃən) Verdacht; Argwohn *m*; *fig.* Spur *f*; **~ous** □ (~əs) argwöhnisch; verdächtig.

sustain (səs'tein) stützen; *fig.* (aufrecht)erhalten; aushalten; durchhalten; erleiden.

sustenance ('sastinəns) (Lebens-) Unterhalt *m*; Nahrung *f*.

svelte (svelt) schlank.

swab (swɔb) 1. Wisch(lappen); *&* Abstrich *m*; 2. (ab-, auf-)wischen.

swaddle ('swɔdl) (ein)wickeln; *swaddling clothes pl.* Windeln *f/pl.*

swagger ('swægə) stolzieren; prahlen, renommieren.

swallow ('swɔlou) 1. Schwalbe *f*; Schluck *m*; 2. (hinunter-, ver-) schlucken.

swam (swæm) schwamm.

swamp (swɔmp) 1. Sumpf *m*; 2. überschwe'mmen (*a. fig.*); ver-senken; **~y** ('swɔmpi) sumpfig.

swan (swɔn) Schwan *m*.

swap F (swɔp) Tausch *m*; tauschen.

sward (swɔ:d) Rasen *m*.

swarm (swɔ:m) 1. Schwarm; Haufe(n) *m*, Gewimmel *n*; 2. schwärmen; wimmeln (*with* von).

swarthy ('swɔ:ði) dunkelfarbig.

swash (swɔʃ) plan(t)schen.

swat Am. (swɔt) Fliege klatschen.

swath *&* (swɔ:θ) Schwad(en) *m*.

swathe (sweið) (ein)wickeln.

sway (swei) 1. Schaukeln *n*; Einfluß *m*; Herrschaft *f*; 2. schaukeln; beeinflussen; (be)herrschen.

swear (swɛə) [*irr.*] (be)schwören; fluchen; vereidigen.

14*

sweat (swet) 1. Schweiß *m*; 2. [*irr.*] *v/i.* schwitzen; *v/t.* (aus)schwitzen; in Schweiß bringen; *Arbeiter* ausbeuten; **~y** (sweti) schweißig.

Swede (swi:d) Schwed|e *m*, -in *f*.

Swedish ('swi:diʃ) schwedisch.

sweep (swi:p) 1. [*irr.*] fegen (*a. fig.*), kehren; *fig.* streifen; (*a.* ⚔) bestreichen; 2. Fegen, Kehren *n*; Schwung *m*; Biegung *f*; Spielraum, Bereich *m*; Schornsteinfeger *m*; *make a clean ~* (of) reinen Tisch m. (mit); **~er** ('swi:pə) (Straßen-)Feger *m*; Kehrmaschine *f*; **~ing** □ ('swi:piŋ) weitgehend; schwungvoll; **~ings** (~z) *pl.* Kehricht *m*.

sweet (swi:t) 1. □ süß; lieblich; freundlich; frisch; duftend; *have a ~ tooth* ein Leckermaul sn; 2. Süße (-r) *f*; **~s** *pl.* Süßigkeiten *f/pl.*; **~en** ('swi:tn) (ver)süßen; **~heart** Liebchen *n*; **~ish** ('swi:tiʃ) süßlich; **~meat** Bonbo'n *m*; **~ness** ('swi:tnis) Süßigkeit *f*.

swell (swel) 1. [*irr.*] *v/i.* (an)schwellen; sich blähen; sich (aus)bauchen; *v/t.* (an)schwellen l.; aufblähen; 2. F fein; 3. Anschwellen *n*; Schwellung; ⚓ Dünung *f*; F feiner Herr *m*; **~ing** ('sweliŋ) Geschwulst *f*. [men.]

swelter ('sweltə) vor Hitze umkom-⏌

swept (swept) *pret. u. p.p.*: gefegt.

swerve (swə:v) 1. (plötzlich) abbiegen; 2. (plötzliche) Wendung *f*.

swift □ (swift) schnell, eilig; **~ness** ('swiftnis) Schnelligkeit *f*.

swill (swil) 1. Spülicht *n*; Schweinetrank *m*; 2. spülen; saufen.

swim (swim) 1. [*irr.*] (durch)schwimmen; schweben; *my head ~s* mir schwindelt; 2. Schwimmen *n*; *be in the ~* auf dem laufenden sn.

swindle ('swindl) 1. (be)schwindeln; 2. Schwindel *m*.

swine (swain) Schwein(e *pl.*) *n*.

swing (swiŋ) 1. [*irr.*] schwingen, schwanken, baumeln; (sich) schaukeln; schwenken; sich drehen; 2. Schwingen *n*; Schwung *m*; Schaukel *f*; Spielraum *m*; *in full ~* in vollem Gange; **~-door** Pendeltür *f*.

swinish □ ('swainiʃ) schweinisch.

swipe (swaip) 1. aus vollem Arm schlagen; 2. starker Schlag *m*.

swirl (swə:l) 1. (herum)wirbeln; 2. Wirbel, Strudel *m*.

Swiss (swis) 1. schweizerisch, Schweizer; 2. Schweizer(in); *the ~ pl.* die Schweizer *m/pl.*

switch (switʃ) 1. Gerte; 👁 Weiche *f*; 𝆑 Schalter *m*; falscher Zopf *m*; 2. peitschen; 👁 rangieren; 𝆑 (um)schalten (*oft ~ over*); *fig.* umlenken; **~ on**, *off* 𝆑 ein-, aus-schalten; **~-board** 𝆑 Schalt-brett *n*, -tafel *f*.

swollen ('swoulən) geschwollen.

swoon (swu:n) 1. Ohnmacht *f*; 2. in Ohnmacht fallen.

swoop (swu:p) 1. (*a. ~ down*) (herab)stoßen (*Raubvogel*); 2. Stoß *m*.

sword (sɔ:d) Schwert *n*, Degen *m*.

swordsman ('sɔ:dzmən) Fechter *m*.

swore (swɔ:) schwörte.

sworn (swɔ:n) geschworen.

swum (swʌm) geschwommen.

swung (swʌŋ) schwang; geschwungen.

sycophant ('sikofənt) Kriecher *m*.

syllable ('siləbl) Silbe *f*.

symbol ('simbəl) Symbo'l, Sinnbild *n*; **~ic(al** □) (sim'bolik, ~əl) sinnbildlich; **~ism** ('simbəlizm) Symbo'lik *f*.

symmetr|ical □ (si'metrikəl) ebenmäßig; **~y** (simitri) Ebenmaß *n*.

sympath|etic (simpə'θetik) (*~ally*) sympathisch; mitfühlend; *~ strike* Sympathie'streik *m*; **~ize** ('simpəθaiz) sympathisieren, mitfühlen; **~y** (~θi) Sympathie' *f*, Mitgefühl *n*.

symphony ('simfəni) Symphonie' *f*.

symptom ('simptəm) Sympto'm *n*.

synchron|ize ('siŋkrənaiz) *v/i.* gleichzeitig sn; *v/t.* Uhren gleichgehend m.; *Tonfilm:* synchronisieren; **~ous** □ (~nəs) gleichzeitig.

syndicate 1. ('sindikit) Syndika't *n*; 2. (~keit) zu e-m S. verbinden.

synonym ('sinənim) Synony'm *n*; **~ous** □ (si'nonimas) sinnverwandt.

synopsis (si'nopsis) Übersicht *f*.

synthe|sis (sin'θisis) Synthe'se, Zs.-setzung *f*; **~tic(al** □) (sin'θetik, ~tikəl) synthetisch.

syringe ('sirindʒ) 1. Spritze *f*; 2. (be-, ein-, aus-)spritzen.

syrup ('sirəp) Sirup *m*.

system ('sistim) Syste'm *n*; **~atic** (sistə'mætik) (*~ally*) systematisch.

tab — 213 — tall

T

tab (tæb) Streifen; An-, Auf-hänger *m*; Klapper *f*; Schildchen *n*.

table ('teibl) 1. Tafel; Platte *f*; Tisch *m*; Tabe'lle; Tischgesellschaft *f*; ~ of contents Inhaltsverzeichnis *n*; 2. auf den Tisch legen; vorlegen; ~cloth Tischtuch *n*; ~spoon Eßlöffel *m*.

tablet ('tæblit) Täfelchen *n*; (Schreib- usw.) Block *m*; Table'tte*f*.

taboo (tə'buː) 1. tabu': unantastbar; verboten; 2. Verbot *n*; 3. verbieten.

tabulate ('tæbjuleit) tabellarisch ordnen.

tacit □ ('tæsit) stillschweigend; ~urn ('tæsitəːn) schweigsam.

tack (tæk) 1. Stift *m*, Zwecke *f*; Heftstich *m*; ♩ Halse *f*; Gang *beim* Lavieren; *fig.* Weg *m*; 2. ~ it that (an-)heften; *fig.* (an)hängen; *v*/i. ♩ wenden, *fig.* lavieren.

tackle ('tækl) 1. Gerät; ♩ Takel *n*; ⊕ Flaschenzug *m*; 2. (an-)packen; in Angriff nehmen; fertig w. mit.

tact (tækt) Takt *m*, Feingefühl *n*; ~ful □ ('tæktful) taktvoll.

tactics ('tæktiks) Taktik *f*.

tactless □ ('tæktlis) taktlos.

taffeta ('tæfitə) Taft *m*.

tag (tæg) 1. loses Ende *n*; (Senkel-)Stift *m*; *fig.* Zusatz *m*; angehängter Zettel *m*, Etikette; Redensart *f*; 2. mit e-m Stift *usw.* versehen; *fig.* verbrämen; hängen (to an *acc.*).

tail (teil) Schwanz; Schweif *m*; (Rock-)Schoß *m*; Schleppe; Rückseite *f* e-r Münze; (hinteres) Ende *n*, Schluß *m*; 2. *v*/*t.* mit e-m Schwanz versehen; an-setzen, -hängen;*Tier* stutzen; *v*/i. (sich) (dahin-)ziehen; ~ off abnehmen; ~coat Frack *m*; ~light Schlußlicht *n*.

tailor ('teilə) 1. Schneider *m*; 2. schneidern; ~made Schneider...

taint (teint) 1. Flecken, Makel *m*; Ansteckung; Verderbnis *f*; 2. beflecken; verderben; ✠ anstecken.

take (teik) 1. [*irr.*] *v*/*t.* nehmen; an-, ab-, auf-, ein-, fest-, hin-, wegnehmen; (weg)bringen;*Maßnahme*, *Gelegenheit* ergreifen; *Eid* auf sich

nehmen; *phot.* aufnehmen; *et.* gut usw. aufnehmen; *Beleidigung* hinnehmen; fassen, ergreifen; fangen; *fig.* fesseln; sich *e-e Krankheit* zuziehen; brauchen; *Zeit* dauern; auffassen; I ~ it that ich nehme an, daß; ~ the air an die Luft gehen; ⚡ aufsteigen, abfliegen; ~ fire Feuer fangen; ~ in hand unterne'hmen; ~ pity on Mitleid h. mit; ~ place stattfinden; ~ rest ausruhen; ~ a seat Platz nehmen; ~ a view of Stellung nehmen zu; ~ a walk e-n Spaziergang m.; ~ down notieren, ~ for halten für; ~ from j-m wegnehmen; abziehen von; ~ in Naht einhalten; *Zeitung* halten; einschließen; F *j.* reinlegen; ~ off abweg-nehmen; *Kleid* ausziehen; ~ out heraus-, entnehmen; *Fleck* entfernen; *j.* ausführen; ~ to pieces auseinandernehmen; ~ up aufnehmen; sich *e-r S.* annehmen; *Raum*, *Zeit* in Anspruch nehmen; 2. *v*/i. wirken, ein-, an-schlagen, ziehen; ~ after nach *j-m* arten *od.* schlagen; ~ off absprin-gen; ⚡ aufsteigen; ~ over die Amtsgewalt überne'hmen; ~ to liebgewinnen; *fig.* sich legen auf (*acc.*); sich ergeben (*dat.*); that won't ~ with me das verfängt bei mir nicht; 3. Fang *m*; *Geld*-Einnahme *f*; ~n ('teikən) genommen; be ~ ill krank w.; ~-off ('teiːkɔf) Karikatu'r *f*; Absprung; ⚡ Start *m*.

taking ('teikiŋ) 1. □ anziehend, einnehmend; ansteckend; 2. ~s ✝ (~z) *pl.* Einnahmen *f/pl.*

tale (teil) Erzählung, Geschichte *f*; Märchen *n*, Sage *f*.

talent ('tælənt) Tale'nt *n*, Anlage *f*; ~ed (~id) tale'ntvoll, begabt.

talk (tɔːk) 1. Gespräch *n*; Unterre'dung *f*; Geschwätz *n*; 2. sprechen, reden (von *et.*); plaudern; ~ative ('tɔːkətiv) gesprächig; ~er ('tɔːkətiv) Schwätzer(in).

tall (tɔːl) groß, lang, hoch; F großspurig; ~ order starke Zumutung *f*; *Am.* F ~ story Räubergeschichte *f*.

tallow ('tælou) *ausgelassener* Talg *m.*

tally ('tæli) 1. Kerbholz; Gegenstück *n* (of zu); 2. stimmen (with zu).

tame (teim) 1. □ zahm (*a. fig.*); 2. (be)zähmen, bändigen.

tamper ('tæmpə): ~ with sich (unbefugt) zu schaffen m. mit; *j.* zu bestechen suchen; Fälschungen vornehmen in *od.* an (*dat.*).

tan (tæn) 1. Lohe; Lohfarbe *f*; 2. lohfarben; 3. gerben; bräunen.

tang (tæn) Beigeschmack *m.*

tangent ☆ ('tændʒənt) Tange'nte *f*; go (*a. fly*) off at a ~ vom Gegenstande abspringen.

tangible □ ('tændʒəbl) fühlbar, (*a. fig.*) greifbar.

tangle ('tæŋgl) 1. Gewirr *n*; 2. (sich) verwirren, verwickeln.

tank (tæŋk) Wasserbehälter; ⊕, ✕ Tank *m*; 2. tanken.

tankard ('tæŋkəd) Kanne *f*, Krug*m.*

tannery ('tænəri) Gerberei *f.*

tantalize ('tæntəlaiz) quälen.

tantrum F ('tæntrəm) Koller *m.*

tap (tæp) 1. Pochen *n*; (Zapf-)Hahn, Zapfen *m*; Schenkstube; F Sorte *f*; 2. pochen; tippen (auf, an *acc.*); an-, ab-zapfen; **~-dance** Stepptanz *m.*

tape (teip) schmales Band; *Sport:* Zielband *n*; *tel.* Papierstreifen *m*; Tonband *n*; red ~ Bürokratismus *m*; **~-measure** ('teipmeʒə) Bandmaß *n.*

taper ('teipə) 1. Wachsfaden *m*; 2. *adj.* spitz (zulaufend); schlank; 3. *v/i.* spitz zulaufen; *v/t.* zuspitzen.

tapestry ('tæpistri) Gobeli'n *m.*

tape-worm Bandwurm *m.*

tap-room ('tæprum) Schenkstube *f.*

tar (tɑː) 1. Teer *m*; 2. teeren.

tardy □ ('tɑːdi) langsam; spät.

tare (tɛə) Tara *f.*

target ('tɑːgit) (Schieß-)Scheibe *f*; *fig.* Ziel(scheibe *f*); Soll *n*; ~ practice Scheibenschießen *n.*

tariff ('tærif) (*bsd.* Zoll-)Tari'f *m.*

tarnish ('tɑːniʃ) 1. *v/t.* ⊕ trüb (*od.* blind) m.; *fig.* trüben; *v/i.* trüb w., anlaufen; 2. Trübung *f*; Belag *m.*

tarry *lit.* ('tæri) säumen, zögern; weilen; 2. ('tɑːri) teerig.

tart (tɑːt) 1. □ sauer, herb; *fig.* scharf, schroff; 2. (Obst-)Torte *f.*

task (tɑːsk) 1. Aufgabe; Arbeit *f*; take to ~ zur Rede stellen; 2. beschäftigen; in Anspruch nehmen.

tassel ('tæsl) Troddel, Quaste*f.*

taste (teist) 1. Geschmack *m*; (Kost-)Probe; Lust *f* (for zu); 2. kosten, schmecken; versuchen, genießen; **~ful** □ ('teistful) geschmackvoll; **~less** □ ('teistlis) geschmacklos.

tasty F ('teisti) schmackhaft.

tatter ('tætə) 1. zerfetzen; 2. ~s *pl.* Fetzen *m/pl.*

tattle ('tætl) 1. schwatzen; tratschen; 2. Geschwätz *n*; Tratsch *m.*

tattoo (tə'tuː) 1. ✕ Zapfenstreich *m*; Tätowierung *f*; 2. tätowieren.

taught (tɔːt) lehrte; gelehrt.

taunt (tɔːnt) 1. Stichelei *f*, Spott *m*; 2. verhöhnen, spotten.

taut ☆ (tɔːt) steif, straff; schmuck.

tavern ('tævən) Schenke *f.*

tawdry □ ('tɔːdri) kitschig.

tawny ('tɔːni) lohfarben.

tax (tæks) 1. Steuer, Abgabe; *fig.* Inanspruchnahme *f* ([up]on gen.); 2. besteuern; stark in Anspruch nehmen; ⚖ Kosten schätzen; auf e-e harte Probe stellen; *j.* zur Rede stellen; ~ a p. with a th. j. e-r S. beschuldigen; **~ation** (tæk'seifən) Besteuerung *f*; Steuer(n *pl.*); *bsd.* ⚖ Schätzung *f.*

taxi ('tæksi) 1. = **~-cab** (Auto-)Droschke, Taxe *f*; 2. mit e-r Taxe fahren; ≼ (ab-, an-, aus)rollen.

taxpayer ('tækspeiə) Steuerzahler*m.*

tea (tiː) Tee *m.*

teach (tiːtʃ) [*irr.*] lehren, unterri'chten; **~able** □ ('tiːtʃəbl) gelehrig; lehrbar; **~er** ('tiːtʃə) Lehrer(in).

team (tiːm) Gespann *n*; Mannschaft *f*; **~ster** ('tiːmstə) Gespannführer *m*; **~work** Zusammen-arbeit *f*, -spiel *n.*

teapot ('tiːpɔt) Teekanne *f.*

tear[1] (tɛə) 1. [*irr.*] zerren, (zer-)reißen; mit *adv. od. prp.* rasen, stürmen; 2. Riß *m.*

tear[2] (tiə) Träne *f.*

tearful □ ('tiəful) tränenreich.

tease (tiːz) 1. necken, hänseln; quälen; 2. F Quälgeist *m.*

teat (tiːt) Zitze, Brustwarze *f.*

technic|al □ ('teknikəl) technisch; gewerblich, Gewerbe...; fachlich, Fach...; **~ality** (tekni'kæliti) technische Eigentümlichkeit *od.* Einzelheit *f*; **~ian** (tek'niʃən) Techniker(in).

technique (tek'niːk) Te'chnik *f.*

technology (tek'nɔlədʒi) Gewerbekunde *f.*

tedious □ ('ti:diəs) langweilig.

tedium ('ti:diəm) Langweiligkeit f.

tee (ti:) Golf: Abschlagmal n.

teem (ti:m) wimmeln; strotzen (beide: with von).

teens (ti:nz) pl. Lebensjahre n/pl.

teeth (ti:θ) Zähne m/pl.; ~e (ti:ð) zahnen. [ler(in).)

teetotal(l)er (ti:'toutlə) Abstine'nz-)

telegram ('teligræm) Telegra'mm n.

telegraph ('teligra:f) 1. Telegra'ph m; 2. Telegraphen...; 3. telegraphieren; ~ic (teli'græfik) (~ally) telegraphisch; ~y (ti'legrəfi) Telegraphie' f.

telephon|e ('telifoun) 1. Telepho'n n, Fernsprecher m; 2. telefonieren (mit j~m); ~ic (teli'fɔnik) (~ally) telephonisch; ~y (ti'lefəni) Fernsprechwesen n.

telephoto ('teli'foutou) phot. (od. ~ lens) Teleobjekti'v n.

telescope ('teliskoup) 1. Fernrohr n; 2. (sich) ineinanderschieben.

televis|ion ('teli'viʒən) Fernsehen n; ~or (~vaizə) Fernsehapparat m.

tell (tel) [irr.] v/t. zählen; sagen, erzählen; erkennen; ~ap. to do a th. j-m sagen, er solle et. tun; ~ off abkanzeln; v/i. erzählen (about von); plaudern; sich auswirken; sitzen (Hieb usw.); ~er ('telə) (Er-)Zähler m; ~ing ('teliŋ) wirkungsvoll; ~tale ('telteil) Zuträger(in); ⊕ Anzeiger m.

temper ('tempə) 1. mäßigen, mildern; Kalk usw. anrühren; Stahl anlassen; 2. ⊕ Härte(grad m); (Gemüts-)Ruhe f; Temperame'nt, Wesen n; Stimmung; Wut f; ~ament ('~rəmənt) Temperame'nt n; ~amental □ ('tempərə'mentl) temperamentvoll; ~ance ('tempərəns) Mäßigkeit; Enthaltsamkeit f; ~ate □ ('~rit) gemäßigt; maßvoll; mäßig; ~ature ('tempritʃə) Temperatu'r f.

tempest ('tempist) Sturm m; Gewitter n; ~uous □ (tem'pestjuəs) stürmisch; ungestüm.

temple ('templ) Tempel m; Schläfe f.

tempor|al □ ('tempərəl) zeitlich; weltlich; ~ary □ (~rəri) zeitweilig; vorläufig; vorübergehend; Not...; ~ize (~raiz) Zeit zu gewinnen suchen.

tempt (tempt) j. versuchen; verleiten; verlocken; ~ation (temp-

'teiʃən) Versuchung f; Reiz m; ~ing (~tiŋ) verführerisch.

ten (ten) 1. zehn; 2. Zehn f.

tenable ('tenəbl) haltbar.

tenaci|ous □ (ti'neiʃəs) zäh; festhaltend (of an dat.); treu (Gedächtnis); ~ty (ti'næsiti) Zähigkeit f; Festhalten n; Gedächtnis-Treue f.

tenant ('tenənt) Pächter; Mieter m.

tend (tend) v/i. gerichtet sn, hinstreben (zu); abziehen (to auf acc.); neigen (to zu); v/t. pflegen; hüten; ⊕ bedienen; ~ance (~dəns) Pflege; Bedienung f; ~ency (~si) Richtung; Neigung f; Zweck m.

tender ('tendə) 1. □ allg. zart; empfindlich; heikel; zärtlich; 2. Angebot n; Kostenanschlag m; ⊕, ⅏ Tender m; legal ~ gesetzliches Zahlungsmittel; 3. anbieten; ~foot F Neuling m; ~ness (~nis) Zartheit; Zärtlichkeit f.

tendon anat. ('tendən) Sehne f.

tendril ♀ ('tendril) Ranke f.

tenement ('tenimənt) (Miet-)Wohnung f; ~ house Miethaus n.

tenor ('tenə) Fortgang, Verlauf; Inhalt; ♪ Teno'r m.

tens|e (tens) 1. gr. Zeitform f; 2. □ gespannt; straff; ~ion ('tenʃən) Spannung f.

tent (tent) 1. Zelt n; 2. zelten.

tentacle zo. ('tentəkl) Fühler m.

tentative □ ('tentətiv) Versuchs...; ~ly versuchsweise. [tel n.)

tenth (tenθ) 1. zehnte(r, s); 2. Zehn-)

tenure ('tenjuə) Dauer, Frist f.

tepid □ ('tepid) lau(warm).

term (tə:m) 1. (bestimmte) Zeit, Frist f, Termi'n m; ⅌⅃ Sitzungsperio'de f; Semester; ♀, phls. Glied n; (Fach-)Ausdruck m, Wort n; ~s pl. Bedingungen f/pl.; Beziehungen f/pl.; be on good (bad) ~s with gut (schlecht) stehen mit; come to ~s sich einigen; 2. (be)nennen; bezeichnen (als).

termina|l ('tə:minl) 1. □ End...; letzt; ~ly termi'nweise; 2. Endstück n; ⚡ Pol m; Am. ⬚ Endstatio'n f; ~te (~neit) begrenzen; (be)endigen; ~tion (tə:mi'neiʃən) Be-endigung f; Endung f.

terminus ('tə:minəs) Endstatio'n f.

terrace ('terəs) Terra'sse; Häuserreihe f; ~d (~t) terrassenförmig.

terrestrial □ (ti'restriəl) irdisch; Erd...; bsd. zo., ♀ Land...

terrible □ ('terəbl) schrecklich.

terri|fic (tə'rifik) (~ally) fürchterlich; **~fy** ('terifai) v/t. erschrecken.

territor|ial (teri'tɔ:riəl) 1. □ territorial; Bezirks...; ✕ Army, Force Landwehr f; 2. ✕ Landwehrmann m; **~y** ('teritəri) Gebiet n.

terror ('terə) Schrecken m, Entsetzen n; **~ize** (~raiz) terrorisieren.

terse (tə:s) bündig, markig.

test (test) 1. Probe; Untersuchung; (Eignungs-)Prüfung f; ♪ Rea'gens n; 2. probieren, prüfen.

testify ('testifai) (be)zeugen; (als Zeuge) aussagen (on über acc)..

testimon|ial (testi'mounjəl) Zeugnis; Ehrengeschenk n; **~y** ('testimeni) Zeugnis n; Beweis m.

test-tube ♪ Reagenzglas n.

testy □ ('testi) reizbar, kribbelig.

tether ('teðə) 1. Haltestrick; fig. Spielraum m; Kraft f; 2. anbinden.

text (tekst) Text m; Bibelstelle f; **~book** Leitfaden m, Lehrbuch n.

textile ('tekstail) 1. Texti'l...; Web...; 2. **~s** pl. Web-, Texti'l-waren f/pl.   [füge n.]

texture ('tekstʃə) Gewebe; Gefüge n.]

than (ðæn, ðən) als.

thank (θæŋk) 1. danken (dat.); **~** you danke; 2. **~s** pl. Dank m; **~s** to dank (dat.); **~ful** □ ('θæŋkful) dankbar; **~less** □ (~lis) undankbar; **~sgiving** (θæŋksgiviŋ) Danksagung f; Dankfest n.

that (ðæt, ðət) 1. pron. jene(r, s) der, die, das(jenige) welche(r, s); 2. cj. daß; damit.

thatch (θætʃ) 1. Dachstroh; Strohdach n; 2. mit Stroh decken.

thaw (θɔ:) 1. Tauwetter n; 2. (auf-) tauen.

the (ði:; vor Vokalen ði; vor Konsonanten ðə) 1.Artikel: der, die, das; 2. adv. **~** ... **~** je ... desto, um so.

theatr|e ('θiətə) Thea'ter n; fig. Schauplatz m; **~ic(al** □) (θi'ætrik, ~trikəl) Thea'ter...; theatra'lisch.

theft (θeft) Diebstahl m.

their (ðeə) ihr(e); **~s** (ðeəz) der, die, das ihrige od. ihren.

them (ðem, ðəm) sie (acc.pl.); ihnen.

theme (θi:m) Thema n; Aufgabe f.

themselves (ðem'selvz) sie (acc. pl.) selbst; sich selbst.

then (ðen) 1. adv. dann; damals; da; 2. cj. denn, also, folglich; 3. adj. damalig.

thence lit. (ðens) daher; von da.

theolog|ian (θiə'loudʒiən) Theolog(e) m; **~y** (θi'ɔlədʒi) Theolo'gie f.

theor|etic(al □) (θiə'retik, ~tikəl) theoretisch; **~ist** ('θiərist) Theore'tiker m; **~y** ('θiəri) Theorie f.

there (ðeə) da, dort; darin; dorthin; na!; **~** is, **~** are (ðə'riz, ðə'rɑ:) es gibt, es ist, es sind; **~about(s** ('ðeərəbaut[s]) da herum; so ungefähr...; **~after** (ðeər'ɑ:ftə) danach; **~by** (ðeə'bai) dadurch, damit; **~fore** ('ðeəfɔ:) darum, deswegen; deshalb, daher; **~upon** ('ðeərə'pɔn) darauf(hin).

thermo|meter (θə'mɔmitə) Thermome'ter n; **~s** ('θə:mɔs) (od. **~** flask, **~** bottle) Thermosflasche f.

these (ði:z) [pl. von this] diese.

thes|is ('θi:sis), pl. **~es** (~si:z) These.

they (ðei) sie (pl.).   [f.]

thick (θik) 1. □ allg. dick; dicht; heiser; dumm; F (pred.) dick befreundet; **~** with dicht besetzt mit; 2. dickster Teil m; in the **~** of mitten in (dat.); **~en** ('θikən) (sich) verdicken; (sich) verdichten; **~et** ('θikit) Dickicht n; **~-headed** dummköpfig; **~ness** ('θiknis) Dicke; Dichtigkeit f; **~-set** ('θik'set) dicht (gepflanzt); untersetzt; **~-skinned** fig. dickfellig.

thie|f (θi:f), pl. **~ves** (θi:vz) Dieb (-in); **~ve** (θi:v) stehlen.

thigh (θai) (Ober-)Schenkel m.

thimble ('θimbl) Fingerhut m.

thin (θin) 1. □ allg. dünn; schwach; in a **~** house vor schwach besetztem Hause; 2. verdünnen; (sich) lichten; abnehmen.

thing (θiŋ) Ding n; Sache f; Geschöpf n; **~s** pl. Sachen f/pl.; die Dinge n/pl. (Umstände); **~s** are going better es geht jetzt besser.

think (θiŋk) [irr.] v/i. denken (of an acc.); nachdenken; meinen, glauben; gedenken (to inf. zu inf.); v/t. (sich) et. denken; halten für; **~** much etc. of viel usw. halten von.

third (θə:d) 1. dritte(r, s) 2.Drittel n.

thirst (θə:st) 1. Durst m; 2. dursten; **~y** □ ('θə:sti) durstig.

thirt|een ('θə:'ti:n) dreizehn; **~eenth** ('θə:'ti:nθ) dreizehnte(r, s); **~ieth** ('θə:tiiθ) dreißigste(r, s); **~y** ('θə:ti) dreißig.   [morgen.]

this (ðis) diese(r, s); **~** morning heute]

thistle ('θisl) Distel f.

thong (θɔŋ) Riemen m.

thorn (θɔːn) Dorn m; **~y** ('θɔːni) dornig, stach(e)lig; beschwerlich.

thorough □ ('θʌrə) vollkommen; vollständig; vollendet; gründlich; **~ly** a. durchaus; **~bred** 1. Vollblut...; 2. Vollblüter m; **~fare** Durchgang m, -fahrt f; (Haupt-)Verkehrsstraße f; **~going** gründlich; tatkräftig.

those (ðouz) pl. jene; die(jenigen).

though (ðou) obgleich; wenn auch; zwar; **~** f doch; as **~** als ob.

thought (θɔːt) 1. dachte; gedacht; 2. Gedanke m; (Nach-)Denken n; **~ful** □ ('θɔːtful) gedankenvoll, nachdenklich; rücksichtsvoll (of gegen); **~less** □ ('θɔːtlis) gedankenlos; unbesonnen; rücksichtslos (of gegen).

thousand ('θauzənd) 1. tausend; 2. Tausend n; **~th** ('θauzən[t]θ) 1. tausendste(r, s); 2. Tausendstel n.

thrash (θræʃ) (ver)dreschen; (hin und her) schlagen; s. thresh; **~ing** ('θræʃiŋ) Dresche f.

thread (θred) 1. Faden (a. fig.); Zwirn m; Garn; ⊕ Gewinde n; 2. einfädeln; sich durchwinden durch; **~bare** ('θredbɛə) fadenscheinig.

threat (θret) Drohung f; **~en** ('θretn) (be-, an-)drohen.

three (θriː) 1. drei; 2. Drei f; **~fold** ('θriːfould) dreifach; **~pence** ('θrepəns) Dreipence(stück n) m/pl.; **~score** ('θriːˈskɔː) sechzig.

thresh (θreʃ) ✗ (aus)dreschen; s. thrash; **~ out** fig. durchdreschen.

threshold ('θreʃ[h]ould) Schwelle f.

threw (θruː) warf; geworfen.

thrice (θrais) dreimal.

thrift (θrift) Sparsamkeit, Wirtschaftlichkeit f; **~less** □ ('θriftlis) verschwenderisch; **~y** □ ('θrifti) sparsam, wirtschaftlich.

thrill (θril) 1. v/t. durchschau'ern; fig. packen; v/i.(er)beben; 2. Schauer m; Beben n; **~er** ('θrilə) Schauerroman m, -drama n.

thrive (θraiv) [irr.] gedeihen; fig. blühen; Glück haben; **~n** ('θrivn) gediehen.

throat (θrout) Kehle f; Hals m; clear one's **~** sich räuspern.

throb (θrɔb) 1. pochen, klopfen; 2. Pochen n; Pulsschlag m.

throes (θrouz) pl. (Geburts-)Wehen f/pl.

throne (θroun) Thron m. [f/pl.]

throng (θrɔŋ) 1. Gedränge n; 2. sich drängen (in dat.).

throttle ('θrɔtl) 1. erdrosseln; ⊕ (ab)drosseln; 2. ⊕ Drosselventil n.

through (θruː) 1. durch; 2. durchgehend; **~out** (θruːˈaut) 1. prp. durch ... hindurch; 2. durchweg.

throve (θrouv) gedieh.

throw (θrou) 1. [irr.] werfen; treiben, jagen; ⊕ schalten; **~** over aufgeben; **~** up in die Höhe werfen; ausbrechen; fig. hinwerfen; 2. Wurf m.

thru Am. = through durch.

thrum (θrʌm) klimpern (auf dat.).

thrush (θrʌʃ) Drossel f.

thrust (θrʌst) 1. Stoß; Vorstoß; ⊕ Druck m; 2. [irr.] stoßen; **~** o.s. into sich drängen in (acc.); **~** upon a p. j-m aufdrängen.

thud (θʌd) 1. dumpf aufschlagen, bumsen; 2. dumpfer Schlag, Bums.

thug Am. (θʌg) Strolch m. [m.]

thumb (θʌm) 1. Daumen m; 2. Buch usw. abgreifen; **~tack** Am. Reißzwecke f.

thump (θʌmp) 1. Bums; Puff m; 2. v/t. bumsen auf (acc.) od. gegen; knuffen, puffen; v/i. (auf)bumsen.

thunder ('θʌndə) 1. Donner m; 2. donnern; **~bolt** Blitz(strahl) m; **~clap** Donnerschlag m; usw. | **~ous** □ ('θʌndərəs) donnernd; **~storm** Gewitter n; **~struck** wie vom Donner gerührt.

Thursday ('θɔːzdi) Donnerstag m.

thus (ðʌs) so; also, somit.

thwart (θwɔːt) 1. durchkreu'zen; hintertrei'ben; 2. Ruderbank f.

tick (tik) 1. zo. Zecke f; I'nlett n; Drell m; Ticken; Häkchen n; 2. v/i. ticken; v/t. anhaken; **~** off abhaken.

ticket ('tikit) 1. Zettel m; (Ausweis- usw.)Karte; Fahrkarte f, -schein; (Pfand- usw.)Schein m; Am. (Kandida'ten-)Liste f; 2. mit e-m Zettel usw. versehen; **~office**, Am. **~-window** Fahrkartenschalter m.

tickl|e ('tikl) kitzeln (a. fig.); **~ish** □ (ʌiʃ) kitzlig; heikel.

tidal ('taidl) **~** wave Flutwelle f.

tide (taid) 1. Gezeit(en pl.) f (a. fig.); (low **~**) Ebbe und (high **~**) Flut f, fig. Strom m; in Zssgn: Zeit f; 2. fig. **~** over hinwegkommen über (acc.).

tidings ('taidiŋz) *pl.* Nachrichten *f/pl.*

tidy ('taidi) 1. ordentlich; 2. zurechtmachen; ordnen; aufräumen.

tie (tai) 1. Band *n* (*a. fig.*); Krawatte; Bindung; *fig.* Fessel; Punkt-, Stimmen-gleichheit *f*; 2. *v/t.* (ver-)binden; *v/t. Sport:* punktgleich sein.

tier (tiə) Reihe *f*; Rang *m.*

tie-up (Ver-)Bindung; *Am.* Arbeitseinstellung; Verkehrsstörung *f.*

tiger ('taigə) Tiger *m.*

tight □ (tait) dicht; fest; eng; straff, prall; knapp; F beschwipst; F ~ place *fig.* Klemme *f.* ~en ('taitn) (sich) zs.-ziehen (*a.* ~ up); *Gürtel* enger schnallen; ~-fisted knick(e)rig; ~ness ('taitnis) Festigkeit, Dichtigkeit *f usw.*; ~s (taits) *pl.* Trikot *n.*

tigress ('taigris) Tigerin *f.*

tile (tail) 1. Ziegel *m*; Kachel; Fliese *f*; 2. mit Ziegeln *usw.* decken.

till (til) 1. Ladenkasse *f*; 2. bis (zu); 3. ~ bestellen; ~age ('tilidʒ) (Land-)Bestellung *f*; Ackerbau *m*; Ackerland *n.*

tilt (tilt) 1. Neigung, Kippe *f*; Stoß *m*; 2. kippen; ~ against anrennen gegen.

timber ('timbə) 1. (Bau-, Nutz-) Holz *n*; Balken; Baum(bestand) *m*; 2. zimmern.

time (taim) 1. Zeit *f*; Mal *n*; Takt *m*; Tempo *n*; at a ~ zugleich; for the ~ being einstweilen; in (*od.* on) ~ zur (rechten) Zeit; 2. zeitlich festsetzen; zeitlich abpassen; die Zeitdauer messen; ~ly ('taimli) (recht-) zeitig; ~piece Uhr *f*; ~-sheet Anwesenheitsliste *f*; ~-table Fahr-, Stunden-plan *m.*

timid □ ('timid), **timorous** □ ('timərəs) furchtsam; schüchtern.

tin (tin) 1. Zinn *n*; (Konserven-) Büchse *f*; 2. verzinnen; in Büchsen einmachen.

tincture ('tiŋktʃə) 1. Tinktu'r *f*; *fig.* Anstrich *m*; 2. färben.

tinfoil ('tin'fɔil) Stannio'l *n.*

tinge (tindʒ) 1. Färbung *f*; *fig.* Anflug *m*, Spur *f*; 2. färben; *fig.* e-n Anstrich geben (*dat.*).

tingle ('tiŋgl) klingen; prickeln.

tinker ('tiŋkə) basteln (*at* an *dat.*).

tinkle ('tiŋkl) klingeln (mit).

tin-plate ('tin'pleit) Weißblech *n.*

tinsel ('tinsəl) Flitter(werk *n*) *m.*

tinsmith ('tinsmiθ) Klempner *m.*

tint (tint) 1. Farbe *f*; (Farb-)Ton *m*; 2. färben; (ab)tönen.

tiny □ ('taini) winzig.

tip (tip) 1. Spitze *f*; Mundstück; Trinkgeld *n*; Wink; leichter Stoß *m*; 2. mit e-r Spitze versehen; (um)kippen; j-m ein Trinkgeld geben; j-m e-n Wink geben.

tipple ('tipl) zechen, picheln.

tipsy ('tipsi) angeheitert.

tiptoe ('tip'tou) Zehenspitze *f.*

tire (taiə) 1. (Rad-)Reifen *m*; 2. müde machen *od.* werden; ~d (~d) müde; ~less (taiəlis) unermüdlich; ~some (~səm) ermüdend.

tiro ('taiərou) Anfänger *m.*

tissue ('tisju:) Gewebe *n*; ~-paper (~'peipə) Seidenpapier *n.*

titbit ('titbit) Leckerbissen *m.*

titillate ('titileit) kitzeln.

title ('taitl) 1. Titel *m*; ✝✝ Anspruch *m*; 2. betiteln; ~d *bsd.* ad(e)lig.

titter ('titə) 1. kichern; 2. Kichern *n.*

tittle ('titl) Pünktchen; *fig.* Tüttelchen *n*; ~-tattle (~'tætl) Schnickschnack *m.*

to (tu:; tu, tə) *prp.* zu (*a. adv.*); gegen, nach, an, in, auf; bis zu, bis an (*acc.*); um zu; für; ~ me *etc.* mir *usw.*; I weep ~ think of it ich weine, wenn ich daran denke.

toad (toud) Kröte *f*; ~stool (Gift-) Pilz *m*; ~y ('toudi) 1. Speichellecker *m*; 2. *fig.* vor j-m kriechen.

toast (toust) 1. geröstetes Brot *n*; Trinkspruch *m*; 2. rösten; *fig.* wärmen; trinken auf (*acc.*).

tobacco (tə'bækou) Tabak *m*; ~nist (tə'bækənist) Tabakhändler *m.*

toboggan (tə'bɔgən) 1. Rodelschlitten *m*; 2. rodeln.

today (tə'dei) heute.

toe (tou) 1. Zehe; Spitze *f*; 2. mit den Zehen berühren.

together (tə'geðə) zusammen; zugleich; nacheinander.

toil (tɔil) 1. mühsame Arbeit, Mühe, Plackerei *f*; 2. sich plagen.

toilet ('tɔilit) Toile'tte *f*; ~-table Frisiertoilette *f.*

toilsome □ ('tɔilsəm) mühsam.

token ('toukən) Zeichen; Andenken *n*; ~ money Notgeld *n.*

told (tould) sagte; gesagt.

tolera|ble □ ('tɔlərəbl) erträglich; ~nce (~rəns) Duldsamkeit *f*; ~nt

□ (ˌ~rənt) duldsam (of gegen); ~te (ˌ~reit) dulden; ertragen; ~tion (tolə'reiʃən) Duldung f.

toll (toul) 1. Zoll m (a. fig.); Wege-, Brücken-, Markt-geld n; 2. läuten; ~bar, ~gate Schlagbaum m.

tom (tɔm): ~ cat Kater m.

tomato □ (tə'mɑ:tou, Am. tə'meitou), pl. ~es (~z) Tomate f.

tomb (tu:m) Grab(mal) n.

tomboy ('tɔmbɔi) Range f.

tomfool ('tɔm'fu:l) Hansnarr m.

tomorrow (tə'mɔrou) morgen.

ton (tʌn) Tonne f (deutsche ~ = 2000 Pfund).

tone (toun) 1. Ton m; out of ~ verstimmt; 2. e-n Ton geben (dat.); stimmen.

tongs (tɔŋz) pl. Zange f.

tongue (tʌŋ) Zunge; Sprache f; hold one's ~ den Mund halten; ~tied ('tʌŋtaid) sprachlos; schweigsam; stumm.

tonic ('tɔnik) 1. (ˌ~ally) tonisch; stärkend; 2. ♪ Grundton m; ♣ tonisches Mittel n.

tonight (tə'nait) heute abend.

tonnage ♣ ('tʌnidʒ) Tonnengehalt m; Lastigkeit f; Tonnengeld n.

tonsil anat. ('tɔnsl) Mandel f.

too (tu:) zu, allzu; auch; noch dazu.

took (tuk) nahm.

tool (tu:l) Werkzeug; Gerät n.

toot (tu:t) 1. blasen, tuten; 2. Tuten n.

tooth (tu:θ) [pl. teeth] Zahn m; ~ache Zahnschmerz m; ~brush Zahnbürste f; ~less □ ('tu:θlis) zahnlos; ~pick Zahnstocher m; ~some ('tu:θsəm) schmackhaft.

top (tɔp) 1. oberstes Ende n; Oberteil; Gipfel (a. fig.); Wipfel; Kopf m er e- Seite; mot. Am. Verdeck; fig. Haupt n; Stiefel-Stulpe f; Kreisel m; at the ~ of one's voice aus voller Kehle; on ~ obenauf; obendrein; 2. oberst; höchst; 3. oben bedecken; fig. überra'gen; obenan stehen in (dat.).

toper ('toupə) Zecher m.

top-hat F Zyli'nderhut m.

topic ('tɔpik) Gegenstand m, Thema n; ~al □ ('tɔpikəl) loka'l; aktue'll.

topmost ('tɔpmoust) höchst, oberst.

topple ('tɔpl) (um-, über-)kippen.

topsyturvy □ ('tɔpsi'tə:vi) auf den Kopf gestellt; das Oberste zu unterst; drunter und drüber.

torch (tɔːtʃ) Fackel; electric ~ Stab-

taschenlampe f; ~light Fackellicht n; ~ procession Fackelzug m.

tore (tɔː) zerrte; (zer)riß.

torment 1. ('tɔːment) Qual, Marter f; 2. (tɔː'ment) martern, quälen.

torn (tɔːn) gezerrt, zerrissen.

tornado (tɔː'neidou) Wirbelsturm m.

torpedo (tɔː'pi:dou) Torpedo m; ♣ torpedieren (a. fig.).

torpid □ ('tɔːpid) starr; apa'thisch; träg; ~ity (tɔː'piditi).

torpor ('tɔːpə) Erstarrung, Betäubung f. [m.]

torrent ('tɔrənt) Gießbach; Strom

torrid ('tɔrid) (brennend) heiß.

tortoise zo. ('tɔːtəs) Schildkröte f.

tortuous □ ('tɔːtjuəs) gewunden.

torture ('tɔːtʃə) 1. Folter, Marter, Tortu'r f; 2. foltern, martern.

toss (tɔs) 1. Werfen n, Wurf m; (a. ~up) Losen n; 2. (sich) hin und her werfen; schütteln; (auf)werfen; hochwerfen; ~ (up) losen (for um).

tot F (tɔt) Knirps m (kleines Kind).

total ('toutl) 1. □ ganz, gänzlich; 2. Gesamtbetrag m; 3. sich belaufen auf (acc.); summieren; ~itarian (toutæli'tɛəriən) totalitär; ~ity (tou-tæliti) Gesamtheit f.

totter ('tɔtə) wanken, wackeln.

touch (tʌtʃ) 1. (sich) berühren; an-rühren, -fassen, stoßen an (acc.); an-, be-fühlen; fig. rühren; erreichen; ♪ anschlagen; be ~ed fig. e-n Stich h.; ~ up auffrischen; retuschieren; ~ at ♣ anlegen in (dat.); 2. Berührung f; Gefühl(ssinn m) n; Anflug, Schuß m; Fertigkeit f; ♪ Anschlag; (Pinsel-)Strich m; ~ing ('tʌtʃiŋ) rührend; ~stone Prüfstein m; ~y □ ('tʌtʃi) empfindlich; heikel.

tough (tʌf) zäh (a. fig.); schwer, hart; ~en ('tʌfn) zäh(e) machen od. werden; ~ness ('tʌfnis) Zähigkeit f.

tour (tuə) 1. (Rund-)Reise, Tour f; 2. (be)reisen; ~ist ('tuərist) Touri'st(in); ~ agency Reisebüro n.

tournament (ˌ~nəmənt) Turnie'r n.

tousle ('tauzl) zausen, zerren.

tow ♣ (tou) 1. Schleppen n; take in ~ ins Schlepptau nehmen; 2. schleppen; treideln.

towards (tə'wɔːdz, tɔːdʒ) gegen; nach ... zu, auf ... (acc.) zu; (als Beitrag)

towel ('tauəl) Handtuch n. [zu.]

tower ('tauə) 1. Turm; Zwinger; fig. Hort m; 2. sich erheben.

town (taun) Stadt *f*; ~ *council* Stadtverordnetenversammlung *f*; ~ *hall* Rathaus *n*; ~**sfolk** ('taunzfouk), ~**speople** (~pi:pl) Städter *m/pl.*; ~**ship** ('taunʃip) Stadtgemeinde *f*; Stadtgebiet *n*; ~**sman** ('taunzmən) (Mit-)Bürger *m*.

toxi|c(al □) ('toksik, ~sikəl) giftig; Gift...; ~**n** ('toksin) Giftstoff *m*.

toy (toi) **1.** Spielzeug *n*; Tand *m*; **2.** Spiel(zeug)...; Zwerg...; **3.** spielen; ~**book** Bilderbuch *n*.

trace (treis) **1.** Spur *f*; Strang *m*; **2.** nachspüren (*dat.*); *fig.* verfolgen; herausfinden; (auf)zeichnen; (durch)pausen.

tracing (treisiŋ) Pauszeichnung *f*.

track (træk) **1.** Spur *f*; *Sport:* Bahn *f*; Pfad *m*; Geleise *n*; **2.** nachspüren (*dat.*); ~ *down*, ~ *out* aufspüren.

tract (trækt) Strecke; Gegend *f*.

tractable ('træktəbl) lenk-, füg-sam.

tract|ion ('trækʃən) Ziehen *n*, Zug *m*; ~ *engine* Zugmaschine *f*; ~**or** ⊕ ('træktə) Trecker *m*.

trade (treid) **1.** Handel *m*; Gewerbe; Handwerk *n*; **2.** Handel treiben; handeln; ~ *on* ausnutzen; ~**mark** Warenzeichen *n*, Handelsmarke *f*; ~**-price** Händlerpreis *m*; ~**r** ('treidə) Händler *m*; ~**sman** ('treidzmən) Geschäftsmann *m*; ~(**s**)**-union** ('treid[z]'ju:njən) Gewerkschaft *f*; ~**wind** ⊕ Passa'twind *m*.

tradition (trə'diʃən) Traditio'n *f*; ~**al** □ traditio'nell.

traffic ('træfik) **1.** Handel; Verkehr *m*; ~ *jam* Verkehrsstockung *f*; **2.** handeln.

traged|ian (trə'dʒi:diən) Tra'giker (-in); Tragö'dje, -in *f*; ~**y** ('trædʒidi) Tragö'die *f*. [tragisch.]

tragic(al □) ('trædʒik, ~dʒikəl)*)*

trail (treil) **1.** *fig.* Schweif *m*; Schleppe; Spur *f*; Pfad *m*; **2.** ~ *fig.* (nach)schleppen; verfolgen; *v/i.* (sich) schleppen; ⚘ hängen; ~**er** *mot.* ('treilə) Anhänger *m*.

train (trein) **1.** Reihe, Kette *f*; Zug *m*; Gefolge *n* (*a. fig.*); Schleppe *f*; *by* ~ mit der Bahn; *in* ~ im Gang; **2.** (auf-, er-)ziehen; abrichten; ausbilden; trainieren.

trait (treit) (Charak'ter-)Zug *m*.

traitor ('treitə) Verräter *m*.

tram (træm) *s.* ~*car*, ~*way*; ~**car** ('træmka:) Straßenbahnwagen *m*.

tramp (træmp) **1.** Getrampel *n*;

Wanderung *f*; Wanderbursche; Landstreicher *m*; **2.** trampeln, treten; (durch)wandern; ~**le** ('træmpl) trampeln.

tramway ('træmwei) Straßenbahn *f*.

trance (tra:ns) Traumzustand *m*.

tranquil □ ('træŋkwil) ruhig; ~**lity** (træŋ'kwiliti) Ruhe *f*; ~**lize** ('træŋkwilaiz) beruhigen.

transact (træn'zækt) ab-wickeln, -machen; ~**ion** (~'zækʃən) Verrichtung *f*; Geschäft *n*; ~**s** *pl.* (Tätigkeits-)Bericht(e *pl.*) *m*.

transatlantic ('trænzət'læntik) transatlantisch; überseeisch; Übersee...

transcend (træn'send) über-schrei'ten, -tre'ffen, -ra'gen.

transcribe (træns'kraib) abschreiben; *Kurzschrift* umschreiben.

transcript ('trænskript), ~**ion** (træn-'skripʃən) Abschrift; Umschrift *f*.

transfer **1.** (træns'fə:) *v/t.* übertra'gen; versetzen, verlegen; *v/i.* *Am.* umsteigen; **2.** ('trænsfə:) Übertra'gung; Versetzung, Verlegung *f*; *Am.* Umsteigefahrschein *m*; ~**able** (træns'fə:rəbl) übertra'gbar.

transfigure (træns'figə) umgestalten; verklären.

transfix (~'fiks) durchste'chen; ~**ed** *fig.* versteinert, starr (*with* vor *dat.*).

transform (~'fɔ:m) umformen; um-, ver-wandeln; ~**ation** (~fə'meiʃən) Umformung; Um-, Ver-wandlung *f*.

transfuse (~'fu:z) umgießen; *Blut usw.* übertra'gen; *fig.* einflößen; durchträ'nken.

transgress (~'gres) *v/t.* überschrei'ten; übertre'ten, verletzen; *v/i.* sich vergehen; ~**ion** (~'greʃən) Überschrei'tung *f usw.*; Vergehen *n*; ~**or** (~'gresə) Übertre'ter *m*.

transient ('trænziənt) **1.** = *transitory*; **2.** *Am.* Durchreisende(r).

transition (træn'siʒən) Übergang *m*.

transitory □ ('trænsitəri) vorübergehend; vergänglich, flüchtig.

translat|e (træns'leit) überse'tzen, -tra'gen; überfü'hren; *fig.* umsetzen; ~**ion** (træns'leiʃən) Überse'tzung *f usw.*

translucent (trænz'lu:snt) durchscheinend; *fig.* hell.

transmigration (trænzmai'greiʃən) Seelenwanderung *f*.

transmission (trænz'miʃən) Übermi'ttlung, -tra'gung; *phys.* Leitung; ⊕ Triebwelle; *Radio:* Sendung *f*.

transmit (trænz'mit) über-mi'tteln, -se'nden, -tra'gen; senden; *phys.* leiten; **~ter** (~ə) Übermi'ttler(in); *tel. usw.* Sender *m.*

transmute (trænz'mju:t) um-, verwandeln.

transparent □ (træns'pɛərənt) durchsichtig (*a. fig.*).

transpire (~'paiə) ausdünsten, -schwitzen; *fig.* durchsickern.

transplant (~'plɑ:nt) verpflanzen.

transport 1. (træns'pɔ:t) entführen, transportieren; *fig.* hinreißen, 2. ('trænspɔ:t) Beförderung *f*; Transpo'rt *m*; Transpo'rtschiff *n*; Verzückung *f*; *be in* ~*s* außer sich sn; **~ation** (trænspɔ:'teiʃən) Beförderung *f.*

transpose (træns'pouz) versetzen, (*a. ♪*) umstellen.

transverse □ (trænzvə:s) quer laufend; Quer...

trap (træp) 1. Falle (*a. fig.*); Klappe *f*; 2. (in e-r Falle) fangen; *fig.* ertappen; **~door** (~'trpdɔ:) Falltür *f.*

trapeze (trə'pi:z) *Zirkus:* Trape'z *n.*

trapper ('træpə) Fallensteller *m.*

trappings ('træpiŋz) *pl.* Schmuck, Putz *m.*

traps F (træps) *pl.* Siebensachen *pl.*

trash (træʃ) Abfall; *fig.* Plunder; Unsinn *m*, Blech *n*; Kitsch *m*; **~y** □ ('træʃi) wertlos, kitschig.

travel ('trævl) 1. *v/i.* reisen; sich bewegen; wandern; *v/t.* bereisen; 2. Reise; Wanderung *f*; ⊕ Lauf *m*; **~(l)er** (~ə) Reisende(r) *m.*

traverse ('trævəs) 1. Durchque'rung *f*; 2. (über)que'ren; durchque'ren; *fig.* durchqehen.

travesty ('trævisti) 1. Travestie' *f*; 2. travestieren; verulken.

trawler ('trɔ:lə) Schleppnetzfischer *m.*

tray (trei) (Servier-)Brett, Table'tt *n*; *flache* Schale *f*; *Koffer*-Einsatz *m.*

treacher|ous □ ('tretʃərəs) verräterisch; tückisch; trügerisch; **~y** (~ri) Verräterei; Tücke *f.*

treacle ('tri:kl) Sirup *m.*

tread (tred) 1. [*irr.*] treten; schreiten; 2. Tritt *m*; Lauffläche *f*; **~le** ('tredl) Peda'l *n*, Tritt *m.*

treason ('tri:zn) Verrat *m*; **~able** □ (~əbl) verräterisch.

treasure ('treʒə) 1. Schatz *m*; 2. sammeln, aufhäufen; **~r** (~rə) Schatzmeister, Kassenwart *m.*

treasury ('treʒəri) Schatzkammer *f*; (*bsd.* Staats-)Schatz *m.*

treat (tri:t) 1. *v/t.* behandeln; freihalten (*to* mit); *v/i.* ~ *of* handeln von; ~ *with* unterha'ndeln mit; 2. Vergnügen; (Schul-)Fest *n*; **~ise** ('tri:tiz) Abhandlung *f*; **~ment** ('tri:tmənt) Behandlung *f*; **~y** ('tri:ti) Vertrag *m.*

treble ('trebl) 1. □ dreifach; 2. ♪ Diska'nt *m*; 3. (sich) verdreifachen.

tree (tri:) Baum; *Stiefel*-Leisten *m.*

trefoil (trefoil) Klee *m.*

trellis ('trelis) 1. ✗ Spalie'r *n*; 2. vergittern; ✗ am Spalier ziehen.

tremble ('trembl) zittern.

tremendous □ (tri'mendəs) schrecklich, furchtbar; F kolossa'l, riesig.

tremor ('tremə) Zittern, Beben *n.*

tremulous □ ('tremjuləs) zitternd, bebend.

trench (trentʃ) 1. (Schützen-)Graben *m*; 2. *v/t.* mit Gräben durchzie'hen; umgraben; ~ (*up*)*on* eingreifen in (*acc.*); **~ant** □ ('tren[t]ʃənt) scharf.

trend (trend) 1. Richtung *f*; *fig.* Lauf *m*; *fig.* Strömung *f*; 2. laufen.

trespass ('trespəs) 1. Übertre'tung *f*; 2. unbefugt eindringen ([*up*]*on*) in (*acc.*); über Gebühr in Anspruch nehmen; **~er** (~ə) Rechtsverletzer *m*; unbefugter Eindringling.

tress (tres) Haar-locke, -flechte *f.*

trestle ('tresl) Gestell *n*, Bock *m.*

trial ('traiəl) Versuch *m*; Probe (*a. fig.*) Prüfung; Plage *f*; ♃ Verhandlung *f*; *on* ~ auf Probe; vor Gericht; *give a. p. a* ~ es versuchen mit; **~-trip** 🕮, ⚓ Probefahrt *f.*

triangle ('traiæŋgl) Dreieck *n*; **~ular** □ (trai'æŋgjulə) dreieckig.

tribe (traib) Stamm *m*; Geschlecht *n*; *contp.* Sippe *f.*

tribun|al (trai'bju:nl) Richterstuhl *m*; **~e** ('tribju:n) Tribu'n *m.*

tribut|ary ('tribjutəri) 1. □ zinspflichtig; *fig.* helfend; Neben...; 2. Nebenfluß *m*; **~e** ('tribju:t) Tribu't (*a.fig.*), Zins *m*; Anerkennung *f.*

trice (trais): *in a* ~ im Nu.

trick (trik) 1. Kniff *m*, List *f*; Streich *m*; Eigenheit *f*; 2. betrügen; herausputzen; **~ery** ('trikəri) Betrügerei *f.*

trickle ('trikl) tröpfeln, rieseln.

trick|ster ('trikstə) Gauner *m*; **~y** □ ('triki) verschmitzt; heikel, verzwickt.

tricycle ('traisikl) Dreirad n.

trifl|e ('traifl) 1. Kleinigkeit; Lappalie f; fig. Bißchen n; 2. v/i. spielen, tändeln; v/t. ~ away vertändeln; **~ing** ('traifliŋ) geringfügig; unbedeutend.

trig (trig) 1. hemmen; 2. schmuck.

trigger ('trigə) Feder-Abzug; Gewehr: Drücker; phot. Auslöser m.

trill (tril) 1. Triller m; gerolltes R; 2. trillern; bsd. das R rollen.

trim (trim) 1. □ ordnungsmäßig; schmuck; gepflegt; 2. (richtiger) Zustand; Ordnung f; 3. zurechtmachen; (~ up aus)putzen, schmükken; garnieren; stutzen; beschneiden; ♣ trimmen; **~ming** ('trimiŋ) mst ~s pl. Garnierung f.

trinket ('triŋkit) Schmuckstück n; ~s pl. coll. Kinkerlitzchen pl.

trip (trip) 1. Strauchen n; fig. Fehler; Ausflug m, (Spritz-)Fahrt f; ~ ticket Fahrbefehl m; 2. v/i. trippeln; strauchen (a. fig.); v/t. j-m ein Bein stellen.

tripartite ('trai'pɑ:tait) dreiteilig.

tripe (traip) Kaldaunen f/pl.

triple ('tripl) dreifach; **~ts** ('triplits) pl. Drillinge m/pl.

tripper F ('tripə) Ausflügler(in).

trite □ (trait) abgedroschen, platt.

triturate ('tritjəreit) zerreiben.

triumph ('traiəmf) 1. Triu´mph m; 2. triumphieren; **~al** (trai'ʌmfəl) Sieges...; Triu´mph...; **~ant** (~fənt) triumphierend.

trivial □ ('triviəl) bedeutungslos; unbedeutend; alltäglich.

trod (trɔd) trat, **~den** ('trɔdn) getreten.

troll (troul) (vor sich hin)trällern.

troll(e)y ('trɔli) ❖ Draisi´ne f; (Gepäck- usw.) Karren m; Am. Straßenbahn(wagen m) f.

trollop ('trɔləp) contp. Schlampe f.

trombone ♩ (trɔm'boun) Posaune f.

troop (tru:p) 1. Truppe; Schar f; ✗ (Reiter-)Zug m; 2. sich scharen, sich sammeln; ~ away, ~ off abziehen; **~er** ('tru:pə) Kavalleri´st m.

trophy ('troufi) Trophä´e f.

tropic ('trɔpik) Wendekreis m; ~s pl. Tropen pl.; **~al** (□) (~, ~pikəl) tropisch.

trot (trɔt) 1. Trott, Trab m; 2. traben.

trouble ('trʌbl) 1. Unruhe; Störung f; Kummer m, Not; Mühe; Plage f; Unannehmlichkeiten f/pl.; take ~ sich Mühe machen; 2. stören, beunruhigen, belästigen; quälen, plagen; (sich) bemühen; **~some** (~səm) beschwerlich, lästig.

trough (trɔf) Trog m; Mulde f.

trounce F (trauns) j. verhauen.

troupe thea. (tru:p) Truppe f.

trousers ('trauzəz) pl. (lange) Hose f.

trout (traut) Forelle f.

trowel ('trauəl) Maurerkelle f.

truant ('tru:ənt) 1. müßig; 2. Schulschwänzer; fig. Bummler m.

truce (tru:s) Waffenstillstand m.

truck (trʌk) 1. Handkarren; Rollwagen; Am. Lastkraftwagen m; ❖ Lore f, (offener) Güterwagen m; Tausch(handel); Verkehr; Kram (-waren f/pl.) m; 2. (ver)tauschen; **~farm** Am. Gemüsegärtnerei f.

truckle ('trʌkl) zu Kreuze kriechen.

truculent ('trʌkjulənt) wild, roh.

trudge (trʌdʒ) wandern; sich (dahin)schleppen.

true (tru:) wahr; echt, wirklich; treu; genau; richtig; it is ~ gewiß, zwar; come ~ sich bewahrheiten; ~ to nature natu´rgetreu.

truism ('tru:izm) Binsenwahrheit f.

truly ('tru:li) wirklich; wahrhaft; aufrichtig; genau; treu; yours ~ Ihr ergebener, Ihre ergebene.

trump (trʌmp) 1. Trumpf m; 2. (über)tru´mpfen; ~ up erdichten; **~ery** ('trʌmpəri) Plunder m.

trumpet ('trʌmpit) 1. Trompe´te f; 2. trompe´ten; fig. ausposaunen.

truncheon ('trʌntʃən) (Polizei-)Knüppel; Kommandostab m.

trundle ('trʌndl) rollen.

trunk (trʌŋk) Baum-Stamm; Rumpf; Rüssel; Koffer m; **~call** teleph. Ferngespräch n; **~line** ❖ Hauptlinie; teleph. Fernleitung f.

truss (trʌs) 1. Bündel, Bund; ❖ Bruchband n; ♠ Binder m; 2. (zs.-) binden; △ stützen.

trust (trʌst) 1. Vertrauen n; Glaube; Kredit m; Pfand n; Verwahrung f; ✝ Ring m; ~ company Treuhandgesellschaft f; in ~ zu treuen Händen; 2. v/t. (ver)trauen (dat.); anvertrauen; zuversichtlich hoffen; v/i. vertrauen (in, to auf acc.); **~ee** (trʌs'ti:) Sach-, Ver-walter; ⚖ Treuhänder m; **~ful** □ ('trʌstful), **~ing** □ ('trʌstiŋ) vertrauensvoll; **~worthy** (~wə:ði) vertrauenswürdig; zuverlässig.

truth (tru:θ) Wahrheit; Wirklichkeit; Wahrhaftigkeit; Genauigkeit *f*; **~ful** □ ('tru:θful) wahrhaft(ig).

try (trai) 1. versuchen; probieren; prüfen; ⚁ verhandeln über *et.*, gegen *j.*; *j.* verhören; *Metall* reinigen; *die Augen usw.* angreifen; sich bemühen; **~ on** anprobieren; 2. Versuch *m*; **~ing** □ ('traiiŋ) anstrengend; kritisch.

tub (tʌb) 1. Faß *n*, Zuber; Kübel *m*; Badewanne *f*; F (Wannen-)Bad *n*.

tube (tju:b) Rohr*n*; (*Am. bsd.* Radio-)Röhre; Tube *f*; (Luft-)Schlauch; Tunnel *m*; F Untergrundbahn *f*.

tuber ♀ ('tju:bə) Knolle *f*; **~culous** ♀ (tju:'bɑ:kjuləs) tuberkulös.

tubular □ ('tju:bjulə) röhrenförmig.

tuck (tʌk) 1. Falte *f*; Abnäher *m*; 2. falten; ab-, auf-nähen; packen, stecken; **~ up** auf-schürzen, -krempeln.

Tuesday ('tju:zdi) Dienstag *m*.

tuft (tʌft) Büschel (*n*), Busch; Haar-Schopf *m*.

tug (tʌg) 1. Zug, Ruck; ⚓ Schlepper *m*; 2. ziehen, zerren; ⚓ schleppen; sich mühen.

tuition (tju'iʃən) Unterricht *m*.

tulip ♀ ('tju:lip) Tulpe *f*.

tumble ('tʌmbl) 1. *v/i.* fallen, purzeln; sich wälzen; *v/t.* werfen; zerknüllen; 2. Sturz; Wirrwarr *m*; **~-down** (~daun) baufällig; **~r** (~ə) Akroba't; Becher(glas *n*) *m*.

tumid □ ('tju:mid) geschwollen.

tumo(u)r ('tju:mə) Geschwulst *f*.

tumult ('tju:mʌlt) Tumu'lt *m*; **~uous** (tju'mʌltjuəs) stürmisch.

tun (tʌn) Tonne *f*, Faß *n*.

tuna ('tju:nə) Thunfisch *m*.

tune (tju:n) 1. Melodie, Weise; ♪ Stimmung *f* (*a. fig.*); in **~** (gut-)gestimmt; out of **~** verstimmt; 2. stimmen; ♪ in *Radio*: einstellen; **~ out** *Radio*: ausschalten; **~ful** □ ('tju:nful) melodisch; **~less** □ ('tju:nlis) unmelodisch.

tunnel ('tʌnl) 1. Tunnel; ⚒ Stollen *m*; 2. e-n Tunnel bohren (durch).

turbid ('tə:bid) trüb; dick.

turbulent ('tə:bjulənt) unruhig; ungestüm; stürmisch.

tureen (tə'ri:n, tju'r-) Terrine *f*.

turf (tə:f) 1. Rasen; Torf *m*; Rennbahn *f*; Rennsport *m*; 2. mit Rasen belegen; **~y** ('tə:fi) rasenbedeckt.

turgid □ ('tə:dʒid) geschwollen.

Turk (tə:k) Türk|e *m*, -in *f*.

turkey ('tə:ki) Truthahn, Puter *m*.

Turkish ('tə:kiʃ) türkisch.

turmoil ('tə:mɔil) Aufruhr *m*, Durcheinander *n*.

turn (tə:n) 1. *v/t.* drehen; (um-)wenden, umkehren; lenken; ver-wandeln; abwehren; übertra'gen; bilden; drechseln; **~ a corner** um eine Ecke biegen; **~ down** umkniffen; *Decke usw.* zurückschlagen; ablehnen; **~ off** ableiten (*a. fig.*); hinauswerfen; wegjagen; **~ off**, on ab-, andrehen; **~ out** hinauswerfen; *Fabrikat* herausbringen; **~ over** umwenden; *fig.* übertra'gen; † umsetzen; überle'gen; **~ up** nach oben richten; umwenden; *Hose usw.* auf-, um-schlagen; 2.*v/i.* sich (um-)drehen, sich wenden; sich verwandeln; umschlagen (*Wetter, Milch usw.*); *Christ, grau usw.* werden; **~** *about* kehrt m.; **~ back** zurückkehren; **~ in** einkehren; F zu Bett gehen; **~ on** sich drehen um; **~ out**aus-fallen, -gehen; sich herausstellen als ...; **~ to** sich wenden zu, nach od. an (*acc.*); werden zu; **~ up** auf-tauchen; **~ upon** sich wenden gegen; 3. *su.* (Um-)Drehung; Biegung; Wendung; Neigung *f*; Wechsel *m*; Gestalt, Form *f*; Spaziergang *m*; Reihe(nfolge) *f*; Dienst (-leistung *f*); F Schreck *m*; at every **~** auf Schritt und Tritt; by od. in **~s** der Reihe nach; it is my **~** ich bin an der Reihe; take **~s** mit-ea. abwechseln; does it serve your **~?** entspricht das Ihren Zwecken?; **~coat** Mantelträger*m*; **~er** ('tə:nə) Drechsler *m*; **~ery** (~ri) Drechslerei *f*.

turning ('tə:niŋ) Drechseln *n*; Wendung; (Weg-)Abzweigung *f*; **~point** *fig.* Wendepunkt *m*.

turnip ♀ ('tə:nip) (*bsd.* weiße) Rübe*f*.

turn|key ('tə:nki:) Schließer *m*; **~out** ('tə:n'aut) † Gesamtprodukti'on *f*; **~over** ('tə:nouvə) † Umsatz *m*; **~pike** Schlagbaum *m*; **~stile** Drehkreuz *n*.

turpentine ('tə:pəntain) Terpenti'n *m*. [keit*f*.]

turpitude ('tə:pitju:d) Schändlich-|

turret ('tʌrit) Türmchen *n*; ✕ ⚓ Panzerturm *m*; ⚒ Kanzel *f*.

turtle *zo.* ('tə:tl) Schildkröte *f*.

tusk (tʌsk) Fangzahn; Stoßzahn *m*.

tussle ('tʌsl) 1. Rauferei, Balgerei *f*; 2. raufen, sich balgen.

tussock ('tʌsək) Büschel *m u. n.*

tutelage ('tjuːtilidʒ) Vormundschaft; Bevormundung *f*.

tutor ('tjuːtə) 1. (Privat-, Haus-) Lehrer; Studienleiter *m*; 2. unterri'chten; schulen, erziehen.

tuxedo *Am.* (tʌk'siːdou) Smoking *m*.

twaddle ('twɔdl) 1. Geschwätz, Gequaddel *n*; 2. schwatzen, quaddeln.

twang (twæŋ) 1. Schwirren *n*; (*mst nasal ~*) näselnde Aussprache; 2. schwirren (l.); klimpern; näseln.

tweak (twiːk) zwicken.

tweezers ('twiːzəz) *pl.* Pinze'tte *f*.

twelfth (twelfθ) zwölfte(r, s).

twelve (twelv) zwölf.

twentieth ('twentiiθ) zwanzigste(r, s); **~y** ('twenti) zwanzig.

twice (twais) zweimal. [*et.* spielen.]

twiddle ('twidl) (sich) drehen; mit]

twig (twig) Zweig *m*, Rute *f*.

twilight ('twailait) Zwielicht *n*; (*a. fig.*) Dämmerung *f*.

twin (twin) 1. Zwillings...; doppelt; 2. Zwilling *m*.

twine (twain) 1. Bindfaden *m*, Schnur *f*; Zwirn *m*; 2. zs.-drehen; verflechten; *od.* schlingen *od.* winden; umschli'ngen, -ra'nken.

twinge (twindʒ) Zwicken *n*; Stich; bohrender Schmerz *m*.

twinkle ('twiŋkl) 1. funkeln, blitzen; huschen; 2. Funkeln *n usw.*

twirl (twəːl) Wirbel *m*; wirbeln.

twist (twist) 1. Drehung; Windung; Verdrehung; Verdrehtheit *f*; Garn

n; 2. zs.-drehen; ver-drehen, -ziehen, -zerren; (sich) winden.

twit (twit): ~ *a p. with a th.* j-m et. vorwerfen.

twitch (twitʃ) 1. zupfen (*an dat.*); zucken; 2. Zupfen *n*; Zuckung *f*.

twitter ('twitə) 1. zwitschern; 2. Gezwitscher *n*; *be in a* ~ zittern.

two (tuː) 1. zwei; *in* ~ entzwei; 2. Zwei *f*; *in* ~*s* zu zweien; **~fold** ('tuːfould) zweifach; **~pence** ('tʌpəns) zwei Pence; **~storey** zweistöckig; **~way** *adapter* Doppelstecker *m*.

tyke (taik) Köter; Tölpel *m*.

type (taip) Typ *m*; Urbild; Vorbild; Muster *n*; Art *f*; Sinnbild *n*; *typ.* Type, Schrift *f*; *true to* ~ artecht; *typ.* set *in* ~ setzen; **~write** [*irr.* (write)] (mit der) Schreibmaschine schreiben; **~writer** Schreibmaschine *f*; Maschinenschreiber(in).

typhoid ⚕ ('taifɔid) typhö's; ~ *fever* Unterleibstyphus *m*.

typhoon (tai'fuːn) Taifun *m*.

typhus ⚕ ('taifəs) Flecktyphus *m*.

typi|cal ⬜ ('tipikəl) typisch; **~fy** (ˌfai) typisch sn für; versinnbildlichen; **~st** ('taipist) Maschinenschreiber(in); *shorthand* ~ Stenotypi'st(in).

tyrann|ic(al ⬜) (ti'rænik, ˌikəl) tyrannisch; **~ize** ('tirənaiz) tyrannisieren; **~y** (ˌni) Tyranni'f.

tyrant ('taiərənt) Tyra'nn(in).

tyre ('taiə) (Rad-) Reifen *m*.

tyro ('taiərou) *s.* tiro Anfänger.

U

ubiquitous □ (ju:'bikwitəs) allgegenwärtig, überall zu finden(d).

udder ('Adə) Euter n.

ugly □ ('Agli) häßlich; schlimm.

ulcer ⋒ ('Alsə) Geschwür n; ~ous (~reit) schwären (machen); ~ous (~rəs) geschwürig.

ulterior □ (Al'tiəriə) jenseitig; fig. weiter; tiefer liegend, versteckt.

ultimate □ ('Altimit) letzt; endlich; End...; ~ly (~li) zu guter Letzt.

ultimo ('Altimou) vorigen Monats.

ultra ('Altrə) übermäßig; ultra...

umbel ⚘ ('Ambəl) Dolde f.

umbrage ('Ambridʒ) Anstoß (Ärger); Schatten m.

umbrella (Am'brelə) (Regen-) Schirm m.

umpire ('Ampaiə) 1. Schiedsrichter m; 2. Schiedsrichter sn.

un... (An...) un...; Un...; ent...; nicht...

unable ('An'eibl) unfähig, außerstande.

unaccountable □ (Anə'kauntəbl) unverantwortlich; unerklärlich.

unaccustomed ('Anə'kAstəmd) ungewohnt; ungewöhnlich.

unacquainted (~kweintid) : ~ with unbekannt mit, unkundig e-r S.

unadvised □ ('Anəd'vaizd) unbedacht; unberaten.

unaffected □ ('Anə'fektid) unberührt; ungerührt; ungekünstelt.

unaided ('An'eidid) ohne Unterstützung; (ganz) allein.

unalterable □ ('An'ɔ:ltərəbl) unveränderlich.

unanim|ity (ju:nə'nimiti) Einmütigkeit f; ~ous □ (ju:'næniməs) einmütig, -stimmig.

unanswerable □ (An'ɑ:nsərəbl) unwiderleglich.

unapproachable □ (Anə'proutʃəbl) unzugänglich.

unapt □ (An'æpt) ungeeignet.

unasked ('An'ɑːskt) unverlangt; ungebeten.

unassisted ('Anə'sistid) ohne Hilfe.

unassuming ('Anə'sju:miŋ) anspruchslos, bescheiden.

unattractive □ ('Anə'træktiv) nicht anziehend, reizlos.

unauthorized ('An'ɔ:θəraizd) unberechtigt.

unavail|able ('Anə'veiləbl) nicht verfügbar; ~ing (~liŋ) vergeblich.

unavoidable □ (Anə'vɔidəbl) unvermeidlich.

unaware ('Anə'wɛə) ohne Kenntnis; be ~ of et. nicht merken; ~s (~z) unversehens.

unbacked (An'bækt) fig. ungestützt, ungedeckt (a. ✝).

unbalanced (An'bælənst) nicht im Gleichgewicht befindlich; unausgeglichen. [träglich.]

unbearable □ (An'bɛərəbl) unerunbecoming □ ('Anbi'kamiŋ) unkleidsam; unziemlich, unschicklich.

unbelie|f ('Anbi'li:f) Unglaube m; ~vable ('Anbi'li:vəbl) unglaublich; ~ving (~liŋ) ungläubig.

unbend ('An'bend) [irr.(bend)] (sich) entspannen; freundlich w., auftauen; ~ing (~liŋ) unbiegsam; fig. unbeugsam.

unbias(s)ed □ ('An'baiəst) vorurteilsfrei, unbefangen, unbeeinfluβt.

unbind ('An'baind) [irr.(bind)] los-, auf-binden; fig. lösen.

unblushing (An'blAʃiŋ) schamlos.

unbosom (An'buzəm) offenbaren.

unbounded (An'baundid) unbegrenzt; schrankenlos.

unbroken ('An'broukn) unge-, unzer-brochen; ununterbrochen.

unbutton ('An'bAtn) aufknöpfen.

uncalled (An'kɔ:ld): ~-for ungerufen; unverlangt (S.); unerwünscht.

uncanny □ (An'kæni) unheimlich.

uncared (An'kɛəd): ~-for ungepflegt, verwahrlost.

unceasing □ (An'si:siŋ) unaufhörlich.

unceremonious □ ('Anseri'mounjəs) ungezwungen; formlos.

uncertain □ (An'sə:tn) unsicher; ungewiß; unbestimmt; unzuverlässig; ~ty (~ti) Unsicherheit f.

unchallenged (An'tʃælindʒd) unangefochten.

unchang|eable (ʌnˈtʃeindʒəbl) □, ~ing (~iŋ) unveränderlich.

uncharitable (ʌnˈtʃæritəbl) lieblos; unbarmherzig.

unchecked (ʌnˈtʃekt) ungehindert.

uncivil (ʌnˈsivl) unhöflich; ~ized (ʌnˈsivilaizd) unzivilisiert.

uncle (ˈʌŋkl) Onkel, Oheim m.

unclean □ (ʌnˈkliːn) unrein.

unclose □ (ʌnˈklouz) (sich) öffnen.

uncomfortable □ (ʌnˈkʌmfətəbl) unbehaglich; unbequem.

uncommon □ (ʌnˈkɔmən) ungewöhnlich.

uncommunicative (ʌnkəˈmjuːnikeitiv) wortkarg, schweigsam.

uncomplaining (ˈʌnkəmˈpleiniŋ) klaglos.

uncompromising □ (ʌnˈkɔmprəmaiziŋ) kompromißlos.

unconcern (ʌnkənˈsəːn) Unbekümmertheit f; ~ed (~d) unbekümmert; unbeteiligt.

unconditional □ (ʌnkənˈdiʃnl) unbedingt; bedingungslos.

unconquerable □ (ʌnˈkɔŋkərəbl) unüberwi'ndlich.

unconscionable □ (ʌnˈkɔnʃnəbl) gewissenlos; unverschämt.

unconscious □ (ʌnˈkɔnʃəs) 1. unbewußt; bewußtlos; ~ness (~nis) Bewußtlosigkeit f.

unconstitutional □ (ˈʌnkɔnstiˈtjuːʃnl) verfassungswidrig.

uncontrollable □ (ʌnkənˈtroulⱥbl) unkontrollierbar; unbändig.

unconventional □ (ʌnkənˈvenʃnl) ungezwungen.

uncork (ʌnˈkɔːk) entkorken.

uncount|able (ʌnˈkauntⱥbl) unzählbar; ~ed (~tid) ungezählt.

uncouple (ʌnˈkʌpl) loskoppeln.

uncouth (ʌnˈkuːθ) ungeschlacht.

uncover (ʌnˈkʌvə) aufdecken; (sich) entblößen.

unct|ion (ˈʌŋkʃⱥn) Salbung (a. fig.); Salbe f; ~uous □ (ˈʌŋktjuəs) fettig, ölig; fig. salbungsvoll.

uncult|ivated (ʌnˈkʌltiveitid), ~ured (~tʃəd) unkultiviert.

undamaged (ʌnˈdæmidʒd) unbeschädigt.   [schrocken.]

undaunted □ (ʌnˈdɔːntid) uner-

undeceive (ʌndiˈsiːv) j. aufklären.

undecided □ (ʌndiˈsaidid) unentschieden; unentschlossen.

undefined □ (ˈʌndiˈfaind) unbestimmt.

undeniable □ (ʌndiˈnaiⱥbl) unleugbar.

under (ˈʌndə) 1. adv. unten; darunter; 2. prp. unter; 3. in Zssgn: unter...; Unter...; mangelhaft ...; ~bid (ˈʌndəˈbid) [irr. (bid)] unterbie'ten; ~brush (~brʌʃ) Unterholz n; ~carriage (~kæridʒ) Fahrgestell n; ~clothing (~klouðiŋ) Unterkleidung f; ~cut (~kʌt) Preise unterbie'ten; ~done (~dʌn) nicht gar; ~estimate (~ˈestimeit) unterschä'tzen; ~fed (~fed) unterernährt; ~go (~ˈgou) [irr. (go)] erdulden; sich unterzie'hen (dat.); ~graduate (~ˈgrædjuit) Stude'nt (-in); ~ground (ˈʌndəgraund) 1. unterirdisch; Untergrund...; 2. Untergrundbahn f; ~hand (~hænd) unter der Hand; heimlich; ~lie (~dəˈlai) [irr. (lie)] zugrunde liegen (dat.); ~line (~ˈlain) unterstrei'chen; ~ling (~liŋ) Untergeordnete(r) m; ~mine (ʌndəˈmain) unterminie'ren; fig. untergra'ben; ~most (ˈʌndəmoust) unterst; ~neath (ʌndəˈniːθ) 1. prp. unter; 2. adv. unten; darunter; ~privileged (~ˈprivilidʒd) schlechtgestellt; ~rate (ʌndəˈreit) unterschä'tzen; ~secretary (~dəˈsekrətəri) Unterstaatssekretär m; ~sell ✝ (~ˈsel) [irr. (sell)] j. unterbie'ten; Ware verschleudern; ~signed (~ˈsaind) Unterzeichnete(r); ~stand (~dəˈstænd) [irr. (stand)] allg. verstehen; sich verstehen auf (acc.); (als sicher) annehmen; auffassen; (sinngemäß) ergänzen; make o.s. understood sich verständlich m.; an understood thing e-e abgemachte Sache; ~standable (~ⱥbl) verständlich; ~standing (~iŋ) Verstand m; Einverständnis n; Verständigung; Voraussetzung f; ~state (ˈʌndəˈsteit) zu gering angeben; abschwächen; ~take (ʌndəˈteik) [irr. (take)] unterne'hmen; überne'hmen; sich verpflichten; ~taker (ˈʌndəteikə) Leichenbestatter m; ~taking (ˈʌndəˈteikiŋ) Unterne'hmung; Verpflichtung f; (ʌndəˈteiki) Leichenbestattung f; ~tone (~toun) leiser Ton m; ~value (~ˈvælju:) unterschä'tzen; ~wear (~wɛə) Unterkleidung f; ~wood (~wud) Unterholz n; ~write (~rait) [irr. (write)] Versicherung abschließen; ~writer (~raitə) Versicherer m.

undeserved □ ('ʌndi'zə:vd) unverdient.

undesirable □ (ˌʌ'zaiərəbl) unerwünscht.

undisciplined (ʌn'disiplind) zuchtlos; ungeschult.

undisguised □ ('ʌndis'gᴧizd) unverkleidet; unverhohlen.

undisputed □ ('ʌndis'pju:tid) unbestritten.

undo ('ʌn'du:, ʌn'du:) [*irr. (do)*] aufmachen; (auf)lösen; ungeschehen m., aufheben; vernichten; **~ing** (ˌiŋ) Aufhebung *f*; Verderben *m*.

undoubted □ (ʌn'dautid) unzweifelhaft, zweifellos.

undreamt (ʌn'dremt): **~of** ungeahnt.

undress ('ʌn'dres) 1. (sich) aus-, ent-kleiden; 2. Hauskleid *n*; **~ed** ('ʌn'drest) unangezogen; nicht zurechtgemacht.

undue □ ('ʌn'dju:) noch nicht fällig; ungebührlich; übermäßig.

undulat|e ('ʌndjuleit) Wellen schlagen; wallen; wellig sn; **~ion** (ʌndju'leiʃən) well(enförm)ige Bewegung *f*.

unearth ('ʌn'ə:θ) ausgraben; *fig.* aufstöbern; **~ly** (ʌn'ə:θli) unirdisch.

uneas|iness (ʌn'i:zinis) Unruhe *f*; Unbehagen *n*; **~y** □ (ʌn'i:zi) unbehaglich; unruhig; unsicher.

uneducated ('ʌn'edjukeitid) unerzogen; ungebildet.

unemotional □ ('ʌni'mouʃnl) leidenschaftslos; passiv; nüchtern.

unemploy|ed ('ʌnim'ploid) unbeschäftigt; arbeitslos; **~ment** (ˌʌ'ploimənt) Arbeitslosigkeit *f*.

unending □ (ʌn'endiŋ) endlos.

unendurable ('ʌnin'djuərəbl) unerträglich.

unengaged (ʌnin'geidᴣd) frei.

unequal □ ('ʌn'i:kwəl) ungleich; nicht gewachsen (*to dat.*); **~led** (ˌəd) unvergleichlich, unerreicht.

unerring ('ʌn'ə:riŋ) unfehlbar.

unessential ('ʌni'senʃəl) unwesentlich, -wichtig (*to* für).

uneven □ ('ʌn'i:vn) uneben; ungleichmäßig; ungerade (*Zahl*).

uneventful ('ʌni'ventful) ereignislos; ohne Zwischenfälle.

unexampled (ʌnig'za:mpld) beispiellos.

unexpected □ (ʌniks'pektid) unerwartet.

unfailing □ (ʌn'feiliŋ) unfehlbar; nie versagend; unerschöpflich.

unfair □ ('ʌn'fɛə) unehrlich; ungerecht.

unfaithful □ ('ʌn'feiθful) un(ge)treu, treulos; nicht wortgetreu.

unfamiliar ('ʌnfə'miljə) unbekannt; ungewohnt.

unfasten ('ʌn'fɑ:sn) aufmachen; lösen; und (ˌd) unbefestigt.

unfavo(u)rable □ ('ʌn'feivərəbl) ungünstig.

unfeeling □ (ʌn'fi:liŋ) gefühllos.

unfinished ('ʌn'finiʃt) unvollendet; unfertig.

unfit 1. ('ʌn'fit) □ ungeeignet, unpassend; 2. (ʌn'fit) untauglich m.

unfix ('ʌn'fiks) losmachen, lösen.

unfledged ('ʌn'fledᴣd) unbefiedert; unflügge; *fig.* unreif.

unflinching □ (ʌn'flintʃiŋ) fest entschlossen, unnachgiebig.

unfold (ʌn'fould) (sich) entfalten *od.* öffnen; klarlegen; enthüllen.

unforced □ ('ʌn'fɔ:st) ungezwungen.

unforgettable (ʌnfə'getəbl) □ unvergeßlich.

unfortunate (ʌn'fɔ:tʃnit) 1. unglücklich; 2. Unglückliche(r); **~ly** (ˌli) unglücklicherweise, leider.

unfounded ('ʌn'faundid) unbegründet; grundlos.

unfriendly ('ʌn'frendli) unfreundlich.

unfurl (ʌn'fə:l) entfalten.

unfurnished ('ʌn'fə:niʃt) un(aus)-gerüstet; unmöbliert.

ungainly (ʌn'geinli) unbeholfen.

ungenerous □ ('ʌn'dᴣenərəs) unedelmütig; nicht freigebig.

ungentle □ ('ʌn'dᴣentl) unsanft.

ungodly ('ʌn'godli) gottlos.

ungovern|able (ʌn'gʌvənəbl) unlenksam; unbändig.

ungraceful □ ('ʌn'greisful) ungraziös, unbeholfen.

ungracious □ ('ʌn'greiʃəs) ungnädig.

ungrateful □ (ʌn'greitful) undankbar.

unguarded □ ('ʌn'gɑ:did) unbewacht; unvorsichtig, ungeschützt.

unguent ('ʌŋgwənt) Salbe *f*.

unhampered ('ʌn'hæmpəd) ungehindert.

unhandsome □ (ʌn'hænsəm) unschön.

15*

unhandy □ (ʌn'hændi) ungeschickt.

unhappy □ (ʌn'hæpi) unglücklich.

unharmed ('ʌn'hɑːmd) unversehrt.

unhealthy □ (ʌn'helθi) ungesund.

unheard-of (ʌn'həːdɔv) unerhört.

unhesitating □ (ʌn'heziteitiŋ) ohne Zögern.

unholy (ʌn'houli) unheilig; gottlos.

unhonoured ('ʌn'ɔnəd) ungeehrt; uneingelöst (*Pfand, Scheck*).

unhope|d-for (ʌn'houpt'fɔː) unverhofft; **~ful** (~ful) hoffnungslos.

unhurt ('ʌn'həːt) unverletzt.

uniform ('juːnifɔːm) **1.** □ gleich-förmig, -mäßig; einheitlich; **2.** Dienstkleidung; Uniform *f*; **3.** uniformieren; **~ity** (juːni'fɔːmiti) Gleichförmigkeit, -mäßigkeit *f*.

unify ('juːnifai) verein(ig)en; vereinheitlichen.

unilateral ('juːni'lætərəl) einseitig.

unimaginable □ (ʌni'mædʒinəbl) undenkbar.

unimportant □ ('ʌnim'pɔːtənt) unwichtig.

uninformed ('ʌnin'fɔːmd) ununterrichtet.

uninhabit|able ('ʌnin'hæbitəbl) unbewohnbar; **~ed** (~tid) unbewohnt.

uninjured ('ʌn'indʒəd) unbeschädigt, unverletzt.

unintelligible □ ('ʌnin'telidʒəbl) unverständlich.

unintentional □ ('ʌnin'tenʃnl) unabsichtlich.

uninteresting □ ('ʌn'instristiŋ) uninteressa'nt.

uninterrupted □ ('ʌnintə'rʌptid) ununterbrochen.

union ('juːnjən) Vereinigung; Verbindung; Unio'n; Einigung *f*; Verein *m*; Gewerkschaft *f*; ♀ *Jack* britische Nationalflagge *f*; **~ist** (~ist) Gewerkschaftler *m*.

unique (juː'niːk) ein-zigartig, -malig.

unison ('juːnizn) ♪ *u. fig.* Einklang *m*.

unit ('juːnit Einheit *f*; ♣ Einer *m*; **~e** (juː'nait) (sich) vereinigen, verbinden; **~y** ('juːniti) Einheit *f*; Einigkeit *f*.

univers|al (juni'vəːsl) allgemein; allumfassend; Universa'l..., Welt...; **~ality** (juːnivə:'sæliti) Allgemeinheit; umfassende Bildung, Vielseitigkeit *f*; **~e** ('juːnivəːs) Weltall *n*; **~ity** (juni'vəːsiti) Universitä't *f*.

unjust □ ('ʌn'dʒʌst) ungerecht;

~ifiable (ʌn'dʒʌstifaiəbl) nicht zu rechtfertigen(d), unverantwortlich.

unkempt ('ʌn'kempt) ungepflegt.

unkind □ (ʌn'kaind) unfreundlich.

unknown ('ʌn'noun) **1.** unbekannt; unbewußt; *adv.* **~ to me** ohne mein Wissen; **2.** Unbekannte(r).

unlace ('ʌn'leis) aufschnüren.

unlawful □ ('ʌn'lɔːful) ungesetzlich

unlearn ('ʌn'ləːn) verlernen.

unless (ən'les, ʌn'les) wenn nicht, außer wenn; es sei denn, daß.

unlike ('ʌn'laik) ungleich, anders als; **~ly** (ʌn'laikli) unwahrscheinlich.

unlimited (ʌn'limitid) unbegrenzt.

unload ('ʌn'loud) ent-, ab-laden.

unlock ('ʌn'lɔk) aufschließen; *Waffe* entsichern; **~ed** (~t) unverschlossen.

unlooked-for (ʌn'lukt'fɔː) unerwartet.

unlovely ('ʌn'lʌvli) reizlos, unschön.

unlucky □ (ʌn'lʌki) unglücklich.

unman (ʌn'mæn) entmannen.

unmanageable □ (ʌn'mænidʒəbl) unlenksam, widerspenstig.

unmarried ('ʌn'mærid) unverheiratet.

unmask ('ʌn'mɑːsk) (sich) demaskieren; *fig.* entlarven.

unmatched ('ʌn'mætʃt) unerreicht; unvergleichlich.

unmeaning □ (ʌn'miːniŋ) nichtssagend.

unmeasured (ʌn'meʒəd) ungemessen; unermeßlich.

unmeet ('ʌn'miːt) ungeeignet.

unmentionable (ʌn'menʃnəbl) nicht zu erwähnen(d), unnennbar.

unmerited (ʌn'meritid) unverdient.

unmindful □ (ʌn'maindful) unbedacht; sorglos; ohne Rücksicht.

unmistakable □ ('ʌnmis'teikəbl) unverkennbar; unmißverständlich.

unmitigated (ʌn'mitigeitid) ungemildert; richtig; *fig.* Erz...

unmounted ('ʌn'mauntid) unberitten; nicht gefaßt (*Stein*); unaufgezogen (*Bild*); unmontiert.

unmoved ('ʌn'muːvd) unbewegt.

unnamed ('ʌn'neimd) ungenannt.

unnatural □ (ʌn'nætʃrəl) unnatürlich.

unnecessary □ (ʌn'nesisəri) unnötig.

unnerve ('ʌn'nəːv) entnerven.

unnoticed ('ʌn'noutist) unbemerkt.

unobjectionable □ (ʌnəbˈdʒekʃnəbl) einwandfrei.

unobserved □ (ʌnəbˈzəːvd) unbemerkt.

unobtainable (ʌnəbˈteinəbl) unerreichbar.

unoccupied (ʌnˈɔkjupaid) unbesetzt; unbewohnt; unbeschäftigt.

unoffending (ʌnəˈfendiŋ) harmlos.

unofficial □ (ʌnəˈfiʃəl) nichtamtlich. [dert.]

unopposed (ʌnəˈpouzd) ungehin-]

unostentatious □ (ˈʌnɔstənˈteiʃəs) anspruchslos; ohne Prunk.

unpack (ʌnˈpæk) auspacken.

unpaid (ʌnˈpeid) unbezahlt.

unparalleled (ʌnˈpærəleld) beispiellos, ohnegleichen.

unpeople □ (ʌnˈpiːpl) entvölkern.

unperceived □ (ʌnpəˈsiːvd) unbemerkt.

unpleasant □ (ʌnˈpleznt) unangenehm; unerfreulich; **~ness** (ˌnis) Unannehmlichkeit f.

unpolished (ʌnˈpɔliʃt) unpoliert; fig. ungebildet. [fleckt.]

unpolluted (ʌnpəˈluːtid) unbe-]

unpopular □ (ʌnˈpɔpjulə) unpopulär, unbeliebt.

unpracti|cal □ (ʌnˈpræktikəl) unpraktisch; **~sed** (ˌtist) ungeübt

unprecedented □ (ʌnˈpresidəntid) beispiellos; noch nie dagewesen.

unprejudiced □ (ʌnˈpredʒudist) unbefangen, unvoreingenommen.

unprepared □ (ʌnpriˈpɛəd) unvorbereitet.

unpreten|ding □ (ʌnpriˈtendiŋ), **~tious** (ˌʃəs) anspruchslos.

unprincipled (ʌnˈprinsəpld) ohne Grundsätze; gewissenlos.

unprofitable (ʌnˈprɔfitəbl) unnütz.

unproved (ʌnˈpruːvd) unerwiesen.

unprovided (ˈʌnprəˈvaidid) nicht versehen; **~for** unvorhergesehen.

unprovoked (ˈʌnprəˈvoukt) ohne Grund.

unqualified □ (ʌnˈkwɔlifaid) ungeeignet; unberechtigt; unbeschränkt.

unquestionable □ (ʌnˈkwestʃənəbl) unfraglich, fraglos.

unravel (ʌnˈrævəl) (sich) entwirren; (sich) aufräufeln; enträtseln.

unready □ (ʌnˈredi) nicht bereit od. fertig; unlustig, zögernd.

unreal □ (ʌnˈriəl) unwirklich.

unreasonable □ (ʌnˈriːznəbl) unvernünftig; grundlos; unmäßig.

unrecognizable □ (ʌnˈrekəgnaizəbl) nicht wiederzuerkennen(d).

unredeemed □ (ʌnriˈdiːmd) unerlöst; uneingelöst; ungemildert.

unrefined (ʌnriˈfaind) ungeläutert.

unreflecting (ʌnriˈflektiŋ) gedankenlos.

unregarded (ʌnriˈgaːdid) unbeachtet; unberücksichtigt.

unrelenting □ (ʌnriˈlentiŋ) erbarmungslos; unerbittlich.

unreliable (ʌnriˈlaiəbl) unzuverlässig.

unrelieved □ (ʌnriˈliːvd) ungelindert; ohne Hilfe.

unremitting □ (ʌnriˈmitiŋ) unablässig; unermüdlich.

unreserved □ (ʌnriˈzəːvd) rückhaltlos; unbeschränkt.

unresisting □ (ʌnriˈzistiŋ) widerstandslos.

unrest (ʌnˈrest) Unruhe f.

unrestrained □ (ʌnrisˈtreind) ungehemmt; unbeschränkt.

unrestricted □ (ʌnrisˈtriktid) uneingeschränkt.

unriddle (ʌnˈridl) enträtseln.

unrighteous □ (ʌnˈraitʃəs) ungerecht; unredlich.

unripe (ʌnˈraip) unreif.

unrival(l)ed (ʌnˈraivəld) ohne Nebenbuhler; unvergleichlich.

unroll (ʌnˈroul) ent-, auf-rollen.

unruffled (ʌnˈrʌfld) glatt; ruhig.

unruly (ʌnˈruli) ungebärdig.

unsafe (ʌnˈseif) unsicher.

unsal(e)able (ˈʌnˈseiləbl) unverkäuflich.

unsanitary (ʌnˈsænitəri) unhygienisch.

unsatisfactory □ (ˈʌnsætisˈfæktəri) unbefriedigend; unzulänglich.

unsavo[u]ry □ (ʌnˈseivəri) unschmackhaft; widerwärtig.

unsay (ʌnˈsei) [irr. (say)] zurücknehmen, widerru'fen.

unscathed (ʌnˈskeiðd) unversehrt.

unschooled (ʌnˈskuːld) ungeschult; unverbildet.

unscrew (ʌnˈskruː) (sich) ab-, los-, auf-schrauben.

unscrupulous □ (ʌnˈskruːpjuləs) bedenkenlos; gewissenlos.

unsearchable □ (ʌnˈsəːtʃəbl) unerforschlich; unergründlich.

unseasonable □ (ʌnˈsiːznəbl) unzeitig; fig. ungelegen.

unseemly (ʌnˈsiːmli) unziemlich.

unseen ('ʌn'siːn) ungesehen; unsichtbar.

unselfish □ ('ʌn'selfiʃ) selbstlos.

unsettle ('ʌn'setl) in Unordnung bringen; verwirren; erschüttern; **~d** (~d) nicht festgesetzt; unbeständig; unerledigt; unbesiedelt.

unshaken ('ʌn'ʃeikən) unerschüttert; unerschütterlich.

unshaven ('ʌn'ʃeivn) unrasiert.

unship ('ʌn'ʃip) ausschiffen.

unshrink|able ('ʌn'ʃriŋkəbl) nicht einlaufend (Stoff); **~ing** □ (~iŋ) unverzagt.

unsightly (ʌn'saitli) häßlich.

unskil|ful □ ('ʌn'skilful) ungeschickt; **~led** ('ʌn'skild) ungelernt.

unsoci|able (ʌn'souʃəbl) ungesellig; **~al** (~ʃəl) unsozia'l.

unsolder ('ʌn'sɔldə) los-, ab-löten.

unsolicited (ʌnsə'lisitid) unverlangt (S.); unaufgefordert (P.).

unsophisticated (ʌnsə'fistikeitid) unverfälscht; ungekünstelt; unverdorben, unverbildet.

unsound □ ('ʌn'saund) ungesund; verdorben; wurmstichig; morsch; nicht stichhaltig (Beweis); verkehrt.

unsparing (ʌn'spɛəriŋ) freigebig; schonungslos, unbarmherzig.

unspeakable □ (ʌn'spiːkəbl) unsagbar; unsäglich.

unspent ('ʌn'spent) unverbraucht; unerschöpft.

unstable □ ('ʌn'steibl) nicht (stand)fest; unbeständig; unstet(ig); labi'l.

unsteady □ ('ʌn'stedi) unstet(ig), unsicher; schwankend; unbeständig; u'nsoli'd; unregelmäßig.

unstring ('ʌn'striŋ) [irr. (string)] Saite entspannen; f. abspannen.

unstudied ('ʌn'stʌdid) ungesucht, ungekünstelt.

unsubstantial □ ('ʌnsəb'stænʃəl) wesenlos; gegenstandslos; u'nsoli'd; gehaltlos; dürftig.

unsuccessful □ ('ʌnsək'sesful) erfolglos.

unsuitable □ ('ʌn'sjuːtəbl) unpassend; unangemessen.

unsurpassable □ ('ʌnsə'paːsəbl) unübertre'fflich.

unsuspect|ed ('ʌnsəs'pektid) unverdächtig; unvermutet; **~ing** (~iŋ) nichts ahnend; arglos.

unsuspicious □ ('ʌnsəs'piʃəs) nicht argwöhnisch, arglos.

unswerving □ (ʌn'swəːviŋ) unentwegt.

untangle ('ʌn'tæŋgl) entwirren.

untarnished ('ʌn'taːniʃt) unbefleckt; ungetrübt.

unteachable ('ʌn'tiːtʃəbl) unbelehrbar (P.); unlehrbar (S.).

unthink|able ('ʌn'θiŋkəbl) undenkbar; **~ing** □ (~iŋ) gedankenlos.

unthought ('ʌn'θɔːt) unbedacht; (od. **~-of**) unvermutet.

untidy □ ('ʌn'taidi) unordentlich.

untie ('ʌn'tai) aufbinden, aufknüpfen; Knoten usw. lösen; f. losbinden.

until (ən'til, ʌn'til) **1.** prp. bis; **2.** cj. bis (daß).

untimely ('ʌn'taimli) unzeitig; vorzeitig; ungelegen.

untiring □ (ʌn'taiəriŋ) unermüdlich.

untold ('ʌn'tould) unerzählt; ungezählt; unermeßlich, unsäglich.

untouched ('ʌn'tʌtʃt) unberührt; fig. ungerührt; phot. unretuschiert.

untried ('ʌn'traid) unversucht; unerprobt; ᵗᵗ noch nicht verhört.

untroubled ('ʌn'trʌbld) ungestört.

untrue ('ʌn'truː) unwahr; untreu.

untrustworthy □ ('ʌn'trʌstwəːði) unzuverlässig.

unus|ed ('ʌn'juːzd) ungebraucht; ('ʌn'juːst) nicht gewöhnt (to an acc.; zu inf.); **~ual** (ʌn'juːʒuəl) ungewöhnlich; ungewohnt.

unutterable □ (ʌn'ʌtərəbl) unaussprechlich.

unvarnished ('ʌn'vaːniʃt) fig. ungeschminkt.

unvarying □ (ʌn'vɛəriiŋ) unveränderlich.

unveil (ʌn'veil) entschleiern, enthüllen.

unwanted ('ʌn'wɔntid) unerwünscht.

unwarrant|able □ (ʌn'wɔrəntəbl) unverantwortlich; **~ed** (~tid) unberechtigt; unverbürgt.

unwary □ (ʌn'wɛəri) unbedachtsam.

unwholesome ('ʌn'houlsəm) ungesund; schädlich.

unwieldy □ (ʌn'wiːldi) unhandlich; ungefüge; & sperrig.

unwilling □ ('ʌn'wiliŋ) **wider**willig; abgeneigt.

unwise □ ('ʌn'waiz) unklug.

unwitting □ (ʌn'witiŋ) unwissentlich.

unworkable (ʌn'wə:kəbl) unaus-, undurch-führbar.

unworthy □ (ʌn'wə:ði) unwürdig.

unwrap ('ʌn'ræp) aus-, auf-wickeln.

unyielding □ (ʌn'ji:ldiŋ) unnachgiebig.

up (ʌp) 1. adv. (her-, hin-)auf; aufwärts, empor; oben; fig. auf der Höhe; auf(gestanden) hoch; abgelaufen, um (Zeit); ~ against a task e-r Aufgabe gegenüber; ~ to bis (zu); it is ~ to me to do es ist an mir, zu tun; sl. what's ~? was ist los?; 2. prp. hinauf; ~ the river flußaufwärts; 3. adj. ~ train Zug m nach der Stadt; 4. su.: the ~s and downs das Auf und Ab; 5. F vb. (sich) erheben; hochtreiben.

up|braid (ʌp'breid) schelten; ~bringing ('ʌp'briŋiŋ) Erziehung f; ~heaval (ʌp'hi:vl) Umbruch m; ~hill ('ʌp'hil) bergan; mühsam; ~hold (irr. (hold)) aufrecht(er)halten; stützen; ~holster (ʌp'houlstə) Möbel (auf)polstern; Zimmer dekorieren; ~holsterer (~rə) Tapezier(er), Dekorateu'r m; ~holstery (ri) Polstermöbel n/pl.; Möbel-, Dekorations-stoffe m/pl.

up|keep ('ʌpki:p) Instandhaltungskosten pl.) f; Unterhalt m; ~land ('ʌplənd) Oberland n; ~lift 1. (ʌp'lift) (empor-, er-)heben; 2. ('ʌplift) (Er-)Hebung f.

upon (ə'pɔn) = on auf usw.

upper ('ʌpə) ober; Ober...; ~most (~moust) oberst, höchst.

up|raise (ʌp'reiz) erheben; ~rear (ʌp'riə) aufrichten; ~right ('ʌp'rait) 1. □ aufrecht; 2. Pfosten; Ständer m; Klavier n; ~rising (ʌp'raiziŋ) Erhebung f.

uproar ('ʌprɔ:) Aufruhr m; ~ious □ (ʌp'rɔ:riəs) tobend; tosend.

up|root (ʌp'ru:t) entwurzeln; (her-)ausreißen; ~set (ʌp'set) [irr. (set)] umwerfen; (um)stürzen; außer Fassung (od. in Unordnung) bringen; ~shot ('ʌpʃɔt) Ausgang m; ~side ('ʌpsaid) adv.: ~ down das Oberste zu unterst; verkehrt; ~stairs ('ʌp'stɛəz) die Treppe hinauf, (nach) oben; ~start ('ʌpstɑ:t) Emporkömmling m; ~stream ('ʌp'stri:m) stromaufwärts; ~turn (ʌp'tə:n) nach oben kehren; ~

ward(s) ('ʌpwəd[z] aufwärts (gerichtet).

urban ('ə:bən) städtisch; Stadt...; ~e □ (ə:'bein) höflich; gebildet.

urchin ('ə:tʃin) Bengel m.

urge (ə:dʒ) 1. f. drängen, (an)treiben (oft ~ on); dringen in f.; dringen auf e-e S.; geltend m.; 2. Drang m; ~ncy ('ə:dʒənsi) Dringlichkeit f; Drängen n; ~nt □ ('ə:dʒənt) dringend.

urin|al ('juərinl) Bedürfnisanstalt f; ~ate (~rineit) urinieren; ~e (~rin) Uri'n, Harn m.

urn (ə:n) Urne; Teemaschine f.

us (ʌs; im Satz əs) uns; of ~ unser.

usage ('ju:zidʒ) Brauch; Sprachgebrauch m; Behandlung f.

usance † ('ju:zəns) Wechselfrist f.

use 1. (ju:s) Gebrauch m; Benutzung; Verwendung; Gewohnheit, Übung f; Brauch; Nutzen m; (of) no ~ unnütz, zwecklos; 2. (ju:z) gebrauchen; benutzen, verwenden; behandeln; I ~d (ju:s[t]) to do ich pflegte zu tun, früher tat ich; ~d (ju:st) to gewöhnt an (acc.); ~ful □ ('ju:sful) brauchbar; nützlich; Nutz...; ~less ('ju:slis) nutzlos, unnütz.

usher ('ʌʃə) 1. Türhüter, Gerichtsdiener; Platzanweiser m; 2. (hin-)einführen, anmelden.

usual □ ('ju:ʒuəl) gewöhnlich; üblich.

usurer ('ju:ʒərə) Wucherer m.

usurp (ju:'zə:p) sich et. widerrechtlich aneignen, an sich reißen; ~er (ju:'zə:pə) Usurpa'tor m.

usury ('ju:ʒuri) Wucher(zinsen pl.) m.

utensil (ju:'tensl) Gerät; Geschirr n.

utility (ju:'tiliti) 1. Nützlichkeit f, Nutzen m; public ~ öffentlicher Versorgungsbetrieb; 2. Gebrauchs..., Einheits...

utiliz|ation (ju:tilai'zeiʃən) Nutzbarmachung, Nutzanwendung f; ~e ('ju:tilaiz) sich et. zunutze machen.

utmost ('ʌtmoust) äußerst.

utter ('ʌtə) 1. □ fig. äußerst; völlig; 2. äußern; Seufzer usw. von sich geben; in Umlauf setzen; ~ance (~rəns) Äußerung f Ausdruck(sweise f) m; ~most (~moust) äußerst.

V

vacan|cy ('veikənsi) Leere; Lücke; freie Stelle *f*; **~t** □ ('veikənt) leer (*a. fig.*); frei, erledigt (*Amt*).

vacat|e (və'keit, *Am.* 'veikeit) räumen; *Amt usw.* aufgeben, aus *e-m Amt* scheiden; **~ion** (və'keiʃən, *Am.* vei'keiʃən) Ferien *pl.*

vaccin|ate ('væksineit) impfen; **~ation** (væksi'neiʃən) Impfung *f*; **~e** ('væksi:n) Impfstoff *m.*

vacillate ('væsileit) schwanken.

vacuum ('vækjuəm) *phys.* Vakuum *n*; **~ cleaner** Staubsauger *m*; **~ flask**, **~ bottle** Thermosflasche *f.*

vagabond ('vægəbənd) **1.** vagabundierend; **2.** Landstreicher *m.*

vagrant ('veigrənt) **1.** wandernd; *fig.* unstet; **2.** Landstreicher *m*; Strolch *m.*

vague (veig) unbestimmt; unklar.

vain (vein) eitel; leer; nichtig; vergeblich; *in* **~** vergebens, umsonst; **~glorious** (vein'glɔ:riəs) ruhmredig.

valediction (væli'dikʃən) Abschied *m.*

valentine ('væləntain) Valentinsschatz, -gruß *m* (*am Valentinstag, 14. Februar, erwählt, gesandt*).

valet ('vælit) **1.** (Kammer-)Diener *m*; **2.** Diener sn bei *j-m*; *j.* bedienen.

valiant □ *rhet.* ('væljənt) tapfer.

valid ('vælid) gültig; triftig, richtig; **~ity** (və'liditi) Gültigkeit *f usw.*

valley ('væli) Tal *n.*

valo(u)r *rhet.* ('vælə) Tapferkeit *f.*

valuable ('væljuəbl) **1.** □ wertvoll; **2.** **~s** *pl.* Wertsachen *f/pl.*

valuation (vælju'eiʃən) Abschätzung *f*; Taxwert *m.*

value ('vælju:) **1.** Wert *m*; Währung *f*; **2.** schätzen; **~less** ('vælju:lis) wertlos.

valve (vælv) Klappe *f*; Venti'l *n*; *Radio:* Röhre *f.*

van (væn) Möbelwagen *m*; ⚏ Pack-, Güter-wagen *m*; ✕ Vorhut *f.*

vane (vein) Wetterfahne *f*; *Propellerusw.* Flügel *m.*

vanguard ✕ ('vængɑ:d) Vorhut *f.*

vanish ('væniʃ) (ver)schwinden.

vanity ('væniti) Eitelkeit; Nichtigkeit *f*; **~ bag** Handtäschchen *n.*

vanquish ('væŋkwiʃ) besiegen.

vantage ('vɑ:ntidʒ) Vorteil *m.*

vapid □ ('væpid) schal; fad(e).

vapor|ize (ve'ipəraiz) verdampfen (lassen); **~ous** (~rəs) dunstig; nebelhaft.

vapo(u)r ('veipə) **1.** Dunst; Dampf *m*; **2.** schwadronieren.

varia|ble □ ('vɛəriəbl) veränderlich; **~nce** (~riəns) Uneinigkeit *f*; *be at* **~** uneinig sn; (sich) widerspre'chen; **~nt** (~riənt) **1.** abweichend; **2.** Varia'nte *f*; **~tion** (vɛəri'eiʃən) Abänderung; Schwankung; Abweichung; ♪ Variatio'n *f.*

varie|d □ ('vɛərid) *s.* various; **~gate** ('vɛərigeit) bunt gestalten; **~ty** (və'raiəti) Mannigfaltigkeit; Abart; ♣ Auswahl; Menge *f*; **~ show** Varietévorstellung *f.*

various ('vɛəriəs) verschieden(artig).

varnish ('vɑ:niʃ) **1.** Firnis, Lack; *fig.* Anstrich *m*; **2.** firnissen, lackieren; *fig.* überlackieren.

vary ('vɛəri) (sich) (ver)ändern; wechseln (mit *et.*); abweichen.

vase (vɑ:z) Vase *f.*

vast □ (vɑ:st) ungeheuer, riesig.

vat (væt) Faß *n*; Bottich *m*; Kufe *f.*

vault (vɔ:lt) **1.** Gewölbe *n*; Wölbung; Stahlkammer; Gruft *f*; *Wein-*Keller; Sprung *m*; **2.** (über-)wö'lben; springen (über *acc.*).

vaunt (vɔ:nt) (sich) rühmen.

veal (vi:l) Kalbfleisch *n.*

veer (viə) (sich) drehen.

vegeta|ble ('vedʒitəbl) **1.** Pflanzen...; **2.** Pflanze *f*; Gemüse *n* (*a. ~s pl.*); **~rian** (vedʒi'tɛəriən) **1.** Vegetarier(in); **2.** vegetarisch; **~te** ('vedʒiteit) vegetieren.

vehemen|ce ('vi:iməns) Heftigkeit; Gewalt *f*; **~t** (~t) heftig; ungestüm.

vehicle ('vi:ikl) Fuhrwerk, Fahrzeug *n*; *fig.* Vermittler, Träger *m*; Ausdrucksmittel *n.*

veil (veil) **1.** Schleier *m*; Hülle *f*; **2.** (sich) verschleiern (*a. fig.*).

vein (vein) Ader (*a. fig.*); Anlage; Neigung, Stimmung *f.*

velocity (vi'lositi) Geschwindigkeit *f.*

velvet ('velvit) Samt; **~y** (~i) samtig.

venal ('vi:nl) käuflich, feil.

vend (vend) verkaufen; **~er**, **~or** ('vendə) Verkäufer, Händler *m.*

veneer (və'niə) 1. Furnier *n*; 2. furnieren; *fig.* umklei'den.

venera|ble □ ('venərəbl) ehrwürdig; **~te** (~reit) (ver)ehren; **~tion** (venə'reiʃən) Verehrung *f.*

venereal (vi'niəriəl) Geschlechts...

Venetian (vi'ni:ʃən) venetia'nisch; **~ blind** (Stab-)Jalousie *f.*

vengeance ('vendʒəns) Rache *f.*

venison ('venzn) Wildbret *n.*

venom ('venəm) bsd. Schlangen-Gift *n* (*a. fig.*); **~ous** □ (~əs) giftig.

vent (vent) 1. Öffnung *f*; Luft-, Zünd-loch *n*; Ausweg *m*; *give* ~ *to s-m Zorn usw.* Luft machen; 2. *fig.* Luft machen (*dat.*).

ventilat|e ('ventileit) ventilieren; (ent)lüften; *fig.* erörtern; **~ion** (venti'leiʃən) Lüftung *f.* Fig. Erörterung *f.*

venture ('ventʃə) 1. Wagnis; Risiko *n*; Spekulation *f*; *at a* ~ auf gut Glück; 2. (sich) wagen, riskieren; **~some** (~səm) **venturous** □ (~rəs) verwegen, kühn.

veracious (və'reiʃəs) wahrhaft.

verb|al □ ('və:bəl) wörtlich; mündlich; **~iage** ('və:biidʒ) Wortschwall *m*; **~ose** □ (və:'bous) wortreich.

verdant ('və:dənt) grün.

verdict ('və:dikt) *t̪t̪* Wahrspruch *m der Geschworenen*; *fig.* Urteil *n.*

verdigris ('və:digris) Grünspan *m.*

verdure ('və:dʒə) Grün *n.*

verge (və:dʒ) 1. Rand *m*, Grenze *f*; *on the* ~ *of* am Rande (*gen.*); dicht vor (*dat.*); 2. sich (hin)neigen; ~ (up)on grenzen an (*acc.*).

veri|fy ('verifai) (nach)prüfen; beweisen; bestätigen; **~table** □ ('veritəbl) wahr(haftig).

vermin ('və:min) Ungeziefer *n*; **~ous** ('və:minəs) voller Ungeziefer.

vernacular □ (və'nækjulə) 1. einheimisch; volks...; 2. Landes-, Mutter-sprache *f*; Jargo'n *m.*

versatile □ ('və:sətail) wendig.

verse (və:s) Vers(e *pl.*) *m*; Dichtung *f*; **~d** (və:st) bewandert.

versify ('və:sifai) *v/t.* in Verse bringen; *v/i.* Verse machen.

version ('və:ʃən) Überse'tzung; Fassung, Darstellung; Lesart *f.*

vertebra ('və:tibrəl) Wirbel *m.*

vertical □ ('və:tikəl) senkrecht.

vertig|inous □ (və:'tidʒinəs) schwindlig; schwindelnd (*Höhe*).

verve (vɛəv) Schwung *m.*

very ('veri) 1. *adv.* sehr; *the* ~ *best* das allerbeste; 2. *adj.* wirklich; eben; bloß; *the* ~ *same* eben derselbe; *the* ~ *thing* gerade das; *the* ~ *thought* der bloße Gedanke; *the* ~ *stones* sogar die Steine; *the veriest rascal* der größte Schuft.

vesicle ('vesikl) Bläs-chen *n.*

vessel ('vesl) Gefäß; Fahrzeug *n.*

vest (vest) 1. Unterhemd *n*; Weste *f*; *Kleid-*Einsatz *m*; 2. *v/t.* bekleiden (*with mit*); *j.* einsetzen (*in dat.*); *et.* übertra'gen (*in dat.*); *v/i.* verliehen werden.

vestibule ('vestibju:l) Vorhalle *f.*

vestige ('vestidʒ) Spur *f.*

vestment ('vestment) Gewand *n.*

vestry ('vestri) Sakristei *f*; **~man** (~mən) Gemeindevertreter *m.*

veteran ('vetərən) 1. ausgedient; erfahren; *2.* Vetera'n *m.*

veterinary ('vetnri) 1. tierärztlich; 2. Tierarzt *m* (*mst* ~ *surgeon*).

veto ('vi:tou) 1. Veto *n*; 2. sein Veto einlegen gegen.

vex (veks) ärgern; bekümmern; **~ation** (vek'seiʃən) Ärger(nis *n*) *m*; **~atious** (~ʃəs) ärgerlich.

via ('vaiə) *auf Briefen usw.*: über.

vial ('vaiəl) Fläschchen *n.*

viands ('vaiəndz) *pl.* Speisen *f/pl.*

vibrat|e (vai'breit) vibrieren; zittern; **~ion** (~ʃən) Schwingung *f.*

vice (vais) 1. Laster *n*; Fehler *m*; Unart *f*; ⊕ Schraubstock *m*; 2. Vize-...; stellvertretend; Unter...; **~roy** ('vaisroi) Vizekönig *m.*

vice versa ('vaisi'və:sə) umgekehrt.

vicinity (vi'siniti) Nachbarschaft; Nähe *f.*

vicious □ ('viʃəs) lasterhaft; bösartig; boshaft; fehlerhaft.

vicissitude (vi'sisitju:d) *mst* ~s *pl.* Wechselfälle *m/pl.*

victim ('viktim) Opfer *n*; **~ize** (~timaiz) (hin)opfern.

victor ('viktə) Sieger *m*; **~ious** □ (vik'tɔ:riəs) siegreich; Sieges...; **~y** ('viktəri) Sieg *m.*

victual ('vitl) 1. (sich) mit Lebensmitteln versehen; 2. *mst* ~*s pl.* Lebensmittel *n/pl.;* ~**ler** ('vitlə) Lebensmittelliefera'nt *m.*

video ('vidiou) *Radio:* Fernseh...

vie (vai) wetteifern.

view (vju:) 1. Sicht *f,* Blick *m;* Besichtigung; Aussicht *f* (*of auf acc.*); Anblick *m;* Ansicht (*a. fig.*); Absicht *f; in* ~ *of* im Hinblick auf (*acc.*); *on* ~ zu besichtigen; *with a* ~ *to ger.* in der Absicht zu ...; *have in* ~ im Auge haben; 2. ansehen, besichtigen; *fig.* betrachten; ~**point** Gesichts-, Stand-punkt *m.*

vigil|ance ('vidʒiləns) Wachsamkeit *f;* ~**ant** □ (~lənt) wachsam.

vigo|rous ('vigərəs) kräftig; nachdrücklich; ~**(u)r** ('vigə) Kraft *f;* Nachdruck *m.*

vile □ (vail) gemein; nichtswürdig.

vilify ('vilifai) verunglimpfen.

village ('vilidʒ) Dorf *n;* ~**r** (~ə) Dorfbewohner(in).

villain ('vilən) Schuft *m;* ~**ous** (~əs) schuftig; ~**y** (~i) Schurkerei *f.*

vim F (vim) Schwung, Schneid *m.*

vindic|ate ('vindikeit) rechtfertigen (*from gegen*); verteidigen; ~**tive** □ (vin'diktiv) rachsüchtig.

vine (vain) Wein(stock) *m,* Rebe *f;* ~**gar** ('vinigə) (Wein-)Essig *m;* ~**growing** Weinbau *m;* ~**yard** ('vinjəd) Weinberg *m.*

vintage ('vintidʒ) Weinlese *f; Wein-*Jahrgang *m.*

violat|e ('vaiəleit) verletzen; *Eid usw.* brechen; vergewaltigen; schänden; ~**ion** (vaiə'leiʃən) Verletzung *f usw.; Eides-* usw. Bruch *m.*

violen|ce ('vaiələns) Gewalt(samkeit, -tätigkeit); Heftigkeit *f;* ~**t** □ (~t) gewaltsam; heftig.

violet ('vaiəlit) Veilchen *n.*

violin ♪ (vaiə'lin) Violi'ne, Geige *f.*

viper ('vaipə) Viper, Natter *f.*

virago (vi'reigou) Zänkerin *f.*

virgin ('və:dʒin) 1. Jungfrau *f;* 2. □ jungfräulich (*a.* ~*al*); Jungfern...; ~**ity** (və:'dʒiniti) Jungfräulichkeit *f.*

viril|e ('virail) männlich; Mannes...; ~**ity** (vi'riliti) Männlichkeit *f.*

virtu ('və:tu:) 1. Kunstliebhaberei *f; article of* ~ Kunstgegenstand *m;* ~**al** □ ('və:tjuəl) eigentlich; ~**e** ('və:tju:) Tugend; Wirksamkeit *f;* Vorzug *m; in* ~ *of* kraft; ~**ous** ('və:tjuəs) tugendhaft.

virulent ('virulənt) giftig; *fig.* bösartig.

visa ('vi:zə) *s.* visé.

viscount ('vaikaunt) Vico'mte *m.*

viscous □ ('viskəs) zähflüssig.

visé ('vi:zei) 1. Paß-Visum *n,* Sichtvermerk *m;* 2. *Paß* visieren.

visible □ ('vizəbl) sichtbar; *fig.* (er)sichtlich; *pred.* zu sehen.

vision ('viʒən) Sehvermögen *n; fig.* (Seher-)Blick *m;* Visio'n, Erscheinung *f;* ~**ary** ('viʒənəri) 1. phantastisch; 2. Geisterseher (-in); Phantast(in).

visit (vizit) 1. *v/t.* besuchen; *fig.* heimsuchen; *et.* ahnden; *v/i.* Besuche machen; 2. Besuch *m;* ~**ation** (vizi'teiʃən) Besuch *m; fig.* Heimsuchung *f;* ~**or** ('vizitə) Besuch(er); Inspektor *m.*

vista ('vistə) Durch-, Aus-blick *m.*

visual □ ('vizjuəl) Seh...; Gesichts-...; ~**ize** (~aiz) (sich) vor Augen stellen, sich ein Bild machen von.

vital □ ('vaitl) Lebens...; lebenswichtig, wesentlich; lebensgefährlich; ~**s**, ~ *parts pl.* edle Teile *m/pl.;* ~**ity** (vai'tæliti) Lebenskraft *f;* Leben *n;* ~**ize** (vaitəlaiz) beleben.

vitamin(e) ('vaitəmin) Vitami'n *n.*

vitiate ('viʃieit) verderben; beeinträchtigen; hinfällig (*tₜ* ungültig) machen.

vivaci|ous □ (vi'veiʃəs) lebhaft; ~**ty** (~'væsiti) Lebhaftigkeit *f.*

vivid □ ('vivid) lebhaftig, lebendig.

vivify ('vivifai) (sich) beleben.

vixen ('viksn) Füchsin; Zänkerin *f.*

vocabulary (və'kæbjuləri) Wörterverzeichnis *n;* Wortschatz *m.*

vocal □ ('voukəl) stimmlich; Stimm-...; gesprochen; laut; ♪ Voka'l...; Gesang...; klingend.

vocation (vou'keiʃən) Berufung *f;* Beruf *m;* ~**al** □ (~l) beruflich.

vociferate (vou'sifəreit) schreien.

vogue (voug) Beliebtheit; Mode *f.*

voice (vois) 1. Stimme *f; give* ~ *to* Ausdruck geben (*dat.*); 2. äußern, ausdrücken.

void (void) 1. leer; ungültig; 2. Leere; Lücke *f;* 3. entleeren; ungültig machen; aufheben.

volatile ('vɔlətail) ⚗ flüchtig (*a. fig.*); flatterhaft.

volcano (vɔl'keinou) Vulka'n *m.*

volition (vou'liʃən) Wollen *n;* Willenskraft *f.*

volley ('vɔli) 1. Salve *f*; *fig.* Hagel; Schwall; *Tennis:* Flugball *m*; 2. e-e Salve (von ...) abfeuern.

voltage ⚡ ('voultidʒ) Spannung *f*.

voluble ('vɔljubl) (rede)gewandt.

volum|e ('vɔljum) Band *m e-s Buches*; Volu'men *n*; *fig.* Masse *f*; *bsd. Stimm-*Umfang *m*; **~inous** □ (və'lju:minəs) umfangreich.

volunt|ary □ ('vɔləntəri) freiwillig; willkürlich; **~eer** (vɔlən'tiə) 1. Freiwillige(r); 2. *v/i.* freiwillig dienen; sich erbieten; *v/t.* anbieten.

voluptu|ary (və'lʌptjuəri) Wollüstling *m*; **~ous** (**~**s) wollüstig; üppig.

vomit ('vɔmit) 1. (sich) erbrechen; *fig.* (aus)speien, ausstoßen; 2. Erbrochene(s) *n*; Auswurf *m*.

voraci|ous □ (vo'reiʃəs) gefräßig; gierig; **~ty** (vo'ræsiti) Gier *f*.

vortex ('vɔːteks) Strudel *m*.

vote (vout) 1. *Wahl-*Stimme; Abstimmung *f*; Stimmrecht *n*; Beschluß *m*, Votum *n*; *cast a* **~** (s)eine Stimme abgeben; 2. *v/t.* stimmen für; *v/i.* (ab)stimmen; wählen; **~r** ('voutə) Wähler(in).

voting... ('voutiŋ) Wahl...

vouch (vautʃ): **~** *for* bürgen für; **~er** ('vautʃə) Beleg; Zeuge *m*; **~safe** (vautʃ'seif) gewähren.

vow (vau) 1. Gelübde *n*; *Treu-*Schwur *m*; 2. *v/t.* geloben.

vowel ('vauəl) Voka'l *m*.

voyage ('vɔidʒ) 1. *längere* (See-, Luft-)Reise *f*; 2. reisen, fahren.

vulgar □ ('vʌlgə) gewöhnlich, gemein, pöbelhaft; **~** *tongue* Volkssprache *f*; **~ize** (**~**raiz) gemein machen; erniedrigen; populä'r *m*.

vulnerable □ ('vʌlnərəbl) verwundbar; *fig.* angreifbar.

vulture ('vʌltʃə) Geier *m*.

W

wad (wɔd) 1. *Watte- usw.* Bausch *m*; Polster *n*; Pfropf(en) *m*; 2. wattieren; polstern; zs.-pressen; zustopfen; **~ding** ('wɔdiŋ) Wattierung; Watte *f*.

waddle ('wɔdl) watscheln, wackeln.

wade (weid) *v/i.* waten; *fig.* sich hindurcharbeiten; *v/t.* durchwa'ten.

wafer ('weifə) Waffel; Obla'te *f*.

waffle *bsd. Am.* ('wɔfl) Waffel *f*.

waft (wɑːft) 1. tragen; 2. Hauch *m*.

wag (wæg) 1. wackeln (mit); wedeln (mit); 2. Spaßvogel *m*.

wage (weidʒ) 1. *Krieg* führen; 2. *mst* **~s** ('weidʒiz) *pl.* Lohn *m*; **~-earner** ('weidʒəːnə) Lohnempfänger *m*.

waggish □ ('wægiʃ) schelmisch.

waggle F ('wægl) wackeln (mit).

wag(g)on ('wægən) (Last-, Güter-) Wagen *m*; **~er** (**~ə**) Fuhrmann *m*.

waif (weif) herrenloses Gut *n*; Heimatlose(r).

wail (weil) 1. Klage *f*; 2. (be)klagen.

waist (weist) Taille; schmalste Stelle *f*; ⚓ Mitteldeck *n*; **~coat** ('weiskout, 'weskət) Weste *f*.

wait (weit) *v/i.* warten (*for* auf *acc.*); (*oft* **~** *at table*) bedienen; **~** (*up*)*on j-m* aufwarten; **~** *and see* abwarten; *v/t.* abwarten; mit *dem Essen* warten (*for* auf *j.*); **~er** ('weitə) Kellner; Präsentierteller *m*.

waiting ('weitiŋ) *in* **~** diensttuend; **~-room** Warte-zimmer *n*, -saal *m*.

waitress (weitris) Kellnerin *f*.

waive (weiv) verzichten auf (*acc.*); **~r** ⟂ ('weivə) Verzicht *m*.

wake (weik) 1. Kielwasser *n* (*a. fig.*); 2. [*irr.*] *v/i.* wachen; (*oft* **~** *up*) auf-, er-wachen; *v/t.* (auf-, er-) wecken; **~ful** □ ('weikful) wachsam; schlaflos; **~n** ('weikən) *s.* wake 2.

wale (weil) Strieme *f*.

walk (wɔːk) 1. *v/i.* ~n (zu Fuß) gehen; spazierengehen; wandern; Schritt gehen; *v/t.* führen; *Pferd* Schritt gehen lassen; (durch)wa'ndern; umhergehen auf *od.* in (*dat.*); 2. Gang; Spazier-gang, -weg *m*; **~ of life** Lebensstellung *f*.

walking ('wɔːkiŋ) Spazier...; Wan-

der...; **~ tour** Fußtour *f*; **~-stick** Spazierstock *m*.

walk|-out *Am.* ('wɔːk'aut) Ausstand *m*; **~-over** leichter Sieg *m*.

wall (wɔːl) 1. Wand; Mauer *f*; 2. mit e-r Mauer umge'ben; (*up* **~**) zu-mauern. [schef.]

wallet (wɔlit) Ränzel *n*; Brieftasche *f*.

wallflower *fig.* Mauerblümchen *n*.

wallop F ('wɔləp) *j.* verdreschen.

wallow ('wɔlou) sich wälzen.

wall|-paper ('wɔːlpeipə) Tape'te *f*; **~-socket** ⚡ Steckdose *f*.

walnut ⚘ (**~nət**) Walnuß(baum *m*) *f*.

walrus *zo.* ('wɔːlrəs) Walroß *n*.

waltz (wɔːls) 1. Walzer *m*; 2. walzen.

wan □ (wɔn) blaß, bleich, fahl.

wand (wɔnd) (Zauber-)Stab *m*.

wander ('wɔndə) wandern; umherschweifen; *fig.* abschweifen; irregehen; phantasieren.

wane (wein) 1. abnehmen (*Mond*); *fig.* schwinden; 2. Abnehmen *n*.

wangle *sl.* ('wæŋgl) schieben.

want (wɔnt) 1. Mangel *m* (*of* an *dat.*); Bedürfnis *n*; Not *f*; 2. *v/i.* **~** *ing* fehlen; es fehlen l. (in an *dat.*); unzulänglich sein; *for* Not leiden an (*dat.*); it **~s** *of* es fehlt an (*dat.*); *v/t.* bedürfen (*gen.*), brauchen; nicht haben; wünschen; (haben) wollen; he **~s** *energy* es fehlt ihm an Energie'; **~ed** gesucht (*in Annoncen*).

wanton ('wɔntən) 1. □ geil; mutwillig; 2. umhertollen.

war (wɔː) 1. Krieg *m*; *attr.* Kriegs...; make **~** K. führen ([*up*]on gegen); 2. (ea. wider)strei'ten.

warble ('wɔːbl) trillern.

ward (wɔːd) 1. Mündel *n*; (Gefängnis-)Zelle; Abteilung *f*; Bezirk *m*; **~s** *pl.* Schlüssel-Bart *m*; 2. **~** (*off*) abwehren; **~er** ('wɔːdə) (Gefangenen-)Wärter *m*; **~robe** ('wɔːdroub) Garde'robe *f*; Kleiderschrank *m*; **~ trunk** Schrankkoffer *m*.

ware (wɛə) Ware *f*; Geschirr *n*.

warehouse 1. ('wɛəhaus) (Waren-) Lager *n*; Speicher *m*; 2. (**~haus**) auf den Speicher bringen, einlagern.

warfare ('wɔːfɛə) Krieg(führung *f*) *m*.

wariness ('wεərinis) Vorsicht *f*.

warlike ('wɔ:laik) kriegerisch.

warm (wɔ:m) **1.** □ warm (*a. fig.*); heiß; *fig.* hitzig; **2.** Erwärmung *f*; **3.** (sich) (er)wärmen (*a. ~ up*); ~**th** (~θ) Wärme *f*.

warn (wɔ:n) warnen (*of, against* vor *dat.*); verwarnen; (er)mahnen; verständigen; ~**ing** ('wɔ:niŋ) Warnung; Mahnung; Kündigung *f*.

warp (wɔ:p) sich verziehen (*Holz*); *fig.* verdrehen, verzerren.

warrant ('wɔrənt) **1.** Vollmacht; Berechtigung; Bürgschaft *f*; ᴢᶻ (Vollziehungs-)Befehl; *Berechtigungs-*Schein *m*; ~ *of arrest* Haftbefehl *m*; **2.** bevollmächtigen; *j*. berechtigen; *et.* rechtfertigen; verbürgen; † garantieren; ~**y** (~i) Garantie'; Berechtigung *f*.

warrior ('wɔriə) Krieger *m*.

wart (wɔ:t) Warze *f*; Auswuchs *m*.

wary □ ('wεəri) vorsichtig, behut-, (bed)acht-sam.

was (wɔz, wəz) war; wurde.

wash (wɔʃ) **1.** *v/t.* waschen; (be)spülen; *v/i.* sich waschen (l.); waschecht sn (*a.fig.*); **2.** Waschen; Wäsche *f*; Wellenschlag *m*; Spülwasser; *contp.* Gewäsch; *pharm. Haar- usw.* Wasser *n*; ~**able** ('wɔʃəbl) waschbar; ~**basin** ('wɔʃbeisn) Waschbecken *n*; ~**cloth** Waschlappen *m*; ~**er** ('wɔʃə) Wäscher(in); Waschmaschine; ⊕ Unterlagscheibe *f*; ~**(er)woman** Waschfrau *f*; ~**ing** ('wɔʃiŋ) **1.** Waschen *n*; Wäsche *f*; **2.** Wasch...; ~**y** ('wɔʃi) wässerig.

wasp (wɔsp) Wespe *f*.

wastage ('weistidʒ) Abgang *m*.

waste (weist) **1.** wüst, öde; Abfall...; *lay* ~ verwüsten; **2.** Verschwendung; Abnutzung *f*; Abfall *m*; Einöde, Wüste *f*; **3.** *v/t.* verwüsten; verschwenden; (auf)zehren; *v/i.* abnehmen, schwinden; ~**ful** □ ('weistful) verschwenderisch; ~**paper basket** Papierkorb *m*.

watch (wɔtʃ) **1.** Wache; Taschenuhr *f*; **2.** *v/i.* wachen; ~ *for* warten auf (*acc.*); *v/t.* bewachen; beobachten; achtgeben auf (*acc.*); *Gelegenheit* abwarten; ~**dog** Wachhund *m*; ~**ful** □ ('wɔtʃful) wachsam; achtsam; ~**maker** Uhrmacher *m*; ~**man** (~mən) (Nacht-)Wächter *m*; ~**word** Losung *f*.

water ('wɔ:tə) **1.** Wasser; Gewässer *n*; *drink the* ~*s* Brunnen trinken; **2.** *v/t.* bewässern; besprengen; begießen; mit Wasser versorgen; tränken; verwässern (*a. fig.*); *v/i.* wässern (*Mund*); tränen (*Augen*); Wasser einnehmen; ~**course** W.-lauf *m*; ~**fall** W.-fall *m*; ~**gauge** W.-standszeiger; Pegel *m*.

watering ('wɔ:təriŋ): ~**can**, ~**-pot** Gießkanne *f*; ~**place** Tränke *f*; Bad(eort *m*); Seebad *n*.

water-level W.-spiegel; W.-stand (-slinie *f*) *m*; ⊕ W.-waage *f*; ~**man** ('wɔ:təmən) Fährmann; Bootsführer; Ruderer *m*; ~**proof 1.** wasserdicht; **2.** Gummimantel *m*; **3.** imprägnieren; ~**shed** W.-scheide *f*; Stromgebiet *n*; ~**side** am W. (gelegen); ~**tight** wasserdicht; *fig.* zuverlässig; ~**way** W.-straße *f*; ~**works** *pl., a. sg.* W.-werk *n*; ~**y** ('wɔ:təri) wässerig.

wattle ('wɔtl) **1.** Flechtwerk *n*; **2.** aus Flechtwerk herstellen.

wave (weiv) **1.** Welle; Woge *f*; Wink(en *n*) *m*; ⊕ W.-waage *f*; **2.** *v/t.* wellig machen, wellen; schwingen; schwenken; ~ *a p. aside, etc.* j. beiseite *usw.* winken; *v/i.* wogen; wehen, flattern; winken; ~**length** Wellenlänge *f*.

waver ('weivə) (sch)wanken; flakkern.

wavy ('weivi) wellig; wogend.

wax[1] (wæks) **1.** Wachs *n*; Siegellack *m*; Ohrenschmalz *n*; **2.** wachsen; bohnern.

wax[2] (~) [*irr.*] zunehmen (*Mond*).

wax|en ('wæksən) *fig.* wächsern; ~**y** □ ('wæksi) wachsartig; weich.

way (wei) *mst* Weg *m*; *engS.* Strecke; Richtung *f*; Gang, Lauf *m*; Mittel *n*; Art und Weise; (*a. ~s pl.*) eigene Art *f*; Beruf(szweig) *m*, Fach *n*; Hinsicht *f*; Zustand *m*; ~ *in, out* Ein-, Aus-gang *m*; *this* ~ hierher, hier entlang; *by the* ~ beiläufig; *by* ~ *of* anstatt; *on the* ~ unterwegs; *out of the* ~ ungewöhnlich; *under* ~ in Fahrt; *give* ~ aus dem Wege gehen; nachgeben, weichen; *have one's* ~ s-n Willen haben; *lead the* ~ vorangehen; ~**bill** Frachtbrief *m*; ~**farer** Wanderer *m*; ~**lay** (wei'lei) [*irr.* (*lay*)] auflauern (*dat.*); ~**side 1.** Weg(es)rand *m*; **2.** am Wege; ~**ward** □ ('weiwəd) launenhaft; eigensinnig.

we (wiː, wi) wir.

weak □ (wiːk) schwach; **~en** ('wiːkən) v/t. schwächen; v/i. schwach werden; **~ly** (ˌli) schwächlich; **~-minded** ('wiːk'maindid) schwachsinnig; **~ness** (ˌnis) Schwäche f.

weal (wiːl) 1. Wohl n; 2. Strieme f.

wealth (welθ) 1. Wohlstand, Reichtum m; **~y** □ ('welθi) reich.

wean (wiːn) ent-, abge-wöhnen.

weapon ('wepən) Waffe; Wehr f.

wear (wɛə) 1. [irr.] v/t. am Körper tragen; zur Schau tragen; (a. ~ away, down, off, out) abnutzen, abtragen, verbrauchen; erschöpfen; ermürben; ausnagen; v/i. sich tragen od. halten; (a. ~ off, out) sich abnutzen od. abtragen; ~ on vergehen; 2. Tragen n, Gebrauch m; Kleidung; Abnutzung f (a. ~ and tear); be the ~ Mode sein.

wear|iness ('wiərinis) Müdigkeit f; **~isome** □ (ˌsəm) ermüdend; **~y** ('wiəri) 1. □ müde; ermüdend; 2. ermüden.

weasel zo. ('wiːzl) Wiesel n.

weather ('weðə) 1. Wetter n; Witterung f; 2. v/t. dem Wetter aussetzen; Sturm abwettern, überstehen (a. fig.); v/i. verwittern; **~-beaten**, **~-worn** vom Wetter mitgenommen; verwittert.

weav|e (wiːv) [irr.] weben; wirken; flechten; fig. ersinnen; **~er** ('wiːvə) Weber m.

web (web) Gewebe n; Schwimmhaut f; **~bing** ('webiŋ) Gurtband m.

wed (wed) (sich) verheiraten; fig. verbinden (to mit); **~ding** ('wediŋ) 1. Hochzeit f; 2. Hochzeits...; Braut...; Trau...

wedge (wedʒ) 1. Keil m; 2. (ver)keilen, (a. ~ in) (hin)einzwängen.

wedlock ('wedlɔk) Ehe f.

Wednesday ('wenzdi) Mittwoch m.

wee (wiː) klein, winzig.

weed (wiːd) 1. Unkraut n; 2. jäten; ausrotten; **~s** (ˌz) pl. Witwenkleidung f; **~y** ('wiːdi) verkrautet; F fig. lang aufgeschossen.

week (wiːk) Woche f; by the ~ wochenweise; this day ~ heute in (vor) e-r Woche; **~-day** Wochentag m; **~-end** Wochenende n; **~ly** ('wiːkli) 1. wöchentlich; 2. Wochenblatt n. [ing ('wiːpiŋ) Trauer...]

weep (wiːp) [irr.] weinen; tropfen;

weigh (wei) v/t. (ab)wiegen, fig. ab-, er-wägen; ~ anchor den Anker lichten; **~ed down** niedergebeugt; v/i. wiegen (a. fig.); fig. ausschlaggebend sn; ~ (up)on lasten auf (dat.).

weight (weit) 1. Gewicht n (a. fig. Bedeutung); Last (a. fig.); Wucht f; 2. beschweren; fig. belasten; **~y** □ ('weiti) gewichtig; wuchtig.

weird (wiəd) Schicksals...; unheimlich; F sonderbar, seltsam.

welcome ('welkəm) 1. willkommen; you are ~ to inf. es steht Ihnen frei, zu ...; (you are) ~! gern geschehen!, bitte sehr!; 2. Willkomm(en n) m; 3. bewillkommnen; fig. begrüßen.

weld (weld) (zs.-)schweißen.

welfare ('welfɛə) Wohlfahrt f; ~ work Wohlfahrtspflege f.

well¹ (wel) 1. Brunnen f; fig. Quelle f; ⊕ Bohrloch n; (Wasser- usw.) Behälter m; Treppenhaus n; Licht-, Luft-schacht n; 2. quellen.

well² (ˌ) 1. wohl; gut; ~ off in guten Verhältnissen; I am not ~ mir ist nicht wohl; 2. int. nun!; **~-being** Wohl(sein) n; **~-bred** wohlerzogen; **~-favo(u)red** gut aussehend; **~-intentioned** wohl-meinend, -gemeint; **~-mannered** mit guten Manieren; **~-timed** rechtzeitig; **~-to-do** (ˌtə'duː) wohlhabend; **~-worn** abgetragen; fig. abgedroschen.

Welsh (welʃ) 1. wali'sisch; 2. Walisisch n; the ~ die Waliser m/pl.

welt (welt) ⊕ Rahmen, Schuh-Rand m; Einfassung; Strieme f.

welter ('weltə) 1. rollen, sich wälzen; 2. Wirrwarr m.

wench (wentʃ) Mädel n, Dirne f.

went (went) ging.

wept (wept) weinte; geweint.

were (wəː, wə) waren; wurden; wäre(n); würde(n).

west (west) 1. West(en m) m; 2. West-...; westlich; **~erly** ('westəli), **~ern** ('westən) westlich; **~ward(s)** ('westwəd[z]) westwärts.

wet (wet) 1. naß, feucht; 2. Nässe; Feuchtigkeit f; 3. [irr.] nässen; anfeuchten.

wether ('weðə) Hammel m.

wet-nurse ('wetnəːs) Amme f. [m.]

whack F (wæk) 1. verhauen; 2. Hieb]

whale (weil) Walfisch m; **~bone** ('weilboun) Fischbein n; **~r** ('weilə) Walfischfänger m.

whaling ('weiliŋ) Walfischfang *m.*

wharf (wɔːf) Kai *m.*

what (wɔt) 1. was; das, was; 2. was?; wie?; wieviel?; welch(er, e, es)?; was für ein(e)?; ~ *about* ...? wie steht's mit ...?; ~ *for*? wozu?; *a* ~ *blessing*! was für ein Segen!; 3. ~ *with* ... ~ *with* ... teils durch ... teils durch ...; **~(so)ever** (wɔt[sou]'evə) was (*od.* welcher) auch (immer).

wheat ♀ (wiːt) Weizen *m.*

wheel (wiːl) 1. Rad *n;* ⊕ Scheibe; Drehung *f;* ✗ Schwenkung *f;* 2. rollen, fahren, schieben; sich drehen; sich umwenden; ✗ schwenken; radeln; **~barrow** Schubkarren *m;* **~-chair** Rollstuhl *m;* **~ed** (wiːld) mit Rädern.

wheeze (wiːz) schnaufen, keuchen.

when (wen) 1. wann?; 2. wenn; als; während (*od.* da) doch; und da.

whence (wens) woher, von wo.

when(so)ever (wen[sou]'evə) immer wenn; sooft (als).

where (wɛə) wo; wohin; **~about(s)** 1. ('wɛərə'bauts) wo herum; 2. ('wɛərə'bauts) Aufenthalt *m;* **~as** (wɛər'æz) wohingegen, während (doch); **~by** (wɛə'bai) wodurch; **~fore** ('wɛəfɔː) weshalb; **~in** (wɛər'in) worin; **~of** (wɛər'ɔv) wovon; **~upon** (wɛərə'pɔn) worauf(hin); **~ver** (wɛər'evə) wo(hin) (auch) immer; **~withal** (wɛəwi'ðɔːl) Erforderliche(s) *n;* Mittel *n/pl.*

whet (wet) wetzen, schärfen.

whether ('weðə) ob; ~ *or no* so oder so.   [*m.*]

whetstone ('wetstoun) Schleifstein|

whey (wei) Molke *f,* Molken *m.*

which (witʃ) 1. welche(r, (s)?; 2. der, die, das, was; **~ever** (.'evə) welche(r, s) (auch) immer.

whiff (wif) 1. Hauch; Zug *beim Rauchen;* Zigarillo *n;* 2. paffen.

while (wail) 1. Weile; Zeit *f; for a* ~ e-e Zeitlang; F *worth* ~ der Mühe wert; 2. ~ *away* Zeit verbringen; 3. (*a.* **whilst** [wailst]) während.

whim (wim) Schrulle, Laune *f.*

whimper ('wimpə) wimmern.

whim|sical □ ('wimzikəl) wunderlich; **~sy** ('wimzi) Grille, Laune *f.*

whine (wain) winseln; wimmern.

whip (wip) 1. *v/t.* peitschen; geißeln (*a. fig.*); *j.* verprügeln; *j.* schlagen (*a. fig.*); umsäumen; werfen; reißen; *parl.* ~ *in* zs.-trommeln; ~ *up* an-

treiben; aufraffen; *v/i.* springen, flitzen; 2. Peitsche; Geißel *f;* Kutscher *m.*

whippet zo. ('wipit) Windspiel *n.*

whipping ('wipiŋ) Prügel *pl.;* **~-top** Kreisel *m.*

whirl (wəːl) 1. wirbeln; (sich) drehen; 2. Wirbel, Strudel *m;* **~pool** Strudel *m;* **~wind** Wirbelwind *m.*

whir(r) (wəː) schwirren.

whisk (wisk) 1. Wisch; Staubwedel; Küche: Schneebesen; Schwung *m;* 2. *v/t.* (ab-, weg-)wischen, (-)fegen; wirbeln (mit); schlagen; *v/i.* huschen; **~er** ('wiskə) zo. Barthaar *n;* *mst* **~s** *pl.* Backenbart *m.*

whisper ('wispə) 1. flüstern; 2. Geflüster *n.*   [Pfiff *m;* F Kehle *f.*\]

whistle ('wisl) 1. pfeifen; 2. Pfeife *f;*|

white (wait) 1. *allg.* weiß; rein; F anständig; Weiß...; ~ *heat* Weißglut *f;* ~ *lie* Notlüge *f;* 2. Weiß(e) *n;* Weiße(r) *m* (*Rasse*); **~n** ('waitn) weiß machen *od.* werden; bleichen; **~ness** ('waitnis) Weiße; Blässe *f;* **~wash** 1. Tünche *f;* 2. weißen; *fig.* rein waschen.

whither *lit.* ('wiðə) wohin.

whitish ('waitiʃ) weißlich.

Whitsun ('witsn) Pfingst...

whittle ('witl) schnitze(l)n; *fig.* ~ *away* verkleinern, schwächen.

whiz(z) (wiz) zischen, sausen.

who (huː) 1. welche(r, s); der, die, das; 2. wer?

whoever (huː'evə) wer auch immer.

whole (houl) 1. □ ganz; heil; **~ milk** Vollmilch *f;* 2. Ganze(s) *n;* (*up*)*on the* ~ im ganzen; **~-hearted** □ aufrichtig; **~sale** 1. (*mst* ~ *trade*) Großhandel *m;* 2. Großhandels...; Engros...; *fig.* Massen...; ~ *dealer* Großhändler *m;* **~some** □ ('houlsəm) gesund.

wholly ('houli) *adv.* ganz, gänzlich.

whom (huːm) *acc. von* who.

whoop (huːp) 1. □ (Kriegs-)Geschrei *n;* 2. laut schreien; **~ing-cough** ✗ ('huːpiŋkɔf) Keuchhusten *m.*

whose (huːz) *gen. von* who.

why (wai) 1. warum, weshalb; ~ *so?* wieso?; 2. ei!, ja!; (je) nun.

wick (wik) Docht *m.*

wicked □ ('wikid) moralisch böse, schlimm; **~ness** (.nis) Bosheit *f.*

wicker ('wikə) aus Weide geflochten; Weiden...; Korb...; ~ *basket* Weidenkorb *m;* **~ chair** Korbstuhl *m.*

wicket ('wikit) Pförtchen; Tor n.

wide (waid) a. □ u. adv. weit; weit-verbreitet; weitgehend; großzügig; breit; breslag; ~ awake völlig wach; aufgeweckt (schlau); 3 feet ~ 3 Fuß breit; ~n ('waidn) (sich) erweitern; ~-spread weitverbreitet.

widow ('widou) Witwe f; attr. Witwen...; ~er (~) Witwer m.

width (widθ) Breite, Weite f.

wield lit. (wi:ld) handhaben.

wife (waif) (Ehe-)Weib n, Frau, Gattin f; ~ly ('waifli) fraulich.

wig (wig) Perücke; Schelte f.

wild (waild) 1. □ wild; run ~ wild (auf)wachsen; talk ~ (wild) darauf-los reden; 2. ~ ~s (~z) Wildnis f; ~cat! zo. Wildkatze f; Am. Schwindelunterne'hmen n; 2. fig. wild; Schwindel...; ~erness ('wildə-nis) Wildnis, Wüste f; ~fire: like ~ wie ein Lauffeuer.

wile (wail) List; mst ~s pl. Tücke f.

wil(l)ful □ ('wilful) eigensinnig; vorsätzlich.

will (wil) 1. Wille; Wunsch m; Testame'nt n; with a ~ mit Lust und Liebe; 2. [irr.] v/aux.: he ~ come er wird kommen; er kommt gewöhnlich; I ~ do it ich will es tun; 3. v/t. u. v/i. wollen; durch Willens-kraft zwingen.

willing □ ('wiliŋ) willig, bereit (-willig); pred. gewillt (to inf. zu); ~ness (~nis) (Bereit-)Willigkeit f.

will-o'-the-wisp ('wiləðəwisp) Irr-licht n.

willow ♀ ('wilou) Weide f.

wily □ ('waili) schlau, verschmitzt.

win (win) [irr.] v/t. gewinnen; erringen; erlangen; j. vermögen (to do dazu, zu tun); ~ a p. over j. für sich gewinnen; v/i. gewinnen; siegen.

wince (wins) (zs.-)zucken.

winch (wintʃ) Winde; Kurbel f.

wind[1] (wind, poet. waind) 1. Wind; Atem m, Luft; ♂ Blähung f; ♪ Blas-instrume'nte n/pl.; 2. wittern; außer Atem bringen; verschnaufen lassen.

wind[2] (waind) [irr.] v/t. winden; wickeln; Horn blasen; ~ up Uhr aufziehen; Geschäft abwickeln; † liquidieren; v/i. sich winden; sich schlängeln.

wind|**bag** ('windbæg) Schwätzer m; ~fall Fallobst n; Glücksfall m.

winding ('waindiŋ) 1. Windung f;

2. sich windend; ~ stairs pl. Wendel-treppe f; ~-sheet Leichentuch n.

wind-instrument ♪ ('windinstru-mənt) Blasinstrume'nt n.

windlass ⊕ ('windləs) Winde f.

windmill (~mil) Windmühle f.

window ('windou) Fenster n; ~-dressing Aufmachung, Mache f; ~-shade Am. Rouleau n.

wind|**pipe** ('windpaip) Luftröhre f; ~screen mot. Windschutzscheibe f.

windy ('windi) windig (a. fig. inhaltlos); geschwätzig.

wine (wain) Wein m; ~press Kelter f.

wing (wiŋ) 1. Flügel m; co. Arm m; ✈, ✕ Geschwader n; ~s pl. Ku-lissen f/pl.; take ~ weg-, auf-fliegen; on the ~ im Fluge; 2. fig. beflügeln; fliegen.

wink (wiŋk) 1. Blinzeln, Zwinkern n; F not get a ~ of sleep kein Auge zutun; 2. blinzeln, zwinkern (mit et.); ~ at ein Auge zudrücken bei et.).

win|**ner** ('winə) Gewinner(in); Sie-ger(in); ~ning ('winiŋ) 1. einneh-mend (a. ~ some [~səm]); 2. ~s pl. Gewinn m.

wint|**er** ('wintə) 1. Winter m; 2. über-wi'ntern; ~ry ('wintri) winterlich; fig. frostig.

wipe (waip) (ab-, auf-)wischen; ~ out fig. vernichten; Schande tilgen.

wire (waiə) 1. Draht m; Drahtnach-richt f; 2. (ver)drahten; ~drawn ('waiə'drɔːn) spitzfindig; ~less ('waiəlis) 1. □ drahtlos; Funk...; on the ~ im Rundfunk; ~ (message) Funkspruch m; ~ (telegraphy) drahtlose Telegraphie'; ~ operator Funker m; ~ pirate Radio: Schwarz-hörer m; ~ (set) Radioapparat m; ~ netting Drahtgeflecht n.

wiry ('waiəri) drahtig (fig. sehnig).

wisdom ('wizdəm) Weisheit; Klug-heit f; ~ tooth Weisheitszahn m.

wise (waiz) 1. weise, verständig; klug; ~ crack Am. Witzelei f; 2. Weise f.

wish (wiʃ) 1. wünschen; wollen; ~ for (sich) et. wünschen; ~ well (ill) wohl-(übel-)wollen; 2. Wunsch m; ~ful □ ('wiʃful) sehnsüchtig.

wisp (wisp) Bündel n; Strähne f.

wistful □ ('wistful) sehnsüchtig.

wit (wit) 1. Witz m; (a. ~s pl.) Ver-stand; witziger Kopf m; be at one's ~'s end mit s-r Weisheit zu Ende sn; 2. to ~ nämlich, das heißt.

witch (witʃ) Hexe, Zauberin f; **~craft** ('witʃkrɑːft) Hexerei f.

with (wið) mit; nebst; bei; von; durch; vor (dat.).

withdraw (wið'drɔː) [irr. (draw)] v/t. ent-, zurück-ziehen; zurücknehmen; Geld abheben; v/i. sich zurückziehen; abtreten; **~al** (~əl) Zurückziehung f; Rückzug m.

wither ('wiðə) v/i. (ver)welken; verdorren; austrocknen; v/t. welk m.

with|hold (wið'hould) [irr. (hold)] zurückhalten; et. vorenthalten; **~in** ('in) 1. lit. adv. im Innern, drin (-nen); zu Hause; 2. prp. in(nerhalb); ~ doors im Hause; ~ call in Rufweite; **~out** ('aut) 1. lit. adv. (dr)außen; äußerlich; 2. prp. ohne; lit. außerhalb; **~stand** (~'stænd) [irr. (stand)] widerste'hen (dat.).

witness ('witnis) 1. Zeug|e m, -in f; bear ~ Zeugnis ablegen (to für; of von); in ~ of zum Zeugnis (gen.); 2. (be)zeugen; Zeuge sn von et.

wit|ticism ('witisizm) Witz m; **~ty** □ ('witi) witzig; geistreich.

wives (waivz) pl. Frauen f/pl.

wizard ('wizəd) Zauberer m.

wizen(ed) ('wizn[d]) schrump(e)lig.

wobble ('wɔbl) schwanken; wackeln.

woe (wou) Weh, Leid n; ~ is me! wehe mir!; **~begone** ('woubigɔn) jammervoll; **~ful** □ ('wouful) jammervoll; traurig, elend.

woke (wouk) wachte; gewacht.

wolf (wulf) Wolf m; 2. verschlingen; **~ish** ('wulfiʃ) wölfisch; Wolfs...

wolves (wulvz) pl. Wölfe m/pl.

woman ('wumən) 1. Weib n, Frau f; 2. weiblich; ~ doctor Ärztin, ~ student Stude'ntin f; **~hood** (~hud) Weiblichkeit f; **~ish** □ (~iʃ) weibisch; **~kind** (~'kaind) Frauen(welt f) f/pl.; **~like** (~laik) frauenhaft; **~ly** (~li) weiblich. [Schoß m.]

womb (wuːm) Mutterleib; fig.]

women ('wimin) pl. Frauen f/pl.; **~folk** (~fouk) die Frauen f/pl.

won (wʌn) gewann; gewonnen.

wonder ('wʌndə) 1. Wunder n; Verwunderung f; 2. sich wundern; (gern) wissen mögen; **~ful** □ (~ful) wunder-bar, -voll.

won't (wount) will nicht, wird nicht.

wont (~) 1. be ~ pflegen; 2. Gewohnheit f; **~ed** gewohnt.

woo (wuː) werben um; locken.

wood (wud) Wald m, Gehölz; Holz;

Faß n; ♪ Holzinstrume'nte n/pl.; **~cut** Holzschnitt m; **~cutter** Holzfäller m; Kunst: Holzschneider m; **~ed** ('wudid) bewaldet; **~en** ('wudn) hölzern (a. fig.); Holz...; **~man** (~mən) Förster; Holzfäller m; **~pecker** (~'pekə) Specht m; **~winds** (~windz) Holzblasinstrume'nte n/pl.; **~work** Holzwerk n; **~y** ('wudi) waldig; holzig.

wool (wul) Wolle f; **~gathering** ('wulgæðəriŋ) Spintisieren n; ~(l)en ('wulin) 1. wollen; Woll(en)...; 2. Wollstoff m; **~ly** ('wuli) 1. wollig; Woll...; belegt (Stimme); verschwommen; 2. woollies pl. Wollsachen f/pl.

word (wəːd) 1. mst Wort n; engS.: Vokabel; Nachricht; ✗ Losung(swort n) f; Versprechen n; Befehl; Spruch m; ~s pl.: Wörter; Worte n/pl.; fig. Wortwechsel; Text m e-s Liedes; 2. (in Worten) ausdrücken, (ab)fassen; **~ing** ('wəːdiŋ) Wortlaut m, Fassung f; **~-splitting** Wortklauberei f.

wordy □ ('wəːdi) wortreich; Wort...

wore (wɔː) trug.

work (wəːk) 1. Arbeit f; Werk n; attr. Arbeits...; ~s pl. Werk n (Fabri'k; Hütte; Getriebe); be in (out of) ~ (keine) Arbeit h.; set to ~ an die Arbeit gehen; ~s council Betriebsrat m; 2. [irr.] v/i. arbeiten (a. fig.); wirken; gären; sich hindurch- usw. arbeiten; ~ out herauskommen (Summe); v/t. (be)arbeiten; arbeiten l.; betreiben; Maschine usw. bedienen; (be)wirken; ausrechnen, Aufgabe lösen; ~ one's way sich durcharbeiten; ~ off abarbeiten, Gefühl abreagieren; ↑ abstoßen; ~ out ausarbeiten; ausrechnen; ~ up hochbringen; aufregen; verarbeiten (into zu); sich einarbeiten (in acc.).

work|able □ ('wəːkəbl) bearbeitungs-, betriebs-fähig; ausführbar; **~aday** ('wəːkədei) Alltags...; **~day** Werktag m; **~er** ('wəːkə) Arbeiter (-in); **~house** Armen-, Am. Arbeits-haus n; **~ing** ('wəːkiŋ) 1. Arbeiten n usw.; 2. arbeitend; Arbeits...; Betriebs...

workman ('wəːkmən) Arbeiter; Handwerker m; **~like** (~laik) kunstgerecht; **~ship** Kunstfertigkeit f.

work|shop ('wəːkʃɔp) Werkstatt f; **~woman** Arbeitsfrau, Arbeiterin f.

world (wə:ld) *allg.* Welt; *fig.* Unmenge *f; bring* (**come**) *into the* ~ zur W. bringen (kommen); *champion of the* ~ Weltmeister *m;* **~ling** ('wə:ldliŋ) Weltkind *n.*

worldly ('wə:ldli) weltlich; Welt...; **~-wise** ('wə:ldli'waiz) weltklug.

world|-power Weltmacht *f;* **~-wide** weltumspannend; Welt...

worm (wə:m) **1.** Wurm *m* (*a. fig.*); **2. e. Geheimnis** entlocken (*out of dat.*); ~ *o.s.* sich schlängeln; **~-eaten** wurmstichig.

worn (wo:n) getragen; **~-out** (wo:n'aut) abgenutzt; abgetragen; verbraucht (*a. fig.*); müde.

worry ('wʌri) **1.** zerren; (ab)würgen; *fig.* (sich) quälen; (sich) beunruhigen; (sich) ärgern; **2.** Quälerei; Qual; Unruhe; Sorge *f;* Ärger *m.*

worse (wə:s) schlechter; schlimmer; *from bad to* ~ vom Regen in die Traufe; **~n** ('wə:sn) (sich) verschlechtern.

worship ('wə:ʃip) **1.** Verehrung *f;* Gottesdienst; Kult *m;* **2.** verehren; anbeten; **per** (~ə) Verehrer(in) *f.*

worst (wə:st) **1.** schlechtest, ärgst; schlimmst; **2.** überwä'ltigen.

worsted ('wustid) Kammgarn *n.*

worth (wə:θ) **1.** wert; ~ *reading* lesenswert; **2.** Wert *m;* **~less** ('wə:θlis) wertlos; unwürdig; **~-while** F ('wə:θ'wail) der Mühe wert; **~y** ('wə:ði) würdig.

would (wud) [*pret. von will*] wollte; würde, möchte, pflegte; **~-be** ('wudbi) angeblich, sogenannt; ~ *worker* Arbeitswillige(r).

wound[1] (wu:nd) **1.** Wunde *f;* **2.** verwunden, verletzen (*a. fig.*).

wound[2] (waund) wand; gewunden.

wove(n) ('wouv[n]) webte; gewebt.

wrangle ('ræŋgl) **1.** streiten, (sich) zanken; **2.** Streit, Zank *m.*

wrap (ræp) **1.** *v/t.* (ein)wickeln; *fig.* einhüllen; *be* ~*ped up in* ganz aufgehen in (*dat.*); *v/i.* ~ *up* sich einhüllen; **2.** Hülle *f; engS.:* Decke *f,* Schal *m;* **~per** ('ræpə) Hülle *f,* Umschlag; Kreuz-, Streif-band *n;* **~ping** ('ræpiŋ) Verpackung *f.*

wrath (rɔ:θ) Zorn *m.*

wreath (ri:θ), *pl.* ~**s** (ri:ðz) Kranz *m,* Girla'nde *f; fig.* Ring(el) *m;* ~**e** (ri:ð) [*irr.*] *v/t.* (um)winden; *v/i.* sich ringeln.

wreck (rek) **1.** ⚓ Wrack *n;* Trümmer

pl.; Schiffbruch *m;* **2. zum Scheitern** (🚢 Entgleisen) bringen; zertrümmern; vernichten; *be* ~*ed* scheitern; **~age** ('rekidʒ) (Schiffs-) Trümmer *pl.;* Schiffbruch *m;* **~er** ('rekə) Strandräuber; Bergungsarbeiter *m.*

wrench (rentʃ) **1.** drehen; entwinden (*from a p.* j-m); verdrehen (*a. fig.*); verrenken; ~ *open* aufreißen; **2.** Ruck *m;* Verrenkung *f, fig.* Schmerz; ⊕ Schraubenschlüssel *m.*

wrest (rest) reißen; verdrehen; entreißen; **~le** ('resl) ringen (mit); **~ling** (~.iŋ) Ringkampf *m.*

wretch (retʃ) Elende(r); Kerl *m.*

wretched ☐ ('retʃid) elend.

wriggle ('rigl) sich winden; ~ *out of* sich drücken von *et.*

wright (rait) ...macher, ...bauer *m.*

wring (riŋ) [*irr.*] *Hände* ringen; (aus)wringen; pressen; *Herz* quälen; *Hals* ab-, um-drehen; abringen (*from a p.* j-m).

wrinkle ('riŋkl) **1.** Runzel, Falte *f;* Wink; Trick *m;* **2.** (sich) runzeln.

wrist (rist) Handgelenk *n;* ~ *watch* Armbanduhr *f.*

writ (rit) Erlaß; (gerichtlicher) Befehl *m; Holy* ☧ Heilige Schrift *f.*

write (rait) [*irr.*] schreiben; ~ *up* ausführlich niederschreiben; ausarbeiten; hervorheben; **~r** ('raitə) Schreiber(in); Verfasser(in); Schriftsteller(in).

writhe (raið) sich krümmen.

writing ('raitiŋ) Schreiben *n;* Aufsatz *m;* Werk *n;* Schrift *f;* Schriftstück *n;* Schreibart *f; attr.* Schreib-...; *in* ~ schriftlich; **~-case** Schreibmappe *f;* **~-paper** Schreibpapie'r *n.*

written ('ritn) geschrieben; schriftlich.

wrong (rɔŋ) **1.** ☐ unrecht; verkehrt, falsch; *be* ~ unrecht h.; in Unordnung **sn**; falsch gehen (*Uhr*); *go* ~ schiefgehen; **2.** Unrecht *n;* Beleidigung *f;* **3.** unrecht tun (*dat.*); ungerecht behandeln; **~doer** Übeltäter(in); **~ful** ☐ (~'rɔŋful) ungerecht.

wrote (rout) schrieb.

wrought (rɔ:t) arbeitete; gearbeitet; ~ *goods* Fertigwaren *f/pl.;* ⊕ ~ *iron* Schmiedeeisen *n.*

wrung (rʌŋ) (w)rang; ge(w)rungen.

wry ☐ (rai) schief, krumm, verzerrt.

X

x-ray ('eks'rei) 1. ~s *pl.* X- *od.* Röntgen-strahlen *m/pl.*; 2. Röntgen...; 3. durchleu'chten, röntgen.

xylophone ♪ ('zailəfoun) Xylo-pho'n *n.*

Y

yacht ⚓ (jɔt) 1. Jacht *f*; Segelboot *n*; 2. auf e-r J. fahren; segeln; **~ing** ('jɔtiŋ) Segelsport *m.*

yankee F ('jæŋki) Yankee *m* (*Nord-amerikaner*).

yap (jæp) kläffen; *Am. sl.* quasseln.

yard (jɑːd) Yard *n* (*englische Elle =* 0,914 m); Hof; *Bau- usw.* Platz *m*; **~stick** Ellenmaß *n.*

yarn (jɑːn) 1. Garn*n*; F*fig.*Abenteuer-Geschichte *f*; 2. F erzählen.

yawn (jɔːn) 1. gähnen; 2. Gähnen *n.*

year (jəː, jiə) Jahr *n*; **~ly** jährlich.

yearn (jəːn) sich sehnen, verlangen.

yeast (jiːst) Hefe *f*; Schaum *m.*

yell (jel) 1. (gellend) schreien; auf-schreien; 2. (gellender) Schrei *m.*

yellow ('jelou) 1. gelb; F hasen-füßig (*feig*); *Am.* Sensatio'ns...; Hetz...; 2. (sich) gelb färben; **~ed** vergilbt; **~ish** ('jelouiʃ) gelblich.

yelp (jelp) 1. Gekläff *n*; 2. kläffen.

yes (jes) 1. ja; 2. Ja *n.*

yesterday ('jestədi) gestern.

yet (jet) 1. *adv.* noch; bis jetzt; sogar; *as ~* bis jetzt; *not ~* noch nicht; 2. *cj.* (je)doch, dennoch.

yield (jiːld) 1. *v/t.* hervorbringen liefern; ergeben; *Gewinn* (ein)brin-gen; gewähren; *überge'ben*; zuge-stehen; *v/i.* ♪ tragen; sich fügen; nachgeben; 2. Ertrag *m*; **~ing** □ ('jiːldiŋ) *fig.* nachgiebig.

yodel ('joudl) 1. Jodler *m*; 2. jodeln.

yoke (jouk) 1. Joch (*a. fig.*); Paar *n* (Ochsen); *Schulter*-Trage *f*; 2. an-, zs.-spannen; *fig.* paaren (to mit).

yolk (jouk) Dotter *m*, Eigelb *n.*

yonder *lit.* ('jɔndə) 1. jene(r, s); jenseitig; 2. dort drüben.

you (juː, ju) ihr; du, Sie; man.

young (jʌŋ) 1. □ jung; *von Kindern a.* klein; 2. Junge(n) *pl.*; *with ~* trächtig; **~ster** F ('jʌŋstə) Junge *m.*

your (jɔː, juə) euer(e); dein(e), Ihre; **~s** (jɔːz, juəz) der (die, das) eurige, deinige, Ihrige; euer; dein; Ihr; **~self** (jɔː'self), *pl.* **~selves** (~'selvz) (ihr, du, Sie) selbst; euch, dich, Sie (selbst), sich (selbst).

youth (juːθ) Jugend *f*; Jüngling *m*; **~ful** □ ('juːθful) jugendlich.

yule *lit.* (juːl) Weihnacht *f.*

Z

zeal (ziːl) Eifer *m*; **~ot** ('zelət) Eiferer *m*; **~ous** □ ('zeləs) eifrig bedacht (*for* auf *acc.*); innig.

zenith ('zeniθ) Zeni't; *fig.* Höhe-punkt *m.*

zero ('ziərou) Null *f*; Nullpunkt *m.*

zest (zest) 1. Würze (*a. fig.*); Lust, Freude *f*; Genuß *m*; 2. würzen.

zigzag ('zigzæg) Zickzack *m.*

zinc (ziŋk) 1. Zink *n*; 2. verzinken.

zip (zip) Zischen *n*; F Schwung *m*; **~ fastener** = **~per** ('zipə) Reißver-schluß *m.*

zone (zoun) Zone *f*; *fig.* Gebiet *n.*

zoolog|ical □ (zouə'lɔdʒikəl) zoo-logisch; **~y** (zou'ɔlədʒi) Zoologie'*f.*

Im nachfolgenden deutsch-englischen Wörterverzeichnis ist die Aussprache der deutschen Wörter für den Engländer und Amerikaner in einer leicht verständlichen Form gegeben.

A

Aal (āhl) *m* eel; 2'**glatt** (-glä̆t) (as) slippery as an eel.

Aas (āhs) *n*, *a*. Ä'ser (äz⁰r) *pl.* carrion; P *Schimpfwort*: beast.

ab (ăhp) *adv.* off; down; away from; from; *thea.* exit, *pl.* exeunt; ~ **und zu** off and on; ✝ ~ *Fabrik, Lager usw.* ex factory, store, *etc.*; *ab Brüssel* from Brussels; ~ **dort** (to be) delivered at yours; ~ *Unkosten* less charges; *von gestern* ~ from yesterday (forward).

a'b-änder|n (-ĕnd⁰rn) alter, modify; *parl.* amend; 2**ung** *f* alteration, modification; 2**ungsantrag** (-ĕnd⁰rŏŏ₉săhntrăhk) *m* parl. amendment.

a'b-arbeiten (-ăhrbīt⁰n) *Schuld:* work off; (*ermüden*) overwork; *sich* ~ toil hard. [variation.]

A'b-art (-āhrt) *f* variety; ~**ung** *f*|

a'bbalgen (-băhlg⁰⁰n) skin.

A'bbau (-bow) *m* ⚒ working, exploitation; reduction (*Verringerung*); 2**en** *v/t.* Gebäude usw.: remove; ⚒ work, exploit; reduce (*verringern*); *v/i.* ⚒ withdraw secretly.

a'bbeißen (-bīs⁰n) bite off.

a'bbekommen (-b⁰kŏm⁰n) get off; (*s-n Teil od. etwas*) ~ get (one's share); *etwas* ~ (*verletzt s.*) get hurt.

a'bberuf|en (-b⁰rŏŏf⁰n) recall; 2**ung** *f* recall.

a'bbestell|en (-b⁰shtĕl⁰n) countermand; *Zeitung:* discontinue; 2**ung** *f* countermand.

a'bbiegen (-beeg⁰⁰n) *v/t.* bend off; *fig. e-e Sache:* give another turn to; *v/i.* (sn) turn off *od.* aside; *Seitenweg:* branch off.

A'bbild (-bĭlt) *n* likeness; image; 2**en** (-bĭld⁰n) figure; portray *a p.*; ~**ung** *f* picture; illustration. [(up).]

a'bbinden (-bĭnd⁰n) unbind; ⚕ *tief*|

A'bbitte (-bĭt⁰) *f* apology; 2**n** *v/t. u. v/i.* apologize (et. for a th.).

a'bblasen (-blähz⁰n) *v/t.* Dampf: blow off.

a'bblättern (-blĕt⁰rn) *v/refl. u. v/i.* (sn) lose the leaves; ⚕, *Gestein:* peel off.

a'bblenden (-blĕnd⁰n) *Licht:* screen, dim; *phot.* stop down.

a'bblitzen (-blĭts⁰n) (sn) F meet with a rebuff. [blooming.|

a'bblühen (-blü⁰n) (sn, h.) cease|

a'bbrechen (-brĕç⁰n) *v/t. u. v/i.* (sn) break off; *Haus usw.:* pull down; *Zelt:* strike.

a'bbrennen (-brĕn⁰n) *v/t.* burn away; *Haus:* burn down; *Feuerwerk:* let off; *v/i.* (sn) burn away *od.* down (*s. v/t.*).

a'bbringen (-brĭn⁰n) *v/t.:* ~ **von** divert from; (*abraten*) dissuade from.

a'bbröckeln (-brŏk⁰ln) (sn) crumble away.

A'bbruch (-brŏŏk) *m* breaking off; *e-s Hauses:* demolition; *von Beziehungen:* rupture; (*Schaden*) damage, injury; ~ **tun** (*dat.*) damage; ~**unternehmer** (-ŏŏnt⁰rném⁰r) *m* housebreaker.

a'bbürsten (-bûrst⁰n) brush (off).

a'bbüßen (-büs⁰n) expiate; *Strafe:* serve. [off; 2**ung** *f* slope.|

a'bdach|en (-dăhⱨ⁰n): *sich* ~ slope|

a'bdank|en (-dăhŋ₉k⁰n) *v/i.* resign; *Herrscher:* abdicate; 2**ung** *f* abdication. [clear.]

a'bdecken (-dĕk⁰n) uncover; *Tisch:* **A'bdecker** *m* knacker, flayer; ~**ei** (-ī) *f* knackery, *Am.* boneyard.

a'bdichten (-dĭçt⁰n) seal (up), pack.

a'bdienen (-deen⁰n) serve (one's time).

a'bdrehen (-dré[⁰]n) twist off; *Gas:* turn off; ⚡ switch off; ✈, ⚓ change one's course.

a'bdrosseln (-drŏs⁰ln) ⊕ throttle.

A'bdruck (-drŏŏk) *m* impression; (*Abzug*) copy; *phot.* print; 2**en** print (off).

a'bdrücken (-drü̆k⁰n) (*abformen*) mould; *Gewehr:* fire off; *j-m das Herz* ~ distress a p.

A'bend (āhb⁰nt) *m* evening; *heute* 2 to-night; *gestern* 2 last night; *morgen* 2 to-morrow night; *des* ~**s**, 2**s** in the evening; ~**anzug** (-ăhntsŏŏk) *m* evening dress; ~**blatt** (-blăht) *n* evening paper; ~**brot**

(-brŏt), ~essen (-ĕs'n) n supper;
~dämmerung (-dĕm'rŏŏŋ) f
(evening) twilight; ~kasse (-kähs') f
box-office; ~kleid (-klīt) n evening
dress od. -gown; ~land (-lähnt) n
occident; 2ländisch (-lĕndish)
western, occidental; ~mahl (-mähl)
n the (Lord's) Supper; ~rot (-rōt)
n evening glow; ~schule (-shōōl') f
evening-school; ~sonne (-zŏn') f
setting sun; ~tisch (-tish) m supper
(-table); ~toilette (-tŏă̄lĕt') f
evening dress; ~wind (-vĭnt) m
evening breeze; ~zeitung (-tsī-
tŏŏŋ) f = ~blatt.

A'benteuer (ähb'ntŏĭ'r) n ad-
venture; 2lich (-lĭç) adventurous.
A'benteurer m adventurer; ~in f
adventuress.

a'ber (ähb'r) 1. adv. again; tausend
und ~ tausend thousands and
thousands; 2. cj. but; nun ~ but
now; nein ~! I say!; oder ~ (or)
else.

A'ber|glaube (-glowb') m super-
stition; 2gläubisch (-glŏĭbish) su-
perstitious.

a'b-erkennen (-ĕrkĕn'n): j-m et. ~
deny a p. a th.; 🏛 deprive a p. of
a th.; 2ung f denial; 🏛 deprivation.
a'ber|malig (-mählĭç) repeated;
~mals (-s) again, once more.

a'b-ernten (-ĕrnt'n) reap, harvest.
a'berwitzig (-vĭtsĭç) crazy.
a'b-essen (-ĕs'n) v/i. finish eating.
a'bfahren (-fähr'n) v/i. (sn) depart,
leave; v/t. carry (od. cart) away.

A'bfahrt (-fährt) f departure; Schi:
descent; ~slauf (-fährtslowf) m
Schi: downrun; ~ssignal (-fährts-
zĭgnähl) ⚙ n starting-signal.

A'bfall (-fähl) m fall(ing-off); (Bö-
schung) slope; (Trennung) defection,
secession; eccl. apostasy; (Un-
brauchbares) (oft pl.) waste, refuse;
⚙ clippings pl.; bsd. beim Schlachten: offal; 2en (sn) fall off; (schräg
sn) slope; (sich trennen) desert, secede; eccl. apostatize; (erfolglos sn)
fail; es fällt sehr ab gegen it is far
inferior to.

a'bfällig (-fĕlĭç) disapproving.
a'bfangen (-fähŋ'n) intercept; ⚙,
🔨 prop; 🔨 flatten out. [colour.]
a'bfärben (-fĕrb'n) v/i. stain; lose⌋
a'bfass|en (-fähs'n) Werk: com-
pose, pen; j-n ~ catch; 2ung f
composition.

a'bfaulen (-fowl'n) (sn) rot off.
a'bfegen (-fég'n) sweep off.
a'bfeilen (-fīl'n) file off.
a'bfertig|en (-fĕrtĭg'n) dispatch,
forward; (abweisen) snub; 2ung f
dispatch(ing); snub(bing).

a'bfeuern (-fŏĭ'rn) fire (off), discharge.

a'bfinden (-fĭnd'n) satisfy; pay off;
(entschädigen) compensate; sich ~mit
resign o.s. to one's fate; put up with.
A'bfindung (-fĭndŏŏŋ) f satisfaction; ~(summe) (-fĭndŏŏ̄ŋs-
zŏŏm') f indemnity.

a'bflachen (-fläh'k'n): sich ~ flatten.
a'bflauen (-flow'n) abate; † Kurse:
sag.   [🏂 start.]
a'bfliegen (-fleeg'h'n) (sn) fly off;⌋
A'bflug (-flōōk) 🏂 m start.
A'bfluß (-flōōs) m flowing off; (Ent-
leerung) discharge; (~stelle) outlet.
a'bfordern (-fŏrd'rn) demand (dat.
from).

a'bfressen (-frĕs'n) eat off.
A'bfuhr (-fōōr) f removal, carrying off.

a'bführen (-für'n) v/t. j-n: lead off;
ins Gefängnis: walk (od. march) off;
Geld: pay off; (abweisen) snub; v/i.
🟤 purge od. loosen the bowels; ~d
(-t) 🟤 purgative, aperient.

A'bführmittel (-fürmĭt'l) 🟤 n
aperient.   [draw off.]
a'bfüllen (-fül'n) fill out; Wein:⌋
a'bfüttern (-füt'rn) feed; ⊕ line.
A'bgabe (-gähb') f delivery; (Steuer)
duty, tribute; 2nfrei (-nfrī) duty-
free; 2npflichtig (-pflĭçtĭç) dutiable.

A'bgang (-gähŋ) m departure; thea.
exit; aus e-r Stellung: retirement;
von der Schule: leaving (school);
(Verlust) loss, wastage; (Fehlen)
deficiency; ⊕ discharge; (Abfall)
refuse, offal; ~szeugnis (-gähŋs-
tsŏĭknis) n leaving certificate.

A'bgas (-gähs) n exhaust gas.
a'bgeben (-gé̄b'n) (abliefern) deliver (an acc., bei to); Meinung usw.:
give; von et.: give some of; e-n
Gelehrten usw.: make; sich ~: mit
et. occupy o.s. with; mit j-m
associate with.

a'bgebrüht (-g'brüt) fig. hardened.
a'bgedroschen (-g'drŏsh'n) trite.
a'bgefeimt (-g'fīmt) cunning.
a'bgegriffen (-g'grĭf'n) (well-)
thumbed.

a'bgehärtet (-gʰᵉhĕrtᵉt) hardened.

a'bgeh(e)n (-gʰé[ᵉ]n) (sn) go off; depart, *Post:* go, 🖂 leave; *vom Amt:* retire; resign; *Schule:* leave (school), (*mit Erfolg*) graduate; (*sich lösen*) come off; *Seitenweg:* branch off; (*fehlen*) be missing; 🖋 be discharged; *Ware:* sell; (*abschweifen*) digress; ~ *von e-m Entschluß:* relinquish; *vom* (*rechten*) *Wege* ~ go astray; *hiervon geht ... ab ...* must be deducted; *gut* ~ pass off well.

a'bgelebt (-gʰélépt) decrepit.

a'bgelegen (-gʰélégʰᵉn) remote.

a'bgelten (-gʰĕltᵉn) *Forderung:* meet.

a'bgeneigt (-gʰᵉnī̆kt) disinclined, averse; *j-m* ~ ill-disposed towards a p.

a'bgenutzt (-gʰᵉnŏŏtst) worn (out).

A'bgeordnete(r) (-gʰᵉ-ördnᵉtᵉr) m delegate, deputy; *parl.* member of Parliament, *Am.* representative.

a'bgerissen (-gʰᵉrī̆sᵉn) (*zerlumpt*) ragged; *Stil, Sprache:* abrupt.

A'bgesandte(r) (-gʰᵉzä̆ntᵉr) m delegate; (*geheimer*) emissary.

A'bgeschiedenheit (-gʰᵉsheedᵉn-hīt) *f* seclusion. [hīt] *f* seclusion.|

A'bgeschlossenheit (-gʰᵉshlö̆sᵉn-|

a'bgeschmackt (-gʰᵉshmä̆kt) absurd; 2heit (-hīt) *f* absurdity.

a'bgesehen (-gʰᵉzéᵉn): ~ *von* apart from.

a'bgespannt (-gʰᵉshpä̆nt) *fig.* exhausted, tired.

a'bgestanden (-gʰᵉshtä̆ndᵉn) stale.

a'bgestorben (-gʰᵉshtörbᵉn) numb.

a'bgestumpft (-gʰᵉshtŏŏmpft) blunt (-ed); *fig.* dull.

a'bgewöhnen (-gʰᵉvönᵉn): *j-m et.* ~ disaccustom a p. to a th.; *sich et.* ~ leave off. [*Gips:* cast.|

a'bgießen (-gʰeesᵉn) pour off; *in|*

A'bglanz (-glä̆nts) m reflection.

a'bgleiten (-glītᵉn) (sn) slip off, glide off.

A'bgott (-göt) m idol.

A'bgötterei (-götᵉrī) *f* idolatry.

a'bgöttisch (-ĭsh): ~ *lieben* idolize.

a'bgrasen (-grä̆zᵉn) graze; *fig.* scour. [*fig.* delimit.|

a'bgrenzen (-grĕntsᵉn) mark off;|

A'bgrund (-grŏŏnt) m abyss; precipice. [copy.|

A'bguß (-gŏŏs) m *in Gips usw.:* cast;|

a'bhacken (-hä̆kᵉn) chop (*od.* cut) off.

a'bhaken (-hä̆kᵉn) unhook; *Liste:* tick (*od.* check) off.

a'bhalten (-hä̆ltᵉn) hold (*od.* keep) off; *fig.* detain; (*hindern*) restrain; *Fest usw.:* hold; *Lehrstunden:* give; *Regen usw.:* keep off; *Kind:* hold out.

a'bhand|eln (-hä̆ndᵉln) *vom Preise:* beat down; (*erörtern*) treat (of); 2lung *f* treatise, essay, dissertation.

abha'nden (-hä̆ndᵉn): ~ *kommen* get lost.

A'bhang (-hä̆ng) m slope.

a'bhängen (-hĕngᵉn) unhang, take off; 🖂, ⚒ uncouple; ~ *von* depend on.

a'bhängig (-hĕngĭç): ~ *von* dependent on; 2keit (-kīt) *f* dependence.

a'bhärmen (-hĕrmᵉn): (*sich*) ~ pine away; *abgehärmt* care-worn.

a'bhärten (-hĕrtᵉn) harden.

a'bhauen (-howᵉn) *v/t.* cut off *od.* down; *v/i.* (sn) F decamp.

a'bhäuten (-hóĭtᵉn) skin, flay.

a'bheben (-hébᵉn) lift (off); *Geld:* (with)draw; *Karten:* cut; *sich* ~ (*von*) contrast (with), stand out (against).

a'bheilen (-hīlᵉn) (h. *u.* sn) heal.

a'bhelfen (-hĕlfᵉn) help, remedy.

a'bhetzen (-hĕtsᵉn) fatigue; overdrive; *sich* ~ overtire o.s. [relief.|

A'bhilfe (-hīlfᵉ) *f* remedy; redress;|

a'bhobeln (-hóbᵉln) plane (off).

a'bhold (-hölt) averse to.

a'bholen (-hólᵉn) call for; *j-n von der Bahn* ~ go to meet a p.

a'bholzen (-höltsᵉn) cut down.

a'bhorchen (-hörçᵉn) 🖋 auscultate; *Geheimnis:* overhear.

a'bhören (-hörᵉn) (*Schule*) hear; *teleph.* intercept, tap.

a'b-irr|en (-ĭrᵉn) (sn) deviate; 2ung *f* deviation.

a'bjagen (-yä̆hgʰᵉn) overdrive; *j-m et.* ~ recover a th. from a p.

a'bkanzeln (-kä̆hntsᵉln) lecture.

a'bkarten (-kä̆hrtᵉn) plot; *abgekartet* preconcerted.

a'bkaufen (-kowfᵉn) *j-m:* buy from.

A'bkehr (-kér) *f* turning away; 2en s. *abfegen*; (*abwenden*) turn away (*a. sich* ~).

a'bketten (-kĕtᵉn) unchain.

a'bklären (-klärᵉn) clear, clarify; 🜔 filter; *abgeklärt fig.* detached, mellow.

a'bklingen (-klĭngᵉn) fade away.

a'bklopfen (-klöpfᵉn) knock off; ✗ percuss; (abstäuben) dust (off).

a'bknapsen (-knäʰpsᵉn) stint; sich et. ~ stint o.s. in a th. [off.|

a'bkneifen (-knifᵉn) pinch (od. nip)|

a'bkochen (-kŏkᵉn) v/t. boil; v/i. do one's cooking.

a'bkommandieren (-kŏmäʰndeer-ᵉn) detach, detail.

A'bkomme (-kŏmᵉ) m descendant.

a'bkommen 1. (sn) vom Wege ~ lose one's way; ~ von e-r Ansicht alter; ~ von e-m Thema: digress from; Brauch: fall into disuse; Sport: gut ~ get a good start; er kann nicht ~ he cannot be spared; 2. ♀ n (Vertrag) agreement.

A'bkömmling (-kŏmliⁿg) m descendant; (Sprößling) slip.

a'bkoppeln (-kŏpᵉln) uncouple.

a'bkratzen (-krähtsᵉn) scratch (od. scrape) off.

a'bkühlen (-küʰlᵉn) cool; sich ⌣ cool down.

A'bkunft (-kŏͦnft) f descent, origin, extraction; birth.

a'bkürz|en (-kürtsᵉn) shorten; abridge; abbreviate; ❧ reduce; ♀ung f abridgment; abbreviation; des Weges: short-cut; ❧ reduction.

a'bladen (-läʰdᵉn) unload; Schutt: dump.

a'blagern (-läʰgᵉrn) v/i. (sn) settle; Wein usw.: mature, season.

a'blassen (-läʰsᵉn) v/t. let off; Teich: drain; vom Preise: abate; (überlassen) let a p. have a th.; v/i. leave off (von et. doing a th.).

A'blauf (-lowf) m e-r Frist: expiration, end; Sport: start; nach ~ von at the end of; ♀en v/i. (sn) run off od. down; Zeit usw.: come to an end; † become due; Sport: start (a. ~ l.); Uhr: run down; gut ~ end well; v/t. Schuhe: wear out; sich die Beine ~ run o.s. off one's legs; s. Rang.

a'blecken (-lĕkᵉn) lick off.

a'blegen (-lĕgʰᵉn) lay down, put off od. aside; Kleid (ausziehen): put off; Gewohnheit, altes Kleid: leave off; Brief usw.: file; Bekenntnis usw.: make; Eid: take; Prüfung: pass; s. Rechenschaft; Zeugnis ~ bear witness (für to; von of).

a'blehn|en (-lénᵉn) v/t. u. v/i. decline, refuse; reject; ♀ung f refusal; rejection.

a'bleit|en (-litᵉn) divert, gr., ❧ derive; ♀ung f diversion; gr., ❧ derivation.

a'blenken (-lĕⁿgkᵉn) v/t. turn off od. aside, divert; phys. deflect.

a'blesen (-lézᵉn) Obst usw.: gather, pick off; Rede usw.: read off; Skala: read.

a'bleugn|en (-lŏignᵉn) deny, disavow, disown; ♀ung f denial, disavowal.

a'bliefer|n (-leefᵉrn) deliver; ♀ung f delivery; bei ~ on delivery.

a'blocken (-lŏkᵉn): j-m et. ~ coax a p. out of a th.

a'blohnen (-lŏnᵉn) pay off.

a'blöschen (-lŏshᵉn) (Schreibtafel) clean; Schrift: wipe off; mit Lösch-blatt: blot; Kalk: slake.

a'blös|en (-lŏzᵉn) loosen, detach; take off; ✗ relieve; Amtsvorgänger: supersede; Verbindlichkeit: discharge; durch Geld: redeem; sich ~ come off; (abwechseln) alternate; ♀ung f ✗ relief; supersession; discharge; redemption.

a'bmach|en (-mähçᵉn) undo; fig. settle, arrange; abgemacht! agreed!, Am. o.k.!; ♀ung f arrangement.

a'bmager|n (-mähgʰᵉrn) (sn) grow lean; ♀ung f emaciation.

a'bmähen (-mäᵉn) mow off od. down. [copy.]

a'bmalen (-mäʰlᵉn) paint, portray;|

a'bmarschieren (-mäʰrsheerᵉn) (sn) march off. [out, exhaust.]

a'bmatten (-mähtᵉn) fatigue, tire|

a'bmeld|en (-mĕldᵉn) give notice of a p.'s leaving; ♀ung f notice of departure. [♀ung f measurement.]

a'bmess|en (-mĕsᵉn) measure (off);|

a'bmontieren (-mᴏnteerᵉn) strip, dismantle. [o.s., toil.]

a'bmühen (-müᵉn): sich ~ exert|

a'bnagen (-näʰgʰᵉn) gnaw (off), nibble.

A'bnahme (-näʰmᵉ) f taking off; diminution, decrease; ✗ amputation; † ~ finden sell.

a'bnehmen (-némᵉn) v/t. take off; Glied: amputate; (wegnehmen) take a th. from a p.; Ware: take (dat. from); Obst: gather; ❧ j-m zuviel ~ overcharge a p.; v/i. decrease; Mond: wane; Tage: shorten.

A'bnehmer(in f) (-némᵉr) m buyer.

A'bneigung (-nigŏⁿg) f aversion disinclination, dislike; antipathy.

abno'rm (-nórm) abnormal; **2ität'** (-ität) f abnormity. [from).]

a'bnötigen (-nötig^heⁿ) extort (dat.)

a'bnutz|en (-nōots^en) (a. sich ~) wear out (by use); **2ung** f wear and tear.

Abonn|eme'nt (ähbön^emą) n subscription; **~e'nt(in** f) (ähbönēnt) m subscriber; **2ie'ren** (-eer^en) subscribe (auf acc. to).

a'b-ordn|en (-órdn^en) depute, delegate; Am. deputize; **2ung** f delegation.

A'b-ort (-órt) m lavatory; Am. toilet.

a'bpassen (-pähs^en) measure; j-n: watch for.

a'bpflücken (-pflük^en) pluck off.

a'bplagen (-plāgh^en): sich ~ drudge. [crack) off.]

a'bplatzen (-plähts^en) burst (od.

a'bprallen (-präll^en) (sn) rebound; ricochet.

a'brahmen (-rāhm^en) Milch: skim.

a'braten (-rāht^en) dissuade a p. (from a th.).

a'bräumen (-röim^en) clear, remove.

a'brechn|en (-rēçn^en) v/i. settle accounts; v/t. deduct; **2ung** f settlement (of accounts); **2en** n deduction, discount.

A'brede (-rédé) f agreement; in ~ stellen deny; **2n** v/i. dissuade a p. (from a th.).

a'breib|en (-rīb^en) rub (off); Körper: rub down; **2ung** f rubbing down.

A'breise (-rīz^e) f departure; **2n** (sn) depart, start, set out (nach for).

a'breiß|en (-rīs^en) v/t. tear (od. pull) off; Kleid: wear out; Haus: pull down; v/i. (sn) break off, tear; **2kalender** m sheet (od. block) calendar. [break in.]

a'brichten (-rīkt^en) Tier: train,

a'briegeln (-reegh^eln) bolt; Straße: block.

A'briß (-rīs) m summary, abstract.

a'brollen (-röl^en) v/t. u. v/i. (sn) unroll; (wegrollen) roll off.

a'brücken (-rük^en) v/t. move off, remove; v/i. (sn) × march off.

A'bruf (-rōōf) m: † auf ~ on call; **2en** call off (a. †); ⚙ call out. [out.]

a'brunden (-rōōnd^en) round (off).

a'brupfen (-rōōpf^en) pluck off.

a'brüst|en (-rüst^en) v/i. × disarm; **2ung** f disarmament. [off.]

a'brutschen (-rōōtsh^en) (sn) slip

A'bsage (-zāhg^{he}) f cancellation; (Ablehnung) refusal; **2n** cancel; refuse; Einladung usw. (wieder) ~ recall.

a'bsägen (-zägh^en) saw off.

A'bsatz (-zähts) m stop, pause; † sale; typ. paragraph; (Stiefel2) heel; (Treppen2) landing; **2fähig** (-fäïç) marketable; **~gebiet** (-gh^ebeet) n market, outlet.

a'bschaben (-shāhb^en) scrape off.

a'bschaff|en (-shāhff^en) abolish; Diener: dismiss; **2ung** f abolition.

a'bschälen (-shäl^en) peel (off), pare.

a'bschalten (-shāhlt^en) switch off, disconnect.

a'bschätz|en (-shēts^en) estimate, value; Steuer: assess; **2ung** f valuation, estimate; assessment.

A'bschaum (-showm) m scum; fig. a. dregs pl. [(vor of).]

A'bscheu (-shöi) m abhorrence

a'bscheuern (-shöi^ern) scour; (abnutzen) wear out; Haut: abrade.

abscheu'lich (-shöilïç) abominable, detestable; **2keit** (-kīt) f atrocity.

a'bschicken (-shïk^en) send off, dispatch. [off.]

a'bschieben (-sheeb^en) v/t. shove

A'bschied (-sheet) m (Abreise) departure; (~nehmen) farewell; (Entlassung) dismissal; ~ nehmen take leave (von of) bid farewell (to); j-m den ~ geben discharge a p.

A'bschieds|feier (-fï^er) f farewell party; **~gesuch** (-gh^ezōōk) n resignation.

a'bschießen (-shees^en) Glied: shoot off; Schußwaffe: shoot, discharge; Wild: kill; Flugzeug: (shoot od. bring) down; s. Vogel. [and moil.]

a'bschinden (-shïnd^en): sich ~ toil

a'bschirmen (-shïrm^en) screen.

a'bschlachten (-shlāhkt^en) slaughter, butcher. [account.]

A'bschlag (-shlähk) m: auf ~ on

a'bschlagen (-shlāhgh^en) v/t. strike off; Kopf: cut off; Bitte: refuse; Angriff: repel.

a'bschlägig (-shläg^hïç) negative; **~e** Antwort refusal, denial.

A'bschlagszahlung (-shlähkstsāhlōōn̄g) f instalment. [fig. refine.]

a'bschleifen (-shlīf^en) grind (off);

a'bschleppen (-shlēp^en) drag off.

a'bschließen (-shlees^en) v/t. lock (up); fig. conclude, settle; Rechnung: balance; Versicherung: effect;

Anleihe: contract; e-n *Handel* ~ strike a bargain; *v/i.* conclude; *sich* ~ seclude o.s.; ~d (-t) definitive.

A'bschluß (-shlōos) *m* settlement, conclusion. [out of *a p.*]

a'bschmeicheln (-shmíçⁿln) coax|

a'bschmelzen (-shmĕltsⁿn) melt off. [lubricate.]

a'bschmieren (-shmeerⁿn) *mot.*|

a'bschnallen (-shnäl'n) unbuckle.

a'bschneiden (-shnidⁿn) *v/t.* cut (off); *j-m das Wort* ~ cut one short; *v/i. gut* ~ come off well.

A'bschnitt (-shnĭt) *m* ✝ coupon; *typ.* section, paragraph; *fig.* period.

a'bschöpfen (-shöpf'n) skim (off), scum. [screw.]

a'bschrauben (-shrowb'n) un-|

a'bschrecken (-shrĕk'n) deter (*von* from); ~d (-t) deterrent.

a'bschreib|en (-shribⁿn) *v/t.* copy; *Schuld usw.*: write off; *Literaturwerk*: *b. s.* plagiarize; *Schule*: *b. s.* crib; *v/i.* (*absagen*) send a refusal; 2er *m* copyist; *b.s.* plagiarist; 2ung *f* depreciation.

a'bschreiten (-shritⁿn) pace; *Front*: pace down.

A'bschrift (-shrĭft) *f* copy.

a'bschuppen (-shŏŏp'n) (*a. sich*) scale (off).

a'bschürf|en (-shürf'n) *Haut*: graze; 2ung *f* abrasion.

A'bschuß (-shŏŏs) *m* discharge; *hunt.* killing (off); ~ downing.

a'bschüssig (-shüsĭç) sloping.

a'bschütteln (-shütⁿln) shake off.

a'bschwächen (-shvĕç'n) weaken.

a'bschweif|en (-shvif'n) (sn) deviate; *fig.* digress; 2ung *f* digression. [wheel.]

a'bschwenken (-shvĕnk'n) (sn)|

a'bschwören (-shvörⁿn) abjure.

a'bsegeln (-zégh'ln) (sn) set sail, sail away.

a'bsehbar (-zébáhr): in ~er *Zeit* within a foreseeable space of time.

a'bsehen (-zé[e]'n) *v/t.* *Schule*: crib; *j-m et.* ~ learn a th. by observing a p.; *es abgesehen h. auf* (*acc.*) aim at; *abgesehen sn auf* (*acc.*) be aimed at; *v/i.* ~ *von* disregard; *abgesehen von* apart from.

a'bseits (-zĭts) aside, apart.

a'bsend|en (-zĕnd'n) send (off), dispatch; 2er(in *f*) *m* sender.

a'bsengen (-zĕnɡ'n) singe off.

a'bsetz|en (-zĕts'n) *v/t.* set down,

deposit; *Hut*: put off; *Beamte*: remove; *König*: depose; *Reisende*: drop; *Am.* discharge; *Termin*: mark off; *Ware*: sell; *typ.* set up; *v/i.* stop, pause; 2ung *f* deposition; removal.

A'bsicht (-zĭçt) *f* intention, design; 2lich (-lĭç) intentional.

a'bsitzen (-zĭts'n) *v/i.* (sn) *Reiter*: dismount; *v/t.* *Strafzeit*: do, serve.

absolvie'ren (-zölveer'n) absolve; *Studien*: finish; *Schule*: get through.

a'bsonder|n (-zönd'rn) separate; ✿ secrete; 2ung *f* separation; ✿ secretion.

a'bspann|en (-shpähn'n) unbend; *Pferd*: unharness; *s. abgespannt*; 2ung *f* (*Erschöpfung*) fatigue, exhaustion. [*a p.* off.]

a'bspeisen (-shpiz'n) *v/t. fig.* put|

a'bspenstig (-shpĕnstĭç): ~ *m.* alienate, estrange (*dat.* from).

a'bsperr|en (-shpĕr'n) shut up *od.* off; *Straße*: block; *Gas usw.*: turn off; 2hahn (-hähn) *m* stop-cock.

a'bspielen (-shpeel'n): *sich* ~ take place.

a'bsprechen (-shprĕç'n) deny; ~d adverse.

a'bspringen (-shprĭnɡ'n) (sn) jump off; ✈ bale out; (*abprallen*) rebound; *vom Pferd*: alight; (*abschweifen*) digress. [take-off.]

A'bsprung (-shprŏŏnɡ) *m* jump;|

a'bspülen (-shpül'n) rinse.

a'bstamm|en (-shtähm'n) (sn): ~ *von* descend from; *gr.* be derived from; 2ung *f* descent; derivation.

A'bstand (-shtähnt) *m* distance; interval; ~ *nehmen von* desist from; ~geld (-shtähntsgĕlt) *n* indemnification.

a'bstauben (-shtowb'n) *v/t.* dust.

a'bstech|en (-shtĕç'n) *v/t.* (*töten*) stab; *v/i.* contrast (*von* with); 2er *m* excursion, trip. [mark off.]

a'bstecken (-shtĕk'n) unpin; *surv.*|

a'bsteh(en) (-shté[e]'n) stand off; (sn) desist (*von* from); *s. abgestanden*.

a'bsteigen (-shtighⁿn) (sn) descend; *vom Wagen*: alight; *vom Pferd*: dismount; *in einem Wirtshaus*: put up at.

a'bstellen (-shtĕl'n) stop; *Gas usw.*: turn off; (*parken*) park; *fig.* redress.

a'bstempeln (-shtĕmp'ln) stamp.

A'bstieg (-shteek) *m* descent.

a'bstimm|en (-shtĭm'en) v/i. vote; v/t. ♪, Radio: tune; † Bücher: balance; Qung f voting; vote; tuning. [teetotaller.|

Abstine'nzler(in f) (-stĭnĕntslɛ'r) m)

a'bstoßen (-shtōs'en) v/t. knock off; fig. repel; Ware: clear off; v/i. (sn) push off; ~d (-t) repulsive.

a'bstreichen (-shtrĭç'en) strike off.

a'bstreifen (-shtrīf'en) strip off, slip off. [pute.|

a'bstreiten (-shtrīt'en) contest, dis-

A'bstrich (-shtrĭç) m (Abzug) cut; ✗ swab.

a'bstufen (-shtōōf'en) grad(u)ate.

a'bstumpfen (-shtŏŏmpf'en) blunt.

A'bsturz (-shtŏŏrts) m fall; ✗ crash.

a'bstürzen (-shtürts'en) (sn) fall down; ✗ crash. [pen: pick.|

a'bsuchen (-zōōk'en) search; Rau-

Abt (ähpt) m abbot. [mantle.|

a'btakeln (-tähk'ln) unrig, dis-

Abtei (ähptī) f abbey. [ment.|

A'bteil (-tīl) 👪 n, a. m compart-

a'bteil|en divide; △ partition off; Qung f division; e-r Behörde usw.: department; e-s Krankenhauses: ward; ✗ detachment; (Fach) com-partment. [rɛn) wire refusal.|

a'btelegraphieren (-tēlēgrähfee-

Abti'ssin (ĕptĭs'ın) f abbess.

a'btöten (-tŏt'en) Bakterien: destroy.

a'btragen (-trähg'en) carry off; Gebäude: pull down; Kleid: wear out; Schuld: pay.

a'btreib|en (-trīb'en) v/t. Pferd: overdrive; die Leibesfrucht ~ pro-cure abortion; v/i. (sn) drift off; Qung f abortion. [(off).|

a'btrennen (-trĕn'en) separate; rip|

a'btret|en (-trēt'en) v/t. Schuhe: wear down; Stufen usw.: wear out; fig. cede, transfer; v/i. (sn) retire, withdraw; Qung f cession.

A'btritt (-trĭt) m = Abort. [dry.|

a'btrocknen (-trŏkn'en) wipe dry,|

a'btropfen (-trŏpf'en) (sn) drop off.

a'btrotzen (-trŏts'en): j-m et. ~ bully out of a p.

a'btrünnig (-trünĭç) faithless; eccl. apostate; Qe(r) (-trünĭgʰe[r]) de-serter; apostate.

a'btun (-tōōn) (ablegen) take od. put off; (töten, erledigen) dispatch.

a'b-urteilen (-ōōrtīl'en) v/t. judge.

a'bverlangen (-fĕrlähngʰen) s. ab-fordern.

a'bvermieten (-fĕrmeet'en) sublet.

a'bwägen (-vägʰen) weigh.

a'bwälzen (-vĕltsʰen) fig. shift off.

a'bwandeln (-vähndʰeln) gr. Haupt-wort: decline; Zeitwort: conjugate.

A'bwandlung f gr. Hauptwort: de-clension; Zeitwort: conjugation.

a'bwarten (-vährtʰen) wait for.

a'bwärts (-vĕrts) down (wards).

a'bwaschen (-vähshʰen) wash (off); Geschirr usw.: wash up.

a'bwechseln (-vĕksʰeln) v/t. u. v/i. vary; alternate; ~d (-t) alternate.

A'bwechs(e)lung f change; alter-nation; variation.

A'bweg (-vék) m wrong way; auf ~e geraten go astray.

A'bwehr (-vér) f defence; e-s Stoßes usw.: warding off; Qen ward off.

a'bweich|en (-vĭçʰen) v/i. (sn) de-viate; swerve (from); (verschieden sn) differ; Magnetnadel: decline; Qung f deviation; difference.

a'bweiden (-vīdʰen) graze, feed off, browse.

a'bweis|en (-vīzʰen) reject, refuse; Angriff: repel; Qung f refusal, re-jection.

a'bwenden (-vĕndʰen) turn off; Un-glück: avert; sich ~ turn away (from).

a'bwerfen (-vĕrfʰen) throw off; Blät-ter usw.: shed, cast; Gewinn: yield.

a'bwesend (-vézʰent) absent.

A'bwesenheit (-hīt) f absence.

a'bwickeln (-vĭkʰeln) unwind, wind off; Geschäft: wind up. [out.|

a'bwiegen (-veegʰen) Ware: weigh|

a'bwischen (-vĭshʰen) wipe off.

a'bwürgen (-vürgʰen) strangle; mot. choke.

a'bzahl|en (-tsählʰen) pay off; pay by instalments; Qung f payment on account. [off).|

a'bzählen (-tsälʰen) count (out od.|

A'bzahlungsgeschäft (-tsählŏŏngs-gʰesheft) n shop on the instalment system.

a'bzapfen (-tsähpfʰen) tap; draw.

a'bzehrung (-tséröŏrg) f consump-tion.

A'bzeichen (-tsīçʰen) n badge.

a'bzeichnen (-tsīçʰen) v/t. copy, draw; sich ~ stand out (against).

a'bzieh|en (-tsee'n) v/t. Mütze: take off; 🅐 subtract; Bett: strip; Bier: draw; phot. print; e-m Tier das Fell ~ skin; Rasiermesser: strop; Schlüs-sel: take out; v/i. (sn) ✗ march off; Rauch: escape.

A'bzug (-tsōōk) *m* departure; drain, outlet; *vom Lohn:* deduction; *phot.* print; *typ.* proof-sheet.

A'bzugsrohr (-tsōōksrōr) *n* drain-pipe.

a'bzweigen (-tsvīgʰᵉn) (*a. sich*) branch off; *Gelder:* allow.

ach! (ähk) ah!, alas!; ~ *so!* oh, I see!

A'chse (ähksᵉ) *f* axis; ⊕ shaft; *am Wagen:* axle(-tree).

A'chsel (ähksᵉl) *f* shoulder; *die* ~*n zucken* shrug one's shoulders; ~*höhle* (-hōlᵉ) *f* armpit.

acht[1] (ähkt) eight; *heute über* ~ *Tage* this day week; *vor* ~ *Tagen* a week ago.

Acht[2] *f* 1. *außer* 2 *l.* disregard; *in* 2 *nehmen* take care of; *sich in* 2 *nehmen* take care (*vor dat.* of); 2. (*Bann*) ban, outlawry.

a'chtbar (-bāhr) respectable.

a'chte eighth; 2l *n* eighth (part).

a'chten *v/t.* esteem, regard; *v/i.* ~ *auf* (*acc.*) = *achtgeben auf.*

ä'chten (ęçtʰᵉn) outlaw.

A'chter *m Rudern:* eight.

a'chtfach (-fähk) eightfold.

a'chtgeben (-gʰébʰᵉn) pay attention (*auf* to), mark (*auf acc.*); (*sorgen*) take care (*auf* of; *daß* that).

a'chtlos (-lōs) careless, unmindful.

a'chtsam (-zähm) careful, mindful.

A'chtstu'ndentag (-shtōōndᵉntähk) *m* eight-hour day.

A'chtung (ähktōōŋ) *f* esteem, respect; (*Aufmerksamkeit*) attention; ~*!* look out!, ✕ attention!; 2svoll (-fól) respectful.

a'chtzehn (-tsén) eighteen; ~*te* eighteenth. [eightieth.]

a'chtzig (-tsīç) eighty; ~*ste*]

ä'chzen (ęçtsᵉn) groan.

A'cker (ähkᵉr) *m* field; ~*bau* (-bow) *m* agriculture, farming; ~*bauer m* farmer; 2bautreibend (-bowtribᵉnt) agricultural; ~*land* (-lähnt) *n* arable land; (*bestelltes*) tilled land; 2n *v/t.* plough (*a. v/i.*), till.

addie'ren (ahdeerᵉn) add, sum up.

Additio'n (-ts'ōn) *f* addition.

A'del (āhdᵉl) *m* nobility.

a'd(e)lig (āhd[ᵉ]līç) noble; 2e(r) (-līgʰᵉ[r]) nobleman; noblewoman.

a'deln *in England:* raise to the peerage; *allg. u. fig.* ennoble.

A'delsstand (-shtähnt) *m* nobility; *in England:* peerage.

A'der (āhdᵉr) *f* vein (*a.* ✕ *u. im*

Holz usw.): (*Schlag*2) artery; ~*laß* (-lähs) *m* bloodletting.

A'dler (āhdlᵉr) *m* eagle; ~*nase* (-nāhzᵉ) *f* aquiline nose.

Admira'l (ähtmeerāhl) *m* admiral.

adopti're'n (-teef) adoptive; ~*kind* (-kīnt) *n* adopted child.

Adressa't (ähdrēsäht) *m* addressee; *Waren:* consignee. [tory.]

Adreß'buch (ähdrēsbōōk) *n* direc-]

Adre'sse (ähdrēsᵉ) *f* address, direction; *per* ~ *care of, c/o.*

adressie'ren (-eerᵉn) address, direct; ✝ consign; *falsch* ~ misdirect.

A'ffe (ähfᵉ) *m* ape, monkey; F *e*-*n h.* be tipsy.

Affe'kt (ähfêkt) *m* affection; passion; 2ie'rt (-eert) affected.

ä'ffen (ęfᵉn) *v/t.* hoax, mock.

a'ffig (ähfīç) apish, foolish.

A'fter (ähftᵉr) *m* anus.

Age'nt (ähgʰênt) *m* agent; (*Makler*) broker; *pol.* intelligence agent, ~*u'r* (-ōōr) *f* agency.

A'gio (ähG'ō) *n* agio, premium.

agitie'ren (-teerᵉn) agitate.

Agra'ffe (ähgrähfᵉ) *f* clasp.

Agra'rier (ähgrähr'ᵉr) *m* landed proprietor; **agra'risch** (ähgrährīsh) agrarian. [2isch (-īsh) Egyptian.]

Agy'pt|er (ęgʰīptᵉr) *m* ~*erin f,*]

ah! ah!; **aha!** aha!, I see!

A'hle (āhlᵉ) *f* awl, pricker.

Ahn (āhn) *m* ancestor; ~*'e f* ancestress.

ä'hneln (ęnᵉln) be like, resemble.

a'hnen (āh-) have a presentiment of (*od.* that ...); divine.

ä'hnlich (ęnlīç) like, resembling, similar (to); 2keit *f* likeness, resemblance; similarity.

A'hnung (āhnōōŋ) *f* presentiment, foreboding; (*Vorstellung*) notion, idea; 2slos (-lōs) unsuspecting; 2svoll (-fól) full of misgivings.

A'horn (āhōrn) *m* maple.

A'hre (ārᵉ) *f* ear; ~*n lesen* glean.

Akademie' (ähkähdémee) *f* academy.

Akade'm|iker (-īkᵉr) *m* graduate; 2isch (-īsh) academic(ally).

Aka'zie (ähkähts'ᵉ) *f* acacia.

Akko'rd (ähkórt) *m* ♪ chord; ✝ contract; composition; *auf* ~ *by the job;* ~*arbeit* (-ährbīt) *f* piece-work; ~*arbeiter(in f) m* piece-worker.

akkordie'ren (-deer⁶n) v/t. arrange; v/i. † compound (mit with).

Akko'rdlohn (-lōn) m piece wages.

akkreditie'ren (ăḱkrédĭteer⁶n) accredit (bei to). [paint. nude.]

Akt (ăḱkt) m act(ion); thea. act;]

A'kte (ăḱkt⁶) f s. Aktenstück; n pl. records, documents; abgelegte: files; zu den to be filed; ndeckel (-dĕk⁶l) m folder; nmappe (-măh-p⁶), ntasche (-tăhsh⁶) f dispatch-case, portfolio; bsd. Am. brief-case; nstück (-shtŭk) n (official) document, deed.

A'ktie (ăḱkts¹⁶) f share; Am. a. stock; nbesitz (-b⁶zĭts) m holdings; ngesellschaft (-gʰⁱzĕl-shăht) f joint-stock company; Am. (stock-)corporation; n-inhaber(in f) (-ĭnhăhb⁶r) m shareholder, bsd. Am. stockholder; nkapital (-kăh-pĭtăhl) n share- (od. joint-stock) capital; n-unternehmen (-ōōn-t⁶rném⁶n) n joint-stock undertaking.

Aktio'n (ăḱkts¹ōn) f action, pol., wirtschaftl. drive; ä'r(in f) m = Aktieninhaber.

akti'v|a (-tee'văh) n/pl. assets; posten (-pŏst⁶n) m asset (a. fig.).

aktue'll (ăḱktōōĕl) topical.

Aku'st|ik (ăḱkōōstĭk) f acoustics; isch (-ish) acoustic.

aku't (ăḱkōōt) acute.

Akze'nt (-tsĕnt) m accent; stress. akzentuie'ren (-tōōeer⁶n) accent (-uate) stress.

Akze'pt (-tsĕpt) n acceptance; a'nt (-ăhnt) m acceptor; ie'ren (-eer⁶n) accept.

Ala'rm (-ăhlăhrm) m alarm; u. fig. blasen, schlagen sound the alarm; bereitschaft (-b⁶rĭtshăhft) f: in on the alert; ie'ren (-eer⁶n) alarm.

Alau'n (ăhlown) m alum.

a'lbern (ăhlb⁶rn) silly, foolish.

A'lbum (ăhlbōōm) n album.

A'lge (ăhlgʰᵉ) f seaweed.

A'lkohol (ăhlkōhŏl) m alcohol; frei (-frī) non-alcoholic; es Gasthaus temperance hotel; iker (-ĭk⁶r) m hard drinker; isch (-ish) alcoholic; schmuggler (-shmŏōgl⁶r) m liquor-smuggler, Am. bootlegger; verbot (-f⁶rbŏt) n prohibition; vergiftung (-f⁶rgʰĭftōōⁿg) f alcoholic poisoning.

all (ăhl) 1. adj. all; (jeder) every; (jeder beliebige) any; e beide both of them; auf e Fälle in any case; e Tage every day; vor em first of all; e zwei Minuten every two minutes; 2. adv. e'all gone; 3. su. das All the universe.

Allee' (ăhlé) f avenue; alley.

allei'n (ăhlīn) 1. adj. alone, single; (ohne Hilfe) unaided; 2. adv. only; 3. cj. only, but; 2berechtigung (-b⁶rĕçtĭgōōⁿg) f exclusive right; 2herrscher(in f) (-hĕrsh⁶r) m absolute monarch, autocrat; ig (-ĭç) only; exclusive; sole; 2-inhaber (-ĭnhăhb⁶r) m sole owner; stehend (-shté⁶nt) alone in the world; (unverheiratet) single; Gebäude: detached; 2verkauf (-fĕrkowf) m monopoly; 2vertreter (-fĕrtrét⁶r) m sole agent; 2vertrieb (-fĕrtreep) m sole distributor(s).

a'llema'l (-măhl): ein für once for all.

a'llenfa'lls (-făhls) (zur Not) if need be; (vielleicht) possibly, perhaps.

a'llentha'lben (ăhl⁶nthăhlb⁶n) everywhere.

a'ller...: of all; best best of all, very best; di'ngs (-dĭⁿgs) indeed; to be sure; erst (a. zu) first of all; ha'nd, lei' (-lī) of all kinds od. sorts; le'tzt last of all (a. zu) very last; mei'st (-mĭst) most; am en mostly; nä'chst (-năçst) very next; neu'(e)st (-nŏi[⁶]st) the very latest; sei'ts (-zĭts) everywhere.

a'll|gemei'n (ăhlgʰᵉmīn) general; stärker: universal; 2gemei'nheit f generality, universality; 2hei'lmittel (-hĭlmĭt⁶l) n panacea.

Allia'nz (ăhl¹ăhnts) f alliance.

alliie'r|en (-eer⁶n) (a. sich) ally; 2te(r) m ally.

a'll|jä'hrlich (-yărlĭç) annual; 2macht (-măhkt) f omnipotence; mä'chtig (-mĕçtĭç) omnipotent, almighty; mä'hlich (-măhlĭç) gradual.

Allopa'th (ăhlŏpăht) m allopathist.

a'll|seitig (-zītĭç) universal; all-round; 2strom... (-shtrōm) f AC-DC...; tä'glich (-tăklĭç) daily; fig. common, trivial; 2tags... (-tăhks) common(place), every-day; wi'ssend (-vĭs⁶nt) omniscient; 2wi'ssenheit (-hĭt) f omniscience;

~wö'chentlich (-vöçᵉntliç) weekly; ~zu (-tsōō) (much) too; ~zuviel (-tsōōfeel) too much.

A'lmosen (ählmōzᵉn) n alms.

Alp (ählp) m, ~'drücken (-drükᵉn) n nightmare.

A'lpen (ählpᵉn) pl. Alps.

Alphabe't (ählfàhbét) n alphabet; ℒisch (-ish) alphabetical.

als (ähls) (nach comp.) than; (ganz so wie) as, like; (in der Eigenschaft ~) (in one's capacity) as; nach Negation: but, except; temporal: when, as; ~ba'ld immediately; ~da'nn then.

a'lso (ählzō) adv. thus, so; cj. therefore, consequently; na ~! well then!

alt¹ (ählt) old; (Ggs. modern) ancient, antique; (Ggs. frisch) stale; (schon gebraucht) second-hand.

Alt² ♪ m alto.

Alta'r (ähltàhr) m altar.

A'lt|besitz (-bᵉzits) m old holding; ~eisen (-izᵉn) n scrap iron.

A'lte, ~r¹ m old man; ~ f old woman; die ~n pl. the ancients.

A'lter² (ähltᵉr) n age; (Greisen-ℒ) old age; (Dienst-ℒ) seniority; er ist in meinem ~ he is my age.

ä'lter (éltᵉr) older; der ~e Bruder the elder brother.

a'ltern (h. u. sn) grow old, age.

A'lters|genosse (-gᵉhᵗnòsᵉ) m contemporary; ~rente f old-age pension; ℒschwach (-shvàhk) decrepit; ~schwäche (-shvéçᵉ) f decrepitude. [antiquey; archaic.]

a'ltertümlich (-tümliç) ancient,)

A'ltertum (-tōōm) n antiquity; ~skunde (-kōōndᵉ) f archæology.

ä'ltest (éltᵉst) oldest; my eldest sister; ℒe(r) m elder; senior; mein ℒer my eldest son.

Alti'stin f (ähltistin) alto-singer.

a'ltklug (-klōōk) precocious, forward.

ä'ltlich (éltliç) elderly, oldish.

A'lt|modisch old-fashioned, Am. F old-timy; ℒstadt f city.

Amateu'r (ähmàhtör) m amateur; ~photograph m amateur photographer.

A'mboß (ähmbòs) m anvil.

ambula'nt (ähmbōōlàhnt): ~ Behandelter oupatient.

A'meise (ähmizᵉ) f ant; ~nhaufen (-howfᵉn) m ant-hill.

Amerika'n|er (àhmĕrĭkàhnᵉr) m, ~erin f, ℒisch American.

A'mme (àhmᵉ) f (wet-)nurse.

Amnestie' (àhmnĕstee) f amnesty.

A'mor (àhmór) m Cupid.

Amortis|atio'n (àhmórtĭzàhtsᵗōn) f amortization; ℒie'ren (-zeerᵉn) amortize, pay off.

A'mpel (àhmpᵉl) f hanging lamp.

Amphi'bie (àhmfeebᵗᵉ) f amphibian.

Ampu'lle (àhmpōōlᵉ) ✠ f ampoule.

Amput|atio'n (àhmpōōtàhtsᵗōn) f amputation; ℒie'ren (-eerᵉn) amputate; ~ie'rter m amputee.

A'msel (ähmzᵉl) f blackbird.

Amt (àhmt) n office; post; (Rang) charge; (Behörde) office, board; (Pflicht) official duty; ℒie'ren (-eerᵉn) hold office; eccl. officiate; ℒlich official; ~mann m bailiff.

A'mts... official, of office; ~arzt m public health officer; ~befugnis f competence; ~bezirk m jurisdiction; ~blatt n official gazette; ~eid (-it) m oath of office; ~führung f administration; ~geheimnis (-gʰᵉhimnis) n official secret; ~gericht n etwa: local court; ~geschäfte n/pl. official duties; ~gewalt f official authority; ~handlung f official action; ~niederlegung (-needᵉrlégʰōōr̄g) f resignation; ~richter m etwa: local judge; ~vorsteher (-fôrshtéᵉr) m sheriff.

amüs|a'nt (àhmüzàhnt) amusing; ℒie'ren (-eerᵉn) amuse; sich ~ enjoy o.s.

an (àhn) 1. prp. at; on, upon; by; against; to; (bis ~) as far as, up to; (etwa) near(ly); ~ der Themse on the Thames; am Morgen in the morning; ~ die Wand on (od. against) the wall; am Leben alive; es ist ~ dir, zu ... it is up to you to ...; 2. adv. on; up; von heute ~ from this day forth.

analo'g (àhnàhlōk) analogous.

Analphabe't (àhnàhlfàhbét) m illiterate.

Analy'se (àhnàhlüzᵉ) f analysis.

analysie'ren (-eerᵉn) analyse.

A'nanas (àhnàhnàhs) pine-apple.

Anarchie' (àhnàhrçee) f anarchy.

Anatomie' (-ee) f anatomy.

anato'misch anatomical.

a'nbahnen initiate.

A'nbau (-bow) *m* ✔ cultivation; △ outbuilding, annex; ℒen cultivate, grow; △ add (*an* [*acc.*] to).

a'nbehalten (-b⁰hählt⁰n) *Kleid usw.*: keep on.

anbei' (-bī) *im Brief:* enclosed.

a'nbeißen bite.

a'nbellen bark at. [point, fix.]

a'nberaumen (-b⁰rowm⁰n) ap-|

a'nbeten adore, worship.

A'nbetracht (-ähnb⁰trähкt): *in* ~ considering.

a'nbetteln solicit alms of.

A'nbetung (-bétōŋ) *f* adoration.

a'nbieten (-beet⁰n) *v/t.* offer.

a'nbinden *v/t.* tie up; ~ *an* (*acc.*) tie to; *kurz angebunden* sn be short (*gegen* with). [upon.]

a'nblasen (-blāhz⁰n) blow (*at* od.|

A'nblick *m* view, sight, aspect; ℒen look at, view.

a'nborgen borrow (money) of.

a'nbrechen *v/i.* (sn) begin; break.

a'nbrennen *v/i.* (sn) kindle, catch fire; *Speise:* burn.

a'nbringen bring in, on; (*befestigen*) fix (*an dat.* to), *weitS.* make; *Sohn usw.*: settle; *Beschwerde:* lodge; s. *angebracht*.

A'nbruch (-brōōk) *m* beginning; *des Tages:* break.

a'nbrüllen roar at, bawl at.

A'ndacht (-dähкt) *f* devotion; (*Handlung*) prayers *pl.*

a'ndächtig (-dêçtĭç) devout.

a'ndauern (-dow⁰rn) last; continue.

A'ndenken *n* memory; remembrance; (*Gegenstand*) keepsake, souvenir; *zum* ~ *an* (*acc.*) in memory of.

a'nder (ähnd⁰r) other; different; *einen Tag um den* ~*n* every other day; *ein* ~*er Freund* another friend.

ä'ndern (ê-) (*a. sich*) alter; change.

a'ndernfalls otherwise, else.

a'nders (-s) otherwise; differently; *ich kann nicht* ~, *ich muß weinen* I cannot help crying; ~ *w.* change.

a'nderseits (-zits) on the other hand.

a'nderswo elsewhere. [half.]

a'nderthalb (-thählp) one and a|

Ä'nderung (ênd⁰rōōŋ) *f* change, alteration.

a'nder|wärts (-vêrts) elsewhere; ~**weitig** (-vitĭç) *adj.* other; *adv.* in another way.

a'ndeut|en (-döit⁰n) signify; hint;

imply; intimate, suggest; ℒung *f* intimation, hint, suggestion.

A'ndrang *m* rush; ⚕ congestion.

a'ndrehen (-drê⁰n) *Gas usw.*: turn on. [with; ℒung *f* threat.]

a'ndroh|en *j-m et.* ~ threaten a p.|

a'n-eignen (-ĭgn⁰n) (*sich*) appropriate; acquire; adopt.

an-eina'nder (-ĭnähnd⁰r) together.

a'n-ekeln (-êk⁰ln) disgust, sicken.

A'n-erbieten (-êrbeet⁰n) *n* offer.

a'n-erkenn|en acknowledge (*als* as); *Wechsel:* honour; ℒung *f* acknowledgment.

a'nfahren *v/i.* (sn) start; ⚓ descend; *v/t.* run into; (*bringen*) carry, convey; *fig. j-n* ~ F blow up.

A'nfahrt *f* (-*platz*) approach.

A'nfall ⚕ *m* fit, attack; ℒen *v/t.* attack; (*a. fig.*) assail.

A'nfang (-fähŋ) *m* beginning; start; ~ *Mai* early in May; ℒen begin; start.

A'nfänger (-fêŋ⁰r) *m* beginner.

a'nfänglich (-fêŋlĭç) *adj.* initial; *adv.* in the beginning.

A'nfangs|buchstabe (-fähŋs-) *m* initial (letter); ~**gründe** *m/pl.* elements.

a'nfassen *v/t.* seize; (*berühren*) touch; (*behandeln*) handle; *v/i.* lend a hand.

a'nfecht|bar (-fêçtbähr) contestable; ℒen *Klage:* avoid; *Richtigkeit:* contest; ℒung *f* ⚖ avoidance; *eccl.* temptation. [nufacture.|

a'nfertigen (-fêrtĭg⁰n) make, ma-|

a'nfeuchten (-föiçt⁰n) moisten, wet.

a'nfeuern *fig.* inflame.

a'nflehen implore. [approach.]

a'nfliegen (-fleegh⁰n) *v/t. Ziel:* ✈|

A'nflug (-flōōk) *m* ✈ approach (flight); *fig.* touch, tinge.

a'nfordern demand.

A'nforderung *f* claim, demand.

A'nfrage *f* inquiry; ℒn *v/i.* ask (*bei j-m a* p.); inquire (*nach* for).

a'nfressen gnaw; *Metall:* corrode.

a'nfreunden (-fröind⁰n): *sich* ~ *mit* make friends with. [(*an* to).]

a'nfrieren (-freer⁰n) (sn) freeze on|

a'nfügen join, attach (*an acc.* to).

a'nfühlen feel, touch; *sich* ~ feel.

A'nfuhr (-fōōr) *f* supply.

a'nführen lead; allege; *Worte, Grund:* quote; (*täuschen*) dupe, fool, trick.

A'nführer(in *f*) *m* leader.

A'nführungszeichen (-fūrooŋstsiç⁰n) n quotation mark.

A'ngabe f declaration; (*Darlegung*) statement; (*Anweisung*) instruction.

a'ngeben v/t. declare; (*bestimmt*) state; (*anzeigen*) denounce, inform against; (*vorgeben*) pretend; *Namen*: give; v/i. *Karten*: deal first; F (*prahlen*) talk big, *Am.* blow.

A'ngeber(in f) m informer; (*Prahlhans*) braggart, *Am.* blowhard.

a'ngeblich (-g⁰épliç) pretended.

a'ngeboren innate, inborn.

A'ngebot n offer; *bei e-r Auktion*: bid; ✝ (*Ggs. Nachfrage*) supply.

a'ngebracht (-g⁰⁰brähkt): *gut* ~ appropriate; (*übel*) ~ inappropriate.

a'ngeh(e)n v/i. (sn) begin; (*leidlich sn*) be tolerable; (*zulässig sn*) be admissible; *angegangen Fleisch*: tainted; *das geht* (*nicht*) *an* that will (not) do. [long to.]

a'ngehören v/t. (-g⁰⁰hör⁰n) (*dat.*) be-

a'ngehörig (*dat.*) belonging to; *seine* ²en (-g⁰⁰hörig⁰n) m/pl. his people. [cused; defendant.]

A'ngeklagte(r) (-g⁰⁰klähkt⁰|r) m ac-

A'ngel (ähŋ⁰l) f (*Tür*²) hinge; fishing-tackle.

a'ngelegen (-g⁰⁰lég⁰n): *sich et.* ~ *sn l.* make a th. one's business; ²heit f concern, affair, matter.

a'ngeln angle, fish (*nach* for).

A'ngel‖punkt m cardinal point; ~sachse m, ²sächsisch Anglo-Saxon; ~schnur (-shnöör) f fishing-line. [adequate.]

a'ngemessen (-g⁰⁰mĕs⁰n) suitable;

a'ngenehm (-g⁰⁰ném) agreeable, pleasing.

a'ngesehen (-g⁰⁰sé⁰n) respected.

A'ngesicht n face; *von* ~ by sight; ²s (*gen.*) *fig.* considering.

a'ngestammt (-g⁰⁰shtähmt) hereditary, innate. [ployee.]

A'ngestellte(r) (-g⁰⁰shtĕlt⁰|r) em-

a'ngetrunken (-g⁰⁰trööŋk⁰n) tipsy.

a'ngewandt (-g⁰⁰vähnt) applied.

a'ngewiesen (-g⁰⁰veez⁰n): ~ *sein auf* ... be thrown on.

a'ngewöhnen accustom *a p.* (to).

A'ngewohnheit f custom, habit. [just.]

a'ngleichen (-gliç⁰n) assimilate, ad-

A'ngler (-ähŋ⁰l⁰r) m angler.

a'ngliedern (-gleed⁰rn) annex; affiliate.

a'ngreifen (-grif⁰n) *Kapital, Vor-*

räte: draw upon; attack; *Gesundheit, Stoff*: affect; ⚗ corrode; (*anstrengen*) try. [sor, assailant.]

A'ngreifer(in f) (-grif⁰r) m aggres-

a'ngrenzend (-t) adjoining.

A'ngriff m attack; *in* ~ *nehmen* set about; ~skrieg m offensive war.

Angst (ähŋst) f fear; anxiety; anguish; *mir ist* ♀ I am afraid.

ä'ngstigen (ĕŋstig⁰n) alarm; *sich* ~ be afraid (*vor dat.* of); be alarmed (*um* about).

ä'ngstlich (ĕŋstliç) anxious; (*sorgfältig*) scrupulous; (*schüchtern*) timid; ²keit f anxiety; scrupulousness; timidity.

a'nhaben *Kleid*: have on.

a'nhaften stick, adhere (*dat.* to).

a'nhaken (-hähk⁰n) hook on.

a'nhalten v/t. stop; *j-n* ~ *zu et.* keep a p. to a th.; v/i. (h.) continue, last; (*stillstehen*) stop; ~ *um e. Mädchen* ask a p. in marriage; ~d (-t) continuous. [clue.]

A'nhaltspunkt (-hähltspööŋkt) m]

A'nhang m (*Buch usw.*) appendix, supplement; (*Gefolgschaft*) adherents pl.

a'nhängen (-hĕŋ⁰n) v/t. hang on, affix; add, join; v/i. (*dat.*) adhere to; *teleph.* touch off.

A'nhänger m adherent, follower; (*Schmuck*) pendant; *Straßenbahn usw.*: trailer.

a'nhänglich (-hĕŋliç) attached (*an acc.* to); ²keit f attachment.

A'nhängsel (-hĕŋz⁰l) n appendage.

a'nhäuf(en) (-hôif⁰n) heap up; (*a. sich*) accumulate; ²ung f accumulation. [*nähen*) baste (*an* to).]

a'nheften fasten; (*an acc.* to); (an-

a'nheilen (-hil⁰n) (sn) heal on.

a'nheimeln (-hîm⁰ln) remind a p. of home.

anhei'm‖fallen (sn): *j-m* ~ fall to; ~stellen: *j-m et.* ~ leave to a p.

A'nhöhe (-hö⁰) f rise, hill.

a'nhören listen to; *sich* ~ sound.

Anili'n (ähnîleen) n aniline.

a'nkämpfen *gegen* struggle against.

A'nkauf (-kowf) m purchase.

A'nker (ähŋk⁰r) m anchor; *vor* ~ *gehen* cast anchor; ²n anchor; ~tau (-tow) n cable; ~uhr f lever-watch.

a'nketten (-kĕt⁰n) chain (*an acc.* to).

A'nklage f accusation, charge; ²n accuse (of), charge (with).

A'nkläger(in f) m accuser.

a'nklammern mit Büroklammer: clip; sich ~ cling (an acc. to).

A'nklang m: ~ an (acc.) suggestion of; ~ finden catch on.

a'nkleben (-kléb⁵n) v/t. paste (on); stick (an acc. to).

a'nkleiden (-klíd⁵n) (a. sich) dress.

a'nklingeln teleph. ring up, call.

a'nklopfen knock (an acc. at).

a'nknüpfen v/t. tie (an acc. to); fig. begin; v/i. (an acc.) refer to.

a'nkommen v/i. (sn) arrive; ~ auf (acc.) depend (up)on; es darauf ~ lassen run the risk; es kommt nicht darauf an it does not matter.

A'nkömmling (-köm-) m new-comer, arrival.

a'nkündig|en announce; in der Zeitung: advertise; Qung f announcement; advertisement.

A'nkunft (-kŏŏnft) f arrival.

a'nkurbeln (-kŏŏrb⁵ln) mot. crank (up); die Wirtschaft ~ boost business.

a'nlächeln, a'nlachen smile at.

A'nlage f (Anordnung) plan, arrangement, Am. layout; ⊕ plant; (Einbau) installation; (Garten?) grounds pl., park; (Fähigkeit) talent; (Neigung) tendency; (Kapital?) investment; im Brief: enclosure; ~kapital n invested capital.

a'nlangen v/i. (sn) arrive; v/t. was ... anlangt as to od. for ...

A'nlaß (-lähs) m occasion.

a'nlassen ⊕ start, set going; Dampf usw.: turn on.

A'nlasser (-lähs⁵r) ⊕ m starter.

a'nläßlich (-lěsliç) (gen.) on the occasion of.

A'nlauf (-lowf) m start, run; Qen v/i. (sn): ~ gegen run against; (sich trüben) tarnish (get) dim; v/t. Hafen: call (od. touch) at.

a'nlegen (-lég⁵n) v/t. (an acc.) put against; Feuer ~ make a fire; Garten: lay out; Geld: invest; Gewehr: level; Hund: tie up; Kleid: put on; Stadt: found; Verband: apply; v/i. ⊕ land; es ~ auf (acc.) aim at.

a'nlehnen (-lén⁵n) (a. sich) lean (an acc. against); Tür: leave ajar.

A'nleihe (-lī⁵) f loan.

a'nleit|en (-līt⁵n) guide (zu to); instruct (in); Qung f guidance; instruction.

A'nliegen (-leegʰ⁵n) n desire, request.

a'nlocken allure, entice. [quest.]

A'nmachen (-mähκ⁵n) fasten, fix (an acc. to); Feuer: light.

a'nmalen paint.

A'nmarsch m approach.

a'nmaß|en (-mähs⁵n): sich et. ~ presume; ~end (-t) arrogant; Qung f arrogance.

a'nmeld|en announce, notify; Qung f announcement, notification.

a'nmerk|en note down; j-m et. ~ notice in a p.; Qung f note, annotation. [a p. for; s. angemessen.]

a'nmessen: j-m e-n Rock ~ measure]

A'nmut (-mŏŏt) f grace, charm, sweetness; Qig charming, graceful, sweet.

a'nnageln nail on (an acc. to).

a'nnähen (-nä⁵n) sew on (an acc. to).

a'nnäher|nd (-nä⁵rnt) approximate; Qung f (-nä⁵rŏŏngⱼ) f approach.

A'nnahme (-nähm⁵) f acceptance; (~stelle) receiving-office; (Vermutung) assumption.

a'nnehm|bar (-némbähr) acceptable; ~en accept, take; (vermuten) suppose, Am. guess; Gestalt: assume; Kind: adopt; parl. Gesetz: pass; sich ... (gen.) attend to a th.; befriend a p.; Qlichkeit (-némliçkīt) f amenity, agreeableness.

Annexio'n (ähněks⁵ŏn) f annexation.

anony'm (áhnŏnüm) anonymous.

a'n-ordn|en order, arrange; direct; Qung f arrangement; direction.

a'npacken seize, grasp; fig. tackle.

a'npass|en fit; adapt; (anprobieren) try on; Qung f adaptation; ~ungsfähig (-ŏŏngⱼsfäiç) adaptable.

a'npflanz|en (-pflähnts⁵n) plant; Qung f plantation.

A'nprall (-prähl) m impact; Qen (sn) bound (an acc. against).

a'npreisen (-príz⁵n) praise; Reklame: puff (od. cry) up, Am.]

A'nprobe f try-on, fitting. [push.]

a'nprobieren try (od. fit) on.

a'nraten advise. [value greatly.]

a'nrechnen charge; fig. hoch ~]

A'nrecht n right, claim (auf to).

A'nrede f address; Qn address.

a'nreg|en (-régʰ⁵n) stimulate; (vorschlagen) suggest; ~end (-t) stimulative; ⚹ stimulating; Buch usw.: suggestive; Qung f stimulation, suggestion. [join.]

a'nreihen (-rī⁵n) join; sich ~ (dat.)]

A'nreiz (-rits) m incentive; Qen incite.

17

a'nrennen run (*od.* knock) against.

a'nrichten prepare; *Mahl:* dish; *Unheil:* cause, do.

a'nrücken (sn) approach.

A'nruf -(rōōf) *m* call (*a. teleph.*); 2en call (*zum Zeugen* to witness); *teleph.* call up; *Schiff:* hail; *Gott usw.:* invoke; *j-s Hilfe:* appeal to.

a'nrühren touch; (*mischen*) mix.

A'nsag|e (-zăhgʰᵉ) *f* announcement; 2en announce; ~er(in *f*) *m* announcer; (*Conferencier*) compere.

a'nsammeln (*a. sich*) gather; (*anhäufen*) accumulate, amass.

a'nsässig (-zĕsiç) resident.

A'nsatz *m* (*Anfang, Anlauf*) start.

a'nschaffen provide; buy; *sich et.* ~ supply o.s. with.

a'nschau|en (-show'ᵉn) view; ~lich intuitive; (*deutlich*) graphic.

A'nschauung *f* view; (*Auffassung*) conception; (*Erkenntnis*) intuition; ~s-unterricht (-ōōnt'riçt) *m* object-lessons *pl.*; ~svermögen *n* intuitive power.

A'nschein (-shin) *m* appearance; 2end (-t) apparent, seeming.

a'nschicken: *sich* ~ prepare (for).

a'nschirren (-shir'ᵉn) harness.

A'nschlag (-shlăhk) *m* (*Schätzung*) estimate; (*Berechnung*) calculation; (*Komplott*) plot; (~ *auf das Leben* attempt (on); *♪* touch; ⊕ stop, catch; = ~zettel; *in* ~ *bringen* take into account; ~brett *n* notice-board, *Am.* billboard.

a'nschlagen (-shlăhgʰᵉn) *v/t.* strike (*an acc.* against); (*befestigen*) fasten (*an on*); *Zettel:* post up; (*abschätzen*) estimate (*hoch highly*); *♪* touch; *Gewehr:* level; *v/i.* (*bellen*) give tongue; (*wirken*) take (effect).

A'nschlag|säule (-zōil'ᵉ) *f* advertisement, *Am.* advertising-pillar; ~zettel *m* poster, placard, bill.

a'nschließen (-shlees'ᵉn) *v/t.* fix with a lock; (*anfügen*) join, add, annex; (*verbinden*) connect; *sich j-m* ~ join a p.; *e-r Meinung:* follow.

A'nschluß (-shlōōs *m* joining; ⌘, ⚡, *teleph.* connection; (*Gas- usw.* ⚡) supply; ~ *an e-n Zug* h. meet a train; *im* ~ *an* (*acc.*) referring to; *fig.* ~ *finden* meet company; ~dose ⚡ *f* junction box; ~zug ⌘ *m* corresponding train.   [nestle (to).|

a'nschmiegen (-shmeegʰᵉn): *sich* ~|

a'nschmieren (be)smear, grease.

a'nschnallen buckle on.

a'nschnauzen (-shnowts'ᵉn) F blow up; *Am.* bawl (out).   [*ma:* broach.|

a'nschneiden (-shnid'ᵉn) cut; *The-*|

A'nschnitt *m* first cut.

a'nschrauben (-shrowb'ᵉn) screw on (*an acc.* to).

a'nschreiben (-shrib'ᵉn) write down; *Sport:* score (*a. v/i.*; h.); *Schuld:* charge; *et.* ~ *l.* buy on credit.

a'nschreien shout at.

A'nschrift *f* address.

a'nschuldigen (-shōōldigʰᵉn) accuse (of), incriminate.   [nigrate.|

a'nschwärzen (-shvĕrts'ᵉn) *fig.* de-|

a'nschwell|en *v/i.* (sn) *u. v/t.* swell; 2ung *f* swelling.

a'nschwemm|en wash ashore; *Land:* deposit; 2ung *f* alluvion.

a'nsehen (-zé[ᵉ]n) 1. (take a) look at; (*besichtigen*) view; (*auffassen*) regard, consider (*als* as); ~ *für* take for; 2. 2 *n* (*Anschein*) appearance, aspect; (*Geltung, Achtung*) authority; respect.

a'nsehnlich (-zénliç) considerable; (*hübsch*) good-looking.

a'nsetzen *v/t.* (*an acc.*) put (to); *Frist:* fix, appoint; (*abschätzen*) rate; *Preis:* fix; (*berechnen*) charge; *Blätter usw.:* put forth; *Fleisch, Speise:* put on; *Rost:* gather; *v/i.* (*versuchen*) try.

A'nsicht *f* sight, view; *fig.* view, opinion; *meiner* ~ *nach* in my opinion; ♀ *zur* ~ on approval; ~s(post)karte *f* picture postcard.

a'nsied|eln (-zeed'ᵉln) (*a. sich*) settle; 2lung *f* settlement; 2ler *m* settler.

A'nsinnen *n* request, demand.

a'nspann|en stretch; *Pferd:* put to; *fig.* strain, exert; 2ung *f fig.* strain, exertion.   [at.|

a'nspeien (-shpi'ᵉn) spit (up)on *od.*|

a'nspiel|en (-shpeel'ᵉn) *v/i.* lead; *Sport:* lead off; ~ *auf* (*acc.*) allude to; 2ung *f* allusion, hint.

a'nspitzen point, sharpen.

A'nsporn *m*, 2en spur.

A'nsprache (-shprăhkᵉ) *f* address, harangue.

a'nsprechen (-shpréç'ᵉn) address; (*gefallen*) appeal to; ~d (-t) appealing.

a'nspringen *v/i.* (sn) *Motor:* start.

a'nspritzen besprinkle.

A'nspruch (-shprŏŏk) *m* claim, pretension, title (*alle: auf acc.* to); ~ h. *auf* (*acc.*) be entitled to; *in* ~ *nehmen* lay claim to; *Zeit in* ~ *nehmen* take (up); **2slos** unpretentious; **2svoll** pretentious.

a'nspülen wash ashore; deposit.

a'nstacheln (-shtä*hk*ᵉln) goad (on).

A'nstalt (-shtä̆lt) *f* establishment, institution; ~*en treffen* make arrangements (for).

A'nstand *m hunt.* stand; (*Schicklichkeit*) decorum, decency; (*Einwendung*) objection; ~ *nehmen* hesitate.

a'nständig (-shtĕndiç) decent; (*achtbar*) respectable; **2keit** *f* decency. [unhesitating.]

A'nstands|gefühl *n* tact; **2los** |

a'nstarren stare (*od.* gaze) at.

ansta'tt (*gen.*) instead of.

a'nstaunen (-shtown'ᵉn) gaze at.

a'nsteck|en *v/t.* stick on; *mit Nadeln*: pin; *Ring*: put on; *⚢* infect; (*anzünden*) set on fire; *Kerze usw.*: light; ~**end** (-t) infectious; **2ung** *f* infection.

a'nsteh(e)n (-shté[ᵉ]n) queue up; *Am.* stand (*od.* wait) in line (*nach* for). [rise.]

a'nsteigen (-shtigʰᵉn) (sn) *Boden:* |

a'nstell|en *Person:* place, appoint; *Versuch:* make; *Heizung usw.:* turn on; *sich* ~ queue on (*nach* for); *fig. sich zu et.* ~ behave; (*fertigbringen*) manage; *angestellt bei* in the employ of; ~**ig** handy, skilful; **2ung** *f* place.

A'nstieg (-shteek) *m* ascent.

a'nstift|en instigate; **2er(in** *f*) *m* instigator; **2ung** *f* instigation.

A'nstoß *m fig.* impulse; (*Ärgernis*) offence; *Fußball:* kick-off; ~ *erregen* give offence (*bei* to); ~ *nehmen an* (*dat.*) take offence at; ~ *geben zu* et. start a th.

a'nstoßen *v/t.* push, knock (against); *heimlich:* nudge; *v/i.* ~ *angrenzen; mit der Zunge* ~ lisp; ~ *bei* shock; *auf j-s Gesundheit* ~ drink a p.'s health; ~**d** (-t) adjoining.

a'nstößig (-shtȫsiç) shocking.

a'nstreich|en (-shtriç'ᵉn) paint; *im Text:* mark; *Fehler:* underline; *tünchen:* whitewash; **2er** (-shtriç'ᵉr) *m* house-painter.

a'nstreng|en exert; (~**d** *sn für*) *die*

Augen usw.: try; *Klage* ~ bring an action; ~**end** (-t) strenuous; trying (*für* to); **2ung** *f* exertion, strain, effort.

A'nstrich *m* paint, colour; (*Überzug*) coat(ing); *fig.* tinge, touch.

A'nsturm *m* : ~ *auf e-e Bank:* run on.

a'nstürmen (sn) storm, rush.

A'nteil (-til) *m* share, portion; *fig.* interest; ~ *nehmen an* (*dat.*) sympathize with; ~**schein** (-shin) *m* share.

a'ntelephonieren ring up, phone.

Ante'nne (ä̆hntĕnᵉ) *f Radio:* aerial.

anti'k (ä̆hnteek) antique.

Antilo'pe (-lōpᵉ) *f* antelope.

Antipathie' (-pä̆htee) *f* antipathy.

a'ntippen tap.

Antiqua'r (-kvä̆hr) *m* second-hand bookseller; **2isch** second-hand.

A'ntrag (-trä̆hk) *m* offer, proposal; (*Gesuch*) application, request; *parl.* motion; ~ *stellen auf* (*acc.*) make an application for; *parl.* put a motion for; **2en** (-trä̆gʰᵉn) offer; propose; ~**steller(in** *f*) (-shtĕlᵉr) *m* applicant; *parl.* mover.

a'ntreffen meet with.

a'ntreiben (-tribᵉn) *v/i.* (sn) drift ashore; *v/t.* drive on; *fig.* incite.

a'ntreten *v/t. Amt:* enter (up)on; *Reise:* set out on; *Erbschaft:* take possession of; *v/i.* (sn) take one's place; *✗* fall in.

A'ntrieb (-treep) *m* motive, impulse; *⊕* drive, propulsion.

A'ntritt *m e-s Amtes:* entrance on.

a'ntun (-tōōn): *j-m et.* ~ do ... to a p.; *danach angetan* zu likely to.

A'ntwort (ä̆hntvŏrt) *f* answer, reply (*auf acc.* to); **2en** answer, reply (*j-m a* p.; *auf acc.* to). [entrust.]

a'nvertrauen (-fĕrtrowᵉn) confide, |

a'nwachsen (-vä̆hksᵉn) (sn) take root; *fig.* increase; ~ *an* (*acc.*) grow to.

A'nwalt (-vä̆hlt) *m* lawyer; counsel; *bsd. Am.* attorney; *beratender:* solicitor; *plädierender:* barrister; *fig.* advocate.

A'nwandlung *f* fit; impulse.

A'nwärter (in *f*) (-vĕrtᵉr) *m* expectant.

A'nwartschaft (-vä̆hrtshä̆ft) *f* prospect (*auf acc.* of); expectancy.

a'nweis|en (-vīzᵉn) (*zuteilen*) assign; (*belehren*) instruct, direct; **s.** *ange-*

wiesen; Qung f assignment; instruction; direction; ✝ cheque, draft.

a'nwend|en employ, use; apply (to); s. angewandt; Qung f application.

a'nwerben ✕ enlist; engage.

A'nwesen n estate. [presence.|

a'nwesen|d (-t) present; Qheit f|

A'nzahl f number; quantity.

a'nzahl|en pay on account; Qung f (first) instalment; Pfand: deposit.

a'nzapfen tap. [sign.|

A'nzeichen (-tsiçᵉn) n symptom,|

A'nzeig|e (-tsigʰᵉ) f notice; announcement; (Reklame2) advertisement; ⅟₂ information; Qen announce, notify; advertise; (deuten auf) indicate; j-n: denounce, inform against.

a'nziehen (-tseeᵉn) v/t. draw, pull; Zügel: draw in; Schraube: tighten; Kleid: put on; j-n: dress; fig. attract; v/i. draw; Preise: rise; ~d (-t) attractive, interesting.

A'nziehung f attraction; ~kraft f attractive power. [suit.|

A'nzug (-tsōōk) m dress; (Männer2)|

a'nzüglich (-tsüklíç) personal; Qkeit f personality.

a'nzünden light, kindle; Streichholz: strike; Haus: set on fire.

apa'thisch (-păhtĭsh) apathetic.

A'pfel (ăhpfᵉl) m apple; ~mus (-mōōs) n apple-sauce; ~si'ne (-zeenᵉ) f orange; ~wein (-vĭn) m cider.

Apo'stel (ăhpŏstᵉl) m apostle.

Apostro'ph (ăhpŏstrŏf) m apostrophe.

Apothe'ke (-tékᵉ) f chemist's shop, Am. drugstore; ~r m (pharmaceutical) chemist, Am. druggist.

Appara't (ăhpăhrăht) m apparatus; teleph. am ~! speaking!; am ~ bleiben hold the line.

Appe'll (ăhpĕl) m ✕ roll-call; fig. appeal (an acc. to); Qie'ren (-eerᵉn) appeal (to).

Appeti't (ăhpéteet) m appetite; Qlich appetizing, delicate, dainty.

Applau's (ăhplows) m applause.

Apriko'se (ăhprĭkŏzᵉ) f apricot.

Apri'l (ăhprĭl) m April.

Aquare'll (ăhkvăhrĕl) n aquarelle.

Aqua'tor (ăkvăhtŏr) m equator.

A'ra (ărăh) f era. [Arabian, Arab(ic).|

A'rab|er (ăhrăhbᵉr) m Arab; Qisch|

A'rbeit (ăhrbĭt) f work; (mühevolle) labour, toil; (aufgegebene) task; (Ausführungsart) workmanship; bei der ~ at work; an die ~ gehen set to work; (keine) ~ h. in (out of) work; die ~ niederlegen down tools; Qen v/i. work (a. v/t.); (schwer) labour, toil.

A'rbeiter m worker; (Hand2) workman, working man, labourer, hand; ~in f worker; (Hand2) working woman, workwoman; ~partei (-păhrtĭ) f Labour Party; ~schaft f working class(es pl.), labour.

A'rbeit|geber(in f) m employer, Am. boss; ~nehmer(in f) m employee.

a'rbeitsam (-zăhm) industrious.

A'rbeits... mst working-...; ~amt n Labour Office; ~bescheinigung (-bᵉshĭnĭgōōŋ) f certificate of employment; ~buch n workman's passport; ~einkommen (-ĭnkŏmᵉn) n earned income; Qfähig able to work; ~gericht n industrial (od. labour) court; Qlohn m wages pl., pay; Qlos out of work, unemployed; die ~losen m/pl. the unemployed; ~losen-unterstützung (-lŏzᵉn-ōōnt'ᵉrshtŭtsōōŋ) f unemployment benefit; ~ beziehen be on the dole; ~losigkeit (-lŏzĭçkĭt) f unemployment; ~mann m workman; ~markt m labour market; ~minister m Minister of Labour; ~nachweis(stelle f) (-năhkvĭs [-shtĕlᵉ]) m labour exchange, Am. labor registry office; ~platz m working place; ~raum (-rowm) m workroom; Qscheu (-shŏi) work-shy; ~scheu f aversion to work; ~schutzgesetzgebung (-shōōtsgʰᵉzĕtsgʰᵉbōōŋ) f protective labour legislation; ~tag m working day, Am. workday; Qunfähig (-ōōnfăhĭç) incapable of working; ~weise (-vĭzᵉ) f practice, working method; ~willige(r) m non-striker; ~zeit (-tsĭt) f working time; ~zeug (-tsŏik) n tools pl.; ~zimmer n study. [~'r (-ōōr) f architecture.|

Archite'kt (ăhrçĭtĕkt) m architect;|

Archi'v (ăhrçeef) n archives pl.

Area'l (ăhréăhl) n area.

arg (ăhrk) bad; Versehen: gross.

A'rger (ĕrgʰᵉr) m vexation, annoyance, fret; (Zorn) anger; Qlich angry (auf, über acc. et. at, j-n

with); (*reizbar*) fretful, *Am.* mad;
Sache: annoying, vexatious; 2n
annoy, vex, fret; (*belästigen*) bother;
sich ~ über (*acc.*) feel angry *od.*
vexed; ~nis *n* scandal, offence.
A'rg|list *f* craft(iness). 2listig
crafty, cunning; 2los artless;
(*nichtsahnend*) unsuspecting; 2~
wohn (-vön) *m* suspicion; 2~
wöhnen (-vön⁶n) *m* suspect; 2wöhn-
nisch (-ish) suspicious.
A'rie (āhrⁱ⁶) *f f* aria; air, song.
Aristokra't (āhristōkrāht) *m*, ~in
f aristocrat; ~ie' (-ee) *f* aristocracy.
arm¹ (āhrm) poor.
Arm² (āhrm) *m* arm; *Fluß usw.:* branch;
~band *n* bracelet; ~band-uhr *f*
wrist(let) watch; ~bruch *m* fracture
of the arm.
Armee' (āhrmé) *f* army.
Ä'rmel (ẽrm⁶l) *m* sleeve.
A'rmen|haus *n* workhouse, pu-
blic assistance institution; ~
pflege *f* poor-relief; ~pfleger(in *f*)
m guardian of the poor; ~unter-
stützung (-ōōnt⁶rshtütsōōng) *f* relief.
a'rmselig poor; wretched. [lief.]
A'rmut (āhrmōōt) *f* poverty.
Arre'st (āhrẽst) *m* arrest; *e-r S.:*
seizure; *Schule:* detention; ~ bekommen be kept in.
Art (āhrt) *f* kind, sort; ♃ species;
(*Weise*) manner, way; (*Natur*)
nature; (*Benehmen*) manners *pl.*;
auf die ~ in this way; 2en (sn:)
nach take after.
Arte'rie (āhrtẽrⁱ⁶) *f* artery.
a'rtig (āhrtiç) *Benehmen:* good,
well-behaved; polite; 2keit *f* good
behaviour; politeness (*a. pl.*).
Arti'kel (āhrteek⁶l) *m* article.
Artille'rie (āhrtil⁶ree) *f* artillery;
~i'st (-ist) *m* artilleryman.
Arti'st (āhrtist) *m*, ~in *f* artiste.
Arz(e)nei' (āhrts[⁶]nī) *f* medicine,
physic; ~kunde *f* pharmaceutics
pl.; ~mittel *n* drug. [physician.]
Arzt (āhrtst) *m* doctor, medical man;)
Ä'rztin (ẽrtstin) *f* lady doctor.
ä'rztlich medical.
As (āhs) *n* ace.
A'sche (āhsh⁶) *f* ashes *pl.*
A'schen|bahn *f* cinder-path, *Am.*
cinder oval; ~becher (-bẽç⁶r) *m*
ash-tray.
a'schgrau (-grow) ashy(-pale).
Asia't (āhzⁱāht) *m*, ~in *f*, 2isch)
A'sien (āhzⁱ⁶n) *n* Asia. [Asiatic.]

Aske't(in *f*) (āhskét) *m* ascetic.
Aspha'lt (āhsfāhlt) *m* asphalt;
2ie'ren (-eer⁶n) asphalt.
Assiste'nt (āhsistẽnt) *m* assistant.
Ast (āhst) *m* branch, bough; *Holz:*
knot.
A'stloch (-lŏk) *n* knot-hole.
Astrono'm (āhstrōnōm) *m* astron-
omer; 2isch astronomical.
Asy'l (āhzül) *n* asylum.
Atelie'r (āht⁶lⁱé) *n* studio.
A'tem (āht⁶m) *m* breath; außer ~
out of breath; 2los breathless;
~not *f* shortness of breath; ~pause
(-powz⁶) *f* breathing-space; ~zug
(-tsōōk) *m* breath, respiration.
A'ther (āt⁶r) *m* ether.
äthe'risch (ātérⁱsh) ethereal; *phys.*,
Radio: etheric.
Athle't (āhtlét) *m*, ~in *f* athlete;
~ik *f* athletics; 2isch athletic.
atla'ntisch (āhtlāhntish) Atlantic.
A'tlas (āhtlāhs) *m geogr.* atlas; *Stoff:*
satin. [breathing, respiration.]
a'tm|en (āht⁶m⁶n) breathe; 2ung *f*)
Atmosphä'r|e (āhtmösfār⁶) *f* at-
mosphere; 2isch atmospheric.
Ato'm (āhtōm) *n* atom; ~bombe *f*
atom(ic) bomb; ~kern *m* nucleus;
~versuche (-férzōō⁶⁶) *m/pl.* atomic
energy researches *pl.*; ~zertrüm-
merung (-tsẽrtrüm⁶rōōng) *f* atom
smashing.
Attenta't (āht⁶ntāht) *n* attempt
upon a p.'s life; *fig.* outrage.
Attentä'ter (-tāt⁶r) *m* assailant.
Atte'st (āht⁶st) *n* certificate; 2ie'ren
(-eer⁶n) attest, certify.
Attra'ppe (āhträhp⁶) *f* dummy.
ä'tz|en (ẽts⁶n) corrode; ⚗ cauterize;
Kunst: etch; ~end (-t) corrosive;
(*a. fig.*) caustic; 2ung *f Kunst:*)
au! (ow) oh! [etching.]
auch (owk) also, too, likewise;
(*selbst, sogar*) even; ~ nicht neither,
nor; wo ~ (*immer*) wheresoever.
Audie'nz (owd⁶ẽnts) *f* audience.
auf (owf) **1.** *prp.* *a. mit dat.:* on,
upon; in; at; of; by; ~ *dem Markte*
in; ~ *der Universität*, ~ *e-m Ball*
at; *b) mit acc.:* on; in; at; to;
towards (*a.* ~ *... zu*); up; ~ *deutsch*
in German; *e-e Entfernung von*
at a range of; ~ *ein Pfund gehen*
20 Schilling ... go to a pound; *es*
geht ~ *neun* it is getting on to nine;
~ *... hin* on the strength of; **2.** *adv.*
up, upwards; ~ *und ab gehen* walk

up and down *od.* to and fro; 3. *cj.*
~ *daß* (in order) that; ~ *daß nicht*
that not, lest; 4. *int.* ~! up!

au'f-arbeiten (-ährbit⁹n) *Rückstand*:
work off; (*auffrischen*) furbish up;
Kleid: do up.

au'f-atmen (-ähtm⁹n) breathe again.

Au'fbau (-bow) *m* building; *e-s
Dramas usw.*: construction; *mot.
body*; ♀en erect, build up; construct.

au'fbauschen (-bowsh⁹n) puff up.

au'fbeißen (-bis⁹n) crack.

au'fbekommen (-b⁹köm⁹n) *Tür*:
get open; *Arbeit*: have a task set.

au'fbessern (-bĕs⁹rn) *Gehalt*: raise.

au'fbewahren (-b⁹vähr⁹n) keep;
preserve.   [✗ raise.|

au'fbieten (-beet⁹n) *Kräfte*: exert;|

au'fbinden untie.

au'fblähen (-blä⁹n) puff up, inflate.

au'fbleiben (-blib⁹n) (sn) sit up;
Tür usw.: remain open.

au'fblenden *mot.* turn (the head-
lights) on; *Film*: fade in.

au'fblitzen (sn) flash (up).

au'fblühen (-blü⁹n) (sn) bloom;
flourish.

au'fbrausen (-browz⁹n) (h. *u.* sn)
fig. fly into a passion; ~d (-t) hot-
-tempered.

au'fbrechen (-brĕç⁹n) *v/t.* break
open; force open; *v/i.* burst
open; (*weggehen*) set out (*nach* for).

au'fbringen bring up; *Geld, Truppen*: raise; *Schiff*: capture; *j-n*:
rouse, irritate.

Au'fbruch (-broŏk) *m* departure;|

au'fbügeln (-büg⁹ln) iron. [start.|

au'fbürden (-bŭrd⁹n): *j-m et.* ~
impose a th. (up)on a p.

au'fdecken uncover; *fig.* disclose;
Tischtuch: spread.

au'fdrängen obtrude (*j-m* [up]on).

au'fdrehen (-dré[⁹]n) *Gas usw.*:
turn on.

au'fdringlich (-drĭŋklĭç) obtrusive.

Au'fdruck (-droŏk) *m* stamp, print.

au'fdrücken impress.

auf-eina'nder (-ĭnähnd⁹r) one after
(*od.* upon) another; ♀folge (-fōlg⁹)
f succession; ~folgend (-t) succes-
sive.

Au'fenthalt (owf⁹nthählt) *m* stay;
(*Verzögerung*) delay; 📠 stoppage;
~sgenehmigung (-g⁹némĭgoŏŋ) *f*
residence (*od.* stay) permit.

au'f-erlegen (-ĕrlég⁹n) impose
(*j-m* on a p.).

au'f-ersteh·|(e)n (-ĕrshté[⁹]n) (sn)
rise (from the dead); ♀ung *f* resurrection.

au'f-essen eat up.   [surrection.

au'ffahren *v/i.* (sn) *in Erregung*:
fly out; ⚓ run aground, (*auf acc.*)
run upon *od.* against; *im Schlaf*:
start (up).   [drive.

Au'ffahrt *f* driving up; (*Rampe*)

au'ffallen *v/i. j-m* ~ strike; ~d (-t)
striking; flashy.

au'ffang·|en catch (up); *Hieb*: parry;
♀lager (-läh⁹⁹r) *n* reception camp.

au'ffass·|en *v/t.* conceive; (*begrei-
fen*) comprehend; (*deuten*) interpret; ♀ung *f* conception; interpretation; (*Fassungskraft*) grasp.

au'ffinden find out.

au'ffordern ask, invite; call upon;
ᴣ✛ summon; ♀ung *f* invitation; ᴣ✛
summons *sg.*

au'ffrischen freshen up, touch up;
Kenntnisse: brush up.

au'fführ·|en *Bau*: erect; *thea.* re-
present, perform, act; *in e-r Liste*:
list; *einzeln* ~ specify, *Am.* itemize;
sich ~ behave; ♀ung *f* performance;
(*Benehmen*) conduct.

Au'fgabe (-gähb⁹) *f* (*Arbeit*) task;
(*Denk*♀) problem; (*Schul*♀) lesson;
e-s Briefes: posting; *von Gepäck*:
booking; *e-s Amtes*: resignation;
(*Preisgabe*) abandonment; (*Ge-
schäfts*♀) giving up (business).

Au'fgang *m ast.* rising; (*Treppe*)
staircase.

au'fgeben (-g⁹éb⁹n) give up, abandon; *Amt*: resign; *Brief*: post, *Am.*
mail; *Gepäck*: book, *Am.* check;
Telegramm: hand in, *Am.* file; ✝
Bestellung: give; *Rätsel*: propose;
j-m et. ~ set a p. a task.

Au'fgebot (-g⁹bōt) *n* public notice;
✗ levy; *fig.* array; (*Ehe*♀) banns *pl.*

au'fgeh(e)n (-g⁹é[⁹]n) (sn) (*sich
öffnen*) open; ♂ leave no remainder;
Teig, Gestirn, Vorhang: rise; *Pflanze*: come up; ~ *in et.* Größerem
be merged in; ~ *in e-r Arbeit* be
absorbed in.

au'fgeklärt (-g⁹éklärt) enlightened;
♀heit *f* enlightenment.

Au'fgeld *n* agio, premium.

au'fgelegt (-g⁹élékt) disposed (for).

au'fgeweckt (-g⁹év̆ĕkt) *fig.* bright.

au'fgießen (-g⁹ees⁹n) pour (upon);
Tee: make.

au'fgreifen (-grif⁹n) snatch up,
take up; (*verhaften*) apprehend.

Au'fguß (-gŏŏs) *m* infusion.

au'fhaben *Aufgabe:* have to do.

au'fhaken unhook.

au'fhalten *Tür:* keep open; *j-n, et.:* stop, detain, delay; *Verkehr:* hold up; *sich ~* stay; *sich ~ über (acc.)* find fault with. [suspend.]

au'fhängen (-hěngᵉn) hang (up); ⊕.|

au'fhäufen (-hŏifᵉn) s. *anhäufen.*

au'fheb|en lift up; *vom Boden:* pick up; *Belagerung:* raise; *(bewahren)* keep, preserve; *(ungültig m.)* annul, abolish; *Versammlung:* break up; *sich ~* compensate; *die Tafel ~* rise from the table; *viel ~s machen (von)* make a fuss (about); **~ung** *f* raising; abolition; annulment; breaking up.

au'fheitern (-hítᵉrn) cheer (up); *sich ~ Wetter, Gesicht:* clear up.

au'fhellen (a. *sich)* brighten.

au'fhetz|en *j-n:* incite, instigate; **~ung** *f* instigation.

au'fhören cease, stop; *Am.* quit; *(alle: zu tun doing).*

au'fkaufen (-kowfᵉn) buy up.

au'fklär|en (-klärᵉn) clear up *(a. sich ~); j-n:* enlighten *(über acc. on);* ✕ reconnoitre; **~ung** *f* enlightenment; ✕ reconnaissance.

au'fkleben paste; affix.

au'fklinken (-klĭŋkᵉn) unlatch.

au'fknöpfen unbutton.

au'fkommen (sn) come up; *Mode usw.:* come into fashion; *für et. ~* answer for; *gegen j-n ~* prevail against; ⚕ **n** *(Genesung)* recovery.

au'fkrempe(l)n (-krěmpᵉ[l]n) turn up.

au'fkündigen (-kündĭgᵉn) s. *kündigen; Freundschaft:* renounce.

au'flachen (-lăhxᵉn) burst out| **au'fladen** (-lahdᵉn) load. [laughing.]

Au'flage (-lahgᵉ) *f* e-s *Buches:* edition; *e-r Zeitung:* circulation; ⊕ support.

au'flassen leave open; ᵗ⁻ᵗ cede.

au'flauern (-lowᵉrn) lie in wait for.

Au'flauf (-lowf) *m* concourse; riot.

au'flaufen *v/i.* (sn) rise; *Zinsen:* accrue; ⚓ run aground.

au'flegen (-légᵉn) put on, lay on; *Buch:* print, publish; *Last:* impose *(on a p.); Strafe:* inflict *(on a p.); sich ~* lean *(on).*

au'flehn|en (a. *sich)* lean *(on); fig. sich ~ (gegen)* rebel *(against);* **~ung** *f* rebellion.

au'flesen gather, pick up.

au'fliegen (-leegʰᵉn) lie *od.* lean *(auf dat. on).*

au'flös|bar (-lösbähr) (dis)soluble; **~en** (-lözᵉn) *Knoten:* undo; *Versammlung:* break up; *Salz, Ehe, Verein:* dissolve; *Rätsel, ⅋* solve; **~ung** *f* (dis)solution.

au'fmach|en (-mähkᵉn) open; *Kleid, Paket:* undo; *(zurechtmachen)* make up, get up; *sich ~* set out *(nach for); Dampf ~* get up steam; **~ung** *f* make-up; get-up.

au'fmarschieren (-mährsheerᵉn) (sn) march up; *zur Gefechtslinie:* deploy *(a. ~ l.).*

au'fmerken attend *(auf acc. to).*

au'fmerksam (-měrkzähm) attentive *(auf acc. to);* **⅋keit** *f* attention.

au'fmuntern (-mŏŏntᵉrn) rouse; *(aufheitern)* cheer up.

Au'fnahme (-nähmᵉ) *f der Arbeit:* taking up; *(Empfang)* reception; *(Zulassung)* admission; *phot.* taking; *Bild:* photo(graph); *Film:* shot; **~prüfung** (-prüfŏŏŋ) *f* entrance examination.

au'fnehmen (-némᵉn) take up; *j-n:* take in; *Diktat usw.:* take down; *geistig:* take in; *Gäste:* receive; *in e-n Verein:* admit; *Film:* shoot; *Geld:* raise, borrow; *Verzeichnis usw.:* draw up; *phot.* take; *gut (übel) ~* take well (ill); *es ~ mit* be a match for.

au'fopfer|n, ⅋ung *f* sacrifice.

au'fpassen *v/i.* attend *(auf acc. to); (beobachten)* watch; *Schule:* be attentive; *(sich vorsehen)* look|

au'fplatzen (sn) burst open. [out.]

au'fpolieren (-póleerᵉn) polish up.

au'fpolstern (-pólstᵉrn) upholster.

au'fpumpen (-pŏŏmpᵉn) pump up.

Au'fputz (-pŏŏts) *m* finery; **⅋en** dress up.

au'fraffen (-rähfᵉn) snatch up; *sich ~* rouse o.s. *(zu for).*

au'fräumen (-rŏimᵉn) put in order; *Zimmer:* tidy; *(wegräumen)* clear *(away).*

au'frecht (-rěçt) upright *(a. fig.),* erect; **~halten** maintain; **⅋(er)haltung** *f* maintenance.

au'freg|en (-régʰᵉn) stir up, excite; **⅋ung** *f* excitement, agitation.

au'freiben (-ríbᵉn) *(vernichten)* destroy; *(erschöpfen)* exhaust, wear (o.s.) out.

au'freißen (-ris⁴n) v/t. rip (od. tear) open; Tür: fling open; Straße: take up; Augen: open (wide); v/i. (sn) burst.

au'freiz|en (-rits⁴n) stir up; ~end (-t) irritant; ℒung f instigation.

au'frichten (-rïçt⁴n) set up, erect; sich ~ erect o.s.; im Bett: sit up.

au'frichtig sincere, candid; ℒkeit f sincerity.

au'friegeln (-reegʰ⁴ln) unbolt.

au'frollen roll up.

Au'fruf (-rōōf) m call, summons; ℒen call up; Schüler: call (up)on a p.   [riot, rebellion.]

Au'fruhr (-rōōr) m uproar, tumult.|

au'führen (-rür⁴n) stir (up).

Au'führrer m, ~in f rebel; ℒisch rebellious.   [armament.]

Au'früstung (-rûstōōᵣ) ⅍ f (re-)|

au'frütteln rouse.

au'fsagen (-zāhg⁴n) say, repeat.

au'fsammeln pick up.

au'fsässig (-zësiç) refractory.

Au'fsatz m essay; Schulℒ composition; ⊕ top.   [absorb.]

au'fsaugen (-zowgʰ⁴n) suck up; ⚡|

au'fscheuchen (-shŏiç⁴n) scare.

au'fscheuern scour; ⚡ chafe.

au'fschichten (-shïçt⁴n) pile up.

au'fschieben (-sheeb⁴n) push open; fig. put off; defer, postpone.

Au'fschlag (-shlàhk m impact; (Preisℒ) additional (od. extra) charge; (Rockℒ) facing; (Ärmelℒ) cuff; Tennis: service; ℒen (-shlàh-gʰ⁴n) v/t. (öffnen) open; Ärmel usw.: turn up; Wohnung: set up; Zelt: pitch; Preis: raise; cut one's knee; v/i. (sn) (auf acc.) strike (up)on; ⚡ rise in price; Tennis: serve.

Au'fschläger (-shlàgʰ⁴r) m Tennis: server.   [open.]

au'fschließen (-shlees⁴n) unlock,|

au'fschlitzen slit, rip up.   [mation.]

Au'fschluß (-shlōōs) m fig. infor-|

au'fschnallen unbuckle; (anschnallen) buckle on (auf acc. to).

au'fschnappen fig. pick up.

au'fschneiden (-shnïd⁴n) v/t. cut open; Braten: cut up; v/i. fig. brag, boast.   [Am. cold cuts pl.]

Au'fschnitt m: kalter ~ cold meat,|

au'fschnüren untie.   [screw.]

au'fschrauben (-shrowb⁴n) un-|

au'fschrecken v/t. startle; v/i. (sn) start.   [outcry.]

Au'fschrei (-shrï) m shriek; fig.|

au'fschreiben (-shrïb⁴n) write down.   [scream.]

au'fschreien (-shrï⁴n) cry out,|

Au'fschrift f inscription; eines Briefes: address, direction. [pite.]

Au'fschub (-shōōp) m delay; res-|

au'fschwellen (-shvël⁴n) (sn) swell.

au'fschwingen: sich ~ rise.

Au'fschwung m rise; ⚡ boom.

au'fsehen (-zé[⁴]n) 1. look up; 2. ℒ n sensation.

Au'fseher(in f) m inspector.

au'fsetzen (aufrichten) set up; Hut, Miene: put on; schriftlich: draw up; sich ~ sit up; v/i. ⚡ hit the ground.

Au'fsicht f inspection, supervision; ~sdame f, ~sherr m shop- (Am. floor-)walker; ~srat m board of directors.

au'fsitzen sit, rest (auf dat. on); nachts: sit up; Reiter: (sn) mount.

au'fspannen (-shpàhn⁴n) stretch; Schirm: put up; Saite: put on; Segel: spread.   [reserve.]

au'fsparen (-shpàhr⁴n) save; fig.|

au'fspeichern (-shpïç⁴rn) store up.

au'fsperren open wide.

au'fspielen (-shpeel⁴n) ♪ strike up; sich ~ show off; (als) set up for.

au'fspießen (-shpees⁴n) pierce.

au'fspringen (sn) jump up; Tür: fly open; Haut: chap.   [od. cut.]

au'fspüren hunt up; track down|

au'fstacheln (-shtàhk⁴ln) goad.

au'fstampfen stamp (one's foot).

Au'fstand insurrection; rebellion.

au'fständisch (-shtëndïsh) rebellious; ein ℒer an insurgent, a rebel.

au'fstapeln (-shtàhp⁴ln) pile up; ⚡ store (up).   [⚡ lance.]

au'fstechen (-shtëç⁴n) prick open;|

au'fstecken pin up; Haar: do up.

au'fsteh(e)n (-shté[⁴]n) (sn) stand up; rise, get up; (mst h.) stand open.

au'fsteigen (-shtïgʰ⁴n) (sn) rise, ascend; ⚡ take off; Reiter: mount.

au'fstell|en set up, put up; ⚡ draw up; Behauptung: make; Beispiel: set; Falle: set; Kandidaten: nominate; Rechnung: draw up; Regel: state; Rekord: set, establish; ℒung f putting up; drawing up; nomination; ⚡ statement; (Liste) list.   [rise.]

Au'fstieg (-shteek) m ascent; fig.|

au'fstöbern (-shtöb⁴rn) hunt up.

au'fstören rouse.

au'fstoßen (-shtōs⁴n) v/t. push open; knock (against); v/i. Speise: rise up.

au'fstreichen (-shtrĭç⁴n) Butter:)
au'fstreifen (-shtrīf⁴n) tuck up.
Au'fstrich m auf Brot: spread.
au'fsuchen (-zōōk⁴n): j-n ~ go to see a p., look a p. up; Ort: visit; im Buch: look up; (aufsammeln) pick up.   [turn up.]
au'ftauchen (-towk⁴n) (sn) emerge,)
au'ftauen (-tow⁴n) (sn) (a. fig.) thaw.
au'fteilen (-tīl⁴n) divide up.
Au'ftrag (-trāhk) m commission; (Weisung) instruction; ⅔ mandate; ✝ order; ℒen (-trāhg⁴n) Speisen: serve (up); Farbe: lay on; Kleid usw.: wear out; ~geber (-g⁴b⁴r) m employer; (Kunde) customer.
au'ftreiben (-trīb⁴n) (auffinden) hunt up; Geld: raise.
au'ftrennen rip; Naht: undo.
au'ftreten (-trét⁴n) 1. (v/i.) leise usw.: tread; (sich zeigen) od. thea., als Zeuge: appear; (sich benehmen) behave; Schwierigkeiten: arise; 2. ℒ n appearance; behaviour.   [buoyancy.]
Au'ftrieb (-treep) m phys. u. fig.)
Au'ftritt m thea. u. fig. scene.
au'ftrumpfen (-trōōmpf⁴n) put one's foot down.
au'fwachen (-vắhk⁴n) (sn) awake, wake up.   [up.]
au'fwachsen (-vắhks⁴n) (sn) grow)
au'fwall|en (sn) boil up; ℒung f emotion, upsurge.
Au'fwand (-vắhnt) m expense; pomp; von Worten usw.: display.
au'fwärmen (-vĕrm⁴n) warm up.
Au'fwartefrau (-vắhrt⁴frow) f charwoman.   [on; bei Tische: wait.]
au'fwarten j-m: wait upon; attend)
Au'fwärter(in f) (-vĕrt⁴r) m attendant; ⚓ steward(ess f).
au'fwärts (-vĕrts) upward(s).
Au'fwartung f attendance; (Besuch) visit; j-m s-e ~ m. call upon a p.
au'fwaschen (-vắhsh⁴n) wash (up).
au'fwecken awake, waken.
aufweichen (vĭç⁴n) v/t. u. v/i. (sn) soften.   [soak.]
au'fwenden spend.
au'fwerfen Frage: raise.
au'fwert|en (-vért⁴n) revalorize; ℒung f revalorization.
au'fwickeln wind (up).

au'fwiegel|n (-veegʰ⁴ln) stir up, incite; ℒung f instigation.
au'fwiegen (-veegʰ⁴n) fig. make up for.
Au'fwiegler (-veegl⁴r) m, ~in f agitator, (Anstifter) instigator.
au'fwinden hoist; Anker: weigh.
au'fwirbeln Staub: raise.
au'fwischen (-vĭsh⁴n) wipe up.
au'fwühlen turn up; fig. stir.
au'fzähl|en (-tsắl⁴n) count down; fig. enumerate; ℒung f enumeration.
au'fzäumen (-tsŏim⁴n) bridle.
au'fzehren consume.
au'fzeichn|en (-tsĭç⁴n) draw (notieren) note down; geschichtlich: record; ℒung f note; record.
au'fziehen (-tsee⁴n) v/t. draw up, open; Anker: weigh; Flagge: hoist; Kind: bring up; Bild: mount; Saite: put on; Uhr: wind up; v/i. (sn) ✕ draw up; Gewitter: approach.
Au'fzug (-tsōōk) m procession; thea. act; ⊕ hoist; lift, elevator; (Anzug) attire.
Au'g-apfel (owgắhpf⁴l) m eyeball.
Au'ge (owgʰ⁴) n eye; (Sehkraft) sight; ⚘ bud; fig. in meinen ~n in my view; im ~ behalten keep in view; aus den ~n verlieren lose sight of; ins ~ fallen strike the eye; große ~n m. open one's eyes.
Au'gen|-arzt m oculist; ~blick m moment, instant; ℒblicklich instantaneous; (vorübergehend) momentary; (gegenwärtig) present; adv. instantly; at present; ~braue (-brow⁴) f eyebrow; ~entzündung (-ĕnttsŭndōōᵑ) f inflammation of the eye; ~glas (-glắhs) n eye-glass; ~klinik f ophthalmic hospital; ~licht n eyesight; ~lid (-leet) n eyelid; ~maß (-mắhs) n: ein gutes ~ a sure eye; nach dem ~ by eye; ~merk (-mĕrk) n: sein ~ richten auf (acc.) have a th. in view; ~schein (-shīn) m appearance; in ~ nehmen take a view of; ℒscheinlich evident; ~täuschung (-tŏishōōᵑ) f optical illusion; ~wasser (-vắhs⁴r) n eye-water; ~wimper (-vĭmp⁴r) f eyelash; ~zeuge (-tsŏigʰ⁴r) m eye-witness.

Augu'st (owgōōst) m August.
Auktio'n (owkts⁴ŏn) f auction; ~a'tor (-ắhtŏr) m auctioneer.
Au'la (owlắh) f hall.

aus (ows) **1.** *prp.* out of; from; of; by; for; on, upon; in; ~ *diesem Grunde* for this reason; ~ *Ihrem Briefe ersehe ich* I see by your letter; **2.** *adv.* out; over; *die Kirche ist* ~ church is over; *auf et.* ~ *sn* be all in for; *es ist* ~ *mit ihm* it is all with him.

au's·arbeit|en (-ăhrbit^{e}n) work out; **2ung** *f* working-out; *schrift-lich*: composition.

au's·arten (sn) degenerate.

au's·atmen (-ăhtm^{e}n) *v/t.* breathe out; *(aushauchen)* exhale.

au'sbaggern (-băhg$^h e$rn) dredge.

Au'sbau (-bow) *m* completion; **2en** finish, complete; dismount.

au'sbedingen (-b^{e}diη^{e}n) stipulate.

au'sbesser|n (-b^{e}ss^{e}rn) mend, repair; **2ung** *f* repair, mending.

Au'sbeute (-böit^e) *f* gain, profit; yield. [sweat; **2ung** *f* exploitation.]

au'sbeut|en exploit; *Arbeiter:*

au'sbild|en form; develop; *(schu-len)* train; *(lehren)* instruct; **2ung** *f* development; training; instruction, education.

au'sbitten: *sich et.* ~ request.

au'sbleiben (-blīb^{e}n) **1.** (sn) stay away, not arrive; **2.** **2** *n* non-arrival.

Au'sblick *m* (*a. fig.*) outlook (*a. fig.*), view, prospect.

au'sbohren (-bōr^{e}n) bore.

au'sbraten (-brăht^{e}n) *Schmalz:* melt (down).

au'sbrechen *v/t.* break out (*a. v/i.*); *(erbrechen)* vomit; *v/i.* (sn) *fig.* burst out laughing *etc.*

au'sbreit|en (-brīt^{e}n) spread (out); *Arme, Flügel:* stretch; *sich* ~ spread; **2ung** *f* spreading.

au'sbrennen *v/i.* (sn) cease burn-ing; *ausgebrannt (Haus)* fire-gutted.

Au'sbruch (-brōōk) *m* outbreak.

au'sbrüten (-brüt^{e}n) hatch (*a. fig.*)

au'sbürgern (-bürg$^h e$rn) denation-alize, expatriate.

Au'sdauer (-dow^{e}r) *f* perseverance; **2nd** (-t) persevering; **♀** perennial.

au'sdehn|en (-dén^{e}n) (*a. sich*) ex-tend (*auf acc.* to); expand; **2ung** *f* expansion; extension; *(Umfang)* extent. [contrive, devise.]

au'sdenken think out (*Am.* up).

au'sdienen (-deen^{e}n) serve one's time; *ausgedient h. (Sache)* be worn out; *ausgedienter Soldat* ex-service-man.

au'sdörren (-dör^{e}n) *v/t.* dry up; parch.

au'sdrehen (-dré^{e}n) *Lampe, Gas:* turn off; *elektr. Licht:* switch off.

Au'sdruck (-drōōk) *m* expression; term.

au'sdrück|en press (*od.* squeeze) out; *Zigarette:* stub(out); *fig.* express; **~lich** express, explicit.

au'sdrucks|los inexpressive, blank; **~voll** expressive.

au'sdünst|en (-dünst^{e}n) *v/i.* (sn) *u. v/t.* evaporate; exhale; **2ung** *f* evaporation; exhalation.

aus-eina'nder (-ínăhnd^{e}r) asunder, apart; separately; **~gehen** (-g$^h e$^{e}n) (sn) *Versammlung:* break up; *Mei-nungen:* differ; *Freunde:* part; *Menge:* disperse; **~nehmen** (-né-m^{e}n) take to pieces; **⊕** strip, dis-mantle; **~setzen** *fig.* explain; *sich mit j-m* ~ have an explanation with; *sich mit e-m Problem* ~ get down to a problem; **2setzung** *f* explanation; *(Erörterung)* discus-sion. [choice.]

au's·erlesen (-érléz^{e}n) exquisite,

au's·erwählen (-érvǟl^{e}n) select, choose (out).

Au'sfahrt *f* drive; (Tor) doorway; *(Abfahrt)* departure.

au'sfall *m* falling out; *(Ergebnis)* result; *(Fehlendes)* deficit.

au'sfallen *v/i.* (sn) fall out; *(nicht statthaben)* not to take place; *gut usw.:* turn out; *Schule:* there is no school; **~d** (-t) aggressive.

Au'sfallstraße (owsfǎhlshtrăhs^e) *f* arterial road. [out.]

au'sfasern (-fǎhz^{e}rn) *v/i.* (sn) ravel

au'sfegen (-fég$^h e$n) sweep out.

au'sfertigen (-fértigh^{e}n) draw up, execute; *doppelter* ~ in duplicate.

Au'sfertigung *f* execution; in

au'sfindig (-findig) *~ machen* find out.

Au'sflucht (-flōōkt) *f* evasion, shift, subterfuge. [outing.]

Au'sflug (-flōōk) *m* trip, excursion,

Au'sflügler (-flügl^{e}r) *m* excursionist.

Au'sfluß (-flōōs) *m* flowing out; **⚡** discharge; *(Mündung)* outfall.

au'sforschen inquire into; *j-n:* sound. [*Am.* quiz.]

au'sfragen (-frǎhg$^h e$n) interrogate,

Au'sfuhr (-fōōr) *f* export (-ation); **~artikel** (-ǎhrteek^{e}l) *m* article of export.

au'sführbar (-fürbǎhr) practicable.

Au'sfuhrbewilligung (-b⁶vĭlĭgŏŏ<u>n</u>g) *f* export permit.

au'sführen (-für⁶n) *j-n*: take out; (*vollbringen*) execute, carry out, *Am.* fill; ✝ export; (*darlegen*) explain.

Au'sfuhrhandel *m* export trade.

au'sführlich full-length, detailed; *adv.* in full; ♀keit *f* fullness; copiousness.

Au'sführung *f* execution, performance; (*Darlegung*) statement; ⸿sbestimmung (-b⁶shtĭmŏŏng) *f* implementing regulation.

Au'sfuhr|verbot (-fĕrbōt) *n* prohibition of exportation; ⸿waren (-vährⁿn) *f/pl.* exports *pl.*; ⸿zoll *m* export duty.

au'sfüllen fill up (*Formular* in).

Au'sgabe (-gåhb⁶) *f* (*Verteilung*) distribution; *Buch*: edition; (*Geld*♀) expense; *v. Aktien usw.*: issue; (⸿stelle) issuing office.

Au'sgang *m* exit; way out; (*Ende*) end; (*Ergebnis*) result; ⸿spunkt (-pŏŏngkt) *m* starting-point.

au'sgeben (-g⁶éb⁶n) give out; *Geld*: spend; *Aktien usw.*: issue; *sich* ⸿ für pass o.s. off for. [out.]

au'sgebombt (-g⁶bŏmpt) bombed)

au'sgeh(e)n (-g⁶é[⁶]n) (sn) go out; (*enden*) end; *gut usw.* ⸿ turn out; *Farbe*: fade; *Haar*: fall out; *von et.* ⸿ start from; *auf et.* (*acc.*) ⸿ aim at.

au'sgelassen (-g⁶lähs⁶n) frolicsome.

au'sgenommen except.

Au'sgesiedelte (-g⁶zeed⁶lt⁶) *f*, ⸿*r m* evacuee.   [*Feier*: arrange.)

au'sgestalten(-g⁶shtählt⁶n) shape;)

au'sgesucht (-g⁶zōōkt) exquisite, choice.   [cellent.)

au'sgezeichnet (-g⁶tsĭçn⁶t) ex-)

au'sgiebig (-g⁶eebĭç) abundant.

au'sgießen (-g⁶ees⁶n) pour out.

Au'sgleich (-glīç) *m* compromise; compensation; *Tennis*: deuce; ♀en equalize; *Verlust*: compensate; ✝ balance; ⸿ung *f* equalization.

au'sgleiten (-glīt⁶n) *v/i.* (sn) slide, slip.   [*Leiche*: exhume.)

au'sgraben (-grähb⁶n) dig out;)

Au'sguck ⚓ (-gŏŏk) *m* look-out.

Au'sguß (-gŏŏs) *m* sink; ⸿eimer (-īm⁶r) *m* slop-pail.

au'shaken (-håk⁶n) unhook.

au'shalten *v/t.* endure, bear; stand; *v/i.* hold out; last.

au'shändigen (-hĕndĭghⁿn) deliver, hand over.   [card.)

Au'shang (-håh<u>n</u>g) *m* notice, placard.

au'shänge|n (-hĕ<u>n</u>g⁶n) *v/t.* hang out (*a. v/i.*); *Tür*: unhinge; ♀schild (-shĭlt) *n* signboard.

au'sharren persevere.

au'shauchen (-howk⁶n) breathe out, exhale.

au'sheben (-héb⁶n) lift out; *Tür*: unhinge; *Truppen*: levy; *Erde*: excavate.

au'shelfen help out.   [cavate.)

Au'shilf|e *f* help, assistance; ♀sweise by way of a makeshift.

au'shöhl|en (-hŏl⁶n) hollow out; ♀ung *f* hollow.

au'sholen (-hŏl⁶n) *v/i. zum Schlag*: lift one's arm; *Erzählung*: weit ⸿ begin far back.

au'shorchen (-hŏrç⁶n) *j-n*: sound, pump.   [(out.)

au'shungern (-hŏŏ<u>n</u>g⁶rn) starve)

au'shusten (-hōōst⁶n) cough up.

au'skleiden (-klīd⁶n) (*a. sich*) undress; ⊕ line, coat.

au'sklopfen beat (out); *Kleid*: dust.

au'sklügeln (-klüg⁶ln) puzzle out.

au'skommen 1. *v/i.* (sn) come out; *Feuer*: break out; *mit et.* ⸿ have enough of; *mit j-m* ⸿ get along with; ⸿ ohne do without; **2.** ♀ *n* competency.

au'skundschaften (-kōōntshähft⁶n) explore; ✕ reconnoitre.

Au'skunft (-kōōnft) *f* information; ⸿ei' (-ī) *f* inquiry-office; ⸿smittel *n* expedient; ⸿sstelle *f* inquiry-office, *Am.* bureau of information.

au'slachen (-låhç⁶n) laugh at.

au'sladen (-låhd⁶n) *v/t.* unload, discharge; *Gast*: put off.

Au'slage (-låhg⁶) *f* (*Geld*) outlay; expenses *pl.*; (*Waren*♀) display, show.   [im ⸿ abroad.)

Au'sland *n* foreign country; *ins* ⸿)

Au'sländ|er (-lĕnd⁶r) *m*, ⸿*erin f* foreigner; ♀isch foreign; ✵, *zo.*]

Au'slands... *mst* foreign.   [exotic.)

au'slass|en (-låhs⁶n) let out; *Wort*: leave out, omit; *Wut*: (*an dat.*) vent ⸿ on; *sich* ⸿ express o.s. (*über acc.* upon); ♀ung *f* omission; (*Äußerung*) utterance.

au'slaufen (-lowf⁶n) (sn) run out; *Gefäß*: leak; ⚓ put to sea. [cuate.)

au'sleeren (-lér⁶n) empty; ✝ eva-)

au'sleg|en (-lég⁶n) lay out; (*zur Schau stellen*) display; (*erklären*) explain; interpret; (vorstrecken) advance; 2ung f explanation, interpretation.

Au'sleih|bücherei (-lĭbüç⁶rī) f lending library; 2en (-lĭ⁶n) lend (out), Am. loan.

au'slernen v/i. finish one's apprenticeship od. time.

Au'slese (-léz⁶) f choice, selection; pick; 2n pick out, select; Buch: finish.

au'sliefer|n (-leef⁶rn) deliver up; Verbrecher: extradite; 2ung f delivery; extradition.

au'sliegen (-leegʰ⁶n) be exhibited.

au'slöschen (-lŏshⁿ) v/t. put out; extinguish; Schrift: efface.

au'slosen (-lŏz⁶n) draw (lots) for.

au'slösen loosen; ⊕ release; fig. cause; Gefangene: redeem; Pfand:

au'slüften air, ventilate. [recover.]

au'smachen (-mähk⁶n) (feststellen) make out; (betragen) come to; (bilden) make up; Fleck: take out; (vereinbaren) agree upon; es macht nichts aus it does not matter.

au'smalen (-mähl⁶n) paint; sich et. ~ picture a th. to o.s.

au'smarschieren (-mährsheer⁶n) (sn) march out.

au'smergeln (-mérgʰ⁶ln) emaciate.

au'smerzen (-mérts⁶n) reject.

au'smessen measure.

Au'snahm|e (-nähm⁶) f exception; 2sweise exceptionally.

au'snehmen (-ném⁶n) take out; fig. except, exempt; Gans usw.: draw; ~d (-t) adv. exceedingly.

au'snutzen (-nŏŏts⁶n) utilize.

au'spacken unpack.

au'spfeifen (-pfīf⁶n) thea. hiss.

au'splaudern (-plowd⁶rn) blab (od.)

au'spolstern stuff, pad. [let) out.]

au'sprägen ausgeprägt marked.

au'sprob(ier)en (-prōb[eer]⁶n) try.

Au'spuff (-pŏŏf) m exhaust; ~gas (-gähs) n burnt gas; ~klappe f cut-out; ~rohr n exhaust pipe; ~topf m silencer, Am. muffler.

au'sputzen (-pŏŏts⁶n) (schmücken) adorn. [lodge.]

au'squartieren (-kvährteer⁶n) dis-/

au'sradieren (-rähdeer⁶n) erase.

au'srangieren (-ra̠ʒeer⁶n) discard.

au'sräumen (-rŏim⁶n) clear.

au'srechnen calculate, compute.

Au'srede (-réd⁶) f evasion, subterfuge.

au'sreden v/i. finish speaking; v/t. j-m et. ~ dissuade a p. from.

au'sreichen (-rīç⁶n) suffice; ~d sufficient. [tear) out.]

au'sreißen (-rīs⁶n) v/t. pull (od.)

Au'sreißer m runaway.

au'srenken (-rênk⁶n) dislocate.

au'srichten ✕ dress; Botschaft: deliver; (bewirken) do, effect; (erlangen) obtain; Gastmahl usw.: give.

au'srodden (-rōd⁶n) root out.

au'srotten (-rŏt⁶n) root out; extirpate.

Au'sruf (-rŏŏf) m exclamation; 2en v/i. exclaim; v/t. proclaim.

Au'srufung f proclamation; ~szeichen** (-tsiç⁶n) n note of exclamation (Am. e.-mark).

au'sruhen (-rŏŏ⁶n) v/t. u. v/i. (a. sich) rest.

au'srüst|en fit out; equip; 2ung f outfit, equipment, Am. fixings pl.

au'ssäen (-zä⁶n) sow; fig. disseminate.

Au'ssage (-zähgʰ⁶) f statement; declaration; tʰ deposition; gr. predicate; 2n state, declare; tʰ depose.

au'ssaugen (-zowgʰ⁶n) suck out; exhaust.

au'sschalte|n (-shählt⁶n) eliminate; ∮ cut out, Licht: switch off; 2r ⚡ m cut-out. [-license.]

Au'sschank (-shähŋk) m retail-/

au'sscheid|en (-shīd⁶n) v/t. separate; ∩ eliminate; ∮ secrete; v/i. (sn) withdraw; Sport: drop out; 2ung f separation; (a. Sport) elimination; ∮ secretion. [embark.]

au'sschiffen (-shīf⁶n) v/t. dis-/

au'sschimpfen call a p. names.

au'sschirren (-shīr⁶n) unharness.

au'sschlachten (-shlähкt⁶n) cut up; Auto usw.: gut.

au'sschlafen (-shlähf⁶n) v/i. sleep one's fill; v/t. Rausch: sleep off.

Au'sschlag (-shlähk) m ⚮ rash; Zeiger: deflexion; 2en (-shlähgʰ⁶n) v/t. beat (od. knock) out; mit Tuch usw.: line; (ablehnen) refuse, decline; v/i. (h. u. sn) ⚮ bud; gut usw.: turn out; Pferd: kick; Waage: turn; 2gebend (-gʰéb⁶nt) decisive.

au'sschließ|en (-shlees⁶n) lock out; fig. exclude; Sport: disqualify; ~lich exclusive(ly); 2ung f, Au's-schluß (-shlŏŏs) m exclusion; disqualification. [bellish.]

au'sschmücken adorn; fig. em-/

Au'sschnitt m cut; *Kleid*: low neck; *(Zeitungs*♀) cutting.

au'sschreib|en (-shríb'n) **1.** write out *od.* in full; *(abschreiben)* copy; *Rechnung*: make out; *(ankündigen)* announce; *Stelle usw.*: advertise; ♀ung f announcement; advertisement. [out; ♀ung f excess.]

au'sschreit|en (-shrít'n) (sn) step|

Au'sschuß (-shóos) m refuse; *(Vertretung)* committee; board.

au'sschütten (-shút'n) pour out; *Dividende*: distribute; *(j-m)* sein *Herz* ~ unbosom o.s.

au'sschwärmen (-shvĕrm'n) (sn) swarm (out).

au'sschweifen (-shvíf'n) (sn u. h.) lead a dissolute life; ~end (-t) dissolute; ♀ung f debauch, excess.

au'sschwitz|en (-shvíts'n) exude; ♀ung f exudation.

au'ssehen (-zé['n) **1.** v/i. look; ~ nach j-m look out for a p.; *wie sieht er aus?* what does he look *(od.* is he) like?; *es sieht nach Regen aus* it looks like rain; **2.** ♀ n appearance, look.

au'ßen (ows'n) out; (on the) outside; *von* ~ *her* from (the) outside; *nach* ~ (hin) outwards; ♀-aufnahme (-owfnáhm'e) f Film: outdoor shot; ♀bordmotor (-bórtmōtòr) m outboard motor.

au'ssenden (-zĕnd'n) send out.

Au'ßen|handel m foreign trade; ~minister m Foreign Secretary, Am. Secretary of State; ~ministerium (-mínístér'òōm) n Foreign Office, Am. Department of State; ♀politisch (-pólēetish) a/ *(od.* referring to) foreign policy; ~seite (-zít'e) f outside; ~seiter m outsider; ~stände (-shtěnd'e) m/pl. outstanding debts.

au'ßer (ows'r) **1.** prp. out of; *(neben)* besides, Am. aside from; *(ausgenommen)* except; ~ *sich* beside o.s.; **2.** cj. ~ daß except that; ~ wenn unless; ~dem besides, moreover.

äu'ßere (ôis'r'e) **1.** adj. exterior, outer; **2.** ♀ n exterior. [out of.]

au'ßerhalb (-hắhlp) prp. outside;|

äu'ßern (ôis'rn) utter; express.

au'ßer-o'rdentlich (-órd'ntlíç) extraordinary.

äu'ßerst (ôis'rst) outermost; *fig.*

utmost, extreme; *mein* ♀es my very best.

außersta'nde (-shtắhnd'e) unable.

Äu'ßerung (ôis'ròōng) f utterance.

au'ssetzen (-zĕts'n) v/t. set *(od.* put) out; *Boot*: lower; *Belohnung*: promise; *Pension*: settle; *(vermachen)* bequeath; *Tätigkeit*: stop; suspend; *Kind*: expose; *dem Wetter usw.*: expose to; et. ~ *(an)* (dat.) find fault with; v/i. intermit; *Motor*: misfire.

Au'ssicht (-zíçt) f view *(auf acc.* of); prospect; *in* ~ h. have in prospect; ♀slos without prospects; ♀svoll rich in prospects.

au'ssöhnen (-zön'n) reconcile (to).

au'ssondern *(auswählen)* single out.

au'sspann|en (-shpắhn'n) v/t. stretch, extend; *Zugtier*: unharness; v/i.fig. take a rest; ♀ung f relaxation.

au'sspeien (-shpí'n) spit out.

au'ssperren lock out.

au'sspielen (-shpeel'n) v/t. *Karte*: lead; *Preis*: play for. [out.]

au'sspionieren (-shpiôneer'n) spy|

Au'ssprache (-shprắhk'e) f pronunciation, accent; *(Erörterung)* discussion.

au'ssprechen (-shprĕç'n) pronounce; express; *sich* ~ *für*, *gegen* declare its for, against; *ausgesprochen fig.* pronounced.

Au'sspruch (-shprôok) m utterance;|

au'sspülen rinse. [saying.]

au'sspüren track out, trace.

Au'sstand (-shtắhnt) m strike, walkout; *in den* ~ *treten* go on strike.

au'sständig (-shtĕndíç) striking, on strike.

au'sstatt|en (-shtắht'n) fit out, equip; *(möblieren)* furnish; *Tochter*: portion (off); *fig.* endow; ♀ung f outfit, equipment; *Buch*: get-up; *s. Aussteuer.* [*fig.*); *Auge*: put out.|

au'sstechen (-shtĕç'n) cut out *(a.)*

au'ssteh(e)n (-shté['n) v/i. stand out; ~d outstanding; v/t. endure, bear.

au'ssteigen (-shtíg'n) (sn) get out.

au'sstell|en (-shtĕl'n) exhibit; *Quittung usw.*: make out, issue; *Wechsel*: draw; ♀er(in f) m exhibitor; drawer; ♀ung f exhibition, show; ♀ungsraum (owsshtĕlōongsrowm) m show-room.

au'ssterben (sn) die out.

Au'ssteuer (-shtôi'r) f dowry,|

au'sstopfen stuff. [trousseau.|

au'sstoß|en (-shtös⁶n) thrust out; *(vertreiben)* expel; *Schrei:* utter; ℒung *f* expulsion. [*u. v/t.* radiate.]

au'sstrahlen (-shträhl⁶n) *v/i.* (sn)|

au'sstrecken stretch (out).

au'sstreichen (-shtrïç⁶n) obliterate, strike out. [spread.]

au'sstreuen (-shtröi⁶n) scatter;|

au'sströmen *v/i.* (sn) stream forth; *Licht:* emanate; *Gas usw.:* escape.

au'ssuchen (-zöök⁶n) choose, select.

Au'stausch (-towsh) *m* exchange; ℒen exchange. [*f* distribution.]

au'steil|en (-til⁶n) distribute; ℒung|

Au'ster (owst⁶r) *f* oyster.

au'stilgen (-tïlg⁶⁶n) exterminate.

au'stragen (-trähg⁶⁶n) carry out; deliver; *Streit, Wettspiel:* decide.

au'streib|en (-trïb⁶n) drive out; expel; ℒung *f* expulsion.

au'streten (-trét⁶n) *v/t.* tread out; *Schuh:* wear out; *v/i.* (sn) *Fluß:* overflow; *(ausscheiden)* retire *(aus* from); *Abort:* ease o.s.; ~ *aus* leave.

au'strinken drink up.

Au'stritt *m* leaving; retirement.

au'strocknen dry up *(a. v/i.,* sn).

au'süb|en (-üb⁶n) exercise; *Beruf:* practise; *Einfluß:* exert; ℒung *f* practice; exercise.

Au'sverkauf (-fěrkowf) *m* selling off, clearance sale; ℒen sell off, clear out (stock).

Au'swahl (-vähl) *f* choice; selection.

au'swählen (-väl⁶n) choose, select.

au'swander|er(in *f)* *m* emigrant; ℒn (sn) emigrate; ~ung *f* emigration.

au'swärtig (-vĕrtïç) non-resident; foreign; *das* ℒe *Amt* Foreign Office; *Am.* State Department.

au'swärts (-vĕrts) outward/s); *(außer dem Hause)* out of doors; abroad. [ℒung *f* exchange.]

au'swechseln (-vĕks⁶ln) exchange;|

Au'sweg (-vék) *m* way out; outlet; *fig.* shift, expedient.

au'sweichen (-vïç⁶n) (sn; *dat.)* make way (for); *fig.* evade, avoid; ~d evasive.

Au'sweis (-vïs) *m (Bank*ℒ*)* return; *(Personal*ℒ*)* identity card, *Am.* identification (card); ℒen (-vïz⁶n) turn out, expel; *(zeigen)* show, prove; *sich* ~ prove one's identity; ~ung *f* expulsion; ~ungsbefehl (-b⁶fél) *m* deportee warrant.

au'sweiten (-vït⁶n) widen, stretch.

au'swendig (-vĕndïç) outward; *fig.* by heart.

au'swerfen throw out; ℱ expectorate; *Summe:* allow, grant.

au'swickeln unwrap.

au'swiegen (-veeg⁶⁶n) weigh out.

au'swirken *v/t. sich* ~ operate.

au'swischen wipe out, efface.

au'swringen *Wäsche:* wring out.

Au'swuchs (-vööks) *m* excrescence.

Au'swurf (-vöörf) *m* expectoration; *fig.* refuse, dregs *pl.*

au'szahl|en *m* pay out; *j-n:* pay off; ℒung *f* payment.

au'szählen count out. [sumption.]

Au'szehrung (-tséröör̃g) *f* con-|

Au'szeichn|en (-tsïçn⁶n) mark out; *Waren:* price; *fig.* distinguish *(sich* o.s.); ℒung *f* distinction; *(Orden)* decoration.

au'sziehen (-tsee⁶n) *v/t.* draw out, extract; *Kleid:* take off; *sich* ~ undress; *v/i.* (sn) *Mieter:* (re)move (from).

Au'szug (-tsöök) *m* departure; ✕ marching out; *e-s Werkes:* extract; summary; *(Konto*ℒ*)* statement (of account); *aus e-r Wohnung:* removal.

authe'ntisch (owtĕntïsh) authentic.

Au'to (owtō) *n* (motor-)car, *Am.* automobile; ~ *fahren* drive, motor, *Am.* auto; ~bahn *f* autobahn; ~bus (-böös) *m* (motor-)bus; ~dida'kt (-dïdä⁄kt) *m* self-taught person; ~droschke (-dröshk⁶) *f* (motor-)cab, *mst* taxi(-cab); ~fahrer *m* motorist; ~haltestelle (-hä⁄lt⁶-shtĕl⁶) *f* taxi-stand; ~kra't (-krä⁄ht) *m* autocrat; ~kratie' (-krähtee) *f* autocracy; ~ma't (-mä⁄ht) *m* automaton; *(Waren*ℒ*)* slot-machine; ~ma'tenrestaurant (-mä⁄ht⁶n-rĕstör̃g) *n* self-service restaurant; ℒma'tisch automatic; ~mobi'l (-möbeel) *n* s. *Auto;* ℒno'm (-nōm) autonomous; ~nomie' (-ee) *f* autonomy.

Au'tor (owtŏr) *m,* ~in (-ōrïn) *f* author; ℒisie'ren (-ïzeer⁶n) authorize; ℒitä'r (-ïtär) authoritarian; ~itä't (-ïtät) *f* authority.

Au'to|schlosser (-shlŏs⁶r) *m* car-mechanic; ~schuppen (-shŏöp⁶n) *m* motor-shed, garage; ~straße (-shträhs⁶) *f* motor(ing) road.

avisie'ren (-zeer⁶n) † advise.

Axt (ähkst) *f* axe, *Am.* ax.

Azetyle'n (ähtsétülén) *n* acetylene.

B

Bach (băĸ) m brook, Am. creek.
Ba′ckbord (băĸkbört) n port.
Ba′cke (băĸk⁶) f cheek.
ba′cken (băĸk⁶n) bake; in der Pfanne: fry; Schnee usw.: cake.
Ba′cken|bart m whiskers pl.; ～zahn m molar (tooth), grinder.
Bä′cker (bĕk⁶r) m baker; ～ei f, ～laden (-lähd⁶n) m baker's shop, Am. bakery.
Ba′ck|fisch (băĸkfĭsh) m girl in her teens, flapper; ～obst (-ōpst) n dried fruit; ～ofen (-ōf⁶n) m baking-oven; ～pfeife (-pfīf⁶) f box on the ear; ～pflaume (-pflowm⁶) f prune; ～pulver (-pōōlf⁶r) n baking-powder; ～stein (-shtīn) m brick; ～ware (-vähr⁶) f baker's ware.
Bad (bäht) n bath; im Freien: bathe; s. Badeort.
Ba′de|-anstalt (-ănshtăhlt) f baths pl., bathing-establishment; ～anzug (-ăntsōōk) m bathing-costume, bsd. Am. bathing-suit; ～hose (-hōz⁶) f bathing-drawers pl., Am. swim trunks pl.; ～kappe f bathing-cap; ～kur (-kōōr) f course of mineral waters; ～laken (-lähk⁶n) n bath-sheet; ～mantel m bathing-gown, Am. bathrobe; ～meister (-mīst⁶r) m bath-attendant.
ba′den (băhd⁶n) bathe; Wanne: take a bath.
Ba′de|-ofen (-ōf⁶n) m geyser, Am. water heater; ～ort m watering-place; spa; ～reise (-rīz⁶) f journey to a watering-place; ～wanne f bath(ing)-tub; ～zimmer n bath-room.
Ba′gger (băhg⁶r) m, ～maschine (-măhsheen⁶) f dredger; 2n dredge.
Bahn (băhn) f path, road; Sport: course, track; ast. orbit; fig. career; railway, bsd. Am. railroad; mit der ～ by train; 2′brechend (-brĕç⁶nt) pioneer; ～brecher (-brĕç⁶r) m pioneer; ～damm m railroad embankment; 2′en Weg: open, fig. pave; force one's way; ～hof m railway-station; ～linie (-leen⁶⁶) f railway-line; ～steig (-shtīk) m plat-

form; ～steigkarte f platform--ticket; ～übergang (-üb⁶rgähng) m railway-crossing.
Ba′hre (băhr⁶) f barrow; (Kranken-2) stretcher; (Toten2) bier.
Bai (bī) f bay.
Bai′sse (bäs⁶) † f fall (in prices), slump; auf ～ spekulieren bear.
Bajone′tt (băhyōnĕt) n bayonet.
Ba′ke (băhk⁶) † f beacon.
Bakte′rie (băhktĕr⁶⁶) f bacterium (pl. -ia), microbe.
bald (băhlt) soon, shortly; (beinahe) almost, nearly; ～ so, ～ so now one way, now another; ～ig (băhldĭç) speedy; † ～e Antwort early reply.
Ba′ldrian (băhldrĭähn) m valerian.
Balg (băhlk) m skin; e-r Orgel, phot. (mst ～'en [băhlg⁶n] m) bellows pl. [Kinder: romp.]
ba′lgen (băhlg⁶n) (sich) scuffle;]
Ba′lken (băhlk⁶n) m beam, rafter.
Balko′n (băhlkōn̦, -kōn) m balcony; ～tür f French window.
Ball¹ (băhl) m ball; geogr., ast. globe; ～² m ball, dance.
Ba′llast (băhlähst) m ballast.
ba′llen¹ (băhl⁶n) (a. sich) ball; Faust: clench; 2² m bale, pack; anat. ball; ～² m bunion.
Balle′tt (băhlĕt) n ballet.
Ballo′n (băhlō̦n, -ōn̦) m balloon.
Ba′llsaal (băhlzähl) m dancing--room.
Ba′lsam (băhlzähm) m balm, balsam; 2ie′ren (-eer⁶n) embalm.
Ba′mbus (băhmbōōs) m, ～rohr (-rōr) n bamboo.
bana′l (băhnähl) commonplace.
Bana′ne (băhnähn⁶) f banana.
Band (băhnt) 1. m volume; (Einband) binding; 2. n band; bsd. zum Putz: ribbon; zum Binden: tape; anat. ligament; 3. n fig. tie, bond.
Banda′g|e (băhndähG⁶) f, 2ie′ren (-eer⁶n) bandage.
Ba′nde (băhnd⁶) f Billard: cushion; fig. band; gang.
bä′ndigen (bĕndĭg⁶n) tame, (a. fig.) subdue; fig. restrain, master.
Bandi′t (băhndeet) m bandit.

Ba'nd|maß (-māhs) n tape-measure; ~wurm (-vŏŏrm) m tapeworm.

bang (bāhŋ) anxious, uneasy (um about); mir ist ~ I am afraid (vor dat. of); 2emacher (-māhkᵉr) m alarmist; ~en (bāhŋᵉn) be afraid (vor dat. of); ~ nach long for; 2igkeit (-içkīt) f anxiety.

Bank (bāhŋk) f 1. bench; Schule: form; 2. † bank; ~anweisung (-āhnvīzŏŏŋ) f cheque; ~be-amte(r) (-bᵉāhmtᵉ[r]) m bank-clerk; ~diskont (-dĭskŏnt) m bank-rate.

bank(e)ro'tt (bāhŋkᵉ[ᵉ]rŏt) 1. bankrupt; 2 m. go b., fail; 2. 2 m bankruptcy, failure.

Banke'tt (bāhŋkĕt) n banquet.

Ba'nk|geschäft (-gᵉshĕft) n banking-house.

Bankie'r (-ᵉ) m banker.

Ba'nk|konto (-kŏntō) n bank(ing)-account; ~note (-nōtᵉ) f bank-note; Am. bank-bill; ~wesen (-vézᵉn) n banking.

Bann (bāhn) m ban; fig. spell; eccl. excommunication; 2en banish; Teufel: exorcize.

Ba'nner (bāhnᵉr) n banner.

Ba'nnmeile (-mīlᵉ) f boundary.

bar (bāhr) bare; ~ Geld ready money, cash; ~ bezahlen pay cash.

Bär (bär) m bear. [(down).

Bara'cke (bārāhkᵉ) f barrack; ~nlager (-lāhgᵉr) n hut-camp.

Barba'r (bāhrbāhr) m, ~in f barbarian; ~ei' (-ī) f barbarity; 2isch barbarous. [in cash.

Ba'rbetrag (-bᵉtrāhk) m amount

Barbie'r (bāhrbeer) m barber; 2en shave; fig. cheat.

Ba'rchent (bāhrçᵉnt) m fustian.

Bä'renzwinger (bārᵉntsvĭŋᵉr) m bear-garden.

Bare'tt (bāhrĕt) n cap.

ba'r|fuß (-fŏŏs) bare-footed; 2geld (-gᵉĕlt) n cash; ~geldlos cashless; ~häuptig (-hŏiptĭç) bare-headed.

Ba'riton (bāhrĭtŏn) m baritone.

Barka'sse (bāhrkāhsᵉ) f launch.

Bä'rme (bĕrmᵉ) f barm, yeast.

barmhe'rzig (bāhrmhĕrtsĭç) merciful; ~e Schwester sister of charity; 2keit f charity, mercy.

Baro'n (bāhrōn) m baron; ~in f baroness.

Ba'rre (bāhrᵉ) f bar; ⊕ ingot; ~n m Turnen: parallel bars pl.

Barrie're (bāhrĭᵉrᵉ) f barrier.

barsch (bāhrsh) harsh, rude.

Ba'rschaft (bāhrshāhft) f cash.

Ba'rscheck (-shĕk) m cash-cheque.

Bart (bāhrt) m beard; (Schlüssel2) bit, wards pl.

bä'rtig (bārtĭç) bearded.

ba'rtlos beardless.

Ba'rzahlung (-tsāhlŏŏŋ) f cash payment; gegen ~ cash down.

Ba'sis (bāhzĭs) f base, basis.

Baß (bāhs) m bass; ~'geige (-gⁱhgᵉ) f bass-viol.

Bassi'st (bāhsĭst) m bass(-singer).

Bast (bāhst) m bast. [2 hybrid.|

Ba'stard (bāhstāhrt) m bastard; zo.,

Bastei' (bāhstī) f bastion.

ba'steln (bāhstᵉln) tinker.

Bataillo'n (bāhtāhlʻōn) n battalion.

Bati'st (bāhtĭst) m cambric.

Batterie' (bāhtᵉree) f battery.

Bau (bow) m building; construction; ✓ cultivation; (Körper2) build, frame; (Tier2) burrow, den (a. fig.); earth; ~'-amt n Board of Works; ~'-art f build; ⚠ style of architecture.

Bauch (bowk) m belly; e-s Schiffes: bottom; 2'ig bellied; ~'landung (-lāhndŏŏŋ) f belly-landing; ~'redner (-rédnᵉr) m ventriloquist; ~'weh (-vé) n stomach-ache.

bau'en (bowᵉn) v/t. build, construct; ✓ cultivate, grow; v/i. ~ auf j-n rely on.

Bau'er (bowᵉr) 1. m (n) cage; 2. m farmer; Ggs. Städter: peasant; fig. boor; Schach: pawn; Karten: knave.

Bäu'erin (bŏiʻrĭn) f country-woman; engS. farmer's wife.

bäu'(e)risch rustic.

Bau'erlaubnis (-ᵉrlowpnĭs) f building permit.

Bau'ern|fänger (-fĕŋᵉr) m sharper, rook; ~gut (-gŏŏt) n farm; ~haus (-hows) n farm-house.

bau'|fällig (-fĕlĭç) out of repair, dilapidated; 2gerüst (-gᵉrŭst) n scaffold(ing); 2handwerker (-vĕrkᵉr) m building craftsman; 2herr m builder; 2holz n timber, Am. lumber; 2kasten m box of bricks; 2kunst f architecture.

bau'lich architectural; in gutem ~em Zustand in good repair.

Baum (bowm) m tree.

Bau'meister (-mīstᵉr) m architect.

bau'meln (bowmᵉln) dangle, bob.

bäu'men (bŏimᵉn) v/refl. prance.

Bau'm|schere (-shér^e) f (eine a pair of) pruning-shears pl.; **~schule** (-shōōl^e) f tree-nursery; **~stamm** (-shtähm) m trunk; **~wolle** (-völ^e) f cotton; **2wollen** (made of) cotton.

Bau'|plan (-plähn) m ground-plan; **~platz** m (building) plot, Am. lot; **~polizei** (-pŏlïtsï) f building department.

Bausch (bowsh) m pad, bolster; $_{\mathcal{S}}^{\mathcal{K}}$ compress; in ~ und Bogen in the lump; **2'en** swell (a. sich), puff; **2'ig** puffy.

Bau'|stein (-shtïn) m building-stone; **~stelle** f building-site; **~stoff** m building material; **~unternehmer** (-ōōnt^{e}rném^{e}r) m contracter; **~zaun** (-tsown) m hoarding.

bay'(e)risch (bï[^{e}]rïsh) Bavarian.

Bazi'llus (bähtsïlōōs) m bacillus, germ. [intend.]

be-a'bsichtigen (b^e-ähpzïçtïg^h^{e}n) be-

be-a'cht|en (b^e-ähkt^{e}n) pay attention to, notice; Vorschrift usw.: observe; **~enswert** (-vért) note-worthy; **2ung** f consideration, notice.

Be-a'mt|e(r) (b^{e}ähmt^{e}r) m, **~in** f official, Am. a. office-holder; (Regierungs2) Civil Servant.

be-ä'ngstigen (b^e-ärç̧stïg^h^{e}n) make anxious, alarm.

be-a'nspruch|en (b^e-ähnshprŏŏk^{e}n) claim; **2ung** f claim; ⊕ stress, strain.

be-a'nstand|en (b^e-ähnshtähnd^{e}n) object to; **2ung** f objection.

be-a'ntrag|en (b^e-ähnträg^h^{e}n) apply for; propose; parl. move.

be-a'ntwort|en (b^e-ähntvört^{e}n) answer, reply to; **2ung** f answer, reply.

be-a'rbeit|en (b^e-ährbït^{e}n) work; ♪ till; (zurechtmachen) adapt; Thema: treat; Buch: revise; j-n: work on; **2ung** f working, adaption, treatment; revision.

be-au'fsichtigen (b^e-owfzïçtïg^h^{e}n) inspect, superintend, control.

be-au'ftragen(b^e-owfträg^h^{e}n)commission (to do), charge (with).

bebau'en (b^e-bow^{e}n) build on; ♪ cultivate.

be'ben (béb^{e}n) tremble; shiver; Erde: quake (alle: vor dat. with).

Be'cher (béç^{e}r) m cup.

Be'cken (bék^{e}n) n basin, Am. bowl; ♪ cymbal; anat. pelvis.

Beda'cht[1] (b^{e}dähkt) m consideration; mit ~ deliberately.

beda'cht[2]: ~ auf (acc.) intent on.

bedä'chtig (b^{e}déçtïç̧) wary.

beda'nken: sich ~ (bei j-m; für et.) thank (a p.; for a th.).

Beda'rf (b^{e}dährf) m need, want, requirement (an dat.); **~s-artikel** (-ährteek^{e}l) m requisite.

bedau'er|lich (b^{e}dow^{e}rlïç̧) deplorable; **~n 1.** j-n: pity; et.: regret, deplore; **2.** 2 n regret; pity; **~nswert** (-vért) pitiable.

bede'ck|en cover; **2ung** f covering; ✕ escort; ⚓ convoy.

bede'nken 1. consider; mind; im Testament: provide for; sich ~ deliberate; sich anders ~ change one's mind; **2.** 2 n hesitation; (Zweifel) scruple; **~los** unscrupulous. [delicate; critical.]

bede'nklich doubtful; Sache; |

Bede'nkzeit (b^{e}děnktsït) f time for reflection.

bedeu'ten (b^{e}dŏit^{e}n) mean, signify; **~d** (-t) important; (beträchtlich) considerable.

bedeu'tsam (-zähm) significant; **2keit** f significance.

Bedeu'tung f meaning, signification; (Wichtigkeit) importance; **2slos** insignificant; **2svoll** significant.

bedie'n|en (b^{e}deen^{e}n) v/t. serve; wait on; Maschine usw.: work, bsd. Am. operate; sich ~ bei Tisch: help o.s.; sich e-r S. ~ make use of; v/i. wait (at table); Karten: follow suit; **2te(r)** m servant; **2ung** f service, attendance; (Dienerschaft) servants pl.

bedi'ng|en (b^{e}dïⁿg^h^{e}n) stipulate; (in sich schließen) involve; **~t** conditional.

Bedi'ngung f condition; stipulation; günstige ~en easy terms; **2slos** unconditional.

bedrä'ng|en (b^{e}drèⁿg^h^{e}n) press hard; fig. oppress; **2nis** f oppression; distress.

bedro'h|en (b^{e}drō^{e}n) threaten; **2ung** f threat(ening). [pression.]

bedrü'ck|en oppress; **2ung** f op-|

bedü'rfen need, want.

Bedü'rfnis (-ïs) n need, want; (s)ein ~ verrichten relieve nature; **~anstalt** (-ähnshtählt) f (public) lavatory.

bedü'rftig needy, indigent.

be-e'hren (b^{e}ér^{e}n) honour; ✝ favour; sich ~ zu ... have the honour to ...

be-ei'fern (bᵉif'rn): sich ~ exert o.s.

be-ei'len (bᵉil'n) (sich), hurry up. [impress.]

be-ei'ndrucken (bᵉ indrōͦk'n) v/t.

be-ei'nfluss|en (bᵉinflōōs'n) influence; ℒung f (exertion of) influence.

be-ei'nträchtig|en (bᵉ-inträͤçtïgʰᵉn) impair, injure; ℒung f injury.

be-e'nd(ig)en (bᵉ ẻnd[ïg]ʰᵉn) finish, terminate; ℒung f termination, close.

be-e'ngen (bᵉ-ẻŋᵉn) narrow.

be-e'rben (bᵉ-ẻrb'n): be a p.'s heir.

be-e'rdigen (bᵉ-ẻrdïgʰᵉn) bury.

Be-e'rdigung f burial.

Bee're (bẻrᵉ) f berry.

Beet (bẻt) n bed.

befä'hig|en (bᵉfäͤïgʰᵉn) qualify; ℒung f qualification; capacity.

befa'hr|bar (bᵉfäͤhrbäͤhr) Weg: practicable; Wasser: navigable; ~en pass over.

befa'llen befall, attack.

befa'ngen (bᵉfäͤŋʰᵉn) self-conscious; (voreingenommen) prejudiced; ℒheit f self-consciousness; prejudice. [o.s. with, engage in.]

befa'ssen touch; sich ~ mit occupy]

Befe'hl (bᵉfẻl) m command, order; ℒen order, command; ℒigen(-ïgʰᵉn) command.

Befe'hls|haber (-häͤhbᵉr) m commander; ℒhaberisch imperious.

befe'stig|en (bᵉfẻstïgʰᵉn) fasten; ✕, fig. foɾtify; sich ~ Preise: stiffen; ℒung f ✕ fortification. [wet.]

befeu'chten (bᵉfȯïçt'n) moisten;]

befi'nd|en 1. sich ~ be; 2. ℒ n (state of) health; ~lich being.

befle'cken spot, stain, taint.

befle'ißigen (bᵉflïsïgʰᵉn): sich e-r S. ~ apply oneself to. [f assiduity.]

befli'ssen (bᵉflïs'n) studious; ℒheit]

befo'lg|en obey; follow; ℒung f observance (of), adherence (to).

befö'rder|n (bᵉfȯͤrdᵉrn) carry, transport, forward; fig. further; j-n: promote (zu to); ℒung f forwarding; promotion; ℒungsmittel n means of transport(ation Am.). [terrogate.]

befra'gen (bᵉfräͤhgᵉn) question, in-]

befrei'e|n (bᵉfrïn) free, deliver; liberate; von Verpflichtung ~ exempt from; ℒr(in f) m liberator.

Befrei'ung f liberation, deliverance; exemption.

befre'mden (bᵉfrẻmd'n) 1. surprise; 2. ℒ n surprise.

befreu'nden (bᵉfrȯïnd'n): sich ~ mit make friends with; fig. reconcile o.s. to; befreundet friendly.

befrie'd|en (bᵉfrẻd'n) pacify; ℒung f pacification.

befrie'dig|en (bᵉfrẻdïgʰᵉn) satisfy; ~end satisfactory; ℒung f satisfaction.

befru'cht|en (bᵉfrōͦkt'n) fructify, fecundate; fertilize; ℒung f fructification usw.

Befu'g|nis (bᵉfōͦknïs) f authority, warrant; competence; ℒt authorized; competent.

befü'hlen feel; touch; handle.

befü'rcht|en fear, apprehend; ℒung f fear, apprehension. [cate.]

befü'rworten (bᵉfȳͤrvȯrt'n) advo-]

bega'b|t (bᵉgäͤhpt) gifted, talented; ℒung f talents pl.

bege'ben Wechsel: negotiate; sich ~ P.: go to; S.: happen, occur; ℒheit f event, occurence.

bege'gn|en (bᵉgḗgᵉn) (sn) (dat.) meet (acc. od. with); (widerfahren) happen (to); (vorbeugen) prevent; fig. treat a p. well etc.; ℒung f meeting.

bege'h(e)n (-gẻ[ᵉ]n) Fehler usw.: commit; Fest: celebrate; Unrecht: do.

bege'hr|en (bᵉgḗrᵉn) desire; (fordern) demand; ✝ sehr begehrt in great demand; ~enswert (-vẻrt) desirable; ~lich covetous.

begei'ster|n (bᵉgïstᵉrn) inspire; sich ~ für feel inspired by; ~t enthusiastic; ℒung f inspiration; enthusiasm.

Begie'r, ~de (bᵉgḗer[dᵉ]) desire, eagerness, appetite; ℒig eager (nach for; to do), desirous (of; to do).

begie'ßen (bᵉgḗees'n) water; Braten: baste.

Begi'nn (bᵉgïn) m beginning; origin; ℒen v/t. u. v/i. begin.

beglau'big|en (bᵉglȯwbïgʰᵉn) attest, authenticate; j-n: accredit (bei to); ℒung f attestation; ℒungsschrei-ben (-shrïb'n) n credentials pl.

beglei'chen (bᵉglïç'n) pay, settle.

beglei't|en (bᵉglït'n) accompany; see a p. home etc.; ℒer(in f) m companion, attendant; ℒ-erschei-nung (-ẻrshïnȯͦrɡ) f symptom; ℒschreiben (-shrïb'n) n covering letter; ℒung f attendants pl.; (Gefolge) retinue; ♪ accompaniment.

beglü'ckwünsch|en (b⁰glükvün-sh⁰n) congratulate (**zu** on); **Qung** *f* congratulation.

begna'dig|en (b⁰gnähdig⁰n) pardon, *Am.* favor; **Qung** *f* pardon, *Am.* grace.

begnü'gen (b⁰gnüg⁰n): **sich ~** content o.s. (*mit* with).

begra'ben (b⁰grähb⁰n) bury, inter.

Begrä'bnis (b⁰gräpnis) *n* burial.

begrei'f|en (b⁰grĭf⁰n) (*enthalten*) comprise; (*verstehen*) comprehend, understand; **~lich** comprehensible.

begre'nz|en bound; *fig.* limit; **Qung, Qtheit** *f* limitation.

Begri'ff *m* comprehension (*~svermögen*); idea, notion; *im* ~ *sn zu* ... be about to.

begrü'nd|en establish, found; *fig.* prove, substantiate; **Qung** *f* establishment; *fig.* argument, proof.

begrü'ß|en (b⁰grüs⁰n) greet, salute; *fig.* welcome; **Qung** *f* greeting.

begü'nstigen (b⁰günstig⁰n) favour; encourage; patronize.

begu't·achten (b⁰gōōtähkt⁰n) give an opinion on.

begü'tigen (b⁰gütig⁰n) appease.

behaa'rt (b⁰hährt) hairy.

beha'ftet (b⁰häftⁱ⁰t) affected with.

beha'g|en (b⁰hähg⁰n) **1.** (*dat.*) please, suit; **2.** **Q** *n* ease, comfort; **~lich** comfortable.

beha'lten retain, keep (*to o.s. für*).

Behä'lter (b⁰hēlt⁰r) *m* receptacle, container; reservoir; box; tank.

beha'nd|eln treat; ⊕ *a.* process; **Qung** *f* treatment.

behä'ngen (b⁰hⁿg⁰n) hang.

beha'rren persevere, persist (in); **beha'rrlich** persevering; **Qkeit** *f* perseverance.

behau'en (b⁰how⁰n) hew.

behau'pt|en (b⁰howpt⁰n) assert; (*aufrecht halten*) maintain; *sich* ~ *Preise:* keep up; **Qung** *f* assertion, maintaining.

Behe'lf (b⁰hēlf) *m* expedient, shift; **Qen:** *sich* ~ make shift; ~ *ohne* do without; **~s...** emergency; **~sheim** (-him) *n* emergency house.

behe'nd, ~e (b⁰hēnd⁰) nimble, agile; **Qigkeit** *f* (-içkit) *f* agility.

behe'rbergen (b⁰hērbⁿrg⁰n) lodge, shelter.

behe'rrsch|en (b⁰hĕrsh⁰n) rule, govern; *Gegend:* command; *Sprache:* master; *sich* ~ control o.s.;

Qer(in *f*) *m* ruler; **Qung** *f* command, control. [heart, mind.]

behe'rzigen (b⁰hĕrtsig⁰n) take to[

behe'xen (b⁰hĕks⁰n) bewitch. [*a p.*]

behi'lflich (b⁰hilfliç): ~ *sn* help]

Behö'rde (b⁰hörd⁰) *f* authority (*mst pl.*); *engS.* board.

behü'ten (b⁰hüt⁰n) guard, preserve.

behu'tsam (b⁰hōōtzähm) cautious.

bei (bi) at; with; by; about; among st); during; near, by; in; on; of; to; *(wohnhaft bei)* c/o.; *~m Buchhändler* at the bookseller's; ~ *uns* with us; ~ *der Hand nehmen* take by the hand; *ich habe kein Geld ~ mir* I have no money about me; ~ *der Kirche* near the church; ~ *guter Gesundheit* in good health; *ich lese* ~ *Horaz* ... in Horace; *die Schlacht* ~ *Waterloo* the battle of Waterloo; ~ *e-m Glase Wein* over a glass of wine; ~ *alledem* for all that; *Stunden nehmen* ~ take lessons from *od.* of; ~ *günstigem Wetter* weather permitting. [tain.]

bei'behalten (-b⁰hählt⁰n) keep, re-]

Bei'blatt *n* supplement.

bei'bringen *Zeugen usw.:* produce; *j-m et.* ~ impart a th. to a p.; *Niederlage usw.:* inflict on a p.

Bei'chte (biçt⁰) *f* confession.

bei'chten *v/t. u. v/i.* confess.

bei'de (bid⁰) both; the two.

bei'der|lei (-lī) of both sorts; **~seitig** (-zītⁱç) mutual; **~seits** on both sides.

Bei'fahrer *m* assistant driver.

Bei'fall (-fähl) *m* approbation; applause. [able.]

bei'fällig (-fĕllⁱç) approving; favour-]

Bei'fallsruf (-rōōf) *m* cheer.

bei'folgend (-t) enclosed.

bei'fügen (-füg⁰n) add; *e-m Brief:* enclose. [*(a. fig.)* smack.]

Bei'geschmack (-g⁰shmähk) *m*]

Bei'hilfe *f* aid; (*GeldQ*) subsidy.

bei'kommen (sn) (*dat.*) get at.

Beil (bil) *n* hatchet.

Bei'lage (-lähg⁰) *f Brief:* enclosure; *Zeitung:* supplement.

bei'läufig (-löifⁱç) incidental; (*da ich davon spreche*) by the way.

bei'leg|en (-lēg⁰n) add; *e-m Brief:* enclose; (*zuschreiben*) attribute; *Streit:* settle; **Qung** *f* settlement.

Bei'leid (-lit) *n* condolence.

bei'liegen (-leeg⁰n) *e-m Brief:* be enclosed.

bei'messen attribute, impute.

bei'misch|en: e-r S. et. ~ mix a th. with a th.; **Qung** f admixture.

Bein (bīn) n leg; (*Knochen*) bone.

beina'h(e) (-nāh[ᵉ]) almost, nearly.

Bei'name (-nāhmᵉ) m surname.

Bei'n|bruch (-brōŏk) m fracture of the leg; **~kleid(er** pl.) (-klīt, -klīdᵉr) n (*ein a pair of*) trousers; *Am.* pants; *für Damen*: (a pair of) knickers pl.

bei'ordnen adjoin; coordinate.

bei'pflichten j-m: agree with; e-r S.: assent to. [board.]

Bei'rat (-rāht) m adviser; advisory]

be-i'rren (bᵉ-īrᵉn) confuse.

beisa'mmen (-zāhmᵉn) together.

bei'schließen (-shleesᵉn) enclose.

Bei'sein (-zīn) n presence.

beisei'te (-zītᵉ) aside, apart.

bei'setzen inter, bury.

Bei'sitzer (-zītsᵉr) m assessor.

Bei'spiel (-shpeel) n example, instance (*zum* for); **Qlos** unexampled.

bei'ßen (bīsᵉn) bite (*auf*, in et. a th.; *nach* at); *Pfeffer usw.*: burn; **~d** (-t) pungent, poignant, mordant.

Bei'stand (-shtähnt) m assistance.

bei'stehen (-shté[ᵉ]n) j-m: assist a p.

Bei'steuer (-stöĭᵉr) f contribution; **Qn** contribute (*zu* to).

bei'stimm|en (-shtīmᵉn) j-m: agree with; e-r S.: assent (to); **Qung** f assent.

Bei'trag (-trāhk) m contribution; *Geld*: share; **Qen** (-trāhgᵉn) v/t. u. v/i. contribute.

bei'treten (-trétᵉn) (sn) e-r *Meinung*: accede to; e-r *Partei*: join.

Bei'tritt m accession; joining.

Bei'wagen (-vāhgᵉn) m mot. side-car.

Bei'werk n accessories pl. [-car.]

beizei'ten (-tsītᵉn) in (good) time.]

bei'zen (bītsᵉn) corrode; *Holz*: stain; *Wunde*: cauterize.

beja'h|en (bᵉyähᵉn) answer in the affirmative; affirm; **~end** (-t) affirmative; **Qung** f affirmation.

beja'hrt (bᵉyāhrt) aged. [klagen.]

beja'mmern (bᵉyāhmᵉrn) s. be-]

bekä'mpfen combat; *fig.* oppose.

beka'nnt (bᵉkähnt) known; j-n mit j-m ~ m. introduce a p. to a p.; **Qe(r)** acquaintance, *mst* friend; **~lich** as well as known; **~machen** (-māhkᵉn) make known; **Qmachung** f publication; *Anschlag*:

public notice; **Qschaft** f acquaintance. [**Qung** f conversion.]

beke'hr|en convert; **Qte(r)** convert.]

beke'nn|en confess; (*zugeben*) admit; *sich* ~ *zu* confess to, own to; *eccl.* profess; *sich schuldig* ~ plead guilty; **Qtnis** n confession; (*Glaubens*~) creed.

bekla'gen (bᵉklāhgᵉn) lament, deplore; *sich* ~ complain (*über* acc. of); **~swert** (-vért) deplorable, pitiable.

Bekla'gte(r) defendant. [clap.]

bekla'tschen(bᵉklähtshᵉn)applaud,]

bekle'ben (bᵉklébᵉn) paste; *mit Zettel*: label.

bekle'cksen (bᵉkléksᵉn) bespatter.

beklei'd|en (bᵉklīdᵉn) clothe, dress; *Amt usw.*: hold, fill; *fig.* ~ *mit* invest with; **Qung** f clothing; clothes pl.; investiture.

bekle'mm|en *fig.* oppress; **Qung** f oppression; *fig.* anguish.

beklo'mmen (bᵉklömᵉn) anxious.

beko'mmen v/t. get, receive; (*erlangen*) obtain; *Zähne*: cut; *Krankheit*, e-n *Zug usw.*: catch; v/i. (sn) j-m: agree with; *Ggs.* disagree.

bekö'mmlich (bᵉkömlïç) wholesome. [**Qung** f board.]

bekö'stig|en (bᵉköstigʰᵉn) board;]

bekrä'ftig|en (bᵉkréftigʰᵉn) confirm; **Qung** f confirmation.

bekrä'nzen (bᵉkrēntsᵉn) wreathe.

bekri'tteln carp at.

beku'mmern afflict, grieve; *sich* ~ *um* concern o.s. with.

beku'nden (bᵉkŏŏndᵉn) depose; state; (*dartun*) manifest. [den.]

bela'den (bᵉlāhdᵉn) load; *fig.* bur-]

Bela'g (bᵉlāhk) m covering; (*Brot*~) relish; (*Zungen*~) fur.

Bela'ger|er (bᵉlāhgʰᵉrᵉr) m besieger; **Qn** besiege, beleaguer; **Qung** f siege.

Bela'ng (bᵉlāhŋ) m importance; pl. **~e** interests pl.; **Qen** concern; *tħ* sue; *was mich belangt* as for me; **Qlos** unimportant; **Qreich** (-rïç) important.

bela'st|en (bᵉlähstᵉn) load; *fig.* burden; **✝** charge, debit; *tħ* incriminate.

belä'stig|en (bᵉlēstigʰᵉn) trouble, bother; **Qung** f molestation.

Bela'stung (bᵉlähstōŏŋ) f load (a. *fig.*); **✝** debit; (hereditary) taint; (political) incrimination, **~szeuge** (-tsōĭgʰᵉ) m witness for the prosecution.

belau'fen (bᵉlowfᵉn): *sich ~ auf* amount to.

belau'schen (bᵉlowshᵉn) overhear.

bele'b|en (bᵉlébᵉn) enliven, animate; **~t** (bᵉlépt) *Straße*: crowded.

bele'cken lick (at).

Bele'g (bᵉlék) *m* proof; document, voucher; **2en** (bᵉlégᵉn) lay over, cover; *Platz*: reserve; (*beweisen*) prove, verify; *univ.* enter for; **~schaft** *f* personnel, staff; **~stelle** (-shtélᵉ) *f* quotation; **2t ~es Brot** sandwich; *Stimme*: husky; *Zunge*: furred.

bele'hr|en (bᵉlérᵉn) inform, instruct; *sich ~ l.* take advice; **~end** (-t) instructive; **2ung** *f* instruction.

belei'bt (bᵉlípt) corpulent, stout.

belei'dig|en (bᵉlídigᵉn) offend; insult; **~end** (-t) offensive; **2ung** *f* offence; insult.

belei'hen (bᵉliᵉn) (grant a) loan on.

beleu'chten (bᵉlöiçtᵉn) light (up); *fig.* illustrate. [*m* light fixture.]

Beleu'chtung *f* lighting; **~skörper**

beli'cht|en (bᵉliçtᵉn) *phot.* expose; **2ung** *f* exposure.

belie'ben (bᵉleebᵉn) **1.** *v/t.* like; *v/i.* please; **2. 2** *n* will, pleasure; *nach (ihrem) ~* at will, as you like.

belie'big: *ein ~er usw.* any.

belie'bt (bᵉleept) favourite; popular; *Sache*; **2heit** *f* popularity. [*f* supply.]

belie'fer|n (bᵉleefᵉrn) supply; **2ung**

be'llen (bélᵉn) bark. [mend.]

belo'ben (bᵉlöbᵉn) praise, com-

belo'hn|en (bᵉlönᵉn), **2ung** *f* reward, recompense. [a lie.]

belü'gen (bᵉlügᵉn): *j-n ~* tell a p.)

belu'stig|en (bᵉlŏostigᵉn) amuse; **2ung** *f* amusement.

bemä'chtigen (bᵉmęçtigᵉn): *sich ~* (*gen.*) seize, take possession of.

bema'len (bᵉmählᵉn) paint (over).

bemä'ngeln (bᵉmęngᵉln) find fault with.

bema'nnen (bᵉmähnᵉn) man.

Bema'nnung ♱ *f* crew.

bemä'nteln (bᵉmęntᵉln) palliate.

beme'rk|bar (bᵉmęrkbähr) perceptible; **~en** perceive; (*sagen*) remark, observe; **~enswert** (bᵉmęrkᵉnsvért) remarkable; **2ung** *f* remark, observation.

bemi'tleiden (bᵉmĭtlidᵉn) pity, commiserate; **~swert** (-vért) pitiable.

bemü'h|en (bᵉmüᵉn) trouble; *sich ~ endeavour; sich um e-e Stelle ~*

apply for; **2ung** *f* trouble, endeavour; effort. [bouring.]

bena'chbart (bᵉnähкbährt) neigh-)

bena'chrichtig|en (bᵉnähкriçtig-hᵉn) inform (of); notify; ♱ advise (of); **2ung** *f* information.

bena'chteilig|en (bᵉnähкtilighᵉn) prejudice; **2ung** *f* prejudice.

bene'hmen (bᵉnémᵉn): **1.** *j-m et. ~* take a th. away from a p.; *sich ~* behave o.s.; **2. 2** *n* behaviour, conduct. [(-vért) enviable.]

benei'den (bᵉnidᵉn) envy; **~swert**)

bene'nnen name, term.

Be'ngel (bęngᵉl) *m* rude fellow.

beno'mmen (bᵉnŏmᵉn) benumbed.

benö'tigen (bᵉnötighᵉn) want, need. [use of; **2ung** *f* use.]

benu'tz|en (bᵉnŏotsᵉn) use, make)

Ben'zin (bęntseen) *n* benzine; *mot.* petrol, *Am.* gasoline; **~behälter** *m* petrol tank; **~motor** (-mötôr) *m* petrol engine.

be-o'bacht|en (bᵉ-öbähкtᵉn) observe (*a. fig.*); *genau*: watch; *polizeilich*: shadow; **2ung** *f* observation; *fig.* observance.

be-o'rdern (bᵉ-ördᵉrn) order.

bepa'cken load.

bepfla'nzen plant.

beque'm (bᵉkvém) convenient; (*behaglich*) comfortable; *P.*: easygoing; **~en:** *sich ~ zu et.* comply with, submit to; **2lichkeit** (-liçkit) *f* convenience; comfort, ease; *b.s.* indolence.

bera't|en (bᵉrähtᵉn) *j-n*: advise; (*sich*) **~, bera'tschlagen** (bᵉrähtshlähghᵉn) deliberate (*über acc.* on); **2ung** *f* deliberation, ⚕ consultation; conference; **2ungsstelle** (bᵉrähtŏŏngsshtélᵉ) *f* advisory board.

berau'b|en (bᵉrowbᵉn) rob, deprive (*gen.* of); **2ung** *f* robbing, deprivation. [cate.]

berau'schen (bᵉrowshᵉn) intoxi-)

bere'chn|en (bᵉręçnᵉn) calculate; ♱ charge (*zu at*); **2ung** *f* calculation.

bere'chtig|en (bᵉręçtighᵉn) authorize; *j-n zu*: entitle to; **2ung** *f* title (zu to).

bere'd|en (bᵉrédᵉn) persuade (to); **2samkeit** (bᵉrétzähmkit) *f* eloquence; **~t** (-t) eloquent.

Berei'ch (bᵉriç) *m* (*n*) reach; *fig.* scope; *e-r Wissenschaft usw.*: field, sphere; **2ern** enrich; enlarge; **~erung** *f* enrichment; enlargement.

berei′f|en (beʳⁱfᵉn) *Rad*: tyre; **⸰ung** *f mot.* tyres *pl.* [✝ visit.]

berei′sen (beʳiᶻᵉn) travel over; *bsd.*

berei′t (beʳit) ready, prepared; **⸰en** prepare; *Freude usw.*: give; **⸰s** already; **⸰schaft** *f* readiness; (*Polizei⸰*) squad; **⸰stellen** (-shtĕlᵉn) keep ready; **⸰ung** *f* preparation; **⸰willig** (-viliç) ready, willing; **⸰willigkeit** *f* willingness.

bereu′en (beʳŏiᵉn) repent; (*bedauern*) regret.

Berg (bĕrk) *m* mountain, hill; zu **⸰e stehen** stand on end; *über den* **⸰** *sn* be out of the wood; **⸰a′b** (-ä*h*p) downhill; **⸰a′n**, **⸰au′f** (-owf) uphill; **⸰′-arbeiter** (-ä*h*rbitᵉr) *m* miner; **⸰′-arbeiterband** (-ä*h*rbitᵉrʃᵉbä*h*nt) *m* Miners' Federation; **⸰′bahn** (-bä*h*n) 🚃 *f* mountain-railway; **⸰′bau** (-bow) *m* mining. [(*enthalten*) contain.]

be′rgen (bĕrgʰᵉn) save; ⚓ salv(ag)e;

be′rgig (-gʰiç) mountainous, hilly.

Be′rg|kette *f* chain (*od.* range) of mountains; **⸰mann** *m* miner; **⸰recht** *n* mining-laws *pl.*; **⸰rennen** *n Sport*: hill-climbing contest; **⸰rücken** (-rükᵉn) *m* mountain-ridge; **⸰rutsch** (-rŏŏtsh) *m* landslip; **⸰spitze** (-shpitsᵉ) *f* mountain peak; **⸰steiger(in** *f*) (-shtīgʰᵉr) *m* mountain-climber; **⸰sturz** (-shtŏŏrts) *m* landslip; **⸰ung** (bĕrgŏŏ*ɳ*) *f* saving; ⚓ salvage; **⸰ungs-arbeit** (bĕrgŏŏ*ɳ*sä*h*rbit) *f* salvage operation; **⸰werk** (-vĕrk) *n* mine; **⸰werks-aktien** (-vĕrksä*h*ktsᶦᵉn) *f/pl.* mining-shares *pl.*; **⸰wesen** (-vézᵉn) *n* mining.

Beri′cht (beʳiçt) *m* report, account; **⸰en** report; *Am.* cover (*über et.* a th.); *j-m et.* **⸰** inform a p. of a th.); **⸰erstatter** (-ĕrshtä*h*tᵉr) *m* reporter; **⸰erstattung** *f* report(ing).

beri′chtig|en (beʳiçtigʰᵉn) rectify; set right; ✝ settle; ⊕ adjust; *Irrtum*: correct; **⸰ung** *f* rectification; settlement; adjustment; correction.

berie′chen (beʳeeçᵉn) smell at.

Berli′ner (bĕrleenᵉr) *m*, **⸰in** *f* Berlinian, Berliner.

Be′rnstein (bĕrnshtīn) *m* amber.

be′rsten (bĕrstᵉn) *sn* burst.

berü′chtigt (beʳüçtiçt) notorious.

berü′cksichtig|en (beʳükziçtigʰᵉn) regard, consider; **⸰ung** *f* consideration, regard.

Beru′f (beʳŏŏf) *m* calling; (*Gewerbe*) trade; (*höherer* **⸰**) profession; (*innerer* **⸰**) vocation; **⸰en¹** call; (*zs.-rufen*) convoke; *zu e-m Amt*: appoint (to); *sich* **⸰** *auf* (*acc.*) refer to; **⸰en²** *adj.* competent; **⸰lich** vocational.

Beru′fs... professional; **⸰beratung** (-bᵉʳä*h*tŏŏ*ɳ*) *f* vocational guidance; **⸰kleidung** (-klīdŏŏ*ɳ*) *f* vocational clothing; **⸰krankheit** (-krä*h*p*k*hīt) *f* occupational disease; **⸰schule** (-shŏŏlᵉ) *f* vocational school; **⸰spieler** (-shpeelᵉr) *m Sport*: professional; **⸰tätig** (-tätiç) employed in an occupation.

Beru′fung *f* convocation; appointment (*zu* to); ⚖ appeal (*an acc.* to); reference (*auf acc.* to); **⸰sgericht** (-gʰᵉʳiçt) *n* court of appeal.

beru′hen (beʳŏŏʰᵉn): **⸰** *auf* (*dat.*) rest on.

beru′hig|en (beʳŏŏgʰᵉn) quiet, calm, soothe; *sich* **⸰** calm down; **⸰ung** *f* calming (down).

berü′hmt (beʳümt) famous, celebrated; **⸰heit** *f* renown; *Person*: celebrity.

berü′hr|en touch (*a. fig.*); **⸰ung** *f* touch(ing), contact; *in* **⸰** *kommen mit* come in(to) contact with.

besä′en (beᶻäᵉn) sow; *besät fig.* studded. [attest.]

besa′gen (beᶻä*h*gʰᵉn) mean, signify;

besa′gt (-kt) (afore)said.

besä′nftigen (beᶻänftigʰᵉn) soothe; *sich* **⸰** calm down.

Besa′tz (beᶻä*h*ts) *m* border; trimming.

Besa′tzung *f* garrison; ⚓, ✈ crew; **⸰smacht** (-smä*h*kt) *f* occupation force.

beschä′dig|en (beᵉshädigʰᵉn) *S.*: damage, injure; *P.*: injure, hurt; **⸰ung** *f* damage, injury, hurt.

bescha′ffen (beᵉshä*h*fᵉn) **1.** procure; **2.** *adj.* constituted; (well- *etc.*)conditioned; **⸰heit** *f* condition; quality; constitution.

beschä′ftig|en (beᵉshĕftigʰᵉn) occupy; *Angestellte*: employ; **⸰ung** *f* occupation; employment.

beschä′m|en (beᵉshämᵉn) shame, make ashamed; **⸰t** ashamed; **⸰ung** *f* shame.

bescha′tten (beᵉshä*h*tᵉn) shade, shadow. [plative.]

beschau′lich (beᵉshowliç) contem-

Beschei'd (bᵉshīt) m answer; ᵣᵗₓ decision; information (über acc. about); ~ wissen know.

beschei'den (bᵉshīdᵉn) modest, Am. backward; **2heit** f modesty, Am. backwardness.

beschei'nen (bᵉshīnᵉn) shine upon.

beschei'nig|en (bᵉshīnĭgʰᵉn) attest, certify; den Empfang ~ acknowledge receipt; **2ung** f certificate; receipt.

besche'nken (bᵉshĕŋkᵉn) make a present to; present a p. with a th.

besche'r|en (bᵉshér'n): j-m et. ~ give a p. a th., bestow a th. upon a p.; **2ung** f distribution of presents.

beschie'ß|en (bᵉshēsᵉn) fire on; bombard, shell; **2ung** f bombardment.

beschi'mpf|en insult; stärker: call a p. names; **2ung** f insult, affront.

beschi'rmen protect, shelter.

beschla'fen (bᵉshlāfᵉn) et.: sleep upon.

Beschla'g (bᵉshlähk) m mounting; ᵣᵗₓ seizure, sequestration; in ~ nehmen seize.

beschla'gen (bᵉshlähgʰᵉn) v/t. mount; Pferd: shoe; adj. gut ~ in well versed in; (Fenster) steamed.

Beschla'gnahme (-nähmᵉ) f distraint, seizure, sequestration; ✕ requisition; ⚓ embargo; **2n** seize; sequestrate; ✕ requisition.

beschleu'nig|en (bᵉshlöinĭgʰᵉn) accelerate; speed up; **2ung** f acceleration.

beschlie'ßen (bᵉshlēsᵉn) close; conclude; (sich vornehmen) decide, resolve.

Beschlu'ß (bᵉshlŏos) m (Ende) close, conclusion; gefaßter: resolution, Am. a. result; amtlicher: decree; **2fähig** (-fäïç) competent; **~fassung** (-fähsŏorₓ) f (passing of a) resolution. [smear.]

beschmie'ren (bᵉshmēr'n) (be-)

beschmu'tzen (bᵉshmŏotsᵉn) soil, dirty.

beschnei'den (bᵉshnīdᵉn) cut; clip; Nägel: pare; fig. cut, curtail.

beschö'nig|en (bᵉshönĭgʰᵉn) colour; palliate; **2ung** f palliation.

beschrä'nk|en (bᵉshrĕŋkᵉn) confine, limit; restrict (auf acc. to), Am. curb; **~t** geistig: dull; **2ung** f limitation; restriction.

beschrei'b|en (bᵉshrībᵉn) describe;

Blatt: write upon; **2ung** f description. [inscription.]

beschri'ft|en inscribe; **2ung** f

beschu'ldig|en (bᵉshŏoldĭgʰᵉn) accuse (gen. of), charge (with); **2ung** f accusation, charge.

beschü'tz|en (bᵉshüts'n) protect; **2er** m protector; **2erin** f protectress; **2ung** f protection.

beschwa'tzen (bᵉshvähts'n) coax (zu into).

Beschwe'rde (bᵉshvérdᵉ) f trouble; (Mißstand) grievance; (Klage, Krankheit) complaint.

beschwe'r|en (bᵉshvér'n) burden, charge; sich ~ complain (über of); **2lich** troublesome.

beschwi'chtigen (bᵉshvĭçtĭgʰᵉn) appease; Streit: compose.

beschwi'ndeln (bᵉshvĭndᵉln) cheat (um out of).

beschwö'r|en (bᵉshvör'n) j-n, Geist: conjure; et.: confirm by oath; **2ung** f conjuration; confirmation by oath.

besee'len (bᵉzél'n) animate.

bese'hen (bᵉzéᵉn) look at; prüfend: inspect. [**2ung** f removal.]

bese'itig|en (bᵉzītĭgʰᵉn) remove;

Be'sen (béz'n) m broom; **~stiel** (-shtēl) m broom-stick.

bese'ssen (bᵉzĕs'n) possessed (von with); **2e(r)** m demoniac.

bese'tz|en (bᵉzĕts'n) border, trim; ✕ occupy; Stelle: fill; Platz: engage; thea. Rolle: cast; **2ung** f trimming; occupation; thea. cast.

besi'chtig|en (bᵉzĭçtĭgʰᵉn) view, inspect; **2ung** f view, inspection.

besie'del|n (bᵉzeedᵉln) settle, colonize; **2ung** f colonization.

besie'geln (bᵉzeegʰᵉln) seal.

besie'g|en (bᵉzeegʰᵉn) defeat; conquer; **2er(in** f) m conqueror; **2ung** f conquest.

besi'nnen (bᵉzĭn'n): sich ~ reflect, consider; sich ~ auf (acc.) recollect.

Besi'nnung (bᵉzĭnŏorₓ) f consciousness; **2slos** unconscious, senseless.

Besi'tz (bᵉzĭts) m possession; in ~ nehmen take possession of; **2en** possess; **~er(in** f) m possessor; **~ergreifung** (-érgrifŏorₓ) f taking possession of, occupation; **~tum** n, **~ung** f possession; property; (Land-gut) estate.

beso'hlen (bᵉzōl'n) sole.

beso'ld|en (bᵉzöldᵉn) pay; **~et** salaried; **2ung** f pay; salary.

beso'nder (bᵉzŏndᵉr) particular, peculiar; (*gesondert*) separate; 2heit *f* peculiarity; particularity; ⁓s especially, particularly; separately.

beso'nnen (bᵉzŏnᵉn) discreet; level-headed; 2heit *f* discretion.

beso'rgen (bᵉzŏrgʰᵉn) take care of; (*fürchten*) fear; (*tun*) do, manage, *Am.* fix; (*verschaffen*) get, procure.

Beso'rgnis (-knĭs) *f* apprehension; 2-erregend (-érrégʰᵉnt) alarming.

beso'rgt (-kt) apprehensive, alarmed; (*bemüht*) anxious, solicitous, 2heit *f* solicitude.

Beso'rgung *f* care; management; ⁓en *m.* go shopping.

bespre'ch|en (bᵉsprē̞çᵉn) discuss, talk over; *Buch usw.*: review; *sich* ⁓ *mit* confer with; 2ung *f* discussion; review; conference.   [ter.⟍

bespri'tzen (bᵉsprĭtsᵉn) (be)spat-⟋

be'sser (bĕsᵉr) better; ⁓n better, improve; *sich* ⁓ grow better; *P.*: improve; mend.

Be'sserung *f* improvement; change for the better; ⁓ recovery; *gute* ⁓! good (*od.* better) health to you!

best best; *der erste* ⁓e the first comer; *aufs* ⁓e in the best way possible; *zum* ⁓en *geben* give; *j-n zum* ⁓en *h.* make sport of; *zum* 2en *der Armen* for the benefit of the poor; *ich danke* ⁓ens thank you very much.

Besta'nd (bᵉstähnt) *m* continuance; (*Vorrat*) stock; (*Kassen*2) balance in hand; (*Rest*2) rest, remainder; ⁓ *h.* continue; ⁓s-auf- nahme (-owfnähmᵉ) *f* stock-taking.

bestä'ndig (bᵉstĕndĭç) constant, steady; (*andauernd*) continual; *Wet- ter*: settled; 2keit *f* constancy.

Besta'ndteil (bᵉstähnttīl) *m* ingredient; component (part), constituent (part).   [strengthen.⟍

bestä'rken (bᵉstĕrkᵉn) confirm,⟋

bestä'tig|en (bᵉstähtĭgʰᵉn) confirm, *Am.* F okay; *Vertrag*: ratify; *Empfang*: acknowledge; *sich* ⁓ prove true; 2ung *f* confirmation; ratification; acknowledg(e)ment.

besta'tt|en (bᵉstähtᵉn) bury; 2ung *f* burial.

beste'ch|en (bᵉstŏ̞çᵉn) bribe, corrupt; ⁓lich corruptible; 2ung *f* bribery, corruption.

Beste'ck (bᵉstĕk) *n* ⚕ case (of *instruments*); (*Eβ*2) knife, fork and spoon; 2en (*mit*) stick (with).

beste'h(e)n (bᵉstē̞[ᵉ]n) **1.** *v/t.* undergo; *Probe*: stand; *Prüfung*: pass; *nicht* ⁓ fail; *v/i.* exist; subsist; (*fort*⟍) last, continue; ⁓ *auf* (*acc.*) insist (up)on; ⁓ *aus* consist of; ⁓ *in* consist in; **2.** 2 *n* existence; subsistence; (*auf acc.*) insistence (on).

beste'hlen (bᵉstē̞lᵉn) rob, steal from.

beste'ig|en (bᵉstīgʰᵉn) ascend; *Pferd*: mount; *Wagen usw.*: enter; 2ung *f* ascent.

beste'll|en (bᵉstĕlᵉn) order; (*kom- men l.*) send for; (*ernennen*) appoint; *Brief*: deliver; *Feld*: till; *Grüße*: give; 2ung *f* order; appointment; ⚘ cultivation; delivery.

be'stenfalls (bĕstᵉnfähls) at best.

besteu'er|n (bᵉstŏ̞irn) tax; 2ung *f* taxation.

Be'stie (bĕstiᵉ) *f* beast, brute.

besti'mmen (bᵉstĭmᵉn) determine; (*festsetzen*) appoint; *Begriff*: define; *zu, für et.*: destine.

besti'mmt *Zeit*: appointed, fixed; (*entschlossen*) decided; (*sicher*) certain, positive; *Begriff*: definite; ⁓ *nach* ⚓, ✈ bound for; 2heit *f* exactitude; determination.

Besti'mmung *f* determination; destination (*a.* ⁓s-ort *m*); definition; *amtliche* ⁓en regulations *pl.*

bestra'f|en (bᵉsträhfᵉn) punish; 2ung *f* punishment.

bestra'hl|en (bᵉstrählᵉn) irradiate; ✸ treat with rays; 2ung *f* irradiation; ✸ ray treatment.

bestre'b|en (bᵉstrē̞bᵉn) **1.** *sich* ⁓ exert o.s.; **2.** 2 *n,* 2ung *f* effort, endeavour.

bestrei'ten (bᵉstrītᵉn) contest, dispute; *Ausgaben*: defray; (*leugnen*) deny.

bestreu'en (bᵉstrŏ̞iᵉn) strew (over).

bestü'rmen (bᵉstŭrmᵉn) storm, assail; (*belästigen*) importune.

bestü'rz|t (bᵉstŭrtst) confounded, dismayed; 2ung *f* consternation.

Besu'ch (bᵉzōōx) *m* visit, call; (*Be- sucher*) visitor, company; *der Schule*: attendance (at); 2en visit; *P.*: go to see, call on; *Ort*: frequent; *Schule*: attend; ⁓er(in *f*) *m* visitor, caller.   [handle.⟍

beta'sten (bᵉtähstᵉn) finger; touch,⟋

betä'tigen (bᵉtähtĭgʰᵉn) practise; *sich* ⁓ *bei* take an active part in.

betäu'b|en (bᵉtöibᵉn) stun; *⚕* narcotize; **Sung** *f fig.* stupefaction; *⚕* narcotization; **Sungsmittel** *n* narcotic.

betei'lig|en (bᵉtīligʰᵉn): *j-n* give a p. a share (in); *sich ~ bei* participate in; *~t bei* interested in; **Ste(r)** *m* party concerned; **Sung** *f* participation; *✝* partnership.

be'ten (bétᵉn) *v/i.* pray, say one's prayers; *bei Tische:* say grace.

beteu'er|n (bᵉtöiᵉrn) asseverate, protest; **Sung** *f* asseveration, protestation.

beti'teln (bᵉteetᵉln) entitle, style.

Beto'n (bᵉtõⁿ, -tõn) *m* concrete.

beto'n|en (bᵉtõnᵉn) stress; *fig.* emphasize; **Sung** *f* accentuation; stress; emphasis.

betonie'ren (-eerᵉn) concrete.

betö'ren (bᵉtörᵉn) infatuate.

Betra'cht (bᵉträᴋt) *m: in ~ ziehen* take into consideration; *(nicht) in ~ kommen* (not) to come into question; **Sen** view; *fig.* consider; **~ung** *f* consideration. [able.]

beträ'chtlich (bᵉtrĕᴋtliç) consider-/

Betra'g (bᵉträᴋ) *m* amount; **Sen** (bᵉträᴋhgʰᵉn) **1.** amount to; *sich ~* behave o.s.; **2.** **~en** *n* behaviour, conduct.

betrau'en (bᵉtrowᵉn) entrust.

betrau'ern (bᵉtrowᵉrn) mourn for, deplore.

Betre'ff (bᵉtrĕf) *m: in 2* (*m gen.*) with regard to; *2s* (*gen.*) concerning; **Sen** *fig.* concern; *was ... betrifft* as for; as to; *betrifft* (*Briefanfang*) subject; **Send** (-t) concerning *a th.*; person *etc.* in question.

betrei'ben (bᵉtribᵉn) carry on; *Studien:* pursue; *(auf et. dringen)* push forward.

betre'ten (bᵉtrétᵉn) **1.** step on; *Raum:* enter; **2.** *adj.* perplexed, embarrassed.

betreu'en (bᵉtröiᵉn) attend to.

Betrie'b (bᵉtreep) *m* management; *(Gewerbe)* business; *(Anlage)* plant; *(Werkstatt usw.)* (work)shop, works; *(öffentlicher ~)* service; *in ~* working, **2sam** active; industrious.

Betrie'bs|führer *m* = ~leiter; **~kapital** (-käpitähl) *n* working capital; **~kosten** (-kostᵉn) *pl.* operating expenses; **~leiter** (-litᵉr) *m* (works) manager, *Am.* superintendent; **~material** (-mähtĕrʲ-

āhl) *n* working-stock; **~rat** (-räht) *m* works council; **2sicher** (-ziçᵉr) foolproof; **~störung** (-shtöröoⁿg) *f* break-down. [plexed.]

betro'ffen (bᵉtröfᵉn) *fig.* per-/

betrü'b|en (bᵉtrübᵉn) grieve, afflict; **Snis** (bᵉtrüpnis) *f* affliction, grief.

Betru'g (bᵉtrōōk) *m* fraud, deceit.

betrü'g|en (bᵉtrügʰᵉn) cheat, deceive; defraud; *Am.* skin; **Ser(in)** *f* *m* cheat, deceiver, impostor, *Am.* faker; **~erisch** deceitful; fraudulent.

betru'nken (bᵉtrōōⁿkᵉn) drunk.

Bett (bĕt) *n* bed; **~decke** *f* bedspread; counterpane; blanket.

Be'ttel (bĕtᵉl) *m* trash; **~brief** (-breef) *m* begging letter; **~ei** (-ī) *f* begging; *fig.* solicitation; **2n** beg (*um for);* *~ gehen* go begging; **~stab** (-shtähp) *m: an den ~ bringen* bring to beggary.

be'ttlägerig (-lägʰᵉriç) bedridden.

Be'ttler *m* beggar; **~in** *f* beggar woman.

Be'tt|stelle (-shtĕlᵉ) *f* bedstead; **~tuch** (-tōōk) *n* sheet; **~überzug** (-übᵉrtsōōk) *m* bed-slip; **~vorleger** (-förlégʰᵉr) *m* bedside-rug; **~wäsche** (-vĕshᵉ) *f* bed-linen; **~zeug** (-tsöik) *n* bed-clothes.

betu'pfen (bᵉtōopfᵉn) dab.

beu'g|en (böigʰᵉn) bend, bow; *fig.* humble; *gr.* inflect; **Sung** *f* bending; *gr.* inflexion.

Beu'le (böilᵉ) *f* bump; *(Geschwür)* boil; *in Blech usw.:* dent.

be-u'nruhig|en (bᵉ-ōōnrōōigʰᵉn) disquiet, alarm; **Sung** *f* disturbance; *(Unruhe)* alarm.

be-u'rkunden (bᵉōōrkōōndᵉn) authenticate, verify.

be-u'rlaub|en (bᵉ-ōōrlowbᵉn) give leave of absence; *sich ~* take leave; **Sung** *f* granting of a leave.

be-u'rteil|en (bᵉöörtilᵉn) judge (*nach by);* **Ser(in** *f)* *m* judge; **Sung** *f* judg(e)ment.

Beu'te (böitᵉ) booty, spoil; *der Tiere:* prey; *hunt.* bag.

Beu'tel (böitᵉl) *m* bag; *(Geld2)* purse; **2n:** *sich ~ Hose:* bag.

Beu'tezug (-tsōōk) *m* raid.

bevö'lker|n (bᵉfŏlkᵉrn) people, populate; **Sung** *f* population.

bevo'llmächtig|en (bᵉfŏlmĕçtigʰᵉn) authorize, empower; **Ste(r)** *m* deputy; *pol.* plenipotentiary; **Sung** *f* authorization.

bevo'r (bᵉfōr) before.

bevo'rmunden (bᵉfōrmŏŏndᵉn) patronize. [privilege.]

bevo'rrechtigen (bᵉfŏrrĕçtigʰᵉn)/

bevo'rsteh(e)n (bᵉfŏrshtĕ[ᵉ]n) be near; **~d** (-t) approaching.

bevo'rzugen (bᵉfŏrtsŏŏgʰᵉn) favour; privilege.

bewa'chen (bᵉvähkᵉn) guard, watch.

bewa'ffn|en (bᵉvähfᵉn) arm; **Qung** f armament; (*Waffen*) arms pl.

bewa'hren (bᵉvährᵉn) keep; preserve. [the test.]

bewä'hren (bᵉvärᵉn): *sich ~* stand/

bewa'hrheiten (bᵉvährhītᵉn): *sich ~* come od. prove true.

bewä'hrt tried; approved.

Bewa'hrung f preservation.

Bewä'hrungsfrist (bᵉvärōŏrgsfrist) f probation.

bewa'ldet (bᵉvähldᵉt) wooded, *Am.* timbered.

bewä'ltigen (bᵉvĕltigʰᵉn) *Hindernis*: overcome; *Aufgabe*: master.

bewa'ndert (bᵉvähndᵉrt) versed; skilled; experienced (*in dat.* in).

bewä'sser|n (bᵉvĕsᵉrn) irrigate; **Qung** f irrigation.

bewe'g|en (bᵉvĕgʰᵉn) (*a. sich*) move, stir; *j-n zu et.* **~** induce to do; **Qgrund** (bᵉvĕkgrŏŏnt) m motive; **~lich** movable; *Geist*: versatile; *P.*: active; (*behend*) agile; *Zunge*: voluble; (*rührend*) moving; **Qlichkeit** f versatility; agility; volubility; **Qt** (-kt) *See*: agitated; *fig.* moved; *Leben*: eventful; *Zeit*: stirring.

Bewe'gung f movement; *unruhige*: stir; *phys.* motion; *fig.* emotion; *in* **~** *setzen* set going; **Qslos** motionless.

bewei'nen (bᵉvīnᵉn) deplore.

Bewei's (bᵉvīs) m proof; **Qen** prove; **~führung** (-fūrōŏrg) f argumentation; **~grund** (-grŏŏnt) m argument.

bewe'rb|en (bᵉvĕrbᵉn): *sich ~ um* apply for, *Am.* run for; (*mit andern*) compete for; *um eine Dame*: court; **Qer** m applicant, candidate; competitor (*alle a.* **Qerin** f); (*Freier*) suitor; **Qung** f application; candidature; competition; courtship; **Qungsschreiben** (bᵉvĕrbōŏrgsshrībᵉn) n letter of application.

bewe'rkstelligen (bᵉvĕrkshtĕligʰᵉn) effect, bring about.

bewi'lligen (bᵉvĭligʰᵉn) grant.

bewi'llkomm(n)|en (bᵉvĭlkŏmnᵉn) welcome; **Qung** f welcome.

bewi'rken (bᵉvĭrkᵉn) effect; cause.

bewi'rt|en (bᵉvĭrtᵉn) entertain; **Qung** f entertainment.

bewi'rtschaften (bᵉvĭrtshähftᵉn) manage; *Mangelware*: ration, control.

bewo'hn|en (bᵉvōnᵉn) inhabit; live in; **Qer(in** f) m inhabitant; *e-s Hauses*: inmate.

bewö'lken (bᵉvŏlkᵉn) cloud; *sich ~* become cloudy, cloud over.

bewu'nder|n (bᵉvŏŏndᵉrn) admire; **~nswert** (-vért) admirable; **Qung** f admiration.

bewu'ßt (bᵉvŏŏst): *sich e-r S.* **~** *sn* be conscious of; *die* **~e** *Sache* the matter in question; **~los** unconscious; **Qsein**(-zīn) n consciousness.

beza'hl|en (bᵉtsählᵉn) pay; *Gekauftes*: pay for; **Qung** f pay(ment).

bezä'hmen (bᵉtsämᵉn) tame; *fig.* restrain.

bezau'ber|n (bᵉtsowbᵉrn) bewitch, enchant; **Qung** f enchantment; fascination.

bezei'chn|en (bᵉtsīçnᵉn) mark (out), (*a. fig.*) denote, designate; **~end** (-t) characteristic (*für* of); **Qung** f mark (-ing); denotation. [that.]

bezeu'g|en (bᵉtsōigʰᵉn) testify to od./

bezie'h|en (bᵉtseeᵉn) cover; *mit Saiten*: string; *Wohnung*: move into; *Universität*: enter; *Ware*: obtain; *Zeitung*: take in; *Geld*: draw; *sich ~ Himmel*: become overcast; *sich ~ auf* (*acc.*) refer to; **Qer(in** f) m *Wechsel*: drawer; *Zeitung*: subscriber.

Bezie'hung f (bᵉtseeōŏrg) f relation; *persönl.* **~en** pl. connexions; *in dieser* **~** in this respect; **Qsweise** (-vīzᵉ) respectively.

Bezi'rk (bᵉtsĭrk) m district, *Am.* precinct; (*Wahl*Q) borough.

Bezo'gene(r) (bᵉtsōgʰᵉnᵉ[r]) † m drawee.

Bezu'g (bᵉtsŏŏk) m cover(ing), case; *v. Ware*: supply; *Zeitung*: subscription; *in* Q *auf* (*acc.*) as for; in relation to; **~** *nehmen auf* (*acc.*) refer to.

bezü'glich (bᵉtsükliç) adj. (*auf acc.*), prp. (*gen.*) relative (to).

Bezu'gsbedingungen (bᵉtsŏŏksbᵉdingōŏrg)n f/pl. terms of delivery.

bezwe'cken (bᵉtsvĕkᵉn) aim at.

bezwei'feln (bᵉtsvīfᵉln) doubt.

bezwi'ngen (bᵉtsvĩŋᵉn) subdue; overcome; *sich* ~ restrain o.s.
Bi'bel (beebᵉl) *f* Bible.
Bi'ber (beebᵉr) *m* beaver.
Biblio|the'k (beebliŏték) *f* library; **~thek'ar** (-ãhr) *m* librarian.
bi'blisch (beeblish) biblical.
bie'der (beedᵉr) honest, upright; 2keit *f* honesty, uprightness.
bie'g|en (beegᵉn) *v/t.* (*a. sich*) bend; *v/i.* (sn): *um e-e Ecke* ~ turn (round) a corner; 2ung *f* bend, curve. [supple; 2keit *f* flexibility.]
bie'gsam (beekzãhm) flexible,]
Bie'ne (beenᵉ) *f* bee.
Bie'nen|korb (-körp), **~stock** (-shtōk) *m* bee-hive; **~zucht** (-tsōōkt) *f* bee-keeping; **~züchter** (-tsûçtᵉr) *m* bee-keeper.
Bier (beer) *n* beer; *helles* ~ (pale) ale; *dunkles* ~ stout, porter; **~'brauer** (-browᵉr) *m* brewer; **~'brauerei** *f* brewery; **~'haus** (-hows) *n* ale-house; **~'kanne** *f* tankard.
bie'ten (beetᵉn) offer; *e-n guten Morgen,* ✝, *a. Auktion:* bid.
Bila'nz (bilãhnts) *f* balance, *Am.* statement; 2ie'ren balance.
Bild (bilt) *n* image; *im Buch:* illustration; (*Bildnis*) portrait; (*Vorstellung*) idea; **~'bericht** (-bᵉriçt) *m* picture-story.
bi'lden (bildᵉn) form, shape; *Geist:* cultivate; *Gruppe usw.:* constitute; **~d** (-t) instructive.
Bi'lder|buch (bildᵉrbōōk) *n* picture-book; **~galerie** (-gãhlᵉree) *f* picture-gallery; **~rätsel** (-rãtsᵉl) *n* rebus.
Bi'ld|fläche (-flèçᵉ) *f:* *auf der* ~ *erscheinen* appear on the scene; **~funk** (-fōōŋk) *m* wireless picture transmission; **~hauer(in** *f*) (-howᵉr) *m* sculptor; **~hauerei** *f* sculpture.
bi'ldlich figurative. [ture.]
Bi'ldnis (biltnis) *n* portrait.
Bi'ld|rundfunk (-rōōntfōōŋk) *m* television (broadcasting); **~säule** (-zóilᵉ) *f* statue; **~schnitzer** (-shnitsᵉr) *m* (wood-)carver; **~seite** (-zitᵉ) *f* *e- Münze:* face; **~sendung** (-zèndōōŋ) *f* picture transmission; **~streifen** (-shtrifᵉn) *m* film-reel; **~telegraphie** (-tĕlĕgrãhfee) *f* picture-telegraphy.
Bi'ldung (bildōōŋ) *f* formation; *e-r Gruppe usw.:* constitution; (*Ausᵋ*) education; (*Kultur*) culture; (*feine Sitte*) refinement.

Bi'llard (bil'ãhrt) *n* billiards *pl.*; (**~tisch**) billiard-table.
Bille'tt (bil'èt) *n* ticket; **~schalter** (-shãhltᵉr) *m* booking-office; *thea.* box-office.
bi'llig (biliç) reasonable, fair, just; *Preis:* cheap; **~en** (-gᵉn) approve (of), *Am.* approbate; 2keit *f* fairness; cheapness; 2ung *f* approval; sanction.
Bi'nde (bindᵉ) *f* band; 🅜 bandage, *für den Arm:* sling; (*Hals2*) (neck)tie; (*Leib2*) sash; (*Sturn2*) bandeau; **~gewebe** (-gᵉvébᵉ) *n* connective tissue; **~glied** (-gleet) *n* connecting link; **~haut** (-howt) *f* conjunctiva; **~haut-entzündung** (-howtènttsūndōōŋ) *f* conjunctivitis; 2n bind, tie (*an acc.* to); *Strauß:* make; *sich* ~ bind o.s.; **~strich** (-shtriç) *m* hyphen; **~wort** *n* conjunction. [thread.]
Bi'ndfaden (bíntfãhdᵉn) *m* pack-]
Bi'ndung *f* bond; *fig., a.* 2 tie.
bi'nnen (binᵉn) within.
Bi'nnen|gewässer (-gᵉvèsᵉr) *n* inland water; **~handel** *m* home trade, *Am.* domestic commerce; **~land** (-lãhnt) *n* inland, interior; 2ländisch (-lèndish) internal; **~verkehr** (-fĕrkér) *m* inland traffic.
Bi'nse (binz²) *f* rush.
Biochemie' (beeŏçémee) *f* biochemistry. [graphy.]
Biographie' (beeŏgrãhfee) *f* bio-]
Biologie' (beeŏlŏgᵉee) *f* biology.
Bi'rke (birk²) *f* birch-tree.
Bi'rne (birn²) *f* pear; (*Glüh2*) bulb.
bis (bís) **1.** *prp.* *räumlich:* to; as far as; *zeitlich:* till; until; (~ *spätestens*) by; ~ *an,* ~ *auf* (*acc.*) to; up to; ~ *vier zählen* count up to four; *alle* ~ *auf drei* but three; **2.** *cj.* till, until.
Bi'sam (beezãhm) *m* musk.
Bi'schof (bishŏf) *m* bishop; **~s...,** **bi'schöflich** (-öfliç) episcopal.
bishe'r (bis-hér) up to now; so far; **~ig** hitherto existing.
Biß (bís) *m* bite.
bißchen (-çᵉn): *ein* ~ a little (bit).
Bi'ssen (bisᵉn) *m* bit, morsel.
bi'ssig (bisiç) biting; *Hund:* snappish.
Bi'stum (bistōōm) *n* bishopric.
biswei'len (-vilᵉn) sometimes.

Bi'tte (bĭt^e) f request; *stärker:* entreaty; *auf j-s ~* at a p.'s request.

bi'tten (bĭt^en) v/t. ask, request; *stärker:* entreat; *(einladen)* invite; *j-n um Verzeihung ~* beg a p.'s pardon; *v/i. ~ um et.* ask for; *bitte* please; *nach „danke!":* (you are) welcome, don't mention it; *Spiel: bitte! play!; dürfte ich Sie um ... ~?* may I trouble you for ...?

bi'tter (bĭt^er) bitter; *fig.* severe; 2e(r) m *(Schnaps)* bitters *pl.;* 2keit f bitterness; **~lich** *adv.* bitterly.

Bi'tt|schrift (bĭtshrĭft) f petition; **~steller(in** f)(-shtĕl^er)metitioner.

blä'h|en (blä^en) v/t. inflate, (a. sich) swell; v/i. 💊 cause flatulence; **~end** (-t) flatulent.

bla'ken (blăhk^en) smoke.

blamie'ren (blähmeer^en) compromise *(sich o.s.)*, ridicule.

blank (blăhŋk) bright, shining; *(~ geputzt)* polished.

Bla'nko (blăhŋkō) ✝ in blank; **~unterschrift** (-ōōnt^ershrĭft) f blank signature; **~vollmacht** (-fōlmăhkt) f unlimited power.

Blä's-chen (blăs^en) n 💊 pustule.

Bla's|e (blähz^e) f *(Luft2)* bubble; *(Harn2 usw.)* bladder; 🔋 vesicle; *(Haut2)* blister; *in Glas usw.:* flaw; **~ebalg** (-băhlk) m *(ein a pair of)* bellows *pl.;* 2en blow; 🎵 sound.

Bla's|-instrument (blăhsĭnströōmĕnt) n wind-instrument; **~orchester** (-ōrkĕst^er) n brass-band.

blaß (blähs) pale.

Blä'sse (blĕs^e) f paleness.

Blatt (blăht) n *Pflanze, Buch:* leaf; *Papier:* sheet; *Schulter, Ruder, Säge usw.:* blade; *(Zeitung)* (news)-paper.

Bla'ttern (blăht^ern) f/pl. smallpox.

blä'ttern (blĕt^ern) turn over the leaves *(in dat. of).* [pock-marked.\

bla'tternarbig (blăht^ernăhrbĭç)

Blä'tterteig (blĕt^ertīk) m puff-paste.

Bla'ttpflanze (blăhtpflähnts^e) f foliage plant.

blau (blau) **1.** blue; **~es Auge** *fig.* black eye; **2.** 2 n blue.

bläu'en (blöi^en) (dye) blue.

blau'|grau (-grow) bluish grey; 2jacke (-yähk^e) ⚓ f bluejacket.

bläu'lich bluish.

Blau'säure (blowzŏir^e) f prussic acid.

Blech (blĕç) n sheet metal; *(Weiß2)* tin(-plate); F *(Unsinn)* bosh, trash, *Am. a.* boloney; 2e(r)n (of) tin; *Klang:* tinny; **~büchse** (-bŭks^e) f tin, *Am.* can; **~musik** (-mōōzeek) f music of brass instruments; **~ware**(n *pl.*) (-vähr^e(n)) f tin-ware.

Blei (bli) n lead; *s.* **~stift.**

blei'ben (blīb^en) (sn) remain, stay; *(übrig...)* be left; *~ l.* let alone; *bei et. ~* keep to; **~d** (-t) lasting.

bleich (blīç) pale; **~en** v/t. u. v/i. (sn) bleach, blanch; *Farbe:* fade; 2sucht (-zōōkt) f green-sickness; **~süchtig** (-zŭçtĭç) maid-pale.

blei'ern (blī^ern) leaden.

Blei'|rohr (-rōr) n leaden pipe; **~soldat** (-zōldäht) m tin soldier; **~stift** (-shtĭft) m (lead) pencil; **~stifthülse** (-shtĭfthŭlz^e) f pencil-protector; **~stiftspitzer** (-shtĭftshpĭts^er) m pencil-sharpener.

Ble'nd|e (blĕnd^e) f blind; *opt.* diaphragm; 2en blind; *fig.* dazzle; **~laterne** (-lähtĕrn^e) f dark lantern; **~werk** (-vĕrk) n delusion.

Blick (blĭk) m look; *flüchtiger:* glance; *(Aussicht)* view; *auf den ersten ~* at first sight; 2'en look, glance *(auf acc., nach at).*

blind (blĭnt) blind; *(auf e-m Auge of, Am.* in); *Glas usw.:* dull; *Patrone:* blank; *~er Lärm* false alarm; *~er Passagier* stowaway; *~ fliegen* fly blind.

Bli'nddarm m blind gut; 🔋 cæcum; **~entzündung** (-ĕnttsŭndōōng) f appendicitis.

Bli'nden|-anstalt (blĭnd^enähnshtählt) f home for the blind; **~(führer)hund** (-fūr^er)hōōnt) m blind man's dog, *Am.* seeing eye dog; **~schrift** (-shrĭft) f braille.

Bli'nd|flug (-flōōk) ✈ m blind flying; **~gänger** (-gˣĕŋˣer) ✕ m dud; **~heit** f blindness; **~lings** (-lĭŋs) blindly; **~schleiche** (-shlīç^e) f blind-worm.

bli'nk|en (blĭŋk^en) gleam, twinkle; 2feuer (-fŏi^er) n intermittent light.

bli'nzeln (blĭnts^eln) blink, wink.

Blitz (blĭts) m lightning; (= **~strahl** (-shträhl) m) flash of lightning; **~'-ableiter** (-ăhplīt^er) m lightning-conductor; 2'en v/i.flash; *es ~t* it lightens; **~gespräch** (-gˣe-shpräç) n teleph. lightning (od. express) call.

Blitz′licht (-líçt) *n* flash-light; **ℒ′schnell** (-shnĕl) as quick as lightning.

Block (blŏk) *m* block; (*Holz*ℒ) log; (*Schreib*ℒ) pad; *parl.* bloc; **∼a′de** (-ăhd*ᵉ*) *f* blockade; **∼a′debrecher** (blŏkähd*ᵇ*brĕç*ᵉ*r) *m* blockade-runner; **∼′haus** (-hŏws) *n* log-house; **ℒie′ren** (-eer*ᵉ*n) block up; ✗ blockade.

blö′d|(e) (blöd[*ᵉ*]) imbecile; (*zaghaft*) bashful, shy; **ℒigkeit** (-íçkit) *f* bashfulness; **ℒsinn** (blötzĭn) *m* ✗ imbecility; (*Unsinn*) trash; **∼sinnig** silly, idiotic.

blö′ken (blŏk*ᵉ*n) bleat; *Kuh*: low.

blond (blŏnt) blond, fair.

bloß (blōs) bare; naked; (*nichts als*) mere; *Schwert, Auge*: naked; *adv.* barely, merely, only.

Blö′ße (blös*ᵉ*) *f* bareness nakedness; ✗, *fenc.*, *fig.* weak point.

blo′ß|legen (-lég*ʰᵉ*n) lay bare; **∼stellen** (-shtĕl*ᵉ*n) expose; *sich* ∼ compromise o.s.

blü′hen (blü*ᵉ*n) bloom, blossom; *fig.* flourish.

Blu′me (blōō*ᵐᵉ*) *f* flower; *des Weins*: bouquet.

Blu′men|beet (-bét) *n* flower-bed; **∼blatt** *n* petal; **∼händler(in** *f*) (-héndl*ᵉ*r) *m* florist; **∼kohl** (-kōl) *m* cauliflower; **∼strauß** (-shtrows) *m* bunch of flowers; **∼topf** *m* flowerpot; (-tsōōkt) *f* floriculture.

Blu′se (blōōz*ᵉ*) *f* blouse.

Blut (blōōt) *n* blood; **∼′andrang** (-ähndrähn̬) *m* congestion; **ℒ′arm** (-ährm) anæmic; **∼′armut** (-ährmōōt) *f* anæmia; **∼′bad** (-băht) *n* massacre; **∼′blase** (-blăhz*ᵉ*) *f* blood-blister; **∼′druck** (-drōōk) *m* blood-pressure; **ℒ′dürstig** (-dürstĭç) bloodthirsty.

Blü′te (blüt*ᵉ*) *f* blossom, flower, (*a. fig.*) bloom; *der Jahre*: prime.

Blut′egel (-ég*ʰᵉ*l) *m* leech.

blu′ten (blōōt*ᵉ*n) bleed.

Blut′erguß (-ĕrgōōs) *m* effusion of blood.

Blü′tezeit (blüt*ᵉ*tsit) *f* flowering-time; *fig.* prime.

Blut′gefäß (-g*ʰᵉ*fäs) *n* blood-vessel.

blu′tig (blōōtĭç) bloody; *fig.* sanguinary.

Blu′t|körperchen (-körp*ᵉ*rç*ᵉ*n) *n* bloodcorpuscle; **ℒleer** (-lér) **ℒlos**

bloodless; **∼probe** (-prōb*ᵉ*) *f* blood-test; **∼rache** (-răhk*ᵉ*) *f* blood revenge; **ℒrot** (-rōt) blood-red; **ℒrünstig** (-rünstĭç) bloody; **∼spender** (-shpĕnd*ᵉ*r) *m* blood donor; **ℒstillend** (-t) styptic; **∼sturz** (-shtōōrts) *m* hæmorrhage; **ℒsverwandt** (-fĕrvähnt) related by blood (*mit* to); **∼sverwandtschaft** *f* consanguinity; **∼übertragung** (-üb*ᵉ*rträh̬ōōn̬) *f* blood transfusion; **∼ung** *f* bleeding, hæmorrhage; **ℒunterlaufen** (-ōōnt*ᵉ*rlowf*ᵉ*n) bloodshot; **∼vergießen** (-fĕrg*ʰ*ees*ᵉ*n) *n* bloodshed; **∼vergiftung** (-fĕrg*ʰ*íftōōn̬) *f* blood-poisoning.

Bö (bö) *f* gust, squall.

Bock (bŏk) *m* buck; (*Widder*) ram; (*Ziegen*ℒ) he-goat; *Gerät*: trestle, jack; (*Kutsch*ℒ) box; (*Fehler*) blunder; **∼′en** (bŏk*ᵉ*n) buck; *Mensch*: sulk; **ℒ′ig** obstinate; **∼′leder** (-léd*ᵉ*r) *n*, **ℒ′ledern** buckskin; **∼′sprung** (-shprōōn̬) *m* caper, gambol.

Bo′den (bōd*ᵉ*n) *m* (*Erde*) ground; ✗′ soil; (*Gefäß*ℒ, *Meeres*ℒ) bottom; (*Fuß*ℒ) floor; (*Haus*ℒ) garret, loft; **∼kammer** *f* garret; **∼kredit-anstalt** (-krédĭtähnshtählt) *f* land-mortgage bank; **ℒlos** bottomless; *fig.* enormous; **∼personal** (-pĕrzōnähl) ✗ *n* ground-personnel; **∼reform** *f* land reform; **∼rente** *f* ground-rent; **∼satz** (-zähts) *m* sediment; **∼schätze** (-shĕts*ᵉ*) *m/pl.* treasures of the soil; **ℒständig** (-shtĕndĭç) indigenous.

Bo′gen (bōg*ʰᵉ*n) *m* bow; (*Biegung*) bend, curve; ৪ arc; △ arch; *Papier*: sheet; **ℒförmig** (-förmĭç) arched; **∼gang** △ *m* arcade; **∼lampe** *f* arc-lamp; **∼schütze** (-shüts*ᵉ*) *m* archer.

Bo′hle (bōl*ᵉ*) *f* plank, thick board.

Bo′hne (bōn*ᵉ*) *f* bean; *grüne* ∼ *n pl.* French beans, *Am.* string-beans; *weiße* ∼ *n pl.* haricot beans; **∼stange** (-shtähn̬*ᵉ*) *f* bean-stick.

bo′hnern (bōn*ᵉ*rn) wax, polish.

bo′hren (bōr*ᵉ*n) bore, drill.

Bo′hrer *m* drill, borer, gimlet.

bö′ig (böĭç) squally.

Bo′je (bō*ʲᵉ*) *f* buoy.

Bo′llwerk (bŏlvĕrk) *n* bulwark.

Bol′zen (bŏlts*ᵉ*n) *m* bolt; (*Plätt*ℒ) heater.

bombardie′ren (bŏmbährdeer′n) bombard, shell.

Bo′mbe (bŏmb⁶) f bomb; fig. bomb-shell; ℒnfest, ℒnsicher (-z\i̧ç⁶r) bomb-proof; ⁓nflugzeug (-flŏ̄ŏ̄ktsöik) n bomber; ⁓nschaden (-shähd⁶n) m bomb-damage.

Bon (bg, bŏn₆) m promissory note.

Bonbo′n (bgbŏ, bŏn₆bŏn₆) m (n) sweetmeat.

Bo′nze (bŏnts⁶) F m top dog, Am. big shot.

Boot (bŏt) n boat; ⁓′smann m boatswain.

Bord (bŏrt) m ⚓ board; an ⁓ e-s Schiffes on board a ship; ⁓′funker (-fŏ̄ŏ̄rk̄k⁶r) ♅ m air wireless operator; ⁓′schwelle (-shvĕl⁶) f kerbstone, Am. curb(stone).

bo′rgen (bŏrg⁶n) borrow.

Bo′rke (bŏrk⁶) f bark, rind.

Bo′rsalbe (bŏrzählb⁶) f borax ointment.

Bö′rse (börz⁶) f purse; ✝ Exchange; engS. Stock Exchange; ⁓nbericht (-b⁶r\i̧çt) m stock-list; ℒnfähig (-fäi̧ç) negotiable; ⁓nkurs (-kŏŏrs) m rate of exchange; ⁓nmakler (-mähkl⁶r) m stock-broker; ⁓nnotierung (-nŏteerŏŏr̄g) f market-quotation; ⁓npapiere (-pähpeer⁶) n/pl. stocks pl.; ⁓nspekulant (-shpĕkŏŏlähnt) m stock--jobber; ⁓nzeitung (-tsītŏŏr̄g) f financial paper.

Bo′rste (bŏrst⁶) f bristle.

bo′rstig bristly.

Bo′rte (bŏrt⁶) f border; (Besatz²) braid, lace.

bö′s-artig (bösährti̧ç) malicious; Tier: vicious; ♣ malignant; ℒkeit f malignity.

Bö′schung (böshŏŏr̄g) f slope.

bö′se (böz⁶) bad; evil; (zornig) angry, Am. mad (über, auf acc. at, with; s. bösartig; er meint es nicht ⁓ he means no harm; ℒ(s) n evil; ℒwicht (-vi̧çt) m villain.

bo′shaft (bŏshäht) malicious.

Bo′sheit f malice.

bö′swillig (bösv\i̧l\i̧ç) malevolent; ℒkeit f malevolence.

Bota′nik (bŏtähn\i̧k) f botany; ⁓er m botanist.

bota′nisch botanic(al).

Bo′te (bŏt⁶) m messenger.

Bo′tengang m errand.

Bo′tschaft (bŏtshäht) f message;

Amt: embassy; ⁓er m ambassador; ⁓erin f ambassadress.

Bö′ttcher (bŏtç⁶r) m cooper.

Bo′ttich (bŏt\i̧ç) m tub, vat.

Bouillo′n (bŏŏlyŏr̄g) f beef-tea.

Bo′wle (bŏl⁶) f bowl; spiced wine.

Bo′x... boxing...

bo′x|en (bŏks⁶n) box; ℒer m boxer; berufsmäßiger: prize-fighter.

Boyko′tt (böiköt) m boycott; ℒie′ren (-eer⁶n) boycott.

brach (brähx) fallow (a. fig.).

Brand (brähnt) m burning; (Feuersbrunst) fire, conflagration; ♣ gangrene, ♠ blight, mildew; ⁓′blase (-bläh⁶) f blister; ⁓′bombe f incendiary bomb; ℒ′en surge, break; ⁓′fleck m burn; ℒ′ig ♣ blighted, blasted; ♠ gangrenous; ⁓′mal (-mähl) n brand; fig. stigma; ℒ′marken brand; fig. a. stigmatize; ⁓′mauer (-mow⁶r) f fire(-proof)-wall; ⁓′schaden (-shähd⁶n) m damage caused by fire; ⁓′-stätte (-shtĕt⁶) f scene of a conflagration; ⁓′stifter(in f) (-shtift⁶r) m incendiary; ⁓′stiftung f arson.

Bra′ndung (-dŏŏr̄g) f surf, surge.

Bra′ndwunde (brähntvŏŏnd⁶) f burn; durch Verbrühung: scald.

Bra′nntwein (brähntvīn) m brandy, spirits pl.; whisky; gin; ⁓brennerei (-brĕn⁶rī) f distillery.

bra′ten¹ (bräht⁶n) v/t. u. v/i. roast; im Ofen: bake; auf dem Rost: grill; in der Pfanne: fry.

Bra′ten² m roast meat; ⁓fett n dripping; ⁓soße (-zös⁶) f gravy.

Bra′t|fisch m fried fish; ⁓huhn (-hŏŏn) n roast fowl; ⁓kartoffeln (-kährtöf⁶ln) f/pl. fried potatoes; ⁓ofen (-öf⁶n) m frying-oven; ⁓pfanne f frying-pan; Am. skillet.

Brauch (browx) m usage; custom.

brau′chbar serviceable, useful.

brau′chen (browx⁶n) make use of; want, need; Zeit: take; (ge⁓) use.

Brau′e (brow⁶) f eyebrow.

brau′|en (brow⁶n) brew; ℒer m brewer; ℒerei (-i) f brewery; ℒhaus (-hows) n brewery.

braun (brown) brown; P.: tanned.

Bräu′ne (bröin⁶) f brownness; ♣ quinsy; ℒn v/t. od. sich ⁓ brown.

Brau′nkohle (brownköl⁶) f lignite.

bräu′nlich (bröinli̧ç) brownish.

Brau′se (browz⁶) f (Gießkannen²) rose.

Brau'se|bad (-bäht) n shower-bath; ~limonade (-līmōnáhd^e) f fizzy lemonade; 2n roar; bluster; (sich ab~) douche; ~pulver (-poŏlf^er) n effervescent powder.

Braut (browt) f intended, fiancée; am Hochzeitstag: bride; ~'führer m best man.

Bräu'tigam (bröitĭgáhm) m intended, fiancé; am Hochzeitstag: bridegroom, Am. groom.

Brau't|jungfer (-yoŏr̄gf^er) f bridesmaid; ~kleid (-klīt) n wedding-dress; ~kranz (-krähnts) m bridal garland; ~leute (-lóit^e) pl., ~paar n engaged couple; am Hochzeitstag: bride and bridegroom; ~schatz (-shähts) m dowry; ~schleier (-shlī^er) m bridal veil.

brav (brähf) honest; (tapfer) brave; (artig) good.

bra'vo! (bráhvō) bravo.

Bre'ch-eisen (brěçīz^en) n jemmy, Am. jimmy.

bre'chen (brěç^en) v/t. break; Blume: pluck, gather; opt. refract; Papier: fold; Steine: quarry; die Ehe ~ commit adultery; sich ~ break; opt. be refracted; sich Bahn ~ force a passage; v/i. (sn) break (a. [h.]: mit j-m with); vomit.

Bre'ch|mittel n emetic; ~reiz (-rīts) m sickly feeling; ~stange (-shtähr̄g^e) f crow(bar), Am. pry; ~ung f opt. refraction.

Brei (brī) pap; (bsd. Hafer2) porridge, Am. mush; (~masse) pulp; 2'ig pappy; pulpy.

breit (brīt) broad; (geräumig) wide; sich ~ m. spread o.s. out; ~'beinig (-bīnĭç) straddle-legged.

Brei'te (brīt^e) f breadth; width; ast., geogr. latitude; 2n spread; ~grad (-räht) m degree of latitude.

Bre'mse (brěmz^e) f zo. gadfly; ⊕ brake; 2n v/t. u. v/i. (put on the) brake.

Bre'ms|fußhebel (bremsfoōsheb^el) ⊕ m brake pedal; ~klotz (-klöts) m brake shoe; ~vorrichtung (-förrĭçtoōr̄g) f braking-gear.

bre'nnbar (brěnbáhr) combustible.

bre'nnen (brěn^en) v/t. burn; Branntwein: distil; Haar: curl; Kaffee: roast; auf der Zunge: bite; Ziegel: bake; v/i. burn; Augen, Wunde: smart; Nessel: sting; es brennt! fire!

Bre'nner m (Gas2) burner.

Bre'nn|holz (-hölts) n firewood; ~material (-máhtěr'áhl) n fuel; ~nessel f (stinging) nettle; ~öl (-öl) n lamp-oil; ~punkt (-poŏr̄gkt) m focus; ~schere (-shér^e) f curling-tongs pl.; ~spiritus (-shpeeritoōs) m methylated spirits; ~stoff (-shtöf) m fuel.

Bre'sche (brěsh^e) f breach; gap.

Brett (brět) n board, plank; ~spiel (-shpeel) n game played on a board.

Bre'zel (brēts^el) f cracknel.

Brief (breef) m letter; ~'-aufschrift (-owfshrĭft) f address; ~'beschwerer (-b^eshvér^er) m paper-weight; ~'bogen (-bōg^heⁿ) m sheet of note-paper; ~'kasten m letter-box, Am. mail-box, London: pillar-box; 2'lich adv. by letter; ~'marke f (postage) stamp; ~'markensammlung (-máhrk^enzáhmloōr̄g) f stamp-collection; ~'-ordner m letter-file; ~'papier (-páhpeer) n note-paper; ~'porto n postage; ~'post f mail, post, Am. a. first-class (matter); ~'tasche (-tähsh^e) f wallet; pocket-book; Am. a. billfold; ~'taube (-towb^e) f carrier-pigeon; ~'träger (-trăg^he^r) m postman, Am. mailman; ~'-umschlag (-oōmshláhk) m envelope; ~'waage (-váhg^he^e) f letter-balance, Am. postage scale; ~'wechsel (-věks^el) m correspondence.

Brike'tt (brĭkět) n briquette.

Brilla'nt (brĭlyáhnt) m brilliant.

Bri'lle (brĭll^e) f eine ~ a pair of spectacles pl.; (Schutz2) goggles pl.; (Abortsitz) seat; ~nfutteral (-foōt^erähl) n spectacle-case.

bri'ngen (brĭr̄g^en) (her~) bring; (fort~) take; (geleiten) conduct; Opfer: make; Zinsen: yield; j-n dazu ~ daß get a p. to inf.; es mit sich ~ involve; j-n um et. ~ make a p. lose a th.

Bri'se (breez^e) f ⚓ breeze.

Bri't|e (brĭt^e) m, ~in f Britisher; 2isch British.

brö'ck(e)lig (brŏk[^e]lĭç) crumbly.

brö'ckeln (brŏk^eln) crumble.

Bro'cken (brŏk^en) m Brot: crumb; (Teilchen) fragment.

bro'deln (brōd^eln) bubble.

Brom (brōm) ⚗ n bromine.

Bro'mbeere (brómbér^e) f blackberry.

Bronchia'lkatarrh (brŏnçiählkäh-tåhr) *m* bronchial catarrh.

Bro'nze (brŏs⁶) *f* bronze.

bronzie'ren (brŏseer⁶n) bronze.

Bro'sche (brŏsh⁶) *f* brooch.

broschie'ren (brŏsheer⁶n) stitch.

Broschü're (-ür⁶) *f Streitschrift*: pamphlet; ✝ booklet.

Brot (brŏt) *n* bread; *ganzes*: loaf; **✓-aufstrich** (-owfshtriç) *m* spread.

Brö'tchen (brŏtç⁶n) *n* roll.

Bro't|herr *m* employer; ✷los unemployed; *fig.* unprofitable; **✓-neid** (-nit) *m* professional envy; **✓-rinde** *f* crust of bread; **✓schnitte** *f* slice of bread; **✓studium** (-shtŏŏ-d'ŏŏm) *n* bread-and-butter study.

Bruch (brŏŏx) breach; (*Knochen*✷) fracture; (*Unterleibs*✷) rupture; *im Papier*: fold; *im Stoff*: crease; ✷ fraction; ⚖ violation; (*✓schaden*) breakage; (*Schrott*) scrap; **✓'band** (-bähnt) *n* truss.

brü'chig (brüçiç) brittle, fragile.

Bru'ch|landung (-lähndŏŏrg) ✷ *f* crash landing; **✓rechnung** (-rëç-nŏŏrg) *f* fractions *pl.*; **✓strich** (-shtriç) ✷ *m* fraction-stroke; **✓-stück** (-shtük) *n* fragment; **✓zahl** (-tsähl) *f* fractional number.

Brü'cke (brük⁶) *f* bridge; (*Teppich*) rug; **✓nkopf** *m* bridge-head; **✓n-pfeiler** (-pfil⁶r) *m* pier.

Bru'der (brŏŏd⁶r) *m* brother; (*Mönch*) friar.

brü'derlich brotherly, fraternal.

Brü'he (brü⁶) *f* broth; sauce; (*Braten*✷) gravy; ✷n scald.

brü'h|heiß (-his) scalding hot; ✷würfel *m* beef-cube.

brü'llen (brül⁶n) roar; *Rind*: bellow; *Mensch*: bawl; howl.

bru'mmen (brŏŏm⁶n) *v/i. u. v/t.* hum; *Tier*: growl; *Fliege*: buzz; *Mensch*: grumble, *Am.* F grouch.

Bru'mmer *m* blowfly, bluebottle.

bru'mmig grumbling.

brü'ne'tt (brünët) dark.

Brunft (brŏŏnft) *f hunt.* rut, heat; **✓'zeit** (-tsit) *f* rutting-season.

Bru'nnen (brŏŏn⁶n) *m* well; (*Quelle*) spring (*Spring*✷) fountain; ✷ (mineral) waters *pl.*; ~ *trinken* take the waters; **✓kur** (-kŏŏr) *f* mineral water cure; **✓wasser** (-vähs⁶r) *n* spring-water.

Brunst (brŏŏnst) *f* ardour.

brü'nstig (brünstiç) ardent.

Brust (brŏŏst) *f* breast; (*✓kasten*) chest; (*Busen*) bosom; (*am Braten*) brisket; **✓'bild** (-t) *n* half-length portrait; **✓'bonbon** *m* pectoral lozenge. [airs, boast (*mit of*).]

brü'sten (brüst⁶n): *sich ~* give o.s.)

Bru'stfell-entzündung (brŏŏstfël-ënttsündŏŏrg) *f* pleurisy.

Bru'st|kasten *m* chest; **✓schwimmen** (-shvim⁶n) *n* breast-stroke.

Brü'stung (brŏŏstŏŏrg) *f* parapet.

Bru'stwarze (brŏŏstvährts⁶) *f* nipple.

Brut (brŏŏt) *f* brood (*a. fig.*) [ple.]

Bru't-apparat (-ähpähräht) *m* incubator.

brü'ten (brüt⁶n) *v/i.* sit, *fig.* brood (*über dat.* over); *v/t.* hatch.

bru'tto (brŏŏtō) gross.

Bu'be (bŏŏb⁶) *m* boy, lad; *b.s.* rascal; *Karten*: knave; **✓nkopf** *m* bobbed hair; **✓nstreich** (-shtriç) *m*, **✓nstück** (-shtük) *n* knavish trick.

Buch (bŏŏx) *n* book; **✓'binder** *m* bookbinder; **✓'drucker** (-drŏŏk⁶r) *m* printer; **✓druckerei** *f* printing-office, *Am.* pr.-plant; **✓'drucker-schwärze** (-drŏŏk⁶rshvërts⁶) *f* printer's ink.

Bu'che (bŏŏx⁶) *f* beech(-tree).

bu'chen (bŏŏx⁶n) book, enter.

Bü'cher|abschluß (büç⁶rähp-shlŏŏs) ✝ *m* closing of the books; **✓brett** *n* book-shelf; **✓ei'** (-i) *f* library; **✓freund** (-frŏint) *m* bibliophile; **✓revisor** (-rëveezŏr) *m* auditor, accountant; **✓schrank** (-shrährk) *m* bookcase.

Bu'ch|fink *m* chaffinch; **✓führung** (-fürŏŏrg) *f* bookkeeping; **✓haltung** (-hähndŏŏrg) *f* book(seller's) shop, *Am.* book-store.

Bü'chse (büks⁶) *f* box, case; (*Konserven*✷) tin, *Am.* can; (*Gewehr*) rifle; **✓nfleisch** (-flish) *n* tinned (*Am.* canned) meat; **✓n-öffner** *m* tin (*Am.* can-)opener.

Bu'chstabe (bŏŏxshtähb⁶) *m* letter; (*Schriftzug*) character; *typ.* type.

buchsta'bieren (-shtähbeer⁶n) spell.

bu'chstäblich (-shtäbliç) literal.

Bucht (bŏŏxt) *f* inlet, bay; creek.

Bu'chung (bŏŏxŏŏrg) *f* entry.

Bu'ckel (bŏŏk⁶l) **1.** *m* hump(back); **2.** *f Verzierung*: boss, stud.

bu'ck(e)lig humpbacked.

bü'cken (bük⁶n): *sich ~* stoop; bow (*vor j-m* to).

Bü'ckling (būklĭng) m bloater, red herring, kipper. [den.|

Bu'de (bōōd⁵) f stall, booth; f co.|

Büfe'tt (būfĕt) n sideboard; (*Schenktisch*) bar, *Am.* counter.

Bü'ffel (būf⁵l) m buffalo.

Bug (bōōk) m bow.

Bü'gel (būg⁵l) m bow; s. *Kleider2*, *Steig2*; **~eisen** (-iz⁵n) n flat-iron; **~falte** f crease; *2n Wäsche*: iron; *Kleid*: *bsd. Am.* press.

Bugsie'rdampfer (bōōkseerdähmpf⁵r) m (steam-)tug.

bugsie'ren (bōōkseer⁵n) tow.

bu'hl|en (bōōl⁵n): *um et.* strive for; *2erei* (-ri) f: *um et.*: striving for.

Bü'hne (būn⁵) f scaffold; ⊕ platform; *thea.* stage; **~n-anweisung** (-ähnvizōōng) f stage-direction; **~nbild** (-t) n scene(ry); **~ndichter** (-dĭçt⁵r) m play wright, dramatist; **~nleiter** (-lit⁵r) m stage-manager; **~nstück** (-shtük) n stage-play.

Bu'lle¹ (bōōl⁵) m bull; **~²** f *eccl.* bull; **~nbeißer** (-bis⁵r) m bulldog.

Bu'mmel (bōōm⁵l) F m (*Spaziergang*) stroll; *durch Lokale*: spree; **~ei'** (-i) f dawdling; (*Nachlässigkeit*) carelessness; *2ig* careless; *2n* (*müßig gehen*) lounge about; (*trödeln*) dawdle; (*schlendern*) stroll; **~zug** (-tsōōk) m slow (*od.* stopping, *Am.* way) train.

Bu'mmler m loafer; *Am.* bum.

bums! (bōōms) bounce!

Bund (bōōnt) **1.** n bundle; *Schlüssel*: bunch; **2.** m (*Band*) band, tie; (*Bündnis*) alliance; *pol. a.* confederacy.

Bü'ndel (bünd⁵l) n bundle; *2n* bundle (up).

Bu'ndes... (-bōōnd⁵s) *in Zssgn* federal; **~genosse** (-ghᵉnōs⁵) m ally; **~republik** (-rēpōōbleek) f Federal Republic of Germany; **~staat** (-shtäht) m Federal State; **~tag** (-tähk) m Federal Diet.

bü'ndig (bündĭç) (*gültig*) binding; *Schreibart usw.*: concise.

Bü'ndnis (büntnĭs) n alliance.

bunt (bōōnt) (many-)coloured; (**~gefleckt**) variegated; (*lebhaft*) gay; (*grell*) gaudy; *fig.* promiscuous; *2'druck* (-drōōk) m chromolithograph; *2'stift* (-shtĭft) m coloured pencil.

Bü'rde (bürd⁵) f burden, load.

Burg (bōōrk) f castle; citadel.

Bü'rge (bürg⁵) m bail, surety; *2n*: *für j-n*: (go) bail for; *für et.*: warrant a th.

Bü'rger (bürg⁵r) m, **~in** f citizen; (*Stadt2*) townsman; **~krieg** (-kreek) m civil war.

bü'rgerlich civil; *Küche usw.*: plain; *2es Gesetzbuch* code of civil law; *2e*(r) m commoner.

Bü'rger|meister (bürghᵉrmist⁵r) m *in England*: mayor; *in Deutschland*: burgomaster; **~recht** (-rĕçt) n civic rights *pl.*; freedom of a city; **~steig** (-shtik) m pavement, footpath, *bsd. Am.* sidewalk; **~wehr** (-vér) f militia. [bail.|

Bü'rgschaft (bürkshäft) f security,|

Büro' (bürō) n office; **~angestellte**(r) (-ähnghᵉshtĕlt⁵[r]) m clerk; **~klammer** f (paper)clip; **~krat** (-kräht) m bureaucrat; **~kratie'** (-ee) f red-tapism, bureaucracy; **2kra'tisch** bureaucratic; **~stunden** (-shtōōnd⁵n) f|pl. office-hours, *Am.* duty-hours; **~vorsteher** (-förshté⁵r) m head, clerk.

Bu'rsch(e) (bōōrsh[⁵]) m boy, lad, fellow; chap, *Am.* guy.

burschiko's (-ĭkōs) free and easy.

Bü'rste (bürst⁵) f, *2n* brush.

Busch (bōōsh) m bush = **Bü'schel** (büsh⁵l) m (n) tuft, bunch.

bu'schig bushy; *Haar*: shaggy.

Bu'sen (bōōz⁵n) m breast; bosom; *fig.* heart; (*Meer2*) bay, gulf; **~nadel** (-nähd⁵l) f breast-pin.

Bu'ße (bōōs⁵) f penance; penitence; (*Geldstrafe*) fine.

bü'ßen (büs⁵n) atone for; expiate; have to pay for.

Bü'ßer(in) f m penitent.

bu'ß|fertig (-fĕrtĭç) penitent; *2tag* (-tähk) m day of repentance and prayer; *2-übung* (-übōōng) f penitential exercise.

Bü'ste (büst⁵) f bust; **~nhalter** m bra(ssiere); *v. Strandanzug*: halter.

Bü'tte (büt⁵) f tub, coop.

Bu'tter (bōōt⁵r) f butter; **~blume** (-blōōm⁵) f buttercup; **~brot** (-brōt) n bread and butter; **~brotpapier** (-brōtpåhpeer) n greaseproof paper; **~dose** (-dōz⁵) f butter-dish.

bu'ttern v/t. u. v/i. churn.

Bu'tzenscheibe (bōōts⁵nshib⁵) f bull's-eye pane.

C

Café (kähfé) n coffee-house; café.
Ce′llo (tshĕlō) n cello.
Chaiselo′ngue (shäz(ᵉ)lǫg, -lòrᵦ) f lounge, couch.
Champa′gner (shähmpähnᵗᵉr) m champagne (wine).
Cha′os (kähŏs) n chaos.
Chara′kter (kährähkt⁴r) m [pl. -te′re (-ér⁴)] character; fig. title; ✕ brevet rank; ♀fest of firm character; ♀isie′ren (-īzeer⁴n) characterize; ⁓i′stik (-ïstïk) f characterization; ♀i′stisch characteristic (für of); ♀los unprincipled; ⁓zug (-tsōōk)∙ m characteristic, feature, trait.
Chassi′s (shähsee) n chassis.
Chauffeu′r (shŏfŏr) m chauffeur, driver.
Chaussee′ (shŏsé) f high-road.
Chauvin|i′smus (shŏvīnïsmōōs) m chauvinism; Brt. jingoism; ⁓i′st(in f) m chauvinist; jingo.
Chef (shĕf) m head, chief; ✝ principal, Am. boss; senior partner.
Chemie′ (çémee) f chemistry.
Chemika′lien (-kählᵗᵉn) n/pl. chemicals.
Che′miker m analytical chemist.
che′misch chemical.
Chi′ffre (shïf⁴r) f cipher; ⁓nummer (-nŏŏm⁴r) f box-number.
chiffrie′ren (shïfreer⁴n) cipher, code.
Chine′s|e (çeenéz⁴) m, ⁓in f, ♀isch Chinese.

Chini′n (çïneen) n quinine.
Chiru′rg (çïrōōrk) m surgeon; ⁓ie′ (-gʰee) f surgery; ♀isch surgical.
Chlor (klōr) n chlorine; ⁓′kalium (-kähl′ōōm) n potassium chloride; ⁓′kalk (-kählk) m chloride of lime.
Chlorofo′rm (klōrŏfórm) n, ♀ie′ren (-eer⁴n) chloroform.
Cho′lera (kōl⁴räh) f cholera.
chole′risch (kōlérïsh) choleric.
Chor (kōr) m chorus; (Sänger♀) choir; ⁓a′l (kórähl) m hymn, choral(e); ⁓gesang (-gʰᵉzährᵦ) m chorus; choral song; ⁓sänger (-zĕrᵦᵉr) m chorus-singer.
Christ (krïst) m, ⁓in f Christian.
Chri′sten|heit f Christendom; ⁓tum n Christianity.
Chri′stkind (-kïnt) n Christ-child.
chri′stlich Christian.
Chrom (krōm) n Metall: chromium; Farbe: chrome.
Chro′nik (krōnïk) f chronicle.
chro′nisch chronic.
Chroni′st m chronicler.
Cli′que (klïk⁴) f clique; ⁓nwesen (-véz⁴n) n cliquism.
Couple′t (kŏŏplé) n comic song.
Coupo′n (kŏŏpŏrᵦ) m coupon.
Cour (kŏŏr) f: j-m die ⁓ m. court.
Courta′ge (kŏŏrtähGᵉ) f brokerage.
Cousi′ne (kŏŏzeen⁴) f cousin.
Creme (krãm, -é-) f cream.
Cu′taway (mst kŏt⁴vé) morning coat.

D

da (dāh) **1.** *adv.* there; *von ~ an räumlich*: from there; *zeitlich*: from that time on; ~ *haben wir's!* there we are!; **2.** *cj. Zeit*: when; *Grund*: as; *(da ja)* since.

dabei' (dāhbī) near by; *(überdies)* besides; *(trotzdem)* yet; *was ist denn ~?* what of that?; **~bleiben** (-blīb⁶n) persist; ~ *blieb es* there the matter ended; **~sein** (-zīn) be present, take part; **~stehen**(-shtē⁶n) stand by.

da'bleiben (dāhblīb⁶n) (sn) stay.

da ca'po (dāh kāhpō) encore.

Dach (dāhк) *n* roof; *fig.* shelter; **~'antenne** *f* overhouse aerial; **~'decker** *m* tiler; slater; **~'fenster** *n* dormer-window; **~'garten** *m* roof-garden; **~'gesellschaft** (-gʰᵉzēlshāħft) *f* holding company; **~'kammer** *f* garret; **~'pappe** *f* roofing felt; **~'rinne** *f* gutter.

Dachs (dāħks) *m* badger.

Da'ch|sparren (-shpāhr⁶n) *m* rafter; **~stube** (-shtōōbᵉ) *f* garret; **~stuhl** (-shtōōl) *m* framework of a roof; **~ziegel** (-tseegʰᵉl) *m* (roofing) tile.

da'du'rch (dāhdōōrç) through *(od.* by) that *(od.* it); by that means.

dafü'r (dāhfür) for that, for it; *(als Ersatz)* in return (for it), instead (of it); *ich kann nichts ~ it is* not my fault.

dage'gen (dāhgʰégʰ⁶n) **1.** *adv.* against that *od.* it; *Vergleich*: in comparison with it; *Tausch, Ersatz*: in return *(od.* exchange) (for it); *ich habe nichts ~ I* have no objection (to it); **2.** *cj.* on the contrary, on the other hand.

dahei'm (dāhīm) at home.

dahe'r (dāhhér) from there; *Ursache*: therefore; hence; *bei Verben der Bewegung*: along.

dahi'n (dāhīn) there; to that place; *(vergangen)* gone, past; *bei Verben der Bewegung*: along; *j-n ~ bringen, daß* induce a p. to *inf.*

dahi'nter (dāhhīnt⁶r) behind that *od.* it; **~kommen** (sn) find it out.

da'mal|ig (dāhmāhlīç) of that time; then; **~s** (-s) then, at that time.

Da'mast (dāhmāhst) *m* damask.

Da'm(e)brett (dāhm[ᵉ]brēt) *n* draught-board.

Da'me (dāhmᵉ) *f* lady; *beim Tanz usw.*: partner; *Karte*: queen.

Da'men|abteil (-īl) *n* ladies' compartment; **~einzelspiel** (-īnts⁶lshpeel) *n Tennis: the* women's singles *pl.*; **♀haft** ladylike; **~konfektion** (-kônfēkts'ōn) *f* ladies' ready-to-wear; **~mannschaft** (-māhnshāħft) *f Sport*: women's team; **~schneider** (-shnīd⁶r) *m* ladies' tailor.

da'mit **1.** *adv.* with it, with that; by it *od.* this; **2.** *cj. (in order)* that *od.* to; ~ *nicht* lest; for fear that.

dä'mlich (dāmlīç) silly, dull.

Damm (dāhm) *m* dam, dike; *(Straßen♀)* roadway; *fig.* barrier; **~'bruch** (-brōōk) *m* bursting of a dike.

dä'mmer|ig (dĕm⁶rīç) dusky; **♀licht** (-līçt) *n* twilight; **~n** (dĕm⁶rn) grow dusky; *morgens*: dawn; **♀ung** *f (Morgen♀)* dawn; *(Abend♀)* twilight.

Dä'mon (dāmōn) *m* demon.

dämo'nisch (-mōnīsh) demoniacal.

Dampf (dāhmpf) *m* steam; *weitS.* vapour; **~'bad** (-bāht) *n* vapourbath; **~'boot** (-bōt) *n* steamboat; **♀'en** steam.

dä'mpfen (dĕmpf⁶n) *(abschwächen)* damp; *Farbe, Ton*: subdue; *Feuer*: quench; *Stoß*: deaden; *(mit Dampf behandeln)* steam; *Speise*: stew.

Da'mpfer *m* steamer.

Dä'mpfer *m* damper.

Da'mpf|kessel *m* (steam-)boiler; **~maschine** (-māhsheen⁶) *f* steamengine; **~schiff** *n* steamship; **~walze** (-vāhlts⁶) *f* steam roller.

Da'm(e)spiel (dāhm[ᵉ]shpeel) *n* draughts *pl.*; *Am.* checkers.

dana'ch (dāhnāhk) after that *od.* it; *(demgemäß)* accordingly; *er sieht ganz ~ aus* he looks very much like it.

Dän|e (dän^e) *m*, **~in** *f* Dane.

dane'ben (dähnéb^e n) near it, next to it; (*außerdem*) besides; **~gehen** (-g^h é^e n) (sn) go amiss.

danie'der (dähneed^e r) down; **~liegen** (-leeg^h é^e n) be laid up (with); *Handel*: be depressed.

dä'nisch (dänish) Danish.

Dank (dähŋk) *m* thanks *pl.*; (**~bar-keit**) gratitude; (*Lohn*) reward; *Gott sei ~!* thank God!; ♀ *prp.* owing (*od.* thanks) to.

da'nkbar (*lohnend*) profit-able; **~** *für* thankful for; ♀**keit** *f* gratitude.

da'nken (dähŋk^e n) *v/i.* thank (*j-m.* a *p.*); *danke!* thank you; *ablehnend*: no thank you!; **~swert** (-vért) meritorious.

Da'nk|gebet (dähŋ^a kg^h é^a bét) *n* thanksgiving; **~schreiben** (-shri-b^e n) *n* letter of thanks.

dann (dähn) then; **~** *und wann* now and then.

dara'n (dährähn) at (by, in, on *od.* to) that *od.* it; *nahe ~ sn zu* be on the point of; *er ist gut* (*übel*) **~** he is well (badly) off; *ich bin ~* it is my turn; **~gehen** (-g^h é^e n) (sn) set to work.

darau'f (dährowf) on it *od.* them; *zeitlich*: after (that); **~gehen** (-g^h é^e n) *v/i.* (sn) be lost *od.* con-sumed; **~hin** thereupon.

darau's (dährows) from it *od.* that.

da'rben (dährb^e n) suffer want.

da'rbieten (dährbeet^e n) offer, pres-ent.

da'rbringen (dährbriŋen) present, offer.

darei'n (dährin) into it; *sich ~ finden, fügen, geben* put up with it.

dari'n (dährin) in it, in that.

da'rleg|en (dährlég^e n) *fig.* expose, explain; ♀**ung** *f* exposition, state-ment.

Da'rleh(e)n (dährléh[^e]n) *n* loan.

Darm (dährm) *m* gut; bowels *pl.*

da'rstell|en (dährshtél^e n)represent; ♀**er(in** *f*) *m* thea. performer; ♀**ung** *f* representation; perform-ance.   [strate.\

da'rtun (dährtōōn) prove, demon-\

darü'ber (dährüb^e r) over it *od.* that; (*betreffs*) about it; (*querüber*) across it; **~** *hinaus* beyond it, past it.

daru'm (dährōōm) around that *od.* it; (*deshalb*) therefore.

daru'nter (dähroont^e r) under that *od.* it; *unter e-r Zahl*: among them; (*weniger*) less.

da'sein (dähzin) **1.** (sn) be present; (*vorhanden sn*) exist; **2.** ♀ *n* ex-istence, being.

da'stehen (dähshté^e n) *v/i.* be there.

daß (dähs) that; **~** *nicht* lest.

Da'ten (däht^e n) *n/pl.* (actual) facts; data *pl.*

datie'ren (-eer^e n) date.

Da'ttel (däht^e l) *f* date.

Da'tum (dähtōōm) *n* date.

Dau'er (dow^e r) *f* duration, con-tinuance; *auf die ~* in the long run; ♀**haft** durable, lasting; **~** *sn Stoff*: wear well; **~karte** *f* season-ticket, *Am.* commutation ticket; **~lauf** (-lowf) *m* endurance run; ♀**n 1.** con-tinue, last; *lange ~* take a long time; **2.** *er dauert mich* I pity him; **~welle** *f im Haar*: permanent wave.

Dau'men (dowm^e n) *m* thumb; **~abdruck** (-ähpdrōōk) *m* thumb-print.

Dau'ne (down^e) *f* down; **~ndecke** *f* eiderdown.

davo'n (dähfön) of that *od.* it; by that *od.* it; (*weg*) off, away; **~bleiben** (-blib^e n) (sn) keep off; **~kommen** get off; **~laufen** (-lowf^e n) (sn) run away.   [for it.\

davo'r (dähför) before that *od.* it;\

dazu' (dähtsōō) to that *od.* it; (*zu dem Zweck*) for that purpose; (*außerdem*) in addition to that; **~** *kommt* add to this; *ich komme nie* **~** ... I can never find time to ...

dazwi'schen (dähtsvish^e n) between them; **~kommen** (sn) intervene.

Deba'tte (débäht^e) *f* debate.

debattie'ren (-eer^e n) *v/i* debate.

De'bet (débêt) † *n* debit

Debü't (débü) *n* first appearance, début.

dechiffrie'ren (déshifreer^e n) de-cipher; *tel.* decode.

Deck ♄ *m* deck; *fig.* feather bed.

De'cke (děk^e) *f* cover; *wollene*: blanket; *e-s Zimmers*: ceiling; **~l** *m* lid; (*a. Buch*♀) cover; ♀**n** cover; *den Tisch ~* lay the cloth *od.* table.

De'ck|mantel *m fig.* cloak; **~name** (-nähm^e) *m* pseudonym; **~ung** *f* cover; *Wechsel*: security.

defe'kt (défěkt) **1.** defective; **2.** ♀ *m* defect.

definie'ren (défineer'n) define.

definiti'v (définīteef) definite, final.

De'fizit (défītsīt) *n* deficit, deficiency.

Defraud|a'nt (défrowdähnt) *m* defrauder; 2ie'ren defraud.

De'gen (dég⁴e⁴n) *m* sword.

degradie'ren (dégráhdeer⁴n) degrade, Am. demote.

de'hn|bar extensible; *fig.* vague; ~en (dén⁴n) extend, stretch; 2ung *f* extension.

Deich (díç) *m* dike, dam.

Dei'chsel (díks⁴e⁴l) *f* pole, shaft; (Gabel2) thill.

dein (dín) your; der *dein(ig)e* yours; die 2en your family; ~'esgleichen (dîn⁴sglíç⁴n) the like of you; ~'ige (dinīg⁴⁴) s. dein.

Deka'n (dékáhn) *m* dean.

dekatie'ren (dékáhteer⁴n) hotpress.

Deklamat|io'n (déklähmähts'ōn) *f* declamation; ~'or *m* declaimer.

deklamie'ren (déklähmeer⁴n) *v/t.* recite; *mst v/i.* declaim.

Deklin|atio'n (déklīnähts'ōn) *f gr.* declension; 2ie'ren decline.

Dekorat|eu'r (dékōráhtör) *m* decorator; (Schaufenster2) window-dresser; ~io'n (-ts'ōn) *f* decoration; *thea.* scenery.

dekorie'ren (dékōreer⁴n) decorate.

Dekre't (dékrét) *n* decree.

delika't (délíkáht) delicate; delicious; 2e'sse (-és⁴) *f* delicacy; (Leckerbissen) dainty.

Delphi'n (délfeen) *m* dolphin.

Demago'g (démáhgōk) *m* demagogue; 2isch (-gōgʰīsh) demagogical.

Deme'nt|i (déméntee) *n* denial; 2ie'ren (-eer⁴n) deny.

de'm|gemäß, ~na'ch (démgʰe⁴mäs, -nähk) accordingly.

de'mnächst (démnäçst) shortly, soon.

demobilisie'ren (démōbīlīzeer⁴n) *v/t. u. v/i.* demob(ilize).

Demokra't (démōkräht) *m*, ~in *f* democrat; ~ie' (-ee) *f* democracy; 2isch democratic.

demonstrie'ren (démōnstreer⁴n) *v/t. u. v/i.* demonstrate.

Demont|a'ge (démōntähG⁴) *f* dismantling; 2ie'ren dismantle.

De'mut (démōot) *f* humility.

de'mütig (démütíç) humble; ~en (-gʰe⁴n) humble, humiliate.

de'nk|bar thinkable; conceivable; ~en (dénk⁴n) *v/t. u. v/i.* think; ~ an (acc.) think of; (sich erinnern) remember; sich et. ~ imagine, fancy; 2freiheit (-frîhît) *f* freedom of thought; 2mal (-máhl) *n* monument; (Ehrenmal) memorial; 2-schrift *f* memorial; 2stein (-shtīn) *m* memorial stone; ~würdig (-vûrdíç) memorable; 2zettel *m fig.* lesson.

denn (dén) *cj.* for; *adv.* then.

de'nnoch (dénŏk) nevertheless.

Denunz|ia'nt (dénōnts'ähnt) *m* informer; 2ie'ren (-eer⁴n) denounce.

Depe'sche (dépésh⁴) *f* dispatch; telegram, wire; wireless.

depeschie'ren (-eer⁴n) telegraph, wire.

deponie'ren (dépōneer⁴n) deposit.

Deposi'ten (dépōzeet⁴n) *pl.* deposits *pl.*; ~bank *f* bank of deposit.

der (dér), die (dee), das (dähs) 1. *art.* the; 2. *dem. pron.* that, this, he, she, it; *rel. pron.* who, which, that. [a kind.]

de'r-artig (dérährtíç) such, of such]

derb (dérp) solid; (kräftig) sturdy; (grob) blunt, rough.

derglei'chen (dérglíç⁴n) such; und ~ and the like.

de'r-, die'-, da'sjenige (-yéníg⁴⁴) he *who*, she *who*, that *which*.

der-, die-, dasse'lbe (-zélb⁴) the same; he, she, it.

Desert|eu'r (dézértōr) *m* deserter; 2ie'ren (-eer⁴n) (sn) desert.

desglei'chen (désglíç⁴n) likewise.

de'shalb (déshählp) therefore.

des-infizie'ren (désīnfītseer⁴n) disinfect.

Despo't (déspōt) *m* despot.

destillie'ren (déstīleer⁴n) distil.

de'sto (déstō) the; ~ besser all (od. so much) the better.

de'swe'gen (désvégʰe⁴n) therefore.

Detai'lgeschäft (détäh'gʰe⁴shéft) *n* retail shop; ~handel *m* retail trade.

Detekti'v (détékteef) *m* detective.

deu'ten (dóit⁴n) *v/i.* (auf acc.) point to; *fig.* signify; *v/t.* interpret.

deu'tlich clear, distinct.

deutsch (dóitsh), 2'e(r) *m* German; 2'tum *n* German nationality.

Deu'tung *f* interpretation.

Devi'se (déveez⁴) *f* motto; ✝ foreign exchange *od.* currency.

Deze'mber (détsĕmbᵉr) m December.

Dezerna't (détsĕrnä́ht) n department; branch.

dezima'l (détsĭmä́hl) decimal.

dezimie'ren (-eerᵉn) decimate.

Diade'm (dĭähdém) n diadem.

Diagno'se (dĭähgnṓzᵉ) f diagnosis.

diagona'l (dĭähgōnä́hl) , ℒe f diagonal.

Diale'kt (dĭählĕkt) m dialect; ℒisch dialectal.

Dialo'g (dĭählṓk) m dialogue.

Diama'nt (dĭähmä́hnt) m diamond.

Diä't (dĭä́t) f diet, regimen; ~en pl. day's allowance.

dicht (dĭçt) (undurchlässig) tight; (~gedrängt) compact; dense; Stoff: thick; ~ bei close by.

di'chten (dĭçtᵉn) 1. tighten; 2. v/t. compose; v/i. write poetry.

Di'chter m poet; ~in f poetess; ℒisch poetic(al).

Di'chtkunst (dĭçtkŏŏnst) f poetry.

Di'chtung (dĭçtŏŏng) f poetry; (Einzel2) poem; work of fiction.

dick (dĭk) thick, big; (beleibt) stout; ℒe f thickness; stoutness; ~'fellig (-fĕllĭç) thick-skinned; ~'flüssig (-flüsĭç) viscous; ℒicht (dĭkĭçt) n thicket; ℒkopf m pig-headed; fellow; ~leibig (-lībĭç) corpulent; fig. bulky.

Dieb (deep) m thief, Am. crook; ~erei' (-bᵉrī) f thieving, thievery. **Die'b(e)sbande** f gang of thieves. **~höhle** f nest of thieves.

die'bisch (deebĭsh) thievish.

Die'bstahl (deepshtähl) m theft.

Die'le (deelᵉ) f (Brett) deal, board; (Fußboden) floor; (Vorraum) hall; ℒn board; floor

die'nen (deenᵉn) v/i. serve (j-m a p.; zu for).

Die'ner m servant, attendant; ~in f maid-servant; ~schaft f domestics pl.

die'nlich (deenlĭç) serviceable.

Dienst (deenst) m service; (Stelle) employment; im (außer) ~ on (off) duty.

Die'nstag (deenstähk) m Tuesday.

Die'nst|alter n lenght of service; ℒbar subject; (zinspflichtig) tributary; ~bote (-bōhtᵉ) m domestic (servant), Am. help; ℒ-eifrig (-īfrĭç) eager to serve; ℒfrei (-fri) exempt from service; ~herr m

master; employer; ~leistung (-listŏŏng) f service; ℒlich official; ~mädchen (-mä́tçᵉn) n maid-servant, Am. help; ~mann m porter; ~pflicht f official duty; ~stunden (-shtŏŏndᵉn) f/pl. hours of attendance; ℒ-(un)tauglich [-(ŏŏn)towklĭç) (un)fit for service; ℒtuend (-tŏŏᵉnt) on duty; ~weg (-vék) m official channels; ~wohnung f official dwelling.

die'ser (deezᵉr), **die'se** (deezᵉ), **die'ses** (deezᵉs) od. **dies** (dees) this; pl. these.

die'sjährig (-yä́rĭç) of this year.

Die'trich (deetrĭç) m picklock.

Differe'nz (dĭffᵉrĕnts) f difference.

Dikta't (dĭktä́ht) n dictation; ℒo'risch (-ṓrĭsh) dictatorial; ~u'r (-ṓōr) f dictatorship.

diktie'ren (-eerᵉn) dictate.

Diletta'nt (dĭlĕtä́hnt) m amateur.

Ding (dĭng) n thing.

Diphtheri'tis (dĭftᵉreetĭs) f diphtheria.

Diplo'm (dĭplṓm) n diploma.

Diploma't (-ä́ht) m diplomatist; ~ie' (-ee) f diplomacy; ℒisch diplomatic.

dire'kt (dĭrĕkt) direct; ~er Wagen ℒio'n (-ts'ṓn) f direction; (Verwaltung) management; board of directors; ℒor (-ṓr) m manager, director; (Schul2) headmaster. Am. principal; ℒri'ce (-trees²) f manageress, directress.

Dirige|e'nt (dĭrĭgʰĕnt) ♩ m conductor; ℒie'ren (-eerᵉn) ♩ conduct.

Di'rne (dĭrnᵉ) f lass; b.s. prostitute.

Disharmon|ie' (dĭshährmōnee) f discord; ℒisch discordant.

Disko'nt (dĭskŏnt) ♈, ~o m discount; ℒie'ren (-eerᵉn) discount.

diskre't (dĭskrét) discreet.

disponie'ren (dĭspōneerᵉn) dispose (über acc. of).

Dispositio'n (-zĭts'ŏn) f arrangement; (Neigung) disposition.

disputie'ren (dĭspōteerᵉn) debate.

Disside'nt (dĭsĭdĕnt) m, ~in f dissenter, non-conformist.

Dista'nz (dĭstä́hnts) f distance.

Di'stel (dĭst⁹l) f thistle.

Distri'kt (dĭstrĭkt) m district.

Diszipli'n (dĭstsĭpleen) f discipline.

Divide'nde (dĭvĭdĕndᵉ) f dividend.

dividie'ren (-deerᵉn) divide.

Di'wan (deevā́hn) *m* divan.

doch (dŏx) yet; however; nevertheless; but; *auffordernd:* do (do *sit down!*); *nach verneinter Frage:* yes, I do!; ja ~ yes, indeed; *nicht* ~! don't!, (*gewiß nicht*) certainly not.

Docht (dŏxt) *m* wick.

Dock (dŏk) *n* dock.

Do'gge (dŏgʰe) *f* mastiff.

Do'hle (dṓlᵉ) *f* (jack)daw.

Do'ktor (dŏktṓr) *m* doctor.

Dokume'nt (dŏkōṓmĕnt) *n* document, deed.

Dolch (dŏlç) *m* dagger; ~**stoß** (-shtŏs) *m* stab of a dagger.

do'lmetsch|en (dŏlmĕtsh⁶n) *v/i. u. v/t.* interpret; **2er(in** *f*) *m* interpreter.

Dom (dōm) *m* cathedral.

Domä'ne (dōmā́nᵉ) *f* domain.

Do'mino (dṓmĭnō) *m* (*Mantel*) domino; *n Spiel:* dominoes *pl.*

Do'nner (dŏnᵉr) *m* thunder; **2n** thunder; ~**schlag** (-shlāk) *m* clap of thunder; *fig.* thunderclap; ~**s-tag** (-tāk) *m* Thursday; ~**wetter** *n* thunderstorm.

Do'ppel (dŏpᵉl) *n* duplicate; ~**decker** *m* biplane; ~**ehe** (-é⁶) *f* bigamy; ~**gänger** (-gʰĕr̃ᵉr) *m* double; ~**punkt** (-pṓr̃kt) *m* colon; ~**sinn** (-zĭn) *m* ambiguity; ~**sinnig** ambiguous; ~**sohle** (-zṓl⁶) *f* clump (sole); ~**spiel** (-shpeel) *n Tennis:* double; ~**stecker** *ɇ m* double plug; **2t** (-t) double; *adv.* twice; ~**verdiener** (-fĕrdeen⁶r) *m* two-job man; ~**zentner** *m* quintal; **2züngig** (-tsür̃ĭç), ~**züngigkeit** *f* double-dealing.

Dorf (dŏrf) *n* village; ~**bewohner** (-ĭn *f*) (-b⁶vṓn⁶r) *m* villager.

Dorn (dŏrn) *m* thorn; prickle; spine; *e-r Schnalle:* tongue; *j-m ein* ~ *im Auge sn* be a thorn in one's side; **2ig** thorny.

dö'rren (dŏr⁶n) dry.

Dörr... dried...

Dorsch (dŏrsh) *m* cod.

dort (dŏrt) there; ~**her** (-hér) from there; ~**hin** there, that way.

do'rtig of that place, there.

Do'se (dṓz⁶) *f* box; (*Konserven*2) tin, *Am.* can; ~**n-öffner** (dṓz⁶n-ŏfn⁶r) *m* tin-opener.

Do'sis (dṓzĭs) *f* dose.

dotie'ren (dōteer⁶n) endow.

Do'tter (dŏt⁶r) *m* yolk.

Doze'nt (dōtsĕnt) *m* lecturer.

Dra'che(n) (drāhk⁶n) *m* dragon; (*Papier*2) kite; *fig.* (*böses Weib*) termagant, *Am.* battle-axe.

Drago'ner (drāhgṓn⁶r) *m* dragoon.

Draht (drāht) *m* wire; ~**antwort** *f* reply by wire; **2'en** wire; ~**funk** (-fṓōr̃k) *m* wired wireless; ~**gaze** (-gāhz⁶) *f* wire gauze; ~**geflecht** (-gʰᵉflĕçt) *n* wire netting; ~**hindernis** ✕ *n* wire entanglement; **2'ig** wiry; **2'los** wireless; ~**nachricht** (-nāhkrĭçt) *f* wire; ~**seilbahn** (-zĭlbāhn) *f* funicular railway; ~**stift** *m* wire-tack; ~**zieher** (-tsee⁶r) *m* wire-puller.

drall (drāhl) plump; *Frau:* buxom.

Dra'ma (drāhmāh) *n* drama; ~**tiker** (-māhtĭk⁶r) *m* dramatist; **2'tisch** (-māhtĭsh) dramatic.

Drang (drāhr̃) *m* press, rush; (*Antrieb*) impulse, urge.

drä'ngen (drĕr̃⁶n) press; *im Gedränge:* (*a. sich*) crowd; *fig.* urge; *Gläubiger:* dun.

Dra'ngsal (drāhr̃zāhl) *f, n* distress; (*Bedrückung*) oppression; **2ie'ren** (-eer⁶n) harass; vex.

Drau'fgänger (drowfgʰᵉr̃⁶r) *m* daredevil, *Am.* go-getter.

drau'ßen (drows⁶n) outside; out of doors; (*in der Fremde*) abroad.

dre'chseln (drĕks⁶ln) turn.

Dre'chsler *m* turner.

Dreck (drĕk) F *m* dirt; (*Schlamm*) mud; (*Unrat*) filth; **2'ig** dirty; muddy; filthy.

Dre'h|bank (dré) *f* (turning-) lathe; **2bar** (-bāhr) revolving; ~**bleistift** (-blĭshtĭft) *m* propelling pencil; ~**buch** (-bōōx) *n Film:* script, scenario; ~**bühne** *f thea.* revolving stage; **2en** (dré⁶n) (*a. sich* ~) turn; *Film:* shoot; *Zigarette:* roll; *es* ~*t sich darum, daß* the point is whether; ~**kreuz** (-kröits) *n* turnstile; ~**orgel** (-ŏrgʰᵉl) *f* barrel-organ; ~**punkt** (-pṓōr̃kt) *m* centre of motion; *fig.* pivot; ~**strom** (-shtrŏm) *ɇ m* threephase current; ~**stuhl** (-shtōōl) *m* revolving chair; ~**tür** (-tür) *f* rotatory door; ~**ung** *f* turn; *um e-e Achse:* rotation.

drei (drī) three; ~**beinig** (-bīnĭç) three-legged; **2'bund** (-bōōnt) *m* Triple Alliance; **2'-eck** *n* triangle; ~**'-eckig** triangular; ~**erlei'** (drī⁶rlī) of three kinds; ∼'**fach** (-făhk), ∼'**fältig** (-fĕltĭç) threefold; ∼**fa'r‐ben...** three-colour; 2'**fuß** (-fōōs) m tripod; ∼'**jährig** (-yărĭç) three-years-old; *Dauer*: triennial; ∼'**mal** (-māhl) three times; ∼'**malig** repeated three times; ∼'**seitig** (-zītĭç) trilateral; ∼'**silbig** (-zĭlbĭç) tri-syllabic.

drei'ßig (drisĭç) thirty; ∼**ste** (dri-sĭkst⁶) thirtieth.

dreist (drist) bold; *a.b.s.* audacious.

Drei'stigkeit (-ĭçkit) f boldness, audacity.

drei'|stimmig (-shtĭmĭç) for three voices; ∼**tägig** (-tăgʰĭç) last-ing three days; ∼**teilig** (-tĭlĭç) tri-partite; ∼**zehn(te)** (-tsĕn[t⁶]) thir-teen(th).

Drell (drĕl) m drill(ing), ticking.

dre'schen (drĕshⁿn) thresh.

Dre'sch|flegel (-flĕgʰⁿl) m flail; ∼**maschine** (-măhsheen⁶) f thresh-ing-machine.

dressie'ren (drĕseer⁶n) train.

dri'llen (drĭlⁿn) ✕, ⚔ drill.

Dri'llich (drĭlĭç) m ticking.

Dri'llinge (drĭlĭŋ⁶) m/pl. three children at a birth.

dri'ngen (drĭŋⁿn) a): (sn) ∼ *durch* penetrate; through; ∼ *in* (acc.) into; b) (h.) ∼ *auf* (acc.) insist on; ∼ *in j-n* urge a p.; ∼**d** (-t) urgent, pressing.

dri'nglich urgent; 2**keit** f urgency.

dri'nnen (drĭnⁿn) inside.

dri'tte (drĭt⁶), 2**1** n third; ∼**ns** thirdly.

dri'ttletzt (drĭtlĕtst) last but two.

Dro'ge (drŏgʰ⁶) f drug; ∼**rie'** (-ree) f druggist's (shop), *Am.* drugstore.

Drogi'st (drŏgʰĭst) m druggist.

dro'hen (drŏ⁶n) threaten.

Dro'hne (drōn⁶) f drone.

drö'hnen (drön⁶n) roar, boom.

Dro'hung (drōō⁶ŋ) f threat, menace.

dro'llig (drŏlĭç) droll; funny.

Dro'meda'r (drŏmĕdāhr) n dro-medary.

Dro'schke (drŏshk⁶) f cab; taxi; *Am.* hack; ∼**nhalteplatz** (-hăhlt⁶-plähts) m cabstand; ∼**nkutscher** (-kōōtshⁿr) m cabman, driver, *Am.* hackman.

Dro'ssel (drŏs⁶l) f thrush; ∼**klappe** ⊕ throttle(-valve); 2**n** ⊕ throttle.

drü'ben (drüb⁶n) over there.

Druck (drōŏk) m pressure; (*Last*) weight; (*Buch*) print; (∼**en**) print-ing; ∼'**bogen** (-bŏgʰ⁶n) m proof-sheet.

dru'cken (drŏŏk⁶n) print.

drü'cken (drük⁶n) press; *fig.* op-press; *Schuh*: pinch; *Preis*: bring down; *Rekord*: lower; *sich um* (od. *von*) *et.* ∼ shirk a th.

Dru'cker m printer.

Drü'cker m latch; *am Gewehr*: trigger.

Drucker|ei' (-ī) f printing-office, *Am.* printery; ∼**schwärze** (-shvĕr-ts⁶) f printer's ink.

Dru'ck|fehler m misprint; ∼**fehlerverzeichnis** (-fĕl⁶rfĕrtsĭç-nĭs) n errata *pl.*; 2**fertig** (-fĕrtĭç) ready for the press; ∼**knopf** (-knŏpf) m patent (*od.* snap)fastener; ⚔ push--button; ∼**luft** (-lŏŏft) f compres-sed air; ∼**pumpe** (-pōŏmp⁶) f forcepump; *Rekord*: ∼**sache** (pl.) (-zăh-k⁶[n]) ⊕ f printed matter; ∼**schrift** f type; (*Abhandlung*) publication.

Drü'se (drüz⁶) f gland.

du (dōŏ) you.

Duble'tte (dōōblĕt⁶) f duplicate.

du'cken (dōŏk⁶n) duck; *fig.* humble; *sich* ∼ stoop; duck.

Du'delsack (dōōd⁶lzähk) m bagpipe.

Due'll (dōō⁶l) n duel; 2**ie'ren** (-eer⁶n): *sich* ∼ (fight a) duel.

Due'tt (dōō⁶t) n duet.

Duft (dōŏft) m scent, fragrance, perfume; 2**en** exhale fragrance; 2'**end** (-t) fragrant; 2'**ig** airy.

du'ld|en (dōŏld⁶n) bear; suffer (*a. v/i.*); (*zulassen*) tolerate; 2**ung** f toleration; 2**er**(**in** f) m sufferer.

du'ldsam (dōŏltzähm) tolerant (*ge-gen* of); 2**keit** f tolerance.

dumm (dōŏm) stupid, dull; 2'**heit** f stupidity; (*Handlung*) silly action; 2'**kopf** m blockhead, *Am.* dead-head.

dumpf (dōŏmpf) hollow; *fig.* dull; (*feucht*) damp; *Luft*: close; ∼'**ig** musty.

Dü'ne (dün⁶) f dune.

Dung (dōŏŋ) m, **Dü'nger** (dün̄g⁶r) m dung, manure; (*künstlicher* ∼) fertilizer.

dü'ngen (dün̄g⁶n) dung, manure, fertilize.

du'nkel (dōŏn̄k⁶l) **1.** dark; *fig.* obscure; **2.** 2 n, 2**heit** f darkness; *fig.* obscurity.

Dü'nkel (dün͡gk⁰l) *m* conceit; ℒhaft conceited.

Du'nkelkammer (dōōn͡gk⁰lkähm⁰r) *f* dark room.

du'nkeln (dōōn͡gk⁰ln) grow dark, darken.

dü'nken (dün͡gk⁰n) seem.

dünn (dün) thin.

Dunst (dōōnst) *m* vapour; *in der Luft:* haze; *v. Bier usw.:* fume.

dü'nsten (dünst⁰n) stew.

du'nstig (dōōnstiç) vaporous; hazy.

Duplika't (dōōplikäht) *n* duplicate.

Dur (dōōr) ♪ *n* major.

durch (dōōrç) **1.** *prp.* through; **2.** *adv.* through; ~ **und** ~ thorough(ly).

du'rch-arbeiten (-ährbīt⁰n) work through.

durch-au's (-ows) out and out; *(unbedingt)* absolutely, by all means; ~ **nicht** not at all, by no means.

du'rchbilden educate *od.* train thoroughly.

du'rchblä'ttern *(überfliegen)* skim.

Du'rchblick *m* vista.

du'rchblicken: ~ *l.* give to understand.

durchbo'hren pierce; perforate.

du'rchbraten (-bräht⁰n) roast thoroughly; **durchgebraten** well done.

du'rchbrennen (sn) burn through; ⚡ *Sicherung:* fuse, blow; *Radioröhre:* burn out; *fig.* run away.

du'rchbringen bring through; *Gesetz:* pass; *Geld:* dissipate.

Du'rchbruch (-brōōk) *m* breach; rupture; ✗ break-through.

durchde'nken think over.

du'rchdrängen: *sich* ~ force one's way through.

du'rchdringen 1. *v/i.* (sn) get through; penetrate; *Meinung:* prevail; **2.** *durchdrin'gen v/t.* penetrate; *fig.* pierce.

durch-eina'nder (--inähnd⁰r) **1.** confusedly, pell-mell; **2.** ♀ *n* muddle; confusion; ~**bringen,** ~**werfen** muddle up; confound; mix up.

du'rchfahren *v/i.* (sn), *durchfa'hren v/t.* pass through.

Du'rchfahrt *f* passage; *(Tor)* gateway.

Du'rchfall (-fähl) *m* diarrhœa; *(Mißerfolg)* failure, *Am.* flunk; ℒen (sn) fall through; *fig.* fail, *Am.* flunk; *thea.* be damned; ~ *l.* reject.

du'rchfechten see *a th.* through.

du'rchfinden (-fïnd⁰n) *(sich)* find one's way through.

durchfle'chten interweave.

durchfo'rschen search through.

du'rchfressen eat through.

du'rchfrieren (freer⁰n) (sn) chill through.

Du'rchfuhr (-fōōr) *f* transit.

du'rchführ|bar (-fürbähr) practicable; ~**en** carry out; put through; ℒungsbestimmung (dōōrçfü−rōōn͡gsb⁰shtimōōn͡g) *f* carrying-out ordinance.

Du'rchgang (-gähn͡g) *m* passage; ✗ transit; ~**sverkehr** (-gähn͡gsf͡ërke'r) *m* through traffic; ~**szoll** (-gähn͡gstöl) *m* transit-duty.

du'rchgeh(e)n (-gʰé[⁰]ln) *v/i.* (sn) go *od.* walk through; *(fliehen)* abscond; *Liebende:* elope; *Pferd:* bolt; *Gesetz:* pass; *v/t. (prüfen)* look over; ~**d** (-t) continuous; 🚃 ~**er Wagen** through carriage; ~**d(s)** (-t[s]) throughout.

durchgei'stigt (-gʰīstiçt) spirited.

du'rchgreifen (-grīf⁰n) *fig.* act decidedly; ~**d** (-t) radical, sweeping.

du'rchhalten *v/i.* see it through.

du'rchhauen (-how⁰n) cut through; *j-n:* flog.

du'rchhelfen (dat.) help through.

du'rchkämpfen fight *a th.* out.

du'rchkochen boil thoroughly.

du'rchkommen (sn) come *od.* get through; *im Examen:* pass.

durchkreu'zen (-krōïts⁰n) cross; thwart.

Du'rchlaß (-lähs) *m* passage.

du'rchlassen let through.

du'rchlässig (dōōrçlèsiç) permeable *(für* to).

du'rchlaufen (-lowf⁰n) *v/i.* (sn) run through.

durchle'ben (-léb⁰n) live through; pass.

du'rchlesen (-léz⁰n) read through *od.* over.

durchleu'cht|en (-löïçt⁰n) 🔬 radiograph; ℒung *f* radioscopy.

durchlö'chern (-lȫç⁰rn) perforate; pierce.

du'rchmachen (-mähk⁰n) go *od.* pass through.

Du'rchmarsch *m* march(ing) through.

Du'rchmesser *m* diameter.

durchnä'ssen wet through, soak

du'rchnehmen go over.

du'rchpausen (-powz⁶n) trace, calk.

durchque'ren (-kvér⁶n) traverse.

du'rchrechnen count over.

Du'rchreise (-riz⁶) f passage; 2n v/i. (sn) pass through; ~nde(r) through passenger, Am. transient.

du'rchreißen (-ris⁶n) v/i. (sn) get torn; v/t. rend, tear.

du'rchschauen (-show⁶n) v/t. see through.

durchschau'ern (-show⁶rn) thrill.

du'rchscheinen (-shin⁶n) shine through; ~d (-t) transparent.

durchscheuern (-shôi⁶rn) rub through.

durchschie'ßen (-shees⁶n) Buch: interleave.

Du'rchschlag (-shlähk) m (Sieb) colander, strainer; v. Maschinenschrift: (carbon-)copy; 2en (-shläh-g⁶n) v/i. get through; (wirken) have effect; Papier: blot; Erbsen: strain; sich ~ fight one's way through; fig. rough it; durchschla'gen beat through; ~end (-t) telling; ~papier (-pähpeer) n copying paper.

du'rchschnei'den (-shnid⁶n) cut through.

Du'rchschnitt m ⊕ section, profile; fig. average; 2lich average; adv. on an average; ~s... average.

du'rchsehen (-zé⁶n) v/t. look a th over; bsd. typ. revise.

du'rchseihen (-zi⁶n) filter, strain.

du'rchsetzen carry a. th. through; sich ~ push; durchse'tzen intersperse.

Du'rchsicht f looking over; bsd. typ. revision.

du'rchsichtig (-zïçtïç) transparent; 2keit f transparency.

du'rchsickern (sn) ooze out.

du'rchsieben (-zeeb⁶n) sift.

durchspre'chen talk a th. over.

durchste'chen pierce; Damm: cut.

du'rchstecken pass through.

Du'rchstich m cut(ting).

durchstö'bern (-shtöb⁶rn) ransack.

du'rchstrei'chen (-shtriç⁶n) cross out.

durchstrei'fen (-shtrif⁶n) roam through.

durchsu'ch|en (-zōōk⁶n), 2ung f search.

durchtrie'ben (-treeb⁶n) cunning, artful; 2heit f cunning.

durchwa'chen (-vähk⁶n) pass waking.

durchwa'chsen (-vähks⁶n) Speck: streaky.   [through.\]

durchwa'ndern v/t. wander¦

durchwe'ben (-véb⁶n) interweave, interlace.

du'rchwe'g (-vék) throughout.

durchwei'chen (-viç⁶n) soak through.

du'rchwinden (-vïnd⁶n): sich ~ struggle through.

du'rchwühlen rake; rummage.

du'rchzählen count over.

du'rchzie'hen (-tsee⁶n) pass through.

Du'rchzug (-tsōōk) m passage; (Luft) (through) draught.

du'rchzwängen (-tsvěŋ⁶n) force through.

dü'rfen (dürf⁶n) be permitted od. allowed; I may; ich darf nicht I must not; wenn ich bitten darf (if you) please; man darf wohl erwarten it is to be expected.

dü'rftig (dürftïç) (bedürftig) needy; (ungenügend) poor, scanty.

dürr (dür) dry; (mager) lean; 2'e f dryness; (Regenmangel) drought.

Durst (dōorst) m thirst.

dü'rsten (dûrst⁶n) v/i. be thirsty; fig. ~ nach thirst for.

du'rstig thirsty (nach for).

Du'sche (dōōsh⁶) f douche; shower (-bath); 2n douche.

Dü'se (düz⁶) f nozzle; zur Strahlbildung: jet; ~n-antrieb (-ähntreep) m jet propulsion; ~nflugzeug (-flōóktsóik) n jet-plane.

dü'ster (düst⁶r) gloomy; 2 n, 2keit f gloom(iness).

Du'tzend (dōóts⁶nt) n dozen; 2weise by the dozen.

Dyna'm|ik (dünähmïk) f dynamics; ~i't (dünähmeet) n dynamite; ~o-maschine (dünähmōmäh6een⁶) f dynamo (machine), Am. generator.

D'-Zug (détsōōk) m corridor-train, Am. vestibule-train.

E

E'bbe (ĕb⁶) *f* ebb(-tide); **2n** ebb.
e'ben (ĕb⁶n) **1.** *adj.* even; (*flach*) plain, level; **2.** *adv.* (*genau*) exactly; (*gerade*) just; ~ *tun wollen* be just going to; ~ *erst* just now; **2bild** *n* image; **~bürtig** (-bûrtĭç) of equal birth; **~derse'lbe** (-dĕr-zĕlb⁶) the very same; **2e** *f* plain; **A** plane; **~falls** likewise; **2holz** (-hŏlts) *n* ebony; **2maß** (-mâhs) *n* symmetry; **~mäßig** (-mâsĭç) symmetrical; **~so** (-zō) just so; just as ...; (*auch*) likewise; **~soviel** (-zōfeel) just as much.   [mountain-ash.]
E'ber (ĕb⁶r) *m* boar; **~esche &** *f*|
e'bnen (ĕbn⁶n) level; *fig.* smooth.
E'cho (ĕçō) *n* echo.
echt (ĕçt) genuine; (*wahr*) true; (*rein*) pure; (*wirklich*) real; (*rechtmäßig*) legitimate; *Farbe:* fast; *Urkunde:* authentic; **2heit** *f* genuineness; authenticity; legitimacy.
E'ckball (ĕkbâhl) *m Sport:* corner-
E'ck|e (ĕk⁶) *f* corner; (*Kante*) edge; **2ig** angular; *fig.* awkward; **~platz** *m* corner-seat; **~zahn** (-tsâhn) *m* canine tooth.
e'del (ĕd⁶l) noble; *Metall:* precious; *Körperteil:* vital; **2frau** (-frow) *f* noblewoman; **~denkend** (-dĕn-k⁶nt) noble-minded; **2knabe** (-knâhb⁶) *m* page; **2leute** (-lóit⁶) *pl.* nobles; **2mann** *m* nobleman; **2mut** (-mōōt) *m* generosity; **~mütig** (-mütĭç) noble-minded; **2-obst** (-ōpst) *n* choice fruit; **2stein** (-shtīn) *m* precious stone.
E'feu (ĕfói) *m* ivy.
Effe'kt (ĕfĕkt) *m* effect; **~en** *pl.* effects; **†** stocks; **~enhandel** *m* stock (-exchange) business; **~hascherei** (-hăhsh⁶rī) *f* claptrap.
effektuie'ren (ĕfĕktōōeer⁶n) effectuate.
ega'l (ĕgâhl) (*gleich*) equal; (*einerlei*) all one, the same.
E'gge (ĕg⁶) *f*, **2n** harrow.
Egoi's|mus (ĕgōĭsmōōs) *m* egoism; **~t(in** *f*) *m* egoist; **2tisch** selfish.
e'he¹ (ĕ⁶) *cj.* before.

E'he² *f* marriage; (~*stand*) matrimony; **~brecher(in** *f*) (-brĕç⁶r) *m* adulterer (adulteress); **2brecherisch** adulterous; **~bruch** (-brōōk) *m* adultery; **~frau** (-frow) *f* wife; **~gatte** *m*, **~gattin** *f* spouse; **~leute** (-lóit⁶) *pl.* married people; **2lich** conjugal; *Kind:* legitimate; **~losigkeit** (-lōzĭçkīt) *f* celibacy.
e'hemal|ig (ĕ⁶mâhlĭç) former; **~s** formerly.
E'he|mann *m* husband; **~paar** (-pâhr) *n* married couple.
e'her sooner; (*lieber*) rather.
E'hering (ĕ⁶rĭŋ) *m* wedding ring.
e'hern (ĕ⁶rn) brazen.
E'he|scheidung (ĕ⁶shidōōŋ) *f* divorce; **2stand** (-shtâhnt) *m* married state, wedlock; **~versprechen** (-fĕr-shprĕç⁶n) *n* promise of marriage; **~vertrag** (-fĕrtrâhk) *m* marriage-settlement. [shnīd⁶r) *m* slanderer.|
E'hr-abschneider(in *f*) (ĕrâhp-|
e'hrbar (ĕrbâhr) honourable; *Benehmen:* modest; **2keit** *f* respectability; modesty.
E'hre (ĕr⁶) *f* honour; *zu ~n* (*gen.*) in honour of; **2n** honour; (*achten*) esteem.

e'hren|amtlich honorary; **2bürger** *m* honorary freeman; **2doktor** *m* honorary doctor; **2-erklärung** (-ĕrklârōōŋ) *f* (full) apology; **2gericht** *n* court of honour; **~haft** honourable; **2mann** *m* man of honour; **2mitglied** (-mĭtgleet) *n* honorary member; **2recht** *n*: *Verlust der bürgerlichen ~e* loss of civil rights; **2rettung** *f* rehabilitation; **~rührig** (-rürĭç) defamatory; **2sache** (-zâhk⁶) *f* affair of honour; **~voll** honourable; **2wort** *n* word of honour; **2zeichen** (-tsīç⁶n) *n* decoration.
e'hr|erbietig (ĕrĕrbeetĭç) respectful; **2-erbietung** *f*, **2furcht** (-fóorçt) *f* respect, reverence; *stärker:* awe; **~fürchtig** (-fûrçtĭç) respectful; **2gefühl** *n* sense of honour; **2geiz** (-gⁿīts) *m* ambition; **~geizig** ambitious.

e'hrlich (érliç) honest; *Handel, Spiel*: fair; *Meinung*: candid; 2keit *f* honesty, fairness.

e'hr|liebend (-leebént) loving honour; ⁓los dishonourable; *infamous*; 2losigkeit (-lözíçkit) *f* infamy; ⁓sam (-zähm) respectable; 2verlust (-férlöost) *m* loss of civil rights; ⁓widrig (-veedriç) disgraceful; ⁓würdig (-vürdiç) venerable.

ei¹ (ī)! ah!, indeed!; ⁓ ja! oh yes!

Ei² (ī) *n* egg.

Ei'chbaum (içbowm) *m* oak-tree.

Ei'che (içᵉ) *f* oak; ⁓l *f* acorn.

Ei'cheln *pl. Kartenspiel*: club.

ei'chen¹ (içᵉn) *v/t.* gauge.

ei'chen² *adj.* of oak; 2... oak...

Ei'ch|hörnchen (içhö̈rnçᵉn) *n* squirrel, *Am.* chipmunk; ⁓maß (içmähs) *n* standard. [perjured.]

Eid (īt) *m* oath; 2'brüchig (-brüçiç))

Ei'dechse (idékseᵉ) *f* lizard.

ei'desstattlich (id·sshtähtliç): ⁓e *Erklärung* affidavit.

ei'dlich (itliç) sworn; upon oath.

Ei'dotter (-dôtᵉr) *m* yolk.

Ei'er|kuchen (iᵉrkōōkᵉn) *m* omelet; ⁓schale (-shähl) *f* egg-shell.

Ei'fer (ifᵉr) *m* zeal; eagerness; (*Hast*) haste; *blinder* ⁓ *schadet nur* more haste, less speed; ⁓er *m* zealot; ⁓sucht (-zōōkt) *f* jealousy; 2süchtig (-züçtiç) jealous (*auf acc.*)

ei'frig (ifriç) zealous, eager. [of.)

Ei'gelb (igélp) *n* yolk.

ei'gen (igᵉn) own; (*genau, wählerisch*) particular; *j-m* ⁓ peculiar (to); (*seltsam*) strange, odd; 2·art *f* peculiarity; ⁓artig peculiar; singular; 2brötler (-brötlᵉr) *m* square-toes; 2gewicht (-gᵉviçt) *n* dead weight; ⁓händig (-héndiç) with one's own hand; 2heit *f* peculiarity; particularity; *der Sprache*: idiom; 2liebe (-leebᵉ) *f* self-love; 2lob (-löp) *n* self-praise; ⁓mächtig (-méçtiç) arbitrary; 2name (-nähmᵉ) *m* proper name; 2nutz (-nōōts) *m* self-interest; ⁓nützig (-nütsiç) selfish; ⁓s expressly. [adjective.]

Ei'genschaft *f* quality; ⁓swort *n*)

Ei'gen|sinn (-zin) *m* obstinacy; 2sinnig wilful, obstinate.

ei'gentlich (igᵉntliç) proper; true; real; *adv.* properly (speaking).

Ei'gentum (igᵉntōōm) *n* property.

Ei'gentümer(in *f*) (igᵉntümᵉr) *m* owner, proprietor; proprietress.

eigentü'mlich (igᵉntümliç) proper; (*sonderbar*) peculiar; odd; 2keit *f* peculiarity.

Ei'gentumsrecht (igᵉntōōmsreçt) *n* ownership; *literarisches*: copyright.

ei'genwillig (igᵉnviliç) self-willed.

ei'gnen (igᵉn): *sich* ⁓ (*für j-n*) suit (a p.); *s.* geeignet.

Ei'gnung (ignōōng) *f* aptitude.

Eil... (il) express.

Ei'le (ilᵉ) *f* haste, speed; *große*: hurry; 2n (ilᵉn) (*sn u. h.*) hasten, make haste; hurry; *Sache*: be urgent; 2nds (-ts) speedily.

Ei'lgut (ilgōōt) *n* express goods *pl.*

ei'lig (iliç) hasty, speedy; (*dringend*) urgent; *es* ⁓ *h.* be in a hurry.

Ei'mer (imᵉr) *m* bucket, pail.

ein (in) 1. one; 2. *art.* a, an.

eina'nder (-ähndᵉr) one another, each other.

ei'n-arbeiten (-ährbitᵉn): *sich* ⁓ in (*acc.*) make o.s. acquainted with.

ei'n-armig (-ährmiç) one-armed.

ei'n-äschern (-éshᵉrn) burn to ashes; *Leiche*: incinerate; 2ung *f* incineration.

ei'n-atmen breathe, inhale.

ei'n-äugig (-öigᵉlç) one-eyed.

Ei'nbahnstraße (-bähnshtraähsᵉ) *f* one-way street. [embalm.]

ei'nbalsamieren (-bählzähmeerᵉn) *v/t.*)

Ei'nband (-bähnt) *m* binding.

ei'nbegriffen (-bᵉgrifᵉn) included.

ei'nbehalten detain.

ei'nberufen (-bᵉrōōfᵉn) convene; ✕ call out.

ei'nbild|en (*sich*) fancy, imagine; 2ung *f* imagination; (*Dünkel*) conceit.

ei'nbinden (-bindᵉn) *Buch*: bind.

ei'nbrechen (-bréçᵉn) *v/t.* break down; *v/i.* (sn) break in(to *in e. Haus*); (*beginnen*) begin; set in.

Ei'nbrecher *m bei Nacht*: burglar; *bei Tage*: housebreaker.

Ei'nbruch (-brōōk) *m des Feindes*: invasion; (*Haus*2): house-breaking, burglary (*a.* ⁓sdiebstahl [in-brōōksdeepshtähl] *m*); ⁓ *der Nacht* nightfall.

ei'nbürger|n (-bürgᵉrn) naturalize; 2ung *f* naturalization.

Ei'n|buße (-bōōsᵉ) *f* loss; 2büßen (-büsᵉn) lose.

ei'ndämmen dam up; *fig.* check.

Ei'ndecker ✗ *m* monoplane.

ei'ndrängen: *sich* ~ intrude.

ei'ndring|en (sn) penetrate; *feindlich* ~ in (*acc.*) invade; ~lich urgent; 2ling *m* intruder.

Ei'ndruck (-drŏŏk) *m* impression.

ei'ndrücken press in; crush.

ei'ndrucksvoll (indrŏŏksfŏl) impressive. [limit.]

ei'n-engen (-ĕn̪ʰĕn) narrow; *fig.*|

Ei'ner (in'ɛr) *m* A unit; digit; 2ei (-li) 1. of the same kind; (one and the same; 2. 2 *n* sameness; monotony. [hand.]

ei'nerseits (in'ɛrzīts) on the one|

ei'nfach (-fäн̪к) single; single; (*schlicht*) plain; *Mahl:* frugal; 2heit *f* simplicity.

ei'nfädeln thread; *fig.* contrive.

Ei'nfahrt *f* entrance.

Ei'nfall (-fähl) *m* ✗ invasion.

ei'nfallen (sn) fall in; *in die Rede:* strike in; ♪ chime in; *feindlich:* invade; *Rede:* interrupt.

Ei'nfalt (-fählt) *f* simplicity; (*Dummheit*) silliness.

ei'nfältig (-fĕltĭç) simple; silly.

Ei'nfaltspinsel (infähltspīnz'ɛl) *m* simpleton. [plain.]

ei'nfarbig (infä'hrbĭç) of one colour;|

ei'nfass|en border; *Edelstein:* set; 2ung *f* border; setting. [o.s.]

ei'nfinden (-fīnd'ɛn): *sich* ~ present|

ei'nflechten interlace; *fig.* put in.

ei'nfließen (-flees'ɛn) (sn) flow in(to in *acc.*); *fig.* ~ l. throw in.

ei'nflößen (-flös'ɛn) infuse.

Ei'nfluß (-flŏŏs) *m* influx; *fig.* influence.

ei'nflußreich (-flŏŏsrĭç) influential.

ei'nflüstern *j-m: fig.* prompt to.

ei'nförmig (-förmĭç) uniform; (*eintönig*) monotonous.

ei'nfriedig|en (-freedĭgʰĕn) fence, enclose; 2ung *f* enclosure.

ei'nfrieren (-freer'ɛn) (sn) freeze in.

ei'nfügen (-füg'ʰĕn) join; *fig.* insert.

Ei'nfuhr (-fŏŏr) *f* import (-ation); ~waren (-vähr'ɛn) *f/pl.* imports.

ei'nführen † import; *P., Brauch:* introduce; *in ein Amt:* install.

Ei'ngabe (-gähb'ɛ) *f* petition, application.

Ei'ngang *m* entrance; (*Eintreten*) entry; *v. Waren:* arrival; *nach* ~ on receipt; ~sbuch (ingäн̪sbŏŏk) *n* book of entries.

ei'ngeben (-ghéb'ɛn) *Arznei:* give; *Gedanken usw.:* prompt, suggest.

ei'nge|bildet (-gʰᵉbĭld'ɛt) imaginary; (*dünkelhaft*) conceited; ~boren (-bör'ɛn), 2borene(r) *m* native.

Ei'ngebung *f* suggestion; inspiration.

ei'nge|denk (-gʰᵉdĕn̪к) mindful (*gen.* of); ~fallen (-fähl'ɛn) *Auge:* sunken; *Backe:* hollow; ~fleisch (-gʰᵉflisht) *fig.* inveterate.

ei'ngeh(e)n (-gʰᵉé[ʰ]n) *v/i.* (sn) *Brief usw.:* come in; & *die* (off); (*aufhören*) cease (to exist); ~ *auf* (*acc.*) agree to; *näher:* enter into; *v/t.* (h., sn) contract *a marriage;* come *to terms;* incur *liabilities,* make *a bet;* ~d (-t) detailed, thorough.

ei'nge|meinden (-gʰᵉmĭnd'n) incorporate; ~nommen (-gʰᵉnŏm'ɛn) prejudiced (in favour of; against); *von sich:* self-conceited; 2sandt (-gʰᵉzänt) *n Zeitung:* letter to the Editor; ~sessen (-gʰᵉzĕs'ɛn), *a.* 2e(*n*) *m* resident; 2ständnis (-gʰᵉshtĕndnĭs) *n* avowal; ~steh(e)n (-shté[ᵉ]n) avow, confess; 2weide (-gʰᵉvidᵉ) *n/pl.* bowels; *anat.* intestines; ~wöhnen accustom (*in acc.* to); ~wurzelt (-gʰᵉvŏŏrtselt) deep-rooted, inveterate.

ei'ngießen (-gʰees'ɛn) pour in; *Wein usw.:* pour out.

ei'ngleisig (-glizĭç) single-track.

ei'ngraben (-grähb'ɛn) dig in; *fig.* engrave.

ei'ngreifen (-grif'ɛn) 1. *fig.* intervene; ~ in (*acc.*) *fig.* interfere with; *in Rechte:* encroach on; 2. 2 *n* intervention.

Ei'ngriff *m* in *Rechte:* encroachment; ♪ operation.

ei'nhalten *v/t.* keep; observe; *v/i.* stop, leave off.

ei'nhändig|en (-hĕndĭgʰĕn) hand over; 2ung *f* delivery.

ei'nheften sew (*od.* stitch) in.

ei'nheimisch (-himĭsh) native; *Fabrikat:* home-made; *Krankheit:* endemic.

Ei'nheit (-hit) *f* unity; A, *phys.,* ✗ unit; 2lich uniform; ~s-preis (-pris) *m* standard price; ~sschule (-shŏŏlᵉ) *f* standard school.

ei'nheizen (-hits'ɛn) light a fire.

ei'nholen (-hŏl'ɛn) *v/t.* (*entgegengehen*) go to meet; (*erreichen*) overtake; *Versäumtes:* make up for;

Genehmigung: apply for; *Befehl, Rat*: take; (*einkaufen*) buy; *v/i.* go shopping.

ei'nhüllen wrap (up *od.* in).

ei'nig (iniç) united; ~ *sn* be at one; ~**e** (inig^he) several; (*a.* ~**es**) some; ~**en** (inig^he n) (*vereinigen*) unite; *sich* ~ come to terms; ~**ermaßen** (inig^he rmähs^e n) in some measure; 2**keit** *f* concord; unity; 2**ung** (inì- göör̯g) *f* union; agreement.

ei'njährig (-yäriç) one-year-old; ♀ annual.   [collect.]

ei'nkassieren (-kähseer^e n) cash;|

Ei'nkauf (-kowf) *m* purchase; *Ein-käufe m.* go shopping; 2**en** buy, purchase.

Ei'nkäufer (-köif^e r) ♱ *m* buying agent.

Ei'nkaufspreis (-kowfspris) *m* cost--price.   [*inn*.]|

ei'nkehren (-kér^e n) put up (at *an*)|

ei'nkerben notch.

ei'nkerkern imprison.   [for.|

ei'nklagen (-klähg^he n) *Schuld*: sue|

ei'nklammern *typ.* bracket.

Ei'nklang (-klähr̯g) *m* unison; har-mony.

ei'nkleiden (-klid^e n) clothe.

ei'nklemmen squeeze in; jam.

ei'nklinken (-klink^e n) latch.

Ei'nkommen *n* income, revenue; ~**steuer** (-shtöi^e r) *f* income-tax.

ei'nkreisen (-kriz^e n) encircle.

ei'nlad|en (-lähd^e n) *et.*: load in; *j-n*: invite; 2**ung** *f* invitation.

Ei'nlage (-lähg^he) *f Brief*: enclosure; ♱ investment; (*Bank*2) deposit; (*Schuh*2) instep-raiser; (*Zahn*2) fill-ing; 2**rn** ♱ warehouse, store (up).

Ei'nlaß (-lähs) *m* admission.

ei'nlassen let in, admit; *sich* ~ in, *auf (acc.)* engage in, enter into.

Ei'nlaßkarte *f* admission ticket.

ei'nlaufen (-lowf^e n) (*sn*) come in, arrive; *Schiff*: enter; *Stoff*: shrink.

ei'nlegen (-lég^he n) lay (*od.* put in); *Geld*: deposit; *in Salz*: pickle; *Früchte*: preserve; *Berufung*: lodge; *Ehre*: gain.   [insole.]|

Ei'nlegesohle (-lég^he zöl^e) *f* sock,|

ei'nleit|en (-lit^e n) introduce; ~**end** (-t) introductory; 2**ung** *f* intro-duction.

ei'nleuchten (-löiçt^e n) be evident.

ei'nliefern (-leef^e rn) deliver (up).

ei'nliegend (-leeg^he nt) *im Brief*: enclosed.

ei'nlösen (-löz^e n) *Pfand*: redeem; *Rechnung, Wechsel*: meet.

ei'nmachen (-måhk^e n) *Obst*: pre-serve.

ei'nmal (-måhl) once; (*künftig*) one day; *auf* ~ all at once; *nicht* ~ not even; 2**ei'ns** (-ìns) *n* multiplication--table; ~**ig** happening but once; unique.

Ei'nmarsch *m* entry; 2**ieren** (-eer^e n) (*sn*) march in, enter.

ei'n|mengen, ~mischen (-mìsh^e n): *sich* ~ meddle, interfere (in *acc.* with).   [**keit** *f* unanimity.|

ei'nmütig (-mütiç) unanimous; 2-|

Ei'nnahme (-nåhm^e) *f* ✗ taking, capture; *von Geld*: receipt.

ei'nnehmen (-ném^e n) *Mahlzeit, Stelle*: take; *Geld*: receive; *Raum*: occupy; ✗, *fig.* captivate; ~**d** (-t) engaging.

Ei'n-öde (-öd^e) *f* desert, solitude.

ei'n-ordnen classify; *Brief usw.*: file.

ei'npacken (-påhk^e n) *v/t.* pack up.

ei'npferchen (-pfèrç^e n) pen in; *fig.* crowd.   [*fig.* implant.|

ei'npflanzen (-pflåhnts^e n) plant;|

ei'npökeln (-pök^e ln) pickle, salt.

ei'nprägen (-präg^he n) imprint; im-press.

ei'nquartieren (-kvåhrteer^e n) quar-ter, billet.

ei'nrahmen (-råhm^e n) frame.

ei'nräumen (-röim^e n) *fig.* grant, concede.

ei'nrechnen comprise, include.

ei'nreden (-réd^e n): *j-m et.*: per-suade *od.* talk a p. into.

ei'nreichen (-riç^e n) hand in, give in.

ei'nreihen (-ri^e n) range (in *acc.* among).   [-breasted.]|

ei'nreihig (-rìiç) *Rock*: single-|

Ei'nreise (-riz^e) *f* entry; ~**erlaub-nis** (-èrlowpnìs) *f* entry permit.

ei'nreißen (-rìs^e n) *v/t.* tear; *Haus*: pull down; *v/i.* (*sn*) rend; *fig.* spread.

ei'nrenken (-rèr̯k^e n) set.

ei'nricht|en (-rìçt^e n) establish; (*ordnen*) arrange; *Wohnung*: furn-ish; *es* ~ manage; *sich* ~ establish o.s.; *sparsam*: economize; *sich* ~ *auf (acc.)* prepare for; 2**ung** *f* establishment; arrangement; (*Aus-stattung*) equipment; (*Anlage*) in-stallation; (*Möbel*) furniture; (*La-den*2) fittings *pl.*

ei'nrosten (-róstᵉn) (sn) grow rusty.

ei'nrücken (-rŭkᵉn) v/i. (sn) enter; v/t. Zeitung: insert; typ. Zeile: indent.

ei'nrühren (-rŭrᵉn) stir, mix.

eins (ins) 1. one; 2. ♀ f (number) one.

ei'nsam (-zähm) lonely, solitary; ♀keit f loneliness, solitude.

ei'nsammeln (-zähmᵉln) gather; collect.

Ei'nsatz (-zähts) m inset; Spiel: stake, pool; am Kleid: insertion; ♪ striking in; v. Arbeitskräften: employment.   [imbibe.]

ei'n-saugen (-zowgᵉᵉn) suck in; fig.)

ei'nschalten insert; ∮ switch on; mot. put in; allg. turn on.

ei'nschärfen (-shérfᵉn) inculcate (dat. upon).

ei'nschätzen (-shéts'ᵉn) zur Steuer: assess; weit S. estimate (auf acc. at).

ei'nschenken pour out od. in.

ei'nschicken send in.   [ten) insert.]

ei'nschieben (-sheebᵉn) (einschal-)

ei'nschiff|en (a. sich) embark; ♀ung f embarkation.   [asleep.]

ei'nschlafen (-shläfᵉn) (sn) fall)

ei'nschläfern (-shläfᵉrn) lull to sleep; ⚕ narcotize.

Ei'nschlag (-shlähk) m (Beimischung) touch; ♀en (-shlähgᵉᵉn) v/t. Nagel: drive in; (zerbrechen) break (in); (einhüllen) wrap up; Weg: take; (zs.-falten) tuck in; v/i. shake hands; Blitz: strike; (geraten) succeed; nicht ∼ fail; ∼(e)papier (-pähpeer) n wrapping-paper.

ei'nschleichen (-shlíçᵉn) (sn) (sich) creep in.

ei'nschleppen Krankheit: import.

ei'nschließ|en (-shlees'ᵉn) lock up; (umgeben) enclose; ✕ encircle; fig. include; ∼lich (gen.) inclusive (of).

ei'nschmeicheln (-shmíçᵉln): sich ∼ insinuate o.s. (bei with); ∼d (-t) insinuating.   [smuggle in.]

ei'nschmuggeln (-shmōōghᵉln))

ei'nschnappen (sn) Feder: catch.

ei'nschneidend (-shníd'ᵉnt) fig. in-cisive.

Ei'nschnitt m cut, incision; notch.

ei'nschnüren (-shnŭrᵉn) lace.

ei'nschränk|en (-shrĕn̄gkᵉn) re-strict; confine; Ausgaben: reduce; sich ∼ economize; ♀ung f restric-tion; reduction.

Ei'nschreibe|brief (-shrib'ᵉbreef) m

registered letter; ∼gebühr (-gʰᵉbŭr) f registration-fee; ♀n enter; ⅋ register; ∼ l. have registered; sich ∼ enter one's name.

ei'nschreiten (-shrítᵉn) 1. (sn) interpose, intervene; 2. ♀ n inter-vention.   [shrink.]

ei'nschrumpfen (-shrōōmpfᵉn) (sn))

ei'nschüchter|n (-shǔçtᵉrn) intim-idate; ♀ung f intimidation.

ei'nschulen (-shōōlᵉn) put to school.

ei'nsegn|en (-zégnᵉn) Kinder: con-firm; ♀ung f confirmation.

ei'nsehen (-zéᵉn) look into; fig. see; ein ♀ h. have consideration.

ei'nseifen (-zífᵉn) soap; Bart lather.

ei'nseitig (-zítïç) one-sided.

ei'nsend|en (-zéndᵉn) send in; ♀er (-in f) m sender; Zeitung: contri-butor.

ei'nsetz|en (-zĕts'ᵉn) v/t. set (od. put) in; Geld: stake; Zeitung: in-sert; (gründen) institute; j-n: ap-point; fig. use; Leben: risk; sich ∼ für stand up for; v/i. set in; ♪ strike in; ♀ung f appointment.

Ei'nsicht (-zíçt) f inspection; fig. insight; judiciousness; ♀svoll judicious.

ei'nsickern (-zík'ᵉrn) (sn) infiltrate.

Ei'nsiedler (-zeedlᵉr) m, ∼in f hermit.

ei'nsilbig (-zílbïç) monosyllabic; fig. taciturn; ♀keit f taciturnity.

Ei'nspänn|er (-shpĕn'ᵉr) m one--horse carriage; ♀ig one-horse.

ei'nsperren (-shp-) lock up, con-fine.

ei'nspringen (sn) ⊕ catch; fig. für j-n: act as substitute.   [jection.]

ei'nspritz|en inject; ♀ung f in-)

Ei'nspruch (-shprōōk) m objection, protest; ∼srecht n veto.

einst (inst) once; (künftig) one day.

Ei'nstand (-shtähnt) m Tennis: deuce.

ei'nstecken (-sht-) put in; pocket.

ei'nsteigen (-shtígᵉn) get in; ⚉ ∼l take your seats!, Am. all aboard!

ei'nstell|en (-shtĕlᵉn) put in; ✕ enlist; Arbeiter: engage; (aufgeben) give up; Zahlungen usw.: stop; Mechanismus: adjust (auf to); Ra-dio: tune in (to); Arbeit: strike; Fabrikbetrieb: shut down; opt., a. fig. focus (on); sich ∼ appear;

Wetter usw.: set in; ℒung f enlistment; engagement; (geistige) (mental) attitude.

ei'nstimmen (-shtĭmᵉn) join in.

ei'nstimmig (einmütig) unanimous; ℒkeit f unanimity.

ei'nstöckig (-shtŏkĭç) one-storied.

ei'nstreuen (-shtröiᵉn) fig. intersperse. [rehearse.]

ei'nstudieren (-shtōōdeerᵉn) study;

ei'nstürmen (-sht-) (sn): ~ auf rush at. [collapse.]

Ei'nsturz (-shtŏŏrts) m falling in,

ei'nstürzen (-sht-) v/i. (sn) fall in.

ei'nstweil|en (-vīlᵉn) for the present; ~ig temporary.

ei'ntauschen (-towshᵉn) exchange (for).

ei'nteil|en (-tīlᵉn) divide; (verteilen) distribute; in Klassen: classify; ℒung f division; classification.

ei'ntönig (-tŏnĭç) monotonous; ℒkeit f monotony.

Ei'ntracht (-trähкt) f harmony, concord.

ei'nträchtig (-trĕçtĭç) harmonious.

ei'ntragen (-trähgᵇᵉn) schriftlich: enter; amtlich: register; Gewinn: bring in.

ei'nträglich (-träklĭç) profitable.

Ei'ntragung f entry; registration.

ei'ntreffen (sn) arrive; (geschehen) happen; Voraussagung: come true. [rate.]

ei'ntreiben (-tribᵉn) Schuld: collect.

ei'ntreten (-trétᵉn) v/i. (sn) enter; in das Heer usw.: join; (geschehen) occur, take place; für: stand up for.

Ei'ntritt m entry; (Einlaß) admittance; (Anfang) beginning; ~ verboten! no admittance!; ~sgeld (-gʰĕlt) n entrance (od. Sport: gate) money; ~skarte f admission ticket.

ei'ntrocknen (-trŏknᵉn) (sn) dry up.

ei'n-üben (-übᵉn) et.: practise; j-n: train. [tionable.]

ei'nverleiben (-fĕrlībᵉn) incorpo-

Ei'nverständnis (-fĕrshtĕndnĭs) n agreement. [sn agree.]

ei'nverstanden (-fĕrshtăhndᵉn):

Ei'nwand (-văhnt) m objection (gegen to).

Ei'nwander|er (-văhndᵉrᵉr) m immigrant; ℒn (sn) immigrate; ~ung f immigration. [tionable.]

ei'nwandfrei (-văhntfrī) unobjec-

ei'nwärts (-vĕrts) inward(s).

ei'nweih|en (-vīᵉn) consecrate; fig. ~ in (acc.) initiate into; ℒung f consecration; initiation. [tion.]

ei'nwend|en object; ℒung f objec-

ei'nwickeln wrap (up), envelop.

ei'nwillig|en (-vĭlĭgʰᵉn) consent, agree (in acc. to); ℒung f consent.

ei'nwirk|en ~ auf (acc.) act upon; ℒung f influence. [habitant.]

Ei'nwohner (-vōnᵉr) m, ~in f in-

Ei'nwurf (-vŏŏrf) m fig. objection; für Briefe usw.: slit; für Münzen: slot.

Ei'nzahl (-tsähl) f singular (number); ℒen pay in; ~ung f payment.

ei'nzäunen (-tsöinᵉn) fence in.

Ei'nzel|handel (intsᵉl-) m retail business; ~händler m retailer; ~heit f item; ~en pl. particulars, details.

ei'nzeln (intsᵉln) single; (besonder) particular; (für sich allein) individual; Schuh usw.: odd.

Ei'nzel|spiel (-shpeel) n Tennis: single; ~verkauf (-fĕrkowf) m sale by retail; ~wesen (-vézᵉn) n individual.

ei'nziehen (-tseeᵉn) v/t. draw in; ✗ call in; ⚖ confiscate; Erkundigung: make; v/i. (sn) enter; Wohnung: move in; Flüssigkeit: soak in.

ei'nzig (intsĭç) only; single; (ohnegleichen) unique. [-in.]

Ei'nzug (-tsōōk) m entry; moving-

ei'nzwängen (-tsvĕngᵉn) press, squeeze.

Eis (is) n ice; (Frucht~) ice-cream; ~'bahn f skating-rink; ~'bär m polar bear; ~'decke f sheet of ice.

Ei'sen (izᵉn) n iron.

Ei'senbahn (izᵉnbähn) f railway, Am. railroad; mit der ~ by rail; ~er m railway-man; ~fahrt f railway-journey; ~knotenpunkt (-knŏt̄npŏŏrᵏt) m junction; ~unglück (-ōōnglük) n railway-accident; ~wagen (-văhgʰᵉn) m railway-carriage, Am. -car.

Ei'sen|blech (-blĕç) n sheet-iron; ~erz n iron-ore; ~gießerei (-gʰēesᵉrī) f iron-foundry; ℒhaltig ferruginous; ~hütte f iron-works pl.; ~waren (-vährᵉn) f/pl. ironmongery, hardware; ~warenhändler m ironmonger, Am. hardware-dealer.

ei'sern (izᵉrn) iron, of iron.

ei's|frei (-frī) free from ice; ℒgang (-găhŋ) m breaking up of the ice; ~grau (-grow) hoary; ~ig (izĭç)

icy; ~**kalt** icy cold; 2**lauf(en** n) (-lowf⁵n) m skating; 2**läufer(in** f) (-löif⁵r) m skater; 2**meer** (-mér) n polar sea; 2**scholle** f ice-floe; 2**schrank** (-shrăhŋk) m refrigerator, Am. icebox; 2**waffel** f Am. cone; 2**zapfen** m icicle; 2**zeit** (-tsit) f ice-age.

ei'tel (it⁵l) vain (auf acc. of); (bloß) mere; 2**keit** f vanity.

Ei'ter (it⁵r) m matter, pus; ~**beule** (-böil⁵) f abscess; 2**ig** purulent; 2**n** (it⁵rn) fester; suppurate; 2**ung** f suppuration.

Ei'weiß (ivis) n white of an egg; ▯ albumen; 2**haltig** albuminous.

E'kel (ék⁵l) **1.** n disgust (vor dat. at); (et. Widerliches) aversion; **2.** n nasty fellow; 2**haft, e'k(e)lig** disgusting; 2**n** disgust; sich ~ vor (dat.) be (od. feel) disgusted.

ela'st|isch (élăhstish) elastic; 2**izi-tä't** (-itsität) f elasticity.

Elefa'nt (éléfăhnt) m elephant.

elega'n|t (élégăhnt) elegant; 2**z** f elegance.

elektrifizie'r|en (élĕktrifitseer⁵n) electrify; 2**ung** f electrification.

Ele'ktriker (élĕktrĭk⁵r) m electrician.

ele'ktrisch electric(al).

elektrisie'ren (-īzeer⁵n) electrify.

Elektrizitä't (-itsität) f electricity; ~**swerk** n electric-power station.

Elektrote'chnik (élĕktrŏtĕçnĭk) f electrical engineering; ~**er** m electrical engineer.

Eleme'nt (él⁵mĕnt) n element.

elementa'r (él⁵mĕntăhr) elementary; 2**schule** (-shōōl⁵) f elementary (od. primary) school.

E'lend (élĕnt) **1.** n misery; **2.** 2 miserable, wretched.

elf (ĕlf) f 2 eleven.

E'lfenbein (ĕlf⁵nbīn) n, 2**ern** ivory.

e'lfte eleventh.

Eli'te (éleet⁵) f the élite.

E'lle (ĕl⁵) f yard; anat. ulna. [bow.]

E'll(en)bogen (ĕl⁵nbōg⁵n) m el-]

e'lter|lich (ĕlt⁵rlĭç) parental; 2**n** pl. parents; ~**nlos** parentless.

Emai'l (émăh·¹) n enamel.

Empfa'ng (ĕmpfăhŋ) m e-r P. u. Radio: reception; e-r S.: receipt; 2**en** v/t. receive.

Empfä'nger (ĕmpfĕŋ⁵r) m P. u. S.: receiver; (Brief2) addressee; (Waren) consignee.

empfä'nglich susceptible (für to); 2**keit** f susceptibility.

Empfa'ngs|gerät (-gh⁵rät) n receiving set; ~**schein** (-shin) m receipt; ~**zimmer** n reception-room.

empfe'hl|en (ĕmpfél⁵n) (re-)commend; ~ Sie mich (dat.) please remember me to; ~**enswert** (-vért) commendable.

Empfe'hlung f recommendation; (Gruß) compliments pl.

empfi'nden (ĕmpfínd⁵n) feel; (gewahren) perceive.

empfi'ndlich (-tlĭç) sensitive (a. phot.; für to); (leicht verletzt) touchy; Kälte: biting; Verlust: grievous; 2**keit** f sensitiveness.

empfi'ndsam (-tsăhm) sentimental; 2**keit** f sentimentality.

Empfi'ndung f (Wahrnehmung) perception; (Sinnes2) sensation; (seelische ~) sentiment; 2**slos** insensible; ~**svermögen** (-fĕrmö-gh⁵n) n perceptive faculty.

empö'r|en (ĕmpör⁵n) revolt, shock; sich ~ revolt (a. fig.), rebel.

Empö'rer m, ~**in** f rebel.

empö'r|kommen (sn) rise (in the world); 2**kömmling** (-kömlĭŋ) m upstart; ~**ragen** (-răhg⁵n) (h.) tower, rise; ~**steigen** (-shtīg⁵n) (sn) rise; ascend.

Empö'rung (ĕmpörōōŋ) f rebellion, revolt; (Unwille) indignation.

e'msig (ĕmzĭç) busy, diligent, assiduous; 2**keit** f assiduity, diligence.   [(aufhören) finish.]

E'nde (ĕnd⁵) n end; 2**n** v/i. end;]

e'ndgültig (ĕntgúltĭç) final, definitive.

e'ndigen (ĕndĭg⁵n) s. enden.

e'ndlich (ĕntlĭç) finally, at last.

e'nd|los (-t) endless; 2**punkt** (-pŏŏŋkt) m final point; 2**station** (-shtăhts'ōn) ⚙ f terminus, Am. terminal; 2**summe** (-zōōm⁵) f (sum) total.

E'ndung (ĕndōōŋ) f termination.

E'nd|ursache (entŏŏrzăhk⁵) f final cause; ~**zweck** (-tsvĕk) m ultimate object. [lacking in energy.]

Energie' (énĕrgʰee) f energy; 2**los**]

ene'rgisch (énĕrgʰish) energetic.

eng (ĕŋ) narrow; Kleidung: tight; (nah) close; (innig) intimate; im ~eren Sinne strictly speaking; ~ere Wahl short list.

engagie′ren (ăgăhⵠeerᵉn) engage.

E′nge (ĕŋᵉ) f narrowness; fig. straits pl.

E′ngel (ĕŋᵉl) m angel.

e′ngherzig (ĕrⵠhĕrtsiⵠ) narrow--minded.

E′ngländer (ĕrⵠlĕndᵉr) m Englishman; pl. (als Volk) the English; **~in** f Englishwoman.

e′nglisch (ĕrⵠlĭsh) English.

E′ngpaß (ĕrⵠpăhs) m defile, narrow pass.

engro′s (ăhⵠngrō), **~...** wholesale.

e′ngstirnig (ĕrⵠshtĭrniⵠ) narrow--minded.

E′nkel (ĕrⵠkᵉl) m grandchild; grandson; **~in** f granddaughter.

eno′rm (ĕnórm) enormous.

enta′rt|en degenerate; **2ung** f degeneration.

entbe′hr|en (ĕntbérᵉn) lack; miss, want; freiwillig: do without; **~lich** dispensable; **2ung** f want, privation.

entbi′nden (ĕntbĭndᵉn) dispense, release (von from); Frau: deliver (of).

Entbi′ndung f dispensation, release; delivery; **~s-anstalt** (-ăhnshtăhlt) f lying-in (od. maternity) hospital.

entblö′ßen (ĕntblösᵉn) denude; Haupt: uncover; fig. destitute (gen. of).

entde′ck|en discover; detect; **2er** m discoverer; **2ung** f discovery.

E′nte (ĕntᵉ) f duck; fig. (unglaubliche Geschichte) canard, hoax.

ent-ei′gn|en (ĕnt-ignᵉn) expropriate; **2ung** f expropriation.

ent-e′rben disinherit.

e′ntern (ĕntᵉrn) board, grapple.

entfa′llen v/i. (sn): j-m ~ escape a p.; fig. slip a p.'s memory; auf j-n ~ fall to a p.'s share.

entfa′lten unfold; (zeigen) display.

entfe′rn|en (ĕntférnᵉn) remove; sich ~ withdraw; **~t** distant, remote; fig. far (from ger.); **2ung** f removal; (Ferne) distance.

entfla′mmen inflame. [escape.]

entflie′hen (ĕntfleeᵉn) (sn) flee,]

entfre′mden (ĕntfrĕmdᵉn) estrange, alienate (j-m from a p.).

entfü′hr|en abduct; Kind: kidnap; **2ung** f abduction.

entge′gen (ĕntgᵇégᵇᵉn) adv., prp. (dat.) Gegensatz: in opposition to, contrary to; Richtung: towards; **~geh(e)n** (-gᵇéᵖⁿ) (sn) go to meet; **~gesetzt** (-gᵇézĕtst) opposite; fig. contrary; **~kommen** (sn) come to meet; fig. meet a p.('s wishes) halfway; **2kommen** n obligingness; **~kommend** obliging; **~nehmen** (-némᵉn) accept; **~sehen** (-zéᵉn) look forward to; **~setzen** (-zĕtsᵉn) oppose; **~steh** (-shtéⁱⁿ) (h.) be opposed; **~stellen** oppose; **~treten** (-trétᵐⁿ) (sn) meet a p.; feindlich: oppose a p.

entge′gn|en (ĕntgᵇégnᵉn) reply; **2ung** f reply. [(from).]

entge′hen (ĕntgᵇéᵉn) (sn) escape]

Entge′lt (ĕntgᵇélt) n (a. m) recompense; **2en** atone od. suffer for.

entglei′s|en (ĕntglĭzᵉn) (sn) run off the rails; fig. (make a) slip; **2ung** f derailment; fig. slip.

entglei′ten (ĕntglĭtᵉn) (sn) slip, (dat. from).

entha′lt|en contain, hold; sich ~ (gen.) abstain from; **2ung** f abstention.

entha′ltsam (ĕnthăhltzăhm) abstinent; **2keit** f abstinence.

enthau′pten (ĕnthowptᵉn) behead, decapitate.

enthei′ligen (ĕnthĭligᵇᵉn) profane, desecrate.

enthü′ll|en unveil; fig. reveal; **2ung** f unveiling; fig. revelation.

Enthusia′s|mus (ĕntⵠⵠⵠzⁱăhsmⵠⵠs) m enthusiasm; **2tisch** enthusiastic.

entklei′den (ĕntklĭdᵉn) (a. sich) undress.

entko′mmen 1. (sn) escape (j-m a p.; aus from); **2.** **2** n escape.

entkrä′ft|en (ĕntkrĕftᵉn) enfeeble, debilitate; (widerlegen) refute; **2ung** f enervation; refutation.

entla′d|en (ĕntlăhdᵉn) unload; (bsd. ⚡, a. sich) discharge; **2ung** f discharge.

entla′ng (ĕntlăhŋ) along.

entla′rven (ĕntlăhrfᵉn) unmask.

entla′ss|en (ĕntlăhsᵉn) dismiss, discharge; **2ung** f dismissal, discharge; **2ungsgesuch** (ĕntlăhsōōⵠⵠsgᵇézōōk) n resignation.

entla′sten unburden; discharge.

Entla′stung f discharge; **~szeuge** (-tsöⁱgᵇᵉ) m witness for the defendant.

entlau'fen (ĕntlowf‛n) (sn) run away (from).

entle'digen (ĕntlédĭg‛‛n) release (gen. from); sich ~ (gen.) rid o.s. of; e-r Pflicht: acquit o.s. of; e-s Auftrags: execute.

entlee'ren (ĕntlér‛n) empty.

entle'gen (ĕntlég‛‛n) remote, distant. [of, from).|

entle'hnen (ĕntlén‛n) borrow (dat.)

entlo'cken draw, elicit (from).

entlo'hnen (ĕntlōn‛n) pay (off).

entlü'ften ventilate.

entmu'tigen (ĕntmōōtĭg‛‛n) discourage; ℒung f discouragement.

entne'hmen (ĕntném‛n) take (dat. from); fig. aus et. ~ gather from.

entne'rven (ĕntnĕrf‛n) enervate.

entrā'tseln (ĕntrāts‛ln) unriddle.

entrei'ßen (ĕntris‛n) snatch away from a p.

entri'chten (ĕntrĭçt‛n) pay.

entri'nnen (sn) escape (dat. from).

entro'llen v/t. unroll.

entrü'cken remove (dat. from).

entrü'st|en (ĕntrū-) shock; sich ~ be shocked (über at); ~et indignant (at a th., with a p.); ℒung f indignation.

entsa'g|en (ĕntzāg‛‛n) (dat.) renounce, resign; ℒung f renunciation, resignation.

entschä'dig|en (ĕntshādĭg‛‛n) indemnify, compensate; ℒung f indemnity, compensation.

entschei'den (ĕntshīd‛n) decide; sich ~: S.: be decided; P.: come to a resolution; für, gegen, über: decide for, against, on; ~d decisive. **Entschei'dung** f decision.

entschie'den (ĕntsheed‛n) decided; ℒheit f determination.

entschlie'ßen (ĕntshlees‛n): sich ~ resolve, determine (zu et. on; zu tun to do).

entschlo'ssen (ĕntshlŏs‛n) resolute; ℒheit f resoluteness.

entschlü'pfen (sn) escape, slip.

Entschlu'ß (ĕntshlŏŏs) m resolution, resolve, (a. ~kraft f) determination.

entschu'ldig|en (ĕntshōōldĭg‛‛n) excuse; sich ~ apologize (bei to für for); sich ~ l. beg to be excused; ℒung f excuse; apology.

entse'tz|en (ĕntzĕts‛n) 1. (erschrek-ken) frighten; sich ~ be terrified (über acc. at); 2. ℒ n horror, fright; ~lich horrible, shocking.

entsi'nnen (ĕntzĭn‛n): sich ~ (gen.) remember.

entspa'nn|en (ĕntshp-) relax; unbend; ℒung f relaxation; pol. détente (fr.).

entspre'ch|en (dat.) answer; correspond to; ~end (-t) corresponding; ℒung f equivalent.

entspri'ngen (sn) escape; Fluß: rise, Am. head; s. entstehen.

entste'h|(e)n (ĕntshté[‛]n) (sn) (aus) arise, originate (from); ℒung f origin.

entste'll|en disfigure; fig. misrepresent; ℒung f disfigurement; misrepresentation.

enttäu'sch|en (ĕnttöish‛n) disappoint; ℒung f disappointment.

entthro'n|en (ĕnttrōn‛n) dethrone; ℒung f dethronement.

enttrü'mmer|n clear of debris od. rubble; ℒung f rubble-clearing.

entvö'lker|n (ĕntfölk‛rn) depopulate; ℒung f depopulation.

entwa'chsen (ĕntvähks‛n) (sn; dat.) outgrow.

entwa'ffn|en disarm; ℒung f disarmament.

entwä'sser|n drain; ℒung f drainage.

entwe'der (ĕntvéd‛r): ~ ... oder either ... or.

entwei'chen (ĕntvīç‛n) (sn) escape (aus from).

entwei'hen (ĕntvī‛n) profane.

entwe'nden pilfer, purloin.

entwe'rfen design, sketch; trace (out); plan.

entwe'rt|en (ĕntvĕrt‛n) depreciate; Briefmarke: cancel; ℒung f depreciation; cancellation.

entwi'ckeln (a. phot.) develop (a. sich) (erklären) explain.

Entwi'cklung f development.

entwi'rren (ĕntvĭr‛n) disentangle.

entwi'schen (sn) escape (j-m a p.).

entwö'hnen (ĕntvōn‛n) wean.

entwü'rdigen degrade.

Entwu'rf (ĕntvŏŏr!) m design; plan; draft.

entwu'rzeln (ĕntvŏŏrts‛ln) uproot.

entzie'hen (ĕnttsee‛n) withdraw (dat. from).

entzi'ffern (ĕnttsĭf‛rn) decipher; tel. decode.

entzü'ck|en (ĕnttsŭk‛n) charm, delight; ℒen n, ℒung f delight, rapture.

entzü'nd|bar (ĕnttsüntbǎhr) inflammable; **~en** kindle (*a. sich*); inflame (*a. ~*); **2ung** *f ⚡* inflammation.

entzwei' (ĕnttsvī) break, cut, etc.; asunder, in two, to pieces; **~sn** be broken; **~en** (*a. sich*) disunite; **~gehen** (-gʰé⁴n) go to pieces; **2ung** *f* disunion.

Epidemie' (épidémee) *f*, **epide'misch** epidemic (disease).

Epilo'g (épilŏk) *m* epilogue.

e'pisch (épísh) epic.

Episo'de (épízŏd⁴) *f* episode.

Epo'che (épóch⁴) *f* epoch.

E'pos (épŏs) *n* epic (poem).

er (ér) he; **~** *selbst* he himself.

er-a'chten (ĕráhktⁿn) **1.** think, deem; **2. 2** *n: m-s* **~s** in my opinion.

erba'rmen (ĕrbáhrm⁴n) **1.** *sich j-s* **~** pity, commiserate a p.; **2. 2** *n* **~** pity, mercy; **~swert** (-vért), **~swürdig** pitiable.

erbä'rmlich (ĕrbĕrmlĭç) pitiful; pitiable; miserable.

erba'rmungslos (ĕrbǎhrmŏŏ̄nͅglŏs) pitiless.

erbau'|en (ĕrbow⁴n) build (up); *fig.* edify; **2er** *m* builder; **~lich** edifying; **2ung** *f fig.* edification, *Am.* uplift.

E'rbe (ĕrb⁴) **1.** *m* heir; **2.** *n* inheritance, heritage.

erbe'ben (ĕrbéb⁴n) (*sn*) tremble, shake.

e'rben (ĕrb⁴n) inherit.

erbeu'ten (ĕrbŏit⁴n) capture.

Erb... (ĕrp...) hereditary.

erbie'ten (ĕrbeet⁴n): *sich* **~** offer to do.

E'rbin *f* heiress.

erbi'tten request, solicit.

erbi'tter|n (ĕrbĭt⁴rn) exasperate; **2ung** *f* exasperation.

E'rbkrankheit (ĕrpkrǎh̃khīt) *f* hereditary disease.

er|-bla'ssen (ĕrblǎhs⁴n), **-blei'chen** (-blĭç⁴n) (*sn*) grow (*od.* turn) pale.

E'rb-lasser (ĕrpláhs⁴r) *m* testator; **~in** *f* testatrix.

e'rb-lich (ĕrplĭç) hereditary; **2keit** *f physiol.* heredity.

erbli'cken perceive, see.

erbli'nd|en (ĕrblĭnd⁴n) (*sn*) grow blind; **2ung** *f* loss of sight.

erbre'chen 1. break open; (*sich* **~**) vomit; **2. 2** *n* vomiting.

E'rbschaft (ĕrpshǎhft) *f* inheritance.

E'rbse (ĕrps⁴) *f* pea; **~nbrei** (-brī) *m* pease-pudding; **~nsuppe** (-zŏŏp⁴) *f* pea-soup.

E'rbteil (ĕrptīl) *n* inheritance.

E'rd|-arbeiter (értǎhrbīt⁴r) *m* navvy; **~ball** (-bǎhl) *m* globe; **~beben** (-béb⁴n) *n* earthquake; **~beere** (-bér⁴) *f* strawberry; **~boden** (-bŏd⁴n) *m* ground, soil; **~e** (érd⁴) *f* earth, ground (*beide a. ⚡*); (*Bodenart*) soil; (*Welt*) world; **2en** *⚡* earth, ground.

erde'nk|en think out, devise; **~lich** imaginable.

E'rdgeschoß (-gʰéshŏs) *n* ground-floor, *Am.* first floor.

erdi'cht|en (ĕrdĭçt⁴n) invent, feign; **~et** fictitious; **2ung** *f* fiction, figment.

e'rdig (ĕrdĭç) earthy.

E'rd|karte *f* map of the earth; **~kreis** (-kris) *m*, **~kugel** (-kŏŏgʰél) *f* (terrestrial) globe; **~kunde** (-kŏŏnd⁴) *f* geography; **~leitung** (-lĭtŏŏ̄rͅg) *⚡ f* earth-connexion, *Am.* ground wire; **~nuß** (-nŏŏs) *f* peanut; **~öl** (-ōl) *n* mineral oil; **~reich** (-rĭç) *n* ground, earth.

erdrei'sten (ĕrdrist⁴n): *sich* **~** dare, presume.

erdro'sseln (ĕrdrŏs⁴ln) strangle.

erdrü'cken squeeze to death; **~d** (-t) *fig.* overwhelming.

E'rd|schicht (-shĭçt) *f* stratum; **~strich** (-shtrĭç) *m* region, zone; **~teil** (-tīl) *m* part of the world; continent.

erdu'lden (ĕrdŏŏld⁴n) suffer, endure.

er-ei'fern (ĕr·if⁴rn): *sich* **~** get excited.

er-ei'gnen (ĕr·ĭgn⁴n): *sich* **~** happen, come to pass.

Er-ei'gnis (ĕr·ĭknĭs) *n* event, occurrence; **2reich** (-rĭç) eventful.

er-e'rben inherit.

erfa'hr|en (ĕrfǎhr⁴n) **1.** learn; (*erleben*) experience; **2.** *adj.* experienced; **2ung** *f* experience.

erfa'ssen grasp (*a. fig.*), seize, catch.

erfi'nd|en (ĕrfĭnd⁴n) invent; **2er** *m* inventor; **~erisch** inventive.

Erfi'ndung *f* invention.

Erfo'lg (ĕrfólk) *m* success; (*Wirkung*) result; **2en** (ĕrfólg⁴n) (*sn*) ensue, follow; **2los** unsuccessful; vain; **2reich** (-rĭç) successful.

erfo'rder|lich requisite, required; **~n** require, demand; **2nis** _n_ requirement; requisite.

erfo'rsch|en (ĕrförsh⁶n) investigate; explore; **2er** _m_ investigator; explorer; **2ung** _f_ investigation; exploration.

erfreu'|en (ĕrfröi⁶n) rejoice; _sich_ e-r S. **~** enjoy a th.; **~lich** pleasant, gratifying.

erfrie'ren (ĕrfreer⁶n) (sn) freeze to death; _erfroren Glied:_ frost-bitten.

erfri'sch|en refresh; **2ung** _f_ refreshment.

erfü'll|en fill; _fig._ fulfil; **2ung** _f_ fulfilment; **2ungs-ort** _m_ settling-place.

ergä'nz|en (ĕrgʰĕnts⁶n) complete; **~end** supplementary (to); **2ung** _f_ completion; (_das Ergänzte_) supplement; **2ungs...** supplementary.

erge'ben (ĕrgʰĕb⁶n) **1.** (_liefern:_) yield; (_erweisen_) prove; _sich_ **~** surrender; e-r S.: devote o.s. to; _sich_ **~** (_aus_) result (from); _sich_ **~** (_in acc._) resign o.s. (to); **2.** _adj._ devoted (_dat._ to); **~st** _adv._ respectfully; **2-heit** _f_ devotion.

Erge'b|nis (ĕrgʰĕpnĭs) _n_ result; **~ung** (ĕrgʰĕboořₙ) _f_ resignation; ✕ surrender.

erge'h|e(n) (ĕrgʰĕ[´]⁶n) (sn) come out; **~** _l._ issue; _über sich_ **~** _l._ submit to; _fig. sich_ **~** _in_ (_dat._) indulge in.

ergie'big (ĕrgʰeebĭç) productive.

ergie'ßen (ĕrgʰees⁶n): _sich_ **~** discharge.

ergö'tzen (ĕrgöts⁶n) (_a. sich_) delight (_an dat._ in); **2** _n_ delight.

ergö'tzlich delightful.

ergrei'f|en (ĕrgrīf⁶n) seize; _Besitz, Flucht, Partei, Maßregeln usw.:_ take; _Beruf, Feder, Waffen:_ take up; _Gemüt:_ affect, touch; **2ung** _f_ seizure.

ergrü'nden fathom; _fig. a._ probe.

Ergu'ß (ĕrgöös) _m_ effusion.

erha'ben (ĕrhähb⁶n) elevated; _fig._ sublime; **~** _sn über_ (_acc._) be above; **2heit** _f_ elevation; sublimity.

erha'lt|en (_bekommen_) receive; get; (_bewahren_) preserve, keep; (_unterhalten_) maintain; _sich_ **~** _von_ subsist on; **2ung** _f_ preservation; maintenance.

erhä'ltlich (ĕrhĕltlĭç) obtainable.

erhä'ngen (ĕrhĕŋ⁶n) hang.

erhä'rten harden; _fig._ confirm.

erha'schen (ĕrhähsh⁶n) catch.

erhe'ben (ĕrhéb⁶n) lift, raise; (_erhöhen_) elevate; (_preisen_) exalt; _Steuern usw._: levy, raise; _Klage_ **~** bring an action; _sich_ **~** rise; _Frage usw._: arise; **~d** (-t) _fig._ elevating.

erhe'blich (ĕrhéplĭç) considerable.

Erhe'bung _f_ elevation; exaltation; levy; (_Empörung_) revolt.

erhei'tern (ĕrhī´⁶rn) cheer, exhilarate.

erhe'llen (ĕrhĕl⁶n) _v/t._ light up; _fig._ clear up; _v/i._ appear.

erhi'tzen (_a. sich_) heat (_a. fig._).

erhö'h|en (ĕrhö´⁶n) (_a. sich_) raise; **2ung** _f_ (_Anhöhe_) elevation; (_Lohn-2_) rise; (_Preis-2_) advance; (_Steigerung_) increase.

erho'l|en (ĕrhöl⁶n): _sich_ **~** recover; _nach Arbeit:_ recreate; **2ung** _f_ recovery; recreation.

erhö'ren hear; _Bitte:_ grant.

er-i'nner|n (ĕr-ĭn⁶rn) _v/t._ **~** _an_ (_acc._) remind a p. of; _sich_ **~** (_gen._, _an acc._) remember, recollect (_acc._); **2ung** _f_ remembrance; recollection; (_Mahnung_) reminder; **~en** _pl._ reminiscences.

erka'lten (ĕrkählt⁶n) (sn) cool down.

erkä'lt|en (ĕrkĕlt⁶n): _sich (sehr)_ **~** catch (a bad) cold; **2ung** _f_ cold.

erke'nnen recognize (_an dat._ by); (_wahrnehmen_) perceive, discern; (_klar_ **~**) realize; ✝ credit; **♩♩** pass sentence (on).

erke'nntlich grateful; **2keit** _f_ gratitude.

Erke'nntnis 1. _f_ perception; realization; **2.** _n_ **♩♩** decision, finding.

E'rker (ĕrk´r) _m_ bay.

erklä'r|en (ĕrklär⁶n) (_erläutern_) explain; (_begründen_) account for; (_aussprechen_, **~** _für_ ...) declare; _sich_ **~** _für_, _gegen_ declare for, against; **~lich** explicable, accountable; **2ung** _f_ explanation; declaration.

erkli'ngen (ĕrklĭŋ⁶n) (sn) sound, ring.

erkra'nken (ĕrkrähŋk⁶n) (sn) fall ill (_an dat._ of).

erkü'hnen (ĕrkün⁶n): _sich_ **~** venture, make bold (to _inf._).

erku'ndig|en (ĕrkööndĭgʰ⁶n): _sich_ **~** inquire (_über acc._, _nach_ after, for; about); **2ung** _f_ inquiry.

erkü'nsteln affect.

erla'hmen (sn) *fig.* relax.

erla'ngen (ĕrlắhŋg'n) obtain.

Erla'ß (ĕrlăhs) *m* edict, decree.

erla'ssen *Schuld, Strafe usw.*: remit; dispense (a p. from a th.); *Verordnung*: issue; *Gesetz*: enact.

erlau'ben (ĕrlowbĕ'n) allow, permit; *sich ~* ✝ beg *to do*.

Erlau'bnis (ĕrlowpnĭs) *f* allowance, permission; **~schein** (-shīn) *m* permit.

erläu'ter|n (ĕrlŏitĕrn) explain, illustrate; **2ung** *f* explanation, illustration.

E'rle (ĕrlⁱᵉ) ♀ *f* alder.

erle'ben (ĕrlébĕ'n) (live) **to see;** experience.

Erle'bnis (ĕrlépnĭs) *n* experience.

erle'dig|en (ĕrlédĭgʰᵉn) dispatch; *Auftrag*: execute; **2ung** *f* dispatch.

erlei'chter|n (ĕrlĭçtᵉrn) make easy, facilitate; *Bürde*: lighten; *fig.* relieve; **2ung** *f* ease; relief; facilitation.

erlei'den (ĕrlīdᵉn) suffer.

erleu'cht|en (ĕrlŏiçtᵉn) illuminate; **2ung** *f* illumination.

erlie'gen (ĕrleegʰᵉn) (sn) succumb.

erlo'gen (ĕrlōgʰᵉn) false, untrue.

Erlö's (ĕrlös) *m* proceeds *pl.*

erlö'sch|en (sn) expire; die out.

erlö's|en (ĕrlözᵉn) redeem; deliver; **2ung** *f* redemption; deliverance.

ermä'chtig|en (ĕrmĕçtĭgʰᵉn) authorize; **2ung** *f* authorization.

erma'hn|en admonish; **2ung** *f* admonition.

Erma'ngelung (ĕrmắhŋg'lōōŋg) *f*: *in ~ (gen.)* in default of, failing.

ermä'ßig|en (ĕrmắsĭgʰᵉn) abate, reduce; **2ung** *f* abatement, reduction.

erma'tt|en (ĕrmắhtᵉn) *v/t.* fatigue; tire; *v/i.* (sn) tire; *fig.* slacken; **2ung** *f* fatigue, exhaustion.

erme'ssen 1. judge; 2. **2** *n* judg(e)ment; *(Belieben)* discretion.

ermi'ttel|n (ĕrmĭtᵉln) ascertain; **2ung** *f* ascertainment; inquiry.

ermö'glichen (ĕrmöklĭçᵉn) render possible.

ermo'rd|en murder; **2ung** *f* murder.

ermü'd|en (ĕrmüdᵉn) *v/t. u. v/i.* (sn) tire; **2ung** *f* tiredness.

ermu'nter|n (ĕrmōontᵉrn) rouse; encourage; **2ung** *f* encouragement.

ermu'tig|en (ĕrmōōtĭgʰᵉn) encourage; **2ung** *f* encouragement.

ernä'hr|en (ĕrnắhrᵉn) nourish, feed; *(erhalten)* support; **2er** *m* bread-winner; **2ung** *f* nourishment; support.

erne'nn|en nominate, appoint; **2ung** *f* nomination, appointment.

erneu'e(r)|n (ĕrnŏiᵉ[r]n) renew; renovate; **2ung** *f* renewal.

ernie'drig|en (ĕrneedrĭgʰᵉn) *fig.* humble; **2ung** *f* humiliation.

Ernst¹ (ĕrnst) *m* seriousness; *im ~* in earnest.

ernst², **~haft**, **~lich** serious; earnest; *(würdig)* grave.

E'rnte (ĕrntᵉ) *f* harvest; *(Ertrag, crop)*; **~fest** *n* harvest home; **2n** *v/t. u. v/i.* harvest, *(a. fig.)* reap.

ernü'chter|n (ĕrnûçtᵉrn) sober; *fig.* disillusion; **~ung** *f* disillusionment.

Er-o'ber|er (ĕrōbᵉrᵉr) *m* conqueror; **2n** conquer; **~ung** *f* conquest.

er-ö'ffn|en open; *j-m et.*: disclose; *förmlich*: notify; **2ung** *f* opening; disclosure. [**2ung** *f* discussion.]

er-ö'rter|n (ĕr-örtᵉrn) discuss;)

erpre'ss|en *et.*: extort; *j-n.*: blackmail; **2er(in** *f*) *m* extortioner; **2ung** *f* extortion.

erpro'ben (ĕrprōbᵉn) try, test.

erqui'ck|en (ĕrkvĭkᵉn) refresh; **2ung** *f* refreshment.

crra'ten (ĕrrắhtᵉn) guess, find out.

erre'chnen calculate, compute.

erre'g|bar (ĕrrékbăhr) excitable; **~en** (ĕrrégʰᵉn) excite; **2er(in** *f*) *m* exciter; ⚕ germ; **2ung** *f* excitation; *Zustand*: excitement.

errei'ch|bar (ĕrrīçbăhr) attainable; within reach; **~en** reach; *fig.* attain; *(gleichkommen)* come up to.

erre'tt|en, **2ung** *f* rescue.

erri'cht|en erect; establish; **2ung** *f* erection; establishment.

erri'ngen gain, obtain; *Erfolg*: achieve; *Preis*: carry off.

errö'ten (ĕrrötᵉn) *v/i.* (sn) blush.

Erru'ngenschaft (ĕrrōōŋg'nshăhft) *f* acquisition; achievement.

Ersa'tz (ĕrzăhts) *m* compensation, = **~mann**, **~mittel**; *~ leisten* make amends; **~mann** *m*, **~mittel** *n* substitute; **~mine** (-meenᵉ) *f Bleistift*: refill; **~reifen** (-rĭfᵉn) *m* spare tyre; **~stück** (-shtük) *n*, **~teil** (-til) ⊕ *m* spare (part); **~wahl** *f* by-election.

erscha'ffen create.

erscha'llen (sn) (re)sound.

erschei'n|en (ĕrshīn'n) (sn) appear; ℒung *f* appearance.

erschie'ßen (ĕrshees'n) shoot (dead).

erschla'ff|en (ĕrshläf'n) *v/i.* (sn) languish; slacken; *v/t.* relax; ℒung *f* relaxation.

erschla'gen (ĕrshlähg'n) kill, slay.

erschlie'ßen (ĕrshlees'n) open (up *Gegend*). [exhaustion |

erschö'pf|en exhaust; ℒung *f*|

erschre'cken 1. *v/t.* frighten; 2. *v/i.* (sn) be frightened (*über* at).

erschü'tter|n shake; ℒung *f* shake, shock; *fig.* commotion.

erschwe'ren (ĕrshvér'n) render more difficult; *Schuld:* aggravate.

erschwi'ngen (ĕrshving'n) afford.

erschwi'nglich attainable.

erse'hen (ĕrzé'n) see; learn.

erse'hnen (ĕrzén'n) long for.

erse'tzbar (ĕrzĕtsbähr') reparable.

erse'tzen (ĕrzĕts'n) (*wiederherstellen*) repair; (*entschädigen für*) compensate (for); *j-n:* replace; *Auslagen:* refund.

ersi'chtlich (ĕrzīçtlĭç) evident.

ersi'nnen contrive, devise.

erspa'r|en (ĕrshpähr'n) save; ℒnis *f* saving.

ersprie'ßlich (ĕrshpreesslĭç) useful.

erst (ĕrst) 1. first; 2. *adv.* first; (*anfangs*) at first; (*bloß*) only, but; not... before; not... till.

ersta'rr|en (ĕrshtähr'n) (sn) stiffen; (*unempfindlich w.*) grow numb; erstarrt benumbed; ℒung *f* torpidity, numbness.

ersta'tt|en (ĕrshtät'n) restore; *Geld:* refund; *Bericht* ~ make a report; ℒung *f* restitution.

E'rst-aufführung (ĕrst-owffūroŏng) *f* first night.

erstau'n|en (ĕrshtown'n) 1. *v/i.* (sn) be astonished (*über acc.* at); *v/t.* astonish; 2. ℒ *n* astonishment; ~lich astonishing.

erste'chen stab.

erstei'g|en (ĕrshtīg'n) ascend; ℒung *f* ascent.

e'rstens (ĕrst'ns) first, firstly.

ersti'ck|en (ĕrshtĭk'n) *v/t. u. v/i.* (sn) choke, suffocate; ℒung *f* suffocation.

e'rstklassig (-klähsĭç) first-class.

erstre'ben (ĕrshtréb'n) strive after.

erstre'cken: *sich* ~ extend.

erstü'rmen take by storm.

ersu'chen (ĕrzoŏk'n), ℒ *n* request.

erta'ppen catch, surprise.

ertö'nen (ĕrtön'n) (sn) (re)sound.

Ertra'g (ĕrträhk) *m* produce, yield; ℒen (ĕrträhg'n) bear, endure.

erträ'glich (ĕrträklĭç) tolerable.

erträ'nken drown.

ertri'nken (sn) be drowned.

ertü'chtigen (ĕrtŭçtĭg'n) train.

er-ü'brigen (ĕr-übrĭg'n) save.

erwa'chen (ĕrvähk'n) (sn) awake.

erwa'chsen (ĕrvähks'n) 1. *v/i.* (sn) arise; 2. *adj.* grown-up, adult (*a.* ℒe[r]).

erwä'g|en (ĕrvähg'n) weigh; consider; ℒung *f* consideration.

erwä'hlen choose, elect.

erwä'hn|en, ℒung *f* mention.

erwä'rmen (*a. sich*) warm, heat.

erwa'rt|en wait for; *fig.* expect; ℒung *f* expectation.

erwe'cken awaken, rouse; cause.

erwe'hren: *sich* ~ (*gen.*) keep off.

erwei'c[h]en (ĕrvīç'n) soften.

erwei'sen (ĕrvīz'n) prove; *Achtung:* show; *Dienst:* render; *Ehre, Gunst:* do.

erwei'ter|n (ĕrvīt'rn) (*a. sich*) expand, enlarge, extend; ℒung *f* enlargement, extension.

Erwer'b (ĕrvĕrp) *m* acquisition; (*Beruf*) business; ℒen (-b'n) acquire; ~ung *f* acquisition.

erwe'rbs|los unemployed; ℒ-losenunterstützung (-lōz'nŏont'rshtŭtsoŏng) *f* unemployment benefit; ℒlosigkeit (-lōzĭçkīt) *f* unemployment; ~tätig (-tätĭç) (gainfully) employed; ℒzweig (-tsvīk) *m* line of business.

erwi'der|n (ĕrvéed'rn) return; (*antworten*) reply; ℒung *f* return; reply.

erwi'schen (ĕrvĭsh'n) catch, trap.

erwü'nscht (ĕrvŭnsht) desired.

erwü'rgen (ĕrvŭrg'n) strangle, throttle.

Erz (ĕrts, ĕrts) *n* ore; *Metall:* brass.

erzä'hl|en (ĕrtsäl'n) tell; relate; narrate; ℒer(in *f*) *m* narrator; story-teller; ℒung *f* narration; tale, story.

E'rz|bischof (-bĭshōf) *m* archbishop; ~bistum (-bĭstoŏm) *n* archbishopric.

erzeu'g|en (ĕrtsöig'n) beget; (*hervorbringen*) produce; ℒer *m* producer; 2nis (-knĭs) n (Natur2) produce; (Geistes2) production; ⊕ product; 2ung f production.

E'rz|feind (-fīnt) m arch enemy; ~herzog (-hĕrtsŏk) m archduke; ~herzogin (-hĕrtsŏg'ĭn) f archduchess; ~herzogtum (-hĕrtsŏktōōm) n archduchy.

erzie'hen (ĕrtsee'ᵉn) educate; bring up.

Erzie'her m educator; ~in f governess; 2isch educational.

Erzie'hung f education; upbringing; ~s-anstalt (-ă⊞nshtă⊞lt) f educational establishment; ~s-wesen (-véz'ᵉn) n educational matters pl.

erzie'len (ĕrtseel'ᵉn) obtain; Gewinn: realize.

erzü'rnen v/t. make angry; sich mit j-m ~ fall out with.

erzwi'ngen (ĕrtsvĭng'ᵉn) force, enforce.

es (ĕs) it; nach do, hope, say, think usw.: so; er ist reich, ich bin ~ auch he is rich, so am I; ~ gibt there is, there are.

E'sche (ĕsh᷍ᵉ) f ash(-tree).

E'sel (éz᷍ᵉl) m donkey; bsd. fig. ass; ~ei' f folly; ~s-ohr n im Buch: dog's ear.

e'ßbar (ĕsbähr) eatable, edible.

E'sse (ĕs᷍ᵉ) f chimney.

e'ssen (ĕs᷍ᵉn) 1. eat; zu Mittag ~ dine, have dinner; zu Abend ~ have supper; 2. 2 n (Speise) food; (Mittag~) dinner; (Abend~) supper; 2zeit (-tsit) f dinner-time; abends: supper-time.

Esse'nz (ĕsĕnts) f essence.

E'ssig (ĕsĭç) m vinegar.

E'ß|löffel m table-spoon; ~tisch m dining-table; ~waren (-väh᷍rᵉn) f/pl. eatables; ~zimmer n dining-room.

etablie'ren (étă⊞bleer'ᵉn) establish.

Eta'ge (étă⊞G᷍ᵉ) f floor, story; ~nwohnung (-vōnōō᷍rg) f flat, Am. apartment.

Eta'ppe (étă⊞p᷍ᵉ) f ✗ base; fig. (Teilstrecke) stage.

Eta't (étă⊞t) m budget, parl. the Estimates pl.; ~sjahr (-yäh᷍r) n fiscal year.

E'thik (étĭk) f ethics pl. od. sg.

Etike'tt (étĭkĕt) n label; ~e f etiquette; 2ie'ren (-eer'ᵉn) label.

e'tliche (ĕtlĭç᷍ᵉ) pl. some, several.

Etui' (étvee) n case.

e'twa (ĕtvă⊞h) by chance; (ungefähr) about, Am. around; ~ig eventual.

e'twas (ĕtvă⊞hs) pron. something; adj. some; any; adv. somewhat.

euch (ŏiç) (to) you; refl. yourselves.

eu'er (ŏiᵉr) your; pred. yours.

Eu'le (ŏilᵉ) f owl.

eu'rige (ŏirĭgʰᵉ): der usw. ~ yours.

Europä'er (ŏirŏpă⊞ᵉr) m, ~erin f, 2isch European.

Eu'ter (ŏitᵉr) n udder.

evakuie'r|en (évă⊞kōōeer'ᵉn) evacuate; 2te(r) f (m) evacuee.

evange'l|isch (évă⊞r᷍gʰélĭsh) evangelic(al); 2'ium (-'ōōm) n gospel.

eventue'll (évĕntōōĕl) possible; adv. possibly; eventually.

e'wig (évĭç) eternal; perpetual; auf ~ for ever; 2keit f eternity; F seit e-r ~ for ages.

exa'kt (ĕks-ăhkt) exact.

Exa'm|en (ĕksăhmᵉn) n examination; 2inie'ren (-īneer'ᵉn) examine.

Exe'mpel (ĕksĕmp᷍ᵉl) n example.

Exempla'r (ĕksĕmplăhr) n specimen; e-s Buches: copy.

exerzie'r|en (ĕksĕrtseer'ᵉn) v/t. u. v/i. drill; 2platz m drill-)

Exi'l (ĕkseel) n exile. [-ground.]

Existe'nz (ĕksĭstĕnts) f existence; ~minimum n living wage.

existie'ren (ĕksīsteer'ᵉn) exist; (leben können) subsist.

exo'tisch (ĕksōtĭsh) exotic.

exped|ie'ren (ĕkspédeer'ᵉn) dispatch; 2itio'n (ĕkspédĭts'ŏn) f expedition; ✝ dispatch office.

Experime'nt (ĕkspĕrĭmĕnt) n, 2ie'ren (-eer'ᵉn) experiment.

explodie'ren (ĕksplŏdeer'ᵉn) (sn) explode.

Explosio'n (-z'ŏn) f explosion.

Expo'rt (ĕkspŏrt) m export(ation); 2ie'ren (-eer'ᵉn) export.

Expr'eß... (ĕksprĕs) express.

E'xtra|blatt (ĕkstră⊞h-) n special edition, Am. extra; 2fein (-fin) superfine.

Extra'kt (ĕkstră⊞hkt) m extract.

E'xtrazug (ĕkstră⊞htsōōk) m special train.

Extre'm (ĕkstrém) n, 2 extreme.

Exzelle'nz (ĕkstsĕlĕnts) f Excellency. [tric.)

exze'ntrisch (ĕkstsĕntrĭsh) eccen-)

Exze'ß (ĕkstsĕs) m excess.

F

Fa′bel (fāhbᵉl) *f* fable; *fig.* fiction; *e-s Dramas*: plot; **‿haft** fabulous; *fig.* capital; 2n *v/i.* tell stories.

Fabri′k (fáhbreek) *f* factory, mill, works *pl.*; **‿a′nt** (-áhnt) *m* manufacturer; **‿arbeit** (-áhrbīt) *f* work in a factory; = **‿ware**; **‿arbeiter** (-in *f*) *m* factory hand; **‿a′t** (-āht) *n* manufacture; **‿atio′nsfehler** (-āhtsᵗónsfélᵉr) *m* flaw; **‿besitzer(in** *f*) (-bᵉzītsᵉr) *m* factory-owner; **‿marke** *f* trade-mark; **‿stadt** (-shtäht) *f* manufacturing town; **‿ware** (-vähr⁴) *f* manufactured goods *pl. od.* article; **‿zeichen** (-tsiᶜ⁴n) *n* trade-mark.

Fach (fāhk) *n* compartment; *Schreibtisch*: pigeon-hole; *Schrank*: shelf; (*Schubfach*) drawer; *fig.* department, province, branch, line; (*Unterrichts*2) subject; **‿′-arbeiter** (-in *f*) (-áhrbītᵉr) *m* skilled worker; **‿′-arzt** *m* (medical) specialist; **‿′-ausdruck** (-owsdrŏŏk) *m* technical term. [fan.]

fä′cheln (féᶜ⁴ln), **Fä′cher** (féᶜ⁴r) *m* fan.)

Fa′ch|kenntnisse (fáhkkèntnisᵉ) *f/pl.* technical knowledge; 2**kundig** (-kŏŏndiᶜ) expert; **‿literatur** (-līᵗráhtŏŏr) *f* technical literature; **‿mann** *m*, 2**männisch** (-mènĭsh) expert; **‿schule** (-shŏŏl⁴) *f* technical school; **werk** △ *n* framework.

Fa′ckel (fáhk⁴l) *f* torch; **‿zug** (-tsŏŏk) *m* torch-light procession.

fa′de (fāhd⁴) stale; insipid; flat.

Fa′den (fāhd⁴n) *m* thread; **‿nudeln** (-nŏŏd⁴ln) *f/pl.* vermicelli; 2**scheinig** (-shiniᶜ) threadbare.

fä′hig (fäiᶜ) (*zu*) able (to), capable (of); 2**keit** *f* ability; faculty.

fahl (fāhl) (*verschossen*) faded; *Gesichtsfarbe*: livid, ashy.

fa′hnd|en (fāhnd⁴n) *v/i.* search (*nach* for); 2**ung** *f* search.

Fa′hne (fāhnᵉ) *f* flag, standard; ✗ colours *pl.*; *typ.* galley proof.

Fa′hnen|eid (-it) *m* military oath; **‿flucht** (-flŏŏkt) *f* desertion; 2**flüchtig** (-flᵘᶜtiᶜ): **‿ w.** desert; **‿stange** (-shtähn̠⁴) *f* flag-staff.

Fa′hr|bahn (fáhrbähn) *f* roadway; 2**bar** practicable; ⚓ navigable; **‿damm** *m* roadway.

Fä′hre (fär⁴) *f* ferry(-boat).

fa′hren (fāhr⁴n) **1.** *v/i.* (sn) *allg.*: go; (*selbst setzen*): drive; *auf e-m Fahrrad od. mit e-m öffentlichen Beförderungsmittel*: ride; ⚓ sail; *mot.* motor; *mit der Eisenbahn* **‿** go by rail *od.* by train; *spazieren* **‿** take a drive: *mit der Hand* **‿** *über* (*acc.*) pass one's hand over; **‿** *lassen* let go; *gut* (*schlecht*) **‿** *bei et.* fare well (ill) at *od.* with; *fahr(e) wohl!* farewell!; **2.** *v/t.* drive; (*befördern*) convey.

Fa′hrer (fāhr⁴r) *m* driver.

Fa′hr|gast *m* passenger; **‿geld** *n* fare; **‿gelegenheit** (-gʰélégʰᵉnhīt) *f* conveyance; **‿gestell** (-gᵉshtèl) *n* 🚗 undercarriage, *mot.* chassis; **‿karte** *f* ticket; **‿kartenschalter** (-káhrtᵉnshählt⁴r) *m* booking-office, *Am.* ticket-window; 2**lässig** (-lèsiᶜ) careless, negligent; 2**lässigkeit** *f* negligence; **‿plan** (-plähn) *m* time-table, *Am.* schedule; 2**planmäßig** (-plähnmäsiᶜ) regular; *adv.* to time, *Am.* on schedule; **‿preis** (-pris) *m* fare; **‿rad** (-rāht) *n* cycle; **‿schein** (-shin) *m* ticket; **‿schule** (-shŏŏl⁴) *f mot.* driving school; **‿stuhl** (-shtŏŏl) *m* lift, *Am.* elevator; **‿stuhlführer** *m* lift-man, *Am.* elevator-boy.

Fahrt (fāhrt) *f im Wagen*: ride, drive; (*Reise*) journey; (*See*2) voyage, passage; (*Ausflug*) trip; *in voller* **‿** (at) full speed.

Fä′hrte (färt⁴) *f* track.

Fa′hr|vorschrift (fáhrförshrift) *f* rule of the road; **‿wasser** *n* waterway; *fig.* track; **‿weg** (-vék) *m* carriage-road; **‿zeug** (-tsŏik) *n* vehicle; ⚓ vessel.

Fa′kt|or (fáhktŏr) *m* factor; ⊕ foreman; *print.* overseer; **‿um** *n* factotum; **‿u′r[a]** (fáhktŏŏr[āh]) *f* invoice.

Fa′lke (fáhlk⁴) *m* falcon, hawk.

Fall (fāhl) *m* fall; (*Vorfall*, *gr.*, 🏛, ⚖ case; *gesetzt den* **‿** suppose; *auf* *alle Fälle* at all events; *auf jeden ~* in any case; at any rate; *auf keinen ~* on no account; *im ~e ... in case ...*

Fa′lle (fāhl′ⁿ) *f* trap.

fa′llen (fāhl′ⁿ) (sn) fall, drop; *Schuß*: be heard; *~ l.* drop; ♀ *n* fall.

fä′llen (fĕl′n) fell, cut down; *Urteil:*|

fallie′ren (fāhleer′ⁿ) fail. [pass.|

fä′llig (fĕllç) due; ♀**keit** *f* maturity; ♀**keitstermin** (fĕliçkitstĕrmeen) *m* maturity date.

Fa′ll|-obst (fāhlŏpst) *n* windfall; **~reep** (-rép) ♣ *n* ladder-rope.

falls (fāhls) in case, if.

Fa′ll|schirm *m* parachute; **~schirmspringer(in** *f*) (fāhlshĭrm-shpriⁿ′r) *m* parachutist; **~strick** *m* snare; **~tür** *f* trap-door.

falsch (fāhlsh) false; *(verkehrt)* wrong; *(unecht)* counterfeit; *Münze*: base; *Wechsel*: forged; *Mensch*: deceitful.

fä′lschen (fĕlsh′ⁿ) falsify; *Nahrungsmittel*: adulterate; ♀**er(in** *f*) *m* falsifier; adulterator.

Fa′lschheit *f* falseness, deceitfulness.

Fa′lsch|münzer *m* coiner; **~münzerwerkstatt** (-münts′rvĕrkshtăht) *f* coiner's den; **~spieler** (-shpeel′r) *m* card-sharper.

Fä′lschung (fĕlshōōⁿ) *f* falsification; adulteration. [boat.|

Fa′ltboot (fāhltbōt) *n* collapsible|

Fa′lt|e (fāhlt′) *f* fold; *am Kleid*: pleat; *(Runzel)* wrinkle; ♀**en** fold; *Hände*: join; ♀**ig** folded; pleated; wrinkled.

fa′lzen (fāhlts′ⁿ) fold; ⊕ rabbet.

Fami′lie (fāhmeel′ⁿ) *f* family.

Fami′lien|nachrichten (-nähkrïç-t′ⁿ) *f/pl. Zeitung*: births, marriages, and deaths; **~name** (-nähm′) *m* family name, surname, *Am.* last name; **~stand** (-shtähnt) *m* family status.

Fana′tiker (fāhnāhtïk′r) *m*, **~in** *f*, **fana′tisch** fanatic. [fanaticism.|

Fanati′smus (fāhnähtismōōs) *m*|

Fang (fāⁿg) *m* capture; *Fische*: catch; ♀**en** catch; *engS.* capture; **~zahn** (-tsāhn) *m* fang, tusk.

Fa′rbband (fāhrpbähnt) *n* ink ribbon.

Fa′rbe (fāhrb′) *f* colour; *(Farbstoff)* dye; *(Gesichts♀)* complexion; *Karten*: suit.

fa′rbecht (fāhrpĕçt) fast, fadeless.

fä′rben (fĕrb′ⁿ) colour (*a. sich*); *Haar, Stoff*: dye.

fa′rben|blind (-blïnt) colour-blind; ♀**druck** (-drōōk) *m* colour-print (-ing); ♀**photographie** (-fōtōgrāh-fee) *f* colour photography.

Fä′rber (fĕrb′r) *m* dyer.

Fa′rbfilm (fāhrpfïlm) *m* colour film.

fa′rb|ig coloured; **~los** colourless; ♀**stoff** *m* dye(-stuff); ♀**ton** (-tōn) *m* tint.

Fä′rbung *f* colouring; tinge. [tint.|

Farn (fāhrn) *m*, **~kraut** (-krowt) *n* fern.

Fasa′n (fāhzāhn) *m* pheasant.

Fa′sching (fāhshïⁿg) *m* carnival.

Fa′sel|ei (fāhz′li) *f* drivel; *(Zerfahrenheit)* heedlessness; **~hans** *m* scatter-brain; ♀**n** scatter-brained; ♀**n** drivel; be heedless.

Fa′ser (fāhz′r) *f* fibre, thread; ♀**ig** fibrous; ♀**n** ravel (out). [vat, tub.|

Faß (fāhs) *n* cask, barrel; *(Bütte)*|

Fa′ßbier (fāhsbeer) *n* draught beer.

Fassa′de (fāhsāhd′) *f* façade; **~n-kletterer** (-klĕt′r′r) *m* cat burglar.

fa′ssen (fāhs′ⁿ) seize, take hold of; *= ~ein*; *(begreifen)* grasp; *(enthalten)* hold; *Entschluß*: take; *Gedanken*: form; *sich ~* compose o.s.; *sich kurz ~* be brief.

fa′ßlich conceivable.

Fa′ssung *f = Ein♀; fig.* composure; *schriftlich*: draft(ing); *(Wortlaut)* wording, **~sgabe** (-gāhb′), **~skraft** *f* mental capacity; **~svermögen** (-fĕrmȫg′h′n) *n* holding capacity; *= ~sgabe*; ♀**slos** disconcerted.

fast (fāhst) almost, nearly. [Lent.|

fa′sten (fāhst′ⁿ) fast; ♀**zeit** (-tsit) *f*|

Fa′st|nacht (-nähkt) *f* Shrove Tuesday; **~tag** (-tähk) *m* fast-day.

fata′l (fāhtāhl) awkward.

fau′chen (fowk′n) spit.

faul (fowl) rotten; putrid; *(träge)* idle, lazy; *(verdächtig)* fishy; **~en** rot, putrefy.

fau′lenz|en (fowlĕnts′ⁿ) idle, lounge; ♀**er** *m* lazy-bones.

Fau′lheit *f* idleness, laziness.

fau′lig putrid.

Fäu′lnis (fóilnĭs) *f* rottenness.

Fau′lpelz *m = Faulenzer.*

Faust (fowst) *f* fist; *auf eigene ~* on one's own account; **~handschuh** (-hähntshōō) *m* mitten; **~kampf** *m* boxing-(match); **~schlag** (-shlähk) *m* cuff, *Am.* slug.

Favori′t (fāhvōreet) *m* favourite.

Fa'xe (fǎhks⁴) *f*, ∼n *pl.* foolery.

Fe'bruar (fébrōoǎhr) *m* February.

fe'cht|en (fěçt⁴n) *v/i.* fight; *fenc.* fence; ♀er *m* swordsman.

Fe'der (féd⁴r) *f* feather; (*Schmuck♀*) plume; (*Schreib♀*) pen; ⊕ spring; ∼busch (-bōosh) *m* plume; ∼gewicht (-g⁴⁴viçt) *n* *Boxen:* feather-weight; ∼halter *m* penholder; ∼kasten pen-case; ∼kraft *f* elasticity; ∼krieg (-kreek) *m* literary war; ♀leicht (-liçt) (as) light as a feather; ∼lesen (-léz⁴n) *n:* *nicht viel* ∼*s m.* mit make no bones about; ∼messer *n* penknife; ♀n lose feathers, be elastic; ♀nd (-t) elastic; springy; ∼strich (-shtriç) *m* stroke of the pen; ∼vieh (-fee) *n* poultry; ∼wischer (-vǐsh⁴r) *m* penwiper; ∼zeichnung (-tsiçnōorḡ) *f* pen-and-ink drawing.   [fairy-like.)

Fee (fé) fairy; ♀'nhaft (fé⁴nhǎhft))

Fe'gefeuer (fég⁴⁴fŏi⁴r) *n* purgatory.

fe'gen (fég⁴n) sweep.

Fe'hde (féd⁴) *f* feud; *weitS.* quarrel, war; *in* ∼ *liegen* be at war.

Fe'hl|betrag (félb⁴trǎhk) *n* deficit, shortage; ∼bitte *f* vain request.

fe'hlen (fél⁴n) miss (*a. v/t.*); (*abwesend sn*) be absent; (*irren*) err; (*sündigen*) do wrong; (*mangeln*) be wanting; *es fehlt ihm an* ... he lacks; *was fehlt Ihnen?* what is the matter with you?

Fe'hler (fél⁴r) *m* (*Mangel*) defect; (*Charakter♀*; *Verstoß*) fault; (*Versehen*) mistake; (*Irrtum*) error; ♀frei (-frī), ♀los faultless; ♀haft faulty.

Fe'hl|geburt (-g⁴⁴bōort) *f* miscarriage; ♀geh(e)n (-g⁴é[⁴]n) (sn) go wrong; ∼griff *m* mistake; ∼schlag (-shlǎhk) *m* *fig.* failure; ♀schlagen (-shlǎhg⁴⁴n) (sn) *fig.* fail; ∼schluß (-shlōos) *m* wrong inference; ∼schuß (-shōos) *m* miss; ∼spruch (-shprōok) *m* miscarriage of justice; ♀treten (-trét⁴n) make a false step; ∼tritt *m* false step; *fig.* slip, fault; ∼zündung (-tsündōorḡ) *f* misfire.

Fei'er (fī⁴r) *f* celebration; (*Festlichkeit*) festival; ∼abend (-ǎhb⁴nt) *m* time for leaving off work; off-time; ∼ *m.* knock off.

fei'erlich solemn; ♀keit *f* solemnity.   [make holiday.)

fei'ern (fī⁴rn) *v/t.* celebrate; *v/i.*)

Fei'ertag (fī⁴rtǎhk) *m* holiday.

---

fei'g(e¹) (fīk, -g⁴⁴) cowardly.

Fei'ge² *f* fig; ∼nbaum (-bowm) *m* fig-tree.

Fei'gheit (fīkhīt) *f* cowardice.

Fei'gling (fīklirḡ) *m* coward.

feil (fīl) for sale; *fig.* venal; ∼bieten (-beet⁴n) offer for sale.

Fei'le (fīl⁴) *f* file; ♀n file.

fei'lschen (fīlsh⁴n) bargain.

fein (fīn) fine; polite; elegant.

Feind (fīnt) *m*, ∼'in (fīndǐn) *f* enemy.

fei'ndlich (fīntlǐç) hostile, inimical.

Fei'ndschaft *f* enmity; hostility.

fei'ndselig (-zélǐç) hostile; ♀keit *f* hostility.

fei'n|fühlig (-fülǐç) sensitive; ♀gefühl (-g⁴⁴fül) *n* delicacy; ♀gehalt *m* standard; ♀heit *f* fineness; delicacy; politeness; elegance; ∼hörig (-hörǐç) quick of hearing; ♀kost (-kŏst) *f* delicacies *pl.*, *Am.* delicatessen; ♀mechanik (-mĕçǎhník) *f* precision mechanics; ♀schmecker *m* gourmand; ∼sinnig (-zǐnǐç) delicate.

feist (fīst) fat, plump.   [licate.)

Feld (fĕlt) *n* field; (*Grund, Boden*) ground; (*Ebene*) plain; △, ⊕ panel, compartment; *Schach:* square; *ins* ∼ *ziehen* take the field; ∼bett *n* camp-bed; ∼'dienst (-deenst) *m* active service; ∼'flasche (-flǎhsh⁴) *f* water-bottle; ∼'frucht (-frōokt) *f* produce of the field; ∼geschrei (-g⁴⁴shrī) *n* war-cry; ∼'herr *m* general; ∼'herrnkunst (-hĕrnkōonst) *f* strategy; ∼'kessel *m* camp-kettle; ∼'lazarett (-lǎhtsǎhrĕt) *n* field-hospital; ∼'marschall (-mǎhrshǎhl) *m* Field Marshal; ♀'marschmäßig (-mǎhrshmäsǐç) in marching order; ∼'messer *m* (land-)surveyor; ∼'meßkunst (-mĕskōonst) *f* surveying; ∼'post (-pŏst) *f* army-post; ∼'prediger (-prédǐg⁴r) *m* army chaplain; ∼'schlacht (-shlǎhkt) *f* pitched battle; ∼'stecher (-shtĕç⁴r) *m* field-glass; ∼'stuhl (-shtōōl) *m* camp-stool; ∼'webel (-véb⁴l) *m* sergeant; ∼'weg (-vék) *m* field-path; ∼'zeichen (-tsiç⁴n) *n* ensign; ∼'zug (-tsōōk) *m* campaign.

Fe'lge (fĕlg⁴⁴) *f* rim, felloe, felly.

Fell (fĕl) *n* *allg. u. v. kleineren Tieren:* skin; *v. großen Tieren:* hide; (*Haarkleid*) coat.

Fels (fĕls), ∼'en (fĕlz⁴n) *m* rock.

Fe'lsblock *m* boulder.

fe'lsig (fĕlzĭç) rocky.
Fe'nchel (fĕnçel) m fennel.
Fe'nster (fĕnstᵉr) n window; **~brett** n window-sill; **~flügel** (-flügʰᵉl) m casement; **~kreuz** (-krŏits) n cross-bar(s pl.); **~laden** (-lāhdᵉn) m shutter; **~rahmen** (-rāhmᵉn) m window-frame; **~riegel** (-reegʰᵉl) m window-fastener; **~scheibe** (-shībᵉ) f pane.
Fe'rien (fér¹ᵉn) f/pl. vacation, holidays pl.; parl. recess; **~kolonie** (-kŏlōnee) f holiday-camp.
Fe'rkel (fĕrkᵉl) n young pig.
fern (fĕrn) far, distant; (entlegen) remote; (weit fort) far off; **von ~** from afar.
Fe'rn|amt n trunk (Am. long-distance) exchange; **~anruf** (-āhnrŏōf) m trunk (Am. long-distance) call; **₂bleiben** (-blībᵉn) (sn) keep away (from); **~e** f distance, remoteness; **~empfang** (-ĕmpfāhŋ) m Radio: long-distance reception; **₂er** farther; fig. further(more); **~liegen ... also ran ...; ~flug** (-flōōk) m long-distance flight; **₂gelenkt** (-gʰᵉlĕŋkt) guided; **~gespräch** (-gʰᵉshpräç) n trunk (Am. long-distance) call; **~glas** (-glāhs) n telescope; binocular; **₂halten** (a. sich) keep away (von from); **~heizung** (-hītsōōŋ) f distant heating; **~kamera** (-kāhmᵉrāh) f tele-camera; **~lenkung** (-lĕŋkōōŋ) f, s. ₂steuerung; **₂liegen** (-leegʰᵉn) (dat.) be far (from); **~rohr** (-rōr) n telescope; **~schreiber** (-shrībᵉr) m teleprinter; **~sehen** (-zéᵉn) n television; **~seher** m televisor; **~sehsendung** (-zézĕndōōŋ) f telecast; **~sicht** (-zĭçt) f perspective.
Fe'rnsprech|amt (fĕrnshprĕçāhmt) n exchange; **~anschluß** (-āhnshlŏōs) m telephone connexion; **~automat** (-owtōmāht) m automatic telephone; **~er** m telephone; **~leitung** (-lītŏōŋ) f telephone line; **~stelle** f call-office; **~zelle** f call-box.
fe'rn|stehen (-shtéᵉn) (dat.) be a stranger to; **₂steuerung** (-shtŏi'rōōŋ) f remote (od. distant) control; **₂verkehr** (-fĕrkér) m long-distance traffic.
Fe'rse (fĕrzᵉ) f heel.
fe'rtig (fĕrtĭç) ready; (beendet) finished; (~gekauft) readymade; mit

j-m ~ w. manage a p.; **sich ~ m.** make (od. get) ready; **mit et. ~ sn** have done; **~bringen** manage; **₂keit** f dexterity; skill; (Sprech₂) fluency; **₂stellung** f completion; **₂waren** (-vāhrᵉn) f/pl. finished products.   [ing.]
fesch (fĕsh) smart, shackle; dash-
Fe'ssel (fĕsᵉl) f fetter; vet. fetlock; **~ballon** (-bǎ/lō, -ŏŋ) m captive balloon; **₂n** fetter; fig. captivate; Blick: arrest.
fest¹ (fĕst) firm; (nicht flüssig) solid; (unbeweglich) fixed; (nicht losgehend) fast; (festhaltend) tight; Schlaf: sound; Gewebe: close.
Fest² (fĕst) n festival; feast.
fe'st|binden (-bĭndᵉn) tie, fasten (to); **₂essen** n banquet; **~fahren:** sich ~ stick fast; **₂halle** (-hāhlᵉ) f banqueting-hall; **~halten** v/t. hold fast; v/i. ~ an (dat.) keep to; (sich) hold on to.
fe'stig|en (fĕstĭgʰᵉn) strengthen; Währung: stabilize; **₂keit** (fĕstĭçkīt) f firmness; solidity; **₂ung** f strengthening; stabilization.
Fe'st|land (-lāhnt) n continent; **₂legen** (-légʰᵉn) fix; sich auf et. ~ commit o.s. to.
fe'stlich festive; **₂keit** f festivity.
fe'st|machen (-māhkᵉn) fix, fasten; fig. settle; **₂mahl** n banquet; **~nahme** f, **~nehmen** arrest; **₂rede** (-rédᵉ) f speech of the day; **~setzen** (-zĕtsᵉn) fix; (sich) settle (down); **₂spiel** (-shpeel) n festival; **~stehend** (-shtéᵉnt) stationary; Tatsache: certain; **~stellen** establish; (ermitteln) ascertain; (behaupten) state; P.: identify; **₂stellung** f ascertainment; statement; identification; **₂tag** (-tāhk) m festival day, holiday.
Fe'stung f fortress.   [sion.]
Fe'stzug (-tsōōk) m festive proces-
fett (fĕt) 1. fat; fig. rich; 2. ₂ n fat; weit S. grease; **₂'druck** (-drōōk) m bold print; **₂'fleck** m spot of grease; **~ig** (fĕt(t)ĭç) fat; **₂'leibigkeit** (-lībĭçkīt) f corpulence.   [rag, Am. frazzle.]
Fe'tzen (fĕtsᵉn) m shred; (Lumpen)
feucht (fŏiçt) moist; damp.   [ture.]
Fe'uchtigkeit (fŏiçtĭçkīt) f mois-
Fe'uer (fŏiᵉr) n fire; fig. ardour; für die Zigarre: light; **~bestattung** (-bᵉshtāhtŏōŋ) f cremation; **~eifer** (-ifᵉr) m ardour; **₂fest** fire-proof,

ℒgefährlich (-gʰᵉfärlĭç) inflammable; **ℒhaken** (-hähkᵉn) m poker; **ℒlärm** m fire-alarm; **ℒlösch-apparat** (-löshähpähräht) m fire-extinguisher; **ℒmelder** m fire-alarm.

feu'ern (fóíᵉrn) fire.

Feu'er|probe (-prōbᵉ) f fig. crucial test; **ℒrot** (-rōt) (as) red as fire; **ℒsbrunst** (-broönst) f conflagration; **ℒschiff** n lightship; **ℒsgefahr** (-gʰᵉfähr) f danger of fire; **ℒspeiend** (-shpiᵉnt) volcanic; **ℒspritze** (-shprĭtsᵉ) f fire-engine; **ℒstein** (-shtīn) m flint.

Feu'ℒerung f fuel.

Feu'er|versicherung (-fĕrzĭçᵉ-roöŋ) f fire-insurance; **ℒwache** (-vähκᵉ) f fire-station; **ℒwehr** (-vér) f fire-brigade, Am. fire department; **ℒwehrmann** m fireman; **ℒwerk** n fireworks pl.; **ℒwerker** m ✕ artificer; **ℒwerkskörper** m firework; **ℒzange** (-tsähŋᵉ) f fire-tongs pl.; **ℒzeug** (-tsóik) n match-box; (Benzin②) lighter.

feu'rig (fóíriç) fiery; fig. ardent.

Fia'sko (fiähskō) n failure.

Fi'bel (feebᵉl) f primer.

Fi'chte (fíçtᵉ) f spruce; **ℒnnadel** (-nähdᵉl) f pine-needle.

Fie'ber (feebᵉr) n fever; **ℒhaft** feverish; **ℒkrank** (-krähŋk) feverish; **ℒmittel** n febrifuge; **ℒn** be in a fever; **ℒschauer** (-showᵉr) m ague fit; **ℒtabelle** (-tähbĕlᵉ) f temperature-chart; **ℒthermometer** (-tĕrmōmétᵉr) n clinical thermometer.

Fie'del (feedᵉl) f, **ℒn** fiddle; **ℒbogen** (-bōgʰᵉn) m fiddle-stick.

Figu'r (fĭgoōr) f figure; Schach: chessman.

figü'rlich (fĭgürlĭç) figurative.

File't (fĭlĕählᵉ) n Fleischstück: fillet, Am. tenderloin.

Filia'le (fĭliählᵉ) f branch.

Filigra'n(-arbeit) f (fĭlĭgrähn[ährbit]) n filigree.

Film (fĭlm) m film; **ℒ'atelier** (-ähtᵉl'é) n studio; **ℒ'aufnahme** (-owfnähmᵉ) f shot; Vorgang: shooting of a film; **ℒband** (-bähnt) n reel; **②'en** film, Am. shoot; **ℒregisseur** (-rĕGīssör) m film director; **ℒreklame** (-rĕklähmᵉ) f screen advertising; **ℒschauspieler(in** f) (-showshpeelᵉr) m screen actor m (actress f); **ℒ'streifen** (-shtrīfᵉn) m reel; **ℒ'theater** (-tĕähtᵉr) n picture house; **ℒ'verleih** (-fĕrlī) m film distribution; **ℒ'vorstellung** (-förshtĕlloöŋ) f cinema show, the pictures pl.

Fi'lter (fĭltᵉr) m (n) filter.

filtrie'ren (fĭltreerᵉn) filter, strain.

Filz (fĭls) m felt; **②'ig** felt-like; fig. stingy; **ℒlaus** (-lows) f crab-louse.

Fina'nz|amt (fĭnähnts-) n etwa: inland revenue office; **ℒen** (-f/pl. finances; **②ie'll** financial; **②ie'ren** (-eerᵉn) finance; **ℒmann** m financier; **ℒmini'ster** m Minister of Finance; Brit. Chancellor of the Exchequer, Am. Secretary of the Treasury; **ℒministe'rium** (-mĭnĭstér¹oöm) n ministry of finance; Brit. Exchequer, Am. Treasury Department; **ℒwesen** (-vézᵉn) n finances pl.

fi'nden (fĭndᵉn) find; fig. think, deem; sich ℒ be (found); sich ℒ in (acc.) accommodate o.s. to; wie ℒ Sie ...? how do you like ...?

Fi'nder m, **ℒin** f finder; **ℒlohn** m finder's reward.

fi'ndig resourceful.

Fi'ndling (fĭntlĭŋ) m foundling.

Fi'nger (fĭŋᵉr) m finger; **ℒabdruck** (-ähpdroōk) m finger-print; **ℒhut** (-hoōt) m thimble; **ℒling** m finger-stall; **②n** finger; **ℒspitze** f finger-tip; **ℒspitzengefühl** (-shpĭtsᵉn-gʰᵉfül) m fig. smooth touch; **ℒzeig** (-tsīk) m hint.

Fink (fĭnk) m finch.

fi'nster (fĭnstᵉr) dark; obscure; bsd. fig. gloomy; **②nis** f darkness, obscurity.

Fi'nte (fĭntᵉ) f feint; fig. a. fib.

Fi'rma (fĭrmäh) f firm.

fi'rmen (fĭrmᵉn) confirm.

Fi'rmen-inhaber (fĭrmᵉnĭnhähbᵉr) m principal.

Firn (fĭrn) m, **ℒfeld** (-fĕlt) n névé.

Fi'rnis (fĭrnĭs) m, **②sen** varnish.

First (fĭrst) m ridge.

Fisch (fĭsh) m fish; **ℒbein** (-bīn) n whalebone; **②'en** fish.

Fi'scher m fisherman; **ℒboot** (-bōt) n fishing-boat; **ℒei'** (-ī) f fishery.

Fi'sch|fang (-fähŋ) m fishing; **ℒgerät** n fishing-tackle; **ℒgräte** (-grätᵉ) f fish-bone; **ℒhändler(in** f) m fishmonger, Am. fish-dealer; **②ig** fishy; **ℒlaich** (-līç) m spawn; **ℒleim** (-līm) m fish-glue; **ℒschuppe** (-shoōpᵉ) f scale; **ℒtran**

(-trähn) *m* train-oil; **~zucht** (-tsōōkt) *m* draught (of fishes).

fiska'lisch (fīskählĭsh) fiscal.

Fi'skus (fīskŏŏs) *m* Exchequer Treasury.

Fi'stel (fīstᵉl) *f* ♪ fistula; ♪ falsetto.

Fi'ttich (fĭtĭç) *m* wing, pinion.

fix (fĭks) quick; **~e** *Idee* fixed idea; **~en** ♣ bear; **~ie'ren** (-cerᵉn) fix; *j-n:* stare at; **♀'stern** *m* fixed star; **♀'um** (fĭksŏŏm) *n* fixed sum *od.* salary. [*Wasser u. fig.:* shallow.|

flach (flähk) flat; (*eben*) plain;|

Flä'che (flĕçᵉ) *f* (*Ebene*) plain; (*Ober♀*) surface; (*Wasser♀ usw.*) sheet; ♣ plane; **~n-inhalt**, **~n-raum** (-rowm) *m* area; **~nmaß** (-mähs) *n* superficial measure.

Fla'chrennen (flähkrĕnᵉn) *n* flat|

Flachs (flähks) *m* flax. [race.|

fla'ckern (flähkᵉrn) flare; flicker.

Fla'gge (flähghᵉ) *f* flag, colours *pl.*; **~n...** flag; ♀n hoist (the) flag.

Flak (flähk) anti-aircraft gun, flak.

Fla'mme (flähmᵉ) *f* flame; *lodernd:* blaze; ♀n *v/i.* flame; blaze.

Flane'll (flähnĕl) *m* flannel; **~anzug** (-ăntsōōk) *m*, **~hose** (-hōzᵉ) *f* flannels *pl.* [rᵉn) flank.|

Fla'nke (flähŋkᵉ) *f*, ♀ie'ren (-ee-|

Fla'sche (flähshᵉ) *f* bottle; *kleine:* flask; *angebr.* **~nbier** (-beer) *n* bottled beer; **~nhals** *m* neck (of a bottle); **~nzug** (-tsōōk) *m* pulley, tackle. [steady.|

fla'tterhaft (flähtᵉrhähft) fickle, un-|

fla'ttern (flähtᵉrn) (h. *u.* sn) flutter; *Fahne, Haar usw.:* stream.

flau (flow) (*schwach*) faint; ♣ flat, dull; **~e** *Zeit* slack time.

Flaum (flowm) *m* down.

Flausch (flowsh) *m* pilot-cloth.

Flau'se (flowzᵉ) *f* shift, shuffle; **~nmacher(in** *f*) (-mähkᵉr) *m* shuffler.

Fle'chse (flĕksᵉ) *f* sinew, tendon.

Fle'cht|e (flĕçtᵉ) *f* braid, tress, plait; ♣ lichen; ♣ herpes; ♀en braid, plait; **~werk** *n* wickerwork.

Fleck (flĕk) *m* spot; (*Ort*) place; (*Flicken*) patch; (*Schmutz♀*) stain, blot, spot; (*Makel*) blemish; *e-s Schuhes:* heel(-piece).

Fle'cken¹ *m* s. Fleck; *Ortschaft:*|

fle'cken² spot, stain. [borough.|

Fle'ck|fieber (-feebᵉr) *n* spotted fever; ♀ig spotted; (*befleckt*) stained; **~wasser** *n* scouring water.

Fle'dermaus (flédᵉrmows) *f* bat.

Fle'gel (fléghᵉl) *m* flail; *fig.* churl, boor; **~ei'** (-ī) *f* rudeness; ♀haft rude; **~jahre** (-yährᵉ) *n/pl.* cubhood.

fle'hen (fléᵉn) **1.** implore (*um et.* a th.); **2.** ♀ *n* supplication.

Fleisch (flīsh) *n* flesh; (*Koch♀*) meat; (*Frucht♀*) pulp; **~brühe** (-brüᵉ) *f* broth; beef-tea; **~er** *m* butcher; **~-extrakt** (-ĕksträhkt) *m* extract of meat, bovril; ♀fressend (-t) carnivorous; **~'hackmaschine** (-hähkmäsheenᵉ) *f* mincing-machine; ♀ig fleshy; ♣ pulpous; **~'konserven** (-kŏnzĕrvᵉn) *f/pl.* potted meat; **~kost** (-kŏst) *f* meat diet; ♀lich carnal, fleshly; ♀los meatless; **~'pastete** (-pähstétᵉ) *f* meat-pie; **~'speise** (-shpīzᵉ) *f* (course of) meat; **~'vergiftung** (-férgʰĭftōōŋ) *f* ptomaine poisoning; **~'ware** (-vährᵉ) *f* meat.

Fleiß (flīs) *m* diligence, industry.

flei'ßig diligent, industrious.

fle'tschen (flĕtshᵉn): *die Zähne* **~** show one's teeth.

Fli'ck|en¹ (flĭkᵉn) *m* patch; ♀en² mend, patch (up), repair; **~schneider** (-shnīdᵉr) *m* jobbing tailor; **~schuster** (-shōōstᵉr) *m* cobbler; **~werk** *n* patchwork.

Flie'der (fleedᵉr) *m* elder; *spanischer:* lilac.

Flie'ge (fleeghᵉ) *f* fly.

flie'gen 1. (sn) fly; **2.** ♀ *n* flying; ♣ *a.* aviation.

Flie'gen|fänger (-fĕŋᵉr) *m* fly-catcher; **~gewicht** (-gʰᵉvĭçt) *n* Boxen: fly-weight; **~klappe**, **~klatsche** (-klähtshᵉ) *f* fly-flap, Am. swatter; **~pilz** (-pĭlts) *m* toadstool.

Flie'ger (fleeghᵉr) *m* flyer, airman, aviator; *berufsmäßiger:* pilot; *Rennen:* sprinter; **~abwehr** (-ähpvérᵉ) *f* anti-aircraft; **~alarm** (-ählährm) *m* air-raid warning; **~bombe** *f* air bomb; **~in** *f* airwoman, aviator; **~offizier** (-ŏfitseer) *m* air-force officer. [avoid, shun.|

flie'hen (fleeᵉn) *v/i.* (sn) flee; *v/t.*|

Flie'se (fleezᵉ) *f* flag(stone), tile.

Flie'ß|band (fleesbähnt) *n* assembly line; ♀en (sn) flow; ♀end *und Sprache:* fluent; **~papier** (-pähpeer) *n* blotting-paper. [ter.|

fli'mmern (flĭmᵉrn) glimmer, glit-|

flink (flĭŋk) quick, nimble, brisk.

Fli'nte (flĭntᵉ) *f* (shot)gun.

Fli'tter (flît^er) *m* tinsel, spangle; **~kram** (-krähm) *m* frippery; **~wochen** (-vŏk^en) *f/pl.* honeymoon.
fli'tzen (flîts^en) (sn) flit, whisk.
Flo'ck|e (flŏk^e) *f Schnee:* flake; *Wolle:* flock; **2ig** flaky, fluffy.
Floh (flō) *m* flea; **~'stich** (-shtîç) *m* flea-bite.
Flor (flōr) *m* **1.** bloom(ing), blossom(ing); *fig. v. Damen:* bevy; **2.** *(dünnes Gewebe)* gauze, crape.
Flore'tt (flōrĕt) *n fenc.* foil.
Flo'skel (flŏsk^l) *f* flourish.
Floß (flōs) *n* raft, float.
Flo'sse (flŏs^e) *f* fin.
flö'ß|en (flŏs^en) float, raft; **2er** *m* raftsman.   [play (on) the flute.]
Flö'te (flŏt^e) *f* flute; **2n** *v/i. u. v/t.*
flott (flŏt) floating, afloat; *(lustig)* gay; *(lebhaft)* brisk; *Tänzer:* good; *Kleidung:* smart; *(schnell)* quick.
Flo'tte (flŏt^e) *f* fleet; *(Marine)* navy; **~nschau** (-show) *f* naval review; **~nstützpunkt** (-shtüts-poonkt) *m* naval base.
Flotti'lle (flŏtîl^e) *f* flotilla.
Flöz (flŏts) *n* seam; layer.
Fluch (flōōk) *m* curse; *(Redensart)* oath; **2en** curse (*j-m* a p.); swear (*auf acc.* at).   [*(Reihe)* range, row.]
Flucht (flōōkt) *f* flight, escape;
flü'chten (flü̂çt^en) (sn) *u. sich ~* flee; take to flight.
flü'chtig fugitive; *(vergänglich)* transitory; *(oberflächlich)* flighty; *(unsorgfältig)* careless; **~** volatile.
Flü'chtling (flü̂çtlîrg) *m* fugitive; *im Ausland:* refugee; **~slager** (-lähg^er) *n* refugee-camp.
Flug (flōōk) *m* flight; *im ~e fig. in* haste; **~'abwehr...** (-ähbvér) anti--aircraft...; **~'bahn** *f* trajectory; **~'ball** (-bähl) *m Tennis:* volley; **~'blatt** *n* pamphlet; **~'boot** (-bōt) *n* flying boat; **~'dienst** (-deenst) *m* air-service.
Flü'gel (flü̂g^l) *m* wing (*a. △, ✕,* ✕); *(Fenster2)* casement; *(Tür2)* leaf; *(Windmühlen2)* sail; *(Propeller2)* blade; **♪** grand (piano); **~fenster** *n* casement-window; **~mann** *m* file-leader; **~tür** *f* folding-door.   [senger.]
Flu'g-gast (flōōkgähst) *m* air-pas-]
flü'gge (flü̂g^e) fledged.
Flu'g|hafen (-hähf^en) *m* airport; **~linie** (-leen^ie) *f* airway, airline; **~maschine** (-mähsheen^e) *f* flying-

-machine; **~platz** *m* airfield; **~post** (-pŏst) *f* air-mail; **~schrift** *f* pamphlet; **~sport** *m* aviation; **~wesen** (-véz^en) *n* aviation; **~zeug** (-tsŏik) *n* aeroplane, *Am.* airplane.
Flu'gzeug|führer *m* pilot; **~halle** *f* hangar; **~träger** (-träg^er) *m* aircraft carrier; **~rumpf** (-rŏŏmpf) *m* fuselage.
Flu'nder (flōōnd^er) *f* flounder.
Flunker|ei (flōōrgk^erî) *f* fib(bing); **2'n** fib.
Flur (flōōr) **1.** *f* field, plain; **2.** *m (Haus2)* (entrance-)hall.
Fluß (flōōs) *m* river; *(Fließen)* flow(ing); *der Rede:* fluency; **~'bett** *n* channel, river-bed.
flü'ssig (flü̂sîç) liquid; *Geld:* ready; *Stil:* even running; **2keit** *f* liquid; *Zustand:* liquidity.
Flu'ß|pferd (flōōspfért) *n* hippopotamus; **~schiffahrt** (-shîfährt) *f* river-traffic.
flü'stern (flü̂st^ern) whisper.
Flut (flōōt) *f* flood; *fig.* deluge; **2en** (h. *u.* sn) flow; **~'welle** *f* tidal wave.
Fo'hlen (fōl^en) *n* foal, colt.
Fo'lge (fŏlg^e) *f (Wirkung)* consequence; *(Fortsetzung)* continuation; *(Aufeinander2)* succession; *(Reihen2)* series; *(~zeit)* future; *(Zs.-gehöriges)* set, suit; **~n** *f/pl. fig.* aftermath.
fo'lgen (sn; *dat.*) follow; *zeitlich im Amt:* succeed (*j-m* a p.; *auf acc.* to); *(sich ergeben)* ensue (*aus* from); *(gehorchen)* obey; **~dermaßen** (-d^ermähs^en) as follows; **~schwer** (-shvér) of great consequence.
fo'lge-richtig (fŏlg^erîçtîç) consistent.
fo'lger|n (fŏlg^ern) infer, conclude, deduce (*aus* from); **2ung** *f* inference, deduction, conclusion.
fo'lgewidrig (fŏlg^eveedrîç) inconsistent.
fo'lglich (fŏlklîç) consequently.
fo'lgsam (fŏlkzähm) obedient; **2keit** *f*   [*f* obedience.]
Fo'lie (fōl^ie) *f* foil.   [*f* obedience.]
Fo'lter (fŏlt^er) *f* torture; *auf die ~ spannen* put to the rack; **~qual** (-kvähl) *f* torture.
fo'ltern (fŏlt^ern) torture.
Fonds (fŏs, fŏrs) *m* funds *pl.; fig.* fund; **~börse** *f* stock-exchange.
Fontä'ne (fŏrtän^e) *f* fountain.
fo'ppen (fŏp^en) fool; hoax.

Fö'rderband (förd*e*rbăhnt) *n* con- | veyor-belt.

fö'rderlich (förd*e*rlĭch) conducive (to).

fo'rdern (förd*e*rn) demand; *als Eigentum:* claim; (*heraus~*) challenge. [mote; ⚒ haul.]

fö'rdern (förd*e*rn) further, pro- |

Fo'rderung *f* demand; challenge.

Fö'rderung *f* furtherance; promotion; ⚒ hauling.

Fore'lle (förĕl*e*) trout.

Form (förm) *f* form; (*Muster*) model; (*Gieß*②) mould; **~alität** (-ăhlĭtät) *f* formality; **~a't** (-äht) *n* form, size; **~'el** *f* formula; **②e'll** (-ĕl) formal; **②'en** form, mould.

Fo'rmenlehre (förm*e*nlér*e*) *f* gr. accidence. [formality.]

Fo'rmfehler (förmfél*e*r) *m* in- |

fö'rmlich (förmlĭch) formal; *fig.* ceremonious; (*regelrecht*) regular; **②keit** *f* formality.

fo'rmlos formless; *fig.* informal.

Formula'r (förmŏŏlăhr) *n* form.

formulie'ren (förmŏŏleer*e*n) formulate.

forsch (försh) smart, dashing.

fo'rsch|en (försh*e*n) search (*nach* for); **②er(in** *f* m investigator; (*Gelehrter*) researcher.

Fo'rschung *f* investigation; *gelehrte:* research; **~sreise** (-rĭz*e*) *f* exploring expedition; **~sreisende(r)** *m* explorer.

Forst (först) *m* forest; **~'-aufseher** (-owfzé*e*r) *m* (forest-)keeper.

Fö'rster (först*e*r) *m* forester.

Fo'rst|haus (-hows) *n* forester's house; **~revier** (-rĕver) *n* forest-district; **~wesen** (-véz*e*n) *n*, **~wirtschaft** (-vĭrtshăft) *f* forestry.

fort (főrt) (*vorwärts*) on; (*weg*) away, gone.

fo'rt...: (*Man vergleiche auch die Zssgn mit weg...*) **~bewegen** (-b*e*vég*e*n) move on; **②bildungsschule** (-bĭldŏŏngssohŏŏl*e*) *f* continuation school *od.* classes *pl.*; **②dauer** (-dow*e*r) *f* continuance; **~dauern** continue, last; **~fahren** continue, go on; **~führen** carry on; **②gang** (-găhng) *m* continuation; **~geh(en** (-g*e*ĕ[*e*]n) (*sn*) (*fortschreiten*) proceed; (*fortfahren*) continue; **~geschritten** (-g*e*shrĭt*e*n) advanced; **②kommen** *n* progress; **~laufend** (-lowf*e*nt) continuous; **~pflanzen** (-pflăhnts*e*n) propagate; **②pflan-**

zung *f* propagation; **~reißen** (-rĭs*e*n): *mit sich ~* carry with o.s.; **~schaffen** remove; **~schreiten** (-shrĭt*e*n) (*sn*) proceed; **~schreitend** (-t) progressive; **②schritt** *m* progress; **~setzen** (-zĕts*e*n) continue; **②setzung** *f* continuation; **~folgt** to be continued; **~während** (-vär*e*nt) continual.

Foye'r (foăhyé) *n thea.* lobby.

Fracht (frăhкt) *f* load; ⚓ cargo; = **~geld;** **~'brief** (-breef) *m* freight warrant; **~'dampfer** (-dăhmpf*e*r) *m* freighter; **②'frei** (-frí) carriage paid; **~'fuhrmann** (-fŏŏrmăhn) *m* carrier; **~'geld** *n* freight, carriage; **~gut** (-gŏŏt) *n* ordinary freight; **~stück** *n* package.

Frack (frăhk) *m* dress-coat; **~'-anzug** (-ăhntsŏŏk) *m* dress-suit.

Fra'ge (frăhg*e*) *f* question; (*Erkundigung*) inquiry; *e-e ~ stellen* ask a question; *in ~ stellen* question; **~bogen** (-bóg*e*n) *m* questionnaire.

fra'gen (frăhg*e*n) ask; (*ausfragen*) question; *~ nach* ask for; (*sich kümmern um*) care for.

Fra'ger(in *f*) *m* questioner.

Fra'ge|wort *n* interrogative; **~zeichen** (-tsĭç*e*n) *n* question-mark.

fra'glich (frăhklĭç) questionable; (*in Rede stehend*) in question (*nach su.*).

fra'glos (frăhklŏs) unquestionably.

fra'gwürdig (frăhkvŭrdĭç) questionable.

frank|ie'ren (frăhnʒkeer*e*n) stamp, prepay; **~'o** (-ŏ) post-paid; *Paket:* carriage paid.

Fra'nse (frăhnz*e*) *f* fringe.

Fra'nz|band (frăhntsbăhnt) *m* calf-binding; **~branntwein** (-brăhntvīn) *m* surgical spirit.

Franzo'se (frăhntsŏz*e*) *m* Frenchman; **~n** *pl.* the French.

Franzö'sin (frăhntsŏzĭn) *f* French-|

franzö'sisch French. [woman.] |

frä'sen (fräz*e*n) *v/t.* mill.

Fra'tze (frăhts*e*) *f* grimace.

Frau (frow) *f* woman; (*Herrin*) lady; (*Ehe*②) wife; *vor Namen:* Mrs.

Frau'en|arzt *m* specialist for women's diseases; **~rechte** *n/pl.* women's rights *pl.*; **~sport** *m* women's sports *pl.*; **~stimmrecht** (-shtĭmrĕçt) *n* women's suffrage.

Fräu'lein (fróilĭn) *n* young lady; *Titel:* Miss.

frech (frĕç) impudent, insolent; **2'heit** f impudence, insolence.

frei (fri) free (von from, of); Stelle: vacant; Feld: open; (porto2) (pre)paid; ~er Beruf liberal profession; ~ Haus free to the door; im 2en in the open air; ich bin so ~ I take the liberty; ~er Nachmittag afternoon off.

Frei'|beuter (-bŏit⁴r) m freebooter; **2bleibend** (-blib⁴nt) Preis: without engagement; **~brief** (-breef) m charter; **~denker** m free-thinker.

frei'en (fri⁴n) (mst um) court.

Frei'er m suitor.

Frei'|-exemplar (-ĕksĕmplåhr) n presentation copy; **~frau** (-frow) f baroness; **~gabe** (-gåhb⁴) f release; **2geben** (-g^héb⁴n) release; Schule: give a holiday; 2gebig liberal, generous; **~gebigkeit** f liberality; **~gepäck** (-g^hépĕk) n free luggage; **2haben** (-håhb⁴n) Schule: have a holiday; **~hafen** (-håhf⁴n) m free port; **2halten** treat; **~handel** m free trade.

Frei'heit (frihit) f liberty, freedom; **~strafe** (-shtråhf⁴) f imprisonment.

Frei'herr m baron.

Frei'|karte f free pass; **2lassen, ~lassung** f release; **~lauf(rad** n) '-lowf[råht]) m free wheel.

frei'lich (friliç) certainly, be sure.

Frei'|lichtbühne (-lĭçtbün⁴) f open-air stage; **2machen** (-måhk⁴n) prepay, stamp; **~marke** f stamp; **~maurer** (-mowr⁴r) m freemason; **~mut** (-mōōt) m frankness; **2mütig** frank; **~schar** (-shåhr) f volunteer-corps; **~schein** (-shin) m licence; **2sinnig** (-zĭnĭç) liberal; **2sprechen** (-shprèç⁴n) acquit, absolve; **~sprechung** f, **~spruch** (-shprōōk) m absolution, acquittal; **~staat** (-shtåht) m free state republic; **~stätte** (-shtĕt⁴) f asylum; **2stehen** (-shté⁴n) be free; es steht dir frei zu tun you are free to to; **~stelle** f scholarship; **2stellen** j-m et.: leave to a p.('s choice); **~stoß** (-shtōs) m (Fußball: free kick; **~tag** (-tåhk) m Friday; **~tod** (-tōt) m voluntary death; **~treppe** f outside staircase; **2willig** (-vĭlĭç) voluntary; **~willige(r)** (-vĭlĭg^hé[r]) m volunteer; **~zeit** (-tsit) f spare (od. leisure) time; **~zügigkeit** (-tsügˡĭçkit) f freedom of movement.

fremd (frĕmt) strange; (ausländisch) foreign; **~'artig** strange.

Fre'mde (frĕmd⁴) f in der (od. die) ~ abroad; **~nbuch** (-bōōk) n visitors' book; **~nführer** m guide; **~n-industrie** (-ĭndōōstree) f tourist industry; **~nlegion** (-lég^hiōn) f Foreign Legion; **~nverkehr** (-fĕr-kér) m foreign visitors pl.; **~n-zimmer** n spare (bed)room.

Fre'mde(r) m stranger; foreigner.

Fre'md|körper (# m foreign body; **2ländisch** (-lĕndĭsh) foreign; **2sprachlich** (-shpråhкlĭç) foreign-(-language); **~wort** n foreign word.

Freque'nz (frékvĕnts) f frequency.

fre'ssen (frĕs⁴n) **1.** Vieh: eat; Mensch: devour; Rost usw.: corrode; **2.** 2 n feed, food. [voracity.]

Fre'ßgier (frĕsg^héer) f gluttony,]

Freu'de (frŏid⁴) f joy; (Vergnügen) pleasure; ~ finden an (dat.) take (a) pleasure in.

Freu'den... in Zssgn mst ... of joy; **~botschaft** (-bōtshåhft) f glad tidings pl.; **~fest** n feast; **~feuer** (-fŏi⁴r) n bonfire; **~geschrei** (-g^hé-shri) n shouts pl. of joy; **~tag** (-tåhk) m day of rejoicing.

freu'dig joyful.

freu'dlos (frŏitlōs) joyless.

freu'en (frŏi⁴n): es freut mich I am glad; sich ~ (über acc.) rejoice (at), be glad (of); sich ~ auf acc. look forward to.

Freund (frŏint) m, **~'in** f friend.

freu'ndlich (frŏintlĭç) friendly, kind; (angenehm) pleasant.

Freu'ndschaft (frŏintshåhft) f friendship; **2lich** friendly.

Fre'vel (fréf⁴l) m misdeed, outrage; **2haft** wicked, outrageous; **2n** commit a crime.

Fre'vler m, **~in** f offender.

Frie'de(n) (freed⁴[n]) m peace.

Frie'dens|bruch (-brōōk) m breach of (the) peace; **~stifter(in** f) m peacemaker; **~störer(in** f) (-shtö-r⁴r) m disturber of the peace; **~ver-handlungen** (-fĕrhåhndlōōng⁴n) f/pl. peace-negotiations; **~vertrag** (-fĕrtråhk) m treaty of peace.

Frie'd... (-t-): **2fertig** (-fĕrtĭç) peaceable, pacific; **~hof** (-hōf) m churchyard, cemetery; **2lich** (-lĭç) peaceful; (ungestört) peaceful; **2los** peaceless. [I am (od. feel) cold.]

frie'ren (freer⁴n) freeze; mich friert]

Fries (frees) *m* frieze.

frisch (frĭsh) fresh; *(neu)* new; *auf ~er Tat ertappen* take *a p.* in the very act; *~ gestrichen!* wet paint!; **2'e** *f* freshness.

Friseu'r (frĭzör) *m*, **(Friseu'se** [frĭzöz^e] *f* ladies') hairdresser.

frisie'ren (frĭzeer^en): *j-n ~* dress a p.'s hair; F *fig. Bericht usw.*: cook.

Frisie'r|mantel *m* dressing-jacket; **~salon** (-zählg, -öṅg) *m* hair-dressing saloon; **~tisch** *m* toilet table.

Frist (frĭst) *f* appointed time, set term; *(Aufschub)* respite, delay; **2'en:** *sein Leben ~* manage to live.

Frisu'r (frĭzör) *f* hair-dress(ing), *Am.* hair-do.

frivo'l (frĭvö́l) frivolous, flippant.

froh (frö) glad, joyful.

frö'hlich (frö́lĭç) cheerful, gay.

frohlo'cken (frölö́k^en) exult *(über* at; over).

Fro'hsinn (frö́zĭn) *m* cheerfulness.

fromm (fröm) pious; *Pferd:* quiet.

Frömmelei' (fröm^elī́) *f* bigotry.

Frö'mmigkeit (frö́mĭçkīt) *f* piety.

Frö'mmler(in *f)* *m* devotee.

Fron (frön), **~'arbeit** (-ährbīt) *f*, **~'dienst** (-deenst) *m fig.* drudgery.

frö'nen (frö́n^en) *(dat.)* indulge in.

Front (frönt) *f* front.

Frosch (frösh) *m* frog; **~'perspektive** (-pérspĕkteev^e) *f* worm's-eye view.

Frost (fröst) *m* frost; *(Kältegefühl)* chill; **~'beule** (-boil^e) *f* chilblain.

frö'steln (frö́st^eln) feel chilly.

fro'stig frosty; *(a. fig.)* chilly.

frottie'r|en (fröteer^en) rub; **2-(hand)tuch** (-[hähnt]tōōk) *n* Turkish towel. [*(Getreide)* corn; crop.]

Frucht (frōōkt) *f* fruit *(a. fig.)*;]

fru'chtbar fruitful, fertile; **2keit** *f* fruitfulness, fertility.

fru'cht|bringend *fig.* productive, **~en** be of use; **2knoten** (-knöt^en) ♣ *m* seedvessel; **~los** fruitless.

früh (frü) early; *(morgens)* in the morning; *morgen ~* to-morrow morning; *heute ~* this morning; *~er (ehemals)* formerly; **~estens** at the earliest; **2'aufsteher(in** *f)* (-owfshteh^er) *m* early riser; **2'e** (frǘe) *f: in aller ~* very early; **2'geburt** (-g^heböört) *f* premature birth; **2'gottesdienst** (-göt^hsdeenst) *m* morning service; **2'jahr** *n* spring.

Frü'hling (frǘlĭṅg) *m* spring.

frü'h|mo'rgens (-mörg^hens) early in the morning; **~reif** (-rīf) precocious; **2stück** *n* breakfast; **~stücken** (have) breakfast; **~zeitig** (-tsītĭç) early; **2zug** (-tsōōk) ⦿ *m* early train. [sorrel; **2'ig** foxy.]

Fuchs (fōōks) *m* fox *(a. fig.)*; *(Pferd)*]

Fü'chsin (fū́ksĭn) *f* she-fox.

Fu'chs|jagd (-yähkt) *f* fox-hunt; **2rot** (-röt) foxcoloured; **2teufels-wi'ld** (-töif^elsvĭlt) mad with anger.

fu'chteln (fōōkt^eln) fidget.

Fu'der (fōōd^er) *n* cart-load.

Fu'ge (fōōg^he) *f* joint, juncture; ⊕ seam; ♩ fugue.

fü'g|en (fūg^hen) join, unite; *(ver.)* dispose; *(hinzu~)* add; *sich ~ (in; in acc.)* comply (with), yield (to), submit (to); **~sam** (fūkzähm) pliant, yielding. [felt.]

fü'hlbar (fūlbährr) sensible; *Mangel:*]

fü'hl|en (fūl^en) feel; *sich glücklich usw. ~* feel happy *etc.*; **2er** *m*, **2faden** (-fähd^en) *m*, **2horn** *n* feeler; **2ung** *f* contact; *~ h. (verlieren) mit* be in (lose) touch with. [transport.]

Fu'hre (fōōr^e) *f* cart-load; *(Fahren)*]

fü'hren (fūr^en) lead; *e-m Ziele zu:* conduct; *(Weg weisen)* guide; *Besucher:* show; *(tragen)* carry; *Bücher, Waren:* keep; *Geschäft, Gespräch, Prozeß:* carry on; *Namen:* bear; *Feder, Waffe (handhaben)* wield; *(verwalten)* manage; *ein Leben:* live; *sich gut usw. ~* conduct o.s.; *Krieg (mit j-m) ~* make war (up]on a p.); *zu Tische ~* take in; *v/i.* lead. [ranking.]

fü'hrend (-t) prominent, *Am.*]

Fü'hrer(in *f)* *m* leader; conductor; guide (*a. als Buchtitel)*; manager (-ess *f)*; *mot.* driver; ✠ *pl*ot; *Sport:* captain; **~raum** (-rowm) *f* *m* cockpit; **~schein** (-shīn) *m mot.*, ✠ licence; **~sitz** (-zĭts) *m* driver's seat; ✠ (pilot's) cockpit; **~stand** (-shtähnt) ⦿ *m* cab.

Fu'hr|lohn (fōōrlön) *m* carriage; **~mann** *m* carrier, waggoner; **~park** *m* park.

Fü'hrung *f* guidance; conduct; direction, management; *(Benehmen)* conduct; **~szeugnis** (-tsöiknĭs) *n* certificate of good conduct.

Fu'hr|unternehmer (fōōröönt^er-ném^er) *m* carrier; **~werk** *n* vehicle.

Fü'llbleistift (fūlblīshtĭft) *m* filling pencil.

Fü′lle (fül‵e) f fulness; abundance.
fü′llen¹ f fill.
Fü′llen² n foal.
Fü′ll|feder(halter m) (fülféd‵r-[hählt‵r]) f fountainpen(holder); **~horn** n horn of plenty; **~ung** f filling (a. Zahn2); (Tür2) panel.
Fund (fŏnt) m find, discovery.
Fundame′nt (fŏndähmẽnt) n foundation.
Fu′nd|büro (-bü̇rŏ) n lost-property office; **~gegenstand** (-g‵ég‵n-shtä‵nt) m article found; **~grube** (-grŏŏb‵) f fig. mine.
fünf (fünf) five; **~′fach** fivefold; **2′tel** n fifth (part); **~′tens** fifthly; **~′te(r)** fifth.
fü′nfzehn (fünftsén) fifteen; **~te(r)** fifteenth; **~′te(r)** (fiftieth.)
fü′nfzig (fünftsiç) fifty; **~ste(r)**)
Funk (fŏōŋk) m wireless, bsd. Am. (so a. in den Zssgn) radio; **~′-anlage** (-ähnlä‵h‵g‵) f wireless plant; **~′-apparat** (-ähpährä‵ht) m wireless set; **~′bastler** (-bä‵hstl‵r) m radiofan.
Fu′nke (fŏŏŋk‵e), **~n** m spark.
fu′nkeln (fŏŏŋk‵ln) sparkle, glitter.
fu′nken (fŏŏŋk‵n) radio, wireless; **2telegraphie** (-tẽlẽgrähfee) f wireless telegraphy.
Fu′nker m wireless operator.
Fu′nk|gerät (-g‵hẽrät) n wireless apparatus; **~spruch** (-shprŏ̄ōk) m wireless message, radiogram; **~station** (-shtähts′ŏn) f wireless station; **~stille** f wireless silence.
Fu′nktion (fŏŏŋkts′ŏn) f function; **~är** (-eer‵n) m functionary; **2ie′ren** (-eer‵n) function, operate.
Fu′nk|turm (-tŏōrm) m radio tower; **~verkehr** (-fẽrkér) m wireless communication; **~wagen** (-vä-g‵hẽn) m radio car; **~wesen** (-véz‵n) n radio engineering.
für (für) for; Jahr ~ Jahr year by year; ich ~ meine Person as for me; ~ und wider pro and con.
Fü′rbitte f intercession.
Fu′rche (fŏōrç‵e) f furrow; (R‵nzel) wrinkle; 2n furrow; wrinkle.
Furcht (fŏōrçt) f fear, dread; aus ~ vor (dat.) for fear of; 2′bar dread, terrible. [~ be afraid (vor dat. of).]
fü′rchten (fürçt‵n) fear, dread; sich)
fü′rchterlich (fürçt‵erliç) horrible, terrible. [2samkeit f timidity.]
fu′rcht|los fearless; **~sam** timid;)
Fu′rie (fŏōr′‵e) f fury.

Furnie′r (fŏŏrneer) n, 2en veneer.
Fü′r|sorge (fürzŏrg‵he) f care; (social) welfare; **~sorge-amt** n welfare centre; **~sorge-erziehung** (-ẽr-tseeŏōŋ) f trustee education; **~sorger(in** f) m welfare worker; **2sorglich** (-zŏrkliç) careful; **~sprache** (-shpräh‵k‵) f intercession; **~sprecher** (-shprẽç‵r) m intercessor.
Fürst (fürst) m prince; sovereign; **~enstand** (-‵nshtä‵nt) m princely rank; **~′entum** (-‵ntŏōm) n principality; **~′in** f princess.
fü′rstlich princely; 2keiten (-kit‵n) f/pl. princely personages.
Furt (fŏōrt) f ford. [runcle.)
Furu′nkel (fŏōrŏōŋk‵l) m fu-)
Fü′rwort (fü̇rvórt) n pronoun.
Fuß (fōōs) m foot; festen ~ fassen get a footing; auf gutem (schlechtem) ~ stehen mit be on good (bad) terms with; zu ~ on foot; zu ~ gehen walk; gut zu ~e sn be a good walker; **~′-angel** (-ä‵hŋh‵el) f man-trap; **~′ball** m football, Am. soccer; **~′ballspieler** (-bä‵hlshpeel‵r) m footballer; **~′bank** f footstool; **~′bekleidung** (-b‵eklidŏōŋ‵) f foot-gear, foot-wear; **~′boden** (-bŏ̄d‵n) m floor(ing); **~′bremse** (-brẽmz‵) f footbrake; 2′en: ~ auf (dat.) fig. rely on; **~′gänger** (-g‵hẽŋg‵r) m pedestrian; im Verkehr: foot-passenger; **~′gelenk** (-g‵hẽlẽŋk) n ankle-joint.
Fü′ßling (füsliŋ) m foot.
Fu′ß|note (-nŏt‵e) f footnote; **~pfad** (-pfä‵ht) m foot-path; **~sack** (-zä‵hk) m foot-muff; **~sohle** (-zŏl‵e) f sole of the foot; **~soldat** (-zŏldä‵ht) m foot-soldier; **~spur** (-shpŏōr) f einzelne (a. ~stapfe f) footprint, footstep; Reihe davon: track; weit S. trace; **~steig** (-shtik) m foot-path; **~tritt** m kick; **~wanderung** (-vä‵hnd‵erŏōŋ‵) f walking-tour; **~weg** (-vék) m foot-path.
Fu′tter¹ (fŏōt‵r) n (Nahrung) food; (Vieh2) feed; (Trocken2) fodder; **~²** (Rock2) lining.
Futtera′l (fŏōt‵rähl) n case; (Schachtel) box; (Scheide) sheath.
Fu′ttermittel n feeding stuff.
fü′tter|n (füt‵ern) 1. feed; 2. (innen bekleiden) line; mit Pelz: fur; 2ung f feeding; lining.
Fu′tterstoff m lining (material).

G

Ga'be (gāhb^e) f gift; 💉 dose.

Ga'bel (gāhb^el) f fork; ~frühstück (-frŭhtŭk) n luncheon; 2n (sich) fork; ~ung f bifurcation.

ga'ckern (gähk^ern) cackle.

ga'ffen (gāhf^en) gape; stare.

Ga'ge (gāhG^e) f pay, salary.

gäh'nen (gän^en) 1. yawn; 2. 2 n yawning.

Ga'la (gāhlāh) f gala; in ~ in full dress.

gala'nt (gāhlähnt) gallant; (höflich) courteous.

Galanterie' (-^eree) f gallantry; courtesy; ~arbeit (-āhrbit) f, ~waren (-vāhr^en) f/pl. fancy goods, Am. notions pl.

Galerie' (gähl^eree) f gallery.

Ga'lgen (gählg^hen) m gallows sg., gibbet; ~frist f respite; ~humor (-hōōmōr) m grim humour.

Ga'lle (gähl^e) f bile; fig. gall; ~nblase (-blāhz^e) f gall-bladder; ~nstein (-shtin) m gall-stone.

Ga'llert (gähl^ert) n, ~e f jelly.

ga'llig (gählĭç) bilious.

Galo'pp (gählöp) m, 2ie'ren (-eer^en) gallop.

galva'n|isch (gählvāhnĭsh) galvanic; ~isie'ren (-ĭzeer^en) galvanize.

Gama'sche (gähmäsh^e) f gaiter; kurze: spat.

Gang (gähng) m walk; fig. (Bewegung, Tätigkeit) motion; s. Gangart; e-r Maschine: movement, action; (Boten2) errand; (Weg) way; (Baum2) alley; (Bahn, Lauf, Verlauf; bei Tafel) course; (Verbindungsweg) passage; im Hause: corridor; zwischen Stuhlreihen: gangway, bsd. Am. aisle; Fechten: pass; anat. duct; mot. (Geschwindigkeit) speed; in ~ bringen set going, Am. operate; im ~ sn be in motion; fig. be in progress; in vollem ~ in full swing.

Ga'ng|art f Mensch: gait; Pferd: pace; 2bar Weg: practicable; Münze: current; ✝ marketable.

Gä'ngelband (g^hĕng^elbähnt) n lead-

ing-strings pl.; am ~ führen fig. lead by the nose.

Gans (gähns) f goose, pl. geese.

Gä'nse|blümchen (g^hěnz^eblümç^en) n daisy; ~braten (-brāht^en) m roast goose; ~haut (-howt) f fig. goose-flesh; ~klein (-klīn) n (goose-) -giblets pl.

ganz (gähnts) 1. adj. all; (ungeteilt) entire, whole; (vollständig) complete, total; 2. adv. quite; entirely, usw. (s. 1); (sehr) very; ~ Auge, Ohr all eyes, ears; ~ und gar nicht not at all; im ~en on the whole; ~ in the lump; 3. 2'e(s) n whole; (Gesamtheit) totality.

gä'nzlich (g^hĕntslĭç) total, entire.

Ga'nztagsbeschäftigung (gāhnts-tāhksb^eshĕftĭgōōŋ) f full-time job od. employment.

gar (gāhr) 1. adj. Speise: done; 2. adv. quite, very; (sogar) even; ~ nicht not at all.

Gara'ge (gāhrāhG^e) f garage.

Garantie' (gāhrähntee) f guarantee, warranty; 2ren guarantee, warrant.

Ga'rbe (gährb^e) f sheaf.

Ga'rde (gährd^e) f guard.

Gardero'be (gährd^erōb^e) f wardrobe; (Kleiderablage) cloak- (Am. check-)room; ~nmarke f check; ~nständer (-shtěnd^er) m (hat and) coat stand.

Gardi'ne (gährdeen^e) f curtain.

gä'ren (gär^en) ferment.

Gä'r|mittel n, ~stoff m ferment.

Garn (gährn) n yarn; (Faden) thread; (Netz) net; fig. snare.

garnie'ren (gährneer^en) trim; bsd. Speise: garnish.

Garniso'n (gährnĭzōn) f garrison.

Garnitu'r (gährnĭtōōr) f (Besatz) trimming; (Zs.gehöriges) set.

ga'rstig (gährstĭç) foul, nasty.

Ga'rten (gährt^en) m garden; ~anlage (-āhnlāhg^e) f gardens; ~bau (-bow) m horticulture; ~erde (-ěrd^e) f (garden-)mould; ~geräte (-g^herät^e) n/pl. gardening-tools; ~stadt f garden city.

Gä'rtner (gʰĕrtnᵉr) *m*, **_in** *f* gardener; **_ei'** (-i) *f* gardening, horticulture; *Ort:* nursery.

Gä'rung (gärōōrɳ) *f* fermentation.

Gas (gähs) *n* gas; **_geben** step on the gas; **_'-anstalt** (-ăhnshtăhlt) *f* gas-works *pl.*, *Am.* gas plant; **_behälter** (-bᵉhĕltᵉr) *m* gasometer, *Am.* gas tank; **_beleuchtung** (-bᵉlŏicтōōrɳ) *f* gas-light(ing); **_brenner** *m* gas-burner; **2'förmig** (-förmiç) gaseous; **_fußhebel** (-fōōshĕbᵉl) *n* mot. accelerator pedal; **_hebel** *m* mot. throttle lever, accelerator; **_herd** (-hért) *m* gas-stove, *Am.* gas-range; **_leitung** (-litōōrɳ) *f* gas-main; **_messer** *m*, **_'-uhr** (-ōōr) *f* gas-meter.

Ga'sse (gähsᵉ) *f* lane, *Am.* alleyway.

Ga'ssen|bube (-bōōbᵉ), **_junge** (-yōōrɳ)ᵉ *m* street arab; **_hauer** (-howᵉr) *m* street song.

Gast (gähst) *m* guest; (*Besucher*) visitor; (*Wirtshaus:*) customer; *thea.* star; **2frei** (-fri), **2freundlich** (-frŏintliç) hospitable; **_'freundschaft** (-frŏintshăft) *f* hospitality; **_geber(in** *f*) (-gʰébᵉr) *m* host(ess); **_haus** (-hows) *n*, **_hof** (-hôf) *m* restaurant; inn.

gastie'ren (gähsteerᵉn) *thea.* star.

ga'stlich hospitable.

Ga'st|mahl (gähstmăhl) *n* feast, banquet; **_recht** *n* right of hospitality; **_rolle** *f* starring part; **_spiel** (-shpeel) *n* starring (performance); **_stätte** *f* restaurant; **_stube** (-shtōōbᵉ) *f* general room; **_wirt** (-in *f*) *m* innkeeper, landlord, *f* landlady; **_wirtschaft** *f* inn.

Ga'tte (gähtᵉ) *m* husband; consort.

Ga'tter (gähtᵉr) *n* railing, grating.

Ga'ttin *f* wife; *förmlich:* consort.

Ga'ttung *f* kind, sort; ⚄ genus.

gau'keln (gowkᵉln) juggle (*hin und her flattern*) flutter.

Gaul (gowl) *m* nag.

Gau'men (gowmᵉn) *m* palate.

Gau'ner (gownᵉr) *m*, **_in** *f* swindler, sharper, trick(st)er; **_ei'** (-i) *f* swindling, trickery.

Ga'ze (gähzᵉ) *f* gauze.   [law.

Ge-ä'chtete(r) (gʰᵉĕçtᵉtᵉ[r]) *m* out-ʃ

Gebä'ck (gʰᵉbĕk) *n* baker's ware; (*Kuchenwerk*) pastry.

Gebä'lk (gʰᵉbĕlk) *n* timber-work.

Gebä'rde (gʰᵉbärdᵉ) *f* gesture; **2n:**

sich **_** deport o.s., behave; **_nspiel** (-shpeel) *n* gesticulation; dumb show; **_nsprache** (-shprăhkᵉ) *f* language of gestures.

Geba'ren (gʰᵉbăhrᵉn) *n* deportment, behaviour.

gebä'ren (gʰᵉbärᵉn) bear, bring forth (*a. fig.*); give birth to.

Gebäu'de (gʰᵉbŏidᵉ) *n* building, edifice.

Gebei'n(e *pl.*) (gʰᵉbin[ᵉ]) *n* bones *pl.*

Gebe'll (gʰᵉbĕl) *n* barking.

ge'ben (gʰébᵉn) *j-m et.:* give a p. a th.; *Kartenspiel:* deal; *sein Wort:* pledge; *von sich* **_** give out, emit; *Laut:* utter; *Speise:* bring up; et. (*nichts*) **_** *auf (acc.)* make (no) account of; *sich* **_** (*nachgeben*) yield; (*nachlassen*) abate, settle (down); *sich zufrieden* **_** (*mit*) content o.s. (with); *sich zu erkennen* **_** make o.s. known; *was gibt es?* what is the matter?

Gebe't (gʰᵉbét) *n* prayer.

Gebie't (gʰᵉbeet) *n* territory; district; *fig.* province; sphere.

gebie'ten *v/t.* order, *a. Achtung usw.:* command; *v/i.* rule.

Gebie'ter *m* master; **_in** *f* mistress; **2isch** imperious.

Gebi'lde (gʰᵉbildᵉ) *n* form; structure; **2t** educated, well-bred.

Gebi'rg|e (gʰᵉbirgʰᵉ) *n* (chain of) mountains; **2ig** mountainous; **_sbewohner** (-bᵉvōnᵉr) *m* mountaineer.

Gebi'ß (gʰᵉbĭs) *n* (set of) teeth; *künstliches:* denture; *am Zaum:* bit.

gebo'ren (gʰᵉbōrᵉn) born; **_e** *Schmidt* née Smith; *ich bin am ...* **_** *I was born on ...*

gebo'rgen (gʰᵉbŏrgʰᵉn) safe; **2heit** *f* safety.

Gebo't (gʰᵉbōt) *n* order; command; (*Angebot*) bid(ding), offer; *die Zehn* **_e** *pl.* the ten commandments.

Gebrau'ch (gʰᵉbrowχ) *m* use; (*Gewohnheit*) usage, custom; **2en** use, employ; **2t** *Kleidung usw.:* second-hand.

gebräu'chlich (gʰᵉbrŏiçliç) in use; (*üblich*) usual, customary.

Gebrau'chs|anweisung (gʰᵉbrowχsăhnvizōōrɳ) *f* directions *pl.* for use; **_artikel** (-ăhrteekᵉl) *m* requisite; **2fertig** (-fĕrtiç) ready for use; **_muster** (-mōōstᵉr) *n* registered design.

Gebre'chen (gʰeбрĕç'en) defect, infirmity.

gebre'chlich fragile; *P.*: frail, infirm; **♀keit** *f* fragility; infirmity.

Gebrü'der (gʰeбрüdᵉr) *m/pl.* brothers.

Gebü'hr (gʰeбür) *f* duty; fee; *en pl.* dues *pl.*; **♀en** (*dat.*) be due to; *sich* ～ be proper; **♀end** (-t) due; **♀enfrei** (-fri) no-charge; **♀enpflichtig** (-pflíçtiç) chargeable.

Gebu'rt (gʰeбoort) *f* birth.

gebü'rtig (gʰeбürtiç): ～ *aus* a native of.

Gebu'rts-|anzeige (-ăhntsighe) *f* notification of birth; **～fehler** (-félᵉr) *m* natural defect; **～helfer** *m accoucheur* (*fr.*); **～jahr** (-yăhr) *m* year of birth; **～land** (-lăhnt) *m* native country; **～ort** *m* birthplace; **～schein** (-shĭn) *m* certificate of birth; **～tag** (-tăhk) *m* birthday.

Gebü'sch (gʰeбüsh) *n* bushes *pl.*, thicket.

Geck (gʰek) *m* dandy, *Am.* dude.

ge'ckenhaft dandyish.

Gedä'chtnis (gʰedĕçtnĭs) *n* memory; (*Erinnerung*) remembrance; *zum ～* (*gen.*) in memory of; **～feier** (-fīᵉr) *f* commemoration.

Geda'nke (gʰedăhŋkᵉ) *m* thought, idea; *in ～n* absorbed in thought; *sich ～n m.* über alarm o.s. about.

Geda'nken-|gang (-găhŋ) *m* train of thought; **～leser(in** *f*) (-lézᵉr) *m* thought-reader; **♀los** thoughtless; **～strich** (-shtriç) *m* dash; **♀voll** thoughtful.

Gede'ck (gʰedĕk) *n* cover.

gedei'hen (gʰedĭᵉn) **1.** (sn) thrive, prosper; **2.** ♀ *n* prosperity.

gedei'hlich thriving, prosperous.

Gede'nk... (gʰedĕŋk): **♀en** (*gen.*) think of; (*sich erinnern*) remember; (*erwähnen*) mention; *～ zu tun* intend to do; **～feier** (-fīᵉr) *f* commemoration; **～stein** (-shtin) *m* memorial stone; **～tafel** (-tăhīᵉl) *f* tablet.

Gedi'cht (gʰedíçt) *n* poem.

gedie'gen (gʰedeegʰen) solid; (*rein*) pure; **♀heit** *f* solidity; purity.

Gedrä'ng|e (gʰedrĕŋᵉ) *n* crowd, throng; **♀t** crowded; *Stil.*: concise.

gedru'ngen (gʰedroͦoŋᵉn) compact.

Gedu'ld (gʰedoͦolt) *f* patience; **♀en** (-dᵉn): *sich ～* have patience; **♀ig** (-dĭç) patient.

Ge-e'hrte(s) (gʰe-ĕrtᵉs) *n*: *Ihr ～ vom ... your favour of ...*

ge-ei'gnet (gʰe-ignᵉt) fit, suitable.

Gefa'hr (gʰefăhr) *f* danger, peril; (*Wagnis*) risk; *auf meine ～* at my peril *od.* risk.

gefä'hrden (gʰefărdᵉn) endanger.

gefä'hrlich (gʰefărliç) dangerous.

gefa'hrlos without risk, safe.

Gefä'hrte (gʰefärtᵉ) *m* companion, fellow.

Gefa'llen (gʰefăhlᵉn) **1.** *m Handlung*: favour; **～** *an* (*dat.*) finden take a pleasure in; **2.** ♀ *v/i.* please (*j-m* a p.); *er gefällt mir* I like him; *sich ♀ l.* (*sich fügen*) put up with.

gefä'llig (gʰefălliç) pleasing, agreeable; *P.*: complaisant, obliging; **♀keit** *f* complaisance; *Handlung*: favour; **♀st** (if you) please.

gefa'ngen (gʰefăhŋᵉn) imprisoned; **～nehmen** take prisoner; *fig.* captivate; **♀e(r)** *m* prisoner, captive.

Gefa'ngen-|enlager (gʰefăhŋᵉnĕnlăhgʰᵉr) *n* prison(ers') camp; **～nahme** (-năhmᵉ) *f* capture; **～schaft** *f* captivity, imprisonment; **♀setzen** (-zĕtsᵉn) put in prison.

Gefä'ngnis (gʰefĕŋnĭs) *n* prison; **～strafe** (-shtrăhfᵉ) *f* (pain of) imprisonment; **～wärter** (-vĕrtᵉr) *m* warder, *Am.* prison guard.

Gefä'ß (gʰefäs) *n* vessel.

gefa'ßt (gʰefăhst) composed; *～ auf* (*acc.*) prepared for.

Gefe'cht (gʰefĕçt) *n* fight, action.

Gefie'der (gʰefeedᵉr) *n* feathers *pl.*

Geflü'gel (gʰeflügʰᵉl) *n* poultry.

Geflü'ster (gʰeflüstᵉr) *n* whisper (-ing).

Gefo'lge (gʰefölgʰᵉ) *n* attendance.

Gefo'lgschaft (gʰefölkshăhft) *f* followers *pl.*

gefrä'ßig (gʰefrăsiç) greedy, voracious; **♀keit** *f* gluttony, voracity.

Gefrie'r... (gʰefreer-): **♀en** (sn) congeal, freeze; **～fleisch** (-flish) *n* frozen meat; **～punkt** (-poͦoŋkt) *m* freezing-point. [-cream.]

Gefro'rene(s) (gʰefrörᵉnᵉ[s]) *n* ice-]

Gefü'ge (gʰefügʰᵉ) *n* (*Bau*) structure; (*Gewebe*) texture.

gefü'gig pliant; **♀keit** *f* pliancy.

Gefü'hl (gʰefül) *n* feeling; (*Tastsinn*) touch; (*Empfänglichkeit*) sense (*für od.*); (*Wahrnehmung*) sensation; **♀los** unfeeling; **♀voll** (full of) feeling; (*rührselig*) sentimental.

ge'gen (gʰégʰᵉn) *örtlich, zeitlich*: towards; *gegensätzlich*: against; (*ungefähr*) about, *Am.* around; *Zeitpunkt*: by; *Mittel* ~ ...: for; *vergleichend*: compared with; *freundlich usw.* ~ to; ~ *bar* for cash.

Ge'gen|angriff *m* counter-attack; ~befehl (-bᵉfél) *m* counter-order; ~beschuldigung (-bᵉshōōldígōōⁿɹ) *f* recrimination.

Ge'gend (gʰégʰᵉnt) *f* region.

Ge'gen|dienst (-deenst) *m* return service; ~druck (-drōōk) *m* reaction; ₂-eina'nder (-ínähndᵉr) against one another *od.* each other; ~forderung (-fördᵉrōōrɹ) *f* counter-claim; ~geschenk (-gᵉshĕnk) *n* return present; ~gewicht (-gᵉvíçt) *n* counterpoise; ~gift (-gĭft) *n* antidote; ~kandidat (-kähndídäht) *m* rival candidate; ~klage (-klähgᵉ) *f* countercharge; ~leistung (-lístōōⁿɹ) *f* equivalent; ~maßregel (-mähsrégʰᵉl) *f* counter-measure; ~mittel (-mĭt'l) *n* remedy, antidote; ~partei (-pährtí) *f* opposite party; ~probe (-prōbᵉ) *f* counter-proof; ~satz (-zähts) *m* contrast, opposition; ₂sätzlich (-zĕtslĭç) contrary, opposite; ~seite (-zítᵉ) *f* opposite side; ₂seitig mutual, reciprocal; *auf* ~keit *beruhen* be mutual; ~stand (-shtähnt) *m* object (*Thema*) subject, topic; ~strömung (-shtrömōōⁿɹ) *f* counter-current; ~stück *n* counterpart, match; ~teil (-tíl) *n* contrary, reverse; *im* ~ on the contrary; ₂teilig contrary, opposite; ₂-ü'ber (-übᵉr) (*dat.*) opposite (*acc. od.* to); *P.*: face to face (with); ~ü'ber vis-a-vis; ~ü'berstellung (-übᵉrshtĕlōōⁿɹ) *f bsd.* ₂ confrontation; ~vorschlag (-fôrshlähk) *m* counter-proposal; ~wart (-vährt) *f* presence; present time; ₂wärtig present; actual; *adv.* at present; ~wehr (-vér) *f* defence, resistance; ~wert (-vért) *m* equivalent; ~wind (-vĭnt) *m* contrary wind; ~wirkung (-vírkōōⁿɹ) *f* counter-effect, reaction; ₂zeichnen (-tsíçnᵉn) countersign; ~zeuge (-tsóigʰᵉ) *m* counter-witness; ~zug (-tsōōk) *m* 🚂 corresponding train.

Ge'gner (gʰégʰnᵉr) *m* adversary, opponent; ~schaft *f* opposition.

Geha'lt (gʰᵉhăhlt) *m* **1.** contents *pl.*; (*Aufnahmefähigkeit*) capacity; (*innerer Wert*) merit; **2.** *mst n* salary.

geha'lt|los empty; ~voll of great value, substantial; racy.

Geha'lts|-empfänger (-ĕmpfĕⁿɹᵉr) *m* salary earner; ~erhöhung (-ĕrhȫōⁿɹ) *f* rise (*Am.* raise) in salary.

gehä'ssig (gʰᵉhĕsíç) malicious, spiteful; ₂keit *f* malice.

Gehä'use (gʰᵉhóizᵉ) *n* box, case.

Gehe'ge (gʰᵉhégʰᵉ) *n* enclosure.

gehei'm (gʰᵉhím) secret; ₂dienst (-deenst) *m* secret service.

Gehei'mnis (gʰᵉhímnĭs) *n* secret; mystery; ~krämer *m* secret-monger; ₂voll mysterious.

Gehei'm|polizist (-pōlítsĭst) *m* detective; ~schrift *f* cipher; *tel.* code; ~tuerei (-tōōᵉrí) *f* secretiveness.

Gehei'ß (gʰᵉhís) command.

ge'h(e)n (gʰél(ᵉ)n) (sn) go; *zu Fuß*: walk; (*weg*~) leave; *Maschine*: go, work; *Uhr*: go; *Ware*: sell; *Wind*: blow; *Teig*: rise; *wie geht es Ihnen?* how are you (getting on)?; *das geht nicht* that won't do; *in sich* ~ repent; *wieviel Pfennige* ~ *auf e-e Mark?* ... go to the mark?; *das Fenster geht nach Norden* ... faces (*od.* looks) north.

Geheu'l (gʰᵉhóil) *n* howling.

Gehi'lf|e (gʰᵉhílfᵉ) *m*, ~in *f* assistant, helpmate.

Gehi'rn (gʰᵉhírn) *n* brain(s *pl.*); ~erschütterung (-ĕrshütᵉrōōⁿɹ) *f* concussion (~schlag [-shlähk] *m* apoplexy) of the brain.

geho'ben (gʰᵉhōbᵉn) *Sprache*: elevated; ~e *Stimmung* high spirits.

Gehö'ft (gʰᵉhȫft) *n* farm(stead).

Gehö'lz (gʰᵉhȫlts) *n* wood, copse.

Gehö'r (gʰᵉhȫr) *n* hearing; ear; *nach dem* ~ by ear.

geho'rchen (gʰᵉhôrçᵉn) obey (*j-m* a p.).

gehö'ren (gʰᵉhȫrᵉn) (*dat. od. zu*) belong to; *sich* ~ be proper, fit, suitable.

gehö'rig (*dat. od. zu*) belonging to; (*schicklich*) fit, proper; due; (*tüchtig*) good; *adv.* duly.

geho'rsam (gʰᵉhȫrzähm) **1.** *adj.* obedient; **2.** ₂ *m* obedience.

Ge'h|rock (gʰᵉrók) *m* frock-coat; ~werk ⊕ *n* work.

Gei'er (gʰíᵉr) *m* vulture.

Gei'ge (gʰigʰᵉ) f violin; 2n play (on) the violin; ~nbogen (-bōgʰᵉn) m bow; ~nkasten (-kåhstᵉn) m violin-case; ~r(in f) m violinist.

geil (ghil) wanton.

Gei'sel (gʰizᵉl) f hostage.

Geiß (gʰis) f goat.

Gei'ßel (gʰisᵉl) f whip, lash; fig. scourge; 2n lash; fig. castigate.

Geist (gʰist) m spirit; (Verstand) mind, intellect; (Witz) wit; (Gespenst) ghost; (Kobold) sprite.

gei'sterhaft ghostly.

gei'stes|abwesend (-åhpvézᵉnt) absent-minded; 2arbeiter (-åhrbitᵉr) m brain-worker; 2gabe (-gåhbᵉ) f mental gift, talent; 2gegenwart (-gʰégʰᵉnvåhrt) f presence of mind; ~krank (-kråhŋk) insane; 2krankheit f insanity; 2schwach (-shvåhk feeble-minded; ~verwandt (-fᵉrvåhnt) congenial; 2zustand (-tsōōshtåhnt) m state of mind.

gei'stig intellectual, mental; (unkörperlich) spiritual; Getränk: spirituous; ~e Arbeit brainwork.

gei'stlich spiritual; (2e betreffend) clerical; (kirchlich) sacred; 2e(r) m clergyman; 2keit f clergy.

gei'st|los spiritless; dull; ~reich (-riç), ~voll ingenious, spirited.

Geiz (ghits) m avarice; ~hals (-håhls) m miser, niggard; 2'ig avaricious.

Gekla'pper (gʰᵉklåhpᵉr) n rattling.

Gekli'rr (gʰᵉklir) n clashing.

Gekrei'sch (gʰᵉkrish) n screaming.

Gekri'tzel (gʰᵉkritsᵉl) n scrawl(ing).

gekü'nstelt (gʰᵉkûnstᵉlt) (geziert) affected.

Gelä'chter (gʰᵉlĕçtᵉr) n laughter.

Gela'ge (gʰᵉlåhgʰᵉ) n carousal.

Gelä'nde (gʰᵉlĕndᵉ) n terrain; ground; 2gängig (-gʰᵉrᵉŋiç) cross-country (manœuvrable); ~lauf (-lowf) m Sport: cross-country run.

Gel'änder (gʰᵉlĕndᵉr) n railing, balustrade; (Treppen2) banisters pl.

gela'ngen (gʰᵉlåhŋᵉn) (sn) (an, in acc.; zu) arrive at, get od. come to; zu e-m Ziel: attain. [posed.]

gela'ssen (gʰᵉlåhsᵉn) calm, com-

gelä'ufig (gʰᵉlóifiç) current; (fließend) fluent; Zunge: voluble; (bekannt) familiar.

gelau'nt (gʰᵉlownt) disposed.

Geläu't (gʰᵉlóit) n ringing; (die Glocken) chime.

gelb (gʰᵉlp) yellow; ~'lich yellowish; 2'sucht (-zōōkt) f jaundice.

Geld (gʰᵉlt) n money; zu ~ m. (turn into) cash; ~'angelegenheit (-åhngʰᵉlégʰᵉnhit) f money-matter; ~'ausgabe (-owsgåhbᵉ) f expense; ~'beutel (-bóitᵉl) m purse; ~'entwertung (-ĕntvértōōŋ) f devaluation of money; ~'erwerb (-gʰᵉérvᵉrp) m money-making; ~'geber (-gʰéb'r) m financial backer; ~'geschäfte (-gʰéshĕftᵉ) n/pl. money transactions; 2'gierig (-gʰᵉeriç) greedy for money; ~'mann m capitalist; ~'mittel n/pl. funds; ~'schrank (-shråhnk) m safe; ~'sendung (-zĕndōōŋ) f remittance; ~'strafe (-shtråhfᵉ) f fine; ~'stück m coin; ~'tasche (-tåhshᵉ) f money-bag; für Scheine: note-case, Am. billfold; ~'überhang (-ûbᵉrhåhŋ) m surplus money; ~'umlauf (-ōōmlowf), ~'umsatz (-ōōmzåhts) m circulation of money; ~'verlegenheit (-fērlégᵉnhit) f pecuniary embarrassment; ~'wechsler (-vĕkslᵉr) m money-changer; ~'wert (-vért) m monetary value.

Gelee (Gᵉlé) n jelly.

gele'gen (gʰᵉlégʰᵉn) adj. situated, Am. located; (passend) convenient, opportune.

Gele'genheit (gʰᵉlégʰᵉnhit) f occasion; gute: opportunity; bei ~ on occasion; ~s-arbeiter (-åhrbitʳr) m casual worker; ~s-kauf (-kowf) m chance purchase.

gele'gentlich (gʰᵉlégʰᵉntliç) occasional; (gen.) on the occasion of.

gele'hrig (gʰᵉlériç) docile; 2keit f docility. [learning.]

Gele'hrsamkeit (gʰᵉlérzåhmkit) f]

gele'hrt (gʰᵉlért) learned; 2e(r) m learned (wo)man, scholar.

Gelei'se (gʰᵉlizᵉ) n rut, track; ⊟ (line of) rails pl.

Gelei't (gʰᵉlit) n Personen: attendance; j-m das ~ geben accompany a p.; 2en accompany ~zug (-tsōōk) ⊕ m convoy.

Gele'nk (gʰᵉlĕŋk) n joint; 2ig pliable, supple.

gele'rnt Arbeit(er): skilled.

Gelie'bte(r) (gʰᵉleept'[r]): m lover; ~ f mistress, sweetheart.

geli'nd(e) (gʰᵉlind[ᵉ]) soft, smooth; Regen: gentle; Wetter: mild; Feuer: slow; Strafe: lenient.

geli'ngen (gʰᵉliŋgᵉn) **1.** (sn) succeed; *es gelingt mir, zu tun* I succeed in doing; **2.** ♀ *n* success.

ge'llen (gʰĕl'n) shrill; (*schreien*) yell; *Ohr*: tingle; ⌐d (-t) shrill.

gelo'ben (-gʰᵉlōbᵉn), **Gelö'bnis** (gʰᵉlȫpnis) *n* vow, promise.

ge'lt|en (gʰĕlt'n) *v/t.* be worth; *v/i.* be of value; *Münze*: be current; (*Geltung h.*) have credit *od.* influence; (*sich bestätigen*) hold good; *j-m* ⌐ concern a p.; ⌐ *für* a) pass for, be reputed to be; b) (*sich anwenden l.*) apply to; ⌐end *m.* maintain, assert; *Einfluß*: bring to bear; ⌐ *l.* let pass, allow; *das gilt nicht* that is not fair; that does not count; *es galt unser Leben* our life was at stake; ♀ung *f* value; *Münze*: currency.

Gelü'bde (gʰᵉlüpdᵉ) *n* vow.

Gelü'st (gʰᵉlüst) *n* desire (for).

gemä'chlich (gʰᵉmĕçliç) comfortable, easy; ♀keit *f* ease.

Gema'hl (gʰᵉmâhl) *m* consort, husband, ⌐in *f* consort, wife.

Gemä'lde (gʰᵉmäldᵉ) *n* painting, picture.

gemä'ß (gʰᵉmäs) *prp.* according to; ⌐igt (-içt) moderate; *geogr.* temperate.

gemei'n (gʰᵉmîn) common; (*allgemein*) general; (*niedrig*) low, vulgar, coarse; ♀e(r) ✕ *m* private; *et.* ⌐ *h. mit* have a th. in common with.

Gemei'nde (gʰᵉmîndᵉ) *f* community; (*Kirchen*♀) parish; *städtisch*: municipality; *eccl.* congregation; ⌐bezirk (-bᵉtsirk) *m* municipality; ⌐rat (-râht) *m* = ⌐vorstand; ⌐vorstand (-fōrshtâhnt) *m* (*urban od.*) rural district council.

gemei'n|gefährlich (-gᵉfärliç) dangerous to the public; ♀heit *f b.s.* lowness, vulgarity; (*niedrige Tat*) low act; ⌐nützig (-nütsiç) of public utility; ♀platz (-plähts) *m* commonplace; ⌐sam common; ♀schaft *f* community (*Verkehr*) intercourse; ⌐schaftlich = ⌐sam; ♀sinn (-zin) *m* public spirit; ⌐verständlich (-fērshtĕntliç) popular; ♀wesen (-vézᵉn) *n* community; ♀wohl (-vōl) *n* public welfare.

Geme'nge (gʰᵉmĕŋgᵉ) *n* mixture.

geme'ssen (gʰᵉmĕsᵉn) measured; (*förmlich*) formal; (*feierlich*) grave.

Geme'tzel (gʰᵉmĕtsᵉl) *n* slaughter.

Gemi'sch (gʰᵉmish) *n* mixture.

Gemu'rmel (gʰᵉmōörmᵉl) *n* murmur(ing).

Gemü'se (gʰᵉmüzᵉ) *n* vegetables, greens *pl.*; ⌐händler(in *f*) *m* greengrocer. [disposition, temper.]

Gemü't (gʰᵉmüt) *n* mind; (⌐s-*art*)|

gemü'tlich good-natured; genial; (*behaglich*) comfortable, snug.

Gemü'ts|-art *f* temper, character; ⌐bewegung (-bᵉvégōöŋ) *f* emotion; ♀krank (-krähŋk) diseased in mind; ⌐krankheit *f* mental disorder; ♀ruhig (-rōōiç) composed, calm; ⌐zustand (-tsōōshtähnt) *m* state of mind.

gemü'tvoll emotional.

genau' (gʰᵉnow) exact, accurate; (*pünktlich*) precise; (*streng*) strict; ♀igkeit (-içkit) *f* accuracy, exactness.

gene'hm (gʰᵉném) agreeable; ⌐igen (-îgʰᵉn) grant; approve of; *behördlich*: license; ♀igung (-îgōöŋ) *f* grant; approval; licence.

genei'gt (gʰᵉnîkt) inclined (*fig.* zu to); (*j-m*) well disposed (to[wards] a p.); ♀heit *f* inclination; (*Gunst*) goodwill.

Genera'l (gʰᵉnᵉrâhl) *m* general; ⌐direktor *m* general manager; ⌐feldmarschall (-fĕltmährshähl) ✕ *m* Field Marshal; ⌐intendant *m* *thea.* head manager; ⌐konsul (-kōnzōōl) *m* consul-general; ⌐leu'tnant (-löitnähnt) *m* lieutenant-general; ⌐major (-mähyōr) *m* major-general; ⌐probe (-prōbᵉ) *f* dress rehearsal; ⌐stab (-shtâhp) *m* General Staff; ⌐stabskarte *f* ordnance map; ⌐streik (-shtrîk) *m* general strike; ⌐versammlung (-fērzähmlōöŋ) *f* general meeting; ⌐vollmacht (-fōlmäχt) *f* general power of attorney.

gene's|en (gʰᵉnézᵉn) (sn) recover; ♀ung *f* recovery.

genia'l (gʰᵉniâhl) highly gifted, ingenious; ♀itä't (-ität) *f* genius.

Geni'ck (gʰᵉnik) *n* nape, neck.

Genie' (Ǵénéᵉ) *n* genius.

genie'ren (Ǵénerᵉn) trouble, molest; *sich* ⌐ feel embarrassed.

genie'ßen (gʰᵉnesᵉn) enjoy; eat; drink; *von et.* ⌐ taste a th.

Geno'ss|e (gʰᵉnösᵉ) *m*, ⌐in *f* companion, mate; comrade.

Geno'ssenschaft f co-operative society; † partnership.

genu'g (gʰᵉnōōk) enough, sufficient.

Genü'ge (gʰᵉnügʰᵉ) f: zur ~ sufficiently; 2n suffice; das genügt that will do; j-m: satisfy a p.; 2nd (-t) sufficient.

genü'gsam (gʰᵉnükzähm) easily satisfied; (mäßig) frugal; 2keit f frugality.

Genu'gtuung (gʰᵉnōōktōōōrg) f satisfaction.

Genu'ß (gʰᵉnōōs) m enjoyment; pleasure; (Nutznießung) profit, use; v. Speisen usw.: taking; fig. treat; ~mittel n luxury; 2süchtig (-zǔçtiç) pleasure-seeking.

Geo... (gᵉéō-): ~gra'ph (-grähf) m geographer; ~graphie' (-grähfee) f geography; 2gra'phisch (-grähfish) geographical; ~lo'g(e) (-lōk, -gʰ[é]) m geologist; ~metrie' (-métree) f geometry.

Gepä'ck (gʰᵉpĕk) n luggage, ✕ od. Am. baggage; ~abfertigung (-ähpfértigōōrg) f luggage-office, Am. baggage expedition; ~aufbewahrung(stelle) (-owfbᵉvährōōrg[s-shtĕl']) f left-luggage office, Am. check room; ~halter m am Fahrrad: carrier; ~netz n luggage-rack; ~schein (-shīn) m luggage-ticket, Am. baggage check; ~träger (-trägʰᵉr) m porter, Am. baggage-man; ~wagen (-vähgʰᵉn) m luggage-van, Am. baggage car.

gepfle'gt (gʰᵉpflékt) P.: well-groomed; S.: well cared-for.

Gepla'pper (gʰᵉplähpᵉr) n babbling.

Gepo'lter (gʰᵉpöltᵉr) n rumbling noise.

Geprä'ge (gʰᵉprägʰᵉ) n stamp.

gera'de (gʰᵉrähdᵉ) **1.** adj. allg.: straight; (eben), Zahl: even; (unmittelbar) direct; **2.** adv. s. 1; just; er schrieb ~ he was (just) writing; nun ~ now more than ever; ~ an dem Tage on that very day; **3.** 2 f straight line; 2r m Boxen: direct hit, linker: jab; ~au's (-ows) straight on; ~herau's (-hérows) frankly; ~swegs (-véks) directly; ~zu' (-tsōō) straight on; adv. downright.

Gera'ssel (gʰᵉrähsᵉl) n rattling.

Gerä't (gʰᵉrät) n tool, implement, utensil; technisches: gear; teleph., Radio: set; (Fisch2) tackle.

gera'ten (gʰᵉrähtᵉn) **1.** v/i. (sn) örtlich: come (od. fall, get) in(to), (up)on etc.; (gut ~) prosper, succeed; in Brand ~ catch fire; ins Stocken ~ come to a standstill; in Vergessenheit ~ fall into oblivion; in Zorn ~ fly into a passion; **2.** adj. advisable.

Geratewo'hl (gʰᵉrähtᵉvöl) n: aufs ~ at random.

geräu'mig (gʰᵉröimiç) spacious.

Geräu'sch (gʰᵉröish) n noise; 2los noiseless; 2voll noisy.

ge'rb|en (gʰᵉrbᵉn) tan; 2er m tanner; 2erei (-ᵉrī) f tannery.

gere'cht (gʰᵉréçt) just; j-m ~ w. do justice to a p.; e-m Wunsch usw. ~ w. meet; 2igkeit (-içkīt) f justice; a. = 2same (-zähmᵉ) f right; privilege.

Gere'de (gʰᵉrédᵉ) n talk; rumour.

Gerei'ztheit (gʰᵉrītsthīt) f irritation.

gereu'en (gʰᵉröiᵉn): es gereut mich I repent (of) it, I am sorry for it.

Geri'cht (gʰᵉriçt) n **1.** (Speise) dish, course; **2.** (Rechtsspruch) judgment; = ~shof; 2lich judicial, legal.

Geri'chts|barkeit (gʰᵉriçtsbährkīt) f jurisdiction; ~diener (-deenᵉr) m usher (of the court); ~hof (-höf) m law-court, court of justice; mst rhet. u. fig. tribunal; ~kosten (-köstᵉn) pl. law-costs; ~saal (-zähl) m session-hall; ~schreiber (-shrībᵉr) m clerk (of the court); ~stand (-shtähnt) m competency; ~tag (-tähk) m court-day; ~verhandlung (-férhähndlōōrg) f judicial hearing; (Strafe2) trial; ~vollzieher (-föltseeᵉr) m (court-)bailiff.

geri'ng (gʰᵉrírg) little, small; (unbedeutend) trifling; slight; (niedrig) mean, low; (ärmlich) poor; (minderwertig) inferior; ~achten (-ähktᵉn) think little of; disregard; ~fügig (-fügʰiç) trifling; slight; ~schätzen (-shĕtsᵉn) = ~achten; ~schätzig disdainful, slighting; 2schätzung f disdain; disregard; ~st least; nicht im ~en not in the least.

geri'nnen (sn) curdle.

Geri'ppe n skeleton; ⊕ framework.

gern (gʰérn) willingly, gladly; ~ h., mögen, tun be fond of, like.

Gerö'll (gʰᵉröl) n rubble.

Ge'rste (gʰérstᵉ) f barley.

Ge'rstenkorn n barleycorn; ♂ sty.

Ge'rte (gʰērt') f switch, twig.

Geru'ch (gʰᵉrooκ) m smell, odour; scent; ⚥los scentless; ⚥s-sinn (-zĭn) m smell.

Gerü'cht (gʰᵉrüçt) n rumour.

geru'hen (gʰᵉroo°n) deign, be pleased.

Gerü'mpel (gʰᵉrŭmpᵉl) n lumber.

Gerü'st (gʰᵉrüst) n (Bau⚥) scaffold(ing); (Schau⚥) stage.

gesa'mt (gʰᵉzähmt) whole, entire, total, aggregate; ⚥-ausgabe (-owsgähbᵉ) f complete edition; ⚥betrag (-bᵉträhk) m sum total; ⚥heit f total(ity); the whole.

Gesa'ndt|e(r) (gʰᵉzähntᵉ[r]) m envoy; ⚥schaft f legation.

Gesa'ng (gʰᵉzähŋ) m singing; (Lied) song; ⚥buch (-booκ) n hymn-book; ⚥lehrer(in)f (-lérᵉr) m singing-master (-mistress f); ⚥verein (-fᵉrīn) m choral society, Am. glee-club.

Gesä'ß (gʰᵉzäs) n seat, backside.

Geschä'ft (gʰᵉshĕft) n business; (Unternehmung) transaction; (Angelegenheit) affair; (Beschäftigung) occupation; (Laden) shop, Am. store; ⚥ig busy, active; ⚥igkeit (-içkīt) f activity; ⚥lich business ...; commercial.

Geschä'fts|bericht (-bᵉriçt) m business report; ⚥brief (-breef) m b. letter; ⚥freund (-fröint) m correspondent; ⚥führer m manager; ⚥haus (-hows) n commercial firm; ⚥lokal (-lōkähl) n shop; office; ⚥mann m b.-man; ⚥mäßig (-mäsiç) business-like; b.s. perfunctory; ⚥ordnung (-ördnoⁿ) f parl. standing orders pl.; ⚥papiere (-pähpeerᵉ) n/pl. commercial papers; ⚥reisende(r) (-rīzᵉndᵉ[r]) m commercial traveller; ⚥schluß (-shlöös) m closing-time; ⚥stelle (-shtĕlᵉ) f agency; ⚥verbindung (-fᵉrbĭndoⁿ) f b. connexion; ⚥viertel (-fīrtᵉl) n shopping centre; ⚥zeit (-tsīt) f office-hours pl.; ⚥zimmer n office, bureau; ⚥zweig (-tsvīk) m branch (of b.).

gesche'hen (gʰᵉshé°n) (sn) happen, occur; (getan w.) be done; es geschieht ihm recht it serves him right.

geschei't (gʰᵉshīt) clever. [gift.]

Gesche'nk (gʰᵉshĕŋk) n present,

Geschi'chte (gʰᵉshiçtᵉ) f history; fig. affair; (Erzählung) story.

geschi'chtlich historical.

Geschi'chts|forscher, ⚥schreiber (-shrĭbᵉr) m historian.

Geschi'ck (gʰᵉshĭk) n 1. fate; destiny; 2. = ⚥lichkeit (-liçkīt) f skill; (Befähigung) aptitude; ⚥t skilful, apt; clever.

Geschi'rr (gʰᵉshĭr) n (Gefäß) vessel; (Tafel⚥) service, oft: things; (Küchen⚥) crockery; (Pferde⚥) harness.

Geschle'cht (gʰᵉshlĕçt) n sex; (Art) kind; (Abstammung) race; (Familie) family; (Menschenalter) generation; gr. gender; ⚥lich sexual.

Geschle'chts|krankheit (gʰᵉshlĕçtskrähŋkhĭt) f venereal disease; ⚥teile (-tīlᵉ) m/pl. genitals; ⚥trieb (-treep) m sexual desire.

geschli'ffen (gʰᵉshlĭfᵉn) Glas: cut; fig. polished.

Geschma'ck (gʰᵉshmähk) m taste (a. fig.); (Aroma) flavour; ⚥ finden an (dat.) take a fancy to; ⚥los tasteless; ⚥sache (-zähkᵉ) f matter of taste; ⚥voll tasteful.

geschmei'dig (gʰᵉshmīdiç) supple, pliant.

Geschna'tter (gʰᵉshnähtᵉr) n cackling.

Geschö'pf (gʰᵉshöpf) n creature.

Gescho'ß (gʰᵉshôs) n projectile, missile; (Stockwerk) story, floor.

Geschre'i (gʰᵉshrī) n cries pl.; fig. noise.

Geschü'tz (gʰᵉshŭts) n gun.

Geschwa'der (gʰᵉshvähdᵉr) n ♿ squadron; ✈ group.

Geschwa'tz (gʰᵉshvĕts) n idle talk; (Klatsch) gossip; ⚥ig talkative.

geschwei'ge (gʰᵉshvīgᵉ) (denn) not to mention; let alone, much less.

geschwi'nd (gʰᵉshvĭnt) fast, quick.

Geschwi'ndigkeit (gʰᵉshvĭndiçkīt) f quickness; (bestimmte ⚥) speed, pace; phys. velocity; mit e-r ⚥ von ... at the rate of.

Geschwi'ster (gʰᵉshvĭstᵉr) pl. brother(s) and sister(s).

Geschwo'ren|e(r) (gʰᵉshvörᵉn°[r]) m juror; pl. jury (⚥engericht [-gʰᵉriçt] n).

Geschwu'lst (gʰᵉshvŏolst) f swelling, tumour.

Geschwu'r (gʰᵉshvŭr) n abscess.

Gese'll(e) (gʰᵉzĕl[ᵉ]) m companion; fellow; ⊕ journeyman.

gese′llen (*a. sich*) (*zu*) associate (with); join (with, to).

gese′llig social; sociable.

Gese′llschaft (g^{h}ezélshä$h$ft) *f* society; party; † company; *j-m ~ leisten* bear a p. company; **~er(in)** *f* *m* companion; † partner; **2lich** social.

Gese′llschafts|-anzug (-ähntsook) *m* evening-dress; **~reise** (-riz^e) *f* co-operative tour; **~spiel** (-shpeel) *n* round game; **~tanz** (-tähnts) *m* ball-room dance.

Gese′tz (g^{h}ezéts) *n* law; **~buch** (-book) *n* code; **~entwurf** (-éntvoórf) *m* bill; **~eskraft** *f* legal force; **2gebend** (-g^{h}éb^{e}nt) legislative; **~geber** *m* legislator; **~gebung** *f* legislation.

gese′tzlich lawful, legal; *~ geschützt* patented, registered.

gese′tz|los lawless; **~mäßig** (-mä-siç) legal; lawful; **2sammlung** (-zähmloóng) *f* code.

gese′tzt (g^{h}ezétst) sedate, staid; *Alter:* mature; (*den Fall*), *es sei wahr* suppose (*od.* supposing) it were true.

Gesi′cht (g^{h}ezíçt) *n* face; countenance; look; (*Sehvermögen*) sight.

Gesi′chts|farbe *f* complexion; **~kreis** (-kris) *m* horizon; **~punkt** (-poóngkt) *m* point of view; **~zug** (-tsook) *m* feature.

Gesi′ms (g^{h}ezíms) *n* ledge.

Gesi′nde (g^{h}ezínd^e) *n* servants *pl.*

Gesi′ndel (g^{h}ezínd^{e}l) *n* rabble, mob.

gesi′nnt (g^{h}ezínt) disposed; *...-minded.*

Gesi′nnung (g^{h}ezínoóng) *f* mind; disposition; opinions *pl.*; **2slos** unprincipled; **2s-treu** (-trói) loyal.

gesi′tt|et (g^{h}ezít^{e}t) civilized; (*wohlerzogen*) well-bred; **2ung** *f* civilization.

Gespa′nn (g^{h}eshpähn) *n* team, *Am.* span.

gespa′nnt tense (*a. fig.*); *Seil:* tight; *Aufmerksamkeit:* close; *Beziehungen:* strained; *~ sn auf* (*acc.*) be anxious for; *auf ~em Fuße on bad terms;* **2heit** *f* tension.

Gespe′nst (g^{h}eshpénst) *n* ghost, spectre; **2erhaft** ghostly.

Gespie′l|e (g^{h}eshpeel^e) *m,* **~in** *f* playmate.

Gespi′nst (g^{h}eshpínst) *n* web.

Gesprä′ch (g^{h}eshpräç)*n* talk; con-

versation; *teleph.* call; (*Zwie2*) dialogue; **2ig** talkative.

Gesta′lt (g^{h}eshtáhlt) *f* form, figure, shape; (*Wuchs*) stature; **2en** (*a. sich*) form, shape.

Gesta′ltung *f* formation.

gestä′nd|ig (g^{h}eshténdiç) *~ sn* confess; **2nis** *n* confession.

Gesta′nk (g^{h}eshtáhngk) *m* stench.

gesta′tten (g^{h}eshtáht^{e}n) permit.

Ge′ste (g^{h}ést^e) *f* gesture.

geste′h(e)n (g^{h}eshté[^{e}]n) confess, avow.

Geste′in (g^{h}eshtín) *n* rock, stone.

Geste′ll (g^{h}eshtél) *n* stand; (*Rahmen*) frame; (*Bock2*) trestle, horse.

ge′stern (g^{h}ést^{e}rn) yesterday; *~ abend* last night.

Gesti′rn (g^{h}eshtírn) *n* star; (*Sternbild*) constellation; **2t** starred.

ge′strig (g^{h}éstriç) of yesterday.

Gestrü′pp (g^{h}eshtrúp) *n* underwood.

Gesu′ch (g^{h}ezook) *n* application; request; (*Bittschrift*) petition; **2t** wanted; (*begehrt*) sought-after; (*geziert*) affected.

gesu′nd (g^{h}ezoónt) sound, healthy; (*zuträglich*) wholesome; **~en** (g^{h}e-zoónd^{e}n) (sn) recover.

Gesu′ndheit (g^{h}ezoónthit) *f* health (-iness); wholesomeness; *j-s ~ ausbringen* propose a p.'s health; **2lich** sanitary; **~s-amt** *n* Board of Health; **~spflege** (-pfleg^{h}e) *f* sanitation; **~swesen** (-véz^{e}n) *n* Public Health.

Getö′se (g^{h}etöz^e) *n* din.

Geträ′nk (g^{h}etréngk) *n* drink.

getrau′en (g^{h}etrow^{e}n): *sich ~* dare, venture.

Getrei′de (g^{h}etríd^e) *n* corn, grain; **~bau** (-bow) *m* corn-growing; **~pflanze** (-pflähnts^e) *f* cereal plant.

getreu′ (g^{h}etrói) faithful(ly **~lich**), loyal.

Getrie′be (g^{h}etreeb^e) *n* ⊕ gear(ing); drive; (*reges Leben*) bustle.

getro′st (g^{h}etróst) confident.

Getu′e (g^{h}etoó^e) *n* fuss.

Getü′mmel (g^{h}etüm^{e}l) *n* turmoil.

Geva′tter (g^{h}efäht^{e}r) *m* godfather; **~in** *f* godmother.

Gevie′rt (g^{h}efeert) *n* square.

Gewä′chs (g^{h}eváeks) *n* growth (*a.* ♀), *engS.* plant, herb.

gewa′chsen (g^{h}evähks^{e}n): *j-m ~ sn* be a match for a p.; *e-r S.:* be equal to a th.

gewa'gt (gʰe⁴vähkt) risky.

gewä'hlt (gʰe⁴vält) *Sprache*: selected.

gewa'hr (gʰe⁴vähr) (*gen.*) aware of.

Gewä'hr (gʰe⁴vär) *f* warrant, security; 2en grant; yield; 2 l. let alone; 2leisten (-list⁴n) guarantee.

Gewa'hrsam (gʰe⁴vährzähm) *m u. n* custody.

Gewä'hrsmann (-s-) *m* authority.

Gewa'lt (gʰe⁴vählt) *f* power; *amtliche*: authority; (~tätigkeit) force, violence; höhere ~ act of God; 2ig powerful; (*heftig*) vehement; 2sam violent, forcible.

gewa'lttätig (gʰe⁴vählttätiç) violent.

Gewa'nd (gʰe⁴vähnt) *n* garment.

gewa'ndt dexterous, adroit; *geistig*: clever; 2heit *f* adroitness, dexterity; cleverness.

Gewä'sch (gʰe⁴vesh) *n* twaddle.

Gewä'sser (gʰe⁴vés⁴r) *n* waters *pl.*

Gewe'be (gʰe⁴vébé) *n* tissue (*a. anat. u. fig.*); Web: (*Webart*) texture.

Gewe'hr (gʰe⁴vér) *n* gun; ✗ rifle.

Gewei'h (gʰe⁴vī) *n* horns, antlers *pl.*

Gewe'rbe (gʰe⁴vérbé) *n* trade, business; industry; ~ausstellung (-owsshtélōōŋ) *f* industrial exhibition; ~schule (-shōōlé) *f* technical school; 2tätig (-tätiç, -2treibend (-trīb⁴nt) industrial; ~treibende(r) (-trīb⁴nd⁴[r]) *m* tradesman.

gewe'rblich (gʰe⁴vérpliç) industrial.

gewe'rbsmäßig (gʰe⁴vérpsmäsiç) professional.

Gewe'rkschaft (gʰe⁴vérkshähft) *f* trade(s)-union; ~ler *m*, 2lich trade(s)-unionist.

Gewi'cht (gʰe⁴viçt) *n* weight, *Am. a.* heft; ~ legen auf (*acc.*) lay stress on; 2ig weighty.

gewi'llt (gʰe⁴vilt) willing.

Gewi'mmel (gʰe⁴vim⁴l) *n* swarm.

Gewi'nde (gʰe⁴vindé) *n* ⊕ thread.

Gewi'nn (gʰe⁴vin) *m* gain(s *pl.* ✝), profit; *Lotterie*: prize; *Spiel*: winnings *pl.*; ~anteil (-ähntil) *m* dividend; 2beteiligung (-b⁴tīligōōŋ) *f* profit-sharing; 2bringend profitable; 2en *v/t.* win; gain; get; *v/i. fig.* improve; ~sucht (-zōōkt) *f* greed of gain; 2süchtig (-zçtiç) greedy of gain.

Gewi'rr (gʰe⁴vīr) *n* tangle.

gewi'ß (gʰe⁴vis) certain, sure; ~! to be sure!; *ein gewisser* ... a certain ~.

Gewi'ssen (gʰe⁴vis⁴n) *n* conscience; 2haft conscientious; 2los un-

scrupulous; ~sbisse *m/pl.* remorse; ~sfrage (-frähgé) *f* matter of conscience.

gewisserma'ßen (gʰe⁴vis⁴rmähs⁴n) to a certain extent. [surety.]

Gewi'ßheit (gʰe⁴vishit) *f* certainty.

Gewi'tter (gʰe⁴vit⁴r) *n* thunderstorm; ~luft (-lōōft) *f* sultry air; 2n thunder; ~regen (-régʰn) *m* thunder-shower; ~wolke (-völké) *f* thunder-cloud. [acc. to).]

gewo'gen (gʰe⁴vōg⁴n) accustom *an.*

Gewo'hnheit (gʰe⁴vōnhit) *f* (*Herkommen*) custom; (*persönliche* ~) habit; 2smäßig (-mäsiç) habitual.

gewö'hnlich (gʰe⁴vönliç) (*üblich*) usual, ordinary, common; customary; (*gewohnt*) habitual, wonted; (*gemein*) common, vulgar.

gewo'hnt (gʰe⁴vōnt) habitual; be used to.

Gewö'lbe (gʰe⁴völbé) *n* vault.

Gewü'hl (gʰe⁴vül) *n* bustle.

Gewü'rz (gʰe⁴vürts) *n* spice; condiment; 2ig spicy; ~nelke *f* clove.

Gezä'nk (gʰe⁴tsèŋk) *n* quarrel(ling).

Geze'ter (gʰe⁴tsét⁴r) *n* clamour.

gezie'men (gʰe⁴tseem⁴n) (*dat.*) (*a. sich* ~ [*für*]) become; ~d (-t) becoming; due.

gezie'rt (gʰe⁴tseert) affected.

Gezwi'tscher (gʰe⁴tsvitsh⁴r) *n* twitter. [constrained.]

gezwu'ngen (gʰe⁴tsvōōŋ⁴n) forced.

Gicht (gʰiçt) *f* gout; 2isch gouty; ~knoten (-knōt⁴n) *m* gout-stone.

Gie'bel (gʰeeb⁴l) *m* gable(-end).

Gier (gʰeer) *f* greed(iness).

gie'rig (*nach*) greedy (of).

Gie'ßbach (gʰeesbähk) *m* torrent.

gie'ß|en (gʰees⁴n) pour; ⊕ cast, found; *Blumen*: water; es gießt it is pouring (with rain); 2er *m* founder; 2erei' (-⁴rī) *f* foundry; 2kanne *f* watering-can, -pot.

Gift (gʰift) *n* poison; (*Tiere, fig. Bosheit*) venom; 2ig poisonous; venomous; ~mischer(in *f*) *m* poisoner; ~zahn (-tsähn) *m* venom-tooth.

Giga'nt (gʰigähnt) *m* giant.

Gi'pfel (gʰipf⁴l) *m* summit, top.

Gips (gʰips) *m* gypsum; ⊕ plaster (of Paris); ~abdruck (-ähpdrook) *m* plaster-cast; 2en *m* plaster; ~verband (-férbähnt) *m* plaster dressing.

girie′ren ✝ (giree′n) circulate; *Wechsel*: endorse.

Girla′nde (gʰirländᵉ) *f* garland.

Gi′ro ✝ (Geeró) *n* endorsement; **∼bank** (-bähnk) *f* transfer bank; **∼konto** (-köntô) *n* current account.

gi′rren (gʰirᵉn) coo.

Gita′rre (gʰitährᵉ) *f* guitar.

Gi′tter (gʰitᵉr) *n* grating; lattice; (*Geländer*) railing; **∼fenster** *n* lattice-window; **∼tor** (-tôr) *n* trellised gate; [shōō] *m* kid glove.

Glacé′handschuh (glähséhähnt-) *m* kid glove.

Glanz (glähnts) *m* brightness; lustre; brilliancy splendour.

glä′nzen (glĕntsᵉn) glitter, shine; **∼d** bright, brilliant; *fig.* splendid.

Gla′nz|leder (-lédᵉr) *n* patent leather; **∼papier** (-pähpeer) *n* glazed paper; **∼periode** (-pĕr′iôdᵉ) *f* glorious days *pl.*; **∼punkt** (-pōōṇkt) *m* acme.

Glas (glähs) *n* glass.

Gla′ser (glähzᵉr) *m* glazier.

glä′sern (gläzᵉrn) of glass; *fig.* glassy.

Gla′s|glocke (-glökᵉ) *f* bell-glass; (glass) shade; **∼hütte** *f* glass-works *pl.*

glasie′ren (glähzeerᵉn) glaze; *Küche*: frost.

gla′sig (glähzĭç) glassy, vitreous.

Gla′sscheibe (glähsshibᵉ) *f* pane of glass.

Glasu′r (glähzōōr) *f* glaze; (*Schmelz*) enamel; *Küche*: frosting.

glatt (gläht) smooth (*a. fig.*); (*eben*) even; *Lüge usw.*: flat, downright; **∼ anliegen** fit close; **∼ rasiert** clean-shaved.

Glä′tte (glĕtᵉ) *f* smoothness.

Gla′tt-eis (glähtīs) *n* glazed frost.

glä′tten (glĕtᵉn) smooth.

Gla′tze (glähtsᵉ) *f* bald head.

Glau′be (glowbᵉ) *m* faith, belief (*an acc.* in); 2n *v/t.* believe; (*meinen, annehmen*) think, suppose, *Am.* guess; *v/i.* believe (*j-m* a p., *an acc.* in).

Glau′bens|bekenntnis (-bᵉkĕntnĭs) *n* creed; **∼lehre** (-lérᵉ) *f*, **∼satz** (-zähts) *m* dogma.

glau′bhaft (glowphähft) credible.

gläu′big (glöĭbĭç) believing, faithful; 2e(r) (-ĭgʰᵉ(r)) *m* believer; 2er(in *f*) ✝ *m* creditor.

glau′bwürdig (glowpvürdĭç) credible.

gleich (glĭç) **1.** *adj.* (∼ *an Bedeutung usw.*) equal; (*derselbe*) the same; (*ähnlich*) like; (*eben, auf ∼er Höhe*) even, level; *es ist mir ∼* it's all the same to me; **2.** *adv.* alike; equally; (*so∼*) instantly, directly; **3.** 2′e(r) *m* equal; 2′e(s) *n* the like; (*ebensoviel*) as much; **∼′-artig** homogeneous; **∼′bedeutend** (-bᵉdŏĭtᵉnt) synonymous; **∼′en** (*dat.*) be like; (*gleichkommen*) equal.

glei′ch|falls also, likewise; **∼förmig** (-förmĭç) uniform; **∼gesinnt** (-gᵉzĭnt) like-minded; 2**gewicht** (-gᵉvĭçt) *n* (*a. fig.*) balance; equilibrium, equipoise; **∼gültig** (-gültĭç) indifferent (*gegen* to); *es ist mir ∼* I don't care (for it); 2**gültigkeit** *f* indifference; 2**heit** *f* equality; (*Ähnlichkeit*) likeness; **∼kommen:** *j-m ∼* come up to a p.; **∼laufend** (-lowfᵉnt) parallel; **∼lautend** (-lowtᵉnt) consonant; *Inhalt*: of the same tenor; **∼machen** (-mähkᵉn) equalize; 2**maß** (-mähs) *n* symmetry; **∼mäßig** (-mäsĭç) equal, symmetrical; 2**mut** (-mōōt) *m* equanimity; **∼mütig** (-mütĭç) even-tempered; **∼namig** (-nähmĭç) of the same name; 2**nis** *n* simile; **∼sam** (-zähm) as it were; **∼seitig** (-zītĭç) equilateral; **∼stehen** (-shtéᵉn) be equal; **∼stellen** (-jᵉm) equalize (to, with); 2**stellung** *f* equalization; 2**strom** (-shtrôm) ⚡ *m* continuous (*od.* direct) current; 2**ung** *f* equation; **∼vie′l** (-feel) no matter; **∼wertig** (-vértĭç) equivalent; **∼wo′hl** (-vôl) however, all the same; **∼zeitig** (-tsītĭç) simultaneous; (*zeitgenössisch*) contemporary.

Gleis (glĭs) = *Geleise*.

glei′ten (glĭtᵉn) (sn) glide, slide.

Glei′t|flieger (-fleegʰᵉr) *m* glider; **∼flug** (-flōōk) *m* glide, volplane; **∼schutz(reifen)** (-shōōts[rĭfᵉn]) *m* non-skid (tyre).

Gle′tscher (glĕtshᵉr) *m* glacier; **∼spalte** (-shpähltᵉ) *f* crevasse.

Glied (gleet) *n* (*a fig.*) limb; member; (*Ketten-, Binde*2) link; ✕ rank.

glie′dern (gleedᵉrn) articulate *logisch:* arrange; (*einrichten*) organize.

Glie′derung (gleedᵉrung) *f* articulation; arrangement; organization. [limbs.]

Glie′dmaßen (gleetmähsᵉn) *pl.*

gli′mmen (glĭmᵉn) glimmer, glow.

gli'mpflich (glimpflil̨c) gentle.

gli'tzern (glits⁶rn) glitter.

Glo'bus (glōbōōs) m globe.

Glo'cke (glŏk⁶) f bell; (Glas♀) shade; (Uhr) clock.

Glo'cken|stuhl (-shtōōl) m belfry; ⁓schlag (-shlähk) m stroke of the clock; ⁓spiel (-shpeel) n chime(s pl.); ⁓turm (-tōōrm) m bell-tower.

Glö'ckner (glŏkn⁶r) m bell-ringer.

Glo'rie (glōrⁱ⁶) f glory; ⁓nschein (-shīn) m fig. halo, aureola.

glo'rreich (glōrrⁱc) glorious.

glo'tzen (glŏts⁶n) stare.

Glück (glük) n fortune; (⁓sfall) good luck; (⁓sgefühl) happiness; (Wohlstand) prosperity; ⁓ h. be lucky, succeed; ⁓ wünschen congratulate (j-m zu et. a p. [up]on a th.); viel ⁓! good luck!; ♀bringend lucky; ♀en (sn u. h.) = gelingen.

glü'cklich fortunate; happy; lucky; ⁓erwei'se fortunately.

glü'ckselig (glükzēlⁱc)blissful, blessed, happy.

Glü'cks|fall (-fähl) m lucky chance; ⁓kind (-kīnt) n fortune's favourite; ⁓ritter m adventurer; ⁓spiel (-shpeel) n game of hazard; ⁓tag (-tähk) m red-letter day.

Glü'ck|wunsch (glükvōōnsh) m congratulation; zu Festen: compliments pl. (of the season).

Glü'h|birne (glübirn⁶) f (incandescent) bulb; ♀en (glü⁶n) v/i. glow; ♀end Eisen: red-hot; Kohle: live; fig. ardent, fervid; ♀heiß (-hīs) burning hot; ⁓licht (-lⁱc̨t) n incandescent light; ⁓strumpf (-shtrōōmpf) m incandescent mantle; ⁓wein (-vīn) m mulled wine. [ing fire; fig. ardour.]

Glut (glōōt) f glow; konkret: glow-/

Gna'de (gnäd⁶) f (Huld) grace; (Gunst) favour; (Barmherzigkeit) mercy; ✕ quarter.

Gna'den|akt m act of grace; ⁓brot (-brōt) n bread of charity; ⁓frist f reprieve; ⁓gehalt n pension; ⁓gesuch (-g⁶zōōk) n petition of grace.

gnä'dig (gnädⁱc) gracious; (barmherzig) merciful; ⁓e Frau madam.

Gnom (gnōm) m gnome, goblin.

Gold (gŏlt) n gold; ⁓borte f gold lace; ♀en (gŏld⁶n) gold; fig. golden; ⁓feder (-fēd⁶r) f gold nib; ⁓fisch m goldfish; ♀gelb (-g⁶lp) gold-

⁓gräber m (gold-)digger; ⁓grube (-grōōb⁶) f gold-mine; ⁓münze f gold coin; ⁓schmied (-shmeet) m goldsmith; ⁓schnitt m gilt edges pl.; mit ⁓ gilt-edged; ⁓stück n gold coin; ⁓waage (-vähg⁶) f gold-balance; ⁓währung (-vä-rōōr̨) f gold-standard.

Golf¹ (gŏlf) m gulf; ⁓², ⁓spiel (-shpeel) n golf; ⁓platz m golflinks pl.; ⁓schläger m golf-club; ⁓spieler(in f) (-shpeel⁶r) m golfer.

Go'ndel (gŏnd⁶l) f gondola; ✄ car.

gö'nnen (gŏn⁶n) allow, grant, not to grudge a p. a th.

Gö'nner|(in f) m patron(ess f); bsd. Am. sponsor; ♀haft patronizing; ⁓schaft f patronage; sponsorship.

Go'sse (gŏs⁶) f gutter.

Gott (gŏt) m God; (Gottheit) god; ♀begnadet (-b⁶gnähd⁶t) (heaven-)inspired; ♀-ergeben (-g⁶rgⁱ⁶b⁶n) resigned to the will of God.

Go'ttes|acker m churchyard, God's-acre; ⁓dienst (-deenst) m divine service; ⁓furcht (-fōōrc̨t) f fear of God; ♀fürchtig (-fürc̨tⁱc) godfearing; ⁓haus (-hows) m church, chapel; ⁓lästerer m blasphemer; ⁓lästerung f blasphemy; ⁓leugner (-lŏign⁶r) m atheist.

Go'ttheit (gŏthīt) f deity, divinity.

Gö'ttin (gŏtin) f goddess.

gö'ttlich (gŏtlⁱc) divine.

Go'tt|lob! (-lōp) God be praised!; ⁓los godless; F fig. unholy; ⁓vergessen (-f⁶rg⁶s⁶n) s. ♀los.

Gö'tze (gŏts⁶) m idol.

Gö'tzen|bild n idol; ⁓diener(in f) (-deen⁶r) m idolater; ⁓dienst (-deenst) m idolatry.

Gouvern|a'nte (gōōv⁶rnähnt⁶) f governess; ⁓eu'r (-ōr) m governor.

Grab (grähp) n grave, rhet. tomb, sepulchre.

Gra'ben (grähb⁶n) 1. m ditch; ✕ trench; 2. ♀ dig; ⊕ engrave.

Gra'b|gewölbe (-g⁶vŏlb⁶) n vault, tomb; ⁓mal (-mähl) n tomb; ⁓rede (-rēd⁶) f funeral sermon; ⁓schrift f epitaph; ⁓stein (-shtīn) m tombstone.

Grad (gräht) m degree; (Rang) grade; ⁓einteilung (-intīlōr̨) f graduation; ⁓messer (-mes⁶r) m graduator; ⁓netz n skeleton map.

Graf (grähf) m engl.: earl; count.

Grä'fin (gräfin) f countess.

Gra′fschaft f county.

Gram (grähm) **1.** m grief, sorrow; **2.** j-m ⌾ sn be cross with.

grä′men (grähm⁴n) (a. sich) grieve.

grä′mlich morose, peevish.

Gramm (grähm) n gram(me).

Gramma′t|ik (grähmäht′ik) f grammar; ⌾**isch** grammatical.

Grammopho′n (grähmöfôn) n gramophone, Am. phonograph; ⌾**platte** f (gr. od. ph.) disk od. record.

Grana′t (grähnäht) m min. garnet; ⌾**e** f shell; (Gewehr⌾, Hand⌾) grenade; ⌾**trichter** (-trį̇çt⁴r) m (shell)crater.

Grani′t (grähneet) m granite.

Gra′nne (grähn⁴) ⌾ f awn.

gra′phisch (grähfish) graphic(ally).

Graphi′t (grähfeet) m black-lead.

Gras (grähs) n grass; ⌾**en** (grähz⁴n) graze; ⌾**halm** m blade of grass; ⌾**ig** (grähzįç) grassy; ⌾**platz** m grass-plot, green.

grassie′ren (grähseer⁴n) prevail.

grä′ßlich (grèslįç) horrible; (scheußlich) atrocious, hideous.

Grat (gräht) m edge, ridge.

Grä′te (grät⁴) f fish-bone.

gra′tis (grähtis) gratis, free.

Gratula|n′t (grähtöölähnt) m congratulator; ⌾**atio′n** (-ähts′ôn) f congratulation; ⌾**ie′ren** (-eer⁴n) congratulate (j-m zu et. a p. on a th.); j-m zum Geburtstage ⌾ wish a p. many happy returns (of the day).

grau (grow) grey, bsd. Am. gray.

grau′en¹ (grow⁴n) Tag: dawn.

grau′en² **1.** mir graut vor (dat.) I have a horror of, I shudder at; **2.** ⌾ n horror (vor of); ⌾**haft**, ⌾**voll** horrible, dreadful.

gräu′lich (gröilįç) greyish.

Grau′pe (growp⁴) f (peeled) barley; ⌾**n 1.** f/pl. sleet; **2.** ⌾ sleet.

grau′sam (growzähm) cruel; ⌾**keit** f cruelty.

grau′sen (growz⁴n) **1.** = grauen² **1.**; **2.** ⌾ n horror (vor of).

grau′sig (growzįç) horrible.

Graveu′r (grähvör) m engraver.

gravie′ren (grähveer⁴n) engrave; ⌾**d** (belastend) aggravating.

gravitä′tisch (grähvitätish) grave.

Gra′zie (grähts¹⁴) f grace.

graziö′s (grähts¹ôs) graceful.

grei′fbar (grifbähr) ♱ on hand; fig. palpable.

grei′fen (grif⁴n) v/t. seize; ⌾ an den Hut, das Herz usw. touch; ⊕ ineinander⌾ interlock; ⌾ nach snatch (od. grasp) at; zu den Waffen ⌾ take up arms.

Greis (gris) m old man. [age.]

Grei′sen-alter (griz⁴nählt⁴r) n old]

grei′senhaft senile.

Grei′sin (grizin) f old woman.

grell (grèl) glaring; Ton: shrill.

Gre′nze (grènts⁴) f limit; (Scheidelinie) boundary; von Ländern: frontier, borders pl.

gre′nzen border (an acc. on).

gre′nzenlos boundless.

Gre′nz|fall (-fähl) m border-line case; ⌾**land** (-lähnt) n borderland; ⌾**linie** (-leen¹⁴) f boundary-line; ⌾**stein** (-shtin) m boundary-stone.

Greu′el (gröi⁴l) m horror, abomination; ⌾**tat** (-täht) f atrocity.

greu′lich (gröilįç) horrid, dreadful.

Grie′ch|e (greeç⁴) m, ⌾**isch** Greek.

grie′sgrämig (greesgrämįç) morose.

Grieß (grees) m gravel (auch ♂), grit; (Weizen⌾) semolina.

Griff (grif) m grip, grasp, hold; ♪ touch; Schirm, Messer: handle; Schwert: hilt; fig. ein guter ⌾ a hit.

Gri′lle (gril⁴) f cricket; fig. freak, whim; ⌾**nhaft** whimsical.

Grima′sse (grimähs⁴) f grimace.

Grimm (grim) m fury, rage; ⌾**en** n gripes pl., colic; ⌾**ig** furious, fierce, grim.

Grind (grint) m scab, scurf.

gri′nsen (grinz⁴n) grin.

Gri′ppe (grip⁴) f influenza.

grob (gröp, -ö-) coarse; gross; (unhöflich) rude; Arbeit, Haut: rough.

Gro′bheit f coarseness usw.

Gro′bschmied (gröpshmeet) m blacksmith.

grö′hlen (gröl⁴n) bawl.

Groll (gröl) m grudge, ill-will; ⌾**en** j-m ⌾ bear a p. ill-will od. a grudge; Donner: rumble.

Gros (grös) n gross.

Gro′schen (grösh⁴n) m penny.

groß (grös) great; large; (umfangreich) big; Wuchs: tall; im ⌾en wholesale, on a large scale; im ⌾en und ganzen on the whole; ⌾er Buchstabe capital letter; das ⌾e Los the first prize; ⌾′**-aufnahme** (-owfnähm⁴) f Film: close-up.

Grö'ße (grös^e) f (*Umfang*) size, largeness; *des Wuchses*: tallness, height; (*Menge*; *bsd.* Å) quantity; (*Bedeutung*) greatness; (*Person*) celebrity; *thea.* star.

Groß'|-eltern *pl.* grand-parents; **~enkel** *m* great-grandson.

gro'ßenteils (grös^{e}ntils) largely.

Grö'ßenwahn (grös^{e}nvähn) *m* megalomania.

Groß'|funkstelle (-fōŋkshtĕl^e) *f* high-power radio (*od.* wireless) station; **~grundbesitz** (-grŏŏntb^{e}zits) *m* great landed property; **~handel** *m* wholesale trade; **~handlung** *f* wholesale firm; Ձher'zig (-hĕrtsiç) magnanimous; Ձherzog (-hĕrtsōk) *m* grand duke; **~industrie** (-indōōstree) *f* wholesale manufacture.

Gro'ssist (grösĭst) *m* wholesaler.

gro'ß|jährig (-yäriç) of age; Ձjährigkeit *f* majority; Ձkaufmann (-kowfmähn) *m* wholesale merchant; Ձkraftwerk (-krähftvĕrk) *n* high-power station; Ձmacht (-mäkt) *f* great power; Ձmaul (-mowl) *m* braggart; Ձmut (-mōōt) *f* magnanimity; Ձmutter (-mōōt^{e}r) *f* grandmother; Ձschreibung (-shribōōŋ) *f* capitalization; **~sprecherisch** (-shprĕç^{e}rĭsh) boastful; **~spurig** (-shpōōrĭç) arrogant; **~stadt** (-shtäht) *f* large city; **~städtisch** (-shtätĭsh) (characteristic) of a large city; Ձtat (-täht) *f* exploit.

grö'ßtenteils (größt^{e}ntils) for the most part.

gro'ß|tuerisch (-tōō^{e}rĭsh) boastful; **~tun** (-tōōn) swagger; *sich mit et.* ~ brag of; Ձvater (-fäht^{e}r) *m* grandfather; Ձvertrieb (-fĕrtreep) *m* distribution in bulk; **~ziehen** (-tsee^{e}n) bring up; **~zügig** (-tsüg^{h}ĭç) broad-minded, generous; *S.:* large scale.

Gro'tte (grŏt^e) *f* grotto.

Grü'bchen (grüpç^{e}n) *n* dimple.

Gru'be (grōōb^e) *f* pit; ⚒ mine.

Grübelei' (grüb^{e}li) *f* musing, meditation.

grü'beln (grüb^{e}ln) muse, ponder, *Am.* mull (*über dat.* over).

Gru'ben|-arbeiter (-ährbĭt^{e}r) *m* miner; **~gas** (-gähs) *n* firedamp; **~lampe** *f* miner's lamp.

Gruft (grŏŏft) *f* tomb, vault.

---

grün (grün) **1.** green; **~er** *Junge* greenhorn; **~er** *Tisch* official table; **2.** Ձ *n* green; *der Natur:* verdure.

Grund (grŏŏnt) *m* ground; (*Erdboden*) soil; (*Meeres* Ձ *usw.*) bottom; (*Tal*) valley; (*Fundament*) foundation; (*Beweg* Ձ) motive; (*Beweis* Ձ) reason, argument; *von* ~ *aus* thoroughly; **~'bedeutung** (-b^{e}dóitōōŋ) *f* original meaning; **~'bedingung** (-b^{e}dĭngōōŋ) *f* main condition; **~'begriff** *m* fundamental principle; **~'besitz** (-b^{e}zĭts) *m* landed property; **~'besitzer** *m* land owner.

grü'nd|en (gründ^{e}n) found, establish; ϯ promote; *sich ~ auf* (*acc.*) be based upon; Ձer(in *f*) *m* founder; ϯ promoter.

Gru'nd|fehler (-fél^{e}r) *m* radical fault; **~fläche** (-flĕç^e) *f* base; **~gedanke** (-g^{h}edähŋk^e) *m* root idea; **~gesetz** (-g^{h}ezĕts) *n* fundamental law, statute; **~kapital** (-kähpĭtähl) *n* (original) stock; **~lage** (-lähg^{h}é) *f* foundation, basis; Ձlegend (-lég^{h}ént) fundamental, basic.

grü'ndlich (grüntlĭç) thorough.

Gru'nd|linie (-leen^{i}é) *f* base-line; Ձlos (-lōss) bottomless; *fig.* groundless; unfounded.

Gru'nd|regel (-rég^{h}él) *f* fundamental rule; **~riß** (-rĭs) *m* △ ground-plan; (*Lehrbuch*) compendium; **~satz** (-zähts) *m* principle; Ձsätzlich fundamental; *adv.* on principle; **~schule** (-shōōl^e) *f* elementary (*od.* primary) school; **~stein** (-shtīn) *m* foundation-stone; **~steuer** (-shtói^{e}r) *f* land-tax; **~stoff** *m* element; **~strich** (-shtrĭç) *m* down stroke; **~stück** *n* plot (of land); (real) estate; premises *pl.*

Grü'ndung (gründōōŋ) *f* foundation, establishment.

gru'nd|verschieden (-fĕrsheed^{e}n) entirely different; Ձzahl (-tsähl) *f* cardinal number; Ձzug (-tsōōk) *m* main feature, characteristic.

grü'nen (grün^{e}n) be (*od.* grow) green; *fig.* flourish.

Grü'nkram (grünkrähm) *m* greengrocery.

grü'nlich greenish. [gris.]

Grü'nspan (grünshpähn) *m* verdi-]

gru'nzen (grŏŏnts^{e}n) grunt.

Gru'pp|e (grōōp^e) *f.* Ձie'ren (-eer^{e}n) group.

gru′selig (grōōz⁴liç) creepy.

Gruß (grōōs) *m* salutation; greeting; *bsd.* ✕ salute; *pl.* Grüße *im Brief*: regards, compliments of.

grü′ßen (grüs⁴n) greet, *bsd.* ✕ salute; (*anrufen*) hail; (*j-n*) ~ *l.* send one′s compliments (to a p.).

Grü′tze (grüts⁴) *f* grits, groats *pl.*

gu′cken (gŏŏk⁴n) peep, peer.

gül′tig (gültiç) valid; (*in Kraft*) effective, in force; *Münze*: current; *Fahrkarte*: available; **2keit** *f* validity; currency; availability.

Gu′mmi (gŏŏmee) *n* (*m*) (*Kleb2*) gum; (*Kautschuk*) (India) rubber; **~band** (-bähnt) *n* elastic; **~boot** (-bōt) *n* rubber dinghy.

gummie′ren (gŏŏmeer⁴n) gum.

Gu′mmi|knüppel (gŏŏmee-) *m* truncheon; **~mantel** *m* mackintosh; **~schuhe** (-shōō⁴) *m/pl.* galoshes *pl.*, *Am.* rubbers; **~zug** (-tsōōk) *m* elastic; rubber webbing.

Gunst (gŏŏnst) *f* favour (*in. ~be-zeigung* [-b⁴tsigōōŋ] *f*), goodwill; *zu ~en* (*gen.*) in favour of.

gü′nstig (günstiç) favourable.

Gü′nstling (günstliŋ) *m* favourite.

Gu′rgel (gŏŏrg⁴el) *f* throat; (*Schlund*) gullet; **2n** gargle.

Gu′rke (gŏŏrk⁴) *f* cucumber.

Gurt (gŏŏrt) *m* girdle; (*Sattel2*) girth; (*Trage2*) strap.

Gür′tel (gürt⁴el) *m* girdle, belt; *geogr.* zone.

gür′ten (gürt⁴n) gird, girdle.

Guß (gŏŏs) *m* ⊕ founding, cast (-ing); *typ.* fount; (*Regen*) downpour; **~eisen** (-iz⁴n) *n* cast iron; **~stahl** (-shtähl) *m* cast steel.

gut¹ (gōōt) **1.** good; *adv.* well; *Wetter*: fine; *es ist ~!* all right!; *es ~ h.* be well off; *laß es ~ sein!* never mind!; *Sie h. ~ lachen* it is very well for you to laugh; **2.** **2′e(s)** *n* the good; **2es tun** do good.

Gut² *n* possession, property; (*Land-2*) (landed) estate; ✝ goods *pl.*

Gu′t|·achten (-ăhkt⁴n) *n* (expert) opinion; **2·artig** (-g⁴⁴tiç) good-natured; ✕ benign; **~dünken** *n* opinion, discretion.

Gü′te (güt⁴) *f* goodness, kindness; ✝ class, quality; *haben Sie die ~* be so kind as.

Gü′ter|·abfertigung (-ăhpfěrti-gōōŋ), **~annahme** (-ăhnnähm⁴) *f* goods-office, *Am.* freight agency; **~bahnhof** (-bähnhōf) *m* goods station, *Am.* freight yard; **~verkehr** (-fěrkér)· *m* goods-traffic, *Am.* freight traffic; **~wagen** (-vähg⁴⁴n) *m* (goods) wag(g)on, *Am.* freight car; **~zug** (-tsōōk) *m* goods train, *Am.* freight train.

gu′t|gelaunt (-g⁴lownt) in a good temper; **~gesinnt** (-g⁴⁴zīnt) well-disposed; loyal; **2haben** (-hähb⁴n) *n* credit; **~heißen** (-his⁴n) approve (of); **~herzig** (-hěrtsiç) kind-hearted.

gü′tig (gütiç) good, kind.

gü′tlich (gütliç) amicable, friendly.

gu′t|machen (-măhk⁴n): *wieder* ~ make up for; **~mütig** (-mütiç) good-natured; **2mütigkeit** *f* good nature; **~sagen** (-zähg⁴⁴n): ~ *für* answer for.

Gu′tsbesitzer(in *f*) (gōōtsb⁴zīts⁴r) *m* landowner.

Gu′t|schein (-shīn) *m* credit note *od.* bill; *j-m* **2schreiben** (-shrīb⁴n) place to a p.′s credit; **~schrift** *f* credit.

Gu′ts|haus (gōōtshows) *n* farm-house; **~hof** (-hōf) *m* farmyard; **~verwalter** (-fěrvählt⁴r) *m* land-owner′s steward.

Gu′ttat (gōōtäht) *f* good action, benefit.

gu′twillig (gōōtvīliç) voluntary, willing.

Gymna′sium (gümnähz'ōōm) *n* grammar-school.

Gymna′st|ik (gümnähstīk) *f* gymnastics *pl.*; **2isch** gymnastic.

H

Haar (hāhr) *n* hair; *sich die* ~ *m*. dress one's hair; *fig. aufs* ~ to a hair; *bei e-m* ~ *s.* ~esbreite; ~'bürste *f* hairbrush; ~'en lose one's hair; ~'esbreite (-brīt^e) *f*: *um* ~ within a hair's breadth; 2'fein (-fīn) (as) fine as a hair; *fig.* subtle; ~'gefäß (-g^héfās) *n* capillary vessel; 2'ig hairy; *in Zssg* ...-haired; 2'klein (-klīn) *adv.* to a hair; ~'klemme *f* hair-slide, *Am.* bobby pin; ~'nadel (-nāhd^el) *f* hairpin; ~'netz *n* hair-net; 2'scharf (-shährf) very sharp; ~'schneidemaschine (-shnéid^mähsheen^e) *f* hair clipper; ~'schnitt *m* hair-cut; ~'schwund (-shvōont) *m* loss of hair; ~'spalterei (-shpählt^e'rī) *f* hair-splitting; 2'sträubend (-shtrŏib^ent) shocking; ~'strich (-shtrīç) *m* hair-stroke; ~'tracht (-trähχt) *f* hair-dress; ~'wäsche (-věsh^e) *f* shampooing; ~'wasser *n* hairwash, cosmetic; ~'wickel (-vīk^el) *m* curler; ~'wuchsmittel (-vōōksmīt^el) *n* hair-restorer.
Ha'be (hāhb^e) *f* belongings.
ha'ben (hāhb^en) **1.** have; *sich* ~ make a fuss; *etwas (nichts) auf sich* ~ be of (no) consequence; *da* ~ *wir's!* there we are!; **2.** 2 *n* † credit.
Ha'bgier (hāhpg^heer) *f* avarice; 2'ig covetous, avaricious.
ha'bhaft: ~ *w.* (*gen.*) get hold of.
Ha'bicht (hāhbíçt) *m* hawk.
Ha'b|sucht (hāhpzōōkt), 2süchtig (-zΰçtíç) *s.* ~gier(ig).
Ha'cke (hāhk^e) *f* **1.** hoe, mattock; **2.** = ~n^1 *m* heel.
ha'cken^2 (hāhk^en) hack, chop; (*klein*~) mince; (*picken*) pick.
Ha'ckfleisch (hāhkflīsh) minced meat, hash.
Hä'cksel (hĕks^el) *m u. n* chaff.
Ha'der (hāhd^er) *m* brawl; dispute; quarrel; 2n quarrel.
Ha'fen (hāhf^en) *m* port; harbour; ~arbeiter (-ährbīt^er) *m* longshoreman, docker; ~damm *m* jetty, pier; ~stadt (-shtäht) *f* seaport.

Ha'fer (hāhf^er) *m* oats *pl.*; *in Zssgn mst* oat-...; ~brei (-brī) *m* (oatmeal-) porridge; ~flocken *f/pl.* rolled oats; ~grütze *f* groats *pl.*; ~schleim (-shlīm) *m* gruel.
Haft (hähft) *f* (*Gewahrsam*) custody; (*Verhaftung*) arrest; 2bar responsible, liable; ~'befehl (-b^efél) *m* warrant of arrest; 2'en stick, adhere (*an dat.* to); ~ *für* be liable for.
Ha'ftpflicht (hähftpflíçt) *f* liability; *mit beschränkter* ~ limited; 2ig liable.
Ha'gel (hāhg^el) *m* hail; *fig.* shower; ~korn *n* hailstone; 2n hail; ~schauer (-show^er) *m* hailstorm.
ha'ger (hāhg^er) lean, meagre.
Hahn (hāhn) *m* cock (*a. am Gewehr*); ⊕ stopcock; (*Zapf*2) tap, *Am.* faucet; ~'enkampf *m* cock-fight; ~'enschrei (-shrī) *m* cock-crowing.
Ha'hnrei (hāhnrī) *m* cuckold.
Hai (hī) *m* ~'fisch *m* shark.
Hain (hīn) *m* grove; wood.
hä'keln (hāk^eln) crochet.
Ha'k|en (hāhk^en) **1.** *m* hook (*a. beim Boxen*); (*Spange*) clasp; **2.** 2en hook; 2ig hooked.
halb (hählp) **1.** *adj.* half; *eine* ~e *Stunde* half an hour, *Am.* a half-hour; *e.* ~es *Jahr* six months; ♩ ~er *Ton* semitone; **2.** *adv.* half; by halves.
ha'lb|amtlich semi-official; 2dunkel (-dŏōŋk^el) *n* dusk, twilight; (...)ha'lber (hählb^er) (*wegen*) on account of; (*um ... willen*) for the sake of.
Ha'lb|fertigfabrikat (hählpfértíçfähbreekáht) *n* semi-manufactured product; 2gar (-gähr) underdone, *Am.* rare; ~gott *m* demigod.
Ha'lbheit (hählphīt) *f* half measure.
halbie'ren (hählbeer^en) halve; Ⱥ bisect.
Ha'lb|insel (-īnz^el) *f* peninsula; 2jährig (-yāríç) of six months; 2jährlich (-yārlíç) half-yearly; ~kreis (-krīs) *m* semicircle; ~kugel (-kōōg^hel) *f* hemisphere; 2laut (-lowt) in an undertone; 2mast

half-mast; ~messer *m* radius; 2-part *o* go halves, go fifty-fifty; ~schuh (-shōō) *m* low shoe; ~tagsbeschäftigung (-tähksbᵉshěftīgōōrɡ) *f* part-time employment; 2tot (-tōt) half-dead; 2wegs (-vĕks) half-way; (*ziemlich*) tolerably; ~welt *f* demi-monde; 2wüchsig (-vüksĭç) half-grown; ~zeit (-tsīt) *f* half-time.

Ha'lde (hähldᵉ) *f* slope; X dump.

Hä'lfte (hĕlftᵉ) *f* half.

Ha'lfter (hählftᵉr) *f* halter.

Ha'lle (hählᵉ) *f* hall; *e-s Hotels:* lounge; *Sport:* covered court.

ha'llen (hählᵉn) sound, resound.

Ha'llensport (hählᵉnshpŏrt) *m* indoor sports *pl.*

hallo'! (hählō) hullo!; 2 *n fig.* fuss.

Halm (hählm) *m* blade; stalk.

Hals (hähls) *m* neck; (*Kehle*) throat; *auf dem Halse haben* have on one's back; ~'abschneider (-ähpshnīdᵉr) *m* cut-throat; ~'band (-bähnt) *n* necklace; *Tier*2: collar; ~'binde (-bĭndᵉ) *f* necktie; ~'entzündung (-ĕnttsündōōrɡ) *f* inflammation of the throat; ~'kette *f* necklace; ~'kragen (-krähghᵉn) *m* collar; ~'schmerzen (-shmĕrtsᵉn) *m/pl.*: ~ h. have a sore throat; 2'starrig (-shtährĭç) obstinate, stiff-necked; ~'tuch (-tōōk) *n* neckerchief; *wollenes:* comforter.

Halt (hählt) **1.** *m* hold; (*Innehalten*) halt, stop; (*Stütze*) support; (*innerer* ~) steadiness; **2.** 2 *int.* stop!

ha'ltbar durable; *fig.* tenable.

ha'lten (hähltᵉn) *v/t.* (*fest~, auf~, zurück~, an~, ent~*) hold; (*beibe~, fest~, zurück~, feil~,* [*auf*]*be~wahren*) keep; *den Körper gerade usw.* ~; *Sitzung, Versammlung:* hold; *Feiertag, Schule, Personal, Tiere:* keep; (*stützen*) support; *Predigt, Rede:* deliver; *Vorlesung:* give; *Zeitung:* take in; *sich ~* (*stand~*) hold (out); (*in e-r bestimmten Richtung bleiben, in e-m* [*guten*] *Zustand bleiben*) keep; *sich bereit ~* be ready; ~ *für* hold, think, take to be; *irrtümlich:* take for; *es ~ mit* side with; *viel* (*wenig*) ~ *von* think highly (little) of; *sich ~ an* (*acc.*) hold (*od.* keep) to; *zu j-m* ~ adhere (*od.* stick) to; *auf et.* ~ set store by; *v/i. s. haltmachen;* (*ganz bleiben, dauern*) last, hold out; (*festsitzen*) hold; *Eis:* bear.

Ha'lte|punkt (-pŏōrɡkt) *m*, ~stelle *f* stopping-place, stop, halt; ~signal (-zĭgnähl) *n* block-signal.

ha'lt|los unsteady; ~machen (-mäh-kᵉn) halt, stop; 2ung (hähltōōrɡ) *f* attitude; bearing; carriage; *der Börse:* state.

hä'misch (hämĭsh) malicious.

Ha'mmel (hähmᵉl) *m* wether; ~fleisch (-flĭsh) *n* mutton; ~keule (-kŏilᵉ) *f* leg of mutton; ~rippchen (-rĭpçᵉn) *n* mutton-chop.

Ha'mmer (hähmᵉr) *m* hammer.

hä'mmern (hĕmᵉrn) hammer.

Hämorrhoi'den (hämŏrŏeedᵉn) *f/pl.* hæmorrhoids *pl.,* piles *pl.*

Ha'mster (hähmstᵉr) *m* hamster; 2n hoard.

Hand (hähnt) *f* hand; *j-m die ~ drücken* shake hands with a p.; *an ~ von* guided by; *aus erster ~* at first hand; *bei der ~ zur ~* at hand; *unter der ~* in secret; *fig.* ~ *und Fuß h.* hold water; *s-e ~ im Spiele h.* have a finger in the pie; ~'arbeit (-ährbīt) *f* manual labour; *weibliche:* needlework, *Am.* seam; *pred.* handmade; ~'arbeiter *m* manual labourer; ~'bibliothek (-beblĭōték) *f* reference library; 2'breit (-brīt) *f* a hand's breath; ~'buch (-bōōk) *n* manual, handbook.

Hä'nde|druck (hĕndᵉdrōōk) *m* shake of the hand; ~klatschen (-klähtshᵉn) *n* clapping of hands.

Ha'ndel (hähndᵉl) *m* trade; (*Groß*2) commerce; *weit*S. traffic; (*geschlossener* ~) bargain; 2n *act;* ✝ trade (*mit* with *a p.;* *in goods*); deal in *goods;* (*feilschen*) bargain (*um* for); ~ *von* treat; *es handelt sich um the* question is.

ha'ndels|-einig (-inĭç) *w.* come to terms; 2genossenschaft (-ghᵉnŏssᵉnshähft) *f* co-operative commercial association; 2gericht (-ghᵉrĭçt) *n* commercial court; 2gesellschaft (-ghᵉzĕlshähft) *f* trading company; 2haus (-hows) *n* commercial house; 2kammer *f* Chamber of Commerce; 2marine (-mähreenᵉ) *f* mercantile marine; 2minister *m* Minister of Commerce; 2ministerium (-mĭnĭstér'ŏōm) *n* Board of Trade, *Am.* Department of Commerce; 2schiff *n* merchantman; 2schiffahrt (-shĭfährt) *f* merchant service; 2schule (-shōōlᵉ) *f* commercial school; 2stadt (-shtäht) f commercial town; ~-üblich (-üpliç) usual in (the) trade; 2vertrag (-fĕrträhk) m commercial treaty.

ha'ndeltreibend (hähnd·ltrīb·nt) trading.

Ha'nd|feger (-fég^h·r) m hand-brush; ~fertigkeit (-fĕrtiçkit) f manual skill; 2fest sturdy; ~feuer-waffen (-foi^h rvähf·n) f/pl. small-arms pl.; 2ge-arbeitet (g^h·ähr-bit^e) handmade; ~geld n ✝ earnest (money); ✕ bounty; ~gelenk n wrist; ~gepäck (-g^h·pĕk) n small luggage (Am. baggage); ~granate (-grähnäht^e) f hand-grenade; 2-greiflich (-grifliç) palpable; ~ w. use one's hands; ~griff m grasp; (Art des Zugreifens) manipulation; a. = ~habe (-hähb^e) f handle; 2-haben handle; (verwalten) manage; ~karren m hand-cart; ~koffer m portmanteau, suit-case; ~langer (-lähng^e r) m handy man, (a. fig.) hodman.

Hä'ndler (hĕndl^e r) m, ~in f dealer, trader.

ha'ndlich (hähntliç) handy.

Ha'ndlung (hähndlŏŏng) f act, (a. e-s (Dramas) action; trade, business; (Laden) shop.

Ha'ndlungs|gehilfe (-g^h·hilfe) m (Schreiber) clerk; (Verkäufer) shop-assistant; ~reisende(r) (-rīz^end^e r) m commercial traveller, Am. drummer; ~weise (-viz^e) f way of dealing; procedure.

Ha'nd|schlag (-shlähk) m handshake; ~schreiben (-shrib^e n) n autograph letter; ~schrift f hand-writing; (Werk) manuscript; 2-schriftlich in writing; ~schuh (-shŏŏ) m glove; ~tasche (-tähsh^e) f hand-bag; ~tuch (-tōōk) n towel; ~voll (-föl) f handful; ~wagen (-vähg^h·n) m hand cart; ~werk n trade, handicraft; ~werker m artisan; mechanic; craftsman; ~werkzeug (-vĕrkstsóik) n tools, implements pl.; ~wörterbuch (-vŏrt^h rbŏŏk) n concise dictionary; ~wurzel (-vŏŏrts^e l) f wrist; ~zeichnung (-tsiçnŏŏng) f drawing.

Hanf (hähnf) m hemp.

Hang (hähng) m slope; fig. inclination (zu to); tendency (to).

Hä'nge|boden (hĕng^h·bŏd^e n) m loft; ~brücke f suspension bridge; ~

lampe f hanging-lamp; ~matte f hammock.

hä'ngen (hĕng^e n) v/t. hang, suspend; v/i. hang, be suspended; (haften) adhere (a. fig.; an dat. to); (anliegen) cling (to); ~bleiben (-blib^e n) (sn) be caught (an dat. by).

hä'nseln (hĕnz^e ln) tease, quiz.

Ha'nsestadt (hähnz^e shtäht) f Hanse-town.

Ha'nswurst (hähnsvŏŏrst) m merry-andrew, clown.

ha'ntieren (hähnteer^e n) v/i. work, operate; ~ mit et. handle, manipulate.

Ha'ppen (hähp^e n) m mouthful.

Ha'rfe (hährf^e) f harp.

Ha'rke (hährk^e) f, 2n rake.

hä'rmen (hĕrm^e n): sich ~ grieve.

ha'rmlos (hährmlōs) harmless; innocent.

Harmo'n|ie (härmŏnēe) f harmony; 2ie'ren (-eer^e n) harmonize; ~'ika (-ikäh) f accordion; 2'isch harmonious.

Harn (hährn) m urine; ~'blase (-blähz^e) f (urinary) bladder; 2'en urinate.

Ha'rnisch (hährnish) m armour.

Ha'rnröhre (hährnrör^e) f urethra.

Harpu'n|e (hährpŏŏn^e) f harpoon; 2ie'ren (-eer^e n) harpoon.

hart (hährt) hard.

Hä'rte (hĕrt^e) f hardness; fig. hardship; 2n harden.

Ha'rt|geld n coined money; ~gummi (-gŏŏmee) n hard rubber; 2herzig (-hĕrtsiç) hard-hearted; 2köpfig (-köpfiç) headstrong; ~leibigkeit (-libiçkit) f constipation; 2näckig (-nĕkiç) obstinate.

Harz (hährts) n resin; (Geigen- usw. 2) rosin; 2'ig resinous.

Hasa'rdspiel (hähzährtshpeel) n gambling.

ha'schen (hähsh^e n) snatch (nach at).

Ha'se (hähz^e) m hare.

Ha'selnuß (hähz^e lnŏŏs) f hazel-nut.

Ha'sen|braten (hähz^e nbräht^e n) m roast hare; ~fuß (-fōōs) m fig. coward; das ~panier (-pähneer) ergreifen take to one's heels; ~scharte (-shährt^e) f harelip.

Ha'spe (hähsp^e) f hasp, hinge.

Ha'spel (hähsp^e l) f reel; windlass.

Haß (hähs) m hatred.   [hateful.]

ha'ssen (hähs^e n) hate; ~swert (-vĕrt)

hä'ßlich (hĕsliç) ugly.

Hast (hähst) f haste, hurry; 2'**en** (sn) hasten, hurry; 2'**ig** hasty.

hä'tscheln (hätsh⁴ln) caress; coddle.

Hau'be (howb⁴) f cap; zo. tuft; ⊕ u. mot. bonnet, bsd. Am. hood.

Haubi'tze (howbĭts⁴) f howitzer.

Hauch (howk) m breath; 2'**en** breathe.

Hau'e (how⁴) ✗ ⚒ f hoe, mattock.

hau'en (how⁴n) v/t. hew, chop; cut; (schlagen) strike; F (prügeln) hit; sich ~ fight; v/i. ~ nach strike at.

Hau'fe(n) (howf⁴n) m heap; pile, (Schwarm) crowd; (Anzahl) number.

häu'fen (hóif⁴n) heap, pile up, (a. sich) accumulate.

häu'fig frequent; 2keit f frequency.

Häu'fung accumulation.

Haupt (howpt) n head; (Ober2) chief; ..., principal, chief, main; ✗'**-anschluß** (-ăhnshlōos) m teleph. main station; ✗'**bahnhof** (-băhn-hōhf) m central station; ✗'**buch** (-bōok) n ledger; ✗'**fach** (-făhk) n Studium: principal (od. main) subject, Am. major; ✗'**film** m feature-picture; ✗'**geschäft** (-g⁴shĕft) n central office; ✗'**gewinn** (-g⁴vĭn) m first prize; ✗'**handels-artikel** (-hähnd⁴lsăhrteek⁴l) m staple; ✗'**linie** (-leen¹⁴) 🚂 f main (Am. trunk) line; ✗'**mann** m captain; ✗'**merk-mal** (-měrkmăhl) n characteristic feature; ✗'**post-amt** (-pŏstăhmt) n general (Am. main) post-office; ✗'**punkt** (-pōoŋkt) m cardinal point; ✗'**quartier** (-kvăhrteer) n headquarters pl.; ✗'**redakteur** (-rĕdăhktŏr) n chief (Am. city) editor; ✗'**rolle** f chief part, lead; ✗'**sache** (-zăhk⁴) f main point; ✗'**sächlich** (-zĕçlĭç) chief, main, principal; ✗'**stadt** (-shtăht) f capital, metropolis; 2'**städtisch** (-shtă-tĭsh) metropolitan; ✗'**straße** (-shträhs⁴) f main street; ✗'**treffer** m first prize; ✗'**verkehrsstunden** (-fĕrkĕrsshtōond⁴n) f/pl. crowded (od. rush) hours; ✗'**versamm-lung** (-fĕrzăhmlōoŋ) f general meeting.

Haus (hows) n house; (Heim) home; † firm; nach Hause home; zu Hause at home; ✗'**-angestellte(r)** (-ăhng⁴shtĕlt⁴r) domestic (servant), Am. house worker; ✗'**-apotheke**

(-ăhpŏték⁴) f family medicine--chest; ✗'**-arbeit** (-ăhrbĭt) f indoor work; Schule: (a. ✗'-**aufgabe** (-owf-găhb⁴) f) homework, home-lesson; ✗'**-arzt** m family doctor; 2'**backen** fig. homely; ✗'**bedarf** m household necessaries pl.; ✗'**besitzer(in** f) (-b⁴zĭts⁴r) m house-owner; ✗'**die-ner** (-deen⁴r) m porter.

hau'sen (howz⁴n) dwell; arg ~ make havoc (of).

Haus|flur (-flōor) m (entrance-) hall, Am. hallway; ✗'**frau** (-frow) f mistress of the house; gute usw. ~ housewife; ✗'**halt** m household; 2-**halten** mit economize; ✗'**hälterin** f housekeeper; ✗'**halts-artikel** f (-hähltsăhrteek⁴l) m/pl. household goods; ✗'**halts-plan** (-hähltsplăhn) m parl. budget; ✗'**haltung** f house-keeping; ✗'**herr** m master of the house, householder.

hausie'ren (howzeer⁴n) (mit et.) hawk, peddle (a th.).

Hausie'rer m hawker, pedlar.

Haus|kleid (-klīt) n house-dress; ✗'**knecht** (-knĕçt) m boots sg.; ✗'**lehrer** (-lér⁴r) m private tutor.

häu'slich (hóislĭç) domestic; 2keit f family life; home.

Haus|mädchen (-mätç⁴n) n house-maid; ✗'**mannskost** (-măhnsköst) f plain fare; ✗'**meister** (-mĭst⁴r) m porter, caretaker, Am. janitor; ✗'**mittel** n household medicine; ✗'**-ordnung** f rule of the house; ✗'**rat** (-răht) m household effects pl.; ✗'**recht** (-rĕçt) n domestic authority; ✗'**schlüssel** (-shlüs⁴l) m street-door key; ✗'**schuh** (-shōo) m slipper.

Haus|s|e (hŏs[⁴]) f rise (of prices), boom; ✗**ie'r** (hŏs⁴é) † ⚒ m bull.

Haus|stand (-shtăhnt) m house-hold; e-n ~ gründen set up a house; ✗'**suchung** (-zōōkŏoŋ) f domiciliary visit; ✗'**tier** (-teer) n domestic animal; ✗'**tür** (-tür) f street (od. front-door) door; ✗'**verwalter** (-fĕr-văhlt⁴r) m steward; ✗'**wart** m = ✗'meister; ✗'**wirt** m landlord; ✗'**wirtin** f landlady.

Haut (howt) f skin; auf Flüssigkeit: film; bis auf die ~ to the skin; aus der ~ fahren jump out of one's skin; ✗'**-abschürfung** (-ăhpshŭr-fŏoŋ) f excoriation; ✗'**-ausschlag** (-owsshlăhk) m rash; ✗'**farbe** f complexion.

Hautgou't (ōgo͞o) m high smell.
häu'tig (hōitĭç) membranous.
Hau't|krankheit (-krăŋkhīt) f cutaneous disease; **~pflege** (-pflé-ghᵉ) f care of the skin; **~schere** (-shérᵉ) f cuticle scissors pl.
Havarie' (hăⁱvăhree) f average.
he! (hé) I say!
He'b-amme (hép-ăhmᵉ) f midwife.
He'be|baum (hébᵉbowm), **He'bel** (hébᵉl) m lever; **~bühne** f mot. car lift. [reduce; sich ~ rise.]
he'ben (hébᵉn) lift, raise; **A** Bruch:
Hecht (hĕçt) m pike.
Heck (hĕk) ♣ ♠ stern.
He'cke (hĕkᵉ) f ♪ hedge; zo. hatch; ♀n hatch; **~nrose** (-rōzᵉ) f dog-rose.
he'da! (hédăh) hullo!
Heer (hér) n army; fig. host; **~'es-dienst** (-deenst) m military service; **~'(es)macht** (-măhkt) f military forces pl.; **~'(es)zug** (-tsōōk) m expedition; **~'führer** m general; **~'-schar** (-shăhr) f host; **~'straße** (-shträhsᵉ) f highway; military road.
He'fe (héfᵉ) f yeast; barm; (Bodensatz u. fig.) dregs pl.
Heft (hĕft) n haft, handle; e-s Schwertes: hilt; (Lieferung) number, part; (Schreib♀) copy-book.
he'ften fasten, fix; Näherei: baste, tack; Buchbinderei: stitch.
He'ftfaden (hĕftfăhdᵉn) m stitching thread.
he'ftig (hĕftĭç) vehement, violent; ♀keit f vehemence, violence.
He'ft|klammer f paper-clip **~-pflaster** n sticking-plaster.
he'gen (héghᵉn) cherish; foster; hunt. preserve; Zweifel: entertain.
He'hler (hélᵉr) m, **~in** f receiver (of stolen goods); **~ei'** (-ī) f receiving (of stolen goods).
hehr (hér) sublime.
Hei'd|e¹ (hīdᵉ) m, **~in** f heathen.
Hei'de² f heath; **~kraut** (-krowt) n heather; **~land** (-lăhnt) n moor (-land).
Hei'den|geld n no end of money; **~lärm** m hullabaloo; **~spaß** (-shpähs) m capital fun; **~tum** n paganism.
hei'dnisch (-hītnĭsh) heathen(ish).
hei'kel (hīkᵉl) f delicate; (wählerisch) particular.
heil (hīl) (ganz) whole; (unversehrt) sound, unhurt; 2. ♀ n welfare; eccl. salvation; ♀! hail!
Hei'land (hīlăhnt) m Saviour.

Hei'l|anstalt (hīlăhnshtăhlt) f medical establishment; **~bad** (-băht) n spa; **♀bar** (-băhr) curable; ♀en cure; (a. v/i.; sn) heal; **~gehilfe** (-gᵃᵉhīlfᵉ) m barber-surgeon.
hei'lig (hīlĭç) holy; (geweiht) sacred; (feierlich) solemn; ♀er Abend Christmas Eve; ♀e(r) (hīligʰᵉr) saint; **~en** hallow, (a. fig.) sanctify; ♀keit f holiness, sanctity; **~sprechen** (-shprĕçᵉn) canonize; ♀sprechung f canonization; ♀tum n sanctuary; (Reliquie) relic; ♀ung f sanctification.
Hei'l|kraft f healing power; ♀-kräftig (-krĕftĭç) curative; **~kunde** (-kŏŏndᵉ) f medical science; ♀los wicked; fig. awful; **~mittel** n remedy, medicament; **~quelle** (-kvĕlᵉ) f medicinal spring.
hei'lsam (hīlzăhm) wholesome, salutary. [vation Army.]
Hei'ls-armee (hīlsăhrmé) f Sal-
Hei'l|ung (hīlōͦŋ) f cure; healing; **~verfahren** (-fĕrfăhrᵉn) n medical treatment.
heim (hīm) adv., ♀ n home; ♀'-arbeit** (-ăhrbīt) f home-work, outwork.
Hei'mat (hīmăht) f home; **~land** (-lăhnt) n native country; ♀lich native; ♀los homeless; **~s-ort** m native place; **~vertriebene(r)** (-fĕrtreebᵉnᵉr) m expellee.
Hei'mchen (hīmᵍᵉn) n cricket.
hei'misch (hīmĭsh) domestic; native; sich ~ fühlen feel at home.
Hei'm|kehr (hīmkér) f return (home), ♀kehren, ♀kommen (sn) return home.
hei'mlich (hīmlĭç) secret; (verstohlen) furtive; stealthy; ♀keit f secrecy; (Geheimnis) secret.
Hei'm|reise (hīmrīzᵉ) f homeward journey; ♀suchen (-zōōkᵉn) haunt; (plagen) plague; **~tücke** f malice; **♀tückisch** malicious; **~wärts** (-vĕrts) homeward; **~weg** (-vék) m way home; **~weh** (-vé) n homesickness.
Hei'rat (hīrăht) f marriage; ♀en v/t. u. v/i. marry.
Hei'rats|-antrag (-ăhntrăhk) m proposal of marriage; ♀fähig (-fäïç) marriageable; **~kandidat** (-kăhndĭdăht) m suitor, wooer; **~vermittler(in** f) (-fĕrmĭtlᵉr) m matrimonial agent.

hei'ser (hīzᵉr) hoarse.

heiß (his) hot; *mir ist ~* I am hot.

hei'ßen (hisᵉn) *v/t.* call; (*befehlen*) bid, tell; *v/i.* be called; (*bedeuten*) mean; *das heißt* that is (to say); *wie ~ Sie?* what is your name?; *wie heißt das auf Englisch?* what's that in English?

hei'ter (hitᵉr) serene; cheerful; 2**keit** f serenity; cheerfulness.

hei'zen (hitsᵉn) *v/t. u. v/i.* heat.

Hei'zer m fireman, stoker.

Hei'z|kissen n heating pad; ~**körper** m radiator; ~**material** (-mähtĕrⁱähl) n fuel; ~**ung** f heating.

Held (hĕlt) m hero.

He'lden|gedicht (-gᵉdĭçt) n epic; 2**haft** (-haft) 2**mut** (-mōōt) m heroism; 2**mütig** (-mütïç) heroic; ~**tat** (-täht) f heroic deed; ~**tum** n heroism.

He'ldin (hĕldⁱn) f heroine.

he'lfen (hĕlfᵉn) (*dat.*) help; (*fördern*) aid; (*beistehen*) assist; (*nützen*) avail.

He'lfer m, ~**in** f helper, assistant; ~**shelfer** m accomplice.

hell (hĕl) bright (*a. Verstand*), clear (*a. Klang*); *Haar:* fair; *Bier:* light; ~**blau** (-blow) light-blue; ~**blond** (-blōnt) very fair; ~**hörig** (-hörïç) quick of hearing; 2**'seher(in** f) (-zēᵉr) m clairvoyant.

Helm (hĕlm) m helmet; ~**busch** (-bōōsh) m plume; crest.

Hemd (hĕmt) n (*Männer*2) shirt; (*Frauen*2) chemise; ~**bluse** (-blōō-zᵉ) f shirt-blouse, *Am.* shirt-waist; ~**hose** (-hōzᵉ) f combinations, *Am.* union suit.

he'mm|en (hĕmᵉn) stop, check; (*behindern*) hamper; *Rad, Wagen:* drag; *seelisch:* curb, restrain; 2**nis** n check, obstruction; 2**ung** f stoppage, check; *seelisch:* restriction, inhibition; 2**schuh** (-shōō) m drag.

Hengst (hĕŋst) m stallion.

He'nkel (hĕŋkᵉl) m handle.

He'nker m hangman, executioner; *zum ~!* hang it!

He'nne (hĕnᵉ) f hen.

her (hēr) hither, *mst* here; *es ist ein Jahr ~* it is a year ago; *hinter* (*dat.*) ~ *sein* be after; ~ *damit!* out with it!

hera'b (hĕrähp) down, downwards; ~**lassen** (-lähsᵉn) let down; *sich ~*

fig. condescend; 2**lassung** f condescension; ~**setzen** (-zĕtsᵉn) lower; *fig.* degrade, disparage; *Preis:* reduce; 2**setzung** f lowering; degradation, reduction; ~**steigen** (-shtīgᵉn) (sn) descend; ~**würdigen** (-vürdĭgᵉn) degrade, abase.

hera'n (hĕrähn) on, near; *er ging an sie ~* he went up to them; *nur ~!* come on!; ~**kommen** (sn) come on; approach (*an j-n a p.*); ~ *an et.* get to od. at; ~**wachsen** (-vähksᵉn) (sn) grow up.

herau'f (hĕrowf) up, upwards; (*hier~*) up here; ~**beschwören** (-bᵉshvör-ᵉn) conjure up; ~**steigen** (-shtīgᵉn) (sn) ascend; *Unwetter:* come up.

herau's (hĕrows) out; ~*!* come out!; ~ *damit!* out with it!; *die Handhabung von ~ h.* have got the knack (*Am.* hang) of a *th.*; ~**bekommen** *fig.* find out; *Geld:* get back; ~**bringen** bring out; ~**fordern** provoke; *zum Kampf:* challenge; 2**forderung** f challenge, provocation; ~**geben** (-gᵉébᵉn) (sn) forth od. up, hand out; *Buch:* publish; *Geld ~* (*auf acc.*) give change (for); *Vorschrift usw.:* issue; 2**geber** m publisher; (*Redakteur*) editor; ~**kommen** (sn) come out; ~**nehmen** (-némᵉn) take out; *sich et. ~* presume; ~**putzen** (-pōōtsᵉn) dress up; ~**reden** (-rédᵉn): *sich ~* extricate o.s.; ~**stellen** put out; *sich ~* turn out; ~**streichen** (-shtrī-çᵉn) extol; puff; *sich ~* **winden** (-vĭndᵉn): *fig.* extricate o.s.

herb (hĕrp) harsh, sharp; acrid.

herbei' (hĕrbī) here; on, near; ~**eilen** (-īlᵉn) (sn) approach in haste; ~**führen** *fig.* bring about; ~**lassen:** *sich ~* condescend to; ~**schaffen** procure.

He'rberge (hĕrbĕrgᵉ) f shelter, lodging; (*Gasthaus*) inn.

he'rbeten (hĕrbétᵉn) say off mechanically.

He'rbheit (hĕrphit), **He'rbigkeit** (hĕröĭçkit) f harshness, acerbity.

Herbst (hĕrpst) m autumn, *Am.* fall; 2**lich** autumnal.

Herd (hĕrt) m hearth, fireplace; (*Kochmaschine*) range; *fig.* (*Sitz*) seat.

He'rde (hérdᵉ) f herd (*a. fig.*); *Kleinvieh:* flock (*a. fig.*).

herei'n (hĕrīn) in; ~! come in!; walk in!, step in!; **~fallen** (sn) be sold, be taken in.

he'r|fallen (sn): ~ über j-n fall (up)on; et. go at; **2gang** (-gähᵣ) m proceedings, circumstances pl.; **~geben** (-gʰéb⁵n) deliver, give; sich ~ zu lend o.s. to; **~gehören** (gʰᵉhö-rᵉn) belong to the matter; **~halten** v/t. hold out; v/i. suffer.

He'ring (hērīᵣ) m herring.

he'r|kommen (sn) come here od. near; ~ von come from od. of; **2kommen** n (Sitte) custom; (Abstammung) descent, extraction; **~kömmlich** traditional; customary; **2kunft** (-kŏonft) f descent; origin; **~leiten** (-līt⁵n) (von) derive (from); **2leitung** f derivation.

He'rold (hērölt) m herald.

Herr (hĕr) m master; (bsd. adliger ~) lord; (Mann der höheren Stände) gentleman; Anrede: Sir, vor Eigennamen: Mr.; (Gott) Lord; mein ~ Sir; meine ~en gentlemen.

He'rren|fahrer m owner-driver; **~haus** (-hows) n mansion-house; parl. House of Lords; **2los** ownerless; **~reiter** (-rīt⁵r) m gentleman rider; **~zimmer** n study; smoking-room.

he'rrichten (hérrĭçt⁵n) prepare, arrange.

He'rrin f mistress, lady.

he'rrisch imperious.

he'rrlich (hĕrlĭç) glorious, magnificent, splendid; **2keit** f splendour, glory.

He'rrschaft (hérshäht) f rule; dominion; fig. mastery; der Dienstboten: master and mistress; (Gut) manor, estate; **2lich** belonging to a master od. lord; high-class.

he'rrschen (hĕrsh⁵n) rule; govern; (vor~) prevail.

He'rrscher m ruler, sovereign.

He'rrsch|sucht (hĕrshzŏokt) f thirst of power; **2süchtig** (-zŭçtĭç) imperious.

he'r|rühren von, aus come (od. proceed) from; **~sagen** (-zähg⁵n) recite, repeat; **~stammen** (shtäh-m⁵n) von, aus come (od. be descended) from; **~stellen** (erzeugen) produce; (wieder ~) restore, repair; **2stellung** f production; restoration; recovery.

herü'ber (hĕrüb⁵r) over, across.

her'um (hĕrŏŏm) round, about; (ringsum) around; **~führen**: j-n ~ show a p. round; **~lungern** (-lŏŏᵣg⁵rn) loiter (od. hang) about; **~reichen** (-rīç⁵n) hand round; **~treiben** (-trīb⁵n): sich ~ gad about.

heru'nter (hĕrŏŏnt⁵r) = herab; den Hut ~! off with your hat!; **~bringen** fig. lower, reduce; **~kommen** (sn) fig. come down in the world; (verfallen) decay; p.p. fig. down and out; **~machen** (-mähᴋ⁵n) run down, Am. F call down; **~reißen** (-rīs⁵n) pull down; fig. scarify; **~sein** (-zin) (sn) gesundheitlich: be low; **~wirtschaften** (-vírtshähf-t⁵n) run down.

hervo'r (hĕrfōr) forth, out; **~bringen** produce; Worte: utter; **2bringung** f production; **~geh(e)n** (-gʰé[ᵉ]n) (sn) als Sieger: come off; als Folge: result (aus from); (ersichtlich sn) be evident; **~heben** (-héb⁵n) render prominent; emphasize; **~holen** (-hōl⁵n) produce; **~ragen** (-rähgʰᵉn) project; stand out; **~ragend** prominent; outstanding; **~rufen** (-rŏŏf⁵n) call forth; thea. call for; **~stechend** (-shtéç⁵nt) conspicuous.

Herz (hĕrts) n allg. heart; Kartenspiel: hearts pl.; Anrede: darling, love; sich ein ~ fassen take heart; mit ganzem ~en whole-heartedly; sich et. zu ~en nehmen take a th. to heart.

he'rzen (hĕrts⁵n) hug, embrace.

He'rzens...: nach ~lust (-lŏŏst) f to one's heart's content; **~wunsch** (-vŏonsh) m heart's desire.

he'rz|ergreifend (-ergrīf⁵nt) heart-moving; **2gegend** (-gʰégʰᵉnt) f cardiac region; **~haft** hearty; **~ig** lovely, Am. cute; **2klopfen** n palpitation (of the heart); **~krank** (-krähᵣk) suffering from the heart; **~lich** hearty, cordial; ~ gern with all my heart; **~los** heartless.

He'rzog (hĕrtsōk) m duke; **~in** (hĕrtsōgʰⁱn) f duchess; **~tum** n dukedom, duchy.

He'rz|schlag (-shlähk) m heartbeat; ⚕ apoplexy of the heart; **~schwäche** (-shvéç⁵) f cardiac weakness; **2zerreißend** (-tserrīs⁵nt) heart-rending.

He'tz|e (hĕts⁵) f (Eile) hurry, rush; (Aufreizung) instigation, agitation; 2**en** (héts⁵n) v/t. hunt. hunt; fig. hurry, rush (a. v/i.); (aufreizen) incite; Hund auf j-n ~ set a dog at a p.; ~**er(in** f) m instigator, agitator; 2**erisch** inflammatory; ~**jagd** (-yä/kt) f hunt(ing); rush; ~**presse** f yellow press.

Heu (hŏi) n hay.

Heuchelei' (hŏiç⁵lī) f hypocrisy.

heu'cheln (hŏiç⁵ln) simulate, feign, (bsd. v/i.) dissemble.

Heu'chler m, ~**in** f hypocrite; 2**isch** hypocritical.

heu'en (hŏi⁵n) make hay.

heu'ern (hŏi⁵rn) hire.

heu'len (hŏil⁵n) howl; (weinen) cry.

Heu'schrecke (hŏishrĕk⁵) f locust, grasshopper.

heu't|e (hŏit⁵) today; ~ abend tonight; ~ über (vor) acht Tage(n) this day week; ~**ig** this day's, today's; weitS. present; 2**zutage** (-tsŏōtähgʰ⁵) nowadays.

He'xe (hĕks⁵) f witch; fig. hell-cat; 2**n** practise witchcraft; ~**nmeister** (-mist⁵r) m wizard; ~**nschuß** (-shŏōs) ✠ m lumbago; ~**rei'** (-rī) f witchcraft.

Hieb (heep) m stroke, blow; Schnitt: cut; fig. hit; ~e pl. (Prügel) a thrashing.

hier (heer) here; ~**!** present!; ~ entlang! this way!

hie'ra'n (heeráhn) at (od. by od. on) this.

hier|au'f (-owf) hereupon; ~**au's** (-ows) from (od. out of) this, hence; ~**bei'** (-bī) at (od. in od. with) this; ~**durch** (-dŏōrç) by this, hereby; ~**für** (-für) for this; ~**e'r** (-hér) hither; bis ~ so far; ~**i'n** herein, in this; ~**mi't** herewith, with this; ~**nach** (-nähk) after this; according to this; ~**ne'ben** (-néb⁵n) next door; fig. besides; ~**ü'ber** (-üb⁵r) over here; about this; ~**u'nter** (-ŏōnt⁵r) under this; among these; bei verstehen usw.: by this; weitS.; ~**vo'n** (-fón) of (od. from) this; ~**zu'** (-tsŏō) (in addition) to this.

hie'sig (heezīç) of this place.

Hi'lfe (hĭlf⁵) f help; aid, assistance; (Armen2) relief; ~**ruf** (-rŏōf) m cry for help.

hi'lf|los helpless; ~**reich** (-rīç) helpful.

hi'lfs|bedürftig (-b⁵dûrftïç) indi-

gent; 2**lehrer** (-lér⁵r) m assistant schoolmaster; 2**maschine** (-mäh-sheen⁵) f auxiliary engine; 2**mittel** n remedy, resource; (Notbehelf) expedient; 2**quelle** (-kvĕl⁵) f resource; 2**werk** n relief.

Hi'mbeere (hĭmbér⁵) f raspberry.

Hi'mmel (hĭm⁵l) m sky, heavens pl.; eccl. heaven; ~**bett** n four-poster; 2**blau** (-blow) sky-blue; ~**fahrt** f Ascension; 2**schreiend** (-shrī⁵nt) crying (to heaven).

Hi'mmels|gegend (-gʰĕgʰ⁵nt) f quarter; ~**körper** m celestial body; ~**richtung** (-rĭçtŏŏŋ) f quarter of the heavens; the four chief points of the compass; 2**strich** (-shtrĭç) m climate, zone.

hi'mmlisch (hĭmlĭsh) celestial, heavenly.

hin (hĭn) there; (weg) gone, lost; ~ und her to and fro, Am. back and forth; ~ und zurück there and back; ~ und wieder now and then.

hina'b (hĭnähp) down.

hi'n-arbeiten (-ährbĭt⁵n) auf (acc.) work towards.

hinau'f (hĭnowf) up; ~**steigen** (-shtĭgʰ⁵n) (sn) ascend, mount.

hinau's (hĭnows) out; ~**geh(e)n** (-gʰé[⁵]n) (sn) go out; ~ über (acc.) go beyond, exceed; ~ auf (acc.) Fenster usw.: face; Absicht: aim at; ~**laufen** (-lowf⁵n) (sn) auf (acc.) amount to; ~**schieben** (-sheeb⁵n) postpone, defer; ~**werfen:** j-n ~ turn out, Am. fire.

Hi'n|blick m: im ~ auf (acc.) with regard to, in view of; 2**bringen** Zeit: spend.

hi'nderlich (hĭnd⁵rlïç) hindering.

hi'ndern (hĭnd⁵rn) prevent (an dat. from doing), hinder.

Hi'ndernis hindrance; obstacle; ~**rennen** n obstacle-race.

hindu'rch (hĭndŏōrç) through; across.

hinei'n (hĭnīn) in; ~**geh(e)n** (-gʰé[⁵]n) (sn) (Platz k.) find room; in den Topf gehen ... ~ the pot holds ...

Hi'n|fahrt f journey (od. way there); 2**fallen** (sn) fall (down); 2**fällig** (-fĕllïç) frail, (a. fig.) weak; ~**fälligkeit** f frailty, weakness; ~**fo'rt** henceforth, in (the) future; ~**gabe** (-gähb⁵) f devotion; 2**geben**

(-gʰébᵉn) give up; sich ~ (dat.) devote o.s. to; indulge in; ~gebung f devotion; 2geh(e)n (gʰé[ᵉ]n) (sn) go there; (vergehen) pass; ~ l. let pass; 2halten hold out; (vertrösten) put off.

hi'nken (hiŋkᵉn) (h. u. sn) limp.

hi'n|länglich (-lěnₗliç) sufficient; ~legen (-légʰᵉn) lay down; sich ~ lie down; ~nehmen take; (dulden) put up with; ~raffen take away; ~reichen (-riçᵉn) v/t. reach (out); v/i. (genügen) suffice; ~reißen (-risᵉn) fig. transport; ~d ravishing; ~richten (-riçtᵉn) execute, put to death; 2richtung f execution; ~setzen (-zětsᵉn) put down; sich ~ sit down; 2sicht (-ziçt) f regard, respect; in 2 auf (acc.), ~sichtlich (gen.) with regard to; ~stellen place; put down; ~ als represent as.

hint-a'n|setzen (hĭntâhnzětsᵉn) fig. neglect, slight; 2setzung f neglect.

hi'nten (hintᵉn) behind.

hi'nter (hintᵉr) behind; ~ sich l. outdistance; 2bein (-bin) n hind leg; 2bliebenen (-bleebʰnᵉn) pl. the bereaved; ~bringen inform (j-m et. a p. of a th.); 2e(r) F m posteriors pl.; ~eina'nder (ĭn-ähndᵉr) one after another; 2gedanke (-gʰédãhŋʰᵉn) m (mental) reservation; ~ge h(e)n (-gʰé[ᵉ]n) deceive; 2ge'hung f deception; 2grund (-grōnt) m background; 2halt m ambush; ~hältig (-hěltiç) insidious; 2kopf m back of the head; 2haus (-hows) n back-building; ~he'r (-hér) behind; zeitlich: afterwards; 2hof (-hóf) m backyard; ~la'ssen leave (behind); 2la'ssenschaft f inheritance; ~le'gen (-légʰᵉn) deposit; 2le'gung f deposition; 2list f artifice, cunning; ~listig cunning, artful; 2mann m ✕ rearrank man; fig. backer; 2rad (-râht) n rear wheel; ~rücks (-rûks) from behind; 2seite (-zitᵉ) f back; 2teil (-tíl) n back part; ~trei'ben (-tribᵉn) frustrate; 2treppe f backstairs pl.; 2tür (-tûr) f backdoor; 2ziehung (-tseeōōŋ) f defraudation.

hinü'ber (hĭnübᵉr) over, across.

hinu'nter (hĭnŏontᵉr) down; die Treppe ~ downstairs.

Hi'n|weg (hinvék) m way (there); ~we'g- (-věk) adv. away, off; 2we'g-kommen über get over; 2we'g-sehen (-věkzéʰn): fig. über et. ~ shut one's eyes to a th.; sich 2we'g-setzen (-věkzětsᵉn) über make light of; ~weis (-vis) m, ~weisung (-vizōōrₗ) f hint; direction; (auf acc.) reference to; 2weisen (-vizᵉn) v/t. direct (nach, zu to); v/i. ~ auf (acc.) point to; (verweisen) refer to; 2werfen (-věkzᵉn) throw down; flüchtig: sketch slightly; 2wirken auf (acc.) work towards; 2ziehen (-tseeᵉn) attract; zeitlich: protract; sich ~ draw on; 2zielen (-tseelᵉn) auf (acc.) aim at.

hinzu' (hĭntsŏō) to (it); near; in addition; ~fügen (-fügʰᵉn), ~legen (-légʰᵉn), ~rechnen (-rěçnᵉn), ~setzen (-zětsᵉn), ~tun (-tōōn), ~zählen (-tsälᵉn) add; 2fügung f addition; ~kommen (sn) unvermutet: supervene; (noch ~) be added; es kommt hinzu, daß add to this that; ~treten (-trétᵉn) (sn) approach; = ~kommen; ~ziehen (-tseeᵉn) add; Arzt usw.: call in.

Hirn (hirn) n brain(s pl.); ~'ge-spinst (-gʰéshpĭnst) n chimera; 2'los brainless; ~'schale (-shähl) f brain-pan; ~'schlag (-shlăhk) m (fit of) apoplexy; 2'verbrannt (-fěrbrähnt) crack-brained.

Hirsch (hirsh) m stag, hart; weitS. deer; ~'geweih (-gʰévi) n antlers pl.; ~'kuh (-kōō) f hind; ~'leder (-lédᵉr) n buckskin.

Hi'rse (hirzᵉ) f millet.

Hirt (hirt) m herdsman, shepherd.

Hi'rtin f shepherdess.

hi'ssen (hisᵉn) hoist (up).

Histo'r|iker (hĭstórikᵉr) m historian; 2isch historical.

Hi'tze (hĭtsᵉ) f, 2n heat; ~welle f heat-wave, Am. hot spell.

hi'tzig (hĭtsiç) hot.

Hi'tz|kopf m hothead; ~schlag (-shlähk) m heat-stroke.

Ho'bel (hōbᵉl) m, 2n plane.

hoch (hōk) 1. high; v. Wuchs: tall; hohes Alter great age; hohe See open sea; hohe Ehre great honour; ~ lebe die Königin! long live the queen!; 2. 2 n (2ruf) cheer; (Trinkspruch) toast; barometrisches: high.

ho'ch|achten (-ăhktᵉn) esteem highly; 2achtung f esteem, respect; ~achtungsvoll (-ăhktōōrₗsfól) respectful(ly); 2-antenne f high aerial; ⌂bahn f high-level railway, Am. elevated railroad; ⌂betrieb (-bᵉtreep) m intense activity; ⌂burg (-boork) f fig. stronghold; ⌂deutsch (-doitsh) n high German; ⌂druck (-drook) m high pressure; ⌂ebene (-ébᵉnᵉ) f tableland; ⌂fahrend high-handed; ⌂fein (-fīn) superfine; ⌂frequenz (-frékvènts) ⨍ f high frequency; ⌂gebirge (-gʰᵉbirgʰᵉ) n high mountain chain; ⌂genuß (-gʰᵉnŏos) m great enjoyment; ⌂haus (-hows) n skyscraper; ⌂herzig (-hèrtsiç) noble-minded; ⌂herzigkeit f generosity; ⌂konjunktur (-kŏnyŏonⱪtŏor) f boom--peak season; ⌂land (-lähnt) n highland; ⌂mut (-mŏot) m haughtiness; ⌂mütig (-mütiç) haughty; ⌂-ofen (-ōfᵉn) m (blast-)furnace; ⌂rot (-rōt) bright red; ⌂saison (-sèzⱷ, -ŏrⱪ) f height of the season; ⌂schätzen (-shèts̆ᵉn) esteem highly; ⌂schule (-shŏolᵉ) f university; academy; ⌂seefischerei (-zéfish̆ᵉri) f deep-sea fishery; ⌂sommer (-zŏmᵉr) m midsummer; ⌂spannung ⨍ f high tension.

höchst (höçst) highest, adv. most. Ho'chstapler (hōkshtähplᵉr) m i.mpostor.

hö'chstens (höçstᵉns) at (the) most.
Hö'chst|form f Sport: top form; ⌂geschwindigkeit (-gʰᵉshvĭndĭç̆kit) ⨍ erlaubte: speed limit; ⌂kommandi'erende(r) (-kŏmähndeer̆ᵉndᵉr) m commander-in-chief; ⌂leistung f Sport: record; ⊕ maximum output; ⌂lohn (-lōn) m maximum wage; ⌂maß (-mähs) n maximum; ⌂preis (-pris) m maximum price.

ho'ch|trabend (-trähbᵉnt) bombastic; ⌂verrat (-fèrräht) m high treason; ⌂wald (-vählt) m timber (-forest); ⌂wasser n high water; flood; ⌂wertig (-vèrtiç) high-grade; ⌂wild (-vĭlt) n large game; ⌂wohlgeboren (-vōlgʰᵉbōr̆ᵉn) Right Honourable.

Ho'chzeit (hŏktsit) f wedding; ⌂(s)..., ⌂lich nuptial, bridal; ⌂s-geschenk (-gʰᵉshènk) n wedding--present; ⌂sreise (-rīzᵉ) f wedding--tour.

ho'cke|n (hŏkᵉn) squat; ⌂r m stool.
Hö'cker (hŏkᵉr) m knoll, bump;

(Auswuchs) hump, hunch; ⌂ig rough, uneven.

Ho'de (hōdᵉ) f testicle.
Hof (hōf) m courtyard; (Bauern⌂) farm; e-s Fürsten: court; ast. halo; j-m den ~ m. court a p.; ⌂'dame (-dähmᵉ) f lady in waiting; ⌂'fähig (-fäiç) presentable at court.

Ho'ffart (hōfährt) f pride.
ho'ffen (hōf̆ᵉn) hope (auf acc. for); (erwarten) expect; zuversichtlich: trust (in); ⌂tlich as I hope.
Hoffnung (hōfnŏorⱪ) f hope; ⌂slos hopeless; ⌂svoll (-fōl) hopeful; (verheißungsvoll) promising.

Ho'fhund (hōfhŏont) m watch-dog.
hö'fisch (höf̆ish) courtly.
hö'flich (höfliç) courteous, polite; ⌂keit f courtesy, politeness.
Ho'f|meister (hōfmist̆ᵉr) m steward; (Lehrer) tutor; ⌂staat (-shtäht) m royal (od. princely) household.

Hö'he (hö̆ᵉ) f height; Å, ast., geogr. altitude; (Anhöhe) hill; (Gipfel) summit; e-r Summe: amount; der Preise: level; in gleicher ~ mit on a level with; fig. auf der ~ up to date; in die ~ up.
Ho'heit (hōhit) f Highness; ⌂s-zeichen (-tsiç̆ᵉn) n nationality mark.

Hö'hen|kur-ort (hö̆ᵉnkŏorōrt) m high-altitude health-resort; ⌂sonne (-zŏnᵉ) f ⚕ Alpine sun-lamp; engS.: sun-light-lamp; ⌂steuer (-shtŏif̆r) ✈ n elevator; ⌂zug (-tsŏok) m hill--range.

Hö'hepunkt (hö̆ᵉpŏonⱪkt) m highest point; ast., fig. culmination; fig. zenith.
hohl (hōl) hollow (a. fig.); concave.
Hö'hle (hōlᵉ) f cave, den.
Ho'hl|maß (-mähs) n dry measure; ⌂raum (-rowm) m hollow; ⌂spiegel (-shpeegʰᵉl) m concave mirror; ⌂weg (-vék) m defile.
Hö'hlung (hōlŏorⱪ) f hollow, cavity.
Hohn (hōn) m scorn, disdain.
hö'hnen (hön̆ᵉn) sneer (acc. at).
hö'hnisch sneering, scornful.
Hö'ker (hökᵉr) m hawker, huckster; ⌂in f huckstress; ⌂n huckster.
hold (hōlt) a. ⌂selig [zéliç] lovely, sweet; (geneigt) propitious, favourable.
ho'len (hōl̆ᵉn) fetch; (gehen nach) go for; Atem ~ draw breath; ~ l. send for; sich e-e Krankheit ~ catch.

Ho'lländer (hŏlĕnd⁰r) m Dutchman; ~in f Dutchwoman.

Hö'lle (hŏl⁰) f hell.

Hö'llen|lärm m infernal noise; ~maschine (-mă͞hsheen⁰) f infernal machine; ~pein (-pin) f torment of hell.

hö'llisch hellish, infernal.

ho'lperig (hŏlp⁰rĭç) rugged; jolty; bumpy; fig. stumbling.

Holz (hŏlts) n wood; ~'bau (-bow) m wooden structure; ~'bildhauer (-bĭlthow⁰r) m wood-carver.

hö'lzern (hŏlts⁰rn) wooden.

Ho'lz|fäller m wood-cutter, Am. lumberman; ~hacker (-hăhk⁰r), ~hauer (-how⁰r) m wood-chopper; ~händler m timber-merchant; 2ig woody; ~kohle f charcoal; ~platz m timber-yard; ~schnitt m woodcut; ~schnitzer m wood-carver; ~schuh (-shō͞o) m clog; ~stoß (-shtō͞s) m pile of wood; ~weg (-vék) m fig. auf dem ~ sn be on the wrong track; ~wolle f wood-wool, Am. excelsior.

Homöopathie' (hŏmŏōpahtee') f homœopathy.

Ho'nig (hōnĭç) m honey; ~kuchen (-kō͞ok⁰n) m treaclecake; 2süß (-züs) honey-sweet; ~wabe (-văhb⁰) f honeycomb.

Honor|a'r (hŏnŏrăhr) n fee; ~a-tio'ren (-ăhts'ōr⁰n) m/pl. notabilities; 2ie'ren (-eer⁰n) fee; Wechsel: honour.

Ho'pfen (hŏpf⁰n) m hop; ⊕ hops pl.

hopp! (hŏp) hop!

ho'ps|a! (hŏpsăh) hullo!; ~en (sn) hop, jump.

hö'rbar (hŏrbăhr) audible.

ho'rch|en (hŏrç⁰n) listen (auf acc. to); 2er m listener; eavesdropper.

Ho'rde (hŏrd⁰) f horde, gang.

hö'ren (hŏr⁰n) v/t. u. v/i. hear; Radio: listen (in); schwer ~ be hard of hearing; sich ~ l. als Künstler: perform; ~ Sie mal! I say!

Hö'rer (hŏr⁰r) m hearer; Radio: listener-in; (Apparat) receiver; ~schaft f audience.

Hö'rig|e(r) (hŏrĭg⁰⁰r) m bond(wo)man; ~keit (hŏrĭçkit) f bondage.

Horizo'nt (hŏrĭtsŏnt) m horizon; 2a'l horizontal.

Horn (hŏrn) n horn; (Jagd2) bugle; (Bergspitze) peak; ~'haut (-howt) f horny skin; des Auges: cornea.

Horni'sse (hŏrnĭs⁰) f hornet.

Horni'st (hŏrnĭst) m bugler.

Horosko'p (hŏrŏskŏp) n horoscope; das ~ stellen cast a horoscope.

Hö'r|rohr (hŏrrōr) n ear-trumpet; ~saal (-zăhl) m auditorium; ~spiel (-shpeel) n radio-play.

Hö'rweite (hŏrvit⁰) f (in ~ within) earshot.

Ho'se (hōz⁰) f mst ~n pl. (eine a pair of) trousers, Am. pants pl.; (lange, weite ~) slacks pl.; (Knie2) breeches; (weite Knie2) knickerbockers.

Ho'sen|klappe f flap, fly; ~tasche (-tăhsh⁰) f trouser pocket; ~träger (-trăg⁰r) m (a. pl.) (a pair of) braces pl., Am. suspenders pl.

Hospita'l (hŏspĭtăhl) n hospital.

Ho'stie (hŏst'i⁰) f host, holy wafer.

Hote'l (hŏtĕl) n hotel; ~ie'r (hŏtĕl'é) m, ~besitzer(in f) (-b⁰zĭts⁰r) m hotel-keeper.

Hub (hō͞op) m lift; (Kolben2) stroke.

Hu'bschrauber (hō͞opshrowb⁰r) m helicopter.

hübsch (hūpsh) pretty; nice; (a. = beträchtlich) handsome.

Huf (hō͞of) m hoof; ~'-eisen (-īz⁰n) n horseshoe; ~'nagel (-năhg⁰l) m hobnail; ~'schlag (-shlăhk) m horse's kick; clatter of a horse's feet; ~'schmied (-shmeet) m farrier.

Hü'ft|e (hüft⁰) f hip; haunch; ~gelenk n hip-joint; ~gürtel m für Damen: suspender (Am. garter) belt; 2lahm hip-shot; ~weh (-vé) n sciatica.

Hü'gel (hüg⁰l) m hill, hillock.

hü'g(e)lig hilly.

Huhn (hō͞on) n fowl; (Henne) hen; junges ~, Hü'hnchen (hün̜ç⁰n) n pullet, chicken.

Hü'hner|auge (hün⁰rowg⁰) n corn; ~ei (-ī) n hen's egg; ~hund (-hŏont) m pointer, setter; ~leiter (-lit⁰r) f roost-ladder.

Huld (hŏolt) f grace, favour.

hu'ldigen (hō͞oldĭg⁰⁰n) do homage; e-r S.: indulge in.

Hu'ldigung f homage.

hu'ld|reich (hō͞oltrĭç), ~voll (-fŏl) gracious.

Hü'lle (hül⁰) f cover(ing), wrap, envelope; (Schleier) veil; 2n cover, wrap (up).

Hü'lse (hülzᵉ) *f* hull, husk; (*Schale; Granaten♀*) shell; (*Patronen♀ usw.*) case; (*Schote*) pod; ∼nfrucht (-frŏŏĸt) *f* legume.

huma'n (hŏŏmä*h*n) humane; ♀ität' *f* humanity.

Hu'mmel (hŏŏmᵉl) *f* bumble-bee.

Hu'mmer (hŏŏmᵉr) *m* lobster.

Humo'r (hŏŏmōr) *m* humour; ♀i'stisch (-istĭsh) humorous.

hu'mpeln (hŏŏmpᵉln) hobble.

Hund (hŏŏnt) *m* dog; (*Jagd♀*) hound; *fig. auf den* ∼ *kommen* go to the dogs.

Hu'nde... (-dᵉ-): ∼hütte *f* dog-kennel, *Am.* doghouse; ∼kuchen (-kŏŏĸᵉn) *m* dog-biscuit; ∼leine (-lĭnᵉ) *f* (dog-)lead; ∼peitsche (-pītshᵉ) *f* dog-whip.

hu'ndert (hŏŏndᵉrt) (a) hundred; *4 vom* ♀ four per cent (4⁰/₀); ∼fach, ∼fältig (-fĕltĭç) hundredfold; ♀-ja'hrfeier (-yä*h*rfīᵉr) *f*, ∼jährig (-yärĭç) centenary; ∼st hundredth.

Hu'ndesperre (hŏŏndᵉshpĕrᵉ) *f* muzzling-order.

Hü'ndin (hündĭn) *f* she-dog, bitch.

hü'ndisch (hündĭsh) doggish; *fig.* (*kriecherisch*) crouching.

Hu'nds... (-ts-): ♀gemein (-gʰᵉmīn) scurvy; ∼tage (-tä*h*gʰᵉ) *m/pl.* dog-days.

Hü'ne (hünᵉ) *m* giant.

Hu'nger (hŏŏ*ŋ*ᵉr) *m* hunger; ∼ bekommen get hungry; ∼ h. be hungry; ∼kur (-kōōr) *f* fasting cure; ∼leider (-līdᵉr) *m* starveling; ∼lohn (-lōn) *m* starvation wage(s).

hu'ng(e)rig hungry.

hu'ngern be hungry; *freiwillig:* abstain from food; *j.* ∼ *l.* starve a p.

Hu'nger|snot (-nōt) *f* famine; ∼streik (-shtrĭk) *m* hunger-strike; ∼tod (-tōt) *m* starvation.

Hu'pe (hōōpᵉ) *f* horn; ♀n hoot.

hü'pfen (hüpfᵉn) (sn) hop, skip.

Hü'rde (hürdᵉ) *f* hurdle; (*Pferch*) pen; ∼nrennen *n* hurdle-race.

Hu're (hōōrᵉ) *f*, ♀n whore.

hu'rtig (hŏŏrtĭç) quick, swift; (*behend*) agile, nimble.

Husa'r (hŏŏzä*h*r) *m* hussar.

husch! (hŏŏsh) hush!, quick!; ∼'en (sn) scurry, whisk.

hü'steln (hüstᵉln) cough slightly.

hu'sten (hŏŏstᵉn), ♀m cough.

Hut¹ (hōōt) *m* hat.

Hut² *f* care, charge; guard; *auf der* ∼ *sein* be on one's guard.

hü'te|n (hütᵉn) guard; keep; watch (over); *Vieh:* tend; *das Bett* ∼ keep one's bed; *sich* ∼ *vor* (*dat.*) beware of; ♀r(**in** *f*) *m* keeper, guardian; (*Vieh♀*) herdsman.

Hu't|futter (-fōōtᵉr) *n* lining of a hat; ∼krempe *f* brim of a hat; ∼macher (-mä*h*ᵉr) *m* hattet; ∼nadel (-nähdᵉl) *f* hat-pin.

Hü'tte (hütᵉ) *f* hut, cottage; ⊕ metallurgical plant; *mount* refuge; ∼nwesen (-vézᵉn) *n* metallurgy.

Hyä'ne (hüänᵉ) *f* hyena.

Hyazi'nthe (hüä*h*tsĭntᵉ) *f* hyacinth.

hydrau'lisch (hüdrowlĭsh) hydraulic.

Hygie'n|e (húgʰᵉénᵉ) *f* hygiene; ♀isch hygienic, sanitary.

Hy'mne (hümnᵉ) *f* hymn.

Hypno'|se (hüpnōzᵉ) *f* hypnosis; ♀tisie'ren (-tĭzeerᵉn) hypnotize.

Hypocho'nd|er (hüpókóndᵉr) *m* hypochondriac.

Hypothe'k (hüpŏték) *f* mortgage.

Hypothe'|se (hüpŏtézᵉ) *f* hypothesis; ♀tisch hypothetic(al).

Hysterie' (hüstéreé) *f* hysteria.

hyste'risch hysterical.

I

i! why!; *i wo!* certainly not!
ich (ĭç) **1.** I; **2.** ♀ *n* self.
Idea'l (ĭdĕáhl) *n*, ♀ *adj.* ideal;
  ♀**isie'ren** (-ĭzeer⁰n) idealize.
Idee' (ĭdé) *f* idea, notion.
identi'fizie'ren (ĭdĕntĭfītseer⁰n)
  identify; **✓'sch** identical; **♀tä't** *f*
  identity.
Idio't (ĭd'ŏt) *m* idiot; **✓ie'** (-ee) *f*
  idiocy; **♀'isch** idiotic.
I'gel (eegʰ⁴l) *m* hedgehog.
Ignora'nt (ĭgnŏrähnt) *m* ignoramus.
ignorie'ren (-ĭgnŏreer⁰n) ignore.
ihr (eer) *besitzanzeigend:* her; *pl.*
  their; ♀ your; **✓'erseits** (eer⁰rzĭts)
  in her (their, your) turn.
i'hrige (eerĭgʰⁿ): *der usw.* ✓ hers;
  pl. theirs; ♀ yours.
illegiti'm (ĭlégĭteem) illegitimate.
illumine'ren (ĭlŏŏmĭneer⁰n) il-
  luminate.
illuso'risch (ĭlŏŏzōrĭsh) illusory.
I'ltis (ĭltĭs) *m* fitchew, polecat.
I'mbiß (ĭmbĭs) *m* light meal, snack,
  Am. lunch.
I'mker (ĭmk⁰r) *m* bee-master.
immatrikulie'ren (ĭmăhtrĭkŏŏlee-
  r⁰n) (*a. sich* ✓ *l.*) matriculate, enrol.
i'mmer (ĭm⁰r) always; *für* ✓ fo
  ever; ✓ *mehr* more and more; ✓
  wieder again and again; **✓fort**
  always, continually; **♀grün** ✓
  evergreen; **✓hin** still, yet; ✓
  während (-vär⁰nt) everlasting.
Immobi'lien (ĭmōbeel¹⁰n) *pl.* im-
  movables, real estate.
immu'n (ĭmōōn) immune (*gegen*
  from); **♀itä't** *f* immunity.
I'mpf... (ĭmpf-): **✓arzt** *m* vac-
  cinator; **♀en** ✓ vaccinate; **✓schein**
  (-shīn) *m* certificate of vaccination;
  ✓ung ✓ vaccination.
imponie'ren (ĭmpōneer⁰n): *j-m* ✓
  impress a p.
Impo'rt (ĭmpórt) *m* import(ation);
  ♀ie'ren (-eer⁰n) import.
imposa'nt (ĭmpōzähnt) imposing.
im'prägnie'ren (ĭmprēgneer⁰n)
  impregnate; **✓provisie'ren** (ĭmprŏ-
  vizeer⁰n) improvise.

imsta'nde (ĭmshtähnd⁰) able.
in (ĭn) (*acc.*) in, into; (*dat.*) in, at;
  (*innerhalb*) within.
In-a'ngriffnahme (ĭnähngrĭfnähm⁰)
  f taking in hand.
I'nbegriff (ĭnb⁰grĭf) *m* essence; **♀en**
  included.
I'nbrunst (ĭnbrŏŏnst) *f* ardour, fervour.
i'nbrünstig (ĭnbrŭnstĭç) ardent,
  fervent.
inde'm (ĭndém) whilst, while; *Mit-*
  tel: by *mit Gerundium.*
inde's(sen) **1.** *adv.* meanwhile; **2.** *cj.*
  (*jedoch*) however.
India'ner (ĭnd¹ähn⁰r) *m* Red Indian.
I'nd(i)er (ĭnd['¹]⁰r) *m*, **i'ndisch**
  (ĭndĭsh) Indian, Hindoo.
i'ndiskret (ĭndĭskrét) indiscreet;
  ♀io'n (ĭndĭskréts'ōn) indiscretion.
individue'll (ĭndĭvĭdŏŏĕl), **♀um**
  (ĭndĭvee'dŏŏōōm) *n* individual.
Indoss|ame'nt (ĭndŏsähmĕnt) **✝** *n*
  endorsement; **✓ie'ren** (-eer⁰n) indorse.
Industrie' (ĭndŏŏstree) *f* industry;
  ✓arbeiter (-ährbĭt⁰r) *m* industrial
  worker.
industrie'll (ĭndŏŏstrĭĕl) industrial.
infa'm (ĭnfähm) infamous.
Infanter|ie' (ĭnfähnt⁰ree) *f* in-
  fantry; **✓i'st** *m* foot-soldier.
infizie'ren (ĭnfĭtseer⁰n) infect.
info'lge (ĭnfŏlgʰⁿ) (*gen.*) in consequence of, owing to; **✓d'essen**
  consequently.
informie'ren (ĭnfŏrmeer⁰n) inform,
  folsch ✓ misinform.
Ingenieu'r (ĭnGĕn'ŏr) *m* engineer.
I'ngwer (ĭngv⁰r) *m* ginger.
I'nhaber (ĭnhähb⁰r) *m*, **✓in** *f* possessor; holder; occupant.
I'nhalt (ĭnhählt) *m* contents *pl.*;
  (*wörtlicher*) tenor; (*Raummaß*)
  capacity; **♀reich** (-rĭç) significant;
  ✓s-angabe (-ähngähb⁰) *f* summary;
  ✓sverzeichnis (-fĕrtsĭçnĭs) *n* table
  of contents, index.
Inka'sso (ĭnkähsō) *n* encashment.
i'nkonseque'n|t (ĭnkŏnzĕkvĕnt) in-
  consistent; **♀z** (-ts) *f* inconsistency

Inkra'fttreten (ĭnkrä/hfttrēt'n) n coming into force.

I'nland (ĭnlä/hnt) n inland; (Ggs. Ausland) home.

I'nländer (ĭnlĕnd'r) m native

i'nländisch native; Handel: inland; Erzeugnis: home-made; Verbrauch: domestic.

I'nlett (ĭnlĕt) n bedtick.

i'nliegend (ĭnleeg/h'nt) enclosed.

inmi'tten (gen.) in the midst of.

i'nne... (ĭn'): ~haben possess, hold; ~halten v/i. stop; v/t. keep to.

i'nnen inside; nach ~ inward(s).

I'nnen|minister m Brit. Home Secretary, Am. Secretary of the Interior; ~ministerium (-mĭnĭstĕr'ōōm) n Brit. Home Office, Am. Department of the Interior; ~politik f domestic policy; ~seite (-zĭt') f inner side.

i'nner (ĭn'r) interior; inner; (a. ...) internal; Qe(s) n interior; Minister (-ium) des Qn s. Innen...; ~halb (-hälp) prp. (gen.) within; adv. (on the) inside; ~lich inward; a. ... internal; ~st inmost.

i'nnewerden perceive.

i'nnewohnend (ĭn'vōn'nt) inherent.

i'nnig (ĭnĭç) heart-felt; fervent; Beziehung: intimate; Qkeit f fervour; intimacy.

I'nnung (ĭnōōrg) f guild.

i'noffizie'll (ĭnŏfĭts'ĕl) unofficial.

I'nsasse (ĭnzähs') inmate.

I'nschrift f inscription.

Inse'kt (ĭnzĕkt) n insect.

I'nsel (ĭnz'l) f island; ~bewohner (-in f) (-b'vōn'r) m islander.

Inser|a't (ĭnzĕräht) n advertisement; Qie'ren (-eer'n) insert, advertise.

insgesa'mt (ĭnsg'hēzä/hmt) altogether.

inso'fe'rn (ĭnzōfĕrn) adv. so far; cj. ~ als as far as, in so far as.

i'nsolven|t (ĭnzŏlvĕnt) insolvent; Qz f insolvency.

inspizie'ren (ĭnspĭtseer'n) inspect, superintend.

Install|ateu'r (ĭnstählähtör) m installer, plumber; Qieren (-eer'n) install.

insta'nd (ĭnshtähnt): ~ halten keep up; Qhaltung f upkeep; ~ setzen (-zĕts'n) j-n: enable; et.: repair.

i'nständig (ĭnshtĕndĭç) instant.

Insta'nz (ĭnstä/hnts) f instance; ~enweg (-vék) m official channels pl.

Institu't (ĭnstĭtōōt) n institute.

instruie'ren (ĭnstrōōeer'n) instruct.

Instrume'nt (ĭnstrōōmĕnt) n instrument.

inszenie'ren (ĭnstséneer'n) stage.

Intellige'nz (ĭntĕlĭghĕnts) f intelligence.

Intenda'nt (ĭntĕndähnt) m thea. casting director.

interessa'nt (ĭnt'rĕsähnt) interesting.

Intere'sse (ĭnt'rĕs') n interest (an dat., für in); ~ngemeinschaft (-ghĕminshähft) f combine, pool, trust.

Interess|e'nt m interested party; Qieren (-eer'n) interest (für in); sich ~ für take an interest in.

interimi'stisch (ĭnt'rĭmĭstĭsh) provisional.

Intern|a't (ĭntĕrnäht) n boarding-school; Qieren (-eer'n) intern; ~ie'rung f internment.

inter|pellie'ren (-pĕleer'n) interpellate; ~punktie'ren (-pŏōrghkteer'n) punctuate; Qpunktio'n (-pŏōrghkts'ōn) f punctuation; ~venie'ren (-vĕneer'n) intervene; Qzo'nenpaß (-tsōn'npähs) m interzonal pass.

inti'm (ĭnteem) intimate (mit with); Qität f intimacy.

Intrig|a'nt (ĭntrĭgähnt) m intriguer.

intrigie'ren (ĭntrĭgheer'n) intrigue, plot.

Invali'de (ĭnvähleed') m invalid; ~nrente f disablement pension.

Inventa'r (ĭnvĕntähr) n inventory, stock.

Inventu'r (ĭnvĕntōōr) f stock-taking; ~ m. take stock; ~ausverkauf (-owsfĕrkowf) m stock-taking sale.

investie'r|en (ĭnvĕsteer'n) invest; Qung f investment.

i'nwendig (ĭnvĕndĭç) inward.

inzwi'schen (ĭntsvĭsh'n) in the meantime.

i'rd|en (ĭrd'n) earthen; ~isch earthly; (weltlich) worldly.

I're (eer') m Irishman; **I'rin** f Irishwoman.

i'rgend (ĭrghĕnt) in Zssgn some, allg. u. bei Frage u. Verneinung any; wenn ich ~ kann if I possible can; ~ein(e, s) (-in) some; any; ~ jemand (yémähnt) somebody; anybody; ~ etwas (ĕtwähs) something; anything; ~wie (-vee) somehow; anyhow; ~wo somewhere; anywhere.

i'risch (eerĭsh) Irish.

Iron|ie' (ĭrōnee) f irony; 2'isch ironic(al).

i'rre (ir⁰) 1. astray; (verwirrt) confused; ⚕ insane; 2. 2(r) lunatic; ~fahren, ~gehen (-g'é⁰n) (sn) go astray; ~führen lead astray; fig. mislead; ~machen (-mä̆ʜк⁰n) puzzle, bewilder; perplex; ~n err; (umherschweifen) wander; (sich) ~ be mistaken.

I'rren|arzt m alienist; ~haus (-hows) n, ~anstalt (-ä̆ʜnshtä̆ʜlt) f lunatic asylum.

i'rre|reden (-réd⁰n) rave; ~werden (sn) fig. grow puzzled (an dat. by).

I'rr|fahrt f wandering; ~garten m maze; 2gläubig (-glŏibĭç) heretical.

i'rrig erroneous; false, wrong.

irritie'ren (ĭrĭteer⁰n) (ärgern) irritate; (be-irren) puzzle.

I'rr|lehre f false doctrine; ~licht (-lĭçt) n will-o'-the-wisp; ~sinn (-zĭn) m insanity; 2sinnig insane; ~tum m error, mistake; 2tümlich (-tümlĭç) erroneous; ~weg (-vék) m wrong way.

I'schias (ĭsç'ä̆hs) ⚕ f sciatica.

Isola'tor (ĭzōlä̆htŏr) ϟ m insulator.

Isolie'r|band (ĭzōleerbä̆ʜnt) n insulating tape; 2en isolate; ϟ insulate; ~ung f isolation; ϟ insulation.

Itali|e'ner (ĭtä̆hl'én⁰r) m, 2e'nisch Italian.

J

ja (yåh) yes; ~ *doch!* to be sure!; ~ *sogar* nay (even); *wenn* ~ if so; *er ist* ~ *mein Freund* why, he is my friend.

Jacht (yåhĸt) *f* yacht.

Ja'cke (yåhkᵉ) *f* jacket.

Jagd (yåhĸt) *f* hunt(ing); *mit der Flinte:* shooting; (*Verfolgung*) chase; ~ *bezirk; auf* ~ *gehen* go hunting *od.* shooting; **,'bezirk** (-bᵉtsĭrk) *m* hunting-ground, shooting(-ground); **,'flinte** *f* sporting gun *od.* rifle; **,'flugzeug** (-flⁱōōktsŏik) *n* pursuit plane; **,'haus** (-hows) *n* shooting- *od.* hunting-box; **,'hund** (-hōont) *m* hound; **,'rennen** *n* steeple-chase; **,'revier** (-rĕveer) *n* = ~ *bezirk;* **,'schein** (-shĭn) *m* shooting-licence; **,'schloß** (-shlŏs) *n* hunting-seat; **,'tasche** (-tåhshᵉ) *f* game-bag.

ja'gen (yåhghᵉn) *v/i.* hunt; shoot; (*eilen*) rush, dash; *v/t.* hunt; (*hetzen*) chase; (*weg*_) drive away; *in die Flucht* ~ put to flight.

Jä'ger (yåghᵉr) *m* hunter, sportsman; X rifleman.

jäh (yå) precipitous, sudden.

Jahr (yåhr) *n* year; *ein halbes* ~ six months; **,'buch** (-bōōk) *n* annual.

ja'hrelang (yåhrᵉlåhn̦) (lasting) for years.

Ja'hres...: *in Zssgn mst* annual; **,be-richt** (-bᵉrĭçt) *m* annual report; **,feier** (-fĭᵉr) *f* **,tag** (-tåhk) *m* anniversary; **,zeit** (-tsĭt) *f* season.

Ja'hr|gang (yåhrgåhn̦) *m* annual set; *Menschen:* age-class; *Wein:* vintage; **,hu'ndert** (-hōondᵉrt) *n* century.

jä'hrlich (yårlĭç) annual, yearly.

Ja'hr|markt *m* fair; **,tau'send** (-towzᵉnt) *n* millennium; **,ze'hnt** (-tsént) *n* decade.

Jä'hzorn (yåtsŏrn) *m* sudden anger; *Eigenschaft:* irascibility; **2ig** irascible. [blind.]

Jalousie' (Gåhlōōzee) *f* Venetian

Ja'mmer (yåhmᵉr) *m* lamentation; (*Elend*) misery; *es ist ein* ~ it is a pity.

jä'mmerlich (yĕmᵉrlĭç) lamentable, deplorable; *contp.* pitiable.

ja'mmern (yåhmᵉrn) lament (for); (*ächzen*) wail; *er jammert mich* I pity him.

Ja'nuar (yåhnōōåhr) *m* January.

Japa'n|er (yåhpåhnᵉr) *m,* **,erin** *f,* **2isch** japanese.

jä'ten (yåtᵉn) *v/t. u. v/i.* weed.

Jau'che (yowkᵉ) *f* liquid manure.

jau'chzen (yowktsᵉn) shout (with joy), cheer.

jawo'hl (yåhvōl) yes, indeed, to be sure.

Ja'wort (yåhvŏrt) *n* consent; *e-m Freier das* ~ *geben* accept a suitor.

je (yé) ever; ~ *nachdem* as the case may be; *cj.* according as; ~ *zwei* two at a time; *sie bekamen* ~ *zwei Äpfel* two apples each; *für* ~ *zehn Wörter for every ten words;* ~ ... *desto the* ... the ...

je'de (yédᵉ), **,r, ,s** every; *v. e-r Gruppe:* each; *v. zweien:* either; (*beliebige*) any; **,r,** *der* whoever; **,n** *zweiten Tag* every other day; **,nfa'lls** at all events, in any case; **,rma'nn** every one, everybody; **,rzei't** (-tsĭt) at any time.

jedo'ch (yédŏk) however, yet.

je'her (yéhér): *von* ~ at all times.

je'mals (yémåhls) ever, at any time.

je'mand (yémåhnt) somebody; someone; anybody; any one.

je'ne (yénᵉ), **,r, ,s** that, *pl.* those.

je'nseitig (yénzitĭç) opposite.

je'nseits (yénzĭts) beyond (2 *n the,,*).

je'tzig (yétsĭç) present; actual

jetzt (yĕtst) now, at present; *für* ~ for the present.

je'weilig (yévĭlĭç) respective.

Joch (yŏk) *n* yoke; (*Berg*2) pass.

Jod (yŏt) *n* iodine.

jo'deln (yŏdᵉln) yodel.

Joha'nnis(tag *m*) (yŏhåhnĭs) *n* St. John's Day; 2**beere** (-bérᵉ) *f* red currant.

jo'hlen (yŏlᵉn) bawl; *parl.* boo.

Jo'lle (yŏlᵉ) *f* jolly-boat.

Journali'st (Qōōrnåhlĭst) *m* journalist, *Am.* newspaperman.

Ju'bel (yōōbᵉl) *m* jubilation; **⁓feier** (-fīᵉr) *f* jubilee; **2n** jubilate, exult.

Jubil|a'r(in *f*) (yōōbīlä́hr) *m* person celebrating his (her) jubilee; **⁓ä'um** (yōōbīlä́ōōm) *n* jubilee.

juchhe(i)'! (yōōkhé́, -ī) hey-day!

Ju'chten (yōōkᵗn) *m* Russia(n)|

ju'cken (yōōkᵉn) itch. [leather.|

Ju'de (yōōdᵉ) *m* Jew; **⁓ntum** *n* Judaism; **⁓nverfolgung** (-fěrfŏlgōōŋ) *f* Jew-baiting. [Jewish.|

Jü'd|in (yŭdīn) *f* Jewess; **2isch|**

Ju'gend (yōōgʰᵉnt) *f* youth; **⁓-amt** *n* Youth Welfare Office; **⁓freund** (-frŏint) (-**in** [frŏindīn] *f*) *m* early friend; **2herberge** (-hĕrbĕrgʰᵉ) *f* youth-hostel; **2jahre** (-yāhrᵉ) *n/pl.* early years; **⁓kraft** *f* youthful strenght; **2lich** youthful; **⁓liche(r)** *m* juvenile, *Am.* teen-ager; **⁓liebe** (-leebᵉ) *f* calf-love; **⁓schriften** *f/pl.* books for the young; **⁓streich** (-shtriç) *m* youthful prank.

Ju'li (yōōlee) *m* July.

jung (yōōŋ) young; *Erbsen:* green; *Wein:* new; *Bier:* fresh.

Ju'nge 1. *m* boy, lad; **2.** *n* young; *ein* **⁓s** a young one; *Raubtier:* cub; **2n** bring forth young; **2nhaft** boyish; **⁓nstreich** (-shtriç) *m* boyish trick.

Jü'nger (yŭŋᵉr) *m* disciple.

Ju'ngfer (yōōŋfᵉr) *f* maid; (*Zofe*) lady's maid; spinster.

jü'ngferlich (yŭŋfᵉrlïç) virginal.

Ju'ngfern|fahrt (yōōŋfᵉrnfä́hrt) *f* maiden voyage; **⁓rede** (-rédᵉ) *f* maiden speech; **⁓schaft** *f* virginity, maidenhood.

Ju'ng|frau (yōōŋfrow) *f* maid, virgin; **2fräulich** (-frŏilïç) maiden (-ly), virgin(al); **⁓gesell(e)** (-gʰᵉzĕl[ᵉ]) *m* bachelor; **⁓gesellenstand** (-gʰᵉzĕlᵉnshtä́nt) *m* bachelorhood; **⁓gesellin** *f* bachelor-girl.

jüngst (yŭŋst) **1.** *adj.* youngest; *Zeit:* last; latest; **2.** *adv.* (*a.* **⁓'hin**) recently, lately.

Ju'ni (yōōnee) *m* June.

Ju'ra (yōōräh) *n/pl.:* **⁓** *studieren* study (the) law.

Ju'rist (yōōrist) *m* lawyer; *Student:* law-student; **2isch** juridical.

just|ie'ren ⊕ (yōōsteerᵉn) adjust; **2ie'rung** (-eeroōŋ) *f* adjustment.

Justi'z (yōōsteets) *f* justice; **⁓be-amte(r)** *m* officer of justice; **⁓minister** *m Brit.* Lord Chancellor, *Am.* Attorney General.

Juwe'l (yōōvél) *n* jewel.

Juwelie'r (yōōvéleer) *m* jeweller.

K

(Vgl. auch C und Z)

Ka′bel (kāhbᵉl) *n* cable; **~depesche** (-dépéshᵉ) *f* cable(gram); **2n** cable.
Ka′beljau (kāhbᵉlyow) *m* cod(fish).
Kabi′ne (kāhbeenᵉ) *f* cabin.
Kabine′tt (kāhbĭnĕt) *n* cabinet.
Ka′chel (kāhᵏᵉl) *f* (Dutch) tile.
Kada′ver (kāhdāhvᵉr) *m* carcass.
Kade′tt (kāhdĕt) *m* cadet.
Kä′fer (kāfᵉr) *m* beetle, *Am.* bug.
Ka′ffee (kāhfé) *m* coffee; **~bohne** *f* c.-bean; **~kanne** *f* c.-pot; **~mühle** *f* c.-mill; **~satz** (-zähts) *m* c.-grounds *pl.*; **~tasse** *f* c.-cup.
Kä′fig (kāfĭç) *m* cage.
kahl (kāhl) bald; *fig. a.* bare, naked; *Baum*: bare; *Landschaft*: barren; **2′kopf** *m* baldhead; **~köpfig** (-köpfĭç) bald-headed.   [barge.\
Kahn (kāhn) *m* boat; punt; (*Last2*)
Kai (ki, kā) *m* quay, wharf.
Kai′ser (kizᵉr) *m* emperor; **~in** *f* empress; **~krone** (-krōnᵉ) *f* imperial crown; **2lich** imperial; **~reich** (-rīç), **~tum** *n* empire.
Kajü′te (kāhyütᵉ) *f* cabin.
Kaka′o (kāhkāhō) *m* cocoa.
Ka′lauer (kāhlowᵉr) *m* Joe Miller.
Kalb (kāhlp) *n* calf; **2′en** (-bᵉn) calve.
Ka′lb|fell *n* calfskin; **~fleisch** (-flīsh) *n* veal; **~leder** (-lédᵉr) *n* calf(-leather).
Ka′lbs|braten (-brāhtᵉn) *m* roast veal; **~keule** (-kŏĭlᵉ) *f* leg of veal; **~nierenbraten** (-neerᵉnbrāhtᵉn) *m* loin of veal.
Kale′nder (kāhlĕndᵉr) *m* calendar, almanac; **~block** *m* date-block.
Ka′li (kāhlĭ) *n* potash.
Kali′ber (kāhleebᵉr) *n* calibre; bore.
Kalk (kāhlk) *m* lime; **~′(stein)-bruch** (-[shtīn]brŏŏk) *m* limestone-quarry; **2′ig** en withewash; **2′ig** limy; **~′-ofen** (-ōfᵉn) *m* limekiln; **~′stein** (-shtīn) *m* limestone.
Kalorie′ (kāhlōreeᵉ) *f* phys. calorie.
kalt (kāhlt) *allg.* cold; *geogr., a. fig.* frigid; *mir ist* ~ I am cold.
ka′ltblütig (-blütĭç) cold-blooded; *adv.* in cold blood.

Kä′lte (kĕltᵉ) *f* cold; chill (*a. fig.*); *fig.* coldness; **~grad** (-grāht) *m* degree below zero.
ka′ltstellen keep cold; *fig.* shelve.
Kame′l (kāhmél) *n* camel; **~haar** (-hāhr) *n* camel's hair.
Kamera′d (kāhmᵉrāht) *m* comrade, fellow, mate; **~schaft** fellowship; **2schaftlich** companionable.
Kami′lle (kāhmĭlᵉ) **♀** *f* camomile.
Kami′n (kāhmeen) *m* chimney; (*Ofen*) fire-place, fireside; **~sims** (-zĭms) *m od. n* mantelpiece; **~vorsetzer** (-förzĕtsᵉr) *m* fender.
Kamm (kāhm) *m* comb; *Vogel*, *Welle*: crest; (*Berg2*) ridge.
kä′mmen (kĕmᵉn) comb.
Ka′mmer (kāhmᵉr) *f* (small) room, closet; (*Behörde*) board; ⊕, *anat.*, *parl.* chamber; **~diener** (-deenᵉr) *m* valet; **~frau** (-frow) *f* lady's maid; **~herr** *m* chamberlain; **~jäger** (-yāghᵉr) *m* rat-catcher; **~musik** (-mŏŏzeek) *f* chamber-music; **~zofe** (-tsōfᵉ) *f* = **~frau.**
Ka′mm|garn *n* worsted (yarn); **~rad** (-rāht) *n* cog-wheel.
Kampf (kāhmpf) *m* combat; (*a. fig.*) fight; *schwerer*: struggle; *Sport*: contest; *fig.* conflict; **~′bahn** *f* *Sport*: stadium; **2′bereit** (-bᵉrīt) ready for battle.
kä′mpfen (kĕmpfᵉn) fight; (*ringen*) struggle.
Ka′mpfer (kāhmpfᵉr) *m* camphor.
Kä′mpfer (kĕmpfᵉr) *m*, **~in** *f* fighter; *bsd.* ⚔ combatant.
Ka′mpf|flugzeug (-flŏŏktsŏĭk) *n* fighter; **~platz** *m* battlefield; *Sport u. fig.*: arena; **~preis** (-prĭs) *m* prize; **~richter** (-rĭçtᵉr) *m* umpire; **2′unfähig** (-ŏŏnfāĭç) disabled.
kampie′ren (kāhmpeerᵉn) camp.
Kana′l (kāhnāhl) *m* künstlich: canal; *natürlich*: channel; (*Abzugs2*) sewer, drain; *geogr. the* Channel; **~isatio′n** (-īzāhtsĭ′ōn) *f* e-s Flusses: canalization; *e-r Stadt*: sewerage; **2isie′ren** (-izeerᵉn) canalize; sewer.

Kana'rienvogel (kăhnähr'iᵉnfögʰᵉl) *m* canary.

Kanda're (kăhndährᵉ) *f* curb (-bit).

Kandid|a't (kăhndĭdăht) *m* candidate; ~atu'r (-ăhtōōr) *f* candidature, *Am.* candidacy; Qie'ren (-eerᵉn) be (a) candidate.

Kani'nchen (kăhneençᵉn) *n* rabbit; ~bau (-bow) *m* rabbit-burrow.

Ka'nne (kăhnᵉ) *f* can, pot; (*Krug*) jug; ~gießer (-gʰeesᵉr) *m* pot-house politician.

Kanniba'l|e (kăhnĭhăhlᵉ) *m* ~in *f*, Qisch cannibal. [nade.]

Kanona'de (kăhnōnähdᵉ) *f* canno-|

Kano'ne (kăhnōnᵉ) *f* cannon, gun; *Sport*: crack; ~nboot (-bōt) *n* gunboat; ~ndonner *m* booming of cannon; ~nkugel (-kōōgʰᵉl) *f* cannon-ball.

Kanonie'r (kăhnōneer *m* gunner.

Ka'nte (kăhntᵉ) *f* edge; (*Einfassung*) border; (*Spitze*) lace; ~n¹ *m* Brot: top crust; Qn² cant, set on edge.

ka'ntig angular, edged.

Kanti'ne (kăhnteenᵉ) *f* canteen, *Am.* post exchange.

Kanu' (kăhnōō) *n* canoe.

Kanü'le (kăhnülᵉ) ⚥ *f* tubule.

Ka'nzel (kăhntsᵉl) *f* pulpit; ~redner (-rédnᵉr) *m* pulpit orator.

Kanzlei' (kăhntsli) *f* office.

Ka'nzler *m* chancellor.

Kap (kăhp) *n* cape.

Kape'lle (kăhpĕlᵉ) *f* chapel; ♩ band.

Kape'llmeister (kăhpĕlmĭstᵉr) *m* bandmaster.

ka'per|n (kăhpᵉrn) capture, seize; Qschiff *n* privateer.

Kapita'l (kăhpĭtähl) 1. *n* capital; stock; ~ und Zinsen principal and interest; 2. Q capital; ~anlage (-ăhnlähgʰᵉ) *f* investment; ~flucht (-flōōxt) *f* flight of capital; Qisie'ren (-Izeerᵉn) capitalize; Q'ist *m* capitalist; ~verbrechen (-fĕrbrĕ-çᵉn) *n* capital crime.

Kapitä'n (kăhpĭtän) *m* captain; ~leutnant (-löitnähnt) *m* lieutenant (in the navy).

Kapi'tel (kăhpĭtᵉl) *n* chapter.

kapitulie'ren (kăhpĭtōōleerᵉn) capitulate.

Kapla'n (kăhplähn) *m* chaplain.

Ka'ppe (kăhpᵉ) *f* cap; (*Kapuze*; *a.* ⊕) hood; (*kleiner Damenhut*) bonnet; ~n *Tau*: cut; ✓ lop, top.

Kaprio'le (kăhprĭōlᵉ) *f* caper.

Ka'psel (kăhpsᵉl) *f* case, box.

kapu'tt (kăhpōōt) broken; *fig.* ruined; (*ermattet*) worn out, all in.

Kapu'ze (kăhpōōtsᵉ) *f* hood.

Karabi'ner (kăhrăhbeenᵉr) *m* carbine.

Kara'ffe (kăhrähfᵉ) *f* carafe, decanter.

Karambol|a'ge (kăhrähmbōlähGᵉ) *f* collision; *Billard*: cannon; Qie'ren (-eerᵉn) collide; *Billard*: cannon, *Am.* cannon.

...karä'tig (kăhrätiç) ... carat.

Karawa'ne (kăhrăhvähnᵉ) *f* caravan.

Karbi'd (kăhrbeet) *n* carbide.

Kardina'l (kăhrdĭnähl) *m* cardinal.

Karfrei'tag (kăhrfrităhk) *m* Good Friday.

karg (kăhrk) scanty; poor; ~'en (kăhrgʰᵉn) be sparing.

kä'rglich (kĕrklĭç) scanty, poor.

karie'rt (kăhreert) checked, chequered, *Am.* checkered.

Karik|atu'r (kăhrĭkăhtōōr) *f*, Qie'ren (-eerᵉn) caricature, cartoon.

karmesi'n (kăhrmᵉzeen) crimson.

Ka'rneval (kăhrnᵉvähl) *m* carnival.

Ka'ro (kăhrō) *n* square; *Kartenspiel*: diamonds *pl.*; ~muster (-mōōstᵉr) *n* chequers *pl.*

Karosserie' (kăhrŏsᵉree) *f* body.

Ka'rpfen (kăhrpfᵉn) *m* carp.

Ka'rre (kăhrᵉ) *f* wheel-barrow.

ka'rren (kăhrᵉn) 2 *m* cart.

Karrie're (kăhrĭärᵉ) *f* gallop; (*Laufbahn*) career.

Ka'rte (kăhrtᵉ) *f* card; (*Land*Q) map; (*See*Q) chart; (*Fahr*Q *usw.*) ticket; (*Speise*Q) bill of fare.

Kartei' (kăhrtī) *f* card-index.

Karte'll (kăhrtĕl) *n* cartel.

Ka'rten|brief (kăhrtᵉnbreef) *m* letter-card; ~legerin (-légʰᵉrĭn) *f* fortune-teller; ~spiel (-shpeel) *n* card-playing.

Karto'ffel (kăhrtŏfᵉl) *f* potato; ~brei (-brī) *m* mashed potatoes *pl.*; ~käfer (-käfᵉr) *m* potato-bug.

Karto'n (kăhrtŏŋ) *m* (~*papier*) cardboard; (*Schachtel*) cardboard box.

Kartothe'k (kăhrtōték) *f* = *Kartei*.

Karusse'll (kăhrōōsĕl) *n* merry-go-round *Am.* carousel. [*Week.*]

Ka'rwoche (kăhrvŏkᵉ) *f* Holy|

Kä'se (käzᵉ) *m* cheese.

Kase'rn|e (kähzĕrnᵉ) *f* barracks *pl.*; **~enhof** (-·hōf) *m* barrack-yard; **2ie'ren** (-eer'n) barack.

kä'sig (käziç) cheesy.

Kasi'no (kähzeenō) *n* casino; club; (*Offiziers*2) mess.

Ka'sperle (kähspᵉrlᵉ) *n* Punch; **~theater** (-tĕähtᵉr) *n* Punch and Judy (show).

Ka'sse (kähsᵉ) *f* money-box; (*Laden*2) till; (*Zahlstelle*) pay-office; (**~nschalter**) pay-desk; (*Theater*2 *usw.*) ticket-, booking-office; (*Bargeld*) cash; bei **~** in cash.

Ka'ssen|-anweisung (-ähnvīzōōŋ) *f*, **~schein** (-shīn) *m* cash order; bill; **~bote** (-bōtᵉ) *m* bank messenger; **~buch** (-bōōk) *n* cash-book; **~patient** (-pähts'ĕnt) *m* panel-patient.

Kasse'tte (kähsĕtᵉ) *f* casket; *phot.* plate-holder.

kassie'ren (kähseerᵉn) *v/i.* get in (money); (*aufheben*) annul; *ein Urteil*: quash.

Kassie'rer *m*, **~in** *f* cashier.

Kasta'nie (kähstähnⁱᵉ) *f* chestnut.

kastei'en (kähstī'n) mortify.

Ka'sten (kähstᵉn) *m* chest, box, case; **~geist** (-gīst) *m* caste-feeling.

Katalo'g (kähtählōk) *m* catalogue.

Kata'rrh (kähtähr) *m* cold, catarrh.

katastr|opha'l (kähtähstrōfähl) catastrophic; **2o'phe** (-ōfᵉ) *f* catastrophe.

Katechi'smus (kähtĕçĭsmōōs) *m* catechism.

Kateg|orie' (kähtégōreeᵉ) *f* category; **2o'risch** (-ōrĭsh) categorical.

Ka'ter (kähtᵉr) *m* tom cat; *s. Katzenjammer.*

Kathe'der (kähtédᵉr) *n* lecturing desk.

Katholi'k (kähtōleek) *m*, **~in** *f*, **katho'lisch** (Roman) Catholic.

Kattu'n (kähtōōn) *m* calico, print.

Ka'tze (kähtsᵉ) *f* cat.

Ka'tzenjammer (kähts⁽ᵉ⁾nyähmᵉr) F *m* hang-over.

Kau'derwelsch (kowdᵉrvĕlsh) *n* gibberish; **2en** gibber.

kau'en (kowᵉn) *v/t. u. v/i.* chew.

kau'ern (kow⁽ᵉ⁾rn) (sn) cower, squat.

Kauf (kowf) *m* purchase; *günstiger*: bargain, good buy; **~brief** (-breef) *m* purchase-deed; **2'en** buy, purchase.

Käu'fer (kŏifᵉr) *m* buyer, purchaser.

Kau'f|haus (kowfhows) *n* stores *pl.*; **~laden** (-lähd⁽ᵉ⁾n) *m* shop, *Am.* store.

käu'flich (kŏiflĭç) purchasable; *fig. b.s.* venal; *adv.* by purchase.

Kau'f|mann (kowfmähn) *m* merchant; *im kleinen*: retailer, shopkeeper; **2männisch** (-mĕnĭsh) commercial; **~vertrag** (-fĕrträhk) *m* contract of sale. [ing-gum.]

Kau'gummi (kowgōōmee) *n* chew-]

kaum (kowm) scarcely, hardly.

Kau'tabak (kowtähbähk) *m* chewing-tobacco.

Kautio'n (kowts'ōn) *f* security.

Kau'tschuk (kowtshōōk) *m* caoutchouc, hard rubber.

Kavallerie' (kähvählᵉree) *f* cavalry, horse.

Ka'viar (kähvⁱähr) *m* caviar(e).

keck (kĕk) bold; **2'heit** *f* boldness.

Ke'gel (kégᵉl) *m* cone; (*Spiel*2) pin; **~** *schieben* = **2n** play (at) skittles *od.* ninepins; **~bahn** *f* skittle (*Am.* bowling-)alley; **2förmig** (-fŏrmĭç) conical.

Ke'gler (késlᵉr) *m* skittle-player.

Ke'hle (kélᵉ) *f* throat.

Ke'hlkopf (kélkŏpf) *m* larynx.

Ke'hre (kérᵉ) *f* turn, bend; **2n** brush, sweep; (*um*~) turn; *sich* **~** *an* (*acc.*) mind. [*pl.*]

Ke'hricht (kérĭçt) *m* (*n*) sweepings]

Ke'hrseite (-zītᵉ) *f* reverse, back.

kei'f|en (kīf'n) scold.

Keil (kīl) *m* wedge; *Näherei*: gusset; **~'e** F *pl.* thrashing; **~erei'** (-ᵉrī) *f* *sl.* row; **2'förmig** (-fŏrmĭç) wedge-shaped; **~'kissen** *n* padded wedge; **~'schrift** *f* cuneiform characters *pl.*

Keim (kīm) *m* germ; *a.* seed, bud; **2'en** (h. *u.* sn) germ(inate); **2'frei** (-frī) sterile; **~m.** sterilize; **~'träger** (-trägᵉr) **2** *m* (germ-)carrier; **~'zelle** *f* germ-cell.

kein (kīn) no, not any; *als* su. **~'e** (r, s) none; no one, nobody, not anybody; **~er** (*von beiden*) neither; **~'eswe'gs** (-véks) by no means, not at all; **~'mal** (-mähl) not once, never.

Keks (kéks) *m* (*n*) biscuit. *Am.* cracker, cookie.

Kelch (kĕlç) *m* cup; ⚕ calyx.

Ke'lle (kĕlᵉ) *f* ladle; ⊕ trowel.

Ke'ller (kĕlᵉr) *m* cellar; **~ei'** (-i) *f* cellarage; **~geschoß** (-gᵉshŏs) *n* basement; **~meister** (-mistᵉr) *m* butler.

Ke'llner (kĕln°r) m waiter, barman; ~in f waitress, barmaid. [press.]
Ke'lter (kĕlt°r) f winepress; 2n|
ke'nn|en (kĕn°n) know, be acquainted with; ~enlernen become acquainted with, get to know; 2er(in f) m connoisseur; expert; ~tlich recognizable; 2tnis f knowledge; ~ nehmen von take not(ic)e of; 2zeichen (-tsīç°n) n mark, sign; fig. criterion; ~zeichnen (-tsīçn°n) mark, characterize.

ke'ntern (kĕnt°rn) v/i. (sn) capsize.
Ke'rbe (kĕrb°) f notch, slot.
ke'rben notch, indent.
Ke'rker (kĕrk°r) m gaol, jail; ~meister (-mist°r) m jailer.
Kerl (kĕrl) m fellow, Am. guy.
Kern (kĕrn) m kernel; Apfel usw.: pip; Steinobst: stone; fig. core, pith; phys. nucleus; ~gehäuse (-gʰĕhŏiz°) n core; 2'gesund (-gʰĕzoōnt) thoroughly sound; 2'ig fig. (markig) pithy; (derb) solid; ~'punkt (-pōŏⁿkt) m essential point.
Ke'rze (kĕrts°) f candle; ~nstärke (-shtĕrk°) f candle-power.
Ke'ssel (kĕs°l) m kettle; (Dampf2) boiler; (Vertiefung) hollow.
Ke'tte (kĕt°) f, 2n chain (an to).
Ke'tten|glied (-gleet) n link of a chain; ~hund (-hŏont) m watch-dog.
Ke'tzer (kĕts°r) m, ~in f heretic; ~ei' (-ī) f heresy; 2isch heretical.
keu'ch|en (kŏiç°n) pant, gasp; 2~husten (-hōŏst°n) m (w)hooping-cough.
Keu'le (kŏil°) f club; Fleisch: leg.
keusch (kŏish) chaste; (rein) pure; 2'heit f chastity.
ki'chern (kĭç°rn) titter, giggle.
Kie'bitz (keebĭts) m lapwing.
Kie'fer (keef°r) m jaw; f pine.
Kiel (keel) m keel; (Feder2) quill; ~'raum (-rowm) m hold; ~'wasser n wake.
Kie'me (keem°) f gill.
Kien (keen) m resinous pine-wood; ~'apfel m pine-cone.
Kie'pe (keep°) f back-basket.
Kies (kees) m gravel.
Kie'sel (keez°l) m flint, pebble.
Kie'sweg (keesvĕk) m gravel-walk.
Ki'lo... (keelō-): ~gra'mm n kilogramme; ~he'rtz (-hĕrts) n kilo-cycle; ~me'ter (-mét°r) n kilometre; ~wa'tt n kilowatt.

Ki'mme (kĭm°) f notch.
Kind (kĭnt) n child; baby.
Kinderei' (kĭnd°rī) f (dummer Streich) childish trick; (Kleinigkeit) trifle.
Ki'nder... (-d-): ~frau (-frow) f nurse; ~fräulein (-frŏilīn) n nursery-governess; ~garten m kindergarten, infant (od. nursery-)school; 2leicht (-līçt) fool-proof; 2los childless; ~mädchen (-mĕtç°n) n nurse(-maid); ~märchen (-mĕrç°n) n nursery-tale; ~spiel (-shpeel) n fig. trifle; ~stube (-shtōōb°) f bsd. fig. nursery; ~wagen (-vāhgʰ°n) m perambulator, baby carriage; ~zeit (-tsit) f childhood; ~zimmer n nursery, Am. playroom.
Ki'ndes... (-d-): ~alter n infancy; ~kind (-kĭnt) n grandchild.
Ki'nd|heit f childhood; 2isch (kĭndĭsh) childish; 2lich (kĭntlĭç) childlike; gegenüber den Eltern: filial.
Kinn (kĭn) n chin; ~'backen m, ~'lade (-lähd°) f jaw(-bone); ~'bart m imperial; ~'haken (-hähk°n) m uppercut.
Ki'no (keenō) F n cinema, the pictures pl., Am. motion picture theater, F movies pl.; ~vorstellung (-fŏrshtĕlŏoŋ) f cinema-show.
Ki'ppe (kĭp°) f fig. auf der ~ on the tilt; 2n v/t. u. v/i. (h. u. sn) tilt, tip, topple (over).
Ki'rche (kĭrç°) f church.
Ki'rchen|älteste(r) (-ĕlt°st°[r]) m churchwarden, elder; ~buch (-bōōk) n parochial register; ~diener (-deen°r) m sexton, sacristan; ~gemeinde (-gʰ°mīnd°) f parish; ~lied n hymn; ~musik (-mōozeek) f sacred music; ~schiff n nave; ~steuer (-shtŏi°r) f church-rate; ~stuhl (-shtōōl) m pew.
Ki'rch|gang (-gähŋ) m church-going; ~hof (-hŏf) m churchyard; 2lich ecclesiastical; ~spiel (-shpeel) n parish; ~turm (-tōōrm) m steeple; ~weih (··vī) f parish fair.
ki'rre (kĭr°) adj. u. ~ m. tame
Ki'rsche (kĭrsh°) f cherry.
Ki'ssen (kĭs°n) n cushion, (Kopf2) pillow; (Polster) pad.
Ki'ste (kĭst°) f chest, box, case.
Kitsch (kĭtsh) m trash.
Kitt (kĭt) m cement; (Glaser2) putty.
Ki'ttel (kĭt°l) m smock, frock.

ki'tten (kíten) cement; putty.

Ki'tzel (kítsel) m tickle.

ki'tz|eln tickle; **~lig** ticklish.

Kla'dde (kláhde) f waste-book.

kla'ffen (kláhfen) (h. u. sn) gape.

klä'ffen (kléfen) yap, yelp.

kla'gbar (kláhkbähr) actionable.

Kla'ge (kláhge) f complaint; lament; ⚥ suit, action; ⚥n v/i. lament (um for); ⚥ sue (auf acc. for); **~ über** complain of.

Klä'ger (klägher) m, **~in** f plaintiff, complainant.

klä'glich (kláklíç) lamentable; Stimme: plaintive; (erbärmlich) pitiable.

klamm (kláhm) clammy; (erstarrt) numb; (knapp) short, scarce.

Kla'mmer (kláhmer) f ⊕ clamp, cramp; gr., typ. bracket, parenthesis; (Wäsche⚥) peg; ⚥n: sich ~ an (acc.) cling to.

Klang (kláhrg) m sound; Glocke: ringing; Geld, Stimme usw.: ring; (~farbe) timbre; ⚥'los soundless; ⚥'voll (-fól) sonorous.

Kla'pp|e (kláhpe) f flap; ⚥ key, Flöte: stop; gr., anat. valve; (Tisch⚥, Visier⚥) leaf; im Abzugsrohr: trap; ⚥n v/t. clap, flap (a. v/i.: mit et. a th.); v/i. fig. (gut gehen) work (well), Am. click; = klappern.

Kla'pper (kláhper) f rattle; ⚥ig fig. shaky, rickety; **~kasten** m Klavier: tinkettle; Wagen: rattletrap; ⚥n clatter, rattle; mit den Zähnen ~ chatter one's teeth; **~schlange** (-shlährge) f rattlesnake, Am. rattler.

Kla'pp|kamera (kláhpkähmeräh) f folding camera; **~kragen** (-krähghen) m turn-down collar; **~sitz** (-zíts) m tip-up seat; **~stuhl** (-shtōōl) m folding chair; **~tisch** m folding table.

Klaps (kláhps) m, ⚥'en slap, smack.

klar (kláhr) clear; (hell) bright; (durchsichtig) limpid; (offenbar) evident, obvious; Antwort: plain; sich ~ sn über (acc.) be clear on.

klä'r|en (klären) (a. sich) clarify; ⚥ung f clarification.

kla'rlegen (kláhrléghen), **~stellen** clear up.

Kla'sse (kláhse) f class; Schule: form Am. grade; **~n-arbeit** (-ährbit) f (written) classroom test; ⚥nbewußt (-bevōŏst) class-conscious; **~n**-

kampf m class-war (fare) od. -struggle; **~nzimmer** n classroom.

klassifizie'r|en (klähsifítseeren) classify; ⚥ung f classification.

Kla'ss|iker (kláhsíker) m classic; ⚥isch classic(al).

klatsch! (kláhtsh) 1. crack!; 2. ⚥ m clap; (üble Nachrede) scandal; (Geschwätz) gossip; ⚥'base (-bähze) f gossip; ⚥e f fly-flap; **~en** v/t. u. v/i. clap; fig. gossip; Beifall ~ applaud (j-m a p.); ⚥'haft gossiping; scandalous; ⚥'maul (-mowl) n chatterbox; scandalmonger.

Klau'e (klowe) f claw (a. ⊕); (Pfote) paw (a. = Hand).

Klau'se (klowze) f hermitage.

Klau'sel klowzel) f clause; proviso; stipulation.

Klaviatu'r (kláhviahtōor) f keyboard.

Klavie'r (kláhveer) n piano (-forte); **~sessel** (-zĕsel) m music-stool; **~stimmer** m piano-tuner; **~stunde** (-shtōōnde) f piano-lesson.

kle'be|n (klében) v/t. glue, paste; v/i. stick, adhere (an dat. to); ⚥pflaster (-pflähster) n sticking plaster.

kle'b(e)rig adhesive, sticky.

Kle'b(e)stoff (klébeshtôf) m adhesive.

Klecks (kléks) blot, blotch; ⚥'en blot; blur; Malerei contp. daub.

Klee (klé) m clover, trefoil.

Kleid (klit) n garment; dress; (Frauen⚥) frock, elegantes: gown; pl. clothes; ⚥'en (klíden) clothe, dress; j-n gut usw. ~: suit, become.

Klei'der... (-d-): **~ablage** (-ählähghe) f cloakroom; **~bügel** (-büghel) m coat-hanger; **~bürste** (-bürste) f clothes-brush; **~haken** (-hähken) m clothes-peg; **~schrank** (-shrähnk) m wardrobe; **~ständer** (-shtĕnder) m (hat and) coat stand; **~stoff** m dress-material.

klei'dsam (klitzähm) becoming.

Klei'dung (klidōŏrg) f clothing; **~stück** n article of dress.

Klei'e (klíe) f bran.

klein (klín) little (nur attr.); small; (geringfügig) petty; **~es Geld** (small) change; von ~ auf from (one's) infancy; ⚥'auto (-owtō) n baby car; ⚥'bahn f narrow-gauge railway; ⚥'bildkamera (-biltkähmeräh) f miniature camera; ⚥'geld n small change; ~gläubig (-glòibĭç) of little faith; 2'handel m retail business; 2'händler m retail dealer; 2'heit f smallness; 2'holz n matchwood.

Klei'nigkeit (klinĭçkĭt) f trifle; ~skrämer (-krämᵉr) m pedant, fussy person.

Klei'n|kind (klinkĭnt) n infant; ~kinderbewahr-anstalt (-kindᵉr-bᵉvährähnshtählt) f crèche; 2laut (-lowt) dejected; 2lich paltry, fussy; ~mut (-mōōt) m pusillanimity; 2mütig (-mütĭç) pusillanimous.

Klei'nod (klinōt) n jewel, gem.

Klei'n|staat (klinshtäht) m minor state; ~städter(in f) (-shtätᵉr) m, 2städtisch provincial; ~vieh (-fee) n small cattle.

Klei'ster (klistᵉr) m, 2n paste.

Kle'mm|e (klĕmᵉ) f ⊕ clamp; ⚡ terminal; fig. corner, fix; 2en jam, squeeze, pinch; sich den Finger ~ jam one's finger; ~er m pince-nez (fr.).

Kle'mpner (klĕmpnᵉr) m tinsmith, plumber, Am. tinner.

Kle'rus (klérōōs) m clergy.

Kle'tte (klĕtᵉ) f bur.

kle'ter|n (klĕtᵉrn) (sn) climb, clamber; 2pflanze (-pflähnts ᵉ) f climber, creeper.

Kli'ma (kleemäh) n climate.

klima'tisch climatic.

kli'mmen (klĭmᵉn) (sn) climb.

kli'mpern (klĭmpᵉrn) v/i. jingle, tinkle; auf dem Klavier: strum.

Kli'nge (klĭnₑᵉ) f blade.

Kli'ngel (klĭnₑᵉl) f (small) bell; ~knopf m bell-push; 2n ring; tinkle; P.: ring the bell; es klingelt the bell rings; ~zug m (-tsōōk) m bell-pull.

kli'ngen (klĭnₑᵉn) sound; Glocke: ring; Metall: tinkle; Glas: clink.

Kli'n|ik (kleenĭk) f nursing home, clinical hospital; 2isch clinical.

Kli'nke (klĭnₖᵉ) f latch.

Kli'ppe (klĭpᵉ) f cliff; crag.

kli'rren (klĭrᵉn) clink, clatter; clank.

Klistier' (klĭsteer) n, ~spritze (-shprĭtsᵉ) f enema.

Kloa'ke (klóähkᵉ) f sewer, sink.

Klo'b|en (klöbᵉn) m ⊕ block, pulley; (Holz) log; 2ig massy.

klo'pfen (klöpᵉn) knock, rap; sanft: tap; Herz: throb; es klopft there's a knock at the door.

Klö'ppel (klöpᵉl) m der Glocke: clapper; (Spitzen2) bobbin; ~spitze (-shpĭtsᵉ) pillow-lace.

Klops (klöps) m mincemeat ball.

Klose'tt (klōzĕt) n water-closet, lavatory; ~papier (-pähpeer) n toilet-paper.

Kloß (klōs) m clod; v. Mehl: dumpling.

Klo'ster (klōstᵉr) n cloister; (Nonnen2) convent; (Mönchs2) monastery; ~bruder (-brōōdᵉr) m friar; ~frau (-frow) f nun.

Klotz (klöts) m block.

Klu'bsessel (klōōpzĕsᵉl) m easychair.

Kluft (klōōft) f gap; cleft; chasm.

klug (klōōk) (gescheit) clever, intelligent; (verständig) wise, judicious, sensible; (vorsichtig) prudent; 2'heit f cleverness, intelligence; wisdom, judiciousness; prudence.

Klu'mp|en (klōōmpᵉn) m lump; (Erde) clod; (Haufen) heap; ~fuß (-fōōs) m club-foot; 2ig lumpy; cloddy.

kna'bbern (knähbᵉrn) nibble.

Kna'be (knähbᵉ) m boy; ~n-alter n boyhood; 2nhaft boyish.

Knack (knähk), ~s m crack; 2en v/t. u. v/i. crack; v/i. Schloß usw.: click.

Knall (knähl) m clap; crack; (Schuß) report; (Explosion) detonation; ~bonbon (bɔbɔ, bɔ̃ŗbɔ̃ŗₑ) m cracker; 2en crack; pop; detonate.

knapp (knähp) (eng) close, tight; (spärlich) scanty, scarce; Stil: concise; Mehrheit: bare; mit ~er Not entrinnen have a narrow escape; ~w. run short; 2'e m esquire; ⚒ miner; 2'heit f scarcity, shortage; conciseness; 2'schaft f society of miners.

Kna'rre (knährᵉ) f rattle; 2n creak, rattle.

kna'ttern (knähtᵉrn) crackle; rattle.

Knäu'el (knòiᵉl) n (m) clew; fig. crowd, throng.

Knauf (knowf) m knob.

Knau'ser (knowzᵉr) m niggard; ~ei' (-i) stinginess; 2ig stingy; 2n be stingy.

Kne'bel (knébᵉl) m (Mund2) gag; 2n gag; fig. muzzle.

Knecht (knĕçt) m servant; ✧ farm-hand; (Unfreier) slave; 2'en enslave; 2'isch servile; 2'schaft f servitude, slavery.

knei′f|en (knīf′n) pinch, nip; **2er** m pince-nez (fr.); **2zange** (-tsähng^(e)) f (a pair of) pincers pl.; kleine: tweezers pl.

Knei′pe (knīp^(e)) f public (house), Am. saloon; **2n** v/t. tipple, carouse; **~rei′** (-rī) f drinking-bout.

kne′ten (knēt′n) knead.

Knick (knīk) m, **2en** break, crack.

Kni′cker (knīk′r) m = Knauser.

Knicks (knīks) m, **2en** curts(e)y.

Knie (knē) n knee; **2′fällig** (-fēlíç) upon one's knees; **~′hose** (-hōz^(e)) f (a pair of) breeches; weite: knickerbockers, plusfours pl.; **~′kehle** f hollow of the knee; **~′scheibe** (-shīb^(e)) f kneepan; **~′strumpf** (-shtrōompf) m knee-length stocking; **2′(e)n** kneel.

Kniff (knīf) m pinch; fig. trick; **2′(e)lig** tricky; **2′en** fold.

kni′psen (knīps′n) 🕮 clip, punch; phot. snap.

Knirps (knīrps) m pigmy.

kni′rschen (knīrsh′n) grate; mit den Zähnen ~ gnash one's teeth.

kni′stern (knīst′rn) crackle.

kni′ttern (knīt′rn) crumple.

Kno′blauch (knōplowk) m garlic.

Knö′chel (knȫç′l) m knuckle; (Fuß2) ankle.

Kno′chen (knōx′n) m bone; **~bruch** m fracture (of a bone).

kno′chig (knōkíç) bony, Am. scrawny.

Knö′del (knȫd′l) m dumpling.

Kno′lle (knȫl^(e)) & f tuber; (Zwiebel) bulb.

Knopf (knōpf) m button.

knö′pfen (knȫpf′n) button.

Kno′pfloch (knȫpflōx) n buttonhole.

Kno′rpel (knōrp′l) m cartilage.

Kno′rr|en (knōr′n) m knot, knag; **2ig** knotty, gnarled, knaggy.

Kno′spe (knōsp^(e)) f, **2n** bud.

Kno′ten (knōt′n) m, **2** knot; **~punkt** (-pōōŋkt) 🕮 m junction.

kno′tig (knōtíç) knotty.

Knuff (knōōf) m, **2en** m cuff.

knü′llen (knül′n) crumple.

knü′pfen (knüpf′n) tie, knot.

Knü′ppel (knüp′l) m cudgel.

knu′rren (knōōr′n) growl; fig. grumble (über at); Magen: rumble.

knu′sp(e)rig (knōōsp[^(e)]ríç) crisp.

Knu′te (knōōt^(e)) f knout.

Knü′ttel (knüt′l) m cudgel.

Ko′bold (kōbȫlt) m (hob)goblin.

Koch (kōx) m (man-)cook; **~′buch** (-bōōk) n cookery-book; **2′en** v/i. be cooking; Flüssigkeit: boil; v/t. cook; boil.

Kö′cher (kœç′r) m quiver.

Ko′ch|kiste f haybox; **~löffel** m kitchen-ladle; **~salz** (-zählts) n kitchen-salt; **~topf** m cooking-pot.

Kö′der (kȫd′r) m, **2n** bait; lure; decoy.

Ko′dex (kōdĕks) m code.

Ko′ffer (kȫf′r) m trunk, box; portmanteau; suit-case; **~gerät** (-g^(e)rät) n portable set.

Kohl (kōl) m cabbage.

Ko′hle (kōl^(e)) f coal; (Holz2) charcoal; ⚡ usw.: carbon; wie auf ~n sitzen be on tenter-hooks.

Ko′hlen|-anzünder (-ähntsünd^(e)r)m fire-lighter; **~arbeiter** (-ährbīt^(e)r) m coal-miner; **~eimer** (-im^(e)r) m coalscuttle; **~kasten** m coal-box; **~revier** (-rĕveer) n coal-field, **~säure** (-zȫir^(e)) f carbonic acid; **~stoff** m carbon.

Ko′hlepapier (kōl^(e)păhpeer) n carbon paper.

Ko′hlrübe (kōlrüb^(e)) f Swedish turnip.

Ko′je (kōy^(e)) f berth.

Koka′rde (kōkährd^(e)) f cockade.

koke′tt (kōkĕt) coquettish; **2erie′** (-^(e)ree) f coquetry; **~ie′ren** (-eer^(e)n) flirt.

Ko′kosnuß (kōkōsnōōs) f coco-nut.

Koks (kōks) m coke.

Ko′lben (kōlb′n) m (Gewehr2) butt (-end); (Maschinen2) piston; **~stange** (-shtäng^(e)) f piston-rod.

Kolle′g (kōlĕk) n course of lectures; **~e** (-g^(e)) m, **~in** f colleague; **~ium** (kōlég^(i)ōōm) n board; staff.

Ko′ller (kōl′r) m fig. tantrum; **2n** v/i.(sn) roll.

kolli′die′ren (kōlĭdeer′n) (sn) collide; **2sio′n** (-z′ȫn) f collision.

Kö′lnischwasser (kœlnĭshvähs^(e)r) n eau-de-Cologne.

Kolonia′l... (kōlōn^(i)ăhl-) colonial ...; **~waren** (-vähr^(e)n) f/pl. groceries pl.; **~warenhändler** m grocer; **~warenhandlung** f grocer's shop, Am. grocery.

Kolo′nie (kōlōnee) f colony; **2isie′ren** (-īzeer′n) colonize.

Kolo′nne (kōlōn^(e)) f typ. 🕮 column; Arbeiter: gang.

kolorie′ren (kōlōreer^(e)n) colour.

Kolo'ß (kŏlŏs) *m* colossus.

kolossa'l (kŏlŏsāhl) colossal, huge.

kombinie'ren (kŏmbīneer⁶n) combine.

Ko'miker (kōmĭk⁶r) *m* comic (actor).

ko'misch comic(al); odd.

Komitee' (kōmĭté) *n* committee.

Komman|da'nt (kŏmähndähnt) **~eu'r** (-ör) *m* commander; **~ie'ren** (-eer⁶n) command; **~itgesellschaft** (kŏmähndeetgʰᵉzělshähft) *f* limited partnership.

Komma'ndo (kŏmähndō) *n* command; (*Abteilung*) detachment; **~brücke** *f* (pilot-)bridge.

ko'mmen (kŏm⁶n) (sn) come; (*an_*) arrive; **~** *l. P.*: send for; *S.*: order; etc. **~** *sehen* foresee; *an die Reihe* **~** have one's turn; *auf et.* (*acc.*) **~** think of, hit on; *zu dem Schluß* **~** *daß* decide that; *hinter et.* (*acc.*) **~** find out; *um et.* **~** lose a th.; *zu et.* **~** (*bekommen*) come by a th.; *wieder zu sich* **~** come round od. to (o. s.), *drohend: wie* **~** *Sie dazu?* how dare you?

Komment|a'r (kŏmĕntāhr) *m* commentary; **~ie'ren** (-eer⁶n) comment on.

Kommi's (kŏmee) *m* clerk; salesman.

Kommissa'r (kŏmĭsāhr) *m* commissioner.

Kommi'ßbrot (kŏmĭsbrōt) *n* ammunition bread.

Kommissionä'r (kŏmĭsˀōnär) *m* agent.

Kommo'de (kŏmōd⁶) *f* (chest of) drawers *pl.*

Kommuni'smus (kŏmŏŏnĭsmŏŏs) *m* communism.

Komödia'nt (kŏmōd'ähnt) *m* comedian; *contp.* play-actor.

Komö'die (kŏmōd'⁶) *f* comedy.

Kompa(g)nie' (kŏmpähnee) *f* company; **~geschäft** (-gʰᵉshĕft) *n* joint business.   [partner.|

Kompagno'n (kŏmpähnˀŏŋ) *m|*

Ko'mpaß (kŏmpähs) *m* compass.

komplizie'ren (kŏmplĭtseer⁶n) complicate.

Komplo'tt (kŏmplŏt) *n* plot.

kompon|ie'ren (kŏmpŏneer⁶n) compose; **2'ist** *m* composer.

Kompo'tt (kŏmpŏt) *n* stewed fruit, *Am.* sauce.

komprimie'ren (kŏmprĭmeer⁶n) compress.

Komprom|i'ß (kŏmprŏmĭs) *m*, **2-ittie'ren** (-īteer⁶n) compromise.

Kondens|a'tor (kŏndĕnzāhtŏr) *m* condenser; **2ie'ren** (-eer⁶n) condense; **2ierte Milch** evaporated milk.

Kondi'tor (kŏndeetŏr) *m* confectioner; **~ei'** (-ī) *f* confectioner's shop; **~waren** (-vāhr⁶n) *f/pl.* confectionery.

Konfe'kt (kŏnfĕkt) *n* sweetmeats *pl.*, *Am.* soft candy.

Konfektio'nsgeschäft (kŏnfĕkts'ōnsgʰᵉshĕft) *n* ready-made clothes shop.

Konfer|e'nz (kŏnfĕrĕnts) *f* conference; **2ie'ren** (-eer⁶n) confer.

Konfessio'n (kŏnfĕs'ōn) *f* confession; **2e'll** (-ĕl) confessional.

konfirmie'ren (kŏnfĭrmeer⁶n) confirm.   [fiscate.|

konfiszie'ren (kŏnfistseer⁶n) con-|

Konfitü'ren (kŏnfĭtür⁶n) *f/pl.* confectionery.

konfo'rm (kŏnfŏrm) conformable (*dat.* od. *mit* to).   [confront.|

konfrontie'ren (kŏnfrŏnteer⁶n)|

konfu's (kŏnfōōs) confused.

Kö'nig (kōnĭç) *m* king; **~in** (-gʰĭn) queen; **2lich** (kōnĭklĭç) royal; **~reich** (-rĭç) *n* kingdom; **2s-treu** (-trŏĭ), **~s-treue(r)** royalist; **~swürde** *f* royal dignity; **~tum** *n* royalty; kingship.

Konjunktu'r (kŏnyŏŋktōōr) *f* trade outlook, (turn of the) market.

Konkurre'n|t (kŏnkŏŏrĕnt) *m*, **~in** *f* competitor; **~z** *f* competition; (*sportliche Veranstaltung*) event; **2z-fähig** (-fäĭç) competitive; **~zgeschäft** (-gʰᵉshĕft) *n* rival firm; **~zkampf** *m* competition.

konkurrie'ren (kŏnkŏŏreer⁶n) compete (*um* for).

Konku'rs (kŏnkŏōrs) *m* bankruptcy, failure; **~** *anmelden* declare o. s. a bankrupt; **~erklärung** (-ĕrklāhrŏŏŋ) *f* declaration of insolvency; **~masse** *f* bankrupt's estate; **~verfahren** (-fĕrfāhr⁶n) *n* proceedings *pl.* in bankruptcy; **~verwalter** (-fĕrvăhlt⁶r) *m* (official) receiver, assignee in bankruptcy.

kö'nnen (kŏn⁶n) *a)* be able; *ich kann* I can; *es kann sein* it may be; *du kannst hingehen* you may go (there); *b)* (*verstehen*) know, understand; *er kann Englisch* he knows English, he can speak English.

Konnosseme'nt (kŏnŏsᵉmĕnt) *n* bill of lading.

konseque'n|t (kŏnzĕkvĕnt) consistent; **2z** *f* consistency; (*Folge*) consequence.

Konse'rven (kŏnzĕrvᵉn) *f*/*pl.* tinned (*Am.* canned) goods; **büchse** (-bŭksᵉ) *f* tin, *Am.* can; **fabrik** (-fä*h*breek) *f* canning-factory, cannery.

konservie'ren (kŏnzĕrveerᵉn) conserve, preserve. [syndicate.]

Konso'rtium (kŏnzŏrts'ōōm) *n*

konstruie'ren (kŏnstrōōeerᵉn) construct; (*entwerfen*) design.

Konstrukt|eu'r (kŏnstrōŏktŏr) *m* designer; **io'nsfehler** (kŏnstrōŏkts'ŏnsfélᵉr) *m* constructional fault.

Konsul|a't (kŏnzōŏläht) *n* consulate; **2tie'ren** (-teerᵉn) consult.

konsum|ie'ren (kŏnzōŏmeerᵉn) consume; **2ver-ein** (fĕr-īn) *m* Co-operative Society.

Ko'nter-admiral (kŏntᵉrähtmeerähl) *m* rear-admiral.

Kontinge'nt (kŏntĭrŋghĕnt) *n* quota.

Ko'nto (kŏntō) *n* account; **auszug** (-owstsōŏk) *m* statement of account; **korre'nt** *n* account current.

Konto'r (kŏntōr) *n* office.

Kontro'll|e (kŏntrŏlᵉ) *f* control, *Am.* check-up; **2ie'ren** (-eerᵉn) control, check; **marke** *f* check.

konventione'll (kŏnvĕnts'ŏnĕl) conventional.

Konversatio'nslexikon (kŏnvĕrzähts'ŏnslĕksĭkŏn) *n* encyclopædia.

Konzentr|atio'nslager (kŏntsĕnträhts'ŏnsläghᵉr) *n* concentration-camp; **2ie'ren** (-eerᵉn) concentrate.

Konze'rn (kŏntsĕrn) *m* trust, pool, combine.

Konze'rt (kŏntsĕrt) *n* concert.

Konzessio'n (kŏntsĕs'ŏn) *f* licence; **2ie'ren** (-eerᵉn) license.

Kö'per (kŏpᵉr) *m* twill.

Kopf (kŏpf) *m* head; (*Verstand*) brains *pl.*; (*Pfeifen2*) bowl; *ein fähiger* ~ a clever fellow; *j-m über den* ~ *wachsen* outgrow a p.; *fig.* *get beyond a p.*; **'arbeit** (-äh*r*bīt) *f* brain-work; **bahnhof** (-bäh*n*hŏf) *m* terminus, *Am.* terminal (depot); **'bedeckung** (-bᵉdĕkōŏŋ) *f* head-gear.

kö'pfen (kŏpfᵉn) behead; *Fußball:* head.

Ko'pf|-ende *n* head; **hörer** (-hŏrᵉr) *m* headphone; **kissen** *n* pillow; **2los** headless; **nicken** *n* nod; **putz** (-pōŏts) *m* head-dress; **rechnen** (-rĕçnᵉn) *m* mental arithmetic; **salat** (-zähläht) *m* cabbage-lettuce; **sprung** (-shprōŏŋ) *m* header; **tuch** (-tōōk) *n* kerchief; **2-ü'ber** headlong; **weh** (-vé) *n* headache; **zerbrechen** (-tsĕrbrĕçᵉn) *n:* *j-m* ~ *m.* puzzle a p.

Kopie' (kŏpee) *f,* **2ren** copy; *phot.* print; **rstift** *m* copying pencil.

Ko'ppel (kŏpᵉl) ⚔ *n* belt; **2n** couple (*a.* ⊕).

Kora'lle (kŏrählᵉ) *f* coral.

Korb (kŏrp) *m* basket; *fig.* refusal; *fig. Hahn im* ~ *ie* cock of the walk; **möbel** (-mŏbᵉl) *n*/*pl.* wicker furniture.

Ko'rdel (kŏrdᵉl) *f* cord.

Kori'nthe (kŏrĭntᵉ) *f* currant.

Kork (kŏrk) *m,* **2'en** cork; **'enzieher** (-tseeᵉr) *m* corkscrew.

Korn (kŏrn) *n* grain; (*Getreide*) corn; *Gewehr:* foresight; ~ *m* (*Schnaps*) whisky, gin.

kö'rnig (-kŏrnĭç) granular; ...-grained.

Kö'rper (kŏrpᵉr) *m* body; *phys.,* ⚕ solid; **bau** (-bow) *m* build; **2behindert** (-bᵉhĭndᵉrt) disabled, impeded; **beschaffenheit** (-bᵉshähfᵉnhīt) *f* constitution, physique; **fülle/corpulence; **größe** (-grösᵉ) *f* stature; **kraft** *f* physical strength; **2lich** bodily; (*stofflich*) corporeal; **pflege** (-pflégᵉ) *f* hygiene of the body; **schaft** *f* corporation; **verletzung** (-fĕrlĕtsōŏŋ) ⚡ *f* battery.

Ko'rpsgeist (kōrgīst) *m* team-spirit.

Korre'ktor (kŏrĕktŏr) *m* proof-reader.

Korrektu'r (kŏrĕktōōr) *f* correction; (*auch* **bogen** *m*) (-bōghᵉn) proof(-sheet).

Korrespond|e'nt (kŏrĕspŏndĕnt) *m* correspondent; **e'nz** *f* correspondence; **2ie'ren** (-eerᵉn) correspond.

korrigie'ren (kŏrĭgheerᵉn) correct.

Korse'tt (kŏrzĕt) *n* corset, stays *pl.*

ko'se|n (kŏzᵉn) *v/t.* caress; *v/i.* fondle; **2name** (-nähmᵉ) *m* pet name.

Kost (kŏst) *f* food, fare; (*Beköstigung*) board.

ko'stbar costly; precious.

Ko'sten 1. *pl.* cost(s *pl.*), expenses; charges *pl.*; *auf* ~ *(gen.)* at the expense of; **2.** ♀ *Geld:* cost; *fig.* take, require; **3.** ♀ *(schmecken)* taste; ~**anschlag** (-ănshlăhk) *m* estimate; ♀**frei** (-frī) free of charge.

Ko'st|gänger (-ghěnghᵉʳ) *m* boarder; ~**geld** *n* board(-wages *pl.*).

kö'stlich (köstlĭç) *(wertvoll)* precious; *(wohlschmeckend)* delicious.

ko'stspielig (köstshpeelĭç) expensive.

Kostü'm (köstüm) *n* costume, dress; ~**fest** *n* fancy-dress ball.

Kot (kōt) *m* dirt, mud; *tierischer:* excrement.

Kotele'tt (kōt[ᵉ]lĕt) *n* cutlet, chop.

Ko'tflügel (kōtflügᵉl) *m* mud-guard, *Am.* fender.

ko'tig (kōtĭç) dirty, miry.

Kra'bbe (krăhbᵉ) *f* shrimp *(a. fig.)*; *(Taschenkrebs)* crab.

kra'bbeln (sn) crawl, grabble.

Krach (krăhk) *m* crack *(a. ♀, fig.)* crash; *(Streit)* quarrel; *(Lärm)* row; ♀**en** crack, crash.

krä'chzen (krĕçtsᵉn) croak, caw.

Kraft (krăht) **1.** *f* strength; *(Natur-)* force; *(Macht)* power; *(Rüstig-keit)* vigour; *(Wirksamkeit)* efficacy; *in* ~ *sn* (setzen, treten) be in (put into, come into) operation *od.* force; *außer* ~ *setzen* annul; **2.** ♀ *(gen.)* by virtue of; ~'**anlage** (-ăhnlăhgᵉ) *f* power plant; ~'**brühe** (-brü´ᵉ) *f* beef tea; ~'**droschke** (-dröshkᵉ) *f* taxi(cab); ~'**fahrer** *m* motorist; ~'**fahrzeug** (-fāhr-shpört) *m* motoring.

krä'ftig (krĕftĭç) strong, vigorous, *Am.* husky; *(mächtig)* powerful; *(nahrhaft)* substantial; ~**en** (krĕftĭghᵉn) strengthen.

kra'ft|los powerless; ♀**probe** (-prō-bᵉ) *f* trial of strength; ♀**rad** (-răht) *n* motor cycle; ♀**stoff** *m* fuel, motor spirit; ~**voll** (-fól) powerful; ♀**wagen** (-văhgʰᵉn) *m* (motor) car; ♀**werk** ⊕ *n* power station.

Kra'gen (krăhgʰᵉn) *m* collar; ~**knopf** *m* c.-stud, *Am.* c.-button.

Krä'he (krä´ᵉ) *f*, ♀**n** crow.

Kra'lle (krăhlᵉ) *f* claw.

Kram (krăhm) *m* small wares *pl.*; things *pl.*; *fig.* stuff; ♀**en** rummage.

Krä'mer (krämᵉʳ) *m* shopkeeper.

Kra'mpe (krăhmpᵉ) *f* cramp.

Krampf (krăhmpf) *m* cramp, spasm; convulsion; ~'**-ader** (-ăhdᵉʳ) *f* varicose vein; ♀**haft** convulsive.

Kran (krăhn) *m* crane.

krank (krăhŋk) ill *(pred.)*; sick; diseased; ~ *w.* fall ill; ♀**e(r)** *m* patient.

krä'nkeln (krĕŋkᵉln) be sickly.

kra'nken (krăhŋkᵉn) suffer (from).

krä'nken (krĕŋkᵉn) vex; offend.

Kra'nken|bett (-bĕt) *n* sick-bed; ~**haus** (-hows) *n* hospital; ~**kasse** *f* sick-fund; ~**kost** *f* diet; ~**pflege** (-pflĕgʰᵉ) *f* nursing; ~**pfleger(in** *f*) *m* nurse; ~**schein** (-shīn) *m* medical certificate; ~**versicherung** (-fĕrzĭç'róoŋ̯) *f* health insurance; ~**wagen** (-văhgʰᵉn) *m* ambulance; ~**zimmer** *n* sick-room.

kra'nkhaft morbid.

Kra'nkheit (krăhŋkhīt) *f* illness, sickness, disease; ~**s-erreger** (-er-régʰᵉʳ) *m* morbific agent; ~**s-erscheinung** (-ershinöoŋ̯) *f* symptom.

krä'nklich (krĕŋklĭç) sickly.

Krä'nkung *f* offence.

Kranz (krăhnts) *m* garland, wreath.

Krä'nz|chen (krĕntsçᵉn) *n* *fig.* ladies' meeting; ♀**en** wreathe, crown.

Krä'tze (krĕtsᵉ) *f* itch.

kra'tzen (krăhtsᵉn) scrape; scratch.

krau'len (krowᵉn) scratch softly; ~**en** crawl.

kraus (krows) crisp, curly; *die Stirn* ~ *ziehen* knit one's brows.

Krau'se (krowzᵉ) *f* frill, ruff.

kräu'seln (kröiz'ᵉln) *v/t. u. refl.* curl, crisp; *Wasser:* ripple, be ruffled; *Rauch:* wreathe.

Kraut (krowt) *n* herb; plant.

Krawa'll (krăhvăhl) *m* riot.

Krawa'tte (krăhvăhtᵉ) *f* tie, scarf.

Kreatu'r (krĕătöōr) *f* creature.

Krebs (krĕps) *m* crayfish; *ast.*, ♀ cancer; ~'**schaden** (-shăhdᵉn) *m* *fig.* canker.

krede'nzen (krédĕntsᵉn) present.

Kredi't (krédeet) *m* credit; ♀**fähig** (-fäĭç) solvent, sound.

kreditie'ren (krédĭteerᵉn) *v/t.* credit.

Krei'de (krīdᵉ) *f* chalk.

Kreis (krīs) *m* circle; *(Wirkungs-♀)* sphere; *ast.* orbit; *(Gebiet)* district, *Am.* county.

krei'schen (krīshᵉn) scream; shriek.

Krei'sel (kríz^el) *m* whip(ping)-top; **~kompaß** (-kômpá*h*s) *m* gyro-compass.

krei'sen (kríz^en) circulate, revolve, circle; rotate.

krei's|förmig (-förmí*ç*) circular; **2lauf** (-lowf) *m* circulation; rotation; **~rund** (-röônt) circular; **2-säge** (-zäg^hé) *f* circular saw; **2ver'kehr** (-férkér) *m* roundabout traffic.

Kre'mpe (krémp^e) *f* brim.

Kre'mpel (krémp^el) *m* lumber.

krepie'ren (krépeer^en) (sn) *Tier*: perish; *Granate*: burst.

Krepp (krép) *m*, **~'flor** (-flôr) *m* crape; **~sohle** (-zôl^e) *f* crêpe sole.

Kreuz (krôits) *n* cross (*a. fig.*); *Karte*: club(s *pl.*); ♩ sharp; *anat.* small of the back; *Pferd*: croup(e); *kreuz und quer* in all directions; **~'band** (-bä*h*nt) *n* (postal) wrapper; *unter ~ schicken* by book-post.

kreu'zen (krôits^en) *v/t.* cross; *v/i.* cruise.

Kreu'zer ⚓ *m* cruiser.

Kreu'z|fahrt ⚓ *f* cruise; **2igen** (krôitsíg^hén) crucify; **2igung** *f* crucifixion; **~otter** *f* common viper; **~schmerzen** (-shmérts^en) *m/pl.* lumbago; **~ung** *f* crossing; *v. Rassen*: cross-breed(ing); **~verhör** (-férhör) *n* cross-examination; **~weg** (-vék) *m* cross-road; **2weise** crosswise; **~worträtsel** (-vórträts^el) *n* cross-word puzzle; **~zug** (-tsôôk) *m* crusade.

krie'ch|en (kreec^hén) (h. *u.* sn) creep, crawl; *fig.* cringe (vor to); **2er(in** *f*) *m* sneak; **2erei** (-^erí) *f* cringing.

Krieg (kreek) *m* war; *im ~* at war.

krie'gen (kreeg^hén) *v/t.* (*bekommen*) get.

Krie'g|er *m* warrior; **2'erisch** warlike; martial; **2'führend** belligerent.

Krie'gs|beschädigte(r) (kreeks-b^eshädígt^e[r])*m* disabled ex-serviceman; **~dienst** (-deenst) *m* military service; **~erklärung** (-érklärôôn͡g) *f* declaration of war; **~flotte** *f* navy; **~führung** *f* warfare; **~gefangene(r)** (-g^hefä*h*ng^en^e[r]) *m* prisoner of war; **~gefangenschaft** *f* captivity; **~gericht** (-g^hríçt) *n* court-martial; **~gewinner** (-g^hvínl^er) *m* war-profiteer; **~hafen** (-hähf^en) *m*

naval port; **~kamerad** (-káhm^e-rä*h*t) *m* fellow-soldier; **~list** *f* stratagem; **~macht** (-mä*h*kt) *f* military forces *pl.*; **~minister** *m* Secretary for (*Am. of*) War; **~ministe'rium** (-mínístér'ôôm) *n* War Office, *Am.* Department of War; **~rat** (-rä*h*t) *m* council of war; **~schauplatz** (-showplä*h*ts) *m* seat (*od.* theatre) of war; **~schiff** *n* man-of-war; **~schule** (-shôôl^e) *f* military academy; **~teilnehmer** (-tílném^er) *m* combatant; *ehemaliger*: ex-serviceman, *Am.* veteran; **~treiber** (-tríb^er) *m* war-monger; **~zug** (-tsôôk) *m* expedition, campaign.

Krimina'l|be-amte(r) (krímínähl-b^eähmt^e[r]) *m* detective; **~polizei** (-pôlítsí) *f* criminal investigation department; **~roman** (-rômä*h*n) *m* detective story.

Kri'ppe (kríp^e) *f* crib, manger; (*Säuglingsheim*) crèche.

Kri's|e (kreez^e), **~is** *f* crisis.

Krista'll (kristä*h*l) *m* crystal.

Kriti'k (kríteek) *f* criticism; (*Besprechung*) critique, review.

Kri'tiker (kreetík^er) *m* critic; **2isch** critical (*gegenüber* of); **2isie'ren** (-ízeer^en) criticize.

kri'tteln (krít^eln) (*an dat.*) find fault (with), cavil (at).

Kri'ttler(in *f*) *m* fault-finder.

Kritzel|ei (kríts^elí) *f*, **2'n** scribble, scrawl.

Krokodi'l (krôkôdeel) *n* crocodile.

Kro'ne (krôn^e) *f* crown.

krö'nen (krôn^en) crown.

Kro'n|leuchter (krônlôiçt^er) *m* chandelier; lustre; *elektrisch*: electrolier; **~prinz** *m* Crown Prince; *Brit.*: Prince of Wales; **~prinzessin** *f* Crown Princess; *Brit.*: Princess Royal.

Krö'nung (krônoon͡g) *f* coronation.

Kro'nzeuge (krôntsöig^hé) *m* chief-witness; *Brit.* King's (*Am.* State's) evidence.

Kropf (krôpf) *m* crop; ⚕ goitre.

Krö'te (krôt^e) *f* toad.

Krü'cke (krük^e) *f* crutch.

Krug (krôôk) *m* jug; (*großer Ton*2) pitcher; (*Trink*2) mug; (*Bier*2) tankard; (*Wirtshaus*) inn.

Kru'ke (krôôk^e) *f* stone bottle.

Kru'me (krôôm^e) *f* crumb.

krü'mel|ig (krüm^elíç) crumbly; **~n** (krüm^eln) crumble.

krumm (kroŏm) crooked (a. fig.);
curved; **~beinig** (-biniç) bow-
-legged.

krü'mmen (krŭm'en) (a. sich)
crook, bend, curve.

Krü'mmung f crookedness; curva-
ture; bend, turn, winding.

Krü'ppel (krŭp'l) m cripple.

Kru'ste (kroŏst') crust.

Kü'bel (kŭb'l) m tub, bucket, pail.

Kubi'k... (koŏbeek) cubic.

Kü'che (kŭç') f kitchen; (Kochart)
cuisine, cookery; kalte ~ cold
dinner.

Ku'chen (koŏk'en) m cake; **~bäcker**
m pastry-cook.

Kü'chen|gerät (-g ͪerät) n, **~ge-
schirr** (-g ͪeshĭr) n kitchen utensils
pl.; **~herd** (-hért) m (kitchen-)
range; **~schrank** (-shrähnk) m
larder, pantry; **~zettel** m bill of
fare.

Kü'cken (kŭk'en) n chick(en).

Ku'ckuck (koŏkoŏk) m cuckoo.

Ku'fe (koŏf') f tub, vat; (Schlitten2)
runner.

Kü'fer (kŭf'er) m cooper.

Ku'gel (koŏg ͪel) f ball; (Gewehr2)
bullet; A., geogr. sphere; 2förmig
(-förmiç) globular, spherical; **~ge-
lenk** n socket-joint; **~lager** (-läh-
g ͪer) ⊕ n ball-bearing; 2n v/i. (sn)
u. v/t. roll; **~stoßen** (-shtôs'en) n
putting the weight (Am. shot).

Kuh (koŏ) f cow.

kühl (kŭl) cool; 2'-**anlage** (-ähn-
lähg ͪe) f cold-storage plant; 2'e f
coolness; **~en** cool.

Kü'hler m mot. radiator.

Kü'hl|raum (-rowm) m refrigerat-
ing (od. cold-storage) chamber;
~schrank (-shrähnk) m refrigerator.

kühn (kŭn) bold; (keck) daring.

Ku'hstall (-koŏshtähl) m cow-shed.

kula'nt (koŏlähnt) obliging, fair.

Kuli'sse (koŏlĭs') f wing, side-
scene; hinter den ~n behind the
scenes; **~nfieber** (-feeb'r) n stage-
fright. [vate.)

kultivie'ren (koŏltĭveer'en) culti-)

Kultu'r (koŏltoŏr) f ↗ cultivation;
fig. culture; civilization; **~film** m
educational film; **~land** (-lähnt) n
cultivated land.

Ku'ltus (koŏltoŏs) m cult, worship;
~minister m Minister of Education and Public Worship.

Ku'mmer (koŏm'er) m grief; (Sorge)
sorrow; (Unruhe) trouble.

kü'mmer|lich (kŭm'rliç) miser-
able; poor; scanty; **~n** v/t. trouble;
(angehen) concern; sich ~ um mind;
care for; (sorgen für) see to; 2nis f
affliction.

ku'mmervoll (koŏm'rfôl) sorrow-
ful.

Kumpa'n (koŏmpähn) m companion, fellow, pal.

Ku'nd|e (koŏnd'e) m, **~in** f customer.

ku'nd|geben (koŏntg ͪéb'en) make
known; 2gebung f demonstration.

ku'ndig (koŏndĭç) knowing; versed
(gen. in); expert (gen. at, in).

ku'ndig|en (kŭndĭg ͪen) v/i. give
a. p. notice (to quit); v/t. Kapital:
call in; 2ung f notice, warning.

Ku'ndschaft (koŏntshähft) custom
(-ers pl.); 2en reconnoitre; **~er**(in
f) m scout.

kü'nftig (kŭnftĭç) future; next
week, etc.; adv. in future.

Kunst (koŏnst) f art; skill; **~'-aka-
demie** (-ähkähdémee) f academy of
arts; **~'-ausdruck** (-owsdroŏk) m
technical term; **~'-ausstellung**
(-owsshtêlôŏng) f art exhibition;
~'druck (-droŏk) m art print(ing);
~'dünger m artificial manure; 2'-
fertig (-fêrtiç) skilful; **~'fertigkeit**
f artistic skill; 2'gerecht (-g ͪerêçt)
artistically od. technically correct;
~'geschichte (-g ͪeshĭçt') f history
of art; **~'gewerbe** n applied arts pl.;
~'glied (-gleet) n artificial limb;
~'griff m artifice, trick, knack; **~'händler** m art-dealer; **~'kenner**(in f) m
connoisseur; 2'laufen (-lowf'en) n
Eissport: figure-skating; **~'leder**
(-léd'r) n imitation leather.

Kü'nstler (kŭnstl'er) m, **~in** f artist;
♪, thea. performer; 2isch artistic.

kü'nstlich artificial.

Ku'nst|liebhaber(in f) (-leephäh-
b'r) m amateur; **~maler**(in f)
(-mähl'r) m artist (painter); **~rei-
ter**(in f) (-rĭt'er) m equestrian;
~seide (-zĭd') f artificial silk,
rayon; **~stück** n trick, feat, bsd. Am.
stunt; **~tischler** m cabinet-maker;
~verlag (-fêrlähk) m art-print
publishers; 2voll (-fôl) artistic,
ingenious; **~werk** n work of art;
~wolle f artificial wool.

ku'nterbunt (koŏnt'rboŏnt) hig-
gledy-piggledy.

Ku'pfer (kŏŏpfᵉr) *n* copper; 2n of copper; copper...; 2rot (-rōt) copper-coloured; ~stich (-shtiç) *m* copperplate engraving.

Kupo'n s. Coupon. [head.]

Ku'ppe (kŏŏpᵉ) *f* dome; (Nagel2))

Ku'ppel (kŏŏpᵉl) *f* cupola, dome; 2n *v/t.* ⊕ couple; clutch; *v/i. b.s.* pimp, procure; ~ung *f* (Wellen2) coupling; (Schalt2) clutch.

Ku'ppler (kŏŏplᵉr) *m*, ~in *f b.s.* pimp, procurer.

Kur (kōōr) *f* cure.

Kurat|e'l (kōōrätēl) *f* guardianship; ~or *m* guardian, trustee.

Ku'rbel (kŏŏrbᵉl) *f* crank, handle; ~kasten *m Film:* cinema camera; 2n crank; *Film:* reel off.

Kü'rbis (kûrbĭs) *m* pumpkin.

Ku'r|gast (kōōrgähst) *m* visitor; ~haus (-hows) *n* spa hotel, casino.

Kurie'r (kōōreer) *m* courier.

kurie'ren (kōōreerᵉn) cure.

kurio's (kōōr'ōs) curious, odd.

Ku'r|liste (kōōrlĭstᵉ) *f* list of visitors; ~ort *m* health-resort; ~pfuscher (-in *f*) (-pfōōshᵉr) *m* quack.

Kurs (kŏŏrs) *m* (Umlauf) currency; (~wert) rate, price; ⚓ *u. fig.* course; ~bericht (-bᵉrĭçt) *m* market report; ~buch (-bŏŏk) *n* railway guide.

Kü'rschner (kûrshnᵉr) *m* furrier.

kursie'ren (kōōrzeerᵉn) circulate.

Ku'rsus (kōōrzŏŏs) *m* course.

Ku'rs|verlust (kōōrsfᵉrlŏŏst) *m* loss on exchange; ~wert (-vért) *m* market-value; ~zettel *m* exchange-list.

Ku'rve (kŏŏrvᵉ) *f* curve, bend.

kurz (kŏŏrts) short; *adv.* shortly; (kurzum) in short; ~ angebunden sn be curt; ~ vor London short of L.; in ~em shortly; zu ~ kommen come off badly (bei in); den kürzeren ziehen get the worst of it; 2'-arbeiter (-ährbitᵉr) *m* part-time worker; ~'-atmig (-ähtmĭç) short-winded.

Kü'rze (kûrtsᵉ) *f* shortness; brevity; 2n shorten; (ab~) abridge.

ku'rzfristig (kōōrtsfrĭstĭç) short-dated.

kü'rzlich (kûrtslĭç) recently, lately.

Ku'rz|schluß (-shlŏŏs) ⚡ *m* short circuit; ~schrift *f* shorthand(-writing); 2sichtig (-zĭçtĭç) short-sighted; 2e *f m* (kōrtsōōm) in short; ~waren (-vährᵉn) *f/pl.* haberdashery, *Am.* dry goods, notions; (Eisen2) hardware; ~weil (-vil) *f* pastime; 2weilig amusing; ~welle *f f* short wave.

Kusi'n(e) s. Cousin.

Kuß (kŏŏs) *m*, **kü'ssen** (kûsᵉn) **kiss.**

ku'ßfest kissproof.

Kü'ste (kûstᵉ) *f* coast, shore.

Kü'sten|bewohner (-bᵉvōnᵉr) *m* seasider; ~fischerei (-fĭshᵉrī) *f* in-shore fishery; ~gebiet (-gᵉbeet) *n* coastal area; ~schiffahrt (-shĭfährt) *f* coasting.

Kü'ster (kûstᵉr) *m* sexton.

Ku'tsch|bock (kōōtshbŏk) *m* (coach-box; ~e (kōōtshᵉ) *f* coach, carriage; ~enschlag (-shlähk) *n* carriage-door; ~er *m* coachman, driver; 2ie'ren (-eerᵉn) *v/i.* (sn *u. h.*) drive ([in] a coach).

Ku'tte (kŏŏtᵉ) *f* cowl.

Kuve'rt (kōōvért) *n* envelope; (Gedeck) cover; 2ie'ren (-eerᵉn) put in an envelope.

Kux (kŏŏks) ⚒ *m* mining share.

L

Lab (lähp) n rennet.
La'be (lähb^e) f = **Labsal**; ℒn refresh; *fig.* comfort.
Labor|ato'rium (lähbŏrähtōr'ŏŏm) n laboratory; **ℒie'ren** (-eer^en) an (*dat.*) labour under.
La'bsal (lähpzähl) n, **La'bung** (-b-) f refreshment; *fig.* comfort.
La'che (lähk^e) f pool, puddle.
lä'cheln (lĕç^ln), ℒn smile.
la'chen (lähk^en) 1. laugh (*über acc.* at); 2. ℒ n laugh, laughter.
lä'cherlich (lĕç^rliç) ridiculous, laughable; (*unbedeutend*) derisory.
Lachs (lähks) m salmon.
Lack (lähk) m (gum-)lac; (*Firnis*) varnish; lacquer; **ℒie'ren** (-eer^en) lacquer, varnish; **~leder** (-léd^r) n patent leather; **~stiefel** (-shteef^l) m patent (leather) boot, dress-boot.
La'de (lähd^e) f box, case; (*Schub*ℒ) drawer; **~fähigkeit** (-fäiçkit) f loading capacity; **~hemmung** ℒ f jam; **~linie** (-leen^i^e) ✥ f load-(water)line.
la'den¹ (lähd^en) load; *Schußwaffe:* load, (*a.* ✥) charge; ⚡ cite, summon; *als Gast:* invite.
La'den² m shop, *Am.* store; (*Fenster*ℒ) shutter; **~dieb** (-deep) m shoplifter; **~hüter** (-hüt^r) m drug (in the market); **~inhaber(in** f) (-ĭnhähb^r) m shopkeeper, *Am.* storekeeper; **~kasse** f till; **~preis** (-pris) m selling price; **~schild** n shopsign; **~tisch** m counter.
La'de|platz (lähd^ephläts) m loading--place; **~schein** (-shin) m bill of lading.
La'dung (lähdŏŏᵣ) f loading; *Güter:* freight; ✥ cargo; *Schußwaffe od.* ✥ charge; ⚡ summons.
La'ge (lähg^e) f situation, position; *e-s Hauses usw.* site; (*Zustand*) state, condition; (*Haltung*) attitude; *geol.* layer, stratum; (*Runde Bier usw.*) round; *in der ~ sein zu tun* to be in a position to do.
La'ger (lähg^r) n couch, bed; *geol.* deposit; *e-s Wildes:* lair; ⊕ bearing; (*Waren*ℒ) warehouse; (*Vorrat*)

store, stock; ✗ camp, encampment; ✝ *auf ~ on* hand, in stock; **~buch** (-bōōk) n stock-book; **~geld** n warehouse-rent; **~haus** (-hows) n' warehouse; ℒn *v/i.* lie down, rest (*a. sich ~*); ✗ (en-)camp; ✝ be stored; *v/t.* lay (down); ✝ store, warehouse; **~platz** m depot; resting-place; **~ung** f *v. Waren;* storage.
lahm (lähm) lame; **~'en** be lame.
lä'hmen (lĕm^en) lame, paralyse.
Lä'hmung f laming; paralysis.
Laib (lïp) m loaf.
Laich (liç) m, ℒ'en spawn.
Lai'e (li^e) m layman.
Lakai' (lähki) m lackey, footman.
La'ke (lähk^e) f brine, pickle.
La'ken (lähk^en) n sheet.
la'llen (lähl^en) stammer.
Lame'lle (lähmĕl^e) f lamina.
Lamm (lähm) n lamb; **~'fell** n lambskin; ℒ'fromm lamblike.
La'mpe (lähmp^e) f lamp.
La'mpen|fieber (-feeb^r) n stage-fright; **~glocke** (-glok^e) f lamp-globe; **~schirm** m lamp-shade; **~zylinder** (-tsĭlĭnd^r) m lamp-chimney.
Lampio'n (lähmp'ŏᵣ) m Chinese lantern.
Land (lähnt) n land; (*Ggs. Stadt*) country; (*Ackerboden*) ground, soil; (*Gebiet*) territory; *ans ~* ashore; *auf dem ~* e in the country; *zu ~e* by land; **~'arbeiter** (-ährbit^r) m farm labourer; **~'bau** (-bow) m agriculture; **~'besitz** (-b^ezĭts) m landed property; **~'bewohner** (-b^evōn^r) m countryman; **~'ebahn** ✈ f runway, taxi-strip; ℒen *v/i.* (sn) *u. v/t.* land; (*ausschiffen*) disembark; ✈ alight; **~'-enge** f neck of land, isthmus; **~'eplatz** m quay; ✈ landing-ground.
La'ndes|kind (-kĭnt) n native; **~kirche** (-kĭrç^e) f national (*Brit.* established) church; **~sprache** (-shprähk^e) f vernacular (tongue); ℒ**üblich** (-üplĭç) customary; **~verrat** (-fĕräht) m high treason; **~verräter** (-fĕrät^r) m traitor to

his country; ~verteidigung (-fĕr-tidĭgŏŏŋ) f national defence; ~ver-weisung (-fĕrvīzŏŏŋ) f banishment.

La'nd|flugzeug (-flōōktsŏĭk) n land-plane; ~friede (-freed^e) m public peace; ~gericht (-g^hᵉrĭçt) n etwa: higher (od. provincial) court; ~gut (-gōōt) n country seat, estate; ~haus (-hows) n country house; ~karte f map; 2läufig (-lŏĭfĭç) customary, current.   [-like.]

lä'ndlich (lĕntlĭç) rural, country-

La'nd|mann m countryman, farmer; ~messer m surveyor; ~partie (-păhrtee) f picnic, excursion; ~plage (-plāh^hᵉ) f public calamity; ~rat (-răht) m etwa: district president; ~recht (-rĕçt) n common law; ~regen (-rĕg^hᵉn) m general rain.

La'ndschaft (lăhntshăhft) f province, district; bsd. paint. landscape; 2lich provincial; scenic.

La'ndsmann m fellow-countryman.

La'nd|straße (-shtrăhs^e) f highway, high-road; ~streicher(in f) (-shtri-ç^er) m tramp, Am. hobo; ~strich (-shtrĭç) m tract of land.

La'ndung (lăhndŏŏŋ) f landing; debarkation; ~sbrücke f landing-stage.

La'nd|vermessung f land-survey-ing; ~volk n country-people; 2-wärts (-vĕrts) landward; ~wirt m farmer, agriculturist; ~wirtschaft f agriculture, farming; 2wirt-schaftlich agricultural; ~zunge (-tsŏŏŋ^e) f spit (of land).

lang (lăhŋ) long; Mensch: tall; e-e Woche ~ for a week; ~'-atmig (-ăhtmĭç) long-winded.

la'nge (lăhŋ^e) long; ~ her long ago; noch ~ nicht far from.

Lä'nge (lĕŋ^e) f length; (Größe) tallness; geogr., ast. longitude; der ~ nach (at) full length, lengthwise.

la'ngen (lăhŋ^en) (genügen) suffice; ~ nach reach for.

Lä'ngenmaß (lĕŋ^enmăhs) n linear measure.

La'ng(e)weile (lăhŋ^evīl^e) f bore-dom, ennui.

la'ng|fristig long-dated; ~jährig (-yărĭç) of long standing.

lä'nglich (lĕŋlĭç) longish, oblong.

La'ng|mut (-mōōt) f, 2mütig (-mütĭç) long-suffering.

längs (lĕŋs) along; ~ der Küste along shore; 2... longitudinal.

la'ngsam (lăhŋzăhm) slow.

längst (lĕŋst) long ago, long since; ~ens at the latest.

la'ng|weilen (lăhŋvīl^en) bore; sich ~ feel bored; ~weilig tedious, dull; ~e Person bore; 2welle f Radio: long wave; ~wierig (-veerĭç) pro-tracted, lengthy.

La'nze (lăhnts^e) f lance.

Lappa'lie (lăhpăhl^ie) f trifle.

La'ppen (lăhp^en) m (Flicken) patch; (Lumpen) rag; (Wisch2) duster.

la'ppig (schlaff) flabby.

lä'ppisch (lĕpish) foolish, silly.

Lä'rche (lĕrç^e) ♀ f larch.

Lärm (lĕrm) m noise; din; ~ schlagen give the alarm; 2en make a noise; ~'end noisy.

La'rve (lăhrf^e) f mask; zo. larva.

lasch (lăhsh) limp, lax; Bier: stale.

La'sche (lăhsh^e) f (Klappe) flap; am Schuh: tongue.

la'ssen (lăhs^en) let; leave (undone, off; open, shut); (gestatten) allow; (dulden) suffer; (veranlassen) make, cause, have (od. get) ... done; (be-fehlen) order; laß (das)! don't!, laß das Weinen! stop crying!; von et. ~ desist from, renounce; von sich hören ~ send news; sich nichts sagen ~ take no advice; es läßt sich nicht leugnen there is no denying (the fact).

lä'ssig (lĕsĭç) indolent; sluggish.

Last (lăhst) f load; (Bürde) burden; (Gewicht) weight; (Fracht) cargo, freight; fig. weight, charge, trouble; ♰ zu ~en von to the debit of; j-m zur ~ fallen be a burden to a p.

la'sten (auf dat.) weigh (upon); 2-ausgleich (-owsglīç) m equali-zation of burdens.

La'ster (lăhst^er) n vice.

la'sterhaft vicious.

Lä'stermaul (lĕst^ermowl) n slan-derer, backbiter.

lä'ster|n (lĕst^ern) v/t. slander, defame; Gott: blaspheme; 2ung f slander, calumny; blasphemy.

lä'stig (lĕstĭç) troublesome.

La'st|kahn m barge; ~kraftwagen (-krăhftvăhg^hᵉn) m (motor) lorry, Am. truck; ~schrift ♰ f debit; ~träger (-trăg^hᵉr) m porter; ~wa-gen (-văhg^hᵉn) m wag(g)on, truck; ~zug (-tsōōk) m road-train.

Latei'n (lăhtīn) *n*, **⁓isch** Latin.
Late'rne (lăhtĕrnᵉ) *f* lantern; lamp; **⁓npfahl** *m* lamp-post.
la'tschen (lāhtshᵉn) F (sn) shuffle [(along).]
La'tte (lăhtᵉ) *f* lath; **⁓nkiste** *f* crate; **⁓nverschlag** (-fĕrshlāhk) *m* latticed partition; **⁓nzaun** (-tsown) *m* paling.
lau (low) tepid, (*a. fig.*) lukewarm.
Laub (lowp) *n* foliage, leaves *pl.*; **⁓'baum** (-bowm) *m* deciduous tree.
Lau'be (lowbᵉ) *f* bower, arbour; **⁓nkolonie** (-kŏlonee) *f* allotment gardens *pl.*
Lau'b|frosch (lowpfrŏsh) *m* tree-frog; **⁓säge** (-zāgʰᵉ) *f* fret-saw.
Lau'er (lowᵉr) *f*: *auf der ⁓ liegen od. sn* lie in wait; **⁓n** lurk; *⁓ auf* (*acc.*) watch for.
Lauf (lowf) *m* course; (*a.* ♪) run; (*Wett⁓*) race; *Wasser*: current; (*Gewehr⁓*) barrel; *im ⁓e der Zeit* in course of time; **⁓'bahn** *f* career; **⁓'bursche** (-bŏŏrshᵉ) *m* errand-boy.
lau'fen (lowfᵉn) *v/i.* (sn) run; (*zu Fuß gehen*) walk; (*fließen*) flow; *Zeit*: pass; (*leck sn*) leak; *die Dinge ⁓ l.* let things slide; *j-n ⁓ l.* let a p. go; **⁓d** *Jahr usw.*: current; ✝ *⁓en Monats* instant (*mst abbr.* inst.).
Läu'fer (lŏifᵉr) *m* runner (*a.* **⁓in** *f*); (*Teppich*) carpet strip; *Schach*: bishop; *Fußball*: half(-back).
Lau'f|masche (lowfmăhshᵉ) *f* ladder, *Am.* run; **⁓paß** (-pāhs) *m* sack; **⁓schritt** *m* running pace.
Lau'ge (lowgʰᵉ) *f* lye.
Lau'heit (lowhīt) *f* tepidity, lukewarmness.
Lau'ne (lownᵉ) *f* humour; mood; temper; (*Grille*) caprice, whim.
lau'n|enhaft capricious; **⁓ig** humorous; **⁓isch** moody; wayward.
Laus (lows) *f* louse (*pl.* lice).
lau'sch|en (lowshᵉn) listen; **⁓ig** snug, cosy.
laut (lowt) **1.** loud; *adv.* aloud, loud(ly); (*lärmend*) noisy; **2.** *prp.* according to; ✝ as per; **3.** ⁓ *m* sound.
Lau'te (lowtᵉ) *f* lute; **⁓n** sound; *Inhalt, Worte*: run.
läu'te|n (lŏitᵉn) ring; toll; *es ⁓t* the bell is ringing.
lau'ter (lowtᵉr) pure; clear; *fig.* sincere; (*nichts als*) mere, nothing but.
läu'ter|n (lŏitᵉrn) purify; refine; **⁓ung** *f* purification; refining.
lau't|los noiseless; mute; silent; *Stille*: hushed; **⁓sprecher** (-shprĕçᵉr) *m* loudspeaker; **⁓stärke** (-shtĕrkᵉ) *f Radio*: volume (of sound); **⁓stärkeregler** (-shtĕrkᵉ-réglᵉr) *m* volume control.
lau'warm (lowvăhrm) tepid, lukewarm.
Lave'ndel (lăhvĕndᵉl) *m* lavender.
lavie'ren (lăhveerᵉn) tack (*a. fig.*).
Lawi'ne (lăhveenᵉ) *f* avalanche.
lax (lăhks) lax, loose.
Lazare'tt (lăhtsăhrĕt) *n* (military) hospital.
Le'bemann (lébᵉmăhn) *m* man [about town.]
le'ben (lébᵉn) **1.** live; (*am ⁓ sn*) be alive; *j-n* (*hoch*) *⁓ l.* cheer a. p.; **2.** ⁓ *n* life; (*geschäftiges Treiben*) stir, animation; *ins ⁓ rufen* call into being.
lebe'ndig (lébĕndĭç) living; alive (*pred.*); (*flink*) quick; lively.
Le'bens|-alter *n* age; **⁓-anschauung** (-ăhnshowŏŏng) *f* view of life; **⁓-art** *f* (*Benehmen*) manners *pl.*; **⁓beschreibung** (-bᵉshrībŏŏng) *f* life, biography; **⁓fähig** (-fāĭç) viable; **⁓gefährlich** (-gʰᵉfārlĭç) perilous; **⁓gefährte** (-gʰᵉfārtᵉ) *m* life's companion; **⁓größe** (-grōsᵉ) *f* life-size; **⁓haltung** *f* standard of life; **⁓kraft** *f* vital power; **⁓länglich** (-lĕnglĭç) for life, lifelong; **⁓lauf** (-lowf) *m* course of life; *schriftlicher*: personal record; **⁓lustig** (-lŏŏstĭç) cheery, merry; **⁓mittel** *n/pl.* foodstuffs, provisions *pl.*; **⁓müde** (-müdᵉ) weary of life; **⁓treu** (-trŏi) true to life; **⁓-unterhalt** (-ŏŏntᵉrhăhlt) *m* livelihood; *s-n ⁓ verdienen* earn one's living; **⁓versicherung** (-fĕrzĭçᵉrŏŏng) *f* life-insurance; **⁓wandel** (-vāhndᵉl) *m* life, conduct; **⁓weise** (-vīzᵉ) *f* mode of living; *gesundheitliche ⁓* regimen; **⁓weisheit** (-vīshīt) *f* practical wisdom; **⁓wichtig** (-vĭçtĭç) vital; **⁓zeichen** (-tsīçᵉn) *n* sign of life; **⁓zeit** (-tsīt) *f* lifetime; *auf ⁓* for life.
Le'ber (lébᵉr) *f* liver; **⁓fleck** *m* mole; **⁓krank** suffering from the liver; **⁓tran** (-trāhn) *m* cod-liver oil.
Lebewo'hl (lébᵉvōl) *n* farewell.
le'b|haft (léphăhft) lively; **⁓kuchen** (kōōkᵉn) *m* gingerbread (cake); **⁓los** lifeless.

le′chzen (lĕçts⁵n) languish (for).

Leck (lĕk) **1.** *n* leak; **2.** ♀ leaky; ⚓ ~ w. spring a leak.

le′cken (lĕk⁵n) *v/t.* lick; *v/i.* leak.

le′cker (lĕk⁵r) dainty; ♀**bissen** *n* dainty, delicacy; ~**haft** dainty.

Le′der (lĕd²r) *n* leather; ♀**n** leathern, of leather; *fig.* dull.

le′dig (lĕdiç) empty, vacant; (*unverheiratet*) single, unmarried; *e-r S.*: free from; ~**lich** solely, merely.

Lee (lé) ♀ *f* lee(-side).

leer (lér) empty; void; (*unbesetzt*; *ausdruckslos*) vacant; (*eitel*) vain; ⊕ ~ *laufen* run idle; ♀′*e f* emptiness; (*leerer Raum*) void, *phys.* vacuum; ~**n** empty, void, clear; ♀′**gut** (-gōōt) ✝ *n* empties; ♀′**lauf** (-lowf) ⊕ *m* idle motion.

Lega′t (légáht) *m* legate; *n* legacy.

le′gen (lég⁵n) lay, place, put; *sich ~ lie down; zu Bett:* go to bed; *Wind usw.:* abate; (*nachlassen*) cease; *sich auf e-e S. ~* apply o.s. to; *Karten ~* tell fortunes by the cards.

Lege′nde (lĕg²ĕnd⁵) *f* legend.

legiti′m (lég²hiteem) legitimate; ♀**atio′nspapier** (l⁵g²hitimáhts′önspáhpeer) *n* paper of identification; ~**ie′ren** (lég²hitímeer⁵n) (*sich*) prove one's identity.

Lehm (lém) *m* loam; ♀′**ig** loamy.

Le′hne (lén⁵) *f* (*Arm♀*) arm, (*Rück♀*) back; ♀**n** *n* (*sich*) lean (*an acc.* against). [(-shtōōl) *m* arm-chair.]

Le′hn|sessel (lénzĕs⁵l), ~**stuhl**|

Le′hr|-anstalt (lérăhnshtăhlt) *f* educational establishment, school; ~**buch** (-bōōk) *n* textbook.

Le′hre (lér⁵) *f* **1.** *theoretische:* doctrine; *praktische:* rule, precept; (*moralische; Warnung*) lesson; *des Lehrlings:* apprenticeship; *in die ~ geben* apprentice, article (*bei, zu* to); **2.** ⊕ gauge, *Am.* gage; ♀**n** teach, instruct; (*dartun*) show.

Le′hrer (lér⁵r) *m* teacher; master; instructor; ~**in** *f* (lady) teacher; ~**kolle′gium** (-kŏlég²h¹ōōm) *n* staff (of teachers); ♀(**innen**)**semina′r** (-zĕmĭnáhr) *n* training-college, *Am.* teachers' college.

Le′hr|fach (-fáhk) *n* subject; ~**film** *m* instructional film; ~**gang** *m* course (of instruction); ~**geld** *n* premium; ♀**haft** didactic; ~**herr** *m* master, *bsd. Am.* boss; ~**junge** (-yōōŋ²ʰ⁵) *m* apprentice; ~**körper** *m* teaching staff; ~**ling** *m* apprentice; ~**mädchen** (-mătç⁵n) *n* girl apprentice; ~**meister** (-mist²r) *m* teacher; *Handwerk:* master; ♀**plan** (-pláhn) *m* (school) curriculum; ♀**reich** (-riç) instructive; ~**stuhl** (-shtōōl) (*professor's*) chair; ~**stunde** (-shtōōnd⁵) *f* lesson; ~**zeit** (-tsit) *f* apprenticeship.

Leib (lip) *m* body; (*Bauch*) belly; (*Taille*) waist; *gut bei ~e sn* be corpulent; *mit ~ und Seele* body and soul; ~′**-arzt** *m* physician in ordinary; ~**chen** *n* bodice.

leib-ei′gen (lipig²ʰ⁵n) in bondage; ♀**e(r)** *m* serf, bond(wo)man.

Lei′bes... (-b-): ♀′**-erbe(n** *pl.*) *m* issue; ~**frucht** (-frōōkt) *f* fetus; ~′**übung** (-übōōŋ) *f* bodily exercise.

lei′blich (lipliç) bodily, corpor(e)al.

Lei′b|rente (-) *f* life-annuity; ~**schmerzen** (-shmĕrts⁵n) *m/pl.* stomach-ache, colic; ~**wache** (-văhk⁵) *f* body-guard; ~**wäsche** (-vĕsh⁵) *f* body-linen, underwear.

Lei′che (liç⁵) *f* (dead) body, corpse.

Lei′chen|begängnis (-b⁵gĕŋ₂nis) *n* funeral; ♀**blaß** (-bláhs) deadly pale; ~**feier** (-fi⁵r) *f* obsequies *pl.*; ~**halle** *f* mortuary; ~**rede** (-réd⁵) *f* funeral oration; ~**schauhaus** (-showhows) *n* morgue; ~**träger** (-trăg²ʰ⁵r) *m* bearer; ~**tuch** (-tōōk) *n* shroud; ~**verbrennung** *f* cremation; ~**wagen** (-váhg²ʰ⁵n) *m* hearse.

Lei′chnam (liçnáhm) *m* = **Leiche**.

leicht (liçt) **1.** *adj.* light; (*nicht schwierig*) easy; (*gering*) slight; *Tabak:* mild; ♀′**-athletik** (-ăhtlétĭk) *f* (light) athletics *pl.*; ~′**-fertig** (-fĕrtiç) light; frivolous, flippant; ♀′**fertigkeit** *f* frivolity, flippancy; ♀′**gewicht** (-gʰ⁵viçt) *n* Boxen: light-weight; ♀′**gläubig** (-glöibiç) credulous; ♀′**igkeit** *f* lightness, (*Mühelosigkeit*) ease, facility; ~**lebig** (-lébiç) easy-going; ♀′**sinn** (-zĭn) *m* frivolity, levity; ~′**sinnig** light-minded, frivolous.

leid (lit) **1.** *es tut mir ~* (*um*) I am sorry (for); **2.** ♀ *n* (*Schaden*) harm; (*Betrübnis*) grief, sorrow.

lei′den (lid⁵n) **1.** *allg.* suffer (*an dat.* from); ~ *mögen* like; **2.** ♀ *n* suffering; ⚕ complaint; ~**d** ailing.

Lei′denschaft *f* passion; ♀**lich** passionate; ♀**slos** dispassionate.

Lei'dens|gefährte (-gᵉfârtᵉ) *m*, **~gefährtin** *f* fellow-sufferer.

lei'd|er (lîdᵉr) unfortunately; *int.* alas!; **~ig** disagreeable; **~lich** (lîtlíç) tolerable; **~tragende(r)** (-trâhgᵉⁿdᵉr) *m* mourner.

Lei'er (lîᵉr) *f* lyre; *die alte ~ the old story;* **~kasten** *m* barrel-organ; **~(kasten)mann** *m* organ-grinder.

Leih'|bibliothek (lîbeeblîōtēk) *f* lending (*Am.* rental) library; **Qen** (lîᵉn) lend; (*ent~*) borrow; **~gebühr** (-gᵉbᵘr) *f* lending-fee; **~haus** (-hows) *n* pawnshop, *Am.* loan office; **Qweise** as a loan.

Leim (lîm) *m* glue; **Q'en** glue; (*steifen*) size.

Lein (lîn) *m* flax; **~'e** (lînᵉ) *f* line, cord; (*Hunde~*) (dog-)lead; **Q'en¹**, **~en²** *n* linen; **~'-öl** (-öl) *n* linseed-oil; **~'samen** (-zâhmᵉn) *m* linseed; **~'wand** *f* linen; *Film:* screen.

lei'se (lîzᵉ) low, soft; (*sanft*) gentle; light; **~ stellen** *Radio:* tune down.

Lei'ste (lîstᵉ) *f* border, ledge; **⚠** fillet; *anat.* groin.

lei'sten (lîstᵉn) **1.** do; (*verrichten*) perform; (*erfüllen*) fulfil; *Eid:* take; *Dienst:* render; *ich kann mir das ~* I can afford it; **2.** **Q** *m* last; *zum Füllen:* boot-tree.

Lei'stung (lîstöōŗg) *f allg.* performance; *engS.:* achievement; (*piece of*) work; *e-r Fabrik usw.:* output; *e-r Versicherung:* benefit; **Qsfähig** (-fâïç) *P.:* efficient; *Fabrik usw.:* productive; **~sfähigkeit** *f* capacity; efficiency; productivity; *phys.,* **⊕** power. [*Am.* editorial.]

Lei't-artikel (litâhrteekᵉl) *m* leader,|

lei'ten (lîtᵉn) lead; guide; (*a. phys.*) conduct; *fig.* direct; *Unternehmen:* manage, *Am.* operate.

Lei'ter (lîtᵉr) **1.** *m*, **~in** *f* leader, (*a. phys.*) conductor (*f* conductress), guide; *e-s Unternehmens:* manager (*f* manageress); **2.** *f* ladder.

Lei't|faden (litfâhdᵉn) *m* (*Lehrbuch*) textbook, guide; **~spruch** (-shprōōk) *m* motto.

Lei'tung (lîtöōŗg) *f* direction; guidance; management; *phys.* conduction; *konkret:* **⚡** lead, *tel.* line; (*Rohr~*) pipeline; *~ besetzt!* the line is engaged (*Am.* busy); **~s-draht** *m* conducting wire; **~srohr** *n* conduit-pipe; *für Gas, Wasser:* main.

Lektio'n (lĕkts'ōn) *f* lesson.

Le'ktor (lĕktōr) *m* lecturer, reader.

Lektü're (lĕktürᵉ) *f* reading.

Le'nde (lĕndᵉ) *f* loin(s *pl.*).

le'nk|bar (lĕⁿkbâhr) guidable; **~es Luftschiff** dirigible (airship); **~en** direct, guide; (*wenden*) turn; (*beherrschen*) rule; govern; *Wagen:* drive; **⚓** steer; *Aufmerksamkeit: auf* (*acc.*) call ... to; **Qrad** (-râht) *n* steering wheel; **~sam** tractable, manageable; **Qstange** *f* handle-bar.

Lenz (lĕnts) *m* spring; *fig.* prime.

Le'rche (lĕrçᵉ) *f* lark.

le'rn|begierig (lĕrnbᵉgʰeeríç) desirous of learning; **~en** learn; (*studieren*) study.

Le'se (lēzᵉ) *f* gathering; (*Wein*Q) vintage; **~buch** (-bōōk) *n* reading-book.

le'sen (lēzᵉn) read; (*auflesen*) gather; **✓** glean; (*aussuchen*) pick; *univ.* lecture (*über acc.* on); *Messe ~* say mass; **~swert** (-vĕrt) worth reading.

Le'ser *m*, **~in** *f* reader; **Qlich** legible.

Le'sezeichen (lēzᵉtsíçᵉn) *n* bookmark.

letzt (lĕtst) last; (*abschließend*) final; ultimate; *der ~ere* the latter; **~e Hand anlegen an** (*acc.*) put the finishing touches to.

Leu'cht|e (lôïçtᵉ) *f* (*fig.* shining) light, (*a. fig.*) lamp, (*a. fig.*) luminary; **Qen** emit light, shine; (*strahlen*) beam; *Meer:* phosphoresce; *j—m ~* light a p.; **Qend** shining, bright; **~er** *m* candlestick; **~feuer** (-fôïᵉr) *n* beacon(-fire); **~kugel** (-kōōgʰᵉl) *f* (signal) rocket, flare; **~turm** (-tōōrm) *m* lighthouse; **~ziffer** *f* luminous figure.

leu'gnen (lôïgnᵉn) deny.

Leu'mund (lôïmōōnt) *m* reputation; **~szeugnis** (-tsōïknîs) *n* testimonial to a p.'s character.

Leu'te (lôïtᵉ) *pl.* people; *engS.* folk(s); *einzelne:* persons; **✗** *u.* **⊕** men *pl.*; (*Dienst*Q) servants.

Leu'tnant (lôïtnähnt) *m* lieutenant.

leu'tselig (lôïtzēlíç) affable.

Le'xikon (lĕksîkŏn) *n* dictionary.

Libe'lle (lîbĕlᵉ) *f* dragon-fly.

Licht (lîçt) *n.* **1.** light; (*Kerze*) candle; *das ~ der Welt erblicken* see the light; **2.** **Q** light, bright; **⚡** **~er Augenblick** lucid interval; **~/-**

bad (-bāht) *n* solar bath; ~**bild** *n* photograph; ~**bildervortrag** (-bíl-dᵉrfôrtrāhk) *m* lantern-slide lecture; 2'-**echt** (-ĕçt) fast to light, fadeless; 2'-**empfindlich** (-ĕmpfíntlíç) *phot.* sensitive; ~ *m.* sensitize; 2'**en** *im Wald*: clear; *Reihen, Haar*: (a. sich) thin; *den Anker* ~ weigh anchor; 2**erlo'h** blazing, in full blaze; ~'-**hof** (-hôhf) *m* glass-roofed court; *opt.* halo; ~'**leitung** (-lītȯȯŋ) *f* lighting circuit; ~'**pause** (-powzᵉ) *f* blueprint; ~'**reklame** (-rĕklāhmᵉ) *f* luminous advertising; ~'**schacht** (-shăhkt) *m* well; ~'**schein** (-shīn) *m* blaze, gleam; 2'**scheu** (-shȯi) shunning the light; ~'**spieltheater** (-shpēeltĕāhtᵉr) *n* picture theatre, *Am.* movie theater; ~'**strahl** *m* ray, beam; ~'**ung** *f* clearing; 2'**voll** (-fôl) luminous.

Lid (leet) *n* eyelid.

lieb (leep) dear; *es ist mir* ~, *daß* I am glad that; ~'**äugeln** (-ȯigʰᵉln) ogle (*mit* a p., a th.); 2'**chen** *n* sweetheart.

Lie'be (leebᵉ) *f* love (*zu* of, for); ~**diener** (-deenᵉr) *m* time-server, toady; ~**lei'** *f* flirtation.

lie'ben (leebᵉn) *v/t.* love; (*gern mögen*) be fond of, like; *v/i.* (be in) love; 2**de(r)** lover.

lie'benswürdig (leebᵉnsvürdíç) lovable, amiable; (*freundlich*) kind; 2**keit** *f* amiability; kindness.

lie'ber dearer; *adv.* rather, sooner.

Lie'bes|dienst (-deenst) *m* (*act of*) kindness; good turn; ~**erklärung** (-ĕrklärȯȯŋ) *f* declaration of love; ~**gabe** (-gāhbᵉ) *f* gift; ~**heirat** (-hī-rāht) *f* love-match; ~**paar** (-pāhr) *n* couple of lovers; ~**werk** *n* work of charity.

lie'bevoll (leebᵉfôl) loving, affectionate.

lie'b|gewinnen grow fond of; ~**haben** (-hāhbᵉn) love, be fond of; 2**haber(in** *f*) *m* lover; *fig.* amateur; 2**haberei** (-hāhbᵉrī) *f* (*für*) fancy (for, to); (*fig. Steckenpferd*) hobby; 2**haberpreis** (-hāhbᵉrprīs) *m* fancy price; ~**kosen** (-kȯzᵉn) caress, fondle; 2**kosung** *f* caress.

lie'blich (leeplíç) lovely; delightful. **Lie'bling** *m* favourite; darling; *bsd. Tier:* pet; ~**s...** favourite.

lie'b|los unkind; ~**reich** (-ríç) kind; 2**reiz** (-rīts) *m* charm; 2**schaft** *f*

amour; 2**ste(r)** *m* sweetheart; *Anrede:* darling.

Lied (leet) *n* song.

lie'derlich (leedᵉrlíç) disorderly; *Lebenswandel:* loose, dissolute.

Liefera'nt (leefᵉrāhnt) *m* supplier; purveyor.

lie'fer|bar (leefᵉrbāhr) deliverable; 2**frist** *f* term of delivery; ~**n** deliver; (*beschaffen*) furnish, supply; *Ertrag:* yield; 2**schein** (-shīn) *m* delivery note; 2**ung** *f* delivery; supply; (*Buch*) number; 2**wagen** (-vāhgᵉn) *m* delivery-van, *Am.* delivery truck.

lie'gekur (leegᵉkȯȯr) *f* rest-cure.

lie'gen (leegʰᵉn) lie; *Haus usw.:* be (situated); *es liegt mir daran, zu* I am anxious to; *es liegt* (*mir*) *nichts daran* it is of no consequence (to me); ~**bleiben** (-blībᵉn) (sn) keep (one's bed); *unterwegs:* break down; *Arbeit usw.:* be left; ~**lassen** let lie; (*zurücklassen*) leave (behind); (*nichts anrühren*) leave alone; 2**schaften** *f/pl.* real estate.

Lie'gestuhl (leegᵉshtōōl) *m* deck-chair.

Li'ga (leegāh) *f* league.

Likö'r (líkör) *m* liqueur, cordial.

li'la (līlāh) lilac(-coloured).

Li'lie (leelⁱᵉ) *f* lily.

Limona'de (līmȯnāhdᵉ) *f* lemonade.

Limousi'ne (līmȯȯzeenᵉ) *f* *mot.* limousine, saloon, *Am.* sedan (car).

lind (línt) soft, gentle.

Li'nde (líndᵉ) 2 *f* lime-tree.

li'ndern (líndᵉrn) soften; mitigate; alleviate.

Li'nderung *f* alleviation, mitigation; ~**smittel** *n* lenitive.

Linea'l (līnĕāhl) *n* ruler.

Li'nie (leenⁱᵉ) *f* line.

Li'nien|blatt *n* ink lines *pl.*; 2**treu** (-trȯi) following the party line.

lin(i)ie'ren (līn[í]eerᵉn) rule.

link (líŋk) left; ~*e Seite* left(-hand) side; *v. Stoff:* wrong side; 2'**e** *f* the left (hand); 2**e(r)** *m Boxen:* left; ~'**isch** awkward.

links (líŋks) on (*od.* to) the left; (~*händig*) left-handed.

Li'nse (línzᵉ) *f* lentil; *opt.* lens.

Li'ppe (lípᵉ) *f* lip; ~**nstift** *m* lip-stick.

liquidie'ren (leekvĭeerᵉn) liquidate, wind up; *Honorar:* charge.

li'speln (lĭspᵉln) lisp; whisper.

List (lĭst) f cunning, craft; trick.

Li'ste (lĭstᵉ) f list, roll.

li'stig (lĭstĭç) cunning, crafty, sly.

Li'ter (leetᵉr) n (m) litre.

litera'risch (lĭtᵉrährĭsh) literary.

Litera't (lĭtᵉräht) m man of letters; writer.

Literatu'r (lĭtᵉrähtōōr) f literature; ~geschichte (-gʰᵉshĭçtᵉ) f history of literature.

Lithogra'ph (lĭtōgrähf) m lithographer; 2ie'ren (-eerᵉn) lithograph.

Li'tze (lĭtsᵉ) f cord, string, braid; ⚡ strand(ed wire), flex(ible).

Livree' (lĭvré) f livery.

Lize'nz (lĭtsénts) f licence.

Lob (lōp) n praise; (Empfehlung) commendation; 2'en (lōbᵉn) praise; 2'enswert (lōbᵉnsvért) praiseworthy; ~'gesang (-gʰᵉzährg) m hymn; ~'hudelei' (-hōōdᵉlĭ) f base flattery.

lö'blich (löplĭç) commendable.

lo'b|preisen (löppriᵉᵉn) praise, extol; 2rede (-rédᵉ) f eulogy, panegyric.

Loch (lŏk) n hole; 2'en punch; ~'er m file-punch, perforator.

Lo'cke (lŏkᵉ) f curl, ringlet.

lo'cken (lŏkᵉn) 1. (a. sich ~) curl; 2. decoy; fig. allure, entice.

lo'cker (lŏkᵉr) loose; ~n (a. sich ~) loosen; Boden: break up.

lo'ckig curly.

Lo'ck|mittel n, ~speise (-shpĭzᵉ) f bait, enticement; ~spitzel m (fr.) agent provocateur; ~ung f allurement, enticement; ~vogel (-fōgʰᵉl) m decoy(-bird).

lo'dern (lōdᵉrn) flare, blaze.

Lö'ffel (löfᵉl) m spoon; (großer) ladle; ~voll (-fŏl) m spoonful.

Lo'ge (lōᵉᵉ) f thea. box; (Freimaurer2) lodge; ~nschließer (-shleesᵉr) m box-keeper.

Logie'r|besuch (lóᵉeerbᵉᵉōōk) m staying company; 2en lodge.

Logi's (lóᵉee) n lodging(s pl.).

lo'gisch (lōgʰĭsh) logical.

Lohn (lōn) m reward; (Arbeits2) wages pl., pay(ment); ~'empfänger m wage-earner; 2'en compensate, reward; Arbeiter: pay; sich ~ pay; 2'end paying; ~'erhö'hung (-érhöᵉᵉrg) f pay rise od. increase; ~'steuer (shtŏᵉᵉr) f wage tax; ~'tüte (-tütᵉ) f pay envelope.

Lö'hnung (lōnōōrg) f pay.

Loka'l (lōkähl) locality, place; (Wirtshaus) public house.

Lokomoti've (lōkōmōteev') f locomotive, engine; ~führer m engine-driver, Am. engineer.

Lo'rbeer (lórbér) m laurel, bay.

Lo're (lōrᵉ) ⊕ lorry.

Los¹ (lōs) n lot; (Lotterie2) ticket; das große ~ the first prize.

los² loose; free; was ist ~? what's up?; j-n, et. ~ sein be rid of; ~! go!

lo's|binden untie; ~brechen (-bréçᵉn) v/t. break off; v/i. break out.

Lö'sch|blatt, ~papier (-pähpeer) n blotting-paper; 2en (löshᵉn) Feuer: extinguish; Schrift: blot out; Schuld: cancel; Durst: quench; Kalk: slake; ⚓ unload; ~er m blotter.

lo'se (lōzᵉ) loose.

Lö'segeld (lözᵉgʰĕlt) n ransom.

lo'sen (lōzᵉn) cast (od. draw) lots (um for).

lö'sen (lōzᵉn) loosen, untie; Fahrkarte: take; Schuß: discharge; Aufgabe, Zweifel usw.: solve; 🜄 dissolve.

lo's|geh(e)n (lōsgʰé[ᵉ]n) (sn) (sich lösen) come (od. get) loose; (davongehen, Schuß) go off; (anfangen) begin; auf j-n: go at; ~haken (-hähkᵉn) unhook; ~kaufen (-kowfᵉn) ransom, redeem; ~ketten unchain; ~knüpfen untie; ~kommen (sn) get loose od. free; ~lassen let go; (freilassen) release.

lö'slich (löslĭç) soluble.

lo's|machen (lōsmähkᵉn) loosen; ~reißen (-rĭsᵉn) tear off; sich ~ break away; sich ~sagen (-zähgʰᵉn) von renounce; ~schlagen (-shlähgʰᵉn) v/i. open the attack; ~ auf j-n: attack; ~schnallen unbuckle; ~schrauben (-shrowbᵉn) unscrew; ~sprechen (-shpréçᵉn) absolve.

Lo'sung (lōzōōrg) f ✗ password; fig. watchword.

Lö'sung (lōzōōrg) f solution.

lo's|werden (lōsvérdᵉn) (sn) get rid of.

lö'ten (lötᵉn) solder.

lo'trecht (lōtréçt) perpendicular.

Lo'tse (lōtsᵉ) m, 2n pilot.

Lotterie' (lŏtᵉree) f lottery; ~gewinn m prize.

lo'tterig (lötᵉrĭç) sluttish, slovenly.

Lö'we (lövᵉ) m lion.

Lö·wen·anteil (-ă*h*ntil) *m* lion's share.

Lö·win *f* lioness.

Luchs (lŏŏks) *m* lynx.

Lü·cke (lŭk*ᵉ*) *f* gap; (*leere Stelle*) blank, *fig.* void; **⁓nbüßer** (-bŭs*ᵉ*r) *m* stopgap; **⁓nhaft** defective, incomplete; **⁓nlos** unbroken; complete.

Lu·der (lŏŏd*ᵉ*r) *n.* P damned wretch.

Luft (lŏŏft) *f* air; (⁓*zug*) breeze; (*Atem*) breath; *frische* ⁓ *schöpfen* take the air; *fig. et. aus der* ⁓ *greifen* spin a th. out of thin air; *in die* ⁓ *fliegen* be blown up; *sich* ⁓ *m.* give vent to one's feelings; **⁓·angriff** *m* air raid; **⁓·ballon** (-bǎhlọ, -ōrg) *m* (air-)balloon; **⁓·brücke** *f* air-bridge; *als Versorgungsweg:* air-lift; **⁓·dicht** (-dĭçt) air-tight; **⁓·druck** (-drŏŏk) *m* atmospheric pressure; **⁓·druckbremse** (-drŏŏk-brĕmz*ᵉ*) *f* pneumatic brake.

lü·ften (lŭften) air; (*heben*) Hut: raise; *Schleier:* lift; (*enthüllen*) disclose.

luf·t|ig airy; **⁓kissen** *n* air-cushion; **⁓klappe** *f* air-valve; **⁓krieg** (-kreek) *m* aerial warfare; **⁓kur-ort** (-kŏŏrört) *m* climatic health-resort; **⁓landetruppen** (-lǎhndᵉtroŏpᵉn) *f/pl.* airborne troops *pl.;* **⁓leer** (-lér) void of air, exhausted; **⁓er Raum** vacuum; **⁓linie** (-leenⁱᵉ) *f* bee-line; **⁓post** (-pŏst) *f* air-mail; **⁓reifen** (-rifᵉn) *m* pneumatic tyre; **⁓reklame** (-rĕklǎhmᵉ) *f* sky-line advertising; **⁓röhre** *f anat.* windpipe; **⁓schaukel** (-showkᵉl) *f* swing-boat; **⁓schiff** *n* airship; **⁓schiffahrt** *f* aerial navigation; **⁓schiffer** *m* aeronaut, airman; **⁓schiffhalle** *f* hangar; **⁓schlauch** (-shlowk) *m* air tube; *mot.* inner tube; **⁓schlösser** *n/pl.* castles in the air; **⁓schutz** (-shŏŏts) *m* air raid protection *od.* precaution(s *pl.*); **⁓schutzkeller** *m* air-raid shelter; **⁓stützpunkt** (-shtŭts-pŏŏrgkt) ✕ *m* air-base.

Lü·ftung (lŭftŏŏrg) *f* airing; ventilation.

Luf·t|verkehr (-fĕrkér) *m* air-traffic; **⁓verkehrsgesellschaft** (-fĕrkérsgᵉhᵉzĕlshǎftt) *f* air-line operating company; **⁓verkehrslinie** (-fĕrkérsleenⁱᵉ) *f* air-line *od.* -route;

⁓weg (-vék) *m* airway; *auf dem* ⁓ *by air;* **⁓zug** (-tsŏŏk) *m* draught.

Lü·ge (lŭghᵉ) *f* lie, falsehood; *j-n* ⁓*n strafen* give a p. the lie.

lü·gen (tell a) lie; **⁓haft** lying, mendacious; false.

Lü·gner (lŭgnᵉr) *m,* **⁓in** *f* liar; **⁓isch** = *lügenhaft.*

Lu·ke (lŏŏkᵉ) *f* dormer (*od.* garret-) -window; ⚓ hatch.

Lü·mmel (lŭmᵉl) *m* lout, boor, hooligan; **⁓haft** loutish.

Lump (lŏŏmp) *m* ragamuffin, scamp; **⁓en¹** *m* rag; **⁓en²:** *sich nicht* ⁓ *lassen* do things handsomely.

Lu·mpen|pack *n* rabble, riff-raff; **⁓sammler(in** *f*) (-zǎhmlᵉr) *m* rag-picker.

lu·mpig (lŏŏmpiç) ragged; *fig.* paltry.

Lu·nge (lŏŏrgᵉ) *f* (*eine a pair of*) lungs *pl.*, *v. Tieren:* lights *pl.*

Lu·ngen|-entzündung (-ĕntsŭndŏŏrg) *f* pneumonia; **⁓flügel** (-flŭghᵉl) *m* lung; **⁓krank** suffering from the lung; **⁓krankheit** lung-disease; **⁓schwindsucht** (-shvĭntzŏŏkt) *f* pulmonary consumption.

lu·ngern (lŏŏrgᵉrn) idle, loiter.

Lu·pe (lŏŏpᵉ) *f* magnifier.

Lust (lŏŏst) *f* pleasure, delight; (*Verlangen*) desire; ⁓ *h. zu* have a mind to; **⁓barkeit** (-lŏŏstbǎhrkit) *f* diversion; *öffentliche:* entertainment.

lü·stern (lŭstᵉrn) (*nach*) desirous (of); (*sinnlich*) lascivious.

Lu·stgarten (lŏŏstgǎhrtᵉn) *m* pleasure garden.

lu·stig (lŏŏstiç) merry, gay; *sich* ⁓ *m. über* (*acc.*) make fun of; **⁓keit** *f* gaiety, mirth.

Lü·stling (lŭstlĭrg) *m* voluptuary.

lu·st|los dull, ✝ *a.* flat; **⁓mord** *m* rape and murder; **⁓spiel** (-shpeel) *n* comedy.

lu·tschen (lŏŏtshᵉn) suck.

Luv (lŏŏf) ⚓ *f* luff, weather-side.

luxuri·ös (lŏŏksŏŏrⁱös) luxurious.

Lu·xus (lŏŏksŏŏs) *m* luxury; **⁓ar-tikel** (-ǎhrteekᵉl) *m* fancy article.

Lymph... (lŭmf-) lymphatic; **⁓e** *f* lymph; (*Impfstoff*) vaccine.

ly·nchen (lĭnçᵉn) lynch.

Ly·rik (lŭrĭk) *f* lyric poetry; **⁓er** *m* lyric poet.

ly·risch lyric; *fig.* lyrical.

M

Maat (māht) ⚓ *m* mate.

Ma'che (māhkᵉ) *f* make; *fig.* make-up; *in der ~ h.* have in hand.

ma'ch|en (māhkᵉn) *allg.* make; *(tun)* do; *(kosten, betragen)* come to, amount to; *j-n ~ zu et.* make a p. a th.; *was macht das (aus)?* what does that matter?; *mach' doch!* (D) make haste!; *dagegen kann man nichts ~* that cannot be helped; *sich ~ an (acc.)* set about; *sich an j-n heran ~* approach a p.; *ich mache mir nichts daraus* I don't care about it; *et. ~ l.* have a th. made; **~en-schaften** (māhkᵉnshähft'n) *f/pl.* machinations.

Macht (māhkt) *f* power (*a. Staat*); might; ✕ force(s *pl.*); **~'befugnis** (-bᵉfookniš) *f* competence; **~'haber** (-hähbᵉr) *m* ruler.

mä'chtig (mĕctĭç) powerful, mighty; *e-r S. ~ sn* be master of.

ma'cht|los (māht lōs) powerless; **♀politik** (-pŏliteek) *f* policy of the strong hand; **♀spruch** (-shprŏŏk) *m* authoritative decision; **~voll** powerful; **♀vollkommenheit**(-fŏlkŏmᵉn-hĭt) *f* authority; **♀wort** *n* word of command.

Ma'chwerk (-māhkvĕrk) *n*: *elendes ~* bungling (piece of) work.

Mä'dchen (mātçᵉn) *n* girl; (*Dienst♀*) maid(-servant), servant(-girl); *in Zssgn* girl's ..., girls' ...; *~ für alles* general (servant); *junges ~* young lady; **♀haft** girlish; **~name** (-nāhmᵉ) *m* girl's name; *e-r Frau:* maiden name; **~schule** (-shōōlᵉ) *f* girls' school.

Ma'de (māhdᵉ) *f* maggot, mite.

Mä'del (mādᵉl) F *n* lass.

ma'dig (māhdĭç) maggoty.

Magazi'n (māhgähtseen) *n* store, warehouse; (*Zeitschrift*) magazine.

Magd (māhkt) *f* maid(-servant).

Ma'gen (māhgʰᵉn) *m* stomach; (*Tier♀*) maw; **~beschwerden** (-bᵉshvērdᵉn) *f/pl.* indigestion; **~ge-schwür** (-gʰᵉshvür) *n* gastric ulcer; **~krampf** *m* spasm of the stomach; **~leiden** (-lĭdᵉn) *n* stomach-com-

plaint; **~säure** (-zŏirᵉ) *f* gastric acid.

ma'ger (māhgʰᵉr) meagre (*a. fig.*); *bsd. Fleisch:* lean, *Am.* scrawny; **♀milch** (-mĭlç) *f* skim milk.

Magie' (māhgʰee) *f* magic.

ma'gisch (māhgĭsh) magic(al).

Magistra't (māhgʰĭstrāht) *m* municipal (*od. town*) council.

Magne't (māhgnét) *m* magnet; **♀isch** magnetic; **♀isie'ren** (-īzee-rᵉn) magnetize; **~nadel** (-nāhdᵉl) *f* magnetic needle.

Mahago'ni (māhhähgōnĭ) *n* (*a. ~holz n*) mahogany (wood).

mä'hen (māᵉn) mow, cut, reap.

Mahl (māhl) *n* meal, repast.

ma'hlen (māhlᵉn) grind.

Ma'hlzeit (māhltsĭt) *f* meal, repast.

Mä'hne (mānᵉ) *f* mane.

ma'hn|en (māhnᵉn) remind (*an acc.* of); admonish; (*auf Zahlung drängen*) dun; **♀ung** *f* reminder; admonition; dunning; **♀zettel** *m* demand note.

Mai (mĭ) *m* May; **~'glöckchen** (-glŏkçᵉn) *n* lily of the valley.

Mai'käfer (mĭkäfᵉr) *m* cockchafer.

Mais (mĭs) *m* maize, Indian corn; *Am.* corn.

Majestä't (māhyĕstāt) *f* majesty; **♀isch** majestic; **~sbeleidigung** (-bᵉlĭdĭgōōn₂) *f* lese-majesty.

Majo'r (māhyōr) *m* major.

major|e'nn of (full) age; **♀itä't** *f* majority.

Ma'kel (māhkᵉl) *m* stain; blemish; **♀los** spotless, immaculate.

Mäkel|ei' (mäkᵉlĭ) *f* fault-finding; fastidiousness; **♀ig** fault-finding; (*wählerisch*) fastidious; **♀n** (mäkᵉln) find fault (*an dat.* with).

Ma'kler (māhklᵉr) *m* broker.

Makulatu'r (māhkōōlähtōōr) *f* waste paper.

Mal (māhl) *n* 1. mark, sign; (*Grenze*) boundary; *Sport:* goal; (*Ablauf♀*) start; (*Fleck*) spot; (*Mutter♀*) mole; 2. time; *mit e-m ~e* (*plötzlich*) all at once.

ma'len (māhlᵉn) paint.

Ma'ler *m*, **~in** *f* painter; (*Kunst*2) artist; **~ei'** (-i) *f* painting; **2isch** picturesque.

ma'lnehmen (måhlném⁰n) multiply.

Malz (måhlts) *n* malt.

Mama' (måhmáh) *f* mamma, F ma.

man (måhn) one, people, you, they.

manch (måhnç) many a; **~e** *pl.* some; **~erlei'** (måhnç⁰rli) various.

Ma'nchester(samt (-zåhmt) *m* corduroy.

ma'nchmal (måhnçmåhl) sometimes.

Manda'nt (måhndåhnt) *m* client.

Manda't (måhndåht) *n* mandate.

Ma'ndel (måhnd⁰l) *f* almond; *anat.* tonsil; **~** shock; **~entzündung** (-enttsündoͦrņ) *f* tonsillitis.

Ma'nge(l¹) (måhŋ⁰l) *f* mangle.

Ma'ngel² *m* want, lack, deficiency; (*Knappheit*) shortage; (*Armut*) penury; (*Fehler*) defect; *aus ~* an for want of; **~ leiden** an (*dat.*) be in want of; **2haft** defective; deficient; **~haftigkeit** *f* defectiveness; deficiency.

ma'ngeln|n¹ (måhŋ⁰ln) want, be wanting; *es ~t mir an* (*dat.*) I am in want of, I lack; **~n²** mangle; **~s** (*gen.*) in default of; **2ware** (-våhr⁰) *f* scarce goods *pl.*

Manie' (måhnee) *f* mania.

Manie'r (måhneer) *f* manner; **2lich** mannerly, polite.

Mann (måhn) *m* man; (*Gatte*) husband.

ma'nnbar (måhnbåhr) marriageable; **2keit** *f* puberty, (wo)manhood.

Mä'nnchen (mênç⁰n) *n* little man; *zo.* male; *Vögel*~ cock.

Ma'nnes|-alter *n* manhood; **~kraft** *f* virility.

ma'nnhaft manly.

Ma'nnheit *f* manhood, virility.

ma'nnig|fach (måhnɪçfåhκ), **~faltig** (-fåhltɪç) manifold, various; **2faltigkeit** *f* multiplicity, variety.

mä'nnlich (mênlɪç) male; *gr.* masculine; *fig.* manly.

Ma'nnschaft (måhnshåhft) *f* men *pl.*; **⚓** crew; *Sport*; team; **~sführer** *m* *Sport*; captain; **~sgeist** (-gīst) *m* team-spirit.

Ma'nnszucht (måhntsŏͦκt) *f* discipline.

Manö'v|er (måhnöv⁰r) *n*, **2rie'ren** (-reer⁰n) manœuvre.

Mansa'rde (måhnzåhrd⁰) *f* attic.

ma'nsch|en (måhnsh⁰n) dabble, splash; **2erei'** (-⁰ri) *f* dabbling; mess.

Mansche'tte (måhnshêt⁰) *f* cuff; **~nknopf** *m* sleeve-link.

Ma'ntel (måhnt⁰l) *m* (*Männer*2) overcoat, greatcoat; (*Frauen*2) coat; *weit, ärmellos*: cloak, mantle; ⊕ case, jacket; (*Luftreifen*2) cover.

Manufaktu'r (måhnŏͦfåktŏͦr) *f* manufacture; **~waren** (-våhr⁰n) *f/pl.* manufactured goods.

Manuskri'pt (måhnŏͦskrĭpt) *n* manuscript; *typ.* copy.

Ma'ppe (måhp⁰) *f* portfolio.

Mä'rchen (mårç⁰n) *n* fairy-tale; *fig.* tale, story; *stärker*: fib.

mä'rchenhaft fabulous.

Ma'rder (måhrd⁰r) *m* marten.

Mari'ne (måhreen⁰) *f* marine; (*Kriegs*2) navy; **~minister** *m* Brit. First Lord of the Admiralty, *Am.* Secretary of the Navy; **~ministerium** (mĭnĭstér'ŏͦm) *n* Ministry of Naval Affairs; *Brit.* Admiralty; *Am.* Navy Department.

marinie'ren (måhrĭneer⁰n) pickle.

Marione'tte (måhrĭ'ŏnêt⁰) *f* puppet; **~ntheater** (-têåht⁰r) *n* puppet-show.

Mark (måhrk) 1. *n* marrow; **⚘** *u.* *fig.* pith; 2. *f* *Münze*: mark.

marka'nt marked.

Ma'rke (måhrk⁰) *f* mark, token; (*Brief*2) stamp; (*Fabrikat*) make; (*Waren*2) brand; **~n-artikel** (-åhrteek⁰l) *m* proprietary article.

markie'ren (måhrkeer⁰n) mark; F *fig.* put on.

ma'rkig marrowy; *fig.* pithy.

Marki'se (måhrkeez⁰) *f* blind, awning.

Ma'rkstein (måhrkshtīn) *m* (*a. fig.*) landmark.

Markt (måhrkt) *m* market; **=~platz** (*Jahr*2) fair; *am ~* in the market; **~flecken** *m* market town; **~platz** *m* market-place; **~schreier** (-shrī⁰r) *m* quack; (*Reklamemacher*) puffer.

Marmela'de (måhrm⁰låhd⁰) *f* jam; *von Apfelsinen*: marmalade.

Ma'rmor (måhrmŏr) *m* marble; **2ie'ren** (-eer⁰n) marble, grain; **2n** marble.

Maroqui'n (måhrŏkǟ) *n* morocco.

Maro'tte (måhrŏt⁰) *f* whim; hobby.

Marsch (mährsh) 1. *m* march; 2. *f* marsh, fen; ~**all** (-ähl) *m* marshal; ~**befehl** *m* marching-orders *pl.*; ~**ie'ren** (-eer'n) (h., sn) march; ~**land** (-lähnt) *n* marshy land.

Ma'rter (mährt'r) *f* torment, torture; ~**pfahl** *m* stake; 2n torture, torment.

Mä'rtyrer (mērtür'r) *m*, ~**in** *f* martyr; ~**tum** *n* martyrdom.

März (mērts) *m* March.

Marzipa'n (mährtsīpähn) *m* (*n*) marchpane.

Ma'sche (mähsh') *f* mesh; (*Strick*2) stitch; 2nfest ladderproof.

Maschi'ne (mähsheen') *f* machine; (*Dampf- usw.* 2) engine.

Maschi'nen|bau (-bow) *m* mechanical engineering; ~**gewehr** (-gh'-vér) *n* machine gun; 2mäßig (-mäsīc) mechanical, automatic; ~**pistole** *f* submachine gun; ~**schaden** *m* engine trouble; ~**schlosser** *m* engine (*od.* machine) fitter; ~**schreiber(in** *f*) (-shrib'r) *m* typist; ~**schrift** *f* typescript.

Maschin|erie' (mähsheen''ree) *f* machinery; ~**i'st** *m* machinist, operator.

Ma'sern (mähz'rn) ⚥ *pl.* measles.

Ma'ske (mähsk') *f* mask; ~**nball** *m* masked ball; ~**rade** (mähsk'rähd') *f* masquerade.

maskie'ren mask.

Maß (mähs) *n* measure; (*Gleich*2) proportion; (*Mäßigung*) moderation; *nach* ~ *gemacht* made to measure; ~'**anzug** (-ähntsōōk) *m* bespoke (*Am.* custom) suit.

Ma'sse (mähs'') *f* mass; bulk; (*Volk*) multitude; (*Erbschafts*2, *Konkurs*2) estate; (*Gedränge*) crowd; e-e ~ ... lots *pl.* of ...

Ma'ssen|grab (-grähp) *n* common grave; 2haft abundant; ~**produktion** (-pródōōkti'ōn) *f* mass production; ~**versammlung** (-fēr-zählmlōōŋ) *f* massmeeting, *Am.* rally.

Ma'sseverwalter (mähs'fērvählt'r) *m* (official) receiver.

ma'ß|gebend (mähsgh'éb'nt) standard; *fig.* authoritative, competent; 2halten observe moderation.

massie'ren massage.

ma'ssig (mähsīc) bulky, solid.

mä'ßig (mäsīc) moderate; *im Genuß*: frugal; (*mittel*~) middling;

~**en** (mäsigh'n) moderate; 2ung *f* moderation; temperance.

massi'v (mähseef) massive, solid.

ma'ß|los immoderate; 2nahme, 2regel *f* measure; ~**regeln** reprimand; 2schneider (-shnid'r) *m* bespoke (*Am.* custom) tailor; 2stab (-shtähp) *m* measure; *auf Karten usw.*: scale; *fig.* standard; ~**voll** (-fōl) moderate.

Mast¹ (mähst) *m*, ~'**baum** (-bowm) *m* mast. [rectum.]

Mast² *f* mast, food; ~'**darm** *m* mä'sten (mëst'n) feed, fatten.

Ma'stkorb *m* top, masthead.

Materia'l (mähtēri'ähl) *n* material.

Materia'lwaren (mähtēri'ählvähr'n) *f|pl.* groceries *pl.*; ~**händler** *m* grocer.

Mate'r|ie (mähtér'i̇e) *f* matter, stuff; 2ie'll material. [mathematics *sg.*]

Mathemati'k (mähtēmäteek) *f* **Mathema'tiker** *m* mathematician.

Matra'tze (mähträhts'') *f* mattress.

Matro'ne (mähtrōn') *f* matron.

Matro'se (mähtrōz') *m* sailor.

Matsch (mätsh) *m* (*Brei*) pulp, squash; (*Schlamm*) mud, slush; 2'ig pulpy; muddy, slushy.

matt (mäht) faint, feeble; *Auge, Licht*: dim; *Gold*: dead; ✝, *Farbe, Stil*: dull; *Glas*: frosted, ground; *Schach*: mate; ~ *setzen* (check)mate.

Ma'tte (mäht'') *f* mat.

Ma'tt|igkeit (mähtĭckīt) *f* exhaustion; ~**scheibe** (-shib') *f* phot. groundglass plate.

Mau'er (mow'r) *f* wall; ~**blümchen** (-blümç'n) *n* fig. wallflower; 2n v|i. make a wall; v/t. build; ~**stein** (-shtīn) *m* brick; ~**werk** *n* masonry.

Maul (mowl) *n* mouth; 2'**en** (mow-l'n) pout; ~'**esel** (-éz'l) *m* hinny; ~**held** *m* braggart; ~'**korb** *m* muzzle; ~'**schelle** *f* slap in the face; ~'**tier** (-teer) *n* mule; ~'**wurf** (-vōōrf) *m* mole.

Mau'rer (mowr'r) *m* bricklayer, mason; ~**meister** (-mist'r) *m* master mason; ~**polier** (-pōleer) *m* bricklayer's foreman.

Maus (mows) *f* mouse; ~'**efalle** (-z~) *f* mouse-trap; 2'**en** (mowz'n) mouse; *fig.* pilfer.

Mau'ser (mowz'r) *f* moult(ing); 2n moult.

mau'setot (mowz'tōt) stone-dead.

mau'sig: sich ~ m. give o.s. airs.

Mecha'nik (mĕçáhnĭk) f mechanics sg.; (Triebwerk) mechanism; ~er m mechanician.

mecha'n|isch mechanical; ~isie'ren (-īzeer'n) mechanize; 2i'smus (-ĭsmōōs) m mechanism.

me'ckern (mĕk'ern) bleat; fig. grumble, Am. gripe.

Medai'll|e (mĕdáhll'e) f medal; ~o'n (-'lŏrg) n locket.

Medizi'n (mĕdítseen) f medicine; ~er m medical student; biographical man; 2isch medicinal; (ärztlich) medical.

Meer (mér) n sea; ocean; ~'busen (-bōōz'en) m gulf, bay; ~'-enge f straits pl.; ~'es-spiegel (mér'es-shpeeg'hél) m sea-level; ~'rettich m horse-radish; ~'schweinchen (-shvĭnç'hen) n guinea-pig.

Mehl (mél) n flour; grobes: meal; ~'brei (-brī) m pap; 2'ig mealy, farinaceous; ~'speise (-shpīz'e) f farinaceous food; süß: pudding; ~'suppe (-zōōp'e) f gruel.

mehr (mér) more; nicht ~ no more, no longer; ich habe nichts ~ I have nothing left; 2'-arbeit (-áhrbīt) f overtime work; 2'-ausgabe (-owsgáhb'e) f additional expenditure; 2'betrag (-b'tráhk) m surplus; ~'en (a. sich) augment, increase; ~'ere (a. sich) several; ~'fach (-fáhk) manifold; (wiederholt) repeated; 2'gebot (-gh'e-bōt) n higher bid; 2'heit f plurality; majority; 2'kosten pl. additional cost; ~'malig (-máhlĭç) repeated; ~'mals (-máhls) several times; 2'verbrauch (-fĕrbrowk) m excess consumption; 2'wert (-vért) m surplus value; 2'zahl f majority; gr. plural (number).

mei'den (mīd'en) avoid, shun.

Mei'le (mīl'e) f mile.

mein (mīn) my; ~ = ~'ige.

Mei'n-eid (mīn-īt) m perjury; 2ig (mīn-īdĭç) perjured.

mei'nen (mīn'en) think, Am. allow, reckon; (sagen wollen) mean; (sagen) say; es gut ~ mean well.

meinetwe'gen (mīn'etvégh'en) for my sake; (es ist mir gleich) for all I care.

mei'nige (mĭnĭgh'e) mine; die 2n my family.

Mei'nung (mĭnōōrg) opinion; meiner ~ nach in my opinion; j-m seine ~ sagen give a p. a piece of one's

mind; ~sverschiedenheit (-fĕr-sheed'enhīt) f disagreement (in opinion).

Mei'se (mīz'e) f titmouse.

Mei'ßel (mīs'el) m, 2n chisel.

meist (mīst) most; die ~en pl. most people; am ~en, ~(ens) mostly; 2'-bietende(r) (-beet'ndĕr) m highest bidder; ~'enteils (mīst'ntils) for the most part.

Mei'ster (mĭst'er) m master; im Betrieb: foreman; Sport: champion; 2haft masterly; 2n master; ~schaft f mastery; Sport: championship; ~werk n masterpiece.

Mei'stgebot (mĭstgh'ebōt) n highest bid.

Melanch|olie' (mĕláhrgkōlee) f, 2o'lisch (mĕláhrgkōlĭsh) melancholy.

Me'lde|amt n registration office; ~liste f Sport: list of entries; 2n (mĕld'en) v/t. announce; et. ~ (berichten) report; (amtlich) notify; j-m et. ~ inform a p. of a th.; sich ~ report o.s. (bei to); sich ~ zu, für apply for a situation; enter one's name for an examination; v/i. Sport: enter (zu for).

Me'ldung f announcement, notice, information; notification; report; application; Sport: entry.

me'lken (mĕlk'en) milk.

Melod|ie' (mĕlōdee) f melody, tune, air; 2'isch (mĕlōdĭsh) melodious.

Melo'ne (mĕlōn'e) f melon.

Membra'n (mĕmbráhn) f membrane.

Me'nge (mĕrg'e) f quantity; (Vielheit) multitude; (Schwarm) crowd; eine ~ Geld plenty (od. lots) of money; eine ~ Bücher a great many books; 2n mingle, mix; sich ~ in meddle with.

Me'nsch (mĕnsh) m human being, ~...n; einzelner: person, individual; die ~en pl. people, mankind; kein ~ nobody.

Me'nschen|-alter n generation, age; ~fresser m cannibal; ~freund(in f) (-frôint, -frôindĭn) m philanthropist; seit ~gedenken n within the memory of man; ~geschlecht (-gh'eshlĕçt) n mankind; ~haß (-háhs) m misanthropy; ~kenner(in f) m judge of human nature; 2leer (-lér) deserted; ~liebe

(-leeb^e) f philanthropy; **2möglich**
(-möklïç) humanly possible; **~recht**
n right of man; **2scheu** (-shôi) shy,
unsociable; **~verstand** (-fẽrshtähnt)
m common (Am. horse) sense; **~**
würde f dignity of man.
Me′nschheit f mankind, humanity.
me′nschlich human; (human) humane; **2keit** f humanity.
me′rk|bar, ~lich perceptible, no-
ticeable; **2blatt** n instructions pl.;
2buch (-bōōk) n memorandum-
book; **~en** mark, note; (wahrnehmen) perceive; sich et. ~ retain a th.;
bear a th. in mind; sich nichts ~ l.
seem to know nothing; **2mal** n sign,
mark; characteristic.
me′rkwürdig (mẽrkvürdïç) (auffallend) remarkable, noteworthy;
(seltsam) curious, strange; **~erweise**
(mẽrkvürdïg^h^{e}rvīz^e) strange to say;
2keit f remarkableness; Sache;
curiosity.
me′ßbar (mẽsbähr) measurable.
Me′sse (mẽs^e) f † fair; eccl. mass;
⚔, ⚓ mess.
me′ssen measure; sich ~ können mit
cope with.
Me′sser (mẽs^{e}r) n knife; **~klinge** f
knife-blade; **~schmied** (-shmeet)
m cutler; **~schneide** (-shnid^e) f
knife-edge; **~stecher** (-shtéç^{e}r) m
cut-throat; **~stecherei** (-shtéç^{e}ri) f
knife-battle; **~stich** m stab with a
knife.
Me′ssing (mẽsïng) n brass; **~blech**
n sheet-brass.
Me′ß|latte f surveyor's rod; **~tisch**
m plane table.
Meta′ll (metähl) n metal; **2en**,
2isch metallic; **~geld** n specie;
2glanz m metallic lustre; **~indu-**
strie (-ïndōōstree) f metallurgical
industry; **~waren** (-vähr^{e}n) f/pl.
hardware.
Meteo′r (metéōr) n meteor; **~o-**
log(e) (-ōlōg^h[^{e}]) m meteorologist;
~ologie (-ōlōg^{h}ee) f meteorology.
Me′ter (mét^{e}r) n (m) metre.
Metho′de (metōd^e) f method;
2isch methodical.
Metropo′le (metrōpōl^e) f metropolis.
Metz|elei′ (mẽts^{e}lī) f, **2eln**
slaughter; **~ger** m butcher.
Meu′chel... (môïç^{e}l-): **~mord** m
assassination; **~mörder(in** f) m
assassin; **2n** assassinate.

meu′chlings (môïçlïngs) treacher-
ously.
Meu′te (môit^e) f pack of hounds;
~rei′ (-rī) f mutiny; **~rer** m muti-
neer; **2risch** mutinous; **2rn** mutiny.
mich (mïç) me; ~ selbst myself.
Michae′li(s) (mïçähélïs) Michael-|
Mie′der (meed^{e}r) n bodice. [mas.|
Mie′ne (meen^e) f mien, air, countenance; ~ m. zu tun offer to
do; gute ~ zum bösen Spiel m. grin
and bear it. [alarmist.|
Mie′smacher (meesmähk^{e}r) f m|
Mie′t|e (meet^e) f 1. rent; weitS.
hire; zur ~ wohnen live in lodgings; 2. ⚒ (Heu2, Korn2) stack,
shock, rick; (Kartoffel- usw. 2)
clamp; **2en** rent; weitS. hire;
~er(in f) m tenant, lodger; **2frei**
(-frī) rent-free; **~haus** (-hows) n
tenement (Am. apartment) house;
~vertrag (-fẽrträhk) m lease; **~woh-**
nung (-vōnōō$_n$g) f lodgings pl.;
flat; **~zins** m rent.
Migrä′ne (mïgrän^e) f sick headache.
Mikropho′n (mïkrōfōn) n mi-
crophone.
Mikrosko′p (mïkrōskōp) n micro-
scope; **2isch** microscopic.
Mi′lbe (mïlb^e) f mite.
Milch (mïlç) f milk; (Fisch2) milt,
soft roe; **~brot** (-brōt), **~bröt-**
chen (-brötç^{e}n) n (French) roll;
~glas (-glähs) n opal glass; **2ig**
milky; **~kuh** (-kōō) f milch cow;
~mädchen (-mätç^{e}n) n milkmaid;
~mann m milkman; **~pulver**
(-pōōlf^{e}r) n powdered milk; **~reis**
(-rïs) m rice-milk; **~straße**
(-shträhs^e) f ast. Milky Way,
Galaxy; **~wirtschaft** f dairy;
~zahn m milk-tooth.
mild (mïlt) mild; Luft, Regen,
Wein: soft; Hauch, Verweis: gentle;
(nachsichtig) lenient; = **~tätig;** **2′e**
(mïld^e) f mildness; gentleness.
mi′lder|n (mïld^{e}rn) soften, miti-
gate; Ausdruck: qualify; **~de Um-**
stände m/pl. extenuating circumstances; **2ung** f mitigation.
mi′ld|herzig (mïlthẽrtsïç), **~tätig**
(-tätïç) charitable.
Milita′r (mïlïtär) n the military,
army; in Zssgn military; **~dienst-**
pflicht (-deenstpflïçt) n liability for
service; **2isch** military; **~regierung**
(-rẽg^{h}eerōō$_n$g) f military government.

Mili'z (mĭleets) f militia.
Millia'rde (mĭl¹ährd⁴) f milliard, Am. billion.
Millio'n (mĭl¹ōn) f million; **~ä'r m** millionaire.
Milz (mĭlts) f milt, spleen.

mi'nder (mĭnd⁴r) less; **~ gut** inferior; **~bemittelt** of moderate means; **Qbetrag** (-b⁴trähk) m deficit; **Q-einnahme** (-innähm⁴) f decrease of receipts; **Qgewicht** n short weight; **Qheit** f minority; **~jährig** (-yärĭç) under age, minor; **Qjährigkeit** f minority.
mi'nder|n diminish, lessen; **Qung** f diminution; **~wertig** (-vértĭç) inferior; **✝** off-grade; **Qwertigkeit** f inferiority; **Qzahl** f minority.
mi'ndest (mĭnd⁴st) least; adv. **~(ens)**, zum **~en** at least; **Qbetrag** (-b⁴trähk) m lowest amount; **Qgebot** (-g⁴bōt) n lowest bid; **Qlohn** m minimum wage; **Qmaß** (-mähs) n minimum; **Qpreis** (-pris) m minimum price.
Mi'ne (meen⁴) f mine; für Bleistifte: spare head.
Minera'l (mĭn⁴rähl) n mineral; **~ogie'** (-g⁴hee) f mineralogy.
Miniatu'r (mĭn¹ähtōōr) f, **~gemälde** (-g⁴mäld⁴) n miniature.
Mini'ster (mĭnĭst⁴r) m minister; Brit. Secretary of State, Am. Secretary; **~ium** (mĭnĭsté'r¹ōōm) n ministry; Brt. Office, Am. Department; **~präsident** (-prèzĭdĕnt) m Prime Minister; **~rat** (-räht) m Cabinet Council.
minor|e'nn (mĭnōrĕn) minor; **Qi-tä't** f minority.
Minu'te (mĭnōōt⁴) f minute; **~n-zeiger** (-tsigh⁴r) m minute-hand.
mir (meer) (to) me; refl. **~** myself.
mi'sch... (mĭsh): **~en** mix, mingle; verschiedene Sorten: blend; Kartenspiel: shuffle; sich **~** in (acc.) meddle with; unter (acc.) mix with; **Qling** m mongrel; **Qmasch** m medley; **Qung** f mixture; blend; metall. alloy.
mi'ß|-a'chten (mĭsähκt⁴n), **Q--achtung** f disregard; **Qbildung** f deformity; **~billigen** disapprove; **Qbilligung** f disapproval; **Qbrauch** (-browκ) m, **~brau'chen** misuse; zu et. Bösem: abuse; **~bräuchlich** improper; **~deu'ten** (-dóit⁴n) misinterpret.

mi'ssen (mĭs⁴n) miss; (entbehren) do without.
Mi'ß-erfolg m failure.
Mi'sse|tat (-täht) f misdeed; **~täter** (-in f) m evil-doer.
mi'ß|fa'llen: j-m **~** displease a p.; **Qfallen** n displeasure; **~fällig** displeasing; (mißbilligend) disparaging; **Qgeburt** (-g⁴bōōrt) f monster, deformity; **Qgeschick** n misfortune; mishap; **Qgestimmt** fig. ill-humoured; **~glü'cken** (sn) fail; **~gönnen** envy, grudge (j-m et. a p. a th.); **Qgriff** m mistake, blunder; **Qgunst** (-gōōnst) f envy, jealousy; **~günstig** envious, jealous; **~handeln** ill-treat; **Qhandlung** f ill-treatment; **Qheirat** (-hiräht) f misalliance; **Qhelligkeit** f discord, dissension.

Missiona'r (mĭs¹ōnähr) m missionary.
Mi'ß|klang m dissonance; **~kredit** (-krédeet) m discredit.
mi'ßlich (mĭslĭç) awkward.
mi'ß|liebig (mĭsleebĭç) not in favour; **~li'ngen** (sn) fail; **Qmut** (-mōōt) m ill-humour; (Unzufriedenheit) discontent; **~mutig** (-mōō-tĭç) ill-humoured; discontented; **~ra'ten** (-räht⁴n) Kind: ill-bred; **Qstand** m grievance, nuisance; **Qstimmung** f = **Qmut**; **Qton** (-tōn) m dissonance (a. fig.); **~trau'en** (-trow⁴n): j-m **~** distrust a p.; **Qtrauen** n distrust; **~trauisch** (-trowish) distrustful; **Qvergnügen** (-fĕrgnüg⁴n) n displeasure; **~vergnügt** discontented; **Qverhältnis** n disproportion; **Qverständnis** n misunderstanding; = **Qhelligkeit**; **~versteh(e)n** (-fĕrshté[⁴]n) misunderstand.
Mist (mĭst) m dung, manure; F fig. rot; **~'beet** (-bét) n hotbed.
Mi'stel (mĭst⁴l) ♀ f mistletoe.
Mi'sthaufen (mĭsthowf⁴n) m. dunghill.
mit (mĭt) **1.** prp. with; **~ 20 Jahren** at the age of twenty; **~ Gewalt** by force; **2.** adv. also, too; **~ dabei** sn be (one) of the party.
Mi't-arbeiter(in f) (-ährbit⁴r) m co-worker; collaborator; Zeitung: contributor (an dat. to).
Mi'tbesitzer(in f) (-b⁴zĭts⁴r) m joint owner.
Mi'tbewerber(in f) m competitor.

Mi'tbewohner *m* fellow-lodger.
mi'tbringen bring along (with one).
Mi'tbürger(in *f*) *m* fellow-citizen.
mit-eina'nder (-inähnd⁰r) together, jointly.
Mi't-erb|e *m*, **₋in** *f* coheir(ess *f*).
Mi't-esser ⚥ *m* blackhead.
mi'tfühlen sympathize.
Mi'tgeben (-gᵉébᵉn) give along (*dat.* with).
Mi'tgefühl *n* sympathy.
mi'tgeh(e)n (-gᵉé[ᵉ]n) (sn) go with a p.
Mi'tgift *f* dowry.
Mi'tglied (mitgleet) *n* member; **₋schaft** *f* membership; **₋s-beitrag** (-biträhk) *m* membership subscription.
mithi'n consequently, therefore.
Mi't-inhaber(in *f*) (-inähhbᵉr) *m* copartner.
Mi'tkämpfer *m* (fellow-)combatant.
mi'tkommen (sn) come along (with a p.).
Mi'tläufer (-löifᵉr) *m* pol. trimmer.
Mi'tleid (mītlīt) *n* compassion, pity; **₋** *h. mit* have pity on; **₋erregend** (-līdᵉnshähft) *f*: *in* **₋** *ziehen* affect, implicate; **₂ig** (-līdᵉlç) compassionate.
mi'tmachen (-mähkᵉn) *v/i.* make one; *v/t.* join in; *Mode:* follow; (*erleben*) go through.
Mi'tmensch *m* fellow-man, -creature.
mi'tnehmen take along (with one); (*erschöpfen*) exhaust, wear (out).
mi'trechnen (-rēçnᵉn) *v/t.* include, *v/i.* be included (in the reckoning).
mi'treden (-rédᵉn) join in a conversation; *have a* (*od.* one's) *say* (*in a matter*).
Mi'tschuld (mītshōōlt) *f* complicity; **₂ig** accessary (to); **₋ige(r)** (-dīgᵉr) *m* accomplice.
Mi'tschüler(in *f*) (-shūlᵉr) *m* schoolfellow.
mi'tspiel|en (-shpeelᵉn) join in play; **₂er(in** *f*) *m* partner.
Mi'ttag (mītähk) *m* midday, noon; *zu* **₋** *essen* dine; **₂s** *at* noon.
Mi'ttag(s)|brot (-brōt), **₋essen** *n* dinner, lunch; **₋ruhe** (-rōōᵉ) *f*, **₋schläfchen** (-shlâfçᵉn) *n* after-dinner nap, siesta; **₋stunde** (-shtōōndᵉ) *f* noon; **₋tisch** *m* dinner

(-table); **₋zeit** (-tsīt) *f* noontide; (*Essenszeit*) lunch-, dinner-time.
Mi'tte (mitᵉ) *f* middle; centre; *aus unserer* **₋** from among us.
mi'tteil|en (mīttīlᵉn) communicate; (*weitergeben*) impart; *j-m et. od. daß* ... inform a p. of a th. *od.* that ...; **₋sam** communicative; **₂ung** *f* communication; information.
Mi'ttel (mītᵉl) *n* means (*a.* = *Geld*); (*Heilmittel*) remedy; (*Durchschnitt*) average; **₋alter** *n* Middle Ages *pl.*; **₂-alterlich** mediæval; **₂bar** mediate, indirect; **₋ding** *n* intermediate thing; **₋finger** *m* middle finger; **₋größe** (-grös⁰) *f* medium size; **₂ländisch** midland; *engS.* Mediterranean; **₋läufer** (-löifᵉr) *m* Sport: centre half; **₂los** without means, destitute; **₋mäßig** (-mâsiç) middling; *b.s.* mediocre; **₋mäßigkeit** *f* mediocrity; **₋punkt** (-pōōⁿₖkt) *m* centre; **₂s(t)** by means of; **₋sorte** (-zörtᵉ) *f* ⚕ middlings *pl.*; **₋schule** (-shōōl⁰) *f* intermediate (*Am.* high) school; **₋s-person** (-pērzōn) *f* mediator, go-between; **₋stand** *m* middle classes *pl.*; **₂ste(r)** middle, central; **₋stürmer** *m Fußball:* centre forward; **₋weg** (-vék) *m* middle course.
mi'tten (mitᵉn): **₋** *in* (*an, auf, unter*) in the midst (*od.* middle) of; **₋du'rch** (-dōōrç) through the midst.
Mi'tternacht (-nähkt) *f*, **₂nächtig** (-nĕçtiç) midnight.
Mi'ttler (mītlᵉr) 1. *m*, **₋in** *f* mediator; 2. **₂** *adj.* middle; medium; **₂wei'le** (-vīlᵉ) (in the mean)time.
Mi'tt|sommer (-zōmᵉr) *m* midsummer; **₋woch** (-vŏk) *m* Wednesday.
mit-u'nter (-ōōntᵉr) now and then.
Mi'twelt *f* our contemporaries *pl.*
mi'twirk|en co-operate (*bei* in); **₂ung** *f* co-operation.
Mi'twisser(in *f*) *m* accessary.
mi'tzählen = *mitrechnen*.
Mö'bel (mȫbᵉl) *n* ... *stück*; *pl.* furniture; **₋händler** *m* furniture-dealer; **₋spediteur** (-shpédītör) *m* furniture-remover; **₋stück** *n* piece of furniture; **₋tischler** *m* cabinet-maker; **₋wagen** (-vähgᵉn) *m* (removal *od.* pantechnicon) van.
mobi'l (mōbeel) ⚔ mobile; (*flink*) active; **₋** *m.* mobilize; **₂ia'r** (-¹ähr) *n* furniture; **₂machung** (-mähkōōrₙ) *f* mobilization.

möblie'ren (möbleer⁶n) furnish.

Mo'de (mōd⁶) *f* fashion; (*Sitte*) mode; *aus der* ~ out of fashion; ~ *sn* be the fashion; **~artikel** (-āhr-teek⁶l) *m* fancy article.

Mode'll (mōdĕl) *n* model; ⊕ mould; (*Muster*) pattern; ~ *stehen* serve as a model; **2ie'ren** (-eer⁶n), **mo'deln** (mōd⁶ln) model, mould.

Mo'den|schau (mōd⁶nshow) *f* dress parade; **~zeitung** (-tsitȫrg) *f* fashion-magazine.

Mo'der (mōd⁶r) *m* mould; (*Schlamm*) mud; **2ig** mouldy, musty; **2n** (sn *u. h.*) moulder, rot.

mode'rn (mōdĕrn) modern; (*modisch*) fashionable, up-to-date; **~i-sie'ren** (-īzeer⁶n) modernize, Am. streamline.

Mo'de|waren (mōd⁶vāhr⁶n) *f/pl.* fancy goods; **~zeichner(in** *f*) (-tsīçn⁶r) *m* fashion designer.

modifizie'ren (mōdīfitseer⁶n) modify. [stylish.]

mo'disch (mōdish) fashionable,]

Modi'stin (mōdīstīn) *f* milliner.

mo'geln (mōg⁶⁶ln) F cheat.

mö'gen (mōg⁶⁶n) (*gern haben*) like; (*wünschen*) wish; (*dürfen*) *v/aux.* may, might; *ich möchte wissen* I should like to know; *ich mag nicht* I won't; *lieber* ~ like better; *ich möchte lieber* I would rather; *das mag sein* that may be so; *mag er sagen, was er will* let him say what he likes.

mö'glich (mōklíç) possible; *nicht* ~! you don't say so!; ~*st viel* as much as possible; *sein* ~*stes tun* do one's utmost; **~erwei'se** possibly; **2keit** *f* possibility; (*Entwicklungs*2) potentiality.

Mohn (mōn) ⚘ *m* poppy.

Mohr (mōr) *m* Moor, negro.

Mö'hre (mōr⁶e), **Mo'hrrübe** (mōr-rüb⁶) ⚘ *f* carrot.

Molch (mōlç) *m* salamander.

Mo'le (mōl⁶e) ♣ *f* mole, jetty.

Molkerei' (mōlk⁶rī) *f* dairy.

Moll (mōl) ♪ *n* minor.

mo'llig (mōlíç) snug.

Mome'nt (mōmĕnt) *m* moment; *n* ⊕ momentum; (*Antrieb*) impulse; **2a'n** (-āhn) momentary; **~auf-nahme** (-owfnāhm⁶) *f* instantaneous photograph, snapshot.

Mona'rch (mōnāhrç) *m*, **~in** *f* monarch; **~ie'** (-ee) *f* monarchy.

Mo'nat (mōnāht) *m* month; **2lich** monthly.

Mönch (mönç) *m* monk, friar.

Mö'nchs|kloster (-klōst⁶r) *n* monastery; **~kutte** (-kōōt⁶) *f* monk's frock; **~orden** *m* monastic order.

Mond (mōnt) *m* moon; **~finster-nis** *f* lunar eclipse; **2'hell** moonlit; **~schein** (-shin) *m* moonlight; **~sichel** (-zíç⁶l) *f* crescent; **2'süch-tig** (-zügtíç) moonstruck.

Mono|lo'g (mōnōlōk) *m* mono-logue, soliloquy; **~po'l** (-pōl) *n* monopoly; **2polisie'ren** (-pōlī-zeer⁶n) monopolize; **2to'n** (-tōn) monotonous; **~tonie'** (-tōnee) *f* monotony.

Mo'nstrum (mōnstrōōm) *n* monster.

Mo'ntag (mōntāhk) *m* Monday; *blauer* ~ Saint Monday.

Monta'ge (mōntāhG⁶) *f* mounting, fitting; setting-up; assemblage.

Monta'n... (mōntāhn-) mining.

Mont|eu'r (mgtȫr, mȍn-) *m* fitter, mounter; assembler; *bsd. mot.* mechanic(ian); **~eu'r-anzug** (-āhn-tsōōk) *m* overall; **2ie'ren** (-eer⁶n) mount, fit; (*zs.bauen*) assemble; (*errichten*) set up; **~u'r** (-ōōr) ✗ *f* regimentals *pl.*

Moor (mōr) *n* fen, bog; **~bad** (-bāht) *n* mud-bath; **2'ig** marshy, boggy.

Moos (mōs) ⚘ *n* moss; **2'ig** (-mōzíç) mossy.

Mops (mōps) *m* pug.

Mora'l (mōrāhl) *f* morality; (*sitt-liche Anschauung*) morals *pl.*; (*Nutzanwendung*2) moral; ✗ morale; **2isch** moral; **2isie'ren** (-īzeer⁶n) moralize; **~itä't** *f* morality.

Mora'st (mōrāhst) *m* mire, miry.

Mord (mōrt) *m* murder; **~'-an-schlag** (-āhnshlähk) *m* murderous assault.

Mö'rder (mōrd⁶r) *m* murderer; **~in** *f* murderess; **2isch** murderous.

Mo'rdgier (mōrtg⁶eer) *f* blood-thirstiness.

Mo'rds|kerl (mōrds) *m* stunner; **~spek-takel** (-shpĕktāhk⁶l) *m* hullabaloo.

Mo'rgen (mōrg⁶⁶n) **1.** *m* morning; *Landmaß*: acre; *des* ~*s*, 2*s*, *am* ~ in the morning; **2.** 2 to-morrow; **~blatt** *n* morning-paper; **~dämme-rung** *f* dawn; **~land** (-lähnt) *n*

Orient, East; ~rock *m* e-r *Frau:* dressing-gown, *bsd. Am.* wrapper; ~röte (-röt^e) *f* dawn; ~zeitung (-tsitōōr̯ŋ) *f* morning paper.

mo'rgig (mörg^h ĭç) of to-morrow.

Mo'rphium (mörf'ōŏm) *n* morphia, morphine.

morsch (mörsh) rotten, brittle.

Mö'rser (mörz^er) *m* mortar.

Mö'rtel (mört^el) *m* mortar.

Moschee' (möshé') *f* mosque.

Mo'schus (möshŏŏs) *m* musk.

Moski'to (möskeetō) *m* mosquito.

Most (möst) *m* must.

Mo'strich (möstrĭç) *m* mustard.

Moti'v (mōteef) *n* motive; *paint.,* ♪ *motif* (*fr.*); ℒie'ren (mōtĭveer^en) motivate.

Mo'tor (mōtŏr) *m* motor; engine; ~defekt (-défĕkt) *m* engine trouble; ~haube (-howb^e) *f* (engine) bonnet, *Am.* hood; ℒisie're (-ĭzeer^e) motorize; ~rad (-räht) *n* motor cycle; ~radfahrer *m* motor-cyclist.

Mo'tte (mŏt^e) *f* moth; ℒnzer-fressen moth-eaten.

Mö'we (möv^e) *f* gull, seamew.

Mü'cke (mük^e) *f* gnat.

Mü'ckenstich (mük^enshtĭç) *m* gnat-bite.

Mu'cker (mŏŏk^er) *m* bigot.

mü'de (müd^e) tired, weary.

Mü'digkeit (müdĭçkĭt) *f* weariness.

Muff (mŏŏf) *m a.* ~'e *f* muff; ⊕ (~'e) sleeve, socket; ℒ'eln mumble; ℒ'ig *P.:* sulky; *Geruch usw.:* musty, fusty.

Mü'he (mü^e) *f* trouble, pains *pl.;* (*nicht*) *der* ~ *wert* (not) worth-while; ~ *m.* give trouble; *sich* ~ *geben* take pains; ℒlos easy; ℒn: *sich* ~ *trouble o.s.;* ℒvoll (-fól) troublesome; ~waltung (-väҳltōōr̯ŋ) *f* trouble.

Mü'hle (mül^e) *f* mill.

Mü'h|sal (müzāhl) *n u. f* toil, trouble; hardship; ℒsam, ℒselig (-zélĭç) toilsome, troublesome.

Mula'tt|e (mŏŏläht^e) *m,* ~in *f* mulatto.

Mu'lde (mŏŏld^e) *f* tray, trough; (*weites Tal*) hollow.

Müll (mül) *n* rubbish, refuse; ~'-ab-fuhr (-ähpfŏŏr) *f* removal of refuse; ~'-eimer (-im^er) *m* dust-bin, *Am.* ash-can.

Mü'ller (mül^er) *m* miller.

Mü'll|haufen (-howf^en) *m* dust-

-heap; ~kasten *m* = ~eimer; ~kut-scher (-kŏŏtsh^er) *m* dustman, *Am.* ashman; ~schaufel (-showf^el) *f* dustpan; ~wagen (-vähg^h e n) *m* dust- (*Am.* ash) cart.

multiplizie'ren (mŏŏltĭplĭtseer^en) multiply.

Mu'mie (mŏŏm^ie) *f* mummy.

Mund (mŏŏnt) *m* mouth; *den* ~ *halten* hold one's tongue; ~'-art *f* dialect; ℒ'-artlich dialectal.

Mü'ndel (münd^el) *m, f, n* ward, pupil; ℒsicher (-zĭç^er) gilt-edged.

mü'nden (münd^en) *in* (*acc.*) *Fluß:* fall into; *Straße:* run into.

Mu'nd|harmonika (-hährmōnĭkāh) *f* mouth organ; ~höhle *f* cavity of the mouth.

mü'ndig (mündĭç) (*w. come*) of age; ℒkeit *f* majority.

mü'ndlich (müntlĭç) oral, verbal; *adv. a.* by word of mouth.

Mu'nd|pflege (mōōntpflég^h e) *f* care of the mouth; ~stück *n* mouth-piece; *Zigarette:* tip.

Mü'ndung (mündŏŏŋ) *f* mouth; e-r *Feuerwaffe:* muzzle.

Mu'nd|vorrat (-fŏrräht) *m* provi-sions, victuals *pl.;* ~wasser *n* mouth-wash, gargle; ~werk *n* mouth; *ein gutes* ~ *h.* have the gift of the gab.

Munitio'n (mŏŏnĭts'ōn) *f* ammuni-tion.

mu'nkel|n (mŏŏnk^eln) whisper; *man* ~t it is rumoured.

mu'nter (mŏŏnt^er) (*wach*) awake; (*lebhaft*) lively; (*fröhlich*) merry.

Mü'nz|e (münts^e) *f* coin; (*Denkℒ*) medal; (*Münzstätte*) mint; ~ein-heit (-inhīt) *f* monetary unit; ℒen coin; *fig. auf j-n* ~ aim at; ~fern-sprecher (-férnshprĕç^er) *m* coin telephone; ~fuß (-fōōs) *m* standard (of coinage); ~wesen (-véz^en) *n* monetary system.

mü'rbe (mürb^e) (*zart*) tender; (*reif*) mellow; *Gebäck:* crisp, short; (*brüchig*) brittle; *fig.* ~ *m.* unnerve.

Mu'rmel (mŏŏrm^el) *f* marble; ℒn murmur; ~tier (-teer) *n* marmot.

mu'rren (mŏŏr^en) grumble, growl.

mü'rrisch (mürĭsh) surly, sullen.

Mus (mŏŏs) *n* pap; (*Obstℒ*) stewed fruit, jam.

Mu'schel (mŏŏsh^el) *f* mussel; (~schale) shell; *teleph.* ear-piece.

Musi'k (mŏŏzeek) *f* music.

Musik|a'lien (mōōzikåhl'ᵉn) *pl.* music; **2a'lisch** musical; **~a'nt** *m*, **Mu'siker** (mōōzĭkᵉr) *m* musician.

Musi'k|-instrument(-ĭnstrōōmĕnt) *n* musical instrument; **~lehrer** *m* music-master; **~stunde** (-shtōōndᵉ) *f* music-lesson.

musizie'ren (mōōzĭtseerᵉn) make (*od.* have) music.

Muska't (mōōskåht) *m* nutmeg.

Mu'skel (mōōskᵉl) *m, f* muscle; **~kraft** *f* muscular strength.

Muskul|atu'r (mōōskōōlåhtōōr) *f* muscular system; **2ö's** (-ös) muscular.

Muß (mōōs) *n* necessity.

Mu'ße (mōōsᵉ) *f* leisure; *mit* ~ at leisure.

Musseli'n (mōōsᵉleen) *m* muslin.

mü'ssen (mŭsᵉn) have to; be obliged (*od.* forced, compelled) to; *ich muß* I must.

mü'ßig (mŭsiç) idle; **2gang** *m* idleness; **2gänger** *m* idler, loafer.

Mu'ster (mōōstᵉr) *n* model; (*Zeichnung usw.*) pattern, design; (*Probe*) sample, specimen; (*Bautyp*) type; (*Richtschnur*) standard; (*Vorbild*) example; **2gültig** standard, classical; **2haft** exemplary, model; **~karte** *f* sample-card; **2n** examine; *neugierig:* eye; ✕ review, muster; *Stoff:* figure; **~schutz** (-shōōts) *m* trade mark protection; **2ung** *f* inspection; muster(ing); review;

~zeichner(in *f*) (-tsiçnᵉr) *m* designer.

Mut (mōōt) *m* courage, spirit; *guten* **~es** *sn* be of good cheer; ~ *fassen* take courage; **2'ig** courageous; **2'los** discouraged; **~'losigkeit** (-lōziçkĭt) *f* despondency; **2'maßen** (-måhsᵉn) guess, suppose; **2'maßlich** supposed; *Erbe:* presumptive; **~'maßung** *f* surmise, supposition.

Mu'tter (mōōtᵉr) *f* mother; (*Schrauben2*) nut; **~leib** (-lĭp) *m* womb.

mü'tterlich (mŭtᵉrlĭç) motherly.

Mu'tter|liebe (-leebᵉ) *f* motherly love; **2los** motherless; **~mal** (-måhl) *n* birth-mark, mole; **~milch** *f* mother's milk; **~schaft** *f* motherhood, maternity; **2seelen-allei'n** (-zélᵉnåhlĭn) quite alone; **~söhnchen** (-zönçᵉn) *n* spoilt child; **~sprache** (-shpråhkᵉ) *f* mother tongue; **~witz** *m* mother-wit.

Mu't|wille (mōōtvĭlᵉ) *m* frolicsomeness *usw.*; **2willig** (*ausgelassen*) frolicsome, sportive; (*Streiche machend*) mischievous; (*frevlerisch*) wanton.

Mü'tze (mŭtsᵉ) *f* cap.

My'rte (mŭrtᵉ) *f* myrtle.

mysteriö's (mŭstᵉr'ös) mysterious.

mystifizie'ren (mŭstĭfĭtseerᵉn) mystify.

My'stik (mŭstĭk) *f* mysticism.

My'th|e (mŭtᵉ) *f*, **~us** *m* myth; **2isch** mythic; *bsd. fig.* mythical.

N

na! (näh) now!, then!, well!
Na'be (nähb^e) f hub, nave.
Na'bel (nähb^el) m navel.
nach (nähk) 1. *prp.* (*dat.*) *Richtung,
Streben*: (*a.* ~ ... *hin*) to(wards), for;
Reihenfolge: after; *Zeit*: after, past;
Art u. Weise, Maß, Vorbild: according to; ~ *Gewicht* by weight; 2. *adv.*
after; ~ *und* ~ little by little; ~ *wie
vor* now as before.
na'chahm|en (-ähm^en) imitate,
copy; (*fälschen*) counterfeit; $\mathfrak{L}$er(in
f) m imitator; $\mathfrak{L}$ung f imitation;
copy; counterfeit.
Na'chbar (nähkbāhr) m, ~in f
neighbour; $\mathfrak{L}$lich neighbourly; ~
schaft f neighbourhood.
na'chbestell|en (-b^{e}shtěl^{e}n) repeat
one's order (et. for a th.); $\mathfrak{L}$ung f
repeat(-order).
na'chbet|en (-bét^{e}n), $\mathfrak{L}$er(in f) m
na'chbilden = nachahmen.
na'chblicken (*dat.*) look after.
na'chdatieren (-dähteer^{e}n) postdate.   [*when; je* ~ *according as.*]
nachde'm (nähkděm) *cj.* after,
na'chdenk|en 1. reflect, meditate
(*über acc.* on); 2. $\mathfrak{L}$ n reflection,
meditation; ~lich reflecting; (*gedankenvoll*) pensive.
Na'chdruck (näh$k$drŏŏk) m 1. stress,
emphasis; 2. *typ.* reprint; (*Raubdruck*) piracy; pirated edition; $\mathfrak{L}$en
reprint; *ungesetzlich*: pirate.
na'chdrücklich energetic; emphatic; forcible.
na'ch-eifern (-if^{e}rn) (*dat.*) emulate.
nach-eina'nder (-inähnd^{e}r) one
after another, successively.
na'ch-erzähl|en repeat; *dem Englischen* ~t adapted from the E.
Na'chfolg|e f succession; $\mathfrak{L}$en (sn;
dat.) follow, succeed; ~er(in f) m
follower, successor.
na'chforsch|en (*dat.*) investigate
a th., search (for); inquire (into);
$\mathfrak{L}$ung f investigation, inquiry, search.
Na'chfrage (näh$k$frag^e) f inquiry;
† demand; $\mathfrak{L}$n inquire after.
na'chfühlen (*dat.*) feel with a p.
na'chfüllen fill up.

na'chgeben (-g^{e}éb^{e}n) (*dat.*) S.:
give way; P.: give in, yield.
na'chgeh|en (-g^{e}é[^{e}]n) (sn) *j-m*:
follow; *Geschäften*: attend to; *Uhr*:
be slow.
Na'chgeschmack (nähkg^{e}shmähk)
m after-taste.
na'chgiebig (-g^{e}eebiς) yielding,
compliant; $\mathfrak{L}$keit f compliance.
na'chhaltig lasting, enduring.
Na'chhilfe f assistance; ~**stunde**
(-shtŏŏnd^e) f repetitional lesson,
coaching.   [up for.]
na'chholen (-hōl^{e}n) recover, make$\}$
Na'chhut (nähkhŏŏt) $\times$ f rear
(-guard).   [pursue.$\}$
na'chjagen (-yähg^en) (sn; *dat.*)$\}$
na'chklingen resound.
Na'chkomme m descendant; $\mathfrak{L}$n
(sn; *dat.*) come after; *fig. Befehl*:
obey; *Verpflichtung*: meet; ~**schaft** f issue, descendants *pl.*
Na'chkriegs... (näh$k$kreeks) post-war.
Na'chlaß (näh$k$lähs) m *am Preis*:
reduction; *e-s Verstorbenen*: assets
pl., estate.
na'chlassen v/t. leave (behind);
Preis: reduce; v/i. (*sich entspannen*)
slacken, relax; (*sich vermindern*)
diminish; *Regen usw.*: abate.
na'chlässig careless, negligent.
na'chlaufen (-lowf^{e}n) (sn; *dat.*) run
after.
na'chlösen (-löz^{e}n): *e-e Fahrkarte*
~ take a supplementary ticket.
na'chmachen (-mähkn) imitate
(*j-m* et. a p. in a th.); (*fälschen*)
counterfeit.
na'chmalig (-mähliς) subsequent.
na'chmessen measure again.
Na'chmittag (nähkmītähk) m afternoon; $\mathfrak{L}$(s) in the afternoon; ~**s-
kleid** (-klit) n tea-gown.
Na'chnahme (-nähm^e) f cash (*Am.*
collect) on delivery.
Na'chporto (-pörtō) n surcharge.
na'chprüfen (-prüf^{e}n) verify; check.
na'chrechnen reckon over again;
Rechnung: check.

25*

Na'chrede (-rédᵉ) f: üble ~ evil report, slander; 2n: j-m Übles ~ slander a p.

Na'chricht f news; (Bericht) report; (Auskunft) information; ~ geben = benachrichtigen; **~en-agentur** (nähκríçtᵉnähgʰëntöõr) f news agency; **~endienst** (-deenst) m news (≭ intelligence) service.

Na'chruf (nähκröõf) m obituary (notice).

na'chschicken send after (a p.).

Na'chschlagebuch (nähκshlähgʰᵉ-böõk) n reference-book.

na'chschlagen Buch: consult; Wort: look up.

Na'chschlüssel m skeleton-key.

Na'chschrift f Brief: postscript.

na'chsehen (-zéᵉn) go and see; j-m: look after; et.: examine, inspect; Maschine usw.: overhaul; = nach-schlagen; (hingehen l.) j-m et.: indulge a p. in a th.

na'chsenden (-zẽndᵉn) send after (a p.); Brief: forward.

Na'chsicht (-zíçt) f indulgence; 2ig, 2s-voll indulgent.

na'chsinnen meditate, muse (on).

na'chsitzen Schule: be kept in.

Na'chsommer m St. Martin's (Am. Indian) summer.

Na'chspiel (nähκshpeel) n fig. sequel. [peat.]

na'chsprechen (nähκshprẽçᵉn) re-

na'chspüren (-shpürᵉn) (dat.) track, trace.

nächst (näçst) **1.** adj. Reihenfolge, Zeit: next; Entfernung, Beziehung: nearest; **2.** prp. next to, next after; **2'beste** f second best.

na'chsteh|e(n) (-shté[ᵉ]n) (dat.) be inferior to.

na'chstell|en v/t. place behind; Uhr: put back; Stellschraube usw.: adjust; v/t. j-m: be after; 2ung f persecution.

Nä'chst|enliebe (näçstᵉnleebᵉ) f charity; 2ens before long.

na'chstreben (nähκshtrébᵉn) j-m: emulate; e-r S.: strive after.

na'chsuch|en (-zöõκʰᵉn) search (for); um et. ~ apply for; 2ung f search, inquiry.

Nacht (nähκt) f night; bei ~, des ~s = nachts; **~'-asyl** (-ähzül) n night-shelter; **~'-ausgabe** (-owsgähbᵉ) f Zeitung: extra special.

Na'chteil (nähκtil) m disadvantage;

im ~ sn be at a d.; 2ig disadvantageous.

Na'cht|-essen n supper; **~falter** m moth; **~geschirr** n chamber--pot; **~hemd** n night-dress, night--gown, Am. night-robe; Männer: night-shirt. [ingale.]

Na'chtigall (nähκtĭgähl) f night-

Na'chtisch m dessert.

Na'chtlager (nähκtlähgʰᵉr) n night's lodging. [turnal.]

nä'chtlich (näçtlĭç) nightly, noc-

Na'cht|lokal (-lökähl) n night-club; **~quartier** (-kvährteer) n night-quarters pl.

Na'chtrag (nähκträhk) m supplement; 2en (-trähgʰᵉn) carry after a p.; (zufügen) add; ✝ Bücher: post up; fig. j-m et. ~ bear a p. a grudge.

na'chträglich (nähκträklĭç) supplementary; (später) subsequent.

nachts (nähκts) at (od. by) night.

Na'cht|schicht f night-shift; **~schwärmer(in** f) (-shvẽrmᵉr) m fig. night-reveller; **~tisch** m bed-side-table; **~wächter** (-véçtᵉr) m watchman; **~wandler(in** f) m sleep--walker; **~zeug** (-tsöĭk) n night--things pl. [again.]

na'chwachsen (-vähκsᵉn) (sn) grow

Na'chwahl f by-election.

Na'chweis (nähκvis) m proof; 2bar demonstrable, traceable; 2en (nähκ-vízᵉn) point out, show; (beweisen) prove.

Na'ch|welt f posterity; **~winter** m late winter; **~wirkung** f after--effect; **~wort** n epilogue; **~wuchs** (-vöõks) m the rising generation.

na'chzahl|en pay in addition; 2ung f additional payment.

na'chzählen count over again.

Na'chzügler (nähκtsügʰlᵉr) m straggler, late-comer.

Na'cken (nähκᵉn) m (nape of the) neck; **~schlag** (-shlähk) m fig. drawback.

na'ck|end (nähκᵉnt), **~t** naked, nude; fig. bare; Wahrheit: plain.

Na'del (nähdᵉl) f needle; (Steck2) pin; **~arbeit** (-ährbit) f needle-work; **~holzbaum** (-höltsbowm) m conifer(ous tree); **~stich** m prick; stitch; fig. pin-prick.

Na'gel (nähgʰᵉl) m nail; (Zier2) stud; 2n nail; 2neu' (-nòĭ) brand--new; **~pflege** (-pflégʰᵉ) f care of the nails, manicure.

na'gen (nāhgʰéⁿ) gnaw (an dat. at); an e-m Knochen pick.

nah (nāh), na'he (nāhᵉ) near, close; Gefahr: imminent.

Nä'he (nāᵉ) f nearness, proximity; in der ∼ close by.

na'he|gehen (nāhᵉgʰéⁿ) (sn; dat.) grieve; ∼kommen (sn; dat.) fig. approach; ∼liegen (-leegʰéⁿ) suggest itself, be obvious.

na'hen (nāhᵉn) (sn; a. sich ∼; dat.) approach.

nä'hen (nāᵉn) sew, stitch.

Nä'here(s) (nāᵉrᵉ[s]) n details, particulars pl.

Nä'herin (nāᵉrin) f seamstress.

nä'hern (nāᵉrn) (a. sich ∼) approach (j-m a p.). [almost.]

na'hezu (nāhᵉtsōō) adv. nearly,

Nä'hgarn (nāgáhrn) n sewing-cotton.

Nah'kampf m close fight.

Näh'|maschine (nāmáhsheenᵉ) f sewing-machine; ∼nadel (-nāhdᵉl) f sewing needle.

nä'hren (nārᵉn) nourish (a. fig.); Kind: nurse; sich ∼ feed (von on).

na'hrhaft (nāhrháhft) nutritious, nourishing.

Nä'hrkraft f nutritive power.

Na'hrung f food, nourishment; ∼smittel n/pl. food, victuals.

Nä'hrwert (nārvért) m nutritive [value.]

Naht (nāht) f seam.

Nah'verkehr (nāhférkér) m local traffic. [ments pl.]

Nä'hzeug (nātsóik) n sewing-imple-

nai'v (nāheef) naive, ingenuous, simple; 2itä't (nāhívitāt) f naïveté.

Na'me (nāhmᵉ) m name; dem ∼n nach nominal(ly); know a p. by name.

na'men|los nameless; fig. unutterable; ∼s (-s) named; (im Namen von) in the name of; 2s-tag (-tāhk) m name-day; 2s-vetter (-fétᵉr) m namesake; ∼tlich by name; (besonders) especially.

na'mhaft (nāhmhāhft) (berühmt) notable; (bedeutend) considerable; ∼ m. name.

näm'lich (nämliç) 1. adj. the same; 2. adv. namely (abbr. i. e. od. viz.).

Napf (nāhpf) m bowl, dish.

Na'rbe (nāhrbᵉ) f scar.

na'rbig scarred; Leder: grained.

Narko'|se (nāhrkōzᵉ) f narcosis; 2tisie'ren (-tīzeerᵉn) narcotize.

Narr (nāhr) m fool; zum ∼en halten make a fool of; 2'en fool.

Na'rren|haus (-hows) n madhouse; ∼kappe f fool's cap; ∼streich (-shtriç) m foolish trick.

Na'rrheit f folly.

Nä'rrin (nērin) f foolish woman.

nä'rrisch foolish; (sonderbar) odd.

Narzi'sse (nāhrtsisᵉ) f narcissus.

na'schen (nāhshᵉn) eat on the sly.

Nä'scher (nēshᵉr) m, ∼in f lover of dainties; ∼ei'en (-iᵉn) f/pl. dainties, sweets. [dainties.]

na'schhaft (nāhshhāhft) fond of

Na'se (nāhzᵉ) f nose.

nä'seln (nāzᵉln) nasalize, snuffle.

Na'sen|bluten (nāhzᵉnblōōtᵉn) n nose-bleeding; ∼laut (-lowt) m nasal (sound); ∼loch (-lŏk) n nostril; ∼spitze f tip of the nose.

na'seweis (-vis) pert, saucy.

na'sführen (nāhsfürᵉn) dupe.

Na'shorn (nāhshŏrn) n rhinoceros.

naß (nāhs) wet; (feucht) moist.

Nä'sse (nēsᵉ) f wet(ness); humidity; 2n wet; moisten. [raw.]

na'ßkalt (nāhskáhlt) damp and cold,

Natio'n (nāhtsiōn) f nation.

nationa'l (nāhtsiōnáhl) national; 2hymne (-hümnᵉ) f national anthem; 2itä't f nationality.

Na'tter (nāhtᵉr) f adder, viper.

Natu'r (nāhtōōr) f nature; (Leibesbeschaffenheit) constitution; (Gemütsanlage) temper(ament); von ∼ by nature. [naturalize.]

naturalisie'ren(nāhtōōráhlīzeerᵉn)

Natu'r-anlage (-áhnlāhgʰᵉ) f disposition. [temper.]

Nature'll (nāhtōōrél) n nature,

Natu'r|-erscheinung (nāhtōōrér-shinōōŋ) f phenomenon; ∼forscher m naturalist, scientist; ∼geschichte f natural history; 2getreu (-gʰᵉtrŏi) true to nature; ∼kunde (-kōōndᵉ) f natural science.

natü'rlich (nāhtürliç) natural; (echt) genuine; adv. of course.

Natu'r|trieb (nāhtōōrtreep) m instinct; ∼wissenschaft (-visᵉnshäht) f natural science; ∼wissenschaftler m scientist.

Ne'bel (nébᵉl) m fog; weniger dicht: mist; 2haft fig. nebulous, hazy; ∼horn m fog-horn.

ne'b(e)lig foggy, misty.

ne'ben (nébᵉn) beside, by (the side of); (nahe bei) near; (nebst) besides.

ne′ben|·an next door; close by; **2-anschluß** (-ǎhnshlōŏs) *m* teleph. extension (station); **2-arbeit** (-ǎhrbīt) *f* by-work; **2-ausgaben** (-owsgǎhb°n) *f/pl.* incidental expenses; **2-ausgang** (-owsgǎhn₂) *m* sidedoor; **.bei** (-bī) close by; *(beiläufig)* by the way; *(außerdem)* besides; **2beruf** (-b°rōōf) *m* side line; **2buhler(in)** (-bōōl°r) *m* rival; **2buhlerschaft** *f* rivalry; **.eina′nder** (inǎhnd°r) side by side; **2-einkünfte** (-inkünft°) *f/pl.* casual emoluments; **2fach** (-fǎhk) *n Studium:* subsidiary subject, *Am.* minor; **2fluß** (-flōŏs) *m* tributary; **2gebäude** (-g°°bŏĭd°) *n* outhouse; **2gleis** (-glīs) *n* siding, side-track; **2haus** (-hows) *n* adjoining house; **2kosten** *pl.* extras; **2-linie** (-leen¹°) *f* branch line; **.mann** *m* next man; **2produkt** (-prōdŏŏkt) *n* by-product; **2programm** *n Film:* supporting program(me); **2sache** (-zǎhk°) *f* secondary matter; **.sächlich** (-zǎ₂lǐ₂) subordinate, incidental; **2straße** (-shtrǎhs°) *f* by-street; **2tür** *f* side-door; **2-umstand** (-ōŏmshtǎhnt)*m* accessory circumstance; **2zimmer** *n* adjoining room.

nebst (něpst) *(dat.)* besides.

ne′ck|en (něk°n) tease, banter; **2erei** (-°rī) *f* banter; **.isch** teasing; *(drollig)* droll.

Ne′ffe (něf°) *m* nephew.

negati′v (négǎhteef), **2** *n* negative.

Ne′ger (něgh°r) *m* negro; **.in** *f* negress.

ne′hmen (ném°n) take; *j-m et.* **.** take a th. from a p.; *ein Ende* **.** come to an end; *es sich nicht* **.** *l. zu ...* insist upon *ger.*; *streng genommen* strictly speaking.

Neid (nīt) *m,* **2′en** (nīd°n) envy; *s. be.,* **.er** *m* envier, grudger; **2′isch** envious *(auf acc.* of); **2′los** ungrudging.

Nei′ge (nigh°) *f im Glas:* heeltap; *auf die* **.** *gehen* be on the decline; *(knapp w.)* run short; **2n** incline.

Nei′gung *f* inclination *(a. fig.); (Fläche)* incline.

nein (nin) no.

Ne′lke (nělk°) *f* carnation, pink; *(Gewürz2)* clove.

ne′nnen (něn°n) name, call; *(bezeichnen)* term; *Kandidaten:* nominate; *(erwähnen)* mention; *Sport:*

enter; *sich* ... **.** *be called ...;* **.s-wert** (-vért) worth mentioning.

Ne′nn|er **A̸** *m* denominator; **.ung** *f* naming; nomination; *Sport:* entry; **.wert** (-vért) *m* nominal

Nerv (něrf) *m* nerve. [value.]

Ne′rven...: *mst* nervous; **.heil-anstalt** (-hīlǎhnshtǎhlt) *f* clinic for nervous diseases; **2leidend** (-līd°nt) neuropathic; **.schwäche** (-shvě₂°) *f* nervous debility; **2stärkend** tonic; **.system** (-züstém) *n* nervous system.

ne′rv|ig (něrvǐ₂) sinewy; **.ö′s** (-vös) nervous; **2ositä′t** (-vózītǎt) *f* nervousness.

Ne′ssel (něs°l) *f* nettle.

Nest (něst) *n* nest; F bed; *(Kleinstadt)* hole.

nett (nět) neat, pretty, *Am.* cute; *(freundlich)* nice.

ne′tto (nět°) net, clear.

Netz (něts) *n* net; *fig.* network; **.′-anschluß** (-ǎhnshlōŏs) *m* mains connection; power supply.

neu (nŏĭ) new; *(kürzlich geschehen)* recent; *(neuzeitlich)* modern; **.ste** *Nachrichten f/pl.* latest news; *was gibt es* **2es?** what is the news?, *Am.* what is new?; **.′-artig** novel; **2bau** (-bow) *m* new building; **2druck** (-drŏŏk) *m* reprint.

neu′er|dings (nŏĭ°rdǐn₂s) recently; **2er** *m* innovator; **2ung** *f* innovation.

neu′|geboren (nŏĭgh°bōr°n) new-born; **.gestalten** reorganize; **2gestaltung** *f* reorganization; **2gier** (-de) (-g°eer[d°]) *f* curiosity, inquisitiveness; **.gierig** curious, inquisitive; *ich bin* **.** *ob* I wonder if; **2heit** *f* newness, *(a. Gegenstand)* novelty.

Neu′igkeit *f* (e-e a piece of) news; **.skrämer** *m* newsmonger.

Neu′|jahr(s-tag *m)* (nŏĭyǎhrstǎhk) New year(′s Day); **2lich** *adv.* the other day, recently; **.ling** *m* novice, tiro; **2modisch** (-mōdĭsh) fashionable; **.mond** (-mōnt) *m* new moon.

neun (nŏĭn) nine; **.′te** ninth; **2′tel** *n* ninth part; **.′tens** ninthly; **.′-zehn(te)** nineteen(th).

neu′nzig (nŏĭntsǐ₂) ninety; **.ste** ninetieth.

Neu′philologe (nŏĭfīlōlōgh°°) *m* student *od.* teacher of modern languages.

Neu'regelung (nöirégʰᵉlōoⁿʀ) f rearrangement. [neutrality.|
neutra'l (nöitráhl) neutral; **Qitä't** f|
neu'|vermählt (nöiférmält) newly married; **Qzeit** (-tsit) f modern times pl.

nicht (níçt) not; *auch ~* nor.

Ni'cht|-achtung (-áʰktôoⁿ) f disregard; **Q-amtlich** unofficial; **~-a'ngriffspakt** (-áʰngrifspäʰkt) m pact of non-aggression; **~annahme** f non-acceptance; **~befolgung** f non--observance.

Ni'chte (níçtᵉ) f niece.

ni'chtig (níçtíç) *ztz* null, void; *fig.* vain, futile; *für ~ erklären* annul.

Ni'chtigkeit f nullity; vanity.

Ni'chtraucher (níçtrowkᵉr) m non--smoker.

nichts (níçts) **1.** nothing, not anything; **2.** **♀** n nothing(ness); *fig.* nonentity.

ni'chts|destowe'niger (-dëstôvé-nígʰᵉr) nevertheless; **~nutzig** (-nôotsíç) good-for-nothing; **~sagend** (-zäʰgʰᵉnt) insignificant; **Qtuer** (-tōoᵉr) m idler; **~würdig** vile, base.

Nicht|vorha'ndensein (níçtförhäʰnd̂ᵉnzín) n absence; lack; **~'wissen** n ignorance.

ni'cken (níkᵉn) nod; (*schlummern*) nap.

nie (nee) never, at no time.

nie'der (needᵉr) **1.** *adj.* low, mean; *Wert, Rang*: inferior; **2.** *adv.* down; **Qgang** m decline; **~gehen** (-gʰéᵉn) (sn) go down; **※** alight; *Gewitter*: burst; **~geschlagen** (-gʰᵉshläʰgʰᵉn) dejected, downcast; **~hauen** (-howᵉn) cut down; **~kommen** (sn) be confined; **Qkunft** (-kôonft) f confinement; **Qlage** (-läʰgʰᵉ) f defeat; (*Magazin*) warehouse; **~lassen** let down; *sich ~* sit down; *Vogel*: alight; (*sich festsetzen*) establish o.s., settle; **Qlassung** f establishment; settlement; **~legen** (-légʰᵉn) lay down; *Amt*: resign; *Geschäft*: retire from; *Krone*: abdicate; *sich ~* lie down; *zu Bett*: go to bed; *die Arbeit ~* strike *od.* knock off (work); **~machen** (-mäʰkᵉn) cut down; **Qschlag** (-shläʰk) m sediment; (*atmosphärischer* **♀**) precipitation; *Boxen*: knock-out (blow); **~schlagen** (-shläʰgʰᵉn) knock down; *Augen*:

cast down; *Boxen*: knock out; *Kosten usw.*: cancel; (*unterdrücken*) suppress; *ztz* quash; **♀** precipitate; *fig.* dishearten; **~schmettern** *fig.* crush; **~setzen** (-sëtsᵉn) set *od.* put down; *sich ~* sit down; **~strecken** lay low; **~trächtig** (-trëçtíç) base, mean; F beastly; **Qung** f lowland.

nie'dlich (neetlíç) neat, nice, pretty, *Am.* cute. [hang-nail.|
Nie'dnagel (neetnägʰᵉl) m agnail,|
nie'drig (needríç) low; (*gemein*) mean, base.

nie'mals (neemäʰls) never, at no time. [one.|
nie'mand (neemäʰnt) nobody, no|
Nie're (neerᵉ) f kidney; *pl.* reins, loins; **~nbraten** (-bräʰtᵉn) m roast|
nie'sen (neezᵉn) sneeze. [loin.|
Niet (neet) m rivet; **~'e** f blank; **Q'en** rivet.

Ni'lpferd (neelpfért) n hippopotamus. [prestige.|
Ni'mbus (nímbôos) m nimbus; *fig.*|
ni'mmer (nímᵉr) never; **~mehr** nevermore; **Qsatt** (-zäht) m glutton.

ni'ppen (nípᵉn) *v/i. u. v/t.* sip.

Ni'ppsachen (nípzäʰkᵉn) f/pl. (k)nick-(k)nacks.

ni'rgend(s) (nírgʰᵉnt[s]) nowhere.

Ni'sche (neeshᵉ) f niche.

ni'sten (nístᵉn) nest.

Niveau' (nívŏ) n, **nivellie'ren** (nívĕleerᵉn) level.

Ni'xe (níksᵉ) f water-nymph.

noch (nŏk) still; yet; ~ *immer* still; ~ *einer* another, one more; ~ *einmal* once more; ~ *etwas* something more; ~ *etwas?* anything else?; ~ *nicht* not yet; ~ *heute* this very day; ~ *im 19. Jahrhundert* as late as the 19th century; ~ *so* ever so; **~'malig** (-mählíç) repeated; **~'mals** (-mähls) once more.

Noma'|de (nômáhdᵉ) m nomad; **~en...**, **Qisch** nomadic.

No'nne (nônᵉ) f nun; **~nkloster** (-klôstᵉr) n nunnery.

Nord (nŏrt), **~'en** (-dᵉn) m north; **Q'isch** northern.

nö'rdlich (nörtlíç) northerly.

No'rd|licht n northern lights *pl.*; **~o'st(en)** (-öst[ᵉn]) m north-east; **~pol** (-pōl) m North Pole; **Qwärts** (-vérts) northward(s); **~we'st(en)** m north-west.

nö'rg'eln (nörgʰᵉln) *v/i.* nag, carp (*an dat.* at); **Qler(in** f) m faultfinder.

Norm (nŏrm) *f* standard, rule.

norma'l (nŏrmähl) normal; *Maß, Gewicht:* standard.

no'rmen (nŏrm^(e)n), **normie'ren** (nŏrmeer^(e)n) normalize, standardize.

Not (nōt) *f* need, want; *(Zwang)* necessity; *(Bedrängtheit)* difficulty, trouble; *(Gefahr)* danger, *(engS. ♣)* distress; *zur ~* if need be; *in Nöten sn* be in trouble; *es tut ♀, daß it* is necessary that.

Nota'r (nōtähr) *m* notary.

No't|-ausgang (-owsgährŋ) *m* emergency exit; **~behelf** *m* makeshift, expedient, stopgap; **~bremse** (-brĕmz^(e)) *f* emergency brake; **~brücke** *f* temporary bridge; **~durft** (-dŏŏrft) *f* necessaries pl. (of life); *s-e ~ verrichten* relieve nature; **♀dürftig** scanty, poor.

No'te (nōt^(e)) *f* note; **~n** *pl.* music; *Schule:* mark; **~nbank** *f* issuing bank; **~nmappe** *f* music-holder.

No't|fall *m* case of need, emergency; **♀gedrungen** (-g^(h)ĕdrŏŏŋ^(e)n) needs; **~geld** *n* emergency money.

notie're|n (nōteer^(e)n) note (down); † *Preise:* quote; **♀ung** *f* † quotation.

nö'tig (nö̆tiç) necessary; *~ h.* need. **~en** (nö̆tig^(h)e^(n) force, oblige, compel; *e-n Gast:* press; *sich ~ l.* stand upon ceremony; **♀enfalls** in case of need; **♀ung** *f* compulsion.

Noti'z (nōteets) *f (Kenntnis)* notice; *(Vermerk)* note, memorandum; **~block** *m* scribbling-block, *Am.* scratch-pad; **~buch** (-bōōk) *n* note--book.

No't|lage (-lähg^(h)e) *f* distress, emergency; **♀landen** 🐦 (sn) be forced down; **~landung** *f* forced landing; **♀leidend** (-līd^(e)nt) needy, distressed; **~leine** (-līn^(e)) 🔩 *f* communication-cord; **~lüge** (-lüg^(h)e) *f* white lie.

noto'risch (nōtōrish) notorious.

No't|signal (nōtzignähl) *n* signal of distress, emergency; **~sitz** (-zĭts) *m* mot. dick(e)y-seat, *Am.* rumble seat; **~stand** (-shtähnt) *m* emergency; **~stands-arbeiten** (-shtähntsährbīt^(e)n) *f|pl.* relief works; **~standsgebiet** (-shtähntsg^(h)ebeet) *n* distressed area; **~verband** (-fĕrbähnt) *m* first-aid dressing; **~ver-ordnung** (-fĕrŏrdnŏŏŋ) *f* emergency decree; **(aus) ~wehr** (-vér) *f* (in) self--defence; **♀wendig** necessary; **~wendigkeit** *f* necessity; **~zucht** (-tsŏŏkt) *f* rape; **♀züchtigen** (-tsü̆çtig^(h)e^(n) ravish.

Nove'lle (nŏvĕl^(e)) *f* short story, novelette. [vember.|

Nove'mber (nŏvĕmb^(e)r) *m* No-|

Nu (nŏŏ) *n, m: im ~* in an instant.

Nua'nce (nüä^(s)e) *f* shade.

nü'chtern (nüçt^(e)rn) fasting; *(Ggs. betrunken)* sober (*a. fig.*); *Feststellung:* flat; *(geistlos)* jejune, *(alltäglich)* prosaic; **♀heit** *f* sobriety; *fig.* prosiness.

Nu'deln (nŏŏd^(e)ln) *f|pl.* macaroni; *(Faden♀)* vermicelli, *Am.* noodles.

null (nŏŏl) 1. null; *~ und nichtig* null and void; 2. ♀ *f* nought, (*a. fig.*) cipher; *(♀punkt)* zero.

numeri'r|en (nŏŏm^(e)reer^(e)n) number; **~ter Platz** reserved seat.

Nu'mmer (nŏŏm^(e)r) *f* number; *(Schuh- usw. ♀)* size; *(Programm♀)* turn, item; *Sport:* event.

nun (nŏŏn) now, at present; *int.* well!; *~ also* well then; *~'mehr* now; *~'mehrig* present.

nur (nŏŏr) only; (nothing) but; *~ noch* still, only.

Nuß (nŏŏs) *f* nut (*a.* ⊕); *~'kern* *m* kernel; *~'knacker* (-knähk^(e)r) *m* nut-cracker; *~'schale* (-shähl^(e)) *f* nutshell.

Nü'ster (nüst^(e)r) *f* nostril.

Nu't|e (nŏŏt[^(e)]) *f* groove, rabbet.

nutz (nŏŏts), **nü'tze** (nüts^(e)) useful; *zu nichts ~* good for nothing; ♀'**anwendung** (-ähnvĕndŏŏŋ) *f* practical application; *~'bar* useful; *sich et. ~ m.* utilize; *~'bringend* profitable.

Nu'tzen (nŏŏts^(e)n) 1. *m* use *(Gewinn)* profit; *(Vorteil)* advantage; *(Nützlichkeit)* utility; 2. ♀, **nü'tzen** (nüts^(e)n) *v/i.:* zu et. ~ be of use for a th.; *j-m ~* serve a p.; *es nützt nichts* it is (of) no use *(zu inf. to)*; *v/t.* make use of.

Nu'tz|holz *n* timber; **~leistung** (-listōōŋ) *f* effective capacity.

nü'tzlich (nütslĭç) useful.

nu'tz|los useless; **♀nießer** (-nees^(e)r) *m* usufructuary; **♀nießung** *f* usufruct.

Nu'tzung (nŏŏtsŏŏŋ) *f* using; utilization; **~swert** (-vért) *m* value of produce.

Ny'mphe (nümf^(e)) *f* nymph.

o! *int.* oh!; ~ **weh!** alas!, o dear!

Oa'se (oäh*z*ᵉ) *f* oasis.

ob (ŏp) *cj.* whether, if; *als* ~ as if.

O'b-acht (ōbähкt) *f*: ~ **geben** pay heed (*od.* attention) (*auf acc.* to), take care (*of*); ~! look out!

O'bdach (ōpdähк) *n* shelter; ~**lose(r)** *m* casual; *Asyl n für* ~**lose** casual ward.

Obduktio'n (ŏpdŏōkts'ōn) *f* post--mortem examination.

o'ben (ōb'ᵉn) above; *im Hause*: upstairs; *von* ~ from above; *von unten bis* ~ from top to bottom; ~**a'n** at the top; ~**drei'n** (-drīn) into the bargain; ~**erwähnt** above--mentioned; ~**hi'n** superficially.

o'ber (ōb'ᵉr) upper, higher.

O'ber|-arm *m* upper arm; ~**arzt** *m* head physician; ~**befehl** *m* chief command; ~**befehlshaber** (-bᵉfélshähb'ᵉr) *m* commander-in-chief; ~**bürgermeister** (-bürg‿hᵉrmist'ᵉr) *m* chief burgomaster; *Brit.* Lord Mayor; ~**fläche** *f* surface; ♀**flächlich** superficial; ♀**halb** above; ~**hand** *f* upper hand; ~**haupt** (-howpt) *n* head, chief; ~**haus** (-hows) *n* the House of Lords; ~**hemd** *n* (day-) shirt; ~**herrschaft** *f* supremacy.

O'berin *f* *eccl.* Mother, Superior; *im Krankenhaus*: Matron.

o'ber|-irdisch overground; ∉ overhead; ♀**kellner** *m* head waiter; ♀**kiefer** (-keefᵉr) *m* upper jaw; ♀**körper** *m* upper part of the body; ♀**land** *n* upland; ♀**leder** (-léd'ᵉr) *n* uppers *pl.*; ♀**leitung** (-lītŏōn‿g) *f* supreme direction; ∉ overhead line; ♀**leutnant** (-lŏitnähnt) *m* (*Am.* first) lieutenant; ♀**licht** *n* skylight; ♀**lippe** *f* upper lip; ♀**schenkel** *m* thigh; ♀**schule** (-shŏōl'ᵉ) *f* secondary school.

o'berst (ōbᵉrst) **1.** uppermost; *Rang usw.*: supreme; **2.** ♀ *m* colonel.

O'berstaa'ts-anwalt (ōbᵉrshtähtsähnvählt) *m* Attorney General.

Oberstleu'tnant (ōbᵉrstlŏitnähnt) *m* lieutenent-colonel.

O'bertasse *f* cup.

o'bgleich (ōpglīç) (al)though.

O'bhut (ōphŏōt) *f* care; *in* s-e ~ **nehmen** take charge of.

o'big (ōbíç) above(-mentioned).

objekti'v (ŏpyĕkteef) **1.** objective; **2.** ♀ *n* object-glass, lens; ♀**itä't** (ŏpyĕktīvität) *f* objectiveness.

Obla'te (ōbläht'ᵉ) *f* wafer.

o'bliegen (ōpleeg^hᵉn): *j-m* ~ be incumbent on a p.; ♀**heit** *f* duty, obligation.

Obligat|io'n (ŏblīgähts'ōn) *f* bond; ♀**o'risch** (-ōrīsh) compulsory.

O'bmann *m* (*Vorsitzendᵉr*) chairman; *der Geschworenen*: foreman; (*Schiedsmann*) umpire; (*Betriebs♀*) spokesman.

O'brigkeit (ōbrïçkit) *f* authorities *pl*; ♀**lich** magisterial.

Obst (ōpst) *n* fruit; ~**'bau** (-bow) *m* fruit-culture; ~**'-ernte** fruit-crop; ~**'garten** *m* orchard; ~**'händler** (-inf) *m* fruiterer; ~**'züchter(in** *f*) *m* fruit-grower.

o'bwalten (ōpvählt'ᵉn) exist; *Umstände*: prevail.

obwo'hl (ōpvōl) (al)though.

O'chse (ŏks'ᵉ) *m* ox, bullock.

O'chsenfleisch (ŏksᵉnflīsh) *n* beef.

ö'de (ōd'ᵉ) **1.** desert, desolate; (*unbebaut*) waste; F *fig.* dull; **2.** ♀ *f* desert, solitude.

o'der (ōd'ᵉr) or.

O'fen (ōfᵉn) *m* stove; (*Back♀*) oven; (*Hoch♀*) furnace; (*Brenn♀*) kiln; ~**vorsetzer** (-fŏrzĕts'ᵉr) *m* fender.

o'ffen (ŏf'ᵉn) open; *Stelle*: vacant; *fig.* frank; *Feindseligkeiten*: overt.

offenba'r (ŏfᵉnbähr) manifest, evident; ~**en** disclose, manifest, reveal.

Offenba'rung *f* manifestation, revelation; ~**s-eid** (-īt) *m* oath of manifestation.

O'ffenheit (ŏfᵉnhīt) *f* openness; frankness.

o'ffen|herzig open-hearted, frank; ~**kundig** (-kŏōndiç) public, notorious; ~**sichtlich** (-zīçtlíç) obvious.

offensi'v (ŏfĕnzeef), **₂e** (-v^e) / offensive.

ö'ffentlich (ȫf^entlĭç) public; **₂keit** / publicity; *in aller ~* in public.

Offe'rte (ŏfĕrt^e) / offer.

offizie'll (ŏfĭts'ĕl) official.

Offizie'r (ŏfĭtseer) *m* officer; **~korps** (-kōr) *n* body of officers.

offiziö's (ŏfĭts'ȫs) officious.

ö'ffn|en (ȫfn^en) (*a. sich*) open; **₂ung** / opening, aperture.

oft (ŏft), **o'ftmals** (-māhls), **ö'fters** (ȫft^ers) often, frequently.

oh! (ō) oh!, o!

o'hne (ōn^e) without; **~die's** (-dees), **~hi'n** without that; **~glei'chen** (-glìç^en) unequalled, matchless.

O'hn|macht (ōnmăhĸt) / weakness; **⚥** swoon; **₂mächtig** (-mĕç-tìç) weak; **⚥** in a faint, unconscious.

Ohr (ōr) *n* ear; *bis über die ~en* over head and ears.

Öhr (ȫr) *n* eye.

O'hren|arzt *m* ear-specialist; **₂betäubend** ear-deafening; **~leiden** (-līd^en) *n* ear-complaint; **~schmalz** *n* ear-wax; **~schmerz** *m* ear-ache.

O'hr|feige (-fīg^er) / box on the ear; **₂feigen:** *j-n* box a p.'s ears; **~läppchen** *n* lobe of the ear; **~löffel** *m* ear-pick(er); **~wurm** (-vŏŏrm) *m* earwig.

Ökono'm (ȫkŏnōm) *m* agriculturist; (*Verwalter*) manager; **~ie'** / agriculture; (*Verwaltung*) economy; **₂isch** economical. [*ʃ* octave.]

Okta've (ŏktāhf) *n* octavo; **~e** (-v^e) **♪♪**

Okto'ber (ŏktōb^er) *m* October.

Okul|a'r (ŏkōŏlāhr) *n* opt. eye-piece; **₂ie'ren** inoculate.

Öl (ȫl) *n* oil; *fig. ~ ins Feuer gießen* add fuel to the flame; **~'baum** (-bowm) *m* olive-tree; **~'bild**, **~'gemälde** (-g^hemäld^e) *n* oil-painting; **₂'en** in oil, **⊕** *a.* lubricate; **~'farbe** / oil-colour, oil-paint; **₂'ig** oily; **~'malerei** (-māhl^erī) / oil-painting; **~'quelle** (-kvĕl^e) / oil-spring; **~'ung** / oiling, **⊕** *a.* lubrication; *eccl. letzte ~* extreme unction.

oly'mpisch (ŏlümpĭsh) Olympian; **₂e** *Spiele pl.* Olympic games.

Ö'lzweig (ȫltsvīk) *m* olive-branch.

O'mnibus (ŏmnĭbŏŏs) *m* (omni)bus.

ondulie'ren (ŏndōŏleer^en) wave.

O'nkel (ŏnĸk^el) *m* uncle.

O'per (ōp^er) / opera.

Operat|eu'r (ōp^erāhtȫr) *m* operator; **~io'n** (-ts'ōn) / operation; **₂i'v** operative.

Opere'tte (ōp^erĕt^e) / operetta.

operie'ren (ōp^ereer^en) operate (*j-n* on a p.); *sich ~ l.* undergo an operation.

O'pern|glas (ōp^ernglähs) *n*, **~gucker** (-gŏŏk^er) *m* opera-glass(es *pl.*); **~haus** (-hows) *n* opera-house; **~sänger(in** /) (-zĕnɡ^er) *m* opera-singer.

O'pfer (ŏpf^er) *n* sacrifice; *= ~gabe* (*Geopferter*, *-s*) victim; **~gabe** (-gāhb^e) / offering; **₂n** sacrifice; **~stätte** / place of sacrifice; **~tod** (-tōt) *m* sacrifice of one's life; **~ung** / offering, sacrifice; **₂willig** willing to make sacrifices.

opponie'ren (ŏpōneer^en) (*dat.*) oppose.

O'ptik (ŏptĭk) / optics *sg.*; *phot.* lens system; **~er** *m* optician.

o'ptisch optic(al).

Ora'kel (ŏrāhk^el) *n*, **~spruch** (-shprōŏk) *m* oracle; **₂haft** oracular.

Ora'nge (ŏrăhnɡ^e) / orange.

Orato'rium (ŏrăhtȫr'ŏŏm) *n* oratorio.

Orche'ster (ŏrkĕst^er) *n* orchestra.

Orchidee' (ŏrçĭdē^e) / orchid.

O'rden (ŏrd^en) *m* order; (*Ehrenzeichen*) order, decoration.

O'rdens|band *n* ribbon (of an order); **~bruder** (-brōŏd^er) *m* friar; **~schwester** / sister.

o'rdentlich (ŏrd^entlĭç) orderly; tidy; (*regelrecht*) regular; (*achtbar*) of orderly habits; (*tüchtig*) good, sound; *adv.* (*ziemlich stark*) downright; **~er** *Professor* professor in ordinary.

ordinä'r (ŏrdĭnähr) mean, vulgar.

o'rdn|en (ŏrdn^en) put in order; arrange, *Am.* fix up; **₂er** *m* (*Fest₂ usw.*) steward; *Schule:* monitor; *für Akten:* file.

O'rdnung (ŏrdnŏŏnɡ) / (*Anordnung*) arrangement; *Zustand:* order; (*Klasse*) class; *in ~ bringen* put in order; **₂smäßig** (-māsìç) orderly, regular; **~sruf** (-rōŏf) *m parl.* call to order; **₂swidrig** (-veedrìç) contrary to order; **~szahl** / ordinal (number).

Ordonna'nz (ŏrdŏnähnts) f ✕ orderly.

Orga'n (ŏrgähn) n organ; **~isatio'n** (ŏrgähnĭzähts'ŏn) f organization; **Ǝisch** organic.

organisie'r|en (ŏrgähnīzeer⁴n) organize; **~t**(er Arbeiter) unionist.

O'rgel (ŏrgʰᵉl) f organ; **~pfeife** (-pfīf⁴) f organ-pipe; **~spieler** (-shpeel⁴r) m organist.

O'rgie (ŏrgʰⁱᵉ) f orgy.

Orienta'l|e m, **~in** f, **Ǝisch** oriental.

orientie'r|en (ŏr'ĕnteer⁴n) orient (-ate); fig. inform; sich ~ orient o.s.; **Ǝung** f orientation; fig. information.

Origin|a'l (ŏrĭgʰīnähl) n, **Ǝa'l** adj. original; **~alitä't** f originality; **Ǝe'll** original.

Orka'n (ŏrkähn) m hurricane.

Orna't (ŏrnäht) m robes pl.

Ort (ŏrt) m place; spot; locality; **Ǝ'en** ⚓, ✕ orient, locate.

ö'rtlich (ŏrtlĭç) local; **Ǝkeit** f locality.

O'rts|-angabe f statement of place; **Ǝ-ansässig** (-ähnzĕsĭç) **~ansäs-** sige f, **~ansässige(r)** resident; **~behörde** f local authorities pl.; **~beschreibung** (-b⁴shrībŏŏrᵹ) f topography.

O'rtschaft f place; (Dorf) village.

O'rts|gespräch (ŏrtsgʰᵉshpräç) n teleph. local call; **~kenntnis** f local knowledge; **~verkehr** (-fĕr-kér) m local traffic.

ö'se (ŏz⁴) f eye; loop.

Ost (ŏst), **~'en** m east.

ostentati'v (ŏstĕntähteef) ostentatious.

O'ster|ei (ŏst⁴r-ī) n Easter egg; **~fest** n = Ostern; **~hase** (-hähz⁴) m easter-bunny.

O'stern (ŏst⁴rn) n Easter; jüdische: Passover.

ö'sterreich|er (ŏst⁴rĭçⁱr) m, **~erin** f, **Ǝisch** Austrian.

ö'stlich (ŏstlĭç) eastern, easterly. n easter-ward.

O'stmark f (Geld) eastern mark.

O'tter (ŏt⁴r) f (Schlange) adder.

Ouvertü're (ŏŏvĕrtür⁴) f overture.

Oxy'd (ŏksüt) n oxide; **Ǝie'ren** (ŏksüdeer⁴n) v/t. u. v/i. (sn) oxidize.

O'zean (ŏtsĕähn) m ocean.

P

Paar (pāhr) *f* 1. *n* pair; couple; 2. ein ♀ a few; ♀'**en** pair, couple (*a. sich* ♁); ♁'**laufen** (-lowfᵉn) *n Sport:* couple-skating; ♁'**ung** *f* coupling, copulation; ♀'**weise** by pairs, in couples.

Pacht (pāhkt) *f* lease, tenure; ♀'**en** farm, rent.

Pä'chter (pĕçtᵉr) *m*, ♁**in** *f (Mieter)* lessee; *von Land:* tenant.

Pa'cht|-ertrag (pāhktĕrtrāhк) *m* rental; ♁**geld** *n* farm-rent; ♁**gut** (-gōot) *n* farm; ♁**ung** *f* farming; (*das Gepachtete*) leasehold; ♁**vertrag** (-fĕrtrāhк) *m* lease; ♁**weise** on lease.

Pack (pāhk) *n, m* packet, parcel; (*Ballen*) bale; *contp.* rabble.

Pä'ckchen (pĕkçᵉn) *n* packet.

pa'cken (pāhkᵉn) 1. pack (up); (*fassen*) seize, grasp (*a. fig.*); *fig.* (*ergreifen*) affect, thrill; *packe dich!* be off!; 2. ♀ *m* pack; bale.

Pa'ck|esel (pāhkēzᵉl) *m fig.* drudge, fag; ♁**material** (-māhtĕr'āhl) *n* packing material; ♁**papier** (-pāhpeer) *n* packing (*od.* brown) paper; ♁**ung** *f* package; ♝ pack; ♁**wagen** (-vāhgʰᵉn) *m* luggage-van, *Am.* baggage car.

Pädago'g|(e) (pĕdāhgōgʰ[ᵉl]) *m*, ♁**in** *f* pedagogue; ♁**ik** *f* pedagogics *pl.*; ♀**isch** pedagogic(al).

Pa'ddel|boot (pāhd²lbōt) *n* canoe; ♁**n** (sn) paddle, canoe.

Pa'ge (pāhGᵉ) *m* page; ♁**nkopf** *m* page coiffure.

pah! (pāh) pah!, pooh!, pshaw!

Pair (pār) *m* peer.

Pake't (pāhkét) *n* packet, parcel, *Am.* package; ♁**annahme** *f* parcels receiving office; ♁**ausgabe** (-owsgāhbᵉ) *f* parcel-delivery; ♁**karte** ♔/ *f* dispatch-note; ♁**post** (-pōst) *f* parcel post.

Pakt (pāhkt) *m* (com)pact.

Pala'st (pāhlāhst) *m* palace.

Pa'letot (pāhlᵉtō) *m* overcoat, greatcoat.

Pa'lm|e (pāhlmᵉ) *f* palm(-tree); ♁**öl** *n* palm-oil.

Panee'l (pāhnél) *n* panel, wainscot.

Panie'r (pāhneer) *n* banner, standard; ♀**en** (bread-)crumb.

Pa'n|ik (pāhník) *f*, ♀**isch** panic.

Pa'nne (pāhnᵉ) *f* break-down.

Panti'ne (pāhnteenᵉ) *f* clog.

Panto'ffel (pāhntöfᵉl) *m* slipper; *unter dem* ♁ *stehen* be henpecked.

pa'n(t)schen (pāhn[t]shᵉn) splash (about); (*verfälschen*) adulterate.

Pa'nzer (pāhntsᵉr) *m* armour; (*Kampfwagen*) tank; ♁**abwehrkanone** (-āhpvérkāhnōnᵉ) *n* anti-tank gun; ♁**kreuzer** (-krŏits²r) *m* armoured cruiser; ♁**n** armour; ♁**platte** *f* armour-plate; ♁**schiff** *n* ironclad; ♁**ung** *f* armour-plating; ♁**wagen** (-vāhgʰᵉn) *m* armoured car.

Papa' (pāhpāh) *m* papa; F dad(dy).

Papagei' (pāhpāhgʰ²i) *m* parrot.

Papie'r (pāhpeer) *n* paper; ♁**bogen** (-bōgʰᵉn) *m* sheet of paper; ♀**en** (of) paper; ♁**fabrik** (-fāhbreek) *f* paper-mill; ♁**korb** *m* (waste-)paper basket; ♁**waren** (-vāhrᵉn) *f/pl.* stationery.

Pa'pp|band *m* stiff paper binding; ♁**deckel** *m* pasteboard.

Pa'ppe (pāhpᵉ) *f* pasteboard.

Pa'ppel (pāhpᵉl) *f* poplar.

pa'ppeln (pĕp²ln) feed (with pap).

pa'pp|en paste; ♁**ig** pappy, pasty; ♀**schachtel** (-shāhкtᵉl) *f* cardboard box.

Papst (pāhpst) *m* pope.

pä'pstlich (pāhpstliç) papal.

Pa'psttum (pāhpstlōōm) *n* papacy.

Para'de (pāhrāhdᵉ) *f* review; *fenc.* parry; ♁**marsch** ⚔ *m* march past.

paradie'ren (pāhrāhdeerᵉn) parade.

Paradie's (pāhrāhdees) *n* paradise; ♀**isch** (-deéźĭsh) paradisiac(al).

parado'x (pāhrāhdóks) paradoxical.

Paragra'ph (pāhrāhgrāhf) *m* paragraph, section; (*das Zeichen §*) section-mark.

paralle'l (pāhrāhlél) ♀**e** *f* parallel.

Paraly'|se (pāhrāhlǖz²l) *f* paralysis; ♀**sie'ren** paralyse.

Parasi't (păhrăhzeet) *m* parasite.

Parenthe'se (păhrĕntézᵉ) *f* parenthesis.

Parfo'rcejagd (păhrfórsyăhkt) *f* hunting, coursing.

Parfü'm (păhrfüm) *n* perfume, scent; **2ie'ren** perfume, scent.

pa'ri (păhree) ✝ par; al ~ at par.

parie'ren (păhreer⁴n) *v*/*i*. (*dat.*) obey *a p.*; *v*/*t. Pferd:* pull up; *Stoß:* parry.

Park (păhrk) *m* park; **~'-aufseher** (-owfzéᵉr) *m* park-keeper; **2'en** park.

Parke'tt (păhrkĕt) *n* parquet; *thea.* stalls *pl.*, *Am.* parquet.

Pa'rkplatz *m* parking place, *Am.* parking lot.

Parlame'nt (păhrlăhmĕnt) *n* parliament; **2a'risch** (-ăhrĭsh) parliamentary.

Parodie' (păhrōdee) **2ren** parody.

Paro'le (păhrōlᵉ) ✗ *f* password, parole; *fig.* watchword.

Partei' (păhrtī) *f* party; ~ **ergreifen** *für* side with; **~gänger** *m* partisan; **2isch**, **2lich** partial; **~lichkeit** *f* partiality; **2los** impartial; *pol.* independent; **~tag** (-tăhk) *m* party rally; **~zugehörigkeit** (-tsōōgʰᵉ-hôrĭçkĭt) *f* party affiliation.

Parte'rre (păhrtĕr) *n* ground-floor, *Am.* first floor; *thea.* pit, *Am.* parterre.

Partie' (păhrtee) ✝ *f* parcel, lot; (*Land2*) excursion; *Kartenspiel:* game; *Tennis:* set; (*Heirat*) match.

Partitu'r (păhrtĭtōōr) ♪ *f* score.

Pa'rtner (păhrtn⁴r) *m*, **~in** *f* partner.

Parze'll|e (păhrtsĕlᵉ) *f* lot, allotment; **2ie'ren** parcel out.

Paß (păhs) *m* pass; (*Durchgang*) passage; (*Reise2*) passport.

Passagie'r (păhsăhჳeer) *m* passenger; **~flugzeug** (-flōōktsŏik) *n* air-liner.

Pa'ssah(fest) (păhsăh) *n* Passover.

Passa'nt (păhsăhnt) *m*, **~in** *f* passer--by, *pl.* passers-by.

Pa'ßbild *n* passport photograph.

pa'ssen (păhs⁴n) fit (a p.); (*zusagen*) suit (a p.); *Spiel:* pass; ~ *zu* go with, match (with); *sich* ~ be proper; **~d** fit; suitable; becoming; (*günstig*) convenient.

passie'r|bar (păhseerbăhr) practicable; **~en** *v*/*i.* (sn) (*geschehen*)

happen; *v*/*t.* pass; **2schein** (-shin) *m* permit.

Passio'n (păhs¹ōn) *f* passion; (*Liebhaberei*) hobby.

Passi'va (păhseevăh) ✝ *pl.* liabilities.

Pa'ste (păhstᵉ) *f* paste.

Paste'll (păhstĕl) *m* (*n*) pastel.

Paste'te (păhstétᵉ) *f* pie; **~nbäcker** *m* pastry-cook.

Pa'te (păhtᵉ) *m* godfather; *f* godmother; *m*, *f* (= **~nkind** *n*) godchild; **~nstelle** *f* sponsorship.

Pate'nt (păhtĕnt) *n* patent; *ein ~ anmelden* apply for a patent; **~-anwalt** *m* patent solicitor; **2ie'ren** patent; ~ *l.* take out a patent for; **~inhaber** (-ĭnhăhbᵉr) *m* patentee.

Patie'nt (păhts¹ĕnt) *m*, **~in** *f* patient.

Pa'tin (păhtĭn) *f* godmother.

Patrio't (păhtr¹ōt) *m*, **~in** *f* patriot.

Patro'n (păhtrōn) *m* patron, protector; (*oft b.s.*) fellow; **~a't** (-ăht) *n* patronage; **~e** *f* cartridge, *Am.* shell; **~in** *f* patroness, protectress.

Patrou'ill|e (păhtrōōl¹ᵉ) *f*, **2ie'ren** patrol.

Pa'tsche (păhtshᵉ) *f:* in der ~ sitzen be in a fix *od.* scrape; **2n** (h. u. sn) (*spritzen*) splash; (*schlagen*) slap.

pa'tzig (păhtsĭç) snappish.

Pau'ke (powkᵉ) *f* kettledrum; **2n** ⨍ *Schule:* cram.

Pauscha'lsumme (powshăhlzōōmᵉ) *f* lump sum.

Pau'se (powzᵉ) *f* pause, stop, interval; *Schule:* break, *Am.* recess; *thea.* interval, *Am.* intermission; (*Pauszeichnung*) tracing; **2n** trace; **~nzeichen** (-tsiç⁴n) *n Radio:* signature tune.

pausie'ren (powzeer⁴n) pause.

Pa'vian (păhv¹ăhn) *m* baboon.

Pa'villon (păhvĭl¹ōrɳ) *m* pavilion.

Pech (pĕç) *n* pitch; *fig.* bad luck.

Pedante'rie (pĕhdăhntᵉree) *f* pedantry.

Pe'gel (pégʰᵉl) *m* water-gauge.

pei'l|en (pil⁴n) *Tiefe:* sound; *Land:* take the bearings of; **2funk** (-fōōɳk) *m Radio:* directional radio.

Pei'n (pin) *f* pain, torture.

pei'nig|en (-ĭgʰ⁴n) torment; **2er** (-in *f*) *m* tormentor.

pei'nlich (pinlĭç) painful; (*unangenehm*) embarrassing; (*sehr genau*) precise, scrupulous.

Pei'tsche (pitsh⁶) f, ⚲n whip; **⚲n-hieb** (-heep) m lash.

Pe'lle (pĕl⁶) f, ⚲n skin, peel.

Pe'llkartoffeln (pĕlkährtŏf⁶ln) f/pl. potatoes in their jackets od. skin.

Pelz (pĕlts) m fur; (Fell) pelt; **⚲'-händler** m furrier; **⚲'handschuh** (-hähntshōō) m furred glove; **⚲'-mantel** m fur coat.

Pe'ndel (pĕnd⁶l) m u. n pendulum; ⚲n (h. u. sn) oscillate; **⚲verkehr** (-fĕrkér) m shuttle service.

Pensio'n (pähnz'ōn) f pension; ⚲ retired pay; (Kostgeld) board; (Kosthaus) boarding-house; (Kostschule) boarding-school; **⚲ä'r** m pensioner; boarder; **⚲a't** n boarding-school; ⚲ie'ren (pension off); sich ⚲ lassen retire.

Pe'nsum (pĕnzōōm) n task, lesson.

Pergame'nt (pĕrgähmĕnt) n parchment. [periodic(al).]

Perio'd|e (pĕr'ŏd⁶) f period; ⚲isch⟩

Peripherie' (pĕr'ifĕre⁶) f circumference; e-r Stadt: outskirts pl.

Pe'rle (pĕrl⁶) f pearl; (Glas⚲) bead; ⚲n sparkle; **⚲nschnur** (-shnōōr) f string of pearls.

Pe'rl|muschel (pĕrlmōōsh⁶l) f pearl-oyster; **⚲mutter** (-mŏŏt⁶r) f mother-of-pearl.

Pe'rser (pĕrz⁶r) m, ⚲isch Persian.

Perso'n (pĕrzōn) f person.

Persona'l (pĕrzōnähl) n staff; personnel; **⚲angaben** (-ähngáhb⁶n) f/pl. personal data; **⚲ausweis** (-owsvīs) m identity card.

Perso'nen|wagen (pĕrzōn⁶nváh-g⁶n) 🚃 m passenger-carriage, coach; **⚲zug** (-tsōōk) m passenger-train, Am. way train.

personifizie'ren (pĕrzōnifĭtseer⁶n) personify. **⚲keit** f person(ality).

persö'nlich (pĕrzōnliç) personal;⟩

Perü'cke (pĕrük⁶) f wig.

Pest (pĕst) f pestilence, plague; ⚲'-krank infected with the plague.

Petersi'lie (pét⁶rzeel'⁶) f parsley.

Petro'le·um (pĕtrōlē·ŏŏm) n petroleum, kerosene.

Pe'tschaft (pĕtshähft) n seal, signet.

Pfad (pfáht) m path; **⚲'finder** (-fínd⁶r) m/pl. Boy Scouts pl.; **⚲'-finderinnen** f/pl. Girl Guides pl.

Pfahl (pfáhl) m stake, pale, pile.

Pfand (pfähnt) n pledge; (Bürgschaft) security; im Spiel: forfeit; **⚲'brief** (-breef) m mortgage bond.

pfä'nden (pfĕnd⁶n) et.: seize, j-n od. et.: distrain upon.

Pfa'nd|haus (pfähnthows) n pawnshop; **⚲leiher** (-lī⁶r) m pawnbroker; **⚲schein** (-shīn) m pawn-ticket.

Pfä'ndung f seizure, distraint.

Pfa'nn|e (pfähn⁶) f pan; **⚲kuchen** (-kōōk⁶n) m pancake; Berliner ⚲ doughnut.

Pfa'rr... (pfähr-): **⚲bezirk** m parish; **⚲er** m parson; engl. Staatskirche: rector, vicar; Dissidenten: minister; **⚲gemeinde** (-g⁶mīnd⁶) f parish; **⚲haus** (-hows) n parsonage; engl. Staatskirche: rectory, vicarage; **⚲kirche** f parish-church.

Pfau (pfow) m peacock.

Pfe'ffer (pfĕf⁶r) m pepper; **⚲gurke** (-gōŏrk⁶) f gherkin; ⚲ig peppery; **⚲kuchen** (-kōōk⁶n) m gingerbread; **⚲mi'nze** f, **⚲mi'nzplätzchen** (-mĭntsplĕts⁶n) n peppermint; ⚲n pepper; gepfeffert fig. sharp.

Pfei'fe (pfīf⁶) f whistle; (Quer⚲) fife; (Orgel⚲, Tabaks⚲) pipe; ⚲n whistle; pipe. [-bowl.]

Pfei'fenkopf (pfīf⁶nkŏpf) m pipe-⟩

Pfeil (pfīl) m arrow. [pier.]

Pfei'ler (pfīl⁶r) m pillar; (Brücken⚲)⟩

Pfe'nnig (pfĕniç) m farthing.

Pferch (pfĕrç) m, ⚲'en fold, pen.

Pferd (pfért) n horse; zu ⚲ on horseback.

Pfe'rde... (-d⁶): **⚲geschirr** n harness; **⚲knecht** m groom; ostler; **⚲kraft** f = ⚲stärke; **⚲rennen** n horse-race; **⚲stall** m stable; **⚲-stärke** f horse-power.

Pfiff (pfif) m whistle; (Kunstgriff) trick; ⚲ig cunning, artful.

Pfi'ngst|en (pfĭngst⁶n) n, f, **⚲fest** n Whitsuntide; **⚲rose** (-rōz⁶) f peony; **⚲so'nntag** (-zŏntáhk) m Whitsunday.

Pfi'rsich (pfĭrziç) m peach.

Pfla'nze (pflähnts⁶) f, ⚲n plant.

Pfla'nzenfaser (pflähnts⁶nfáhz⁶r) f vegetable fibre.

Pfla'nzer (in f) m planter.

Pfla'nz|schule (-shōōl⁶) f nursery; **⚲stätte** f fig. hotbed, seminary; **⚲ung** f plantation; fig. settlement.

Pfla'ster (pflähst⁶r) n (Straßen⚲) pavement; 🩹 plaster; **⚲er** m paviour; ⚲n Straße: pave; 🩹 plaster; **⚲stein** (-shtīn) m paving-stone.

Pflau'me (pflowm⁶) f plum.

Pfle´ge (pflég$^{h e}$) f care (a. des Körpers); (Kranken∆) nursing; (Kunst∆, Garten∆ usw.) cultivation; ∼**befohlene(r)** m charge; ∼**eltern** pl. foster-parents; ∼**heim** (-him) n nursing home; ∼**n** v/t. take care of; Kind: foster; Kranken: nurse; Kunst, Garten: cultivate; v/i. be accustomed (od. used) to inf., be in the habit of ger.; nur Präteritum: I etc. used to; ∼**r(in** f) m fosterer; ❦ nurse; (Verwalter) trustee, curator; 🙾 guardian.

Pfle´g|ling (pflékliŋ) m foster-child; weitS. charge; ∼**schaft** 🙾 f guardianship.

Pflicht (pflíçt) f duty; **2´-eifrig** (-îfrîç) = ∆treu; ∼**gefühl** n sense of duty; **2´gemäß** (-gh^{e}mäs), **2´-mäßig** conformable to one's duty; **2´schuldig** (-shōōldíç) in duty bound; ∼**treue** (-tröi^e) f dutifulness; **2´vergessen** undutiful.

Pflock (pflök) m plug, peg.

pflü´cken (pflük^{e}n) gather, pluck.

Pflug (pflōōk) m, **pflü´gen** (pflüg$^h e$n) plough, Am. plow.

Pfo´rte (pfört^e) f gate, door.

Pfö´rtner (pförtn^{e}r) m doorkeeper, porter; Am. janitor.

Pfo´sten (pfôst^{e}n) m post.

Pfo´te (pfôt^e) f paw.

Pfriem (pfreem) m awl, bodkin.

Pfropf (pfröpf), ∼**en** m stopper; (Kork∆) cork; weitS. plug; **2´en** stopper; cork; (stopfen) cram; 🍃 graft; ∼**enzieher** (-tsee^{e}r) m corkscrew.

Pfuhl (pfōōl) m pool, puddle.

pfui (pfōōi) fie!, for shame!

Pfund (pfōōnt) n pound; **2´weise** by the pound.

pfu´sch|en (pfōōsh^{e}n) bungle, botch; ∼ in (acc.) dabble in a th.; **2´erei** f bungling (work).

Pfü´tze (pfüts^e) f pool, puddle.

Phänome´n (fänömén) n phenomenon; **2a´l** phenomenal.

Phantasie´ (fähntähzee) f fancy; imagination; ♪ fantasia; **2´ren** indulge in fancies; ❦ rave; ♪ improvise.

Phanta´st (fähntähst) m, ∼**in** f visionary; **2isch** fantastic.

Philanthro´p (fílähntröp) m, ∼**in** f philanthropist.

Philolo´g (fílölök), ∼**e** m, ∼**in** f philologist; ∼**ie** f philology.

Philoso´ph (fílözöf) m philosopher; **2ie´ren** philosophize.

Phle´gma (flégmäh) n phlegm.

phlegma´tisch phlegmatic.

phone´tisch (fönétîsh) phonetic.

Pho´sphor (fôsför) m phosphorus.

Photogra´ph (fôtögrähf) m photographer; ∼**ie´** f Bild: photograph; Kunst: photography; **2ie´ren** photograph; **2isch** photographic.

Photokopie´ (fôtököpée) f photostat(ic copy).

Phra´se (frähz^e) f phrase.

Physi´k (füzeek) f physics sg.

Phy´siker (füzík^{e}r) m physicist.

phy´sisch (füzîsh) physical.

Pi´cke (pík^e) f pick(axe).

Pi´ckel (pík^{e}l) m pimple.

pi´ck(e)lig pimpled, pimply.

pi´cken (pík^{e}n) pick, peck.

pie´pen (peep^{e}n) peep; squeak.

Pietä´t (piétät) f piety, reverence; **2los** irreverent; **2voll** (-föl) reverent.

Pik (peek) n Kartenspiel: spade(s pl.); m (Groll) pique.

pika´nt piquant, fig. a. spicy; das ∼**e** (the) piquancy.

Pi´ke (peek^e) f pike; von der ∼ auf dienen rise from the ranks.

pi´kfein (peekfîn) F tiptop, smart, slap-up.

Pi´lger (pílg$^h e$r) m, ∼**in** f pilgrim; ∼**fahrt** f pilgrimage.

Pi´lle (píl^e) f pill.

Pilo´t (pílôt) m pilot.

Pilz (pîlts) m eßbarer: mushroom; nicht eßbarer: toadstool.

pi´mp(e)lig (pímp[^{e}]líç) effeminate.

Pi´nsel (pînz^{e}l) m brush; fig. simpleton; **2n** paint; (schmieren) daub; ∼**strich** m stroke of the brush.

Pinze´tte (pîntsèt^e) f (e-e a pair of) tweezers pl.

Pionie´r (piôneer) m pioneer; ✗ (combat) engineer. [piracy.]

Pira´t (píräht) m pirate; ∼**erie´** f]

Pisto´le (pîstôl^e) f pistol.

pla´ck|en (plähk^{e}n) harass; sich ∼ drudge; **2erei´** f drudgery.

plädie´ren (plädeer^{e}n) plead.

Plädoye´r (plädöähýé) n pleading.

Pla´ge (plähg^e) f plague, trouble, nuisance; torment; **2n** plague, trouble, bother; sich ∼ toil, drudge.

Plagia´t (pláhg^{h}iäht) n plagiarism.

Plaka´t (plähkäht) n placard, bill, poster.

Plan (plähn) *m* plan; (*Entwurf*) scheme; ~e *f* tilt, awning; 2'en plan, scheme.

planie'ren (plähneer'en) level.

Pla'nke (plähn͜k'e) *f* plank.

plä'nkeln (plěn͜k'eln) skirmish.

pla'n|los without a fixed plan, planless, desultory; ~mäßig (-mäsi͜g) planned, systematic.

pla'nschen (plähnsh'en) splash.

Planta'ge (plähntähˌG'e) *f* plantation.

Pla'pper|maul (plähp'ermowl) *n* chatterbox; 2n (plähp'ern) babble, chatter, prattle.

plä'rren (plěr'en) blubber; *singend*: bawl.

Pla'tin (plähteen) *n* platinum.

plä'tschern (plětsh'ern) dabble, (s)plash; *Wasser*: ripple.

platt (plähtt) flat, plain, level; (*nichtssagend*) trite, trivial, commonplace.

Plä'ttbrett *n* ironing-board.

Pla'tte (plähtt'e) *f* plate; *Metall usw.*: sheet; (*Stein*2) flag, slab; (*Tisch*2) top; (*Tablett*) tray, salver; (*Schall*2) disk, record.

Plä'tt|eisen *n* (smoothing-)iron; 2en (plět'en) iron.

Plätterei' (plět'erī) *f* ironing shop.

Pla'tt|form *m* platform; ~fuß (-fōōs) *m* flat foot; ~heit *fig.* triviality; (*nichtssagende Bemerkung*) platitude.

Platz (plähts) *m* place; (*Raum*) space, room; (*öffentlicher* ~) square; *runder*: circus; (*Sitz*) seat; *Sport*: ground, *Tennis*: court; ~ nehmen take a seat.

pla'tzen (plähts'en) (sn) burst; (*Risse bekommen*) crack.

Pla'tz|patrone (plähtspähtrōn'e) *f* blank cartridge; ~regen (-rēgh'en) *m* downpour.

Plauder|ei' (plowd'erī) *f* chat, small-talk; *Vortrag im Plauderton*: talk; 2n talk, chat(ter).

plauz! (plowts) bounce!, bang!

Plei'te (plīt'e) *sl. f* smash.

Plissee' (plisé) *n* pleating.

Plo'mb|e (plōmb'e) *f* lead seal; (*Zahn*2) stopping; 2ie'ren (-eer'en) seal; *Zahn*: stop.

plö'tzlich (plőtslí͜g) sudden.

plump (plōōmp) clumsy; ~s! plop!, plump!; ~'sen (sn) plump, plop.

Plu'nder (plōōnd'er) *m* lumber, rubbish, *Am.* junk.

plü'ndern (plünd'ern) plunder, pillage, loot, sack.

Plüsch (plüsh) *m* plush.

Pneuma't|ik (pnöimäht'ik) *m* pneumatic tire; 2isch pneumatic.

Pö'bel (pőb'el) *m* mob, populace, rabble; 2haft low, vulgar.

po'chen (pŏx'en) knock; (*leise* ~) rap; *Herz*: throb; ~ auf (*acc.*) boast of.

Po'cke (pŏk'e) *f* pock; ~n *pl.* small-pox; ~n-narbe *f* pock-mark.

Poesie' (pŏézee) *f* poetry.

Poe't (pŏét) *m* poet; ~in *f* poetess; 2isch poetic(al).

Poi'nte (pŏät'e) *f* point.

Poka'l (pŏkähl) *m* goblet; *Sportpreis*: cup; ~spiel (-shpeel) *n* *Sport*: cup-tie.

Pö'kel (pők'el) *m* pickle; ~fleisch (-flish) *n* salt meat; 2n pickle, salt.

Pol (pōl) *m* pole; *≰ a.* terminal.

Pola'r... (pŏlähr) polar.

Po'le (pōl'e) *m*, **Po'lin** *f* Pole.

Pole'm|ik (pŏlémik) *f* polemic(s *pl.*); 2isie'ren (-īzeer'en) polemize.

Poli'ce (pŏleeß*) *f* policy.

Polie'r (pŏleer) *m* foreman; 2en polish, burnish.

Poli't|ik (pŏliteek) *f* politics *pl.*; (*praktische* ~) policy; ~iker (pŏleetik'er) *m* politician; 2'isch political; 2isie'ren (-izeer'en) talk politics.

Politu'r (pŏlitōōr) *f* polish.

Polizei' (pŏlitsī) police; ~knüppel *m* truncheon; ~kommissar *m* inspector; 2lich of the police; ~präsident (-prězidĕnt) *m* Chief Constable; ~präsidium (-prězed-iōōm) *n* police-headquarters; ~revier (-rěveer) *n*, ~wache (vähx'e) *f* police-station; ~streife (shtrīf'e) *f* patrol; raid; ~stunde (-shtōōnd'e) *f* closing time; ~ver-ordnung (-fěrōrdnōōr͜g) *f* police regulation(s *pl.*); 2in *f* police-woman.

Polizi'st (pŏlitsíst) *m* policeman;

po'lnisch (pŏlnish) Polish.

Po'lster (pŏlst'er) *n* pad; (*Kissen*) cushion; bolster; = ~ung (-mōb'el) *n/pl.* upholstery; 2n pad, stuff; upholster; ~ung *f* padding, stuffing.

po'ltern (pŏlt'ern) make a noise; rumble; (*zanken*) bluster.

Polyte'chnikum (pŏlitěͨgníkōōm) *n* polytechnic (school).

Pomp (pŏmp) *m* pomp; **2'haft**, **2ö's** (-ðs) pompous.

Po'panz (pōpǎhnts) *m* bugbear.

populä'r (pópōōlǎr) popular.

Po'r|e (pōrₑ) *f* pore; **2ö's** (-ðs) porous.

Porte|feui'lle (pŏrtfō̄iₑ) *n* portfolio; **~monnaie'** (-mŏnǎ) *n* purse.

Portie'r (pŏrt'é) *m* = Pförtner.

Portio'n (pŏrtsiōn) *f* portion; ✕, ⚓ ration; (*servierte* ~) helping.

Po'rto (pŏrtō) *n* postage; **2frei** (-frī) post-free, prepaid, *Am.* post paid; **2pflichtig** liable to postage.

Porträ't (pŏrtrǎ) *n* portrait, likeness; **2ie'ren** (pŏrtrǎteerₑn) portray.

Portugie's|e (pōrtōōgⁿeezₑ) *m*, **~in** *f*, **2isch** Portuguese.

Porzella'n (pŏrtslǎhn) *n* china, porcelain.

Posau'ne (pōzownₑ) *f* trombone; *fig.* trumpet.

Po'se (pōzₑ) *f* (*Feder*2) quill; (*Stellung*) pose.

positi'v (pōziteef) positive.

Positu'r (pōzitōōr) *f* posture; *sich in* ~ *setzen* strike an attitude.

Po'sse (pŏsₑ) *f* farce.

Po'ssen *m* trick, prank; **2haft** droll, farcial; **~reißer** (pŏsₑnrīsₑr) *m* buffoon.

possie'rlich (pŏseerlĭç) droll, funny.

Post (pŏst) *f* post, *bsd. Am.* mail; = ~amt; *mit der ersten* ~ *by the first delivery;* **~'-amt** *n* post office; **~'-anweisung** (-ǎhnvīzōōᵑ) *f* money-order; **~'be-amte(r)** (-bōtₑ) *m* post-office clerk; **~'bote** (-bōtₑ) *m* postman; **~'dampfer** *m* mail-boat.

Po'sten (pŏstₑn) *m* post; ✕ sentry, sentinel; (*gebuchter* ~) item, entry; *Waren:* lot, parcel.

postie'ren (pŏsteerₑn) post, place.

Po'st|karte *f* post card; **2lagernd** (-lǎhgⁿₑrnt) to be (left till) called for, (*fr.*) *poste restante;* **~nachnahme** *f:* *gegen* ~ cash on delivery; **~paket** (-pǎhkét) *n* parcel (*Am.* package) sent by post; **~schaffner** *m* mail-guard; **~schalter** *m* counter; **~scheck** *m* postal cheque; **~schließfach** (-shleessfǎhk) *n* post-office box; **~stempel** *m* postmark, *Am.* mail stamp; 2-

wendend *by return (of post);* **~wesen** (-vézₑn) *n* postal system; **~zug** (-tsōōk) 🚂 *m* mail-train.

poussie'ren (pōōseerₑn) F flirt.

Pracht (prǎhkt) *f* splendour, magnificence.

prä'chtig (prĕçtĭç), **pra'chtvoll** (prǎhktfŏl) splendid, magnificent.

prä'gen (prǎgʰₑn) stamp (on in *das Gedächtnis*); *Münze, Wort usw.:* coin.

pra'hlen (prǎhlₑn) brag, boast (*mit* of).

Pra'hler (*a.* **Pra'hlhans**) *m*, **~in** *f* boaster, braggart; **~ei'** *f* boasting; **2isch** boastful; (*prunkend*) ostentatious.

Prakt|ika'nt (prǎhktĭkǎhnt) *m* probationer; **~'iker** *m* practical man; expert; **2'isch** practical; **~er Arzt** general practitioner; **2izie'ren** (ĭ-tseerʰₙ) practise.

Prä'lat (prĕlǎht) *m* prelate.

prall (prǎhl) (*straff*) tight; (*feist*) plump; **~'en** (sn) bound (against).

Prä'mie (prǎmⁱₑ) *f* premium; (*Preis*) prize.

prämii'ren (prǎmeerʰₙ) award a prize to.

pra'ng|en (prǎhᵑₑn) shine, make a show; **2er** *m* pillory.

Pra'nke (prǎhᵑkₑ) *f* paw.

pränumera'ndo (prĕnōōmⁱrǎhndō) beforehand, in advance.

Präpara't (prĕpǎhrǎht) *n* preparation.

Präs|ide'nt (prĕzĭdĕnt) *m* chairman, president; **2idie'ren** (prĕzĭdeerʰₙ) preside; **~i'dium** (prĕzeed'iōm) *n* chair.

pra'sseln (prǎhsₑln) crackle; patter.

pra'ssen (prǎhsₑn) feast; revel.

Pra'xis (prǎhksĭs) *f* practice.

Präzede'nzfall (prĕtsĕdĕntsfǎhl) *m* precedent, leading case.

präzi's (prĕtsees) precise.

pre'dig|en (prédĭgʰₑn) preach; **2er** *m* preacher; (*Geistlicher*) clergyman; **2t** *f* sermon.

Preis (pris) *m* price, cost; (*Belohnung*) prize; (*Lob*) praise; *um jeden* ~ *at any price;* **~'-aus-schreiben** (-owsshrībⁿn) *n* competition.

prei'sen (prīzₑn) *f* praise.

Prei's|-erhöhung (prīsⁿhōōⁿᵑ) *f* rise in price(s); **~-ermäßigung** (-ĕrmǎsigōōᵑ) *f* reduction in price(s); **~gabe** (-gǎhbⁿ) *f* abandonment; ⊵geben (-gʰébᵉn) abandon, expose; ⊷gericht *n* jury; ⊷lage (-lāhgʰᵉ) *f* range of price; ⊷liste *f* price-list; ⊷richter *m* arbiter, umpire; ⊷träger(in *f*) *m* prize-winner; ⊷wert (-vért): ⊷ sn be a bargain.

Pre'll|bock (prélbŏk) *m* buffer-stop; ⊵en *fig.* cheat, defraud (*um* of); ⊷stein (-shtīn) *m* kerb-stone; ⊷ung ☞ *f* contusion.

Premie're|r (prᵉmʼârᵉ) first night; ⊷minister *m* prime minister.

Pre'sse (présᵉ) *f* press; ⊷amt *n* public relations office; ⊵en press; squeeze; ⊷photograph (-fōtōgrähf) *m* press-photographer; ⊷vertreter *m* public relations officer.

Pre'ß|kohle (préskōlᵉ) *f* briquette; ⊷luft (-lööft) *f* compressed air.

Preu'ß|e (próisᵉ) *m*, ⊷in *f*, ⊵isch Prussian.

pri'ckeln (prĭkᵉln) prick(le); itch.

Priem (preem) *m* quid, plug.

Prie'ster (preestᵉr) *m* priest; ⊷in *f* priestess; ⊵lich priestly, sacerdotal.

pri'm|a (preemâh) first-class, A 1; ✝ *a.* prime; ⊷ä'r primary.

Pri'mel (preemᵉl) *f* primrose.

Prinz (prĭnts) *m* prince; ⊷e'ssin *f* princess; ⊷'gemahl *m* Prince Consort.

Prinzi'p (prĭntseep) *n* principle; *aus* (*od.* im) ⊷ principiell on principle; ⊷a'l (-āhl) *m* principal, chief; (*Brotherr*) employer; F boss.

Priorität' (preeŏrĭtät) *f* priority; ⊷s-aktie (-āhkts'ᵉ) *f* preference share.

Pri'se (preezᵉ) *f* pinch (of snuff); ♣ prize.

Pri'sma (prĭsmâh) *n* prism.

Pri'tsche (prĭtshᵉ) *f* plank-bed.

priva't (prĭväht) private; ⊵mann *m* private gentleman; ⊵schule (-shōōlᵉ) *f* private school.

privi'|legie'ren (prĭvĭlēgʰeerᵉn), ⊵leg (-lḗgʰ) *n* privilege.

proba't (prōbäht) proved, tested.

Pro'be (prōbᵉ) *f* trial; (*Beweis*) proof; (*Prüfung*) probation; (*Sprech-, Gesang*⊵) audition; (*Waren*⊵) sample; *thea.* rehearsal; *metall.* assay; *auf* ⊷ on probation, on trial; *auf die* ⊷ *stellen* put to the test; ⊷abzug (-āhptsōōk) *m* *typ.*, *phot.* proof; ⊷bestellung *f*

trial order; ⊷fahrt *f* trial trip; ⊵n try; *thea.* rehearse; ⊷nummer (-nŏōmᵉr) *f* specimen number; ⊷sendung (-zĕndōōŋ) *f* sample sent on approval; ⊵weise on trial; ⊷zeit (-tsit) *f* term of probation.

probie'ren (prōbeerᵉn) try, test; (*kosten*) taste.

Proble'm (prŏblém) *n* problem; ⊵a'tisch problematic(al).

Produ'kt (prōdŏōkt) *n* product; (*Natur*⊵) produce; ⊷io'n (prōdōōkts'ōn) *f* production; (*⊷smenge*) output; ⊵i'v (-eef) productive.

Produze'|nt (prōdŏōtsént) *m* producer; ⊵ie'ren produce; *sich künstlerisch* ⊷ perform.

Professio'n (prŏfĕs'ōn) *f* profession; (*Handwerk*) trade.

Profe'ss|or (prŏfésŏr *m* professor; ⊷u'r (-ōōr) *f* professorship.

Profi'l (prōfeel) *n* profile.

Profi't (prōfeet) *m*, ⊵ie'ren (-eerᵉn) profit (by).

Progno'se (prŏgnōzᵉ) *f* ☞ prognosis; (*Wetter*⊵) forecast.

Progra'mm (prōgrähm) *n* programme, *Am.* program.

proklamie'ren (prŏklähmeerᵉn) proclaim.

Proku'r|a (prōkōōrâh) *f* procuration; ⊷i'st *m* confidential clerk.

Proleta'r|ier (prōlétâhr'ᵉr) *m*, ⊵isch proletarian.

Prolo'g (prōlōk) *m* prologue.

prolongie'ren (prōlŏŋgʰeerᵉn) prolong.

Promo|tio'n (prōmōts'ōn) *f* graduation; ⊵vie'ren (-veerᵉn) take one's degree.

Prophe't (prōfét) *m* prophet; ⊷in *f* prophetess; ⊵isch prophetic.

prophezei'|en (prōfétsi'ᵉn) prophesy; ⊵ung *f* prophecy.

Pro'sa (prōzäh) *f* prose.

pro's(i)t! (prŏzit, prŏst) here's to you!, your health!

Prospe'kt (prŏspĕkt) *m* (*Anzeige*) prospectus; booklet, folder.

prostitu|ie'ren (prōstĭtōōeerᵉn) prostitute; ⊵ie'rte (-eertᵉ) *f* prostitute.

Prote'st (prōtĕst) *m* protest; ⊷ einlegen enter a protest.

Protesta'nt (prōtĕstähnt) *m*, ⊷in *f*, ⊵isch Protestant.

protestie'ren (prōtĕsteerᵉn) protest.

Protoko'll (prōtŏköl) n minutes pl., record; ~ aufnehmen take down the minutes; 2ie'ren register, record.

Protz (prŏts) m ostentatious person, snob; 2'en show off (mit et. a th.); 2'enhaft, 2'ig ostentatious, snobbish, Am. shoddy.

Provia'nt (prŏv'iăhnt) m provisions, victuals pl.

Provi'nz (prŏvĭnts) f province; ~ia'l..., 2ie'll provincial.

Provis|io'n (prŏvĭz'iŏn) f commission; 2o'risch (-zōrĭsh) provisional, temporary. [voke.]

provozie'ren (prŏvōtseerĕn) pro-]

Proze'nt (prŏtsĕnt) n per cent; ~satz (-zähts) m, 2ua'l (-ōōähl) percentage.

Proze'ß (prŏtsĕs) m process; zᵗᵖ̃ lawsuit, action; (Rechtsgang) (legal) proceedings pl.; kurzen ~ m. mit make short work of.

prozessie'ren (prŏtsĕseerĕn) be at (od. go to) law.

prü'de (prüdĕ) prudish.

prüf|en (prüfĕn) try, test; (nach~) check, verify; (examinieren) examine; 2ling m examinee; 2stein (-shtīn) m touchstone, test; 2ung f trial, test; verification; examination.

Prü'gel (prügĕl) m cudgel, stick; pl. (Schläge) thrashing; ~ei' f fight, row; 2n cudgel, thrash; sich ~ fight.

Prunk (prŏořŋk) m pomp, splendour; b.s. ostentation; 2'en make a show (mit of), show off (mit et. a th.); 2'haft ostentatious, showy; 2'los unostentatious.

pst! (pst) hush!, stop!

psy'chisch (psü'chĭsh) psychic(al).

Psycho-analy'|se (psü'çŏ-ăhnăhlüzᵉ) f psycho-analysis; ~tiker m psycho-analyst.

Pubertä't (pōōbĕrtäht) f puberty.

Pu'blikum (pōōblĭkōŏm) n public; (Zuhörerschaft) audience.

publiz|ie'ren (pōōblĭtseerĕn) publish; 2i'st m publicist.

Pu'del (pōōdᵉl) m poodle.

Pu'der (pōōdᵉr) m powder; ~dose (-dōzᵉ) f powder-box; für die Handtasche: vanity-case; 2n powder; ~quaste (-kvăhstᵉ) f powder-puff.

Puff (pōŏf) 1. m cuff, thump; (Knall) report, pop; (Bausch) puff;

2. 2 puff!, bang!; 2'en v/i. puff; (knallen) pop; v/t. cuff, thump; pummel.

Pu'ffer (pōŏfᵉr) m 🏭 buffer.

Puls (pōŏls) m pulse; ~'-ader (-ăhdᵉr) f artery; 2ie'ren (pōŏlzeeren) pulsate; ~schlag (-shlăhk) m pulsation; ~'wärmer m muffetee.

Pult (pōŏlt) n desk.

Pu'lver (pōŏlfᵉr, -v-) n powder; (Schieß2) gunpowder; 2ig powdery; 2isie'ren (-īzeerᵉn) pulverize.

Pump (pōŏmp) F m: auf ~ on tick; ~'e f pump; 2'en pump; F go (od. give) (on) tick; ~'hose (-hōzᵉ) f plus-fours pl.

Punkt (pōŏŋkt) m point; (Tüpfelchen) dot; typ., gr. full stop, period; (Stelle) spot; fig. (Einzelheit) article, item; nach ~en siegen Boxen: win on points; ~ 10 Uhr at 10 (o'clock) sharp; 2ie'ren point, dot; gr. punctuate.

pü'nktlich (pü̃ŋktlĭç) punctual; 2keit f punctuality.

Punsch (pōŏnsh) m punch.

Pupi'lle (pōŏpĭlᵉ) f pupil.

Pu'ppe (pōŏpᵉ) f doll; (Draht2, a. fig.) puppet; zo. chrysalis; ~nspiel (-shpeel) n puppet-show.

Pu'rpur (pōŏrpōŏr) m, 2farben, 2rot (-rōt), 2n purple.

Pu'rzel|baum (pōŏrtsᵉlbowm)○m somersault; 2n (sn) tumble.

Pu'stel (pōŏstᵉl) f pustule.

pu'sten (pōŏstᵉn) F puff, blow.

Pu'te| (pōŏtᵉ), ~henne f turkey-hen; ~er, ~hahn m turkey-cock.

Putsch (pōŏtsh) m, 2'en riot.

Putz (pōŏts) m finery; (Schmuck) ornaments pl.; (Mauer2) rough-cast; = ~waren; 2'en P.: dress, attire; (schmücken) adorn; (reinigen) clean; (glänzend m.) polish; Lampe: trim; Pferd: groom; Schuhe: polish, Am. shine; Nase: blow, wipe; Zähne: brush; Gemüse: pick; 2'ig queer; ~'laden (-lăhdᵉn) m milliner's shop; ~'macherin (-măhkᵉrĭn) f milliner; ~'pulver (-pōŏlfᵉr) n polishing powder; ~'waren (-văhrᵉn) f/pl. millinery.

Pyja'ma (pűyähmăh, pĭdG-) n, m pyjamas (Am. pajamas) pl.

Pyrami'de (pűrăhmeedᵉ) f pyramid; 2nförmig pyramidal.

Q

qua′bbelig (kvă*h*b*ᵉ*lĭç) flabby.

Quackelei′ (kvă*h*k*ᵉ*li) *f* foolish talk.

Qua′cksalber (kvă*h*kză*h*lb*ᵉ*r) *m* quack; **~ei′** *f* quackery; **2n** quack.

Quadra′t (kvă*h*drā*h*t) *n* square; *2 Fuß im* **~** 2 feet square; **2isch** quadratic; **~meile** (-mīl*ᵉ*) *f* square mile.

Quai (ké) *m* quay, wharf.

qua′ken (kvă*h*k*ᵉ*n) *Ente:* quack; *Frosch:* croak.

quä′ken (kväk*ᵉ*n) squeak.

Quä′ker (kväk*ᵉ*r) *m* Quaker, Friend.

Qual (kvā*h*l) *f* pain; torment; agony.

quä′len (kväl*ᵉ*n) torment; (*ärgern*) vex, worry; (*belästigen*) bother, pester; (*betrüben*) afflict; *sich* **~** toil.

qualifizie′ren (kvă*h*lĭfītseer*ᵉ*n) (*a. sich*) qualify (*zu* for).

Qualitä′t (kvă*h*lĭtät) *f* quality; **~s...** high-class.

Qualm (kvä*h*lm) *m*, **2′en** smoke.

qua′lvoll (kvā*h*lföl) very painful, tormenting.

Qua′nt|ität (kvă*h*ntĭtät) *f* quantity; **~um** (kvă*h*ntŏŏm) *n* quantum, quantity.

Quarantä′ne (kă*h*rᴀtän*ᵉ*, -ᾰhn₂-) *f*: *in* **~** *legen* quarantine.

Quarta′l (kvă*h*rtā*h*l) *n* quarter of a year; (*Schul2*) term; (*Zahltag*) quarter-day.

Quartie′r (kvă*h*rteer) *n* lodging(s *pl.*); **X** quarters *pl.*, billets *pl.*

Qua′ste (kvă*h*st*ᵉ*) *f* tassel.

Quatsch (kvă*h*tsh) *sl. m* bosh, rot, *Am.* baloney; **2′en** talk rot, twaddle; **~′kopf** *m* twaddler.

Que′cksilber (kvĕkzĭlb*ᵉ*r) *n* quicksilver.

Que′lle (kvĕl*ᵉ*) *f* spring, (*a. fig.*) source, fountain; **2n** *v/i.* (sn) spring; gush; (*anschwellen*) swell; *v/t.* (*einweichen*) soak.

Que′ngel|ei′ (kvĕn₂*ᵉ*li) *f* nagging; **2n** nag.

quer (kvér) cross, transverse; oblique; *adv.* across, obliquely.

Que′r... *mst* cross-...; **~e** *f*: *in die* **~** crosswise; *j-m in die* **~** *kommen* cross a p.'s path *od.* (*fig.*) design; **~frage** (-frā*h*g*ᵉ*) *f* cross-question; **~kopf** *m* wrong-headed fellow, crank; **~schnitt** *m* cross section; **~straße** (-shtrā*h*s*ᵉ*) *f* cross street; *zweite* **~** *rechts* second turning to the right; **~treiberei′** (-trīb*ᵉ*ri) *f* intriguing.

Querula′nt (kvĕrŏŏlă*h*nt) *m*, **~in** *f* grumbler, *Am.* griper.

que′tsch|en (kvĕtsh*ᵉ*n) squeeze; ⚕ bruise; **2ung** *f* bruise.

quick (kvĭk) lively, brisk.

quie′ken (kveek*ᵉ*n) squeak.

quie′tschen (kveetsh*ᵉ*n) scream; *Tür usw.:* squeak, creak.

Quirl (kvĭrl) *m* twirling-stick; **2′en** twirl; *Eier usw.:* whisk.

quitt (kvĭt) quits, even; **~ie′ren** (-eer*ᵉ*n) receipt; (*aufgeben*) quit; **2′ung** *f* receipt.

Quo′te (kvōt*ᵉ*) *f* quota; share.

R

Raba'tt (răhbäht) *m* discount.
Ra'be (răhb^e) *m* raven.
rabia't (răhbiäht) rabid, raving.
Ra'che (răhκ^e) *f* revenge, vengeance.
Ra'chen (răhκ^en) *m* throat, *anat.* pharynx; (Tier⌇) jaws *pl.*
rä'chen (rĕç^en) avenge, revenge (*an dat.* [up]on).
Ra'chen|höhle *f* pharynx; ~katarrh (-kähtähr) *m* cold in the throat.
ra'ch|gierig (răhκgeeriç), ~süchtig (-zŭçtiç) revengeful, vindictive.
Rad (răht) *n* wheel; (Fahr⌇) (bi)cycle, machine.
Radau' (răhdow) F *m* row, hubbub.
ra'debrechen (răhd^ebrĕç^en) mangle, murder *a language.*
ra'deln (răhd^eln) (sn) cycle; F bike.
Rä'delsführer (răd^elsfür^er) *m* ringleader.
Rä'derwerk (răd^ervĕrk) *n* gearing.
ra'd|fahren (răhtfähr^en) (sn) cycle, (go on) bicycle; ⌇fahrer(in *f*) *m* cyclist, *Am.* wheelman; ⌇fahrsport *m* cycling.
radie'r|en (răhdeer^en) erase; *Kunst:* etch; ⌇gummi (-gŏomee) *n u. m* India rubber, *Am.* eraser; ⌇messer *n* erasing knife; ⌇ung *f* etching.
radika'l (răhdikähl) radical.
Ra'dio (răhd'iŏ) *n* radio, wireless; ~apparat (-ähpähräht) *m* wireless set.
Ra'd|kranz (răh rim; ~reifen (-rîf^en) *m* tyre, *Am.* tire; ~rennbahn *f* cycling ground; ~rennen *n* cycle-race; ~spur (-shpŏŏr) *f* rut, wheeltrack. [gather up.]
ra'ffen (răhf^en) snatch up; *Kleid:*]
raffinie'rt (răhfîneĕrt) refined; *fig.* cunning.
ra'gen (răhgh^en) tower.
Ragou't (răhgŏo) *n* ragout, stew.
Ra'he (răh^e) ♱ *f* yard.
Rahm (răhm) *m* cream.
Ra'hmen (răhm^en) 1. *m* frame; (Bereich) scope; (Ort u. Handlung) setting; 2. *f* frame; ~antenne *f* frame aerial, *Am.* loop antenna.

Rake'te (răhkét^e) *f* rocket; ~nflugzeug (-flŏŏktsŏik) *n* rocket plane.
Ra'mm... (răhm-): ~bär, ~block *m*, ~e *f* rammer; ⌇en ram.
Ra'mpe (răhmp^e) *f* ramp, ascent; ~nlicht *n* footlights *pl.*
Ramsch(ware [văhr^e] *f*) (răhmsh) *m* job lot; *im* ~ *kaufen* buy the lump; ~'verkauf (-fĕrkowf) *m* jumble-sale.
Rand (răhnt) *m* edge, (*a. fig.*) brink; *fig.* verge; (Saum) border; *Hut:* brim; *Teller:* rim; *Buch usw.:* margin; *Wunde:* lip; ~'bemerkung *f* marginal note.
Rang (răh) *m* rank; *ersten* ~es first-class, first-rate; *thea.* *erster* ~ dress-circle; *zweiter* ~ upper circle.
Ra'nge (răhŋ^e) *m, f* romp.
rangie'ren (răh Geer^en) (sn) *f* rank; ⌇ier *v/t.* arrange; ~ (*a. v/i.*) shunt, *Am.* switch; *v/i.* rank.
Ra'ngordnung (răh ŏrdnŏo ŋ) *f* order of precedence.
Ra'nke (răh k^e) *f* tendril; runner.
Rä'nke (rĕŋk^e) *m/pl.* intrigues.
ra'nken (răh ŋk^en) (*a. sich*) climb, creep.
Ra'nzen (răhnts^en) *m* knapsack.
ra'nzig (răhntsiç) rancid, rank.
Ra'ppe (răhp^e) *m* black horse.
rar (răhr) rare, scarce.
Rarita't (răhrităt) *f* rarity, curiosity.
rasch (răhsh) quick, swift; hasty; prompt; ~'eln rustle.
ra'sen[1] (răhz^en) rage; (*irre reden*) rave; (sn) (*daher~*) rush; ~d Tempo, Wut: tearing; *j-n* ~ *m.* drive a p. mad.
Ra'sen[2] (răhz^en) *m* grass; lawn; turf; ~platz *m* lawn, grass-plot.
Rasere'i (răhz^erî) *f* rage, frenzy.
Rasie'r|-apparat (răhzeerähpähräht) *m* safety-razor; ⌇en shave; *sich* ~ *l.* get a shave; ~klinge *f* razor-blade; ~messer *n* razor; ~pinsel (-pînz^el) *m* shaving-brush; ~schale (-shähl^e) *f* sh.-mug; ~seife (-zîf^e) *f* sh.-soap.
Ra'sse (răhs^e) *f* race, breed.

ra'sseln (răhs⁵ln) (h. u. sn) rattle.

Ra'ssen... racial; **~frage** (-frāhg^hᵉ) f question of racial prejudice; **~hygiene** (-hügʰiénᵉ) f eugenics pl.; **2rein** (-rin) true-bred.

ra'ssig (răsic̦) racy, bsd. Tier: thoroughbred.

Rast (răhst) f, **2'en** rest; **2'los** restless; **~'tag** (-tāhk) m day of rest.

Rat (răht) m advice, counsel; (Kollegium) council, board; (Person) councillor; (Ausweg) means, expedient; zu **~e** ziehen consult; j-n um **~** fragen ask a p.'s advice.

Ra'te (rāhtᵉ) f instalment.

ra'ten (rāhtᵉn) advise, counsel (j-m [zu et.] a p. [to do a th.]); (er~) guess, divine.

ra'ten|weise by instalments; **2zahlung** f payment by instalments.

Ra't|geber(in f) (rāhtg^hébᵉr) m adviser; **~haus** n town hall, Am. city hall.

ratifizie'ren (rāhtifitseer⁵n) ratify.

Ratio'n (răhts¹ōn) f, **2ie'ren** ration, allowance.

ra't|los puzzled, at a loss; **~sam** advisable; expedient; **2schläge** (-shlāg^hᵉ) m/pl. advice.

Rä'tsel (răts⁵l) n riddle, enigma; **2haft** enigmatic(al); mysterious.

Ra'tte (rāht⁵) f rat.

ra'ttern (rāht⁵rn) rattle.

Raub (rowp) m robbery; geistigen Eigentums: piracy; (Beute) prey, spoil; **~'bau** (-bow) ✎ m exhausting the soil; ✗ robbing a mine; **2'en** (rowb⁵n) take by force, steal; j-m et. **~** rob a p. of a th.

Räu'ber (rŏib⁵r) m robber; **~bande** f gang of robbers; **~ei'** f robbery; **2isch** rapacious.

Raub'b|gier (rowpgʰeer) f rapacity; **2gierig** rapacious; **~mord** m robbery with murder; **~mörder** m murderer and robber; **~tier** (-teer) n beast of prey; **~zug** (-tsōōk) m raid.

Rauch (rowk) m, **2'en** smoke.

Rau'cher m, **~in** f smoker; **~abteil** (-ăhptîl) n smoking-compartment, Am. smoker.

Räu'cher... (rŏic̦ᵉr): **~hering** (-héric̦ŋ) m kipper; **2n** smoke(-dry); desinfizierend: fumigate; (wohlriechend m.) perfume.

Rauch|fang (rowkfăhrŋ) m chimney, flue; **2ig** smoky; **~tabak** m tobacco; **~zimmer** n smoking-room.

Räudle (rŏid⁵) f mange; **2ig** mangy.

Rau'f|bold (rowfbŏlt) m bully, brawler; **2en** v/t. pluck, pull; sich **~** = v/i. fight, scuffle; **~erei'** (-⁵ri) f scuffle, fight.

rauh (row) rough; Wetter: raw; Stimme: hoarse; (streng) harsh; (grob) coarse, rude.

Rau'hreif (rowrîf) m hoar-frost.

Raum (rowm) m room, space; (Zimmer) room; ♣ hold.

räu'men (rŏimᵉn) clear; (verlassen) leave, bsd. ✗ evacuate; (Wohnung: quit, vacate.

Rau'm-inhalt (rowmînhăhlt) m volume, capacity.

räu'mlich (rŏimlic̦) relating to space, of space; spatial.

Rau'mmeter (rowmmét⁵r) n, m cubic metre.

Räu'mung (rŏimōōŋ) f clearing; ✗ clearance; e-r Stadt: evacuation; e-r Wohnung: quitting; **2-ausverkauf** (-owsfĕrkowf) m clearance sale.

rau'nen (rown⁵n) whisper.

Rau'pe (rowp⁵) f caterpillar; **~nschlepper** m caterpillar tractor.

Rausch (rowsh) m intoxication, drunkenness; fig. frenzy; e-n **~** h. be drunk; **2'en** (h. u. sn) (rascheln) rustle; fließendes Wasser, Wind: rush; Brandung, Sturm: roar; Beifall: ring; **~'gift** n narcotic (drug).

räu'spern (rŏisp⁵rn): sich **~** clear one's throat.

Ra'zzia (rāhts¹āh) f raid, sweep, Am. round-up.

reagie'ren (rĕăhg^heer⁵n) react (auf acc. upon).

reaktionä'r (rĕăhkts¹ōnăr) 2(in f) m reactionary.

rea'l (rĕăhl) real; **~isie'ren** (-îzeer⁵n) realize; **~i'stisch** realistic; **2itä't** f reality.

Re'be (réb⁵) f vine.

Rebe'll (rĕbĕl) m, **~in** f, **2ie'ren** rebel; **2isch** rebellious.

Re'b... (rép-): **~huhn** (-hōōn) n partridge; **~laus** (-lows) f phylloxera; **~stock** m vine.

Re'chen¹ (rĕc̦⁵n) m rake.

Re'chen²|-aufgabe (-owfgăhb⁵) f, **~exempel** n arithmetical problem;

~fehler m miscalculation; **~maschine** (-mähsheen^e) f calculating-machine; **~schaft** f: ~ ablegen render an account (über acc. of); zur ~ ziehen call to account; **~schieber** (-sheeb^er) m slide rule.

re'chnen (rěçn^en) reckon, calculate, count; ~ auf (acc.) count (od. reckon) (up)on; ~ zu v/t. reckon (v/i. rank) among.

Re'chnung (rěçnŏŏᵑ) f calculation; (Aufstellung) bill, account; (Waren-2) invoice; auf seine ~ on his account; ~ legen render an account (über acc. of); **~s-prüfer** m auditor.

recht[1] (rěçt) right; (schuldig) due; (echt, wirklich) true, real; (gesetzmäßig) legitimate; (richtig) correct; adv. right, well; (sehr) very; ein ~er Narr a regular fool; zur ~en Zeit in due time; mir ist es ~ I don't mind; es geschieht ihm ~ it serves him right; ~ haben be right.

Recht[2] (rěçt) n right (auf acc. to); (Gesetz) law; (Gerechtigkeit) justice; ~ sprechen administer justice; mit ~ justly.

Re'chte f right hand; pol. the Right.

Re'cht-eck n rectangle; 2ig rectangular.

re'cht|fertigen justify; **2fertigung** f justification; **~gläubig** (-glöibïç) orthodox; **~haberisch** (-hähb^erïsh) dogmatic; **~lich** legal, lawful; (redlich) righteous; **~los** outlawed; **2losigkeit** (-lözïçkīt) f outlawry; **~mäßig** (-mäsïç) legal, legitimate; **2mäßigkeit** f legality; legitimacy.

rechts (rěçts) on (od. to) the right.

Re'chts|anspruch m legal claim; **~anwalt** m lawyer; solicitor; plädierender: barrister, Am. attorney (-at-law); **~beistand** (-bīshtähnt) m legal adviser.

re'cht|schaffen righteous; **2schreibung** (-shrībŏŏᵑ) f orthography.

Re'chts|fall m case; **~frage** (-frähg^e) f issue of law; **~gelehrte(r)** m jurist, lawyer; **2gültig** valid, legal; **~kraft** f legal force; **2kräftig** = **~gültig**; **~mittel** n legal remedy; **~pflege** (-pflég^e) f administration of justice.

Re'chtsprechung (rěçtshprěçŏŏᵑ) f jurisdiction.

Re'chts|spruch (-shprŏŏk) m legal decision; Zivilsache: judgment;

Strafsache: sentence; **~streit** (-shtrīt) m action, lawsuit; **~verfahren** n legal procedure; **~weg** (-věk) m: den ~ beschreiten go to law; **2widrig** (-veedrïç) illegal; **~wissenschaft** f jurisprudence.

re'cht|wink(e)lig (rěçtvïᵑk[^e]lïç) right-angled; **~zeitig** (-tsītïç) opportune; adv. in (due) time, Am. on time.

Reck (rěk) n horizontal bar.

re'cken (rěk^en) stretch.

Redakt|eu'r (rědähktör) m editor; **~io'n** (rědähkts^iōn) f (Tätigkeit) editorship; (Personal) editorial staff; (Raum) editor's office; (Fassung) wording; **2ione'll** (rědähkts^iŏněl) editorial.

Re'de (réd^e) f speech; (feierliche) oration; (~weise) language; (Gespräch) talk, conversation; es geht die ~, daß it is rumoured that; zur ~ stellen call to account; **~gewandtheit** (-gh^evähnthīt) f eloquence; **2gewandt** eloquent; **~kunst** (-kŏŏnst) f rhetoric; **2n** speak; talk.

Re'dens-art f phrase; (Spracheigenheit) idiom; (Sprichwort) saying.

redigie'ren (rědïgheer^en) edit.

re'dlich (rétlïç) honest, upright.

Re'dner (rédn^er) m speaker (a. ~in f); orator; **~bühne** f platform; **2isch** oratorical.

re'dselig (rétzélïç) talkative.

Ree'de (réd^e) f roadstead; **~r** m shipowner; **~rei'** f shipping firm.

ree'll (rěěl) real; Firma: solid, respectable; Preis, Bedienung: fair.

Refer|a't (rěféräht) n report; **~e'nt** m reporter; referee; reviewer; **~e'nz** f reference; **2ie'ren** report (über acc. [up]on).

reflektie'ren (rěflěkteer^en) auf (acc.) have a ~ in view, want to have.

Reform|a'tor (rěformähtōr) m reformer; **2ie'ren** reform.

Refrai'n (r^efrä) n refrain; burden.

Rega'l (rěgähl) n shelf.

re'ge (régh^e) active, brisk.

Re'gel (régh^el) f rule; (Vorschrift) regulation; in der ~ as a rule; **2los** irregular; **2mäßig** (-mäsïç) regular; **2n** regulate; settle; **2recht** regular; **~ung** f regulation; settlement; **2widrig** (-veedrïç) contrary to rule; irregular; abnormal.

re'gen¹ (régʰeⁿ) (a. sich ~) stir.

Re'gen² m rain; ~bogen (-bōgʰeⁿ) m rainbow; ²dicht rain-proof; ~guß (-gōōs) m downpour; ~mantel m waterproof, Am. raincoat; ~schauer (-showʳ) m shower of rain; ~schirm m umbrella; ~tag (-tāhk) m rainy day; ~wetter n rainy weather; ~wurm (-vōōrm) m earthworm.

Regie' (rēǦee) f management, thea., Film: a. direction.

regie'ren (rēgʰeerⁿ) v/t. govern, rule; Pferd: manage; v/i. reign.

Regie'rung (rēgʰeerōōᵣ) f government; (~szeit) reign; ~s-antritt m accession (to the throne); ~sbezirk m governmental district.

Regime'nt (rēgʰiměnt) n government; ⁀ regiment.

Regisseu'r (rēǦīsör) m stage-manager; Film: director.

Regi'st|er (rēgʰĭstʳ) n register; record; (Inhaltsverzeichnis) index; ~ra'tor (rēgʰĭstrāhtōr) m recorder, registrar; ~ratu'r (rēgʰĭstrāhtōōr) f registry; 2rie'ren (rēgʰĭstreerⁿ) register, record.

re'gne|n (régⁿeⁿ) rain; ~risch rainy.

Regre'ß (rēgrěs) m recourse; 2-pflichtig liable to recourse.

re'gsam (rékzāhm) active, quick.

regulie'r|bar (rēgōōleerbāhr) adjustable; ~en regulate; adjust.

Re'gung (rēgōōᵣ) f motion; innere: impulse; (Gefühls2) emotion; 2slos motionless.

Reh (rē) n roe; (weibliches ~) doe; ~bock m roebuck.

Rei'b-eisen (rīpīzⁿeⁿ) n grater.

rei'b|en (rīpⁿeⁿ) rub; (zer~) grate; Farben: grind; (klein ~) pulverize; wund ~ gall, chafe; 2ung f friction; ~ungslos frictionless.

reich¹ (rīç) rich (an dat. in); (~lich) copious.

Reich² (rīç) n empire; (Königs2; Natur2) kingdom.

rei'chen (rīçⁿeⁿ) v/t. reach; j-m et.: pass; sich die Hände ~ join hands; v/i. reach; (genügen) suffice.

rei'chhaltig (rīçhāhltiç) copious.

rei'chlich (rīçliç) ample, plentiful; vor su. plenty of; adv. (ziemlich) rather, fairly.

Rei'chtum (rīçtōōm) m wealth (an dat. of).

Rei'chweite (rīçvītᵉ) f reach, range.

reif¹ (rīf) ripe, mature.

Reif² (rīf) m (Frost) hoar-frost.

Rei'fe f ripeness, maturity.

rei'fen¹ (rīfⁿeⁿ) 1. ripen, mature; 2. es reift there is a hoar-frost.

Rei'fen² m hoop; (Rad2) tyre, Am. tire; ~schaden (-shāhdⁿeⁿ) m mot. puncture.

Rei'feprüfung (rīfᵉprüfōōᵣ) f leaving-examination.

rei'flich (rīfliç) mature.

Rei'gen (rīgʰeⁿ) m round dance; fig. den ~ eröffnen open the ball.

Rei'he (rīᵉ) f row, line; (Folge) series; thea. tier; nach der ~ by turns; ich bin an der ~ it is my turn; 2nfolge f succession; alphabetical order; 2nweise in rows.

Rei'her (rīᵉr) m heron.

Reim (rīm) m rhyme; 2en v/t., v/i., v/refl. rhyme (auf acc. to).

rein (rīn) pure; (sauber) clean; (klar) clear; ~e Wahrheit plain truth; 2'-ertrag (-ĕrtrāhk) m net proceeds pl.; 2'gewinn m net profit; 2'heit f purity; cleanness.

rei'nig|en (rīnigʰeⁿ) clean(se); fig. purify; 2ung f clean(s)ing; fig. purification.

rei'nlich (rīnliç) cleanly; Kleidung: neat.

rei'n|rassig (rīnrāhsiç) thoroughbred; 2schrift f fair copy.

Reis (rīs) m rice; n twig, sprig.

Rei'se (rīzᵉ) f journey (See2, Luft2) voyage; (weite ~) travel; (Überfahrt) passage; ~büro n tourist(s') office (Am. bureau); ~decke f travelling-rug; 2fertig ready to start; ~gefährte m fellow-traveller; ~genehmigung f travel permit; ~gepäck n luggage, Am. baggage; ~handbuch (-hāhntbōōk) n (traveller's) guide; 2n (sn) travel, journey; ~ nach go to; ~nde(r) m (⁀ commercial) traveller; ~necessaire (-nésésär) n dressing-case; ~paß (-pāhs) m passport; ~schreibmaschine (-shripmāhsheenᵉ) f portable (typewriter); ~tasche (-tāhshᵉ) f travelling-bag; ~zeit (-tsit) f tourist season.

Rei'sig (rīziç) n brushwood.

Rei'ß|brett n drawing-board; 2en (rīsⁿeⁿ) 1. v/t. tear; (weg~) snatch; sich ~ um scramble for; v/i. (sn) burst, split; 2. *su. n* acute pains *pl.*; ≗end rapid; *Tier*: rapacious; *Schmerz*: acute; ~feder (-féd⁶ʳ) *f* drawing-pen; ~nagel (-nähgʰél) *m*, ~zwecke (-tsvèk⁶) *f* drawing-pin, *Am.* thumbtack; ~schiene (-shee-n⁶) *f* T-square; ~verschluß (-fèrshlóōs) *m* zip fastener; ~zeug (-tsóik) *n* (case of) drawing utensils.

Rei't... (rīt) *mst* riding-...; ~bahn *f* riding-school, *fr.* manège; ≗en (rīt⁶n) (sn) ride, go on horseback; ~er *m* rider, horseman; *Kartei*: tab; ~erei' (-⁶rī) *f* cavalry; ~erin *f* horsewoman; ~gerte, ~peitsche (-pītsh⁶) *f* horsewhip; ~knecht *m* groom; ~kunst (-kŏonst) *f* horsemanship; ~pferd (-pférd) *n* saddle-horse; ~weg (-vék) *m* bridle-path.

Reiz (rīts) *m* charm, attraction; (*Erregung*) irritation.

rei'zbar (rītsbähr) irritable, *Am.* sore; ≗keit *f* irritability.

rei'z|en (rīts⁶n) irritate; (*aufreizen*) provoke; (*locken*) entice; (*bezaubern*) charm; ≗ (*anregen*) excite; ~los unattractive; ≗mittel *n* stimulus; ≗ stimulant; ≗ung *f* irritation; provocation; ~voll (-fól) charming, attractive.

Reklamatio'n (rēklähmähts⁶'ōn) *f* claim, complaint, protest.

Rekla'me (rēklähm⁶) *f* advertising, (*Propaganda*) publicity; ~ *m.* advertise; ~büro *n* advertising agency; ~chef (-shéf) *m* advertising-manager.

reklamie'ren (rēklähmeer⁶n) (re-)claim; complain.

rekognoszie'ren (rēkŏgnŏstseer⁶n) reconnoitre.

Rekonvalesze'n|t (rēkŏnvählĕs-tsènt) *m*, ~tin *f* convalescent.

Reko'rd (rēkŏrt) *m* record.

Rekru't (rēkrōōt) *m*, ≗ie'ren recruit.

Re'ktor (rèktŏr) *m* headmaster, *Am.* principal; *univ.* vice-chancellor, *Am.* president.

relati'v (rēlähteef) relative.

Religio'n (rēlig⁶'ōn) *f* religion.

religi'ö's (rēlig^hiŏs) religious; ≗osi-tä't (rēlig^hiŏzität) *f* religiousness.

Re'ling (rēlíŋ) ⚓ *f* rail.

Reli'quie (rēleekv⁶⁶) *f* relic.

Remi'se (rēmeez⁶) *f* coach-house.

Re'nn|bahn *f* (race-)course, race-track; *mot.* speedway; ~boot (-bōt) *n* race-boat, racer; ≗en (rĕn⁶n) 1. *v/i.* (sn) *u. v/t.* run; (*wett*~) race; 2. *sn. n* (*Wett*~) race; (*Einzel*~) heat; ~fahrer *m* racing (bi)cyclist *od.* motorist; ~mannschaft *f* race-crew; ~pferd (-pfért) *n* race-horse, racer; ~sport *m* racing; *the* turf; ~stall *m* racing-stud; ~strecke *f* distance to be run; ~tier (-teer) *n* reindeer.

renommie'ren (rĕnŏmeer⁶n) boast, brag (*mit* of).

renovie'ren (rĕnŏveer⁶n) renovate.

renta'bel (rĕntähb⁶l) profitable.

Re'nt|e (rĕnt⁶) income, revenue; (*Alters*≗) (old-age) pension; (*Pacht*-≗) rent; ~en-empfänger(in *f*) (rĕnt^nĕmpfĕ̄ʳg⁶ʳ) *m* (old-age) pensioner; ~ie'r (-'⁶) *m* man of private means; ≗ie'ren (-teer⁶n): *sich* ~ pay; ~ner *m* = ~ier.

Reparatu'r (rĕpährähtōōr) *f* repair; ~werkstatt (-vĕrkshtäht) *f* repair-shop.

reparie'ren (rĕpähreer⁶n) repair.

Repräsent|a'nt (rĕprĕzĕntähnt) *m*, ~a'ntin *f* representative; ≗ie'ren represent.

Repressa'lie (rĕprĕsähl⁶⁶) *f* reprisal.

reproduzie'ren (rĕprŏdŏōtseer⁶n) reproduce.

Repti'l (rĕpteel) *n* reptile.

Republi'k (rĕpŏōbleek) *f* republic; ~a'ner *m*, ≗a'nisch republican.

Rese'rve (rĕzĕrv⁶) *f* reserve; ~rad (-räht) *n* *mot.* spare wheel.

reservie'ren (rĕzĕrveer⁶n) reserve.

Resid|e'nz (rĕzidĕnts) *f* residence; ≗ie'ren reside.

Respe'kt (rĕspĕkt) *m*, ≗ie'ren respect; ≗los irreverent; ≗voll respectful; ≗widrig (-veedrĭç) disrespectful.

Resso'rt (rĕsŏr) *n* department.

Rest (rĕst) *m* rest, (*a. ♣*) remainder; (*bsd.* ✝ *Tuch*≗) remnant; = *Rück-stand.*

Restaura'nt (rĕstŏrähŋ) restaurant.

Re'st|bestand *m* remainder; ≗lich remaining; ≗los entirely; ~zahlung *f* payment of balance.

Resulta't (rĕzŏōltäht) *n* result.

re'tten (rĕt⁶n) save; rescue.

Re'ttich (rĕtĭç) *m* radish.

Re'ttung (rĕtōōng) f saving; rescue; ~sboot (-bōt) n life-boat; ~sgürtel m life-belt; ~sleiter (-līt⁴r) f fire-escape; ₂slos past help; ~sring m life-belt.

Reu'|e (rŏi⁴) f repentance; ₂en: et. reut mich I repent (of) a th.; ₂evoll, ₂(müt)ig (-mütĭç) repentant; ~geld n forfeit, smart-money.

Reva'nche (rĕvạsh⁴) f revenge; ~partie (-pàhrtee) f return match.

revanchie'ren (rĕvạsheer⁴n) (sich) take one's revenge; return a favour.

Reve'rs (rĕvĕrs) m bond.

revidie'ren (rĕvĭdeer⁴n) revise.

Revie'r (rĕveer) n quarter, district; s. Jagd₂.

Revo'lte (rĕvŏlt⁴) f revolt.

Revolutionä'r (rĕvŏlōōts'ŏnǟr) m revolutionary.

Revue' (r⁴vü) f review; thea. revue (fr.), ~ passieren l. pass in review.

rezens|ie'ren (rĕtsĕnzeer⁴n), ₂io'n (rĕtsĕnz'iŏn) f review.

Reze'pt (rĕtsĕpt) n recipe.

Rhaba'rber (rǎhbǎrb⁴r) m rhubarb.

rheuma't|isch (rŏimǎhtĭsh) rheumatic; ₂i'smus (rŏimǎhtĭsmōōs) rheumatism.

rhy'thm|isch (rütmĭsh) rhythmical; ₂us (rütmōōs) m rhythm.

ri'chten (rĭçt⁴n) arrange, adjust; (zielen mit) point; level (auf at); (lenken) direct; (zubereiten) prepare; ⚡ Richter: judge; Henker: execute; in die Höhe ~ raise; sich ~ nach conform to; Preis: be determined by.

Ri'chter m, ~in f judge; ₂lich judicial; ~spruch (-shprŏŏk) m judgment, sentence; ~stuhl (-shtōōl) m tribunal.

ri'chtig (rĭçtĭç) right, correct; (genau) accurate; ~er Londoner regular cockney; ~ gehen Uhr: go right; ₂keit f correctness; accuracy; ~stellen rectify.

Ri'cht|linien (rĭçtleen'⁴n) f/pl. (general) directions; ~preis (-prīs) m standard price; ~schnur (-shnōōr) f plumb-line; ~strahler m beam wireless; ~ung (f direction; ~waage (-vǎhgh⁴) f level; ~weg (-vék) m short cut.

rie'chen (reeç⁴n) smell (nach of).

rie'feln (reef⁴ln) groove.

Rie'gel (reegʰ⁴l) m bar, bolt; (Kleider₂) (clothes-)rack; Seife: bar; ₂n bar, bolt.

Rie'men (reem⁴n) m strap, thong; (Ruder) oar.

Ries (rees) n Papiermaß: ream.

Rie'se (reez⁴) m giant.

Rie'sel|feld (reez⁴lfĕlt) n (sewage-)irrigated field; ₂n (reez⁴ln) (h. u. sn) purl; ripple; es rieselt it drizzles.

rie'senhaft (reez⁴nhǎft), **rie'sig** (reezĭç) gigantic.

Rie'sin (reezĭn) f giantess.

Riff (rĭf) n reef.

Ri'lle (rĭl⁴) f (small) groove.

Rime'sse (rĭmĕs⁴) f remittance.

Rind (rĭnt) n ox, cow; pl. cattle.

Ri'nde (rĭnd⁴) f rind; ⚘ bark; am Brot: crust.

Ri'nder|braten (rĭnd⁴rbrǎht⁴n) m roast beef; ~hirt m cowherd, Am. cowboy.

Ri'nd|fleisch (rĭntflĭsh) n beef; ~(s)leder (-léd⁴r) n neat's leather; ~vieh (-fee) n = Rinder.

Ring (rĭng) m ring; (Kreis) circle; e-r Kette: link; ✝ pool, trust, Am. combine; ~'bahn f circular railway.

ri'ngeln (a. sich) curl.

ri'ng|en (rĭng⁴n) v/i. wrestle; weitS. struggle (um for); v/t. die Hände: wring; ₂er m wrestler.

ri'ng|förmig ring-shaped, annular; ₂kampf m wrestling(-match).

rings around; ~u'm (-ōōm) round about.

Ri'nn|e (rĭn⁴) f channel, groove; (Dach₂) gutter; ~en (sn) run, flow; (h.) (lecken) leak; ~sal (-zǎhl) n streamlet; ~stein (-shtīn) m gutter.

Ri'ppe (rĭp⁴) f, ₂n rib.

Ri'ppen|fell n pleura; ~fell-entzündung (rĭp⁴nfĕlĕntsündōōng) f pleurisy; ~stoß (-shtōs) m nudge (in the ribs).

Ri'siko (reezĭkŏ) n risk.

riska'nt (rĭskǎhnt) risky; ~ie'ren risk.

Riß (rĭs) m rent, tear; (a. fig.) split; (Sprung) crack; in der Haut: chap; (Schramme) scratch; (Zeichnung) draft, plan.

ri'ssig (rĭsĭç) full of rents; chappy.

Rist m Fuß: instep; Hand: wrist.

Ritt (rĭt) m ride.

Ri'tter (rĭt^er) m knight; zum ~ schlagen knight; ~gut (-gōōt) n manor.

ri'tterlich knightly, chivalrous; 2-keit f gallantry, chivalry.

ri'ttlings (rĭtlĭŋs) astride (auf of).

Ri'ttmeister (rĭtmīst^er) m (cavalry) captain.

Ritz (rĭts) m, ~'e f chink; fissure; (Schramme) scratch; 2en scratch.

Riva'l (rĭvähl), ~e m, ~in f, 2isie'ren (rĭvählĭzeer^en) rival; ~ität' f rivalry. [oil.]

Ri'zinus-öl (reetsĭnōōsöl) n castor]

Ro'bbe (rŏb^e) f seal. [throat).]

rö'cheln (rŏç^eln) rattle (in one's

Rock (rŏk) m coat; (Frauen2) skirt; ~'schoß (-shōs) m coat-tail.

Ro'del|bahn (rōd^elbähn) f tobog-gan-slide, ice-run; 2n (h. u. sn), ~schlitten m luge, toboggan.

ro'den (rōd^en) Wurzeln: root out, stub up; Wald, Land: clear.

Ro'gen (rōg^{he}n) m (hard) roe.

Ro'ggen (rŏg^{he}n) m rye.

roh (rō) raw; fig. rough, rude; Öl, Metall: crude; 2'bau (-bow) m brick-work.

Ro'heit (rōhīt) f fig. rudeness.

Ro'hmaterial (rōmähtēr'ähl) n raw material.

Rohr (rōr) n (Schilf2) reed; (Bambus2) cane; = Röhre.

Rö'hre (rör^e) f tube; (Leitungs2) pipe; Radio: valve, Am. tube; ~n-apparat (-ähpähräht) m valve set.

Ro'hr|leger (rōrlég^{he}r) m plumber; ~leitung (-litōōŋ) f pipe-line; ~post (-pŏst) f pneumatic post; ~stock m cane.

Ro'hstoff (rōshtŏf) m raw material.

Ro'llbahn ✈ f runway, taxi-strip.

Ro'lle (rŏl^e) f roll; (Walze) roller; (Draht2, Tau2) coil; am Flaschen-zug) pulley; unter Möbeln: castor; (Dreh2) mangle; thea. part, role.

ro'llen v/i. (h. u. sn), v/t. roll; Wäsche: mangle; ✈ taxi.

Ro'llenbesetzung (rŏl^enb^ezĕtsōōŋ) f thea. cast.

Ro'ller m der Kinder: scooter.

Ro'll|feld ✈ n landing ground od. area; ~film m roll-film; ~schuh (-shōō) m roller-skate; ~sitz (-zĭts) m im Boot: sliding seat; ~stuhl (-shtōōl) m wheel chair; ~treppe f escalator; ~wagen (-vähg^{he}n) m truck.

Roma'n (rōmähn) m novel, (work of) fiction; (Ritter2 u. fig.) romance; ~schriftsteller(in f) (-shrĭftshtĕl^er) m novel-writer, novelist; 2isch romantic.

Roma'nt|ik (rōmähntĭk) f romanticism; 2isch romantic.

Rö'm|er (röm^er) m, 2isch Roman.

rö'ntgen (röntg^{he}n) v/t., 2... X-ray; 2strahlen m/pl. X-rays.

ro'sa (rōzäh) pink.

Ro'se (rōz^e) f rose; ✗ erysipelas.

Ro'sen|kohl m Brussels sprouts pl.; ~kranz m garland of roses; eccl. rosary; 2rot (-rōt) rosy red; ~stock m rose-tree.

ro'sig (rōzĭç) rosy, roseate.

Rosi'ne (rözeen^e) f raisin.

Roß (rŏs) n horse; rhet. steed; ~'haar (-hähr) n horsehair.

Rost (rŏst) m 1. rust; 2. (Feuer2) grate; (Brat2) gridiron, grill; ~'braten (-bräht^en) m roast joint.

ro'sten (rŏst^en) (sn) rust.

rö'sten (röst^en) roast; Brot: toast.

Ro'st|fleck m iron-mould; 2frei (-frī) rustless; stainless; 2ig rusty.

rot (rōt), 2 n red.

Rotatio'nsmaschine (rōtähts^ıōns-mähsheen^e) f rota(to)ry press.

ro'tblond sandy.

Rö'te (röt^e) f redness; (Scham2) blush; 2n (a. sich) redden, flush.

ro't|gelb reddish yellow; ~glühend (-glü^ent) red-hot; 2haut (-howt) f redskin; 2kehlchen n robin (red-breast).

rotie'ren (rōteer^en) rotate.

rö'tlich (rötlĭç) reddish.

Ro't|stift m red pencil; ~tanne f spruce.

Ro'tte (rŏt^e) f band, gang; ~n-führer m ganger, foreman.

Ro't|wein (rōtvīn) m red wine; französischer: claret; ~wild n red deer.

Rouleau' (rōōlō) n roller-blind.

Rü'be (rüb^e) f: weiße ~ turnip; rote ~ beet(root); gelbe ~ carrot.

Rubi'n (rōōbeen) m ruby.

ru'ch|bar (rōōkbähr): ~ w. get abroad; ~los wicked, profligate.

Ruck (rōōk) m jerk.

Rü'ck|-antwort f; Postkarte mit ~ reply post card; ~berufung (-b^erōōfōōŋ) f recall; ~blick m retrospect(ive view).

rü'cken¹ (rük^en) v/t. u. v/i. (sn) move; näher ~ draw near.

Rü′cken² m back; (*Berg*♀) ridge; ✕ rear; **~deckung** f fig. backing; **~lehne** f back (of a chair); **~mark** n spinal cord; **~wirbel** m dorsal vertebra.

Rü′ck|fahrkarte f return (-ticket), Am. round-trip ticket; **~fahrt** f return; **~fall** m relapse; ♀fällig relapsing; **~frage** (-frāhgʰᵉ) f further inquiry; **~gabe** (-gàhbᵉ) f return, restitution; **~gang** m retrogression; ♀gängig retrograde; ~ m. cancel; **~grat** (-grāht) n spine, (a. fig.) backbone; **~halt** m support; ♀haltlos unreserved, frank; **~kauf** (-kowf) m redemption; **~kehr**, **~kunft** (-kŏonft) f return; **~koppelung** f Radio: reaction coupling; **~lagen** (-lāhgʰᵉn) f/pl. reserves pl.; ♀läufig (-lóifiç) retrograde; ♀lings backwards; from behind; **~prall** m rebound; **~reise** (-rizᵉ) f return journey.

Ru′cksack (-rŏokzàhk) m rucksack.

Rü′ck|schlag (-shlāhk) m back-stroke; fig. set-back; **~schluß** (-shlŏos) m conclusion; **~schritt** m retrogression; **~seite** (-zitᵉ) f back, reserve; **~sendung** f return; **~sicht** f respect, regard (auf acc. to), consideration; ♀sichtslos regardless (gegen of); inconsiderate; ♀sichtsvoll (rŭkziçtsföl) regardful (gegen of); considerate; **~sitz** (-zits) m back-seat; **~spiel** (-shpeel) n return match; **~sprache** (-shprāh-kᵉ) f consultation; **~stand** m arrears pl.; ♀̃ residue; ♀ständig backward; **~strahler** m mot. rear reflector; **~tritt** m withdrawal, retreat; resignation; **~trittbremse** (rŭktrītbrĕmzᵉ) f backpedalling brake; **~wärts** (-vĕrts) back, backward(s); **~wärtsgang** m mot. reverse gear; **~weg** (-vék) m way back, return.

ru′ckweise (rŏokvīzᵉ) by jerks.

rü′ck|wirkend retroactive; **~wirkung** f reaction; ♀zahlung f repayment; ♀zug (-tsŏok) m retreat.

Ru′del (rŏodᵉl) n pack; herd; troop.

Ru′der (rŏodᵉr) n oar; (*Steuer*♀) rudder, helm; **~boot** (-bōt) n row(ing)-boat; **~er** m oarsman; **~fahrt** f row; ♀n v/i. (h. u. sn) u. v/t. row; **~regatta** f boat race; **~sport** m rowing sport.

Ru′d(r)erin (rŏod[r]ᵉrĭn) f oarswoman.

Ruf (rŏof) m call; (*Schrei*) cry, shout; (*Berufung*) summons; (*öffentliches Urteil*) reputation, repute; ✝ credit; ♀′en call; (*schreien*) cry, shout; ~ l. send for.

Ru′f|name (rŏofnāhmᵉ) m Christian name; **~weite** (-vītᵉ) f: in ~ within call.

Rü′ge (rŭgʰᵉ) f, ♀n censure.

Ru′he (rŏoᵉ) f rest; repose; (*Stille*) quiet; calm; tranquillity; lassen Sie mich in ~! let me alone!; **~bett** n couch; **~gehalt** n pension; ♀los restless; ♀n rest, repose; **~pause** (-powzᵉ) f pause (for rest); **~platz** m resting-place; **~stand** m retirement; in den ~ versetzen superannuate; **~störer(in** f) m disturber of the peace.

ru′hig (rŏoïç) quiet; Gemüt, Wasser: tranquil, calm.

Ruhm (rŏom) m glory; renown; **~begier(de)** (-b̄ᵍ̄gʰeer[d̄]ᵉ) f thirst of glory.

rü′hmen (rŭmᵉn) praise, glorify; sich ~ boast (e-r S. of a th.).

rü′hmlich glorious, laudable.

ru′hm|los (rŏomlōs) inglorious; **~redig** (-rédïç) vainglorious; **~voll** (-fól) glorious.

Ruhr (rŏor) ✞ f dysentery.

Rü′hr-ei (rŭrī) n scrambled eggs pl.

rü′hren (rŭrᵉn) (a. sich ~) stir; innerlich: touch, affect.

rü′hrig (rŭrïç) active; stirring; ♀keit f activity.

rü′hrselig (rŭrzélïç) sentimental.

Rü′hrung (rŭrŏorg) f feeling, emotion.

Rui′n (rŏoeen) m ruin; decay; **~e** f ruin; ♀nhaft ruinous; ♀ie′ren (rŏoīneerᵉn) ruin; destroy; Kleid usw.: spoil.

Ru′mmel (rŏomᵉl) m row; (*Jahrmarkts- usw.* ♀) revel; **~platz** m fun-fair ground.

rumo′ren (rŏomōrᵉn) make a row.

Ru′mpel... (rŏompᵉl-): **~kammer** f lumber-room; ♀n (sn) rumble.

Rumpf (rŏompf) m trunk, body; Schiffs♀: hull; Flugzeug♀: body, fuselage.

rü′mpfen (rŭmpfᵉn): die Nase ~ turn up one's nose, sniff (über acc. at).

rund (rŏŏnt) round; ℒ'**blick** *m* panorama; ℒ'**e** (rŏŏnd^e) *f* round; *Sport*: lap; ℒ'**en** (*a. sich*) round; ℒ'**-erlaß** (-ĕrlähs) *m* circular; ℒ'**fahrt** *f* drive round *a town, etc.*; ℒ'**flug** (-flŏŏk) *m* circuit; ℒ'**funk** (-fŏŏ<u>n</u>k) *m* broadcast(ing); *im* ~ *on the radio od. air;* ~'**funken** broadcast; ℒ'**funkhörer(in** *f*) *m* listener-in; ℒ'**funkprogramm** *n* broadcast program(me); ℒ'**funksprecher** *m* broadcaster; ℒ'**funk-übertragung** (-fŏŏ<u>n</u>kübˑerträhgŏŏ<u>n</u>g) *f* broadcast transmission; ℒ'**gang** *m* circuit; (*bsd.* ✕) ℒ'**gesang** (-ghˑezähr̄<u>n</u>g) *m* roundelay, glee; *komischer:* catch; ~'**heraus** (-hĕrows) in plain terms; ~'**herum** (-hĕrŏŏm) round about; ~'**lich** roundish; ℒ'**reise** (-rīz^e) *f* circular tour, round trip; ℒ'**schau** (-show) *f* panorama; (*Zeitung*) review; ℒ'**schreiben** (-shrīb^en) *n* circular (letter); ~'**weg** (-vĕk) flatly, plainly.

Ru'nz|el (rŏŏnts^el) *f* wrinkle; ℒ(**e)-lig** wrinkled; ℒ**eln** wrinkle; *die Stirn* ~ knit one's brows.

rü'pelhaft (rüp^elhähft) boorish.

ru'pfen (rŏŏpf^en) pluck.

ru'ppig (rŏŏpĭç) shabby; *fig.* rude.

Ruß (rŏŏs) *m* soot.

Ru'ss|e (rŏŏs^e) *m*, ~**in** *f*, ℒ**isch** Russian.

Rü'ssel (rüs^el) *m* snout; *des Elefanten:* trunk.

ru'ß|en (rŏŏs^en) soot; ~**ig** sooty.

rü'sten (rüst^en) (*a. sich*) prepare (zu for); ✕ arm.

rü'stig (rüstĭç) vigorous; ℒ**keit** *f* vigour.

Rü'stung (rüstŏŏ<u>n</u>g) *f* preparations *pl.*; ✕ arming, armament; (*Harnisch*) armour; ~**s-industrie** (-ĭndŏŏstree) *f* armament industry.

Rü'stzeug (rüst-tsŏik) *n* (set of) tools; *fig.* equipment.

Ru'te (rŏŏt^e) *f* rod (*a. zum Züchtigen*); switch; (*Maß*) perch; ~**n-gänger** *m* dowser.

Rutsch (rŏŏtsh) *m* slide, glide; ~'**bahn** *f* slide, chute; ℒ'**en** (sn) glide, slide.

rü'tteln (rüt^eln) shake; jog; jolt.

S

Saal (zähl) *m* hall.

Saat (zäht) *f* (*Säen*) sowing; (*Same*) seed; (*sprossende Pflanzen*) standing crops *pl.*; ~'enstand *m* condition of the crops; ~'gut (-gōōt) *n* seed(-corn); ~'kartoffel *f* seed-potato.

Sa'bbat (zähbäht) *m* Sabbath.

sa'bbern (zähb^ern) F slaver, *Am.* drool; (*schwatzen*) twaddle.

Sä'bel (zäb^el) *m* sabre; 2n sabre; ~scheide (-shīd^e) *f* scabbard.

Sabot|a'ge (zähbōtähG^e) *f*, 2ie'ren (zähbōteer^en) sabotage.

Sa'ch|be-arbeiter(in *f*) (sähκb^e-ährbīt^er) *m* compiler, expert; ~e (zähκ^e) *f* thing; (*Angelegenheit*) affair, matter, concern; 2¹/_i case, (*a. fig.*) cause; (*nicht*) *zur* ~ (*gehörig*) (ir)relevant; *adv.* (off) to the point; *gemeinsame* ~ *m.* make common cause; ~en *pl.* (*Kleider usw.*) things; 2gemäß (-g^{h e}mäs) pertinent; appropriate; ~kenntnis *f* experience; 2kundig (-kōōndíç) = *verständig*; ~lage (-lāhg^{h e}) *f* state of affairs; 2lich (-líç) real; (*zur Sache gehörig*) pertinent, to the point; (*unparteiisch*) unbiassed; (*Ggs. subjektiv*) objective; (*nüchtern*) *Person:* matter-of-fact.

sä'chlich (zéçlíç) neuter.

Sa'chlichkeit (zähκlíçkit) *f* objectivity; matter-of-factness.

Sa'chregister (zähκrēg^hīst^er) *f* (subject) index.

Sa'chschaden (zähκshähd^en) *m* material damage.

Sa'chse (zähks^e) *m*, **Sä'chsin** *f*, **sä'chsisch** (zéksísh) Saxon.

sa'cht(e) (zähht^e) soft, gentle; slow.

Sa'ch|verhalt *m* facts *pl.* of the case; 2verständig (zähκférshtěndíç), ~verständige(r) (zähκférshtěndíg^{h e}[r]) *m* expert; ~walter (-vählt^er) *m* legal adviser; ~wert (-vért) *m* real value.

Sack (zähk) *m* sack, bag; ~'gasse *f* blind alley, *Am.* dead end; (*a. fig.*) impasse; ~'leinwand (-línvähnt) *f* sackcloth.

sä'en (zä^en) sow.

Sa'ffian (zähfīähn) *m* morocco (leather).

Saft (zähft) *m* juice; *der Pflanzen* (*a. fig.*): sap; 2'ig juicy (*a. fig.*); (*kraftvoll*) sappy; 2'los juiceless; sapless.

Sa'ge (zähg^{h e}) *f* legend, myth; es geht die ~ the story goes.

Sä'ge (zäg^{h e}) *f* saw; ~bock *m* sawhorse.

sa'gen (zähg^{h e}n) say; (*mitteilen*) tell; *j-m* ~ *l.* send a p. word; er *läßt sich nichts* ~ he will not listen to reason; *es hat nichts zu* ~ that doesn't matter; ~ *wollen mit* mean by; *j-m gute Nacht* ~ bid a p. good night.

sä'gen (zäg^{h e}n) saw.

sa'genhaft (zähg^{h e}nhähft) legendary, mythical. [sawdust.)

Sä'gespäne (zäg^{h e}shpän^e) *m*/*pl.*)

Sa'hne (zähn^e) *f* cream.

Saiso'n (sězọ, -ōŋ̣) *f* season; ~. seasonal *work, etc.*

Sai'te (zit^e) *f* string; ~n-instrument (-ĩnstrōōmént) *n* stringed instrument.

Sa'kko (zähkō) *m* lounge jacket; ~anzug (-ähntsōōk) *m* lounge (*Am.* business) suit.

Sakristei (zähkrīstī) *f* vestry.

Sala't (zähläht) *m* salad; lettuce.

Sa'lb|e (zählb^e) *f* ointment; 2en anoint; ~ung *f* (*a. fig.*) unction; 2ungsvoll (zählbōōŋ̣sfōl)unctuous.

saldie'ren (zähldeer^en) † balance.

Sa'ldo (zähldō) *m* balance; *den* ~ *ziehen* strike the balance; ~vortrag (-fōrträhk) *m* balance forward.

Sali'ne (zähleen^e) *f* salt-works *pl.*

Salizy'lsäure (zählītsülzōir^e) *f* salicylic acid.

Sa'lmia'k (zählmⁱähk) *m* sal ammoniac; ~geist (-g^hīst) *m* liquid ammonia.

Salo'n (zählōŋ̣) *m* drawing-room, *Am.* parlor; ♣ saloon; 2fähig (-fäïç) presentable; ~wagen (-vähg^{h e}n) *m* saloon (*Am.* parlor) car.

Salpe'ter (zählpět^er) *m* saltpetre.

Salu't (zăhlōōt) *m*, **Sie'ren** (zăhlōō-teer⁶n) salute.   [salute.]

Sa'lve (zăhlv⁶) *f* volley; **Ehren2)**

Salz (zăhlts) *n* salt; **~'bergwerk** *n* salt-mine; **2'en** salt; **~'fäßchen** (-fĕsҫ⁶n) *n* salt-cellar; **~'gurke** (-gŏŏrk⁶) *f* pickled cucumber; **~'-hering** (-hérĭη) *m* pickled herring; **2'ig** salt(y); **~'säure** (-zŏir⁶) *f* hydrochloric (*od.* muriatic) acid; **~'werk** *n* salt-works *pl.*

Sa'me (zăhm⁶), **~n** *m* seed; *tierischer:* sperm; **~nkorn** *n* grain of seed.

Sa'mmel|büchse (zăhm⁶lbŭks⁶) *f* collecting-box; **~lager** (-lähg⁶r) *n* clearing station; **2n** (zăhm⁶ln) (*a. sich*) gather; collect; *Truppen, Aufmerksamkeit:* concentrate; *sich ~ fig.* compose o.s.; **~platz** *m* place of appointment.   [collector.]

Sa'mmler *m* (zăhml⁶r), **~in** *f*

Sa'mmlung (zăhmlōōη) *f* collection; *fig.* composure; (*Aufmerksamkeit*) concentration.

Sa'mstag (zăhmstăhk) *m* Saturday.

samt (zăhmt) together with.

Samt² *m* velvet.

sä'mtlich (zĕmtlĭҫ) all (together).

Sand (zăhnt) *m* sand; *fig.* im *~e* verlaufen peter out.

Sanda'le (zăhndăhl⁶) *f* sandal.

Sa'nd|bahn *f* *Sport:* dirt-track; **~bank** *f* sandbank; **~boden** (-bō-d⁶n) *m* sandy soil; **2ig** sandy; **~korn** *n* grain of sand; **~torte** *f* Madeira cake; **~uhr** (-ōōr) *f* sand-glass; **~wüste** (-vŭst⁶) *f* sandy desert.

sanft (zăhnft) soft; gentle; mild; **~'mütig** (-mŭtĭҫ) gentle, placid.

Sang (zăhη) *m* song.

Sä'nger (zĕη⁶r) *m*, **~in** *f* singer.

sangui'nisch (zăhηgŏŏeenish) sanguine.   [*2ung* *f* reorganization.]

sanie'r|en (zăhneer⁶n) reorganize;

sanitä'r (zăhnitär) sanitary.

Sanitä't|er (zăhnität⁶r) *m* ambulancer; **~sbehörde** *f* Board of Health.

Sankt (zăhηkt) Saint.

Sard|e'lle (zăhrdĕl⁶) *f* anchovy; **~i'ne** (-een⁶) *f* sardine.

Sarg (zăhrk) *m* coffin.

sata'nisch (zăhtăhnĭsh) satanic.

Satelli't (zăhtĕleet) *m* satellite.

Sati'n (zăhtă̆, -ĕη) *m* sateen.

sati'risch (zăhteerish) satiric(al).

satt (zăht) satisfied; satiate(d); *Farbe:*

deep, rich; *sich ~ essen* eat one's fill; *et. ~ h.* be tired (*od.* sick) of.

Sa'ttel (zăht⁶l) *m* saddle; **~gurt** (-gŏŏrt) *m* girth; **2n** saddle.

Sa'ttheit (zăhthit) *f* satiety.

sä'ttig|en (zĕtĭg⁶n) satiate, satisfy; **ᵐ, ⊕** saturate; **2ung** *f* satiation; saturation.   [*f* saddlery.]

Sa'ttler (zăhtl⁶r) *m* saddler; **~ei'** *f*

Satz (zăhts) *m* *gr.* sentence; *phls., A* proposition; (*Boden2*) sediment, grounds *pl.*; *typ.* composition; *J* movement; (*zs.-gehörige Dinge*) set; *Tennis:* set; (*Sprung*) leap, bound; (*bestimmtes Verhältnis*) rate.

Sa'tzung *f* statute; **2smäßig** (-măsĭҫ) statutory.

Sau (zow) *f* sow; *P fig.* slut.

sau'ber (zowb⁶r) clean; neat; *iro.* fine, nice; **2keit** *f* cleanness.

säu'ber|n (zŏib⁶rn) clean, cleanse; **2ungs-aktion** (zŏib⁶rōōηsăhkts'-ōn) *f* *pol.* purge.

sau'er (zow⁶r) sour (*a. = mürrisch*); acid; *fig.* hard.

säu'er|lich (zŏi⁶rlĭҫ) acidulous; **~n** sour; *Teig:* leaven.   [*m* leaven.]

Sau'er|stoff *m* oxygen; *Teig* (-tĭk)

sau'fen (zowf⁶n) drink, F booze.

Säu'fer (zŏif⁶r) *m* drunkard.

sau'gen (zowg⁶n) suck (*an* a th.).

säu'gen (zŏig⁶n) suckle, nurse.

Säu'getier (zŏig⁶teer) *n* mammal.

Säu'gling (zŏiklĭη) *m* baby, infant, suckling; **~sheim** (-him) *n* baby-nursery.

Sau'g|pfropfen (zowkpfrŏpf⁶n) *m* rubber teat; **~pumpe** (-pŏŏmp⁶) *f* suction pump.

Säu'le (zŏil⁶) *f* column; **A** pillar; **~ngang** *m* colonnade; **~nhalle** *f* portico.   [border, edge.]

Saum (zowm) *m* seam, hem; (*Rand*)

säu'm|en (zŏim⁶n) *v/t.* hem; (*a. fig.*) border; *v/i.* (*zögern*) delay, tarry; **~ig** = *saumselig*.

Sau'm|pfad (zowmpfăht) *m* mule-track; **2selig** (-zélĭҫ) tardy; **~tier** (-teer) *n* sumpter-mule.

Säu're (zŏir⁶) *f* sourness, *a. ⚕ des Magens:* acidity; **ᵐ** acid.

Sauregu'rkenzeit (zowr⁶gŏŏrk⁶n-tsit) *f* silly season.

säu'seln (zŏiz⁶ln) whisper, rustle.

sau'sen (zowz⁶n) (h. *u.* sn) rush; *Geschoß* *usw.:* whiz(z); *Wind:* whistle.   [phone.]

Saxopho'n (zăhksŏfŏn) *n* saxo-|

Scha'be (shähb^e) f zo. cockroach; ~fleisch (-flish) n scraped meat; 2n scrape; ~rnack m practical joke, hoax.

schä'big (shäbiç) shabby; fig. mean.

Schablo'ne (shäblön^e) f (Muster) pattern; (~nform) stencil; fig. routine; 2nhaft, 2nmäßig (-mä-siç) stereotyped; mechanical, routine.

Schach (shähк) n chess!; check!; in ~ halten keep in check; ~'brett n chess-board. [fer, Am. dicker.|

scha'chern (shähк^ern) haggle, chaf-|

Scha'ch|feld n square; ~figur (-fīgōōr) f chess-man; 2matt (check)mate; fig. tired out; ~spiel (-shpeel) n game of chess.

Schacht (shähкt) m shaft, pit.

Scha'chtel (shähкt^el) f box.

Scha'chzug (shähкtsōōk) m move.

scha'de (shähd^e): es ist ~ it is a pity.

Schä'del (shäd^el) m skull; ~bruch (-brōōк) m fracture of the skull.

scha'den (shähd^en) 1. injure, harm, hurt (j-m a p.); das schadet nichts it does not matter; 2. 2 m injury, harm; (Nachteil) damage; (Verlust) loss; (Verletzung) hurt; (Gebrechen) infirmity; 2-ersatz (-érzähts) m compensation, ⚖ damages pl.; 2freude (-fröid^e) f malicious joy.

scha'dhaft (shähthäht) damaged, faulty.

schä'dig|en (shädīgh^en) injure, wrong; ~ung f damage; prejudice.

schä'dlich (shätliç) injurious, harmful; (gesundheits~) noxious.

Schä'dling (shätlĭŋ) m pest.

scha'dlos (shähtlōs): ~ halten indemnify; 2haltung f indemnification.

Schaf (shähf) n sheep; fig. simpleton; ~'bock m ram.

Schä'fer (shäf^er) m, ~in f shepherd (-ess); ~hund (-hōōnt) m shepherd's dog; deutscher: Alsatian (wolf-hound).

Scha'f-fell (shähf-fĕl) n sheepskin.

scha'ffen (shähf^en) (er.~) create; (tun, arbeiten) do, work, be busy; (ver.~) procure; (befördern) convey, (weg.~) take, (her.~) bring.

Scha'ffner (shähfn^er) m ⚙ guard; (Straßenbahn2) conductor.

Scha'f|hirt m shepherd; ~(s)kopf m fig. blockhead.

Schafo'tt (shäfŏt) n scaffold.

Scha'fpelz m sheepskin coat.

Schaft (shähft) m shaft; (Gewehr2) stock; ⊕ shank; (Stiefel2) leg; ~'stiefel (-shteef^el) m/pl. top boots pl.

Scha'f|wolle f sheep's wool; ~zucht (-tsōōкt) f sheep-breeding.

schä'kern (shäk^ern) dally; jest, joke.

schal[1] (shähl) stale; insipid.

Schal[2] m shawl; comforter.

Scha'le (shähl^e) f (Gefäß) dish, bowl; (Becher) cup; (Hülse) husk, (Schote) pod; v. Obst: peel; (abgeschälte ~) paring, peeling; (Eier2, Nuß2) shell; (Muschel2) valve; (Messer2; Waage2) scale.

schä'len (shäl^en) peel, pare; Hülsenfrüchte: shell, husk.

Schalk (shählk) m rogue; (Spaßvogel) wag; 2haft roguish; waggish.

Schall (shähl) m sound; 2'dämpfer m silencer, muffler; 2'dicht sound-proof; ~'dose (-dōz^e) f sound-box; 2'en (h. u. sn) sound, ring; ~'platte f disk, record; ~'welle f sound-wave.

Scha'ltbrett ⚡ n switch-board.

scha'lten (shählt^en) direct, rule; ⚡ switch; mot. change (od. shift) gears; mit et. deal with.

Scha'lter m 🏛, thea. booking-office, Am. ticket window; ⚡ counter; ⚡ switch.

Scha'lt|hebel (shälthéb^el) m mot. gear(shift) lever; ~jahr n leap-year; ~tafel (-tähf^el) ⚡ f switch-board; mot. instrument-board, mot. u. ✈ dash-board; ~tag (-tähk) m intercalary day.

Scham (shähm) f shame; = ~teile.

schä'men (shäm^en): sich ~ be ashamed (e-r S., über acc. of).

Scha'm|gefühl n sense of shame; 2haft modest; bashful; 2los shameless, impudent; 2rot (-rōt) blushing; ~ w. blush; ~röte (-rōt^e) f blush; ~teile (-til^e) m/pl. [grace.| parts.

Scha'nde (shähnd^e) f shame, disschä'nden (shĕnd^en) disgrace, (a. Frau) dishonour; (verunstalten) disfigure.

Scha'ndfleck (shähntflĕk) m stain.

schä'ndlich (shĕntliç) shameful, infamous; 2keit f infamy.

Scha'ndtat (shähnttäht) f infamy; infamous action.

Schä'ndung (shĕndōōrɡ) f s. schänden: dishonouring; disfigurement.

Scha'nk|gerechtigkeit (shähnɡkgʰᵉrĕçtiçkit) f publican's licence; ~wirt m publican; ~wirtschaft f public house.

Scha'nze (shähnts⁴) f entrenchment; 2n entrench.

Schar (shähr) f troop, band.

scha'ren (shährᵉn) (a. sich) assemble, collect, flock (together).

scharf (shährf) sharp; keen; Munition: live; ~ reiten ride hard; ~ sn auf be keen on; 2'blick m fig. penetration, acuteness.

Schä'rfe (shĕrf⁴) f sharpness; (Schneide) edge; 2n sharpen, whet.

Scha'rf|macher (shährfmähkᵉr) f firebrand; ~richter m executioner; ~schütze m sharpshooter; 2sichtig (-ziçtiç) sharp-sighted; fig. penetrating; ~sinn (-zïn) m sagacity; 2sinnig shrewd, sagacious.

Scha'rlach (shährlähk) m scarlet.

Scha'rlatan (shährlähtähn) m charlatan, quack.

Scharmü'tzel (shährmütsᵉl) n, 2n skirmish.

Scharnie'r (-neer) n hinge, joint.

Schä'rpe (shĕrp⁴) f scarf, sash.

scha'rren (shährᵉn) scrape, scratch; Pferd: paw.

Scha'rte (shährt⁴) f notch; fig. e-e ~ auswetzen repair a fault.

scha'rtig notchy, jagged.

Scha'tten (shährᵉn) m (Schattenbild) shadow; (Dunkel) shade; ~bild n silhouette; 2haft shadowy; ~seite (-zit⁴) f shady (fig. seamy) side.

schattie'r|en (shähteer⁴n), 2ung f shade, tint.

scha'ttig (shähtiç) shady.

Schatz (shähts) m treasure; kosend: darling, sweetheart; ~amt n treasury, exchequer; ~'anweisung (-ähnvizōōrɡ) f exchequer bill, Am. treasury certificate.

schä'tzen (shĕtsᵉn) estimate; (taxieren) value (auf acc. at); (hoch~) esteem; ~swert (-vért) estimable.

Scha'tz|kammer f treasury; ~meister (-mistᵉr) m treasurer.

Schä'tzung (shĕtsōōrɡ) f estimate; (Urteil) estimation; (Hoch2) esteem; [zur ~ stellen display

Schau (show) f (Ausstellung) show;]

Schau'der (showdᵉr) m shudder,

fig. horror; 2haft horrible; 2n (h. u. sn) shudder, shiver (vor at).

schau'en (show⁴n) v/t. see, view; v/i. look, gaze (auf acc. at).

Schau'er (show⁴r) m (Regen2 usw.) shower; (Schauder) shiver; (Anfall) fit; (innere Erregung) thrill; 2lich dreadful, horrible; 2n shiver; thrill; ~roman (-rōmähn) m thriller, shocker.

Schau'fel (showf⁴l) f, 2n shovel.

Schau'fenster (showfĕnst⁴r) n shop- (Am. show-)window; ~dekoration (-dékōrähts'iōn) f window-dressing.

Schau'kel (showk⁴l) f swing; 2n swing; Wiege, Stuhl usw.: rock.

Schaum (showm) m foam, froth; (Seifen2) lather.

schäu'men (shöim⁴n) foam, froth; Wein usw.: sparkle.

schau'mig (showmiç) foamy, frothy.

Schau'mwein (showmvin) m sparkling wine. [theatre.]

Schau'platz (showplähts) m scene,]

schau'rig (-riç) awful, horrible.

Schau'|spiel (showspeel) n spectacle; play; ~spieler m actor, player; ~spielerin f actress; ~spielhaus (-speelhows) n playhouse; ~spielkunst (-shpeelkoönst) f dramatic art; ~steller m showman.

Scheck (shĕk) m cheque, Am. check.

sche'ckig (shĕkiç) piebald, spotted.

scheel (shél) squint-eyed; fig. jealous.

Sche'ffel (shĕf⁴l) m bushel.

Schei'be (shib⁴) f disk; (Schnitte) slice; (Fenster2) pane; (Schieß2) target; (nhonig (-hôniç) m honey in combs; ~nwischer (-vïsh⁴r) m mot. wind-screen wiper.

Schei'de (shid⁴) f (Säbel2) sheath, scabbard; (Trennung) parting; ~münze f (small) change; 2n v/t. separate; ⚗ analyse; Ehe: divorce; v/i. (sn) (weggehen) depart; (von-ea-gehen) part; ~wand f partition-wall; ~weg (-vék) m cross-road(s fig.).

Schei'dung (shïdōōrɡ) f separation; (Ehe2) divorce; ~sklage (-klähgʰᵉ) f divorce-suit.

Schein (shin) m shine; der Sonne usw.: light; (Ggs. Wirklichkeit) appearance; (Bescheinigung) certificate; (Quittung) receipt; (Rech-

nung usw.) bill; (*Geld*♀) (bank-)note; ♀**bar** seeming; ♀**en** shine; (*den Anschein h.*) appear, seem; ⸝**grund** (-grönt) *m* sophism; (*Vorwand*) pretence, pretext; ♀**heilig** (-hilíç) sanctimonious, hypocritical; ⸝**tod** (-tōt) *m* suspended animation; ♀**tot** (-tōt) seemingly dead; ⸝**werfer** *m* reflector; *bsd.* ✕ searchlight; *mot.* headlight; *thea.*) [spot-light.]

Scheit (shīt) *n* log.

Schei′tel (shīt⁵l) *m* crown (of the head); *fig.* top; (*Haar*♀): parting; ♀**n** part.

Schei′ter|haufen (shīt⁵rhowf⁵n) *m* (funeral) pile; *für Lebende:* stake; ♀**n** (shīt⁵rn) (sn) (*a. fig.*) be wrecked; *fig.* fail.

Sche′lle (shĕl⁵) *f* (little) bell.

Sche′llfisch *m* haddock.

Schelm (shĕlm) *m* rogue; ⸝**en-streich** (-shtríç) *m* roguish trick; ♀**isch** roguish.

Sche′lte (shĕlt⁵) *f* scolding; ♀**n** scold.

Sche′m|a (shémâh) *n* scheme; (*Muster*) model; ♀**a′tisch** schematic.

Sche′mel (shém⁵l) *m* stool.

Sche′men (shém⁵n) *m* phantom.

Sche′nke (shĕŋk⁵) *f* public house.

Sche′nkel (shĕŋk⁵l) *m* (*Ober*♀) thigh; (*Unter*♀) shank; (*Bein, e-s Dreiecks*) leg; *e-s Winkels:* side.

sche′nken (shĕŋk⁵n) give, make a present of; *Schuld, Strafe:* remit; *Getränke:* retail.

Sche′nktisch *m* bar.

Sche′nkung (shĕnkŏŏŋ) *f* donation; ⸝**s-urkunde** (-ōōrkōond⁵) *f* deed of gift.

Sche′rbe (shĕrb⁵) *f*, ⸝**n** *m* fragment, broken piece.

Sche′re (shér⁵) *f* (*eine* (*a pair of*) *scissors pl.*); ♀**n** shear, clip; *Haar:* cut; *Bart:* shave; *sich* (*weg*)⸝ be off; *sich* ⸝ *um* trouble about; ⸝**n-schleifer** (-shlīf⁵r) *m* knife-grinder, ⸝**rei′** *f* bother, vexation.

Scherz (shĕrts) *m* jest, joke; ⸝ *treiben mit* make fun of; ♀**en** jest, joke; ♀**haft** facetious, sportive.

scheu (shōi) 1. shy; *Pferd:* skittish; ⸝ *m.* frighten; 2. ♀ *f* shyness.

scheu′chen (shōiç⁵n) scare.

scheu′en (shōi⁵n) *v/i.* shy (at); *v/t.* fear; *sich* ⸝ *vor* be afraid of.

Scheu′er|frau (shōi⁵rfrow) *f* charwoman, *Am. a.* scrubwoman; ⸝**lappen** *m* scouring-cloth; ♀**n** scour, scrub; *Haut:* chafe.

Scheu′klappe *f* blinker (*a. fig.*).

Scheu′ne (shōin⁵) *f* barn, shed.

Scheu′sal (shōizâhl) *n* monster.

scheu′ßlich (shōislíç) hideous, atrocious; ♀**keit** *f* atrocity.

Schi (shee) *m* ski; ⸝ *laufen* ski.

Schicht (shíçt) *f* layer; (*Arbeits*♀) shift; (*Pause*) rest; (*Volks*♀) class, rank; ♀**en** put in layers; (*auf*)⸝ pile up; *nach Klassen:* classify; ♀**weise** in layers.

Schick (shík) 1. *m* skill; tact; style; 2. ♀ chic, stylish.

schi′cken (shík⁵n) send, dispatch; ⸝ *nach* send for; *sich* ⸝ (*für j-n*) become (a p.); *sich* ⸝ *in* (*acc.*) put up with.

schi′cklich proper, becoming; decent; ♀**keit** *f* propriety.

Schi′cksal (shíkzâhl) *n* destiny, fate.

Schie′be|fenster (sheeb⁵fĕnst⁵r) *n* sash-window; ⸝**karren** *m* wheelbarrow; ♀**n** (sheeb⁵n) push, shove; *F* (*unredlich verfahren*) shift; *mit Lebensmitteln usw.:* profiteer; ⸝**r** *m* slide(r); (*Riegel*) bolt; *F* shifter; profiteer, spiv; ⸝**rgeschäft** *F n* profiteering job; ⸝**tür** *f* sliding door.

Schie′bung (sheebŏŏŋ) *F* shifting; profiteering (job).

Schieds|gericht (sheets-) *n* court of arbitration; arbitration committee; ⸝**richter** *m* arbitrator; *Tennis:* umpire; *Fußball:* referee; ♀**richterlich** arbitral; ⸝**spruch** (-shprŏōk) *m* arbitration.

schief (sheef) slanting, oblique; *fig.* wrong; (*verzerrt*) wry; *fig.* ⸝ *gehen* go wrong.

Schie′fer (sheef⁵r) *m* slate; ⸝**stift** *m* slate pencil; ⸝**tafel** *f* slate.

schie′len (sheel⁵n) squint.

Schie′nbein (sheenbīn) *n* shinbone. [♀**n** ✠ splint.]

Schie′ne (sheen⁵) *f* rail; ✠ splint; **schie′ßen** (sheesⁿ) shoot (*a. fig.*), fire (*auf acc., nach* at); *Fußball:* e. *Tor* ⸝ score; *gut* ⸝ be a good shot; *Salut* ⸝ fire salute; ♀**pulver** (-pōōlf⁵r) *n* gunpowder; ♀**scharte** *f* loop-hole, embrasure; ♀**scheibe** (-shīb⁵) *f* target; ♀**stand** *m* shooting-range, butts *pl.* [♀) nave.]

Schiff (shíf) *n* ship, vessel; (*Kirchen*♀) **Schi′ff|ahrt** *f* navigation; ♀**bar** navigable; ⸝**bau** (-bow) *m* shipbuilding; **~bauer** *m* shipbuilder; **~bruch** (-brŏŏk) *m* shipwreck; 2**brüchig** (-brǜçiç) shipwrecked; **~brücke** *f* pontoon-bridge; 2en (sn) navigate, sail; **~er** *m* sailor; (*Fluß~*) boatman; (*Schiffsführer*) navigator; (*Handelsschiffskapitän*) skipper; **Schi'ffs|junge** (-yŏŏrg^e) *m* cabin-boy; **~kapitän** *m* (sea-)captain; **~ladung** (-lähdŏŏrg) *f* cargo; **~makler** (-mähkl^er) *m* ship-broker; **~raum** (-rowm) *m* hold; **~werft** *f* shipyard. [vexation; 2ie'ren vex.]

Schika'n|e (shikàhn^e) *f* chicane(ry), **Schi'|lauf(en** *n*) (sheelowf^en) *m* skiing; **~läufer(in** *f*) (-löif^er) *m* skier.

Schild (shilt) **1.** *m* shield; buckler; **2.** *n* (*Laden*2) sign(board), facia; (*Tür*2) door-plate; (*Namen-, Firmen-, Tür*2) name-plate; (*Etikett*) label; (*Mützen*2) plate; **~'drüse** (-drüz^e) *f* thyroid gland.

Schi'lder|haus (shild^erhows) *n* sentry-box; **~maler** (-màhl^er) *m* sign-painter; 2n (shild^ern) paint; *fig.* describe; **~ung** *f* description.

Schi'ld|patt *n* tortoise-shell; **~kröte** *f* (*Land*2) tortoise; (*See*2) turtle; **~wache** (-vàhk^e) ✕ *f* sentry, sentinel.

Schilf (shilf) *n*, **~'rohr** *n* reed.

schi'llern (shìl'ern) play in different colours.

Schi'mmel (shìm^el) *m* white horse; (*Pilz*) mo(u)ld; 2ig mo(u)ldy, musty; 2n (h. *u.* sn) get mo(u)ldy.

Schi'mmer (shìm^er) *m*, 2n gleam, glimmer.

Schimpf (shimpf) *m* disgrace, insult; 2'en *v/t.* abuse; *v/i.* rail (*über, auf* [*acc.*] at, against); 2'lich ignominious, disgraceful (*für* to); **~'wort** *n* term of abuse.

schi'ndel (shìnd^el) *m* shingle.

schi'nden (shìnd^en) flay; *fig.* grind, *Arbeiter*: sweat; *sich* ~ slave.

Schi'nder *m* knacker; *fig.* grinder; sweater; **~ei'** *f* *fig.* sweating; (*schwere Arbeit*) grind, drudgery.

Schi'nken (shìrgk^en) *m* ham.

Schi'ppe (shìp^e) *f*, 2n shovel.

Schirm (shirm) *m* (*Wind*2 *usw.*) screen; (*Mützen*2) peak; (*Regen*2) umbrella; (*Sonnen*2) sunshade, parasol; (*Lampen*2) shade; *fig.* shelter; 2'en shelter; protect; **~'futteral**

(-fŏŏt^erähl) *n* umbrella-case; **~'herr** (-*in* *f*) *m* protector, *f* protectress; **~'mütze** *f* peaked cap; **~'ständer** (-shtènd^er) *m* umbrella-stand.

Schlacht (shlàhxt) *f* battle; **~'bank** *f* shambles *pl.*, *oft sg.*; 2'en slaughter.

Schlä'chter (shlèçt^er) *m* butcher.

Schla'cht|feld *n* battle-field; **~haus** (-hows) *n* slaughter-house; **~kreuzer** (-kröits^er) *m* battle-cruiser; **~vieh** (-fee) *n* slaughter cattle.

Schla'ck|e (shlàhk^e) *f* cinder, scoria, dross; slag; 2ig slaggy, drossy.

Schlaf (shlàhf) *m* sleep; **~'abteil** (-àhptìl) *n* sleeping-compartment; **~'anzug** (-àhntsōōk) *m* sleeping-suit; **~'bursche** (-bōōrsh^e) *m* night-lodger.

Schlä'fchen (shlàhfç^en) *n* doze, nap.

Schla'fdecke *f* blanket.

Schlä'fe (shlàhf^e) *f* temple.

schla'fen (shlàhf^en) sleep; ~ *gehen, sich* ~ *legen* go to bed.

schlä'f(e)rig sleepy, drowsy.

schlaff (shlàhf) slack; loose; (*welk*) limp, flabby; *fig.* lax; (*träg*) indolent; 2'heit *f* slackness; laxity; indolence.

Schla'f|gelegenheit (-gh^elēgh^enhìit) *f* sleeping accommodation; **~kamerad** *m* bedfellow; 2los sleepless; **~mittel** *n* soporific; **~mütze** *f* *fig.* sleepyhead; **~rock** *m* dressing-gown, *Am.* robe; **~sofa** (-zōfàh) *n* sofa-bed; **~stelle** *f* night's lodging; 2trunken (-trōōrgk^en) drowsy; **~wagen** (-vàhgh^en) 🚃 *m* sleeping-car; **~wandler** (-vàhndl^er) *m* sleep-walker; **~zimmer** *n* bedroom.

Schlag (shlàhk) *m* blow (*a. fig.*); stroke; *mit flacher Hand:* slap; *f* shock; (*Puls*2, *Herz*2) beat; (*Donner*2) clap; *der Vögel:* warbling; (*Kutschen*2) carriage-door; *fig.* race, kind; breed; = **~anfall**; ~ *sechs Uhr* on the stroke of six; **~'ader** (-àhd^er) *f* artery; **~'anfall** (-àhnfähl) *m* stroke (of apoplexy); **~'baum** (-bowm) *m* turnpike; 2'en (shlàhgh^en) *v/t.* beat; strike; (*treffen*) hit; (*hart* ~) knock; (*besiegen*) defeat, beat; *Holz:* fell; *Alarm* ~ sound the alarm; *in den Wind* ~ cast to the four winds; *sich* ~ come to blows, fight; *sich aus dem Sinne* ~ dismiss *a th.* from one's mind; *v/i.* strike;

27*

(*a. Herz*) beat; *Uhr*: strike; *Pferd*: kick; *Vogel*: warble; *das schlägt nicht in mein Fach* that is not in my line; 2'**end** striking. [♪ song-hit.]

Schla'ger (shläng^hᵉr) *m* draw, hit;
Schlä'ger (shläg^hᵉr) *m* beater *usw.*; *Kricket*: batsman; *Pferd*: kicker; (*Gerät*) *Kricket*: bat, (*Tennis*2) racket; ᾳ**ei** *f* (free) fight, brawl, scuffle. [2**keit** *f* fig. ready wit.]

schla'gfertig fig. ready-witted;

Schla'g|loch (-lŏk) *n* pot-hole; ᾳ**mann** *m* Rudern: stroke; ᾳ**ring** *m* knuckleduster, brass knuckles; ᾳ**sahne** *f* whipped cream; ᾳ**schatten** *m* cast shadow; ᾳ**seite** (-zitᵉ) ⚓ *f* list; ᾳ**werk** *n* striking mechanism; ᾳ**wort** *n* catchword, slogan; ᾳ**zeile** (-tsilᵉ) *f* catch-line; *Am.* banner head; ᾳ**zeug** (-tsŏik) ♪ *n* percussion instruments *pl.*

Schlamm (shläᴴm) *m* mud, mire.
schla'mmig muddy, slimy.
Schlä'mmkreide (shlĕmkridᵉ) *f* whit(en)ing.

Schla'mp|e (shläᴴmpᵉ) *f* slut, slattern; 2**ig** slovenly; slipshod.
Schla'nge (shläᴴŋᵉ) *f* snake; ᾳ *stehen* queue (*Am.* line) up.

schlä'ngeln (shlĕŋᵉln): *sich* ᾳ wind; worm o.s. through a *th.*

Schla'ngenlinie (-leenⁱᵉ) *f* serpentine (line).

schlank (shläᴴŋk) slender, slim.

schlapp (shläᴴp) = *schlaff*; F ᾳ *m.* break down; 2**e** *f* check, reserve; ✕ defeat; (*Verlust*) loss.

schlau (shlow) sly, cunning.

Schlauch (shlowk) *m* tube; (*Spritz-* 2) hose; (*Fahrrad*2, *Auto*2) inner tube; ᾳ**boot** (-bŏt) *n* rubber dinghy, *Am.* pneumatic boat.

Schlau'fe (shlowfᵉ) *f* loop.

schlecht (shlĕçt) **1.** *adj.* bad; (*boshaft*) wicked; (*erbärmlich*) wretched; *Laune*: ill; *mir ist* ᾳ I feel ill; **2.** *adv.* badly, ill; ᾳ'**erdings** (-ᵉr-diᴺŋs) by all means, absolutely; ᾳ'**gelaunt** (-g^hᵉlownt) ill-humoured; ᾳ**hi'n**, ᾳ**we'g** (-vĕk) plainly, simply; 2'**igkeit** *f* badness *usw.*; *j-n* ᾳ'**machen** run a p. down.

schlei'ch|en (shlīçᵉn) (sn) creep; slink; *sich davon*ᾳ steal away *od.* off; 2**er** *m* sneak; 2**handel** *m* smuggling, contraband (trade); 2**händler** *m* smuggler; 2**weg** (-vĕk) *m* secret path.

Schlei'er (shlīᵉr) *m* veil; 2**haft** fig. hazy, mysterious.

Schlei'f|e (shlīfᵉ) *f* (*Schlinge*) loop; (*gebundene* ᾳ) slip-knot; (*Band*2) bow, knot; (*Art Schlitten*) sledge, drag; 2**en 1.** grind; *Messer usw.*: whet; *Edelstein, Glas*: cut; (*polieren*) polish; **2.** (*schleppen*) drag; *Mauer usw.*: demolish; ♪ slur; ᾳ**stein** (-shtīn) *m* whetstone, grindstone.

Schleim (shlīm) *m* slime; *im Körper*: mucus, phlegm; 2'**haut** (-howt) *f* mucous membrane; 2'**ig** slimy; mucous.

schle'mm|en (shlĕmᵉn) feast, gormandize; 2**er** *m* glutton; 2**erei** *f* gluttony.

schle'nd|ern (shlĕndᵉrn) (sn) stroll, saunter; 2**rian** (-rⁱäᴴn) *m* routine; beaten track, jogtrot.

schle'nkern (shlĕŋkᵉrn) dangle; swing (*mit et. a th.*).

Schle'pp|dampfer (shlĕp-) *m* steam-tug; ᾳ**e** *f* am Kleid: train; (*Schweif*) trail; 2**en** drag, trail; (*schwer tragen*) carry; ⚓ tug; 2**end** dragging; *Sprache*: drawling; ᾳ**er** *m* ⚓ tug(-boat); ᾳ**tau** (-tow) *n* tow(ing)-rope; *ins* ᾳ *nehmen* take in tow.

Schleu'der (shlŏidᵉr) *f* sling; ᾳ**artikel** (-ährteekᵉl) ✝ *m* catchpenny article; 2**n** *v/t.* fling, hurl; *v/i.* *mot.* skid, (side-)slip; ✝ sell below cost, undersell; 2**preis** (-prīs) *m* underprice; *zu* ᾳ*preisen* dirt-cheap.

schleu'nig (shlŏiniç) quick, speedy.

Schleu'se (shlŏizᵉ) *f* lock, sluice.

schlicht (shliçt) plain, simple; (*glatt*) smooth, sleek; ᾳ'**en** fig. settle; 2'**er**(**in** *f*) *m* arbitrator.

schlie'ßen (shlees^ᵉn) *v/t.* shut; close; *mit Schloß*: lock; *Freundschaft, Ehe*: contract; *Handel*: strike; *Vertrag, Frieden*: conclude; *Debatte*: close; *in sich* ᾳ include; *v/i.* shut; close; *aus et.* ᾳ *auf* (*acc.*) conclude a *th.* from a *th.*; 2**fach** *n* post-office box; ᾳ**lich** final(ly), eventual(ly). [*Edelstein, Glas*: cut.]

Schliff (shlif) *m* polish (*a. fig.*);

schlimm (shlim) bad; ill; (*böse*) evil; (*wund*) sore; (*bedenklich*) serious; ᾳ**er** worse; *am* ᾳ**sten** the worst; ᾳ *daran sn* be badly off; ᾳ'**stenfalls** at (the) worst.

Schli'ng|e (shlĭngᵉ) f loop, noose; (Draht2, Tau2) coil; ✳ sling; hunt. u. fig. snare; **~el** m rascal; **2en** wind, twist; (schlucken) gulp, gorge; sich **~** wind, turn; **~pflanze** f creeper.

Schlips (shlĭps) m (neck-)tie.

Schli'tten (shlĭtᵉn) m sledge, Am. sled; (bsd. Pferde2) sleigh; (Rodel2) toboggan.

Schli'ttschuh (shlĭtshoo) m skate; **~ laufen** skate; **~läufer(in** f) (-löifᵉr) m skater.

Schlitz (shlĭts) m slit, slash; (Einwurf2) slot; **2en** slit, slash.

Schloß (shlŏs) n castle; (Tür2 usw.) lock; (Halsband2) snap.

Schlo'sser (shlŏsᵉr) m locksmith.

schlo'tter|ig (shlŏtᵉrĭç) loose, shaky; **~n** hang loose; Glieder: shake.

Schlucht (shlŏoKt) f gorge.

schlu'chzen (shlŏoKtsᵉn) sob.

Schluck (shlŏok) m draught, gulp; **2en** swallow; **~en** m hiccup.

Schlu'mmer (shlŏomᵉr) m, **2n** slumber. [(Abgrund) abyss, gulf.]

Schlund (shlŏont) m throat, gullet;]

schlü'pf|en (shlüpfᵉn) (sn) slip; **2er** m (Damenhös-chen) (ein a pair of) knickers pl., Am. panties; **~(e)rig** slippery; fig. lascivious.

Schlu'pf|loch (shlŏopflŏk) n loop-hole; **~winkel** m hiding-place.

schlü'rfen (shlürfᵉn) sip.

Schluß (shlŏos) m close, end; (Ab2; Folgerung) conclusion; e-r Debatte: closing.

Schlü'ssel (shlüsᵉl) m key; **~bart** m key-bit; **~bein** (-bīn) n collar-bone; **~bund** (-bŏont) n bunch of keys; **~loch** (-lŏk) n keyhole.

Schlu'ß|folgerung (-fŏlgᵉrŏong) f conclusion; **~licht** (-lĭçt) n mot. tail-light; **~runde** (-rŏondᵉ) f Sport: final; **~schein** (-shīn) ✝ m contract-note. [(leidigung) insult.]

Schmach (shmāK) f disgrace; (Be-]

schma'chten (shmāKtᵉn) languish, pine (nach for).

schmä'chtig (shmĕçtĭç) slender.

schma'chvoll disgraceful.

schma'ckhaft (shmāKhäft) savoury.

schmä'h|en (shmĕᵉn) (schimpfen) revile; (verleumden) slander; **~lich** ignominious, disgraceful; **2schrift** f libel, lampoon; **2ung** f abuse, invective.

schmal (shmāhl) narrow; slender; thin; fig. scanty.

schmä'l|ern (shmālᵉrn) curtail, impair; **2erung** f curtailment, impairment.

Schma'l|film m narrow film; **~spur** (-shpōōr) f, **2spurig** 🚂 narrow-gauge.

Schmalz (shmāhlts) n lard.

schmaro'tz|en (shmārŏtsᵉn) sponge (bei on); **2er** m parasite.

Schma'rre (shmārᵉ) f scar, slash.

schma'tzen (shmāhtsᵉn) smack.

Schmaus (shmows) m, **2en** (shmowzᵉn) feast, banquet.

schme'cken (shmĕkᵉn) taste (nach of); das schmeckt mir I like it.

Schmeichel|ei' (shmĭçᵉlī) f flattery; cajolery; **2haft** flattering; **2n** flatter (j-m a p.); zärtlich: cajole.

Schmei'chler m, **~in** f flatterer.

schmei'ß|en (shmīsᵉn) F fling, hurl; **2fliege** (-fleegʰᵉ) f blowfly, blue-bottle.

Schmelz (shmĕlts) m enamel; fig. bloom; J sweetness; **2en** v/t. (v/i. [sn]) melt; metall. smelt, fuse; **~erei'** (-ᵉrī), **~'hütte** f foundry; **~'ofen** (-ōfᵉn) m furnace; **~'tiegel** (-teegʰᵉl) m melting-pot, crucible.

Schme'rbauch (shmérbowk) m paunch.

Schmerz (shmĕrts) m pain (a. fig.); ache; (Kummer) grief; **2en** v/t. pain; v/i. ache; seelisch: grieve; **2haft**, **2lich** painful; fig. a. grievous; **2lindernd** soothing; **2los** painless.

Schme'tter|ling (shmĕtᵉrlĭng) m butterfly; **2n** v/t. smash, dash; v/i. J bray, blare; Vogel: warble.

Schmied (shmeet) m (black)smith; **~e** (shmeedᵉ) f forge, smithy; **~e-eisen** (-īzᵉn) n wrought iron; **~e-hammer** m sledge-hammer; **2en** forge; Plan: scheme.

schmie'gen (shmeegʰᵉn) (a. sich) nestle (an acc. to).

schmie'gsam (shmeekzāhm) pliant, flexible, supple; **2keit** f pliancy.

Schmie'r|e (shmeerᵉ) f grease; thea. troop of strolling players; **2en** smear; ⊕ grease, lubricate; Brot: butter; Butter: spread; (kritzeln) scrawl, scribble; paint. daub; **~erei'** (-ᵉrī) f smearing; scrawl; daub;

Sig (*fettig*) greasy; (*schmutzig*) dirty; *fig.* sordid; **~mittel** ⊕ *n* lubricant.

Schmi'nke (shmĭnk^e) *f* (grease) paint, make-up; *rot:* rouge; **Sn** (*a. sich*) paint, make up; *rot:* rouge.

Schmi'rgel (shmĭrg^hel) *m* emery.

Schmiß (shmĭs) *m* (*Hieb*) cut, lash; *fig.* F verve, go, *Am.* pep.

schmo'llen (shmŏl^en) pout, sulk.

schmo'ren (shmŏr^en) stew.

Schmuck (shmŏŏk) 1. *m* ornament; (*Juwelen*) jewels *pl.*; 2. ♀ neat, smart, trim; spruce.

schmü'cken (shmŭk^en) adorn; trim.

schmu'ck|los unadorned; **Ssachen** (-zähk^en) *f/pl.* jewels.

Schmu'ggel (shmŏŏg^hel) *m,* **~ei'** *f* smuggling; **Sn** smuggle; **~ware(n** *pl.*) (-vähr^e[n]) *f* contraband.

Schmu'ggler *m* smuggler.

schmu'nzeln (shmŏŏnts^eln) smile contentedly *od.* amusedly.

Schmutz (shmŏŏts) *m* dirt; (*a. fig.*) filth; *fig.* smut; **~'blech** *n,* **~'fänger** (-fĕng^er) *m* mudguard; **Sen** soil, get dirty; **~erei'** (-^erĩ) *f* filth; **~'fleck** *m* stain; **♀'ig** dirty; filthy; *bsd. fig.* smutty; sordid.

Schna'bel (shnã'b^el) *m* bill, beak.

Schna'lle (shnãhl^e) *f,* **Sn** buckle.

schna'lzen (shnãhlts^en) click one's tongue; snap one's fingers.

schna'ppen (shnãhp^en) snap (*nach* at); *nach Luft* ~ gasp for breath.

Schna'pp|schloß (-shlŏs) *n* spring-lock; **~schuß** (-shŏŏs) *m* snapshot.

Schnaps (shnähps) *m* strong liquor; (*ein Glas* ~) dram.

schna'rchen (shnãhrç^en) snore.

schna'rren (shnãhrr^en) jar; rattle.

schna'ttern (shnãht^ern) cackle; *fig.* chatter, gabble.

schnau'ben (shnowb^en) snort; puff, blow; *vor Wut* ~ foam with rage; *sich (die Nase)* ~ blow one's nose; **~fen** (-f^en) wheeze; pant.

Schnau'ze (shnowts^e) *f* snout; muzzle; (*Tülle*) spout; **Sen** F jaw.

Schne'cke (shnĕk^e) *f* snail; **~ngang** *m: im* ~ at a snail's pace; **~nhaus** (-hows) *n* snail's shell.

Schnee (shné) *m* snow; **~'ball** *m,* **♀'ballen** (*a. sich*) snowball; **~'brille** *f* (*eine a pair of*) snow-goggles *pl.*; **~'fall** *m* snowfall; **~'flocke** *f* snow-flake; **~'gestöber** (-g^hestö'b^er) *n* snow-storm; **~'glöckchen** (-glök-

ç^en) *n* snowdrop; **~'pflug** (-pflŏŏk *m* snow-plough; (**~'schuh** (-shŏŏ) *m* snow-shoe, ski; **~'wehe** (-vé^e) *f* snowdrift; **♀'weiß** (-vĩs) snow-white.

Schneid (shnĩt) F *m* pluck, dash.

Schnei'de (shnĩd^e) *f* edge; **~mühle** *f* saw-mill; **Sn** *allg.* cut; (*be~*) pare.

Schnei'der *m* tailor; **~in** *f* dressmaker; **~ei'** *f* tailoring; **~meister** (-mĩst^er) *m* master tailor; **Sn** *v/i.* do tailoring *od.* dressmaking; *v/t.*)

Schnei'dezahn *m* incisor. [make.]

schnei'dig *fig.* smart, *Am.* nifty; (*flott*) dashing; (*mutig*) plucky.

schnei'en (shnĩ^en) snow.

schnell (shnĕl) (*lebhaft, geschwind*) quick; swift; (*schleunig*) speedy; *sich bewegender Gegenstand:* fast; *Strömung, Wuchs,* ✕ *Feuer:* rapid; (*sofortig*) prompt; (*plötzlich*) sudden; *~! be quick!;* **~en** *v/t. u. v/i.* (sn) jerk; **♀feuer** (-fôi^er) *n* rapid fire; **♀'hefter** *m* folder.

Schne'lligkeit (shnĕlĩçkĩt) *f* quickness; speed; rapidity; promptness.

Schne'll|kraft *f* elasticity; **~läufer** (-in *f*) (-lôif^er) *m* racer; **~verfahren** (-fĕrfãhr^en) ♟↑ *n* summary jurisdiction; **~zug** (-tsŏŏk) *m* fast train, express. [one's nose.]

schneu'zen (shnôĭts^en): *sich* ~ blow)

schnie'geln (shnéég^heln) smarten.

schni'ppisch (shnĭpĭsh) snappish, pert, *Am.* snippy.

Schnitt (shnĭt) *m* (*Schneiden*) cut (-ting); (*Haar♀, Kleider♀, ~wunde*) cut; (*Buch♀*) edge; (*Gewinn*) profit; (*~muster*) pattern; ⅍ section; **~'e** *f* cut, slice; **~'er(in** *f*) *m* reaper, mower; **~'fläche** (-flĕç^e) *f* section(al plane); **~'muster** (-mŏŏst^er) *n* pattern; **~'punkt** (-pŏŏŋkt) *m* (point of) intersection; **~'waren** (-vãhr^en) *f/pl.* drapery, mercery, *Am.* dry goods *pl.*; **~'warenhändler** *m* draper, mercer; **~'wunde** (-vŏŏnd^e) *f* cut.

Schni'tzel (shnĭts^el) *n, a. m* chip; **Sn** whittle, chip.

schni'tzen (shnĭts^en) carve, cut.

Schni'tzer *m* carver; (*Fehler*) blunder; **~ei'** *f* carved work.

schnö'de (shnöd^e) base, vile.

Schnö'rkel (shnörk^el) *m* flourish.

schnü'ff|eln (shnüf^eln) sniff, (*a. fig.*) nose (*nach* after, for); *fig.* F snoop; **~ler(in** *f*) *m fig.* spy, F snooper.

Schnu'pf|en¹ (shnŏŏpf'n) m cold (in the head), catarrh; den ~ bekommen catch cold; ℒen² (take) snuff; ~er m snuffer; ~tabak m snuff.

Schnu'pp|e (shnŏŏp') f am Licht: snuff; (Stern℺) shooting star; ℒern sniff.

Schnur (shnŏŏr) f cord, string; line.

Schnü'r|band (shnūr-) n lace; ~chen n: wie am ~ like clock-work; ℒen lace; (zubinden) cord, tie up.

schnu'rgerade straight.

Schnu'rr|bart (shnŏŏr-) m moustache; ℒen hum, buzz; Räder: whir(r); Katze: purr; ℒig droll, funny; (wunderlich) queer.

Schnü'r|senkel (shnürzěṉk'l) m lace, Am. shoe-string; ~stiefel (-shteef'l) m lace-boot.

schnu'rstracks (shnŏŏrshtrȧks) directly, straight.

Scho'ber (shōb'r) m stack, rick.

Schock (shŏk) n threescore; m ⚕ shock; (Rock℺) flap, tail, skirt.

Schö'ßling (shōsliṉg) ⚕ m shoot.

Scho'te (shōt') f cod, pod, husk, shell; ~n pl. green peas.

Scho'tt|e (shŏt') m Scotchman; die ~en pl. the Scotch; ~er m metal; ~in f Scotchwoman; ℒisch Scotch.

schräg (shrāk) oblique, sloping.

Schra'mm|e (shrȧm') f, ℒen scratch, scar; Haut: graze.

Schrank (shrȧṉk) m cupboard.

Schra'nke f barrier; 🚂 bar; 🚂 gate; ~n pl. lists; fig. bounds; ℒen-los boundless; ~nwärter (-vērt'r) 🚂 m gateman.

Schra'nkkoffer m wardrobe trunk.

Schrau'be (shrowb') f, ℒn screw.

Schrau'ben|mutter (-mōōt'r) f nut; ~schlüssel m wrench, spanner; ~zieher (-tsee'r) m screwdriver. [vice.|

Schrau'bstock (shrowpshtŏk) m|

Schreck (shrěk), ~en¹ m fright, terror; ~bild n fright, bogbear; ℒen² frighten, scare; ~ensherrschaft f reign of terror; ℒhaft timid; ℒlich terrible (a. fig.); dreadful; ~schuß (-shŏŏs) m shot in the air.

Schrei (shrī) m cry; lauter: shout.

schrei'ben (shrīb'n) **1.** write; (mit der) Maschine ~ type(write); 2. ℒn writing; (Brief) letter.

Schrei'ber m, ~in f writer; (Angestellter) clerk.

schrei'b|faul (shrīpfowl) lazy in writing; ℒfeder (-féd'r) f pen; ℒ-fehler m slip of the pen; ℒheft n copy-book; ℒmappe f writing-case; ℒmaschine (-mȧsheen²) f typewriter; ℒpapier (-pȧper²) n writing-paper; ℒschrift f script; ℒtafel (-tȧhf'l) f tablet; ℒtisch m writing-table; ℒunterlage (-ōōnt'rlȧhg²) f blotting-pad; ℒwaren (-vȧhr'n) f/pl. stationery sg.; ℒwarenhändler m stationer; ℒzeug (-tsŏik) n inkstand.

schrei'en (shrī'n) cry (um, nach for); laut: shout; ~d Farbe: loud.

schrei'ten (shrīt'n) (sn) step, stride; ~ zu proceed to.

Schrift (shrift) f writing; (Hand℺) hand(writing); typ. type; die Heilige ~ the Holy Scripture(s pl.); ~führer(in f) m secretary; ~leiter (-līt'r) m editor; ℒlich written; in writing; ~satz (-zähts) m memorandum; ~setzer m type-setter; ~sprache (-shprähk⁶) f literary language; ~steller (-shtĕl⁶r) m author, writer; ~stellerin f author(ess); ~stück n writing, document; ~'tum n literature; ~wechsel (-vĕks⁶l) m exchange of letters; ~'zeichen (-tsi-ç⁶n) n character.

schrill (shril) shrill.

Schritt (shrĭt) m step (a. fig.); (a. Gangart, Tempo, Maß) pace; fig. ~e unternehmen take steps; ~macher (-mähk⁶r) m pace-maker; ₂'weise by steps.

schroff (shróf) abrupt; steep; fig. harsh, gruff. [fleece.]

schrö'pfen (shröpf⁶n) cup; fig.]

Schrot (shrōt) m u. n zum Schießen: small shot; (Korn) bruised grain; ~'brot (-brōt) n whole-meal bread; ~'flinte f shotgun.

Schrott (shrót) m scrap(metal).

schru'bben (shrŏŏb⁶n) scrub.

Schru'lle (shrŏŏl⁶) f whim.

schru'mpfen (shrŏŏmpf⁶n) (sn) shrink, shrivel.

Schub (shŏŏp) m push; v. Broten, Briefen usw.: batch; ~'fach (-fähk) n, ~'kasten m, ~'lade (-lähd⁶) f drawer; ~'karren m wheelbarrow, Am. pushcart. [ful, timid.]

schü'chtern (shüçt⁶rn) shy, bash-]

Schuft (shŏŏft) m rascal; ₂'en m drudge, slave; ₂'ig knavish.

Schuh (shŏŏ) m shoe; ~'-anzieher (-ähntsee⁶r) m shoehorn; ~'band n boot-lace, Am. shoe-string; ~'krem (-krém) m shoe-cream; ~'macher (-mähk⁶r) m shoemaker; ~'putzer (-pŏŏts⁶r) m shoeblack; ~'sohle f sole; ~'werk, ~'zeug (-tsŏik) n footwear.

Schu'l|**amt** (shŏŏlähmt) n (Lehramt) teacher's post; (Behörde) school board; ~arbeit (-ährbīt) f task, lesson; ~bank f form; ~besuch (-b⁶zŏŏk) m attendance at school; ~bildung f education.

Schuld (shŏŏlt) f (Vergehen) guilt; (Geld₂) debt; ~en m. contract debts; es ist s-e ~ it is his fault; he is to blame for it; ₂en (-d⁶n) owe.

Schu'ldiener (shŏŏldeen⁶r) m school attendant.

schu'ldig (shŏŏldĭç) (strafbar) guilty; Geld: owing; (gebührend) due;

j-m et. ~ sn od. bleiben owe a p. a th.; der, die ₂e (-dĭgʰᵉ) the culprit; ₂keit f duty.

Schu'ldirektor (shŏŏldĭrĕktŏr) m headmaster, Am. principal.

schu'ld|**los** guiltless, innocent; ₂ner (-in f) m debtor; ₂schein (-shīn) m, ₂verschreibung (-fĕrshrībŏŏᵖₓ) f promissory note; IOU (= I owe you); öffentliche(r): debenture.

Schu'le (shŏŏl⁶) f school; auf (od. in) der ~ at school; in die ~ gehen go to school; ₂n school, train.

Schü'ler (shül⁶r) m schoolboy; pupil; höherer: Am. student; ~in f schoolgirl; pupil.

Schu'l|**ferien** (shŏŏlfér¹⁶n) pl. holidays, Am. vacations pl.; ~geld n school fee(s pl.), tuition; ~hof (-hōf) m playground; ~kamerad m schoolfellow; ~lehrer m schoolmaster; ~lehrerin f schoolmistress; ~mann m pedagogue; ~mappe f satchel; ₂meistern (-mĭst⁶rn) censure; ~ordnung f school regulations pl.; ~pferd (-pfért) n trained horse; ₂pflichtig (-pflĭçtĭç) schoolable; ~rat m supervisor; ~schiff n training-ship; ~schluß (-shlŏŏs) m breakup; ~speisung (-shpīzŏŏᵖₓ) f school relief meal; ~stunde (-shtŏŏnd⁶) f lesson.

Schu'lter (shŏŏlt⁶r) f shoulder; ~blatt n shoulder-blade; ₂n shoulder.

Schu'l|**unterricht** (-ŏŏnt⁶rĭçt) m school-instruction; ~versäumnis (-fĕrzŏimnĭs) f non-attendance; ~wesen (-véz⁶n) n educational system; ~zeugnis (-tsŏiknĭs) n school record.

Schund (shŏŏnt) m trash; ~'literatur (-lĭt⁶rähtŏŏr) f trashy literature.

Schu'pp|**e** (shŏŏp⁶) f scale; (Kopf₂n) dandruff; ₂en¹ (un)scale; (kratzen) scrape; ~en² m shed; mot. garage; ₃ hangar; ₂ig scaly.

Schü'r|**eisen** (shürīz⁶n) n poker; ₂en poke, stir (up fig.).

Schu'rk|**e** (shŏŏrk⁶) m scoundrel; ~erei (-⁶rī) f rascality; ₂isch rascally.

Schurz (shŏŏrts) m apron. [rascally.]

Schü'rze (shürts⁶) f apron; ₂n tie up, tuck up.

Schuß (shŏŏs) m shot; (Knall) report; (Ladung) charge; = ~wunde; ₄ (Trieb) shoot.

Schüssel (shûs^el) f dish.

schu'ß|fertig ready to fire; **♀waffe** f fire-arm; **♀weite** (-vīt^e) f range; **♀wunde** (-vōōnd^e) f gunshot wound. [♀n cobble.]

Schu'ster (shōōst^er) m shoemaker.;

Schutt (shōōt) m rubbish; (Stein♀) rubble. [ing fit; ♀n shake.]

Schü'ttel|frost (shût^el-) m shiver-;

schü'tten (shût^en) pour; shoot.

Schutz (shōōts) m protection; defence; (Obdach) shelter; (sicheres Geleit) safeguard; **∼'brille** f (eine a pair of) safety goggles.

Schü'tze (shûts^e) m marksman; shot; ✗ rifleman; ♀n protect; guard; defend; shelter (from).

Schu'tz-engel m guardian angel.

Schü'tzengraben (shûts^engrāhb^en) m trench.

Schu'tz|geleit (-g^helīt) n safe-conduct; **∼haft** f preventive arrest; **∼herr** m patron; **∼herrin** f patroness; **∼insel** (-īnz^el) f auf der Straße: refuge. [tégé(e) f.)

Schü'tzling (shûtslĭŋ) m pro-;

schu'tz|los unprotected; **♀mann** m constable, policeman, Am. patrolman; **♀marke** f trade-mark; **♀mittel** n preservative; **♀patron**(in f) (-pāhtrōn) m patron saint; **∼pocken-impfung** (-pŏk^enimpfōōŋ) f vaccination; **♀wehr** f bulwark; **♀zoll** m protective duty.

Schwa'be (shvāb^e) m Swabian.

Schwä'b|in (shvābĭn) f Swabian (woman); **♀isch** Swabian.

schwach (shvāhx) feeble, weak; Ton, Licht: faint; (hinfällig) infirm; **∼e** Seite fig. weak point.

Schwä'che (shvĕç^e) f weakness; fig. foible; infirmity; ♀n weaken.

Schwa'ch|heit f weakness; moralische: frailty; **∼kopf** m simpleton; **♀köpfig** (-köpfĭç) weak-headed.

schwä'ch|lich (shvĕçlĭç) feeble; weakly; (empfindlich) delicate; **♀ling** (-lĭŋ) m weakling.

schwa'ch|sinnig (-zĭnĭç) weak-minded; **♀strom** (-shtrōm) ⚡ m weak current.

Schwadro'n (shvāhdrōn) f squadron; **♀ie'ren** swagger.

Schwa'ger (shvāhg^her) m brother-in-law. [-in-law.)

Schwä'gerin (shvāg^hrĭn) f sister-;

Schwa'lbe (shvāhlb^e) f swallow.

Schwall (shvāhl) m swell, flood.

Schwamm (shvāhm) m sponge; ♀ mushroom; (Haus♀) dry rot; **♀ig** spongy.

Schwan (shvāhn) m swan.

schwa'nger (shvāhŋg^er) pregnant.

schwä'ngern (shvĕŋg^ern) get with child, (a. fig.) impregnate.

Schwa'ngerschaft f pregnancy.

schwa'nk|en (shvāhŋk^en) totter; stagger; ♥ Preise: fluctuate; fig. waver, vacillate; **♀ung** f oscillation; ♥ fluctuation. [train.)

Schwanz (shvāhnts) m tail; (Gefolge)

schwä'nz|eln (shvĕnts^eln) wag one's tail; **∼en** Schule usw.: shirk, play truant. [suppurate.)

Schwä're (shvār^e) f abscess; ♀n;

Schwarm (shvāhrm) m swarm.

schwä'rmen (shvĕrm^en) (h. u. s) swarm; (schwelgen) revel; **∼** für be enthusiastic about.

Schwä'rmer(in f) m reveller; (Begeisterter) enthusiast; Feuerwerk: cracker; **∼ei'** f enthusiasm (for); **♀isch** enthusiastic.

Schwa'rte (shvāhrt^e) f rind, skin.

schwarz (shvāhrts) **1.** black; **∼er** Mann fig. bog(e)y; **2.** ♀ n black (colour); **3.** ♀'e(r) m black; **♀'-arbeit** (-āhrbīt) f illicit work; **♀'blech** n black sheet; **♀'brot** (-brōt) n brown bread. [♀n blacken.)

Schwä'rze (shvĕrts^e) f blackness;

Schwa'rz|fahrt f mot. joy-ride; **∼handel** m black market(ing); **∼händler** m black-marketeer; **∼hörer** m wireless pirate.

schwä'rzlich (shvĕrtslĭç) blackish.

Schwa'rz|seher(in f) (shvāhrts-zē^er) m pessimist; **∼sender** (-zĕnd^er) m pirate transmitter.

schwa'tzen (shvāhts^en) chatter.

Schwä'tzer (shvĕts^er) m, **∼in** f;

schwa'tzhaft talkative. [tattler.)

Schwe'be (shvēb^e) f: in der **∼** in suspense; **∼bahn** f suspension railway; ♀n (h. u. sn) be suspended; Vogel: hover; Prozeß: be pending; (leicht gehen) swim.

Schwe'd|e (shvēd^e) m, **∼in** f Swede; **♀isch** Swedish.

Schwe'fel (shvēf^el) m sulphur; **∼äther** (-āt^er) m sulphuric ether; **∼säure** (-zŏir^e) f sulphuric acid.

Schweif (shvīf) m tail; fig. train; **♀en** (h. u. sn) rove, ramble.

schwei'gen (shvīg^hen) **1.** be silent; **2.** ♀ n silence; **∼d** silent.

schwei′gsam (shvīkzāhm) taciturn; **♀keit** f taciturnity.

Schwein (shvīn) n pig, hog (a. fig.); F (Glück) fluke, lucky hit.

Schwei′ne|braten m roast pork; **~fleisch** (-flish) n pork; **~rei′** f (Zustand) mess; (Handlung) dirty trick; (Unzüchtigkeit) smut(ty joke); **~stall** m pigsty.

schwei′nisch swinish.

Schwei′nsleder n pigskin.

Schweiß (shvis) m sweat, perspiration; **~blatt** n dress-shield; **♀en** ⊕ weld; **♀ig** perspiring.

Schwei′zer (shvits^er) m Swiss (a. ~in f); (Milch♀) dairyman.

schwe′len (shvél^en) smoulder.

schwe′lge|n (shvélg^heⁿ) revel; **♀rei′** f revelry; **~risch** luxurious.

Schwe′lle (shvél^e) f (Tür♀) threshold; 龜 sleeper; **♀en** v/t., v/i. (sn) swell; **~ung** f swelling.

Schwe′ngel (shvĕn̄g^el) m handle.

schwe′nk|en (shvĕn̄gk^en) v/t. swing; Stock usw.: flourish, brandish; Hut, Tuch: wave; v/i. turn; ✕ wheel; **♀ung** f ✕ wheel; fig. change of mind.

schwer (shvér) heavy; (schwierig) difficult, hard; Krankheit, Wunde: serious; Strafe: severe; Verbrechen usw.: grave; Wein, Zigarre: strong; **~e** Zeiten hard times; es fällt mir ~ I find it hard; zwei Pfund ~ weighing two pounds; **♀e** f heaviness, seriousness; severity; **~fällig** heavy, slow; **♀gewicht** n Boxen: heavy-weight; **~hörig** (-hōrĭç) hard of hearing; **♀-industrie** (-indoostree) f heavy industry; **♀kraft** f (force of) gravity; **~lich** hardly, scarcely; **♀mut** (-mōot) f, **~mütig** (-mütĭç) melancholy; **♀-punkt** (-pōōn̄kt) m centre of gravity.

Schwert (shvért) n sword.

schwe′r|verständlich (-férshtĕndlĭç) difficult to understand; **~verwundet** (-férvoondĕt) severely wounded; **~wiegend** (-veeg^heⁿt) weighty.

Schwe′ster (shvĕst^er) f sister; (Kranken♀) nurse; **♀lich** sisterly.

Schwie′ger... (shveeg^he^r-) ...-in-law, z.B. **~sohn** m son-in-law.

Schwie′l|e (shveel^e) f callosity; (Strieme) wale; **♀ig** callous.

schwie′rig (shveerĭç) difficult, hard; **♀keit** f difficulty.

Schwi′mm|bad (shvīmbāht) n swimming-bath; (swimming) pool; **♀en** (h. u sn) swim; S.: float; fig. im Gelde ~ be rolling in money; **~gürtel** m life-belt; **~haut** (-howt) f web; **~lehrer** m swimming-master; **~weste** f life-jacket.

Schwi′ndel (shvīnd^el) m giddiness; dizziness; (Betrug) swindle, humbug; **~anfall** (-ähnfähl) m fit of dizziness; **~firma** 十 f long firm.

schwi′nd(e)lig giddy, dizzy.

schwi′ndeln: es schwindelt mir I feel giddy; v/i. swindle, humbug.

schwi′nden (shvīnd^en) (sn) dwindle; (ver-) disappear, vanish.

Schwi′ndler(in f) m swindler.

Schwi′nd|sucht (shvīntzōōkt) f consumption; **♀süchtig** (-zŭçtĭç) consumptive.

Schwi′ng|e (shvīn̄g^e) f wing; **♀en** v/t. swing; Speer usw.: brandish; v/i. swing; oscillate; Ton usw.: vibrate; **~ung** f oscillation; vibration. [whiz(z), whir; Insekt: buzz.]

schwi′rren (shvīr^en) (h. u. sn)

Schwi′tz|bad (shvītsbāht) n Turkish bath; **♀en** sweat; feiner: perspire.

schwö′ren (shvŏr^en) swear (bei, auf acc. by). [ness.]

schwül (shvül) sultry; **♀e** f sultri-

Schwulst (shvōōlst) m bombast.

schwü′lstig (shvŭlstĭç) bombastic.

Schwund (shvōont) m dwindling; (Aussickern) leakage; Radio: fading.

Schwung (shvōōn̄g) m swing; fig. verve, vim; der Phantasie: flight; des Geistes: buoyancy; **♀haft** flourishing; **~kraft** f centrifugal force; fig. buoyancy; **~rad** (-rāht) n fly-wheel; **♀voll** full of verve.

Schwur (shvōōr) m oath; **~gericht** n jury.

sechs (zĕks), **♀** f six; **~monatig** lasting six months; **~monatlich** six-monthly; adv. every six months; **♀ta′gerennen** (-tāhg^he′rĕn^en) n six-day (cycling) race.

se′chst|e, **♀el** n sixth; **~ens** sixthly.

se′chzehn (zĕçtsén) sixteen.

se′chzig (zĕçtsĭç) sixty.

See (zé) m lake; f sea; an die ~ gehen go to the seaside; in ~ gehen put to sea; **~bad** (-bāht) n (Ort) seaside resort; **~fahrer** m sailor; **~fahrt** f navigation; = **~reise**; **♀fest** seaworthy; P.: **♀** sn be a good sailor; ~**gang** m (motion of the) sea; ~**hafen** (-häh¹f⁰n) m seaport; ~**handel** m maritime trade; ~**herrschaft** f naval supremacy; ~**hund** (-hŏont) m seal; 2'**krank** seasick; ~**krankheit** f sea-sickness; ~**krieg** (-kreek) m naval war(fare).

See'le (zél⁰) f soul (a. fig.); mit ganzer ~ with all one's heart.

See'len|größe (zél⁰ngrö̈s⁰) f greatness of mind; ~**heil** (-híl) n salvation, spiritual welfare; 2**los** soulless; ~**qual** (-kvāhl) f mental agony; ~**ruhe** (-rōō⁰) f calmness.

See'leute (zél⁰óit⁰) pl. seamen, mariners.

see'lisch psychic(al).

See'lsorge (zélzŏrg¹⁰) f cure of souls; ~**r** m pastor, minister.

See'|macht (zémā̈kt) f maritime power; ~**mann** m seaman; ~**meile** (-míl⁰) f nautical mile; ~**not** (-nōt) f distress at sea; ~**offizier** (-ŏfítseer) m naval officer; ~**räuber** (-róib⁰r) m pirate; ~**räuberei** (-róib⁰ri) f piracy; ~**recht** n maritime law; ~**reise** (-riz⁰) f voyage; ~**schiff** n sea-going vessel; ~**schlacht** f naval battle; ~**schlange** f sea-serpent; ~**sieg** (-zeek) m naval victory; ~**soldat** (-zŏldā̈t) m marine; ~**stadt** f seaside town; ~**streitkräfte** (-shtrítkrě̈ft⁰) f/pl. naval forces; 2**tüchtig** seaworthy; ~**warte** f naval observatory; ~**weg** (-vék) m sea-route; auf dem ~ e by sea; ~**wesen** (-véz⁰n) n naval affairs pl.

Se'gel (zég¹⁰l) n sail; unter ~ gehen set sail; ~**boot** (-bōt) n sailing-boat, Am. sailboat; Sport: yacht; ~**flug** (-flōōk) m soar(ing) flight; einzelner: glide; ~**flugzeug** (-flōōktsóik) n sail-plane, glide; 2**n** (h. u. sn) sail; sportlich: yacht; ~**schiff** n sailing-vessel; ~**sport** m yachting; ~**tuch** (-tōōk) n sail-cloth, canvas.

Se'gen (zég¹⁰n) m blessing; eccl. benediction; 2**sreich** blessed.

Se'gler (zég¹⁰r) m yachtsman; Schiff: sailing-vessel, good, fast, etc. sailer.

se'gn|en (zégn⁰n) bless; 2**ung** f = Segen.

se'hen (zé[⁰]n) see; (hin~) look; nach et. ~ (sorgen für) look after; ~**swert** (-vért) worth seeing; 2**swürdigkeit** (-vûrdiçkit) f object

of interest, curiosity; pl. e-r Stadt: sights pl.

Se'her (zé⁰r) m, ~**in** f seer; ~**blick** m, ~**gabe** (-gähb⁰) f prophetic eye od. gift.

Se'hkraft f vision, visional power.

Se'hne (zén⁰) f sinew, tendon; e-s Bogens: string; ⅄ chord.

se'hnen: sich ~ nach long for.

Se'hnerv (zénⁿrf) m optic nerve.

se'hn|ig sinewy; Fleisch: stringy; ~**lich** ardent; longing; 2**sucht** (-zŏŏkt) f, ~**süchtig** (zŭçtiç) longing. [vb. much, greatly.]

sehr (zér) vor adj. u. adv. very; beim|

Se'h|rohr n periscope; ~**weite** (-vít⁰) f range of sight; in ~ within

seicht (ziçt) shallow. [sight.]

Sei'de (zíd⁰) f silk.

sei'den silk(en); 2**flor** (-flōr) m silk gauze; 2**glanz** m silky lustre; 2**händler** m (silk-)mercer; 2**papier** (-på̈peer) n tissue-paper; 2**raupe** (-rowp⁰) f silkworm; 2**spinnerei** (-shpín⁰ri) f silk-spinning mill; 2**stoff** m silk cloth od. fabric.

sei'dig silky.

Sei'fe (zíf⁰) f, 2**n** soap.

Sei'fen|behälter (zíf⁰nbⁿhě̈lt⁰r) m soap-dish; ~**blase** (-blā̈hz⁰) f soap-bubble; ~**kistenrennen** (-kíst⁰nrě̈nⁿn) n soap-box derby; ~**schaum** (-showm) m lather.

sei'fig soapy.

sei'hen (zíⁿn) strain, filter.

Seil (zil) n rope; ~**bahn** f rope railway; ~**er** m rope-maker; ~**tänzer** (-ⁿ) m rope-dancer.

sein¹ (zin) **1.** (sn) be; (vorhanden ~) exist; **2.** 2 n being; existence.

sein² his; its; ~ being.

seinesglei'chen (-glíç⁰n) his equal(s pl.). [family.]

sei'nige (zíníg¹⁰) his; die 2n pl. his|

seit (zit) since; ~ drei Wochen for the last three weeks; ~**de'm** (-dém) adv. since (that time); cj. since.

Sei'te (zít⁰) f side; im Buch: page.

Sei'ten|ansicht (-ähnziçt) f profile; side-view; ~**blick** m sideglance; ~**flügel** △ m side-aisle; ~**hieb** (-heep) m fig. sly hint; 2**s** (gen.) on the part of; ~**schwimmen** (-shvím⁰n) n side-stroke; ~**sprung** (-shprŏŏrg) m fig. escapade; ~**straße** (-shträhs⁰) f by-street; ~**stück** n (zu et.) counterpart (of); ~**weg** (-vék) m by-way.

sei'tlich lateral.

sei'twärts (-vĕrts) sideways, aside.

Sekret|ä'r (zĕkrĕtä'r) m, **~ä'rin** f secretary; **~aria't** (-ăhr¹äht) n secretariate.

Sekt (zĕkt) m champagne.

Se'kte (zĕkt⁶) f sect.

Seku'nd|e (zĕkŏŏnd⁶) m second; **~enzeiger** (-tsīg⁶er) m second-hand.

se'lber (zĕlb⁶r): *ich ~* I myself.

selbst (zĕlpst) 1. *pron.* self; *ich ~* I myself; *von ~* of one's own accord; of itself; 2. *adv.* even.

se'lbständig (zĕlpshtĕndĭç) independent; **2keit** f independence.

Se'lbst|-anlasser m automatic starter; **~anschluß** (-ă⁄nshlŏŏs) m *teleph.* automatic telephone; **~beherrschung** (-b⁶hĕrshŏŏr̩) f self-control; **~bestimmung** (-b⁶shtī-mŏŏr̩) f self-determination; **2bewußt** (-b⁶vŏŏst) self-assertive; **~bewußtsein** (-b⁶vŏŏstzīn) n self-assertion; **~binder** m open-end tie; **~erhaltung** (-ĕrhähl-tŏŏr̩) f self-preservation; **2gefällig** self-complacent; **~gefälligkeit** f self-complacency; **~gefühl** n self-reliance; **2gemacht** (-g⁶mähkt) home-made; **2gerecht** self-right-eous; **~gespräch** (-g⁶shpräç) n monologue, soliloquy; **2herrlich** (-hĕrlĭç) high-handed; **~hilfe** f self-help; **~kostenpreis** (-kŏst⁶n-prīs) m prime cost; **2los** unselfish, disinterested; **~mord**, **~mörder** m suicide; **2mörderisch** suicidal; **2sicher** self-sure; **~sucht** (-zŏŏkt) f selfishness; **2süchtig** (-zŭçtĭç) selfish; **2tätig** self-acting, automatic; **~verleugnung** (-fĕrlŏig-nŏŏr̩) f self-denial; **~versorger** (-fĕrzŏrg⁶er) m self-supporter od. **~supplier**; **~versorgung** f self-sufficiency; **2verständlich** (-fĕrshtĕndlĭç) self-evident; *adv.* of course; **~!** by all means!; **~verständlichkeit** f self-evidence; *e-e ~* a matter of course; **~vertrauen** (-fĕrtrow⁶n) n self-confidence; **~verwaltung** (-fĕrvähltŏŏr̩) f self-government; **2zufrieden** (-tsŏŏ-freed⁶n) self-satisfied; **~zufriedenheit** f self-satisfaction; **~zweck** m end in itself.

se'lig (zélĭç) blessed, blissful; (*verstorben*) deceased, late; **2keit** f happiness, bliss.

Se'llerie (zĕl⁶ree) m, f celery.

se'lten (zĕlt⁶n) rare; *adv.* seldom, rarely; **2heit** f rarity. [(water).|

Se'lterwasser (zĕlt⁶r-) n Seltzer|

se'ltsam (zĕltzähm) strange, odd.

Seme'ster (zĕmĕst⁶r) n term.

Semina'r (zĕmīnähr) n training-|

Se'mmel (zĕm⁶l) f roll. [-college.|

Sena't (zĕnäht) m senate.

se'nd|en (zĕnd⁶n) send (*nach j-m, et.* for); *tel., Radio:* transmit, broadcast, *Am.* radio(broadcast); **2er** m *tel., Radio:* transmitter.

Se'nde|raum (-rowm) m *Radio:* broadcasting studio; **~stelle** f transmitting station; **~zeichen** (-tsīç⁶n) n call-sign.

Se'ndung (zĕndŏŏr̩) f sending; *fig.* mission; *v. Waren:* consignment, *Am.* shipment; *tel., Radio:* transmission, broadcast.

Senf (zĕnf) m mustard.

se'ngen (zĕr̩⁶n) singe; scorch; **~de Hitze** parching heat.

Se'nior (zén¹ŏr) senior.

Se'nk|blei (zĕr̩kblī) n plummet; **~el** m lace; **2en** sink, let down, *Preis, Stimme:* lower; *sich ~* sink; **~fuß** (-fōōs) m flat foot; **~fuß-einlage** (-fōōs-īnlähg⁶⁶) f arch support; **2recht** vertical, *bsd.* A̸ perpendicular; **~ung** f sinking; lowering; (*Vertiefung*) depression.

Sensatio'n (zĕnzähts¹ŏn) f sensation; **2e'll**, **~s...** sensational; **~slust** (-lŏŏst) f sensationalism.

Se'nse (zén⁶z⁶) f scythe.

sentimenta'l (zĕntīmĕntähl) sentimental; **2ität** f sentimentality.

Septe'mber (zĕptĕmb⁶r) m September.

Sergea'nt (sĕrGähnt) m sergeant.

Se'rie (zér¹⁶) f series; *Billard:* break; **~nherstellung** (-hĕrshtĕ-lŏŏr̩) f series (*od.* multiple) production.

Servi'ce (zĕrvees) n service, set.

Servie'r|brett (zĕrveerbrĕt) n tray; **2en** v/t. serve; v/i. wait (at table); **~tisch** m side-table.

Servie'tte (zĕrv¹ĕt⁶) f (table-napkin. [chair.|

se'ßhaft (zĕshähft) settled; established; (*ansässig*) resident.

Se'tz-ei (zĕts-ī) n fried egg.

se'tzen (zĕts⁶n) v/t. set; place; put; *typ.*, ♪ compose, (*pflanzen*) plant;

Denkmal: erect; *bei Wetten usw.*: stake; *sich* ~ sit down; *Vogel*: perch; *Haus, Bodensatz*: settle; *v/i.* (sn) ~ über (*acc.*) leap over; *e-n Strom*: cross; (h.) *beim Wetten*: ~ auf (*acc.*) back. [~el' *f* composing room.|

Se'tzer *m* compositor, type-setter;|

Seu'che (zöiç^e) *f* epidemic.

seu'fz|en (zöifts^en) *Qer m* sigh.

sexue'll (zëksöёll) sexual.

sezie'ren (zëtseer^n) dissect.

sich (zíç) oneself; himself, herself, itself; themselves; (*einander*) each other, one another.

Si'chel (zíç^l) *f* sickle, reaping-hook; (*Mond*Q) crescent.

si'cher (zíç^r) secure, safe (*vor dat.* from); *Hand*: steady; (*gewiß*) certain, sure; (*überzeugt*) positive.

Si'cherheit *f* security (*a. Pfand, Wertpapier*), safety; certainty; positiveness; *des Auftretens*: assurance; *in* ~ *bringen* secure; ~s-nadel (-näh-d^l) *f* safety-pin; ~s-schloß (-shlös) *n* safety-lock.

si'cher|lich surely, certainly; ~n secure (*a. sich et.* ~); (*schützen*) protect; safeguard; ~stellen = sichern; Qung *f* securing; *≠* fuse, cut-out.

Sicht (zíçt) *f* sight; ~ *igkeit*; ✝ *auf* ~ bei ~ at sight; Q'bar visible; Q'en sift; *≠* (*erblicken*) sight; ~'igkeit *f* visibility; Q'lich visible; ~vermerk (-fěrměrk) *m* visé, visa.

si'ckern (zík^rn) (sn *u. h.*) trickle, ooze, leak, *Am.* seep.

sie (zee) *sg.* she; *Sache*: it; *pl.* they; *acc. sg.* her; it; *acc. pl.* them; *Sie* you. [sift, bolt; *fig.* screen.|

Sieb (zeep) *n* sieve; Q'en1 (zeeb^n)|

sie'ben2 *≠ f* seven; ~fach sevenfold; Qsachen (-zähк^n) F *f/pl.* traps; ~t seventh.

sie'b|zehn (zeeptsēn) seventeen; ~zig (-tsíç) seventy.

siech (zeeç) sickly; Q'tum *n* sickliness, lingering illness.

Sie'dehitze *f* (zeed^hits^e) *f* boiling-|

sie'deln (zeed^ln) settle. [-heat.|

Sie'd(e)lung *f* settlement; colony.

sie'de|n (zeed^n) boil; *gelind*: simmer (*a. fig.*); Qpunkt (~pŏŏnkt) *m* boiling-point.

Sie'dler (zeedl^r) *m* settler; (*Arbeiter*Q) homecrofter, *Am.* home-steader; ~stelle *f* settler's holding; homecroft *Am.* homestead.

Sieg (zeek) *m* victory; *den* ~ *davontragen* carry the day.

Sie'gel (zeeg^l) *n* seal; ~lack (-lähk) *m, n* sealing-wax; Qn *seal*; ~ring *m* signet-ring.

sie'g|en (zeeg^n) be victorious (*über acc.* over), conquer (a p.); *Sport*: win; Qer(in *f*) *m* conqueror, victor; *Sport*: winner. [trophy.|

Sie'geszeichen (zeeg^hstsiç^n) *n*|

sie'greich (zeekríç) victorious.

Signa'l (zignähl) *n*, Qisie'ren (-ízeer^n) signal.

Signata'rmächte (zignähtärměçt^e) *f/pl. pol.* signatory powers (*gen.* to).

Si'lbe (zílb^e) *f* syllable; ~ntrennung *f* syllabication.

Si'lber (zílb^r) *n* silver; ~geschirr (-g^shír) *n* (silver) plate, *Am.* silver (-ware); Qn (of) silver; ~schrank (-shränk) *n* plate-cupboard; ~zeug (-tsöik) *n* = ~geschirr.

Silve'ster(-abend) (zílvěst^rähb^nt) *m* New Year's Eve.

si'mpel (zimp^l) simple, plain.

Sims (zíms) *m* (*n*) ledge; (*Wandbrett*) shelf; △ moulding, cornice.

simulie'ren (zímoolеer^n) feign, sham; *bsd.* ✕, ⚓ malinger.

si'ng|en (zíŋ^n) sing; Qsang (-zähŋ) *m* singsong; Qspiel (-shpeel) *n* musical comedy; ~stimme *f* *♪ f* vocal part; Qvogel (-fōg^l) *m* singing bird.

si'nken (zíŋk^n) (sn) sink; *die Stimme* ~ *l.* lower one's voice.

Sinn (zín) *m* sense (*für* of); (*Verstand, Meinung*) mind; (*Vorliebe*) taste (*für* for); (*Trachten*) tendency; (*Bedeutung*) sense, meaning; *bei* (von) ~en sn be in (out of) one's senses; *im* ~ *h.* have in mind.

Si'nnbild (zínbílt) *n* symbol, emblem; Qlich symbolic(al), emblematic.

si'nnen (zín^n) (*über dat.*) ponder (over), muse ([up]on); ~ *auf* (*acc.*) meditate; *b.s.* plot, scheme.

Si'nnen|lust (-lŏŏst) *f* sensuality; ~rausch (-rowsh) *m* intoxication of the senses; ~welt *f* material world.

Si'nnes-|änderung (zín^sěnd^roorŋ) *f* change of mind; ~art *f* temper, character; ~organ (-örgähn) *n* sense-organ; ~täuschung (-töishoorŋ) *f* illusion, hallucination.

si'nn|lich sensual; (*Ggs. geistig*) material; Qlichkeit *f* sensuality;

~los senseless; **~reich** (-rĭç) ingenious; **~verwandt** (-fĕrvä́hnt) synonymous.

Si'ntflut (zĭntflōōt) f flood, deluge.

Si'pp|e (zĭpe), **~schaft** f kin(dred); fig. iro. clan, clique, set.

Sire'ne (zĭrḗnᵉ) f siren.

Si'rup (zeerŏŏp) m treacle, syrup.

Si'tte (zĭtᵉ) f custom; (Brauch) usage; **~n** pl. manners; morals.

Si'tten|gesetz (-gʰézĕts) n moral law; **~lehre** (-lḗrᵉ) f ethics pl.; **2los** immoral; **~losigkeit** (-lṓzĭç-kĭt) f immorality; **~polizei** (-pṓlĭtsī) f control of public morals; **~prediger** (-prḗdĭgʰᵉr) m moralizer; **~richter** m censor; **2-streng** (-shtrḗng) austere.

si'ttlich (zĭtlĭç) moral; **2keit** f morality; **2keitsvergehen** (zĭtlĭç-kĭtsfĕrgʰḗᵉn) n indecent assault.

si'ttsam (zĭtzáhm) modest; **2keit** f modesty.

situie'rt (zĭtŏ̄eert): gut **~** well-off.

Sitz (zĭts) m seat; (Wohnort) residence; e-s Kleides: fit.

si'tzen (zĭtsᵉn) sit; Kleid: fit; im Gefängnis: be imprisoned; **~bleiben** (-blī́bᵉn) (sn) remain seated, keep one's seat; Mädchen: not to get on the shelf; Schüler: not to get one's remove; **~d:** **~e** Lebensweise sedentary life; **~lassen** fig. abandon, let a.p. down.

Si'tz|gelegenheit (-gʰᵉlḗgʰᵉnhīt) f seating accommodation; **~platz** m seat.

Si'tzung (zĭtsŏŏng) f sitting, session.

Ska'la (skáhläh) f scale.

Ska'lenscheibe (skáhlᵉnshībᵉ) f Radio usw.: dial.

Skanda'l (skándähl) m scandal; (Lärm) row; **2ö's** (-ȫs) scandalous.

Skele'tt (skĕlĕt) n skeleton.

Ske'p|sis (skḗpzĭs) f scepticism; **~tiker** m sceptic; **2tisch** sceptical.

Ski (shee) m usw. s. Schi.

Ski'zz|e (skĭtsᵉ)| f, **2ie'ren** sketch.

Skla've| (skláhvᵉ) m, **~in** f slave; **~enhandel** m slave-trade; **~erei** (-ᵉrī) f slavery; **2isch** slavish.

Sko'nto (skŏntō) m, n discount.

Skru'pel (skrŏŏpᵉl) m scruple; **2los** unscrupulous.

Skulptu'r (skŏŏlptŏŏr) f sculpture.

Sla'w|e (sláhvᵉ) m, **~in** f Slav; **2isch** Slav(ic).

Smara'gd (smáhráhkt) m emerald.

Smo'king (smṓkĭng) m dinner-jacket, Am. tuxedo.

so (zō) so, thus; like that; **~** ein such a; **~ ... wie** as ... as; nicht **~ ...** wie not so ... as; **~ba'ld** (-bä́hlt) (als) as soon as.

So'cke (zŏkᵉ) f sock; **~l** m socle; **~nhalter** m suspender, Am. garter.

soda'nn (zōdä́hn) then.   [burn.|

So'dbrennen (zṓtbrĕnᵉn) n heart-|

so-e'ben (zōḗbᵉn) just now.

sofe'rn cj. so (od. as) far as.

sofo'rt at once, directly; **~ig** immediate, prompt.

Sog (zōk) m suction; ⚓, ✈ wake.

so|ga'r (zōgáhr) even; **~'genannt** (-gʰᵉnä́hnt) so-called; **~glei'ch** (-glĭç) (= sofort) at once.

So'hle (zṓlᵉ) f sole; e-s Tals usw.: bottom; ⚒ floor.

Sohn (zōn) m son.   [long as.|

sola'nge (zōláhngᵉ) (als) so (od. as)|

solch (zŏlç) such.

Sold (zŏlt) m pay; fig. wages pl.

Solda't (zŏldä́ht) m soldier.

Sö'ldner (zŏldnᵉr) m mercenary.

So'le (zṓlᵉ) f brine.

solida'risch (zōlĭdä́hrĭsh): sich mit j-m **~** erklären declare one's solidarity with a p.

soli'd|(e) (zōleed[ᵉ]) solid; Preis: reasonable; ✝ sound; fig. steady. respectable; **2itä't** f solidity; fig, respectability.

Soli'st (zōlĭst) m, **~in** f soloist.

Soll (zŏl) n debit; (Lieferungs2) fixed quota.

so'llen (zŏlᵉn) 2. u. 3. P. shall; sonst: be to; angeblich: be said to; ich sollte es (eigentlich) tun I ought to do it.

somi't (zōmĭt) consequently.

So'mmer (zŏmᵉr) m summer; **~frische** f summer resort; **2lich** summer-like, summer(l)y; **~sprosse** (-shprŏsᵉ) f freckle; **2sprossig** freckled; **~wohnung** (-vōnŏŏng) f summer residence, Am. cottage.

So'nde (zŏndᵉ) f ♟ probe.

so'nder (zŏndᵉr) without; **2-angebot** (-áhngʰᵉbŏt) n special offer, bargain; **2-ausgabe** (-owsgä́hbᵉ) f special (edition); **~bar** singular, strange, odd; **2barkeit** f strangeness, oddity; **2beilage** (-bĭlä́gʰᵉ) f Zeitung: inset; **2bericht-erstatter** (-bᵉrĭçt-ĕrshtä́htᵉr) m special correspondent; ~**lich** special, particular; 2**ling** *m* odd person; ~**n 1.** *cj.* but; 2. *v/t.* separate, sever; 2**recht** *n* privilege; 2**ung** *f* separation; 2**zug** (-tsōōk) 🜪 *m* special (*od.* extra) train. [sound (*a. fig.*).]

sondie'ren (zŏndeer⁴n) ⚭ probe; ⚭.|

So'nn|-abend (zŏnāhb⁴nt) *m* Saturday; ~**e** (zŏn⁴) *f*, 2**en** sun.

So'nnen|-aufgang (-owfgăhn̬) *m* sunrise; ~**brand** (-brähnt) *m* sunburn; ~**brille** *f* sun glasses; ~**finsternis** (-fĭnst⁴rnĭs) *f* solar eclipse; ~**fleck** *m* sun-spot; 2**klar** (-klāhr) (as) clear as daylight; ~**licht** *n* sunlight; ~**schein** (-shīn) *m* sunshine; ~**schirm** (-shĭrm) *m* sunshade, parasol; ~**segel** (-zég⁴l) *n* awning; ~**seite** (-zīt⁴) *f* sunny side; ~**stich** (-shtĭç) *m* sun stroke; ~**strahl** (-shträhl) *m* sunbeam; ~**uhr** (-ōōr) *f* sun-dial; ~**u'ntergang** (-ōōnt⁴r-găhn̬) *m* sunset, *bsd. Am.* sundown; 2**verbrannt** (-férbrăhnt) sunburnt; ~**wende** *f* solstice.

so'nnig sunny.

So'nntag (zŏntähk) *m* Sunday.

So'nntags|-anzug (-ăhntsōōk) *m* Sunday best; ~**fahrkarte** (-făhrkährt⁴) *f* week-end ticket; ~**ruhe** (-rōō⁴) *f* Sunday rest.

sono'r (zŏnōr) sonorous.

sonst (zŏnst) else, otherwise; (*ehemals*) formerly; (*außerdem*) besides; ~ **nichts** nothing else; ~**ig** other; ~**wo** (-vō) elsewhere.

Sopra'n (zŏprāhn) *m* soprano.

So'rge (zŏrg⁴) *f* care; (*Kummer*) sorrow; (*Unruhe*) uneasiness; ~ **tragen für** take care of; *sich* ~**n** *m.* worry (*um* about).

so'rgen: a) ~ **für** care for; provide for; *dafür* ~, **daß** take care that; **b)** (*in Sorge sn*) *sich* ~ be anxious (*um* about); ~**frei** (-frī), ~**los** carefree; ~**voll** (-fŏl) full of cares; worried.

So'rg|falt (zŏrkfăhlt) *f* care(fulness); 2**fältig** (-féltĭç), 2**sam** careful; 2**lich** careful, anxious; 2**los** careless; (*sorgenfrei*) carefree.

So'rt|e (zŏrt⁴) *f* sort; 2**ie'ren** (as)sort. [ment.]

Sortime'nt (zŏrtĭmént) *n* assort-|

So'ße (zōs⁴) *f* sauce; (*Bratensaft*) gravy.

Souffl|eu'r (sōōflŏr) *m*, ~**eu'se** (-ŏz⁴) *f* prompter; 2**ie'ren** prompt (*j-m* a p.).

Souverä'n (sōōv⁴rän) *m*, 2 *adj.* sovereign; ~**ität'** *f* sovereignty.

soweit' (zŏvīt) *cj.* as (*od.* so) far as.

sowie'so' (zŏveezō) in any case.

So'wjet (sŏv⁴ĕt) *m* Soviet.

sowo'hl (zŏvōl) ~ ... **als** (*auch*) ... as well as ..., both ... and ...

sozia'l (zŏtsāhl) social; 2**demokrat** (-in *f*) (-démŏkrăht) *m* social democrat; ~**isie'ren** (-īzeer⁴n) socialize; 2**isie'rung** *f* socialization.

So'zius (zŏts'ōōs) *m* partner; ~**sitz** (-zĭts) *m mot.* pillion.

sozusa'gen (zŏtsōōzăhgʰ⁴n) **so to** speak, as it were.

spä'hen (shpä⁴n) spy; (*lugen*) peer.

Spä'her(in *f*) *m* spy; ✗ scout.

Spalie'r (shpāhleer) *n* trellis; *fig.* lane; ~ **bilden** form a lane.

Spalt (shpăhlt) *m*, ~**e** *f* split, cleft, crevice, fissure; *nur* ~**e:** *typ.* column; 2**en** (*a. sich*) split (*a. fig.*), cleave; ~**ung** *f* splitting *bsd. fig.*|

Span (shpăhn) *m* chip. [split.]

Spa'nge (shpăhn̬⁴) *f* clasp; clip; (*Arm*2) bracelet; *am Schuh:* strap.

Spa'n|ier (shpāhni⁴r) *m*, ~**ierin** *f* Spaniard; 2**isch** Spanish.

Spann (shpăhn) *m* instep; ~**e** *f* span; † margin, *Am.* spread; 2**en** stretch, (*a. fig.*) strain; *Gewehr:* cock; *Bogen:* bend; *Feder:* tighten; *Neugier usw.:* excite; *vor den Wagen* ~ put to the carriage; *s. gespannt*; 2**end** (-t) thrilling; gripping; ~**kraft** (-krăhft) *f* elasticity; ~**ung** *f allg.* tension; ⚡ voltage; *bsd.* ⊕ strain; △ span; (*Aufmerksamkeit*) close attention.

Spa'r|büchse (shpāhrbŭks⁴) *f* money-box; 2**en** save; (*sparsam anwenden*) economize, spare.

Spa'rgel (shpāhrg⁴l) *m* asparagus.

Spa'rkasse (shpāhrkähs⁴) *f* savings-bank. [*streut*) sparse.]

spä'rlich (shpärlĭç) scanty; (*zer-*|

Spa'rren (shpähr⁴n) *m* spar, rafter.

spa'rsam (shpāhrzăhm) saving, economical; 2**keit** *f* economy.

Spaß (shpāhs) *m* fun; (*Scherz*) joke, jest; *zum* ~ for fun; *j-m* ~ *m.* amuse a p.; 2**en** joke, jest; 2**haft**, 2**ig** jocose; funny; ~**macher** (-măhk⁴r) *m* wag, joker.

spät (shpāt) late; *zu* ~ **kommen** be late (*zu* for); *wie* ~ **ist es?** what time is it?

Spa'ten (shpāht⁴n) *m* spade.

spä'testens (shpǟt⁶st⁶ns) at (the) latest.

spazie'ren (shpâhtseer⁶n) (sn) walk, stroll; **~fahren** (sn) take a drive; **~gehen** (-gʰé⁶n) (sn) take a walk.

Spazie'r|gang (shpâhtseergǟhⁿg) m walk; **~gänger** (-gʰěnⁿg⁶r) m walker; **~stock** m walking-stick.

Speck (shpěk) m bacon; *weit* S. fat.

sped|ie'ren (shpédeer⁶n) dispatch, forward; **2iteu'r** (-ĭtör) m forwarding agent; (furniture) remover.

Speditio'n (shpédĭts'ön) f forwarding; **~sgeschäft** (-gʰéshěft) forwarding agency.

Speer (shpér) m spear; **~'werfen** n *Sport*: throwing the javelin.

Spei'che (shpiç⁶) f spoke.

Spei'chel (shpiç⁶l) m spittle; saliva; **~lecker** m toady.

Spei'cher (shpiç⁶r) m (*Getreide-* 2) granary; (*Waren*2) warehouse.

spei'en (shpī⁶n) spit; [*sich erbrechen*] vomit.

Spei'se (shpiz⁶) f food; (*Gericht*) dish; *s. Süß*2; **~haus** (-hows) n eating-house; **~eis** (-īs) n ice-cream; **~kammer** f larder; **~karte** f bill of fare, *Am.* mst menu; 2n v/i. s. essen; *im Gasthaus*: take one's meals; v/t. feed (a. ⊕); **~nfolge** f menu; **~röhre** f anat. gullet; **~saal** (-zähl) m, **~zimmer** n dining-room; **~schrank** (meat-)safe; **~wagen** (-vāhgʰé⁶n) m dining-car, *bsd. Am.* diner.

Spekta'kel (shpěktǟhk⁶l) m u. n noise, uproar; row.

Spekula'nt (shpěkŏōlǟhnt) m speculator; 2ie'ren speculate.

Spe'nde (shpěnd⁶) f gift; (*Almosen*) alms, charity; 2n give; (*austeilen*) dispense; (*beitragen*) contribute; **~r**(in f) m giver, donor.

spendie'ren (shpěndeer⁶n) v/t. stand; v/i. stand treat.

Spe'rling (shpěrlĭⁿg) m sparrow.

Spe'rr|e (shpěr⁶) f (*Versperrung*) block(ing); 🚂 embargo; blockade; (*Eingang*) gate; 🚢 barrier, *Am.* gate; (*Straßen*2) barricade; 2en (*ver~* bar, stop; (*schließen*) close; *Straße*: block (up); barricade; (*blockieren*) blockade; *Warenverkehr*: embargo; *Lohn usw.*: stop; *Gas usw.* cut off; *Sport*: j-n: disqualify; **~holz** n plywood; **~konto** (-kŏntō) n blocked account; **~kreis** (-krīs) m *Radio*:

stopper (*od.* rejector) circuit; **~sitz** (-zĭts) m *thea.* stall, *Am.* orchestra (-seat); **~ung** f barring; stoppage; blocking; s. *Sperre*; **~zone** (-tsōn⁶) f prohibited area.

Spe'sen (shpéz⁶n) f/pl. charges, expenses.

spezi|a'l (shpěts'āhl), **~e'll** special.

Spezia'l|arzt (-ǟhrtst) m specialist; **~fach** (-fǟhk) n speciality; **~geschäft** (-gʰéshěft) n one-line shop; 2isie'ren (-īzeer⁶n) specialize; **~ität** f speciality.

Sphä're (sfǟr⁶) f sphere.

Spi'ck|aal (shpĭk-āhl) m smoked eel; 2en lard; F (*bestechen*) F grease.

Spie'gel (shpeegʰél) m (*looking-*)glass, mirror; **~bild** (-bĭlt) n reflected image; 2blank (-blǟhnk) mirror-like; **~ei** (-ī) n fried egg; 2glatt dead-smooth; 2n v/i. shine; v/t. reflect; *sich* ~ be reflected; (*sich besehen*) look at o.s. in the glass; **~scheibe** (-shīb⁶) f (pane of) plate-glass; **~ung** f reflection; (*Luft*2) mirage.

Spiel (shpeel) n play (*Karten*2, *Billard*2, *Sport*) game; *körperliches*: sport; (*Wettkampf*) match; *thea.* performance; ♪ playing; *ein* ~ *Karten* a pack of cards, *Am.* deck; *auf dem* ~ *stehen* be at stake; *aufs* ~ *setzen* stake; **~'art** f ♀, zo. variety; **~ball** m fig. sport, plaything; 2'en play; *um Einsatz* 2: gamble; *thea.* play, act; ~ *mit* (*j-s Gefühlen*) trifle with; *den Höflichen* ~ do the polite; 2'end (-ⁿt) fig. easily.

Spie'ler(in f) m player; (*Glücks-*2) gambler; **~ei'** (-ī) f play, sport.

Spie'l|ergebnis (-ěrgʰépnĭs) n *Sport*: score; **~feld** n *Sport*: field, ground; *Tennis*: court; **~film** m feature film; **~gefährte** (-gʰéfǟrt⁶) m playfellow; **~karte** f playing-card; **~leiter** (-līt⁶r) m thea. stage-manager; *Film*: director; **~marke** f counter; **~plan** (-plǟhn) m thea. repertory; **~platz** m playground; **~raum** (-rowm) m (free) play; scope; **~regel** (-régʰél) f rule (of the game); **~schuld** (-shŏōlt) f gambling-debt; **~schule** (-shōōl⁶) f infant-school; **~tisch** m card-table; **~uhr** (-ōōr) f musical clock; **~verderber**(in f) m spoil-sport; **~waren** (-vǟhr⁶n) f/pl. toys; **~zeug** (-tsöĭk) n toy(s), plaything(s).

Spieß (shpees) m spear, pike; (Brat-2) spit; *den ~ umdrehen* turn the tables (*gegen* on); **~'bürger** m bourgeois, *Am.* Babbit; **~gesell** (-gʰezěl) m accomplice; **~ruten** (-rōōtᵉn) f/pl.: *~ laufen* run the gauntlet.

Spina't (shpĭnäht) m spinach.

Spind (shpĭnt) n wardrobe, press.

Spi'ndel (shpĭndᵉl) f spindle; 2**dürr** (as) lean as a rake.

Spi'nn|e (shpĭnᵉ) f spider; 2**en** spin; **~gewebe** (-gʰevébᵉ) n cobweb; **~erei** (-ᵉrī) f spinning; (*Fabrik*) spinning-mill; **~maschine** (-mähsheenᵉ) f spinning-machine.

Spio'n (shpĭōn) m, **~in** f spy, intelligencer; **~a'ge** (-ähQᵉ) f espionage; 2**ie'ren** (-eerᵉn) spy.

Spira'l|e (shpĭrählᵉ) f spiral (line); 2**ig** spiral.   [spirits.|

Spirituo'sen (shpĭrĭtōōōzᵉn) f/pl.|

Spi'ritus (shpeerĭtōōs) m spirit, alcohol; **~kocher** (-kŏkᵉr) m spirit stove.

Spita'l (shpĭtähl) n hospital.

spitz (shpĭts) pointed; *Winkel:* acute; *~ zulaufen* taper; 2**hacke** (-bŏŏbᵉ) m thief; *weitS.* rogue; 2**büberei** (-būbᵉrī) f roguery; **~bübisch** (-būbĭsh) roguish.

Spi'tz|e (shpĭtsᵉ) f point; *Berg2, Baum2:* top; (*Finger2, Zungen2 usw.*) tip; (*Feder2*) nib; (*Turm2*) spire; *e-s Unternehmens usw.:* head; (*~ngewebe*) lace; *j-m die ~ bieten* make head against; *auf die ~ treiben* carry to extremes; **~el** m informer; 2**en** point, sharpen; *den Mund ~* purse (up) one's lips; *die Ohren ~* prick up one's ears.

Spi'tzen|leistung (-lĭstōōᵣ) f peak performance; *e-r Fabrik:* peak capacity; peak output; peak power; **~lohn** (-lōn) m peak wage(s *pl.*).

spi'tz|findig (-fĭndĭç) subtle, captious; 2**findigkeit** f subtlety, captiousness; 2**hacke** f pick(-axe); **~ig** pointed; 2**marke** f head(ing) (*print.*); **~name** (-nähmᵉ) m nickname.

Spli'tter (shplĭtᵉr) m splinter; 2**frei** (-frī) splinter-proof; 2**ig** splintery; 2**n** splinter; 2**nackt** stark naked.

Sporn (shpŏrn) m spur; *N* skid; 2**en** spur.

Sport (shpŏrt) m sport; *~ treibend* sporting; **~'ausrüstung** (-owsrūstōōᵣ) f sports kit; **~geschäft** (-gʰeshĕft) n sporting-goods store;

~'kleidung (-klīdōōᵣ) f sportswear; **~'lehrer(in** f) m (-lérᵉr) trainer; **~'ler(in** f) m sportsman, sportswoman; 2**'lich**, 2**'mäßig** (-mäsĭç) sportsmanlike, sporting; **~'nachrichten** (-nähκrĭçtᵉn) f/pl. sporting news; **~'platz** m athletic (*od.* sports) ground.

Spott (shpŏt) m mockery; (*s-n*) *~ treiben mit* make sport of; 2**'billig** (-bĭllĭç) dirt-cheap.

Spötte'lei (shpŏtᵉlī) f mockery; sneer; 2**'ln** (shpŏtᵉln) sneer (*über* acc. at); (*act.*) fig. (*gen.*) defy.|

spo'tten (shpŏtᵉn) mock, scoff (*über* acc.).

Spö'tter (shpŏtᵉr) m, **~in** f scoffer, mocker; **~ei'** (-ī) mockery.

spö'ttisch mocking; ironical.

Spo'tt|name (-nähmᵉ) m nickname; **~preis** (-prĭs) m ridiculous price, trifling sum; **~schrift** f satire, lampoon.

Spra'che (shprähκᵉ) f language; (*Sprechfähigkeit*) speech; (*Stil*) diction; (*Aussprache*) articulation.

Spra'ch|eigenheit (-ighᵉnhīt) f idiom; **~fehler** (-félᵉr) m grammatical mistake; *anat.* defect of speech; **~führer** m phrase-book; **~gebrauch** (-gʰebrowκ) m usage; **~gefühl** n linguistic instinct; 2**kundig** (-kŏŏndĭç) versed in languages; **~lehre** (-lérᵉ) f grammar; **~lehrer(in** f) m teacher of languages; 2**lich** lingual; grammatical; 2**los** speechless; **~rohr** (-rōr) n speaking-trumpet; fig. mouthpiece; **~schatz** m vocabulary; **~störung** (-shtöröōᵣ) f speech disorder; **~werkzeug** (-věrktsŏĭk) n organ of speech; **~wissenschaft** (-vĭsᵉnshähft) f science of language, philology; **~wissenschaftler** m philologist; 2**wissenschaftlich** philological.

Spre'ch|chor (shprěkŏr) m speaking chorus; 2**en** speak (*mit* to; *über* acc., *von* of, about); (*sich unterhalten*) talk (*mit* to, with; *über* acc., *von* about, of, over); *er ist nicht zu ~* you cannot see him now; *j-n zu ~ wünschen* wish to see a p.; *j-n schuldig ~* pronounce a p. guilty; **~er(in** f) m speaker; *Radio:* announcer; 2**fehler** (-félᵉr) m slip of the tongue; **~film** m talking film; **~stunde** (-shtōōndᵉ) f *ärztliche:* consultation hour; (*Bürostunde*) office hour; ~übung (-übŏŏŋ) f exercise in speaking; ~zimmer n parlour; e-s Arztes: consulting--room.

sprei′zen (shprits⁰n) spread; Beine: straddle; sich ~ mit boast of.

Spre′ng|bombe (shprëŋᵍbômb⁰) f demolition bomb; ~el m diocese; parish; 2en Flüssigkeit: sprinkle; Garten, Pflanze: water; (auf~) burst open; (in die Luft ~) blow up, blast; Mine usw.: spring; Versammlung usw.: break up; Bank: break; ~stoff m explosive; ~ung f blowing-up; breaking; ~wagen (-vähgʰᵉn) m water(ing)-cart.

spre′nkeln (shprëŋkᵉln) speckle.

Spreu (shprŏi) f chaff.

Spri′ch|wort (shpriçvört) n proverb; 2wörtlich proverbial.

sprie′ßen (shprees⁰n) sprout.

Spri′ng|brunnen (shpriŋᵍbrŏŏn⁰n) m fountain; 2en (sn) jump; a. Wasser, Blut usw.: spring; elastisch, bsd. Ball: bound; beim Schwimmen: dive; (zer~) burst, crack, break; in die Augen ~ strike the eye; Seil: skip; ~er m jumper (a. ~in f); Schach: knight; ~flut (-flŏŏt) f Sprit (shprit) m spirit. [spring tide.]

Spri′tz|e (shprits⁰) f syringe, squirt; (Feuer2) fire-engine; ☞ e-e ~ geben administer an injection; 2en v/t. squirt; syringe; ☞ inject; Schmutz: splash; v/i. spirt, spurt; Feuer- spritze usw.: play; Feder: splutter; ~enschlauch (-shlowk) m fire--hose; ~er m splash; ~fahrt F f (pleasure-)trip.

sprö′de (shpröd⁰) brittle; Haut: chapped; Mädchen: coy, prudish.

Sproß (shprös) m sprout; scion.

Spro′ss|e (shprös⁰) f rung; round; step; 2en (h. u. sn) sprout.

Sprö′ßling (shprösliŋ) m = Sproß.

Spruch (shprŏŏk) m (Urteils2) sentence; (Ausspruch) saying; (Weis- heits2) maxim; ~′band (-bähnt) n banner; 2′reif (-rif) ripe for deci- sion.

Spru′del (shprŏŏd⁰l) m mineral water; 2n (sn u. h.) bubble; (hastig reden) sputter.

sprü′h|en (shprü⁰n) v/i. (sn u. h.) u. v/t. Wasser: spray, sprinkle; Funken, Witz: spark(le); Regen: drizzle; 2regen (-régʰᵉn) m drizz- ling rain.

Sprung (shprŏŏŋ) m jump, bound; beim Schwimmen: dive; (Riß) crack, fissure; ~′brett n diving-board; spring-board; fig. stepping-stone; ~′feder (-féd⁰r) f (elastic) spring.

Spu′ck|e (shpŏŏk⁰) f spittle; 2en v/t. spit; v/t. spit out; ~napf m spittoon, Am. cuspidor.

Spuk (shpŏŏk) m apparition, spook, ghost; 2′en haunt a place.

Spu′l|e (shpŏŏl⁰) f spool, reel; bob- bin; ☞ coil; 2en reel, spool.

spü′len (shpül⁰n) rinse; wash.

Spund (shpŏŏnt) m bung, plug.

Spur (shpŏŏr) f trace (a. fig.); track; (Abdruck) print; (Wagen2) rut.

spü′r|en (shpür⁰n) trace (a. fig.); track; (empfinden) feel; perceive; 2sinn (-zïn) m flair.

Spu′rweite (shpŏŏrvit⁰) f ☞ gauge.

spu′ten (shpŏŏt⁰n) sich ~ make haste.

Staat (shtäht) m (Aufwand) state; (Putz) finery; (~swesen) State; ~ machen mit make a show of; ~′en- bund (shtäht⁰nbŏŏnt) m confedera- tion; 2′enlos stateless; 2′lich state-...; national; political; public.

Staa′ts|-angehörige(r) (shtäht- sähngʰᵉhörigʰᵉ[r]) m subject (of a State), Am. citizen; ~angehörig- keit (shtähtsähng⁰höriçkit) f na- tionality; ~anwalt m public pro- secutor, Am. district attorney; ~be-amte(r) m civil servant; ~bürger m citizen; ~bürgerschaft f citizenship; ~dienst (-deenst) m civil service; 2-eigen (-igʰᵉn) State-owned; ~feind (-fint) m public enemy; ~gewalt f supreme power; ~haushalt (-howshählt) m budget; ~hoheit (-hŏhit) f sove- reignty; ~kasse f exchequer; ~klugheit (-klŏŏkhit) f policy; ~kunst (-kŏŏnst) f statesmanship; ~mann m statesman; 2männisch (-mënïsh) statesmanlike; ~papiere (-pähpeere) n/pl. government stocks; ~rat (-räht) m Privy Coun- cil; ~recht n public law; ~schatz m public treasury; ~schuld (-shŏŏlt) f national debt; ~sekretär (-zëkrê- tär) m Secretary of State; ~streich (-shtriç) m (fr.) coup d'état; ~wesen (-véz⁰n) n political system; ~wirt- schaft f political economy; ~wissenschaft (-vïs⁰nshähft) f po- litical science; ~wohl n public weal.

Stab (shtáhp) m staff, stick; Gitter2 usw., Metall: bar; ⚒, Mitarbeiter2: staff.

stabi'l (shtáhbeel) stable; ⏜isie'ren (-izeer⁶n) stabilize.

Stabilisie'rung (shāhbĭlĭzeerōōrᵍ) f stabilization.

Stabs...: ⚒ mst staff-...

Sta'chel (shtáhk⁶l) m prickle; (Insekten2) sting; unter Menschuhen: spike; fig. goad; ⏜beere (-bér⁶) f gooseberry; ⏜draht m barbed wire.

sta'ch(e)lig prickly, thorny.

Sta'cheln (shtáhk⁶ln) sting, prick; fig. goad. [⏜um (-ōōm) n stage.]

Sta'di|on (shtáhdĭ'ōn) n stadium; ⏌

Stadt (shtäht) f town; (Groß2) city; ⏜'bahn (-bähn) f city-railway in London: metropolitan railway.

Stä'dt|chen (shtätç⁶n) n small town; ⏜er m townsman, pl. townspeople; ⏜erin f townswoman.

Sta'dt|gemeinde (shtähtgʰᵉmind⁶) f township, Am. city; ⏜gespräch (-gʰᵉshprǎç) n town talk.

stä'dtisch (shtätĭsh) municipal.

Sta'dt|plan (-plähn) m map of the city; ⏜rat (-räht) m town-councillor; ⏜recht n freedom of the city; ⏜reisende(r) (rĭz⁶nd⁶[r]) m town-traveller; ⏜ver-ordnete(r) (-fĕr-ōrdn⁶t⁶[r])m town-councillor; ⏜ver-ordnetenversammlung(-fĕrōrd-n⁶t⁶nfĕrzăhmlōōrᵍ) f town council, city assembly; ⏜viertel (-feert⁶l) n quarter. [relay race.]

Stafe'ttenlauf (shtähf⁶t⁶nlowf) m⏌

Sta'ffel|ei (shtähf⁶li) f easel; 2n Steuern usw.: graduate; Arbeitszeit usw. stagger.

Stahl (shtähl) m steel.

stä'hlen (shtäl⁶n) fig. steel.

Sta'hl|feder (-féd⁶r) f steel pen; ⏜kammer f strong-room, Am. steel vault; ⏜stich m steel engraving.

Stall (shtähl) m stable; (Kuh2) cowshed; (Schweine2) pigsty, Am. hogpen; (Hunde2) kennel; (Schuppen) shed; ⏜knecht m groom, ostler; ⏜ung f stabling; ⏜en pl. stables.

Stamm (shtähm) m stem (a. gr.), trunk; (Volks2 usw.) race; (Geschlecht) stock; (Familie) family; (Eingeborenen2) tribe; (Bestand) stock; ⏜'-aktie (-ǎhkts'⁶) f ordinary share; ⏜'baum (-bowm) m family tree; v. Tieren: pedigree; ⏜'buch

(-bōōk) n album; 2'eln stammer; ⏜'-eltern pl. progenitors; 2'en (sn): ⏜ von be descended from; zeitlich: date from; gr. be derived from; ⏜'gast m regular guest od. customer.

stä'mmig (shtĕmĭç) stalwart, sturdy, Am. husky.

Sta'mmkapital (shtähmkähpĭtähl) n original capital.

Sta'mm|[m]utter(shtähmmōōt⁶r)f ancestress; ⏜tisch m table reserved for regular guests; ⏜vater (-fäht⁶r) m ancestor; 2verwandt (-fĕrvähnt) kindred, cognate.

sta'mpfen (shtähmpf⁶n) stamp.

Stand (shtähnt) m (Stehen) stand (-ing); (Halt für den Fuß) foothold; = Standplatz; (Niveau) level; (Verkaufs2, Pferde2) stall; (⏜ e-r Sache) state; condition; (soziale Stellung) status, station, rank, class; (Beruf) profession; des Thermometers usw.: reading; ast. position; Sport: (⏜ e-s Spieles) score; j-n in den ⏜ setzen, et. zu tun enable a p. to do a th. [dard.]

Standa'rte (shtähndährt⁶) f stan-⏌

Sta'ndbild (shtähntbĭlt) n statue.

Stä'ndchen (shtĕntç⁶n) n serenade; j-m ein ⏜ bringen serenade a p.

Stä'nder (shtĕnd⁶r) m (Gestell) stand; (Pfosten) standard, post, pillar.

Sta'ndes|-amt (shtähnd⁶s-ähmt) n registrar's office; 2-amtlich: ⏜e Trauung civil ceremony; ⏜be-amte(r) m registrar; 2gemäß (-gʰᵉmǎs) in accordance with one's rank; ⏜person (-pĕrzŏn) f person of rank.

sta'ndhaft firm, steadfast; 2igkeit (-hähftĭçkit) f constancy, firmness.

sta'ndhalten (-hählt⁶n) hold one's ground; j-m usw. ⏜ resist a p., etc.

stä'ndig (shtĕndĭç) permanent.

Sta'nd|-ort, ⏜platz m stand(ing-place); station; ⏜punkt (-pŏōrᵏt) m point of view, standpoint, Am. slant, angle; = ⏜ort; ⏜quartier (-kvährteer) n fixed quarters pl.; ⏜recht ⚒ n martial law.

Sta'nge (shtährᵍ⁶) f pole; Eisen usw.: bar, rod; Siegellack usw.: stick.

Stä'nker (shtĕrᵏᵏ⁶r) F m fig. squabbler; 2n fig. squabble.

Stannio'l (shtähnĭ'ōl) n tinfoil.

Sta'nze (shtähnts⁶) f ⊕ stamp, die; 2n stamp, punch.

28*

Sta'pel (shtä*h*p*e*l) *m* pile; ⚓ stocks *pl.*; *vom ~ l.* launch; *vom ~ laufen* be launched; **~lauf** (-lowf) *m* launch(ing); **~n** pile up; **~platz** ✝ *m* emporium.

sta'pfen (shtä*h*pf*e*n) plod.

Star (shtä*h*r) *m* starling; *thea.* star; *⚕* cataract; *j-m den ~ stechen* open a p.'s eyes.

stark (shtä*h*rk) **1.** strong; (*dick*) stout; (*intensiv*) intense; (*beträchtlich*) large; *~e Erkältung* bad cold; *~e Seite fig.* strong point; **2.** *adv.* very much; hard; *~ rauchen* smoke heavily.

Stä'rke (shtê*r*k*e*) *f* **1.** (*s.* stark) strength; stoutness; intensity; largeness; *fig.* forte, strong point; **2.** *⚗* starch; **2n** strengthen; *Wäsche:* starch; *sich ~ fig.* take some refreshment.   [power current.]

Sta'rkstrom (shtä*h*rkshtröm) *⚡ m* |

Stä'rkung (shtê*r*kö*o*ng) *f* strengthening; (*Erfrischung*) refreshment; **~smittel** *n* restorative.

starr (shtä*h*r) rigid (*a. fig.*), stiff; *Blick:* fixed; *vor Entsetzen:* transfixed; *vor Staunen:* dumbfounded; **~'en** stare (*auf acc.* at); *von Waffen usw.:* bristle (with); *von Schmutz usw.:* be covered with; **2'heit** *f* stiffness, rigidity; **~'köpfig** stubborn, obstinate; **2'krampf** *m* tetanus; **2'sinn** (-zin) *m* obstinacy, stubbornness.

Start (shtä*h*rt) *m* start; *✈* take-off; **~'bahn** *✈ f* runway; **2'bereit** (-b*e*rīt) ready to start; **2'en** (h. *u.* sn) start; *✈* take off; **~'platz** *m* starting-place.

Statio'n (shtä*h*ts*i*ōn) *f* station; *im Krankenhaus:* ward; (*gegen*) *freie ~* board and lodging (found); **~svorsteher** (-fōrshtē*e*r) *⚡ m* stationmaster, *Am.* station agent.

Stati'st (shtä*h*tist) *m*, **~in** *f thea.* super(numerary); *Film:* extra; **~ik** *f* statistics *pl.*; **2isch** statistical.

Stati'v (shtä*h*tēf) *n* stand, support; *phot.* tripod.

statt (shtä*h*t) instead of; *an Eides 2* in lieu of an oath; *an Kindes 2 annehmen* adopt.

Stä'tte (shtê*t*e) *f* place; spot.

sta'tt|finden, ~haben (-hä*h*b*e*n) take place; **~haft** admissible; legal.

Sta'tthalter *m* governor.

sta'ttlich stately; considerable.

Sta'tue (shtä*h*tō*o*e) *f* statue.

Statu'r (shtä*h*tōōr) *f* stature, size.

Statu't (shtä*h*tōōt) *n* statute; **~en** *pl.* ✝ *usw.:* articles *pl.* of association.

Staub (shtowp) *m* dust; powder.

Stau'becken (shtowbêk*e*n) *n* catchment basin.

stau'ben (shtowb*e*n) give off dust; *es staubt* it is dusty.   [keit: spray.|

stäu'ben (shtöib*e*n) dust; *Flüssig-* |

Stau'b|faden (shtowpfä*h*d*e*n) *♀ m* filament; **2ig** (shtowbi*ç*) dusty; **~sauger** (-zowg*e*r) *m* vacuum cleaner; **~tuch** (-tō*o*k) *n* duster.

stau'chen (shtowk*e*n) jolt ⊕ upset.

Stau'damm (shtowdä*h*m) *m* dam.

Stau'de (shtowd*e*) *f* shrub, bush.

stau'en (shtow*e*n) *Wasser:* dam up; *Güter:* stow (away); *sich ~* be jammed.

stau'nen (shtown*e*n) **1.** be astonished (*über acc.* at); **2.** *n* astonishment; **~swert** (-vért) amazing.

Stau'pe (shtowp*e*) *f vet.* distemper.

Stau'ung (shtowō*o*ng) *f* damming up; (*Stockung*) stoppage; (*Gedränge*) jam.

ste'chen (shtê*ç*en) prick; *Insekt:* sting; (*durch~*) pierce; (*er~*) stab; *Floh:* bite; *Karten:* trump; *Sonne:* burn; *in Kupfer:* engrave; *j-m in die Augen ~ fig.* strike a p.'s eyes.

Ste'ck|brief (shtêkbreef) *m* warrant of apprehension; **~dose** (-dōz*e*) *f* wall (*od.* plug) socket, wall plug; **2en 1.** *v/t.* stick; (*wohin tun*) put; (*fest~*) fix; (*mit Nadeln ~*) pin; **2.** *v/i.* (*sich befinden*) be; (*festsitzen*) stick (fast); *~ in Schulden usw.:* be involved in; **2enbleiben** (-blīb*e*n) (sn) stick; **~enpferd** (-pfért) *n* hobby-horse; *fig.* hobby; **~er** *⚡ m* plug; **~kontakt** *m* plug-contact; **~nadel** (-nä*h*d*e*l) *f* pin.

Steg (shték) *m* (*Brücke*) footbridge; *~'reif* (shtēgrīf) *m*: *aus dem ~* extempore, off-hand.   [pub.|

ste'h(e)n (shtē*[e]*n) stand; (*sein, sich befinden*) be; (*kleiden*) suit (*j-m a p.*); *fig. vor et.* ~ be faced with; *gut ~ mit* be on good terms with; *teuer zu ~ kommen* cost dear; *wie steht's mit ...?* what about ...? **~bleiben** (-blīb*e*n) (sn) remain standing; (*nicht weitergehen*) stand still, stop; *beim Lesen:* leave off; **~lassen** leave.

Ste'her m Rennsport: stayer.
Ste'hkragen(shtékrähg^hen) m stand-up collar. [lamp.]
Ste'hlampe(shtélähmp^e) f standard]
ste'hlen (shtél^en) steal.
Ste'hplatz m standing-place od.] [-room.]
steif (shtif) stiff.
Steig (shtik) m path; ~bügel (-büg^hel) m stirrup; 2'en (shtig^hen) 1. (sn) mount, ascent; Wasser, Temperatur, Barometer, Preis: rise; (anwachsen) increase; auf e-n Baum ~ climb a tree; 2. ~en rise; increase; 2'ern raise; (vermehren) increase; (verstärken) enhance; ~e-rung f raising; rise, increase; ~ung f rise, ascent; 🚃 usw.]
steil (shtil) steep. [gradient.]
Stein (shtin) m stone (a. ♟); (Fels) rock; 2'-alt very old; ~bruch (-brŏŏk) n quarry; ~druck (-drŏŏk) m lithography; Bild: lithograph; ~drucker m lithographer; 2'ern of stone; fig. stony; ~gut (-gŏŏt) n earthenware; 2'ig (stinĭç) stony; rocky; 2'igen (shtinĭg^hen) stone; ~kohle f (mineral) coal, pit-coal; ~kohlenbergwerk (-kŏl^nbĕrkvĕrk) n colliery; ~metz m stone-mason; ~salz (-zăhlts) n rock-salt; ~setzer (-zĕts^er) m paviour; ~wurf (-vŏŏrf) m stone's throw; ~zeit (-tsit) f stone age.
Steiß (shtis) m buttocks pl.; rump.
Ste'lldich-ein (shtĕldiçin) n meeting, rendezvous, Am. F date.
Ste'lle (shtĕl^e) f place; (Arbeits2) job, situation, place, post; (Behörde) agency; (Buch2) passage; freie ~ vacancy; an deiner ~ in your place; auf der ~ on the spot; zur ~ sn be present.
ste'llen (shtĕl^en) put; place, set, stand; (richtig ein~) regulate, adjust; Wecker; Aufgabe: set; (anhalten) stop; (liefern) furnish, supply; sich (wohin) ~ place o.s.; (sich einfinden) present o.s.; give o.s. up to the police; fig. sich krank usw. ~ feign, pretend to be od. do; Bedingungen ~ make conditions; e-e Falle ~ set a trap, lay a snare; der Preis stellt sich auf ... the price is ...
Ste'llen|gesuch (shtĕl^enge^zŏŏk) n in application for a job; ~vermittlung(sbüro)(-fĕrmĭtlŏŏrg)[sbürŏl) f employment-agency, Am. employ-

ment bureau; für Hausangestellte: registry-office; 2weise here and there, sporadically.
Ste'llung (shtĕlŏŏrg) f position; (Berufs2) a. situation; (Körperhaltung) a. posture; fig. ~ nehmen give one's opinion; ~nahme f opinion, attitude; comment; 2slos unemployed.
ste'll|vertretend (shtĕlfĕrtrĕt^end) vicarious; amtlich: acting, deputy; ~er Vorsitzender vice-chairman; 2vertreter(in f) m representative; amtlich: deputy; (Bevollmächtigter) proxy; 2vertretung f representation.
Ste'lz|bein (shtĕltsbin) n wooden leg; ~e f stilt; 2en (sn) stalk.
ste'mmen (shtĕm^en) prop; Gewicht: lift; sich ~ resist, oppose.
Ste'mpel (shtĕmp^el) m stamp; 2n stamp; F ~ gehen be on the dole.
Ste'ngel (shtĕrg^el) m stalk, stem.
Stenogra'|mm (shtĕnŏgrähm) n shorthand report od. notes pl.; ~ph (-f) m, ~phin f shorthand writer, Am. stenographer; 2phie' (-fee) f shorthand; 2phie'ren write (in) shorthand 2phisch (-fish) (in) shorthand.
Stenotypi'st (shtĕnŏtüpĭst) m, ~in f shorthand typist.
Ste'pp|decke (shtĕp-) f quilt; ~e f steppe; 2en quilt.
Ste'rbe|bett (shtĕrb^ebĕt) n death-bed; ~fall m death; ~kasse f burial-fund; 2n (sn) die (an dat. of); im 2n liegen be dying.
ste'rblich (shtĕrplĭç) mortal; ~ verliebt desperately in love (in acc. with); 2keit f mortality.
stereoty'p (shtĕrĕŏtüp) stereotype(d fig.); ~ien (-eer^en) stereotype.
steri'l (shtĕreel) sterile; ~isie're n (-ĭzeer^en) sterilize.
Stern (shtĕrn) m star; ~'bild n constellation; ~'deuter (-dŏit^er) m astrologer; 2'enbanner n stars and stripes pl.; 2'hell starlight, starry; ~'himmel m starry sky; ~'kunde (-kŏŏnd^e) f astronomy; ~'schnuppe (-shnŏŏp^e) f shooting star; ~'warte f observatory.
stet (shtĕt), ~'ig steady (fortwährend) continual; 2'igkeit f steadiness, continuity; ~s always, constantly.
Steu'er (shtŏi^er) 1. ⚓ n rudder (a. ✈), helm; 2. ~ f tax; bsd. indirekte:

duty; *städtische*: rate; **~be-amte(r)** *m* revenue-officer; **~berater** (-b^e^-rāht^e^r) *m* tax-expert; **~bord** ⚓ *n* starboard; **~-erhebung** (-ĕrhé-bōōng) *f* levy(ing of taxes); **~-erklärung** (-ĕrklärōōng) *f* (income-) tax return; **~-ermäßigung** (-ĕr-māsĭgōōng) *f* allowance; **Ձfrei** (-frī) tax-free; *Ware*: duty-free; **~freiheit** *f* exemption from taxation; **~hinterziehung** (-hĭnt^e^rtsee-ōōng) *f* tax evasion; **~kasse** *f* tax--collector's office; **~mann** *m* helmsman; **Ձn** steer, *bsd.* pilot; *mot.* drive; ⊕ control; e-r *S.* ~ check a th.; **Ձpflichtig** (-pflĭçtĭç) taxable; *Sache*: dutiable; **~politik** (-pŏlĭteek) *f* fiscal policy; **~rad** (-rāht) *n* (steering)wheel; **~ruder** (-rōōd^e^r) *n* rudder, helm; **~satz** (-zăhts) *m* rate of assessment; **~-ver-anlagung** (-fĕrăhnlāhgōōng) *f* assessment; **~zahler** (-tsāhl^e^r) *m* taxpayer; ratepayer.

Ste'ven (shtév^e^n) ⚓ *m* stem.

Stich (shtĭç) *m* (*Nadel*Ձ) prick; *e-s Insekts*: sting; (*Dolch*Ձ) stab; (*Näh*Ձ) stitch; *Karten*: trick; (*Kupfer*Ձ) engraving; ⚕ (*Seiten*Ձ) stitch; ~ *halten* hold good; *im* ~ *l.* desert; forsake. [sneer.]

Stichel|ei' (shtĭç^e^lī) *f*, **Ձ'n** taunt,

Sti'ch|flamme *f* darting flame; **Ձ-haltig** valid, sound; **~probe** (-prōb^e^) *f* random test *od.* sample; **~tag** (-tāhk) *m* fixed day, key-day; **~wahl** *f* second ballot; **~wort** *n* catchword; *thea.* cue; **~wunde** (-vōōnd^e^) *f* stab.

sti'cken (shtĭk^e^n) embroider.

Stickerei' (shtĭk^e^rī) *f* embroidery.

Sti'ck|garn *n* embroidery-cotton; **~husten** (-hōōst^e^n) *m* (w)hooping--cough; **Ձig** suffocating; *Luft*: close, stuffy; **~stoff** ⚗ *m* nitrogen.

stie'ben (shteeb^e^n) (sn) fly (about).

Stie'f... (shteef-): *mst* step ...; *z. B.* **~bruder** (-brōōd^e^r) *m* stepbrother.

Stie'fel (shteef^e^l) *m* boot; **~bürste** *f* boot-brush; **~knecht** *m* boot-jack; **~putzer** (-pōōts^e^r) *m* in *Hotels*: boots; *auf der Straße*: shoeblack; **~schaft** *m* leg of a boot; **~wichse** (-vĭks^e^) *f* blacking, boot-polish.

Stie'f|mutter (steefmōōt^e^r) *f* stepmother; **~mütterchen** (-mût^e^rç^e^n) ⚘ *n* pansy; **~vater** (-fāht^e^r) *m* stepfather.

Stiel (shteel) *m* handle, helve, haft; (*Besen*Ձ) stick; ⚘ stalk.

Stier (shteer) *m* bull; **Ձ'en** stare (*auf acc. nach at*).

Stift (shtĭft) **1.** *m* pin; peg; (*Zwecke*) tack; (*Zeichen*Ձ) pencil, *farbiger*: crayon; F (*Lehr*Ձ) youngster; **2.** ~ *n* (charitable) foundation; **Ձ'en** found; establish; (*spenden*) give, *Am.* donate; (*verursachen*) cause; *Frieden*: make; **~'er(in** *f*) *m* founder; donor; (*Urheber*) author.

Sti'ftung (-ōōng) *f* foundation; establishment; **~sfest** *n* founder's day.

Stil (shteel) *m* style; **Ձ'gerecht** stylish; **Ձisie'ren** (-ĭzeer^e^n) compose, word, stylize; **Ձi'stisch** stylistic.

still (shtĭl) still, quiet; (*schweigend*) silent; *Luft, See, Gefühl*: calm; ✝ dull, flat; (*heimlich*) secret; ~! silence!; *im* ~*en* in secret; ✝ ~*er Gesellschafter* sleeping (*Am.* silent) partner; *der* Ձ*e Ozean* the Pacific (Ocean); **Ձ'e** *f* stillness; silence, calm(ness); **~'egen** (shtĭl-lég^h^e^n) *Betrieb*: shut down; **~'en** *Schmerz*: still; *Zorn, Hunger*: appease; *Blut*: stanch; *Durst*: quench; *Kind*: nurse; *Begierde*: gratify; **~'halten** keep still; (*einhalten*) stop; **~'iegen** (shtĭl-leeg^h^e^n) lie still; *Betrieb*: be idle.

sti'llos (steellōs) without style

sti'll|schweigend (shtĭlshvig^h^e^nt) silent; *fig.* tacit; **Ձstand** *m* stand-still; **~stehen** (-shté^e^n) stand still; *fig.* be at a standstill; ⚔ Ձ*gestanden!* attention!

sti'lvoll (shteelfōl) stylish.

Sti'mm|band (shtĭmbăhnt) *n* vocal c(h)ord; **Ձberechtigt** (-b^e^rĕçtĭkt) entitled to vote; **~e** *f* voice; (*Wahl*Ձ) vote; (*Presse*Ձ) comment; ♪ (*Noten*) part; **Ձen** *v/t.* tune; *fig. günstig usw.*: dispose; *v/i.* agree; *bei der Wahl*: vote; F *das stimmt* (that is) all right; **~enmehrheit** *f* majority (*Am.* plurality) of votes; **~-enthaltung** *f* abstinence from voting; **~enzählung** *f* counting of votes; **~gabel** (-gāhb^e^l) *f* tuning-fork; **~recht** *n* right of voting; **~ung** *f* ♪ tune; *fig.* mood, humour; **Ձungsvoll** (shtĭmōōngsfōl) impressive; **~zettel** *m* voting-paper.

sti'nken (shtĭngk^e^n) stink.

Stipe'ndium (shtĭpĕnd'ōōm) *n* scholarship; exhibition.

sti'ppen (shtĭp'e^n) F steep, dip.

Stirn (shtĭrn) f forehead; fig. face; e-r S. die ~ bieten make head against; ~runzeln (-rōŏnts'e^ln) n frown (-ing).

stö'bern (shtöb'e^rn) rummage.

sto'chern (shtŏk'e^rn) (~ in dat.) Feuer: poke; Zähne, Essen: pick.

Stock (shtŏk) m stick; (~werk) story, floor; 2'dunkel (-dōŏnk'e^l) pitch-dark.

sto'cken (h. u. sn) stop; Flüssigkeit, a. fig.: stagnate; Gespräch: flag; Stimme: falter; (schimmeln) turn mouldy; Zahn: decay.

Sto'ck|-engländer m thorough Englishman; 2'finster pitch-dark, ~fleck m damp-stain; 2fleckig foxed, (a. 2) mildewy; 2ig fusty; Zahn: decayed; ~schnupfen (-shnōŏpf'e^n) m chronic cold in the nose; 2taub (-towp) stone-deaf; ~ung f stoppage; stagnation; flagging; ~werk n stor(e)y, floor.

Stoff (shtŏf) m matter, substance; (Zeug) material, stuff, fabric; (Thema) subject; 2'lich material.

stö'hnen (shtön'e^n) groan.

Sto'llen (shtŏl'e^n) m tunnel; ✕ gallery.

sto'lpern (shtŏlp'e^rn) (sn) stumble.

stolz (shtŏlts) 1. proud (auf acc. of); 2. 2 m pride. [flaunt.]

stolzie'ren (shtŏlseer'e^n) (sn) strut,⌐

sto'pfen (shtŏpf'e^n) v/t. stuff; Pfeife, Loch: fill; (voll...) cram; 2 constipate; mit der Nadel: darn; j-m den Mund ~ stop a p.'s mouth; v/i. 2 cause constipation.

Sto'pf|garn n darning-cotton; ~nadel (nähd'e^l) f darning-needle.

Sto'ppel (shtŏp'e^l) f stubble; 2ig stubbly. [(-ōōr) f stop-watch.]

sto'pp|en (shtŏp'e^n) stop; 2-uhr⌐

Stö'psel (shtöp'se^l) m; 2n stopper;

Storch (shtŏrç) m stork. [plug.]

stö'ren (shtör'e^n) disturb, trouble; Radio: jam; 2fried (-freet) m marplot.

stö'rr|ig (shtörĭç), ~isch stubborn, obstinate; Pferd: restive.

Stö'rung (shtörōŏñg) f disturbance; (a. ⊕) trouble; (Betriebs2) break-down; Radio: jamming, interference; geistige ~ mental disorder.

Stoß (shtōs) m push; thrust; (Fuß2) kick; (Faust2) punch; mit dem Kopf: butt; (Erschütterung) shock; (Schlag) blow; des Wagens: jolt; (Schwimm2) stroke; (Haufen) pile, heap; ✓'dämpfer m mot. shock-absorber.

sto'ßen (shtōs'e^n) v/t. push, thrust; mit dem Fuß: kick; mit der Faust: punch; mit den Hörnern, dem Kopf: butt; schlagend: knock, strike; Pfeffer usw.: pound; sich ~ an (dat.) strike (od. knock) against; fig. take offence at; v/i. a) thrust; kick; butt (s. v/t.; alle: nach at); Wagen: jolt; an et. (acc.) ~ (grenzen) adjoin, border on; b) (sn) ~ auf (acc.) meet with, come across; c) (h. u. sn) ~ gegen od. an (acc.) knock (od. strike) against.

Sto'ß|seufzer (shtōszöĭfts'e^r) m ejaculation; ~stange f mot. bumper; 2weise by fits and starts; ~zahn m tusk. [mer.]

sto'ttern (shtŏt'e^rn) stutter, stam-⌐

Stra'f|-anstalt (shträhfähnshtählt) f penal institution; ~arbeit (-ährbīt) f Schule: imposition, Am. extra work; 2bar punishable; (schuldig) culpable; ~e f punishment; ge-setzliche ~ (bsd. Geld2), Sport, fig. penalty; (Geld2) fine; bei ~ von on pain of; 2en punish; um Geld ~ fine.

straff (shträhf) tight; ♩ taut; fig. rigid, strict.

stra'f|fällig (shträf-fĕlĭç) punishable; 2gesetz (-gʰeze̊ts) n penal law; 2gesetzbuch (-gʰezĕtsbōŏk) n penal code.

strä'flich (shträflĭç) punishable.

Strä'fling (shträflĭñg) m convict.

stra'f|los (shträhflōs) unpunished; 2losigkeit (-lōzĭçkĭt) f impunity; 2porto (-pŏrtō) n surcharge; 2predigt (-prédĭkt) f severe lecture; 2prozeß (-prŏtsés) m criminal case; 2stoß (-shtōs) m Fußball: penalty kick; 2verfahren n criminal procedure.

Strahl (shträhl) m ray, beam; (Blitz2) flash; (Wasser2 usw.) jet; 2'en radiate; (a. fig.) beam, shine.

Strä'hne (shträn'e^) f strand; Garn-maß: hank, skein; Haar: lock.

stramm (shträhm) (straff) tight; (kräftig) stalwart; (scharf) stiff.

stra'mpeln (shträhmp'e^ln) kick.

Strand (shträhnt) m beach; ~'-anzug (-ähntsōōk) m beach suit; 2'en

(-d^en) (sn) strand; ~'**gut** (-gōōt) n stranded goods pl.; ~'**korb** m (canopied)beach-chair.

Strang (shträŋ) m rope; zum Anschirren: trace; zum Hängen: halter; ⚒ (Gleis) track.

Strapa'z|**e** (shträpāhts^e) f fatigue; toil; ~**ie'ren** (-eer^en) fatigue; (plagen) harass; stuff: wear out; ~**ie'rfähig** (-eerfäïç) for hard wear.

Stra'ße (shträhs^e) f road, highway; e-r Stadt: street; (Meerenge) strait; auf der ~ in the street.

Stra'ßen-anzug (-ähntsōōk) m lounge-suit; Am. business suit; ~**bahn** f tram(way), Am. street railway; ~**bahnhaltestelle** (-bähnhählt^eshtĕl^e) f tramway stop; ~**bahnwagen** (-bähnvähg^en) m tram(-car), Am. streetcar; ~**beleuchtung** (-b^elóïçtōōŋ) f lighting of the streets; ~**damm** m roadway; ~**händler** m street-vendor; Am. corner faker; ~**junge** (-yōōŋ^e) m street arab; ~**kehrer** m scavenger; ~**kreuzung** (-króïtsōōŋ) f (street-)crossing; ~**reinigung** (-riniǧōōŋ) f street-cleaning; ~**rennen** n road-race.

sträu'ben (shtróïb^en) ruffle; bristle; sich ~ bristle; fig. struggle.

Strauch (shtrowx) m shrub.

strau'cheln (shtrowx^eln) (sn) stumble.

Strauß (shtrows) m (Vogel) ostrich; (Blumen⁀) bunch (of flowers); bouquet.

Stre'be (shtréb^e) f strut, support; ⚩n 1. strive, aspire (nach after); 2. ~n n striving, aspiration; tendency; ~r m pusher; careerist.

stre'bsam (shtrépsähm) assiduous; ⚩keit f assiduity.

Stre'cke (shtrĕk^e) f stretch; (Gegend) tract, extent; (Entfernung) distance; ⚒ section, line; hunt. bag; zur ~ bringen bag; fig. finish off; die Waffen ~ lay down one's arms; ⚩nweise here and there.

Streich (shtrïç) m stroke, blow; fig. trick, prank; (Streich)⚩**eln** stroke, (a. fig.) caress; ⚩'en v/t. stroke; rub; Butter: spread; Messer: whet; (an~) paint; (aus~) strike out, bsd. fig. cancel; Flagge, Segel: strike lower; Sport: scratch; Ziegel: make; v/i. a) (sn) Gebirge: run; (vorbei~) pass, move;

(fliegen) fly, sweep; (wandern) ramble; b) (h.) mit der Hand über et. ~ pass one's hand over a th.; ~'**holz** n match; ~'-**instrument** (-ïnstrōōmĕnt) ♪ n stringed instrument; ~'-**orchester** (-órkĕst^er) n stringband; ~'**riemen** (-reem^en) m razor-strop.

Streif (shtrïf), ~**en**¹ m stripe, streak; Land usw.: strip; ~**band** n (postal) wrapper, cover; ~**e** f raid; (Polizei⁀) patrol; ⚩**en**² v/t. stripe, streak; (berühren) graze, brush, Thema: touch; v/i. (sn) (wandern) rove, ramble; fig. ~ an (acc.) border upon; ⚩**ig** striped; ~**licht** n side-light; ~**schuß** (-shōōs) m grazing shot; ~**zug** (-tsōōk) m raid.

Streik (shtrïk) m strike, Am. walk-out; in (den) ~ treten go on strike; ~'**brecher** m strike-breaker, black-leg; ⚩'**en** (be on) strike; ~'**ende(r)** m striker; ~'**posten** m picket; ~ stehen picket.

Streit (shtrït) m dispute, quarrel; (Kampf) fight, combat; (Wider⁀) conflict; ⚩'**bar** pugnacious; ⚩'**en** (a. sich) dispute, quarrel; fight; ~'-**frage** (-frähg^e) f point of controversy, Am. issue; ⚩'**ig** contested, debatable; ~'**igkeit** f difference, quarrel; ~'**kräfte** f/pl. military forces; ⚩'**lustig** (-lōōstïç) pugnacious; ~'**punkt** (-pōōŋkt) m point in dispute; ⚩'**süchtig** (-zŭçtïç) quarrelsome.

stre'ng|**e**(¹) (shtrĕŋ^e[¹]) severe; Sitte: austere; (bestimmt) strict; Geschmack: sharp; ⚩**e²** f severity, austerity; ~'**gläubig** (-glóïbïç) orthodox.

Streu (shtróï) f litter; ⚩'**en** strew, scatter; ~'**zucker** (-tsōōk^er) m castor sugar.

Strich (shtrïç) m stroke; (Linie) line; (Gedanken⁀) dash; (Land⁀) tract; j-m e-n ~ durch die Rechnung m. upset a p.'s plans; ~'**vogel** (-fōg^el) m bird of passage; ⚩'**weise** here and there.

Strick (shtrïk) m cord; rope; zum Hängen: halter; fig. (young) rogue; ⚩'**en** knit; ~'**garn** knitting-yarn; ~'**leiter** (-lït^er) f rope-ladder; ~'-**nadel** (-nähd^el) f knitting-needle; ~'**waren** (-vähr^en) f/pl. knit(ted) goods pl.; ~'**zeug** (-tsóïk) n knitting things pl.

Strie'me (shtreem^e) f stripe, streak; *in der Haut*: wale, weal.

Stri'ppe (shtrip^e) F f string.

stri'ttig (shtritĭç) s. streitig.

Stroh (shtrō) n straw; (*Dach*2) thatch; **~'dach** (-dăhk) n thatch (-ed roof); **~'decke** f straw-mat; **~'halm** m straw; **~'hut** (-hōōt) m straw hat; **~'mann** m man of straw; dummy; **~'sack** (-zăhk) m palliasse; **~'witwe(r** m) (-vĭtv^e[r]) f grass-widow(er).

Strolch (shtrolç) m vagabond; 2'en (sn) roam about.

Strom (shtrōm) m stream; (large) river; (*Strömung*) current (a. ⚡).

strö'men (shtröm^en) (h. u. sn) stream, flow; *Regen*: pour; (*sich drängen*) flock, crowd.

Stro'm|kreis (shtrōmkrīs) ⚡ m circuit; **~linienform** (-leen^ī^en-fôrm) f stream-line shape; **~sperre** f stoppage of current.

Strö'mung (shtrōmōōn̩) f current; *fig.* trend.

Stro'phe (shtrōf^e) f stanza.

stro'tzen (shtrōts^en) exuberate; **~ von**, *vor* (dat.) abound in.

Stru'del (shtrōōd^el) m whirlpool, eddy; 2n (h. u. sn) whirl, eddy.

Strumpf (shtrōōmpf) m stocking; (*Glüh*2) mantle; **~'band** n garter; **~'halter** m suspender, *Am.* garter; **~'waren** (-vāhr^en) f/pl. hosiery.

stru'ppig (shtrōōpĭç) shaggy; rough; unkempt.

Stu'be (shtōōb^e) f room; **~nhocker** m stay-at-home; **~nmädchen** (-mătç^en) n parlourmaid.

Stück (shtük) n piece; (*Bruch*2) fragment; *Vieh*: head; *Zucker*: lump; *aus freien ~en* of one's own accord; *in ~e gehen od. schlagen* break to pieces; **~'arbeit** (-ăhrbīt) f piece-work; **~'enzucker** (-tsōō-k^er) m lump-sugar; 2'weise by the piece, piecemeal; **~'werk** n *fig.* patchwork.

Stude'nt (shtōōdĕnt) m, **~in** f (f woman) student, (f girl) undergraduate.

Stu'die (shtōōd^ī^e) f paint. study; *literarische*: sketch, essay; **~ndirektor(in** f) (-dĭrĕktôr) m headmaster (chief mistress) of a secondary school, *Am.* high-school principal; **~nrat** (-răht) (**~nrätin** [-rătĭn] f) m assistant master (mistress) of a

---

secondary school; **~nreise** (-rīz^e) f educational trip.

studie'r|en (shtōōdeer^en) study; *engS.*: be at college; 2**zimmer** n study.

Stu'dium (shtōōd^ī^ōōm) n study.

Stu'fe (shtōōf^e) f step; *fig.* degree; (*Entwicklungs*2) stage; **~nfolge** f gradation; **~nleiter** (-līt^er) f scale; 2**nweise** gradually.

Stuhl (shtōōl) m chair; seat; **~'gang** 🔥 m stool. [cock.]

stü'lpen (shtülp^en) turn up; *Hut*:}

Stü'lpnase (shtülpnăhz^e) f turn(ed)-up nose.

stumm (shtōōm) dumb, mute; *fig.* silent. [stub.]

Stu'mmel (shtōōm^el) m stump,}

Stü'mper (shtümp^er) m bungler; **~ei** (-ī) f bungling; 2**haft** bungling; 2**n** bungle, botch.

stumpf[1] (shtōōmpf) blunt; *Winkel*: obtuse; *Geist, Auge usw.*: dull; (*teilnahmslos*) apathetic.

Stumpf[2] m stump; *mit ~ und Stiel* root and branch; **~'sinn** (-zĭn) m stupidity, dullness; 2'**sinnig** stupid, dull.

Stu'nde (shtōōnd^e) f hour; (*Unterricht*) lesson; 2**n** grant respite for payment; 2**nlang** for hours; **~nplan** (-plăhn) m time-table, *Am.* schedule; 2**nweise** by the hour; **~nzeiger** (-tsīg^her) m hour-hand.

stü'ndlich (shtüntlĭç) hourly.

Stu'ndung (shtōōndōōn̩) f respite.

Sturm (shtōōrm) m storm.

stü'rm|en (shtürm^en) storm; (sn) (*rennen*) rush; 2**er** m *Fußball*: forward.

stü'rmisch stormy (a. *fig.*); *fig.* (*ungestüm*) impetuous.

Stu'rm|schritt m double quick step; **~trupp** (-trōōp) m storming-party; **~wind** (-vĭnt) m stormy wind.

Sturz (shtōōrts) m fall, crash; (*Untergang*) ruin; *e-r Regierung usw.*: overthrow; *Börse*: slump; **~'bach** (-băh) m torrent.

stü'rzen (shtürts^en) v/i. (sn) fall, tumble; (*vorwärts~*) rush; v/t. precipitate; plunge; *Regierung usw.*: overthrow; *ins Elend ~* ruin; *sich in Schulden usw. ~* plunge into.

Stu'rz|flug (shtōōrtsflōōk) m nose-dive; **~helm** m crash helmet.

Stu'te (shtōōt^e) f mare. [stay.]

Stü'tze (shtüts^e) f support; prop,}

stu′tzen (shtōŏtsᵉn) *v/t.* cut short; *Ohren:* crop; *Flügel:* clip; *Bart:* trim; *Schwanz:* dock; *Baum:* lop; *v/i.* stop short; *(stutzig werden)* be startled, start.

stü′tzen (shtütsᵉn) support *(a. fig.)*; prop, stay; *fig.* ~ *auf (acc.)* base on; *sich* ~ *auf (acc.)* lean upon; *fig.* rely on.

Stu′tz|er (shtōŏtsᵉr) *m* fop, dandy, *Am.* dude; **2ig** startled, taken aback; ~ *m.* startle, puzzle.

Stü′tzpunkt (shtütspōŏŋkt) *m* point of support; *fig.* footing, *(bsd.* ✕*)* base.

Subje′kt (zōŏpyĕkt) *n gr.* subject; P fellow; **2i′v** subjective.

Substa′nz (zōŏpstähnts) *f* substance.

subtra|hie′ren (zōŏpträhheerᵉn) subtract; **2ktio′n** (zōŏpträhkts′ön) *f* subtraction.

Su′ch|dienst (zōŏkdeenst) *m* tracing service; ~*e f* search; *auf der* ~ *nach* in search of; **2en** *v/t.* seek *(a. sich bemühen zu),* search (out) *(beide a. v/i.* ~ *nach);* schauend: look for; *s. gesucht;* et. *darin* ~ *zu …* make it a point to …; *Sie h. hier nichts zu* ~ you have no business to be here; ~*er m phot.* view-finder.

Sucht (zōŏkt) *f* mania, passion, rage *(nach for),* addiction (to).

Süd (züt) *m* south.

su′deln (zōŏdᵉln) daub; *beim Schreiben:* scribble.

Sü′den (züdᵉn) *m* south.

Süd′|früchte (zütfrüçtᵉ) *f/pl.* fruit(s) from the South; **2lich** south(ern), southerly; ~*o′st(en)* (-öst[ᵉn]) *m* south-east; ~*pol* (-pöl) *m* South Pole; **2wärts** (-věst) southward(s);~*we′st(en)*(-věst[ᵉn]) *m* south-west.

suggerie′ren (zōŏghᵉreerᵉn) suggest.

Sü′hn|e (zünᵉ) *f* expiation, atonement; **2en** expiate, atone for; ~*ung f s. Sühne.*

Sü′lze (zülts*ᵉ*) *f* aspic; jellied meat.

summa′risch (zōŏmährĭsh) summary.

Su′mm|e (zōŏmᵉ) *f* sum; **2en** hum; buzz; ~*ie′ren* (-eerᵉn) sum up; *sich* ~ run up.

Sumpf (zōŏmpf) *m* swamp, bog, marsh; *fig.* morass; **2′ig** boggy, marshy, swampy.

Sü′nd|e (zündᵉ) *f* sin; ~*enbock m* scapegoat; ~*er(in f) m* sinner; ~*flut* (-flōōt) *f* = *Sintflut;* **2haft,** **2ig** sinful; **2**~*ig*ᵇᵉⁿ sin.

Superlati′v (zōŏpᵉrlähteef) *m* superlative.

Su′ppe (zōŏpᵉ) *f* soup; ~*nlöffel* *m zum Auffüllen:* soup-ladle; *zum Essen:* table-spoon; ~*nschüssel* *f* (soup-)tureen.

su′rren (zōŏrᵉn) whiz(z); *Insekt usw.:* buzz.

Surroga′t (zōŏrögäht) *n* substitute.

suspendie′ren (zōŏspeedeerᵉn) suspend.

süß (züs) sweet; **2′e** *f* sweetness; ~*en* sweeten; **2′igkeit** *f* sweetness; ~*en pl.* sweets, *Am.* candies; ~*′lich* sweetish; *fig.* mawkish; **2′stoff** *m* saccharin(e); ~*wasser n* fresh water.

Symbo′l|ik (zümbōlĭk) *f* symbolism; **2isch** symbolic(al).

Symmetr|ie′ (zümpähtee) *f* symmetry; **2′isch** (-é-) symmetrical.

Sympath|ie′ (zümpätee) *f* sympathy; **2′isch** (-päh-) sympathetic; *er ist mir* ~ I like him; ~*isie′ren* (-ĭzeerᵉn) sympathize.

Sympto′m (zümptōm) *n* symptom.

Synago′ge (zünähgōgᵉ) *f* synagogue.

synchronisie′ren (zünkrönĭzeerᵉn) [synchronize.]

Syndika′t (zündĭkäht) *n* syndicate.

Sy′ndikus (zündĭkōōs) *m* syndic.

synkopie′ren (zünköpeerᵉn) syncopate.

synony′m (zünönüm) synonymous.

synthe′|tisch (züntétĭsh) synthetic.

Sy′r|(i)er (zür[i]ᵉr) *m,* ~*(i)erin f,* **2isch** Syrian.

Syste′m (züstém) *n* system; **2a′tisch** (-ähtĭsh) systematic.

Sze′n|e (stsénᵉ) *f* scene; *in* ~ *setzen* stage; ~*erie′* (-ᵉree) *f* scenery.

T

Ta'bak (tăhbăhk) *m* tobacco; **~händler** *m* tobacconist; **~sdose** (-dōz*ᵉ*) *f* snuff-box; **~waren** (-vāhr*ᵉ*n) *f/pl.* smokes.

tabella'risch (tăhbĕlährĭsh) tabular; *adv.* in tabular form.

Tabe'lle (tăhbĕl'ᵉ) *f* table, schedule.

Table'tt (tăhblĕt) *n* tray; **~e** *f* tablet.

Ta'del (tăhd'ᵉl) *m* blame; (*Rüge*) censure; *Schule*: bad mark; **~los** faultless, blameless; F *fig.* ripping; **2n** blame, find fault with; censure; **2nswert** (tăhd'ᵉlnsvért) blame-worthy.

Ta'fel (tăhf'ᵉl) *f* table; *Schokolade usw.*: tablet, cake; (*Schiefer*2) slate; (*Wand*2) blackboard; (*das Speisen*) dinner; **2förmig** tabular; **~geschirr** *n* dinner-service; **~land** (-lăhnt) *n* tableland; **2n** dine, banquet; **~silber** (-zĭlb*ᵉ*r) *n* silver-plate; **~tuch** (-tōōk) *n* table-cloth.

Tä'felung (tăhf'ᵉlŏŏng) wainscot(ing).

Ta'f(e)t (tăhf[ᵉ]t) *m* taffeta.

Tag (tăhk) *m* day; *bei ~e* by day; *e-s ~es* one day; *den ganzen ~* all day long; *guten ~!* allg. how do you do?; *engS.*: good morning; good afternoon; *bei Verabschiedung*: good day; *es wird ~* it dawns; *an den ~ kommen* (*bringen*) come (bring) to light.

Ta'ge|blatt (tăhg'ᵉblăht) *n* daily (paper); **~buch** (-bōōk) *m* journal, diary; **2lang** for days; **~lohn** *m* daily wages *pl.*; **~löhner** *m* day-labourer; **2n** (tăhg'ᵉn) dawn; (*beraten*) meet, sit; **~reise** (-rīz*ᵉ*) *f* day's journey.

Ta'ges|-anbruch (tăhg'ᵉsähnbrōōk) *m* daybreak; **~befehl** *m* order of the day; **~gespräch** (-g'ᵉshprắç) *n* topic of the day; **~kurs** (-kōŏrs) ♈ *m* rate of the day; **~licht** *n* daylight; **~ordnung** *f* order of the day, agenda *pl.*; **~presse** *f* daily press; **~zeit** (-tsīt) *f* time of day; (*Ggs. Nachtzeit*) day-time; *zu jeder ~* at any hour.

ta'ge|weise (tăhg'ᵉvīz*ᵉ*) by the day; **2werk** *n* day's work; *als Arbeitseinheit*: man-day.

tä'glich (tăklĭç) daily.

Ta'g-undna'chtgleiche (tăhkŏŏntnähktglĭç*ᵉ*) *f* equinox.

Tai'lle (tăhl'ᵉ) *f* waist; *des Kleides*: bodice.

Ta'kel (tăhk'ᵉl) ♈ *n* tackle; **~werk** *n* rigging; **2n** rig.

Takt (tăhkt) *m* ♪ time, measure; *fig.* tact; **~ halten** keep time; *den ~ schlagen* beat the time; **2'fest** steady in keeping time; *fig.* firm; **2ie'ren** (-eer'ᵉn) beat the time; **~'ik** *f* tactics *pl.* u. *sg.*; **~'iker** *m* tactician; **2'isch** tactical; **2'los** tactless; **~'stock** *m* baton; **2'voll** (-fōl) tactful.

Tal (tăhl) *n* valley.

Tala'r (tăhlāhr) *m* gown, robe.

Tale'nt (tăhlĕnt) *n* talent, gift; **2voll** (-fōl) talented, gifted.

Talg (tăhlk) *m* roh: suet; *ausgelassen*: tallow, **2'ig** (tăhlg'ĭç) suety; tallowy; **~'licht** *n* tallow-candle.

Ta'lsperre (tăhlshpĕr'ᵉ) *f* dam, barrage.

Ta'mbour (tăhmbōōr) *m* drummer.

Ta'mtam (tăhmtăhm) *n* tomtom.

Tand (tăhnt) *m* trumpery; trifles *pl.*; bauble, gewgaw.

tä'ndeln (tĕnd'ᵉln) trifle, dally; *fig.* flirt; (*trödeln*) dawdle.

Tang (tăhng) *m* seaweed.

Tank (tăhngk) *m* tank; **~'dampfer** *m* tanker; **2'en** tank, refuel, petrol; **~'stelle** *f* filling station, *Am.* gas (-oline) station.

Ta'nne (tăhn*ᵉ*) *f* fir(-tree).

Ta'nnen|zapfen (tăhn'ᵉntsähpf*ᵉ*n) *m* fir-cone; **~baum** (-bowm) *m* fir-tree.

Ta'nte (tăhnt*ᵉ*) *f* aunt.

Tantie'me (tặt'iăm*ᵉ*) *f* royalty, percentage, share in profits.

Tanz (tăhnts) *m* dance; **~'diele** (-deel*ᵉ*) *f* dancing-saloon, *Am.* dancehall.

tä'nzeln (tĕnts'ᵉln) (sn) trip, skip.

ta'nzen (tăhnts'ᵉn) (h. u. sn) dance.

Tä'nzer (tĕntsᵉr) *m,* **~in** *f* dancer; (*Mit*♀) partner.

Ta'nz|lehrer *m* dancing-master; **~musik** (-mōōzeek) *f* dance-music; **~saal** (-zähl) *m* dancing-room; **~stunde** (-shtōōndᵉ) *f* dancing-lesson.

Tape'te (tähpétᵉ) *f* wall-paper.

Tapezie'r (tähpᵉtseer), **~er** *m* paper-hanger; (*Polsterer*) upholsterer; ♀en paper.

ta'pfer (tähpfᵉr) brave, valiant; ♀keit *f* bravery, valour.

ta'ppen (tähpᵉn) (sn) grope (about).

tä'ppisch (tĕplsh) awkward, clumsy.

Tari'f (tähreef) *m* tariff; **~lohn** *m* standard wage *pl.*

ta'rn|en (tährnᵉn), ♀ung *f* camouflage.

Ta'sche (tähshᵉ) *f* pocket; (*Hand*♀ *usw.*) (nand)bag; (*Beutel*) pouch.

Ta'schen|dieb (tähshⁿdeep) *m* pickpocket; **~geld** *n* pocket-money; **~lampe** *f* pocket lamp, *Am.* flashlight; **~messer** *n* pocket-knife; **~spielerei** (-shpeelᵉrī) *f* jugglery; **~tuch** (-tōōk) *n* pocket handkerchief; **~uhr** (-ōōr) *f* (pocket) watch; **~wörterbuch** (-vört°rbōōk) *n* pocket-dictionary.

Ta'sse (tähsᵉ) *f* cup.

Tast|atu'r (tähstähtōōr) *f* keyboard; **~e** *f* key; ♀en touch; (*tappen*) grope.

Tat (täht) *f* deed, act, action; *in der* ~ indeed; *in fact;* **~bestand** (-bᵉshtähnt) *m* facts *pl.* of the case.

ta'tenlos (tähtᵉnlōs) inactive.

Tä'ter (tätᵉr) *m,* **~in** *f* doer; (*Übeltäter*) perpetrator.

tä'tig (tätiç) active; busy; ♀keit *f* activity.

Ta't|kraft *f* energy; ♀kräftig energetic.

tä'tlich (tätliç) violent; ♀keit *f* (act of) violence.

tätowie'ren (tĕtōweerᵉn) tattoo.

Ta't|sache (tähtzähkᵉ) *f* fact; ♀sächlich (-zĕçliç) actual, real.

Ta'tze (tähtsᵉ) *f* paw, claw.

Tau (tow) *n* cable, rope; *m* dew.

taub (towp) deaf (gegen *to*); *Nuß:* empty; *Gestein:* dead.

Tau'be (towbᵉ) *f* pigeon; **~nschlag** (-shlähk) *m* dovecote.

Tau'b|heit (towphīt) *f* deafness; ♀stumm (-shtōōm) deaf and dumb.

tau'ch|en (towкᵉn) *v/t.* plunge, dip; *v/i.* (h. u. sn) dive (*bsd. Schwimmer,* ♀boot), plunge, dip; ♀er *m* diver.

tau'en (towᵉn): *es taut* a) *Schnee:* (h. u. sn) it is thawing; b) *Tau:* (h.) dew is falling.

Tau'f|e (towfᵉ) *f* baptism, christening; ♀en baptize, christen.

Täu'fling (töifling) *m* child (*od.* person) to be baptized.

Tau'f|name (towfnähmᵉ) *m* Christian name; **~pate** (-pähtᵉ) *m* godfather; *f* godmother; **~schein** (-shīn) *m* certificate of baptism.

tau'g|en (towgᵉn) be of use, be good (zu *for*); ♀enichts (towgᵇᵉniçts) *m* good-for-nothing; **~lich** (towklîç) fit; (*fähig*) able; ✕ able-bodied.

Tau'mel (towmᵉl) *m* giddiness; (*Überschwang*) ecstasy; ♀ig reeling; (*schwindlig*) giddy; ♀n (sn) reel, stagger; (*schwindlig sn*) be giddy.

Tausch (towsh) *m* exchange; (*~handel*) barter; ♀en exchange; barter.

täu'schen (töishᵉn) deceive, delude; *in Hoffnungen usw. getäuscht w.* be disappointed; **~d** delusive; *Ähnlichkeit:* striking.

Tau'sch|handel (towshhähndᵉl) *m* barter.

Täu'schung (töishōōⁿg) *f* delusion, deception.

tau'send (towzᵉnt) (a) thousand; **~fach** thousandfold.

tau'sendst (-tst), ♀el *n* thousandth.

Tau'|tropfen (towtröpfᵉn) *m* dewdrop; **~wetter** *n* thaw.

Taxame'ter (tähksähmétᵉr) *m* taximeter; **~droschke** *f* taxi(cab).

Tax|a'tor (tähksähtōr) *m* appraiser, valuer; **~e** *f* rate; (*Gebühr*) fee; (*Schätzung*) estimate; ♀ie'ren (-eerᵉn) rate, estimate; *amtlich:* value, appraise.

Te'chnik (tĕçník) *f* technics *pl.;* engineering; (*Fertigkeit*) skill; *in der Kunst:* technique; **~er** *m* technician; engineer; **~um** (-ōōm) *n* technical school.

te'chnisch technical; ♀e Hochschule technical college.

Tee (té) *m* tea; **~büchse** (-bŭksᵉ) *f* tea-caddy; **~kanne** *f* teapot; **~maschine** (-mähsheenᵉ) *f* tea-urn.

Teer (tér) *m,* ♀en tar.

Tee'sieb (tézeep) *n* tea-strainer.

Teich (tiç) *m* pond.

Teig (tik) *m* dough, paste; 2'**ig** (tig^h'ç) doughy, pasty.

Teil (tīl) *m u. n* part; (*Anteil*) share; (*Abteilung*) division; **zum ~** partly, in part, *ich für mein ~* I for my part; 2'**bar** divisible; ~'**chen** *n* particle; 2'**en** divide: (*teilhaben an*) share; 2'**haben** (-hāhb^e n) participate, (have a) share (*an dat.* in); ~'**haber** (-in *f*) *m* † partner; ~'**nahme** *f* participation (*an dat.* in); *fig.* interest (in), sympathy (with); 2'**nahmslos** indifferent; apathetic; ~'**nahmslosigkeit** (tilnāhmslōzĭç-kĭt) *f* indifference; apathy; 2'**nehmen** *an* (*dat.*) take part (*od.* participate) in; *fig.* sympathize with; ~'**nehmer**(in *f*) *m* participator; *teleph.* subscriber; *Sport:* competitor; 2s partly; ~'**strecke** *f* section; ~'**ung** *f* division; 2'**weise** partial; *adv.* in part; ~'**zahlung** *f* part-payment.

Teint (tǎ, těⁿ) *m* complexion.

Telegramm (tĕlĕgrăhm) *n* telegram, wire.

Telegraph (tĕlĕgrăhf) *m* telegraph; ~**en-amt** *n* telegraph office; 2ie'**ren** (-eer^e n) telegraph, wire; *adv.* by wire; 2isch telegraphic; ~i'**st**(in *f*) *m* telegraphist, telegraph operator.

Telephon (tĕlĕfōn) *n* telephone, F phone; ~**-anschluß** (-ǎhnshlōōs) *m* telephone-connexion; ~**buch** (-bōōk) *n* telephone directory; ~**gespräch** (-g^heshprǎç) *n* telephone call; 2ie'**ren** (-eer^e n) telephone, F phone; 2isch telephonic; *adv.* by telephone; ~i'**st**(in *f*) *m* telephonist, operator; ~**zelle** *f* telephone box *od.* booth.

Teller (tĕl^e r) *m* plate.

Tempel (tĕmp^e l) *m* temple; ~**schändung** (-shĕndōōᵾŋ) *f* sacrilege.

Temperament (tĕmp^e răhmĕnt) *n* temper(ament); (*Feuer*) spirits *pl.*; 2los spiritless; 2voll (-fōl) spirited.

Temperatur (tĕmp^e răhtōōr) *f* temperature.

Temperenzler (tĕmp^e rĕntsl^e r) *m* abstemious person.

Tempo (tĕmpō) *n* time; pace.

Tendenz (tĕndĕnts) *f* tendency; 2iö's (-'ⁱös) tendentious.

Tenne (tĕn^e) *f* (threshing) floor.

Tennis *n* (lawn-)tennis; ~**platz** *m* tennis-court; ~**schläger** (-shlǎg^h'r) *m* tennis-racket.

Tenor (tĕnōr) ♪ *m* tenor.

Teppich (tĕpĭç) *m* carpet.

Termin (tĕrmeen) *m* term; time; g^t~, † date; *Sport:* fixture; ~**geschäfte** † *n/pl.* futures; 2weise terminally; by instalments.

Terpentin (tĕrpĕnteen) *m* turpentine.

Terrain (tĕrǎ, -ěⁿ) *n* ground.

Terrasse (tĕrǎhs^e) *f* terrace.

Terrine (tĕreen^e) *f* tureen.

terrorisie'ren (tĕrōrĭzeer^e n) terrorize.

Testament (tĕstǎhmĕnt) *n* testament, will; *eccl.* Testament; 2a'**risch** (-āh~) testamentary; ~s**voll-strecker** (-fōlshtrĕk^e r) *m* executor.

teuer (tŏi^e r) dear (*a.fig.*), expensive; *wie ~ ist es?* how much is it?; 2ung *f* dearness; dearth, scarcity.

Teufel (tŏif^e l) *m* devil; F *zum ~!* dickens!; *der ~ ist los* the fat is in the fire; ~**ei'** (-ī) *f* devilry; ~**skerl** *m* devil of a fellow.

teuflisch (tŏiflĭsh) devilish, diabolical.

Text (tĕkst) *m* text; (*Lied2*) words *pl.*; (*Opern2*) book.

Textil... (tĕksteel) textile; ~**ien** (-'ⁱe n) *pl.* textiles *pl.*

textlich (tĕkstlĭç) textual.

Theater (tĕăht^e r) *n* theatre; (*Bühne*) stage; ~**besucher**(in *f*) *m* (-b^e zōōk^e r) *m* playgoer; ~**kasse** *f* box-office; ~**stück** *n* play; ~**vorstellung** (-fōrshtĕlōōᵾŋ) *f* theatrical performance; ~**zettel** *m* play-bill.

theatralisch (tĕăhtrǎhlĭsh) theatrical.

Thema (tĕmǎh) *n* theme, subject.

Theolog (tĕōlōk), ~**e** (-g^he) *m* theologian; ~**ie'** (-ee) *f* theology.

Theore'tiker (tĕōrĕtĭk^e r) *m* theorist; 2isch theoretic(al).

Theorie' (tĕōree) *f* theory.

Thron (trōn) *m* throne; ~'**besteigung** (-b^e shtigōōᵾŋ) *f* accession to the throne; 2'**en** be enthroned; ~'**erbe** *m* heir to the throne; ~'**folge**(*r m*) *f* succession (successor) to the throne; ~'**rede** (-réd^e) *f* *parl.* King's Speech.

ticken (tĭk^e n) tick.

tief (teef) **1.** deep; *Wissen, Geheimnis usw.:* profound; (*niedrig*) low; *im*

~sten Winter in the dead of winter;
2. ♀ n barometrisches: low; ♀'blick
m bird's eye view; fig. penetration;
♀'druck(gebiet n)(-droŏk[gʰᵉbeet])
m low-pressure (area); ♀'e f depth;
fig. profundity; ♀'gang (-gäʰŋ) ♣
m draught; ~'gekühlt fresh-frozen;
♀'land (-läʰnt) n lowland(s pl.);
♀'schlag (-shläʰk) m Boxen: deep
hit; ♀'see (-zé) f deep sea; ~'sinnig
(-ziniç) pensive, melancholy; ♀'-
stand (-shtäʰnt) m low level.

Tie'gel (teegʰᵉl) m saucepan, stew-
pan; (Schmelz♀) crucible.

Tier (teer) n animal; (Ggs. Mensch)
beast; (unvernünftiges Wesen) brute;
F fig. großes ~ bigwig; ~'-arzt m
veterinary (surgeon); ~'heilkunde
(-hilkoŏndᵉ) f veterinary science;
♀'isch animal; fig. bestial, brutish;
~'kreis (-kris) m ast. zodiac; ~'-
quälerei (-kvälᵉri) f cruelty to
animals; ~'reich (-riç) n animal
kingdom; ~'schutzverein (-shoŏts-
fᵉr-in) m Society for the Prevention
of Cruelty to Animals.

Ti'ger (teegʰᵉr) m tiger; ~in f
tigress.

ti'lg|en (tilgʰᵉn) extinguish; (strei-
chen) blot out; (aufheben) cancel;
Schuld: discharge; Staatsschuld:
redeem; ♀ung f extermination;
cancelling; discharge; redemption;
♀ungsfonds (tilgoŏnₑsfo, -fôŋ)
m sinking-fund.

Tinktu'r (tiŋktoŏr) f tincture.

Ti'nte (tintᵉ) f ink; ~nfaß (-fäʰs) n
inkpot; ~nfleck, ~nklecks m ink-
-blot; ~nstift m copying-ink
pencil; ~nwischer m penwiper.

ti'ppen (tipᵉn) tap; F (maschine-
schreiben) type; F (wetten) bet.

Tiro'l|er (tirôlᵉr) m, ~erin f,
♀(er)isch Tyrolese.

Tisch (tish) m table; (Kost) board;
bei ~e at table; ~'gast (-gäʰst) m
guest; ~'gebet (-gʰᵉbét) n: das ~
sprechen say grace; ~'gesellschaft
(-gʰᵉzélshäʰft) f dinner-party; ~'-
kasten m table-drawer.

Ti'schler (tishlᵉr) m joiner; (Kunst♀)
cabinet-maker; ~ei (-i) f joinery;
(Werkstatt) joiner's shop.

Ti'sch|platte f table-top; ~rede
(-rédᵉ) f toast, after-dinner speech;
~tuch (-toŏk) n table-cloth; ~zeit
(-tsit) f dinner-time.

tita'nisch (titäʰnish) titanic.

Ti'tel (teetᵉl) m title; ~blatt n title-
-page; ~halter m Sport: title-
-holder; ~kopf m heading.

titulie'ren (titoōleerᵉn) style, call.

to'b|en (tôbᵉn) rage, bluster; Kin-
der: romp; ♀sucht (tôpzoŏkt) f
frenzy, delirium; ~süchtig (-züch-
tiç) raving mad, frantic.

To'chter (tôktᵉr) f daughter; ~ge-
sellschaft (-gʰᵉzélshäʰft) f subsid-
iary company.

Tod (tôt) m death.

To'des|-angst (-d-) f agony; fig.
mortal dread; ~anzeige (-äʰn-
tsigʰᵉ) f obituary (notice); ~fall m
(case of) death; ~kampf m death-
-struggle; ~strafe (-shträʰfᵉ) f
capital punishment; ~urteil (-oŏr-
til) n capital sentence.

to'd|feind (tôtfint) m deadly
enemy; ♀krank dangerously ill.

töd'lich (tôtliç) mortal, deadly.

to'd|mü|de (tôtmüdᵉ) dead tired;
♀sünde (-zündᵉ) f deadly (od.
mortal) sin.

Toile'tte (töälhlëtᵉ) f (Ankleiden,
Anzug) toilet; (Abort) lavatory, Am.
toilet; ~ machen make one's toilet;
~npapier (-päʰpeer) n toilet-
paper.

toll (tôl) mad; (wild) wild; (unsinnig)
extravagant; es ~ treiben come it
strong; ~'en F fool about; Kinder:
romp, rag; ♀'haus (-hows) n mad-
house; ♀'heit f madness; (toller
Streich) mad trick; ~'kühn fool-
hardy; ♀'wut (-vôŏt) f rabies.

To'lpatsch (tôlpäʰtsh), **Tö'lpel**
(tôlpᵉli) m awkward fellow, booby.

Tölpel'ei (tôlpᵉli) f awkwardness,
clumsiness; ♀haft awkward, clumsy.

Toma'te (tômäʰtᵉ) f tomato.

Ton (tôn) m 1. sound; ♪ tone (a.
~ der Sprache); note; (Betonung)
accent, stress; paint. tone, tint;
guter ~ good form; den ~ angeben
fig. set the fashion; 2. (~erde) clay;
♀'angebend (-äʰngᵉbént) leading; ~'art ♪ f key; ~'band n tape.

tö'nen (tônᵉn) v/i. sound; v/t.
(färben) tint, tone; shade.

tö'nern (tônᵉrn) (of) clay, earthen.

To'n|fall m beim Sprechen: intona-
tion, accent; ~film m sound film;
~leiter (-litᵉr) f scale, gamut.

To'nne (tônᵉ) f barrel, cask;
(großes Faß) tun; ♣, Gewicht: ton;
~ngehalt m tonnage.

To'nsilbe (tōnzĭlbᵉ) *f* accented syllable.

Tonsu'r (tōnzōōr) *f* tonsure.

Tö'nung (tönōōη) *f* tint; tinge.

To'nwaren (tōnvāhrᵉn) *f/pl.* earthenware.

Topf (tõpf) *m* pot.

Tö'pfer (tõpfᵉr) *m* potter; (*Ofensetzer*) stove-fitter; **~ei'** (-ī) *f* pottery; **~ware** (-vāhrᵉ) *f* pottery.

topp! (tõp) done!, agreed!

Topp² ⚓ *m* top.

Tor (tōr) **1.** *n* gate; *Fußball:* goal; **Torf** (tõrf) *m* peat. [2. *m* fool.]

To'rheit (tōrhīt) *f* folly.

tö'richt (tōrĭçt) foolish, silly.

Tö'rin (tōrĭn) *f* fool(ish woman).

to'rkeln (tõrkᵉln) (sn) reel, stagger.

To'r|latte *f* *Fußball:* cross-bar; **~lauf** (-lowf) *m* *Ski:* slalom.

Torni'ster (tõrnĭstᵉr) *m* knapsack.

torpedie'ren (tõrpĕdeerᵉn) torpedo.

To'r|schütze *m* *Sport:* scorer; **~stoß** (-shtōs) *m* *Fußball:* goal-kick.

To'rte (tõrtᵉ) *f* fancy cake; (*Frucht2*) tart, *Am.* pie.

Tortu'r (tõrtōōr) *f* torture.

To'r|wächter (tõrvĕçtᵉr), **~wart** *m* *Fußball:* goal-keeper; **~weg** (-vék) *m* gateway.

to'sen (tōzᵉn) roar, rage.

tot (tōt) dead; **~er** *Punkt* ⊕ dead centre; *fig.* deadlock; **~'arbeiten** (-āhrbītᵉn) (*sich*) work o.s. to death; **2'e(r)** dead person; *die ~n* *pl.* the dead.

tö'ten (tötᵉn) kill; *Nerv:* deaden.

To'ten|bett *n* deathbed; **2blaß** (-blāhs) deadly pale; **~blässe** *f* deadly pallor; **~gräber** (-grābᵉr) *m* grave-digger; **~hemd** *n* shroud; **~kopf** *m* death's-head; **~maske** *f* death-mask; **~messe** *f* mass for the dead; **~schein** (-shīn) *m* certificate of death; **2still** as still as death; **~stille** *f* dead(ly) silence.

to't|geboren (tōtgᵉbōrᵉn)stillborn; **~lachen** (-lāhkᵉn) (*sich*) die of laughing; **~schießen** (-sheesᵉn) shoot dead; **2schlag** (-shlāhk) *m* manslaughter; **~schlagen** (-shlāhgᵉn) kill; **~schweigen** (-shvīgʰᵉn) hush up; **~sicher** (-zĭçᵉr) cocksure; **~stechen** stab to death; **~stellen** (*sich*) feign death.

Tour (tōōr) *f* tour; (*Umdrehung*) turn, revolution; (*Ausflug*) trip; *auf*

~en kommen *mot.* pick up; **~'enwagen** (-vāhgʰᵉn) *m* *mot.* touring car.

Touri'st(**in** *f*) (tōōrĭst) *m* tourist.

Tournee' (tōōrné) *f* tour.

Trab (trāhp) *m*, **2'en** (trāhbᵉn) (sn) trot; **~'rennen** *n* trotting match.

Tracht (trāhkt) *f* dress, costume; fashion; (*Last*) load; *e-e ~ Prügel* a sound thrashing; **2'en** *nach et.* strive for (*od.* after); *j-m nach dem Leben ~* seek a p.'s life.

trä'chtig (trĕçtĭç) pregnant.

Tra'g|bahre(trāhkbāhrᵉ)*f* stretcher, litter; **2bar** portable; *Kleid:* wearable; *fig.* bearable.

Tra'ge (trāhgʰᵉ) *f* hand-barrow.

trä'ge (trāhgʰᵉ) lazy, indolent.

tra'gen (trāhgʰᵉn) *v/t.* carry (*a. v/i.* *Gewehr, Stimme*) *Kosten, Namen, Verantwortung usw.*; (*ertragen*) bear (*a. v/i. Eis*); (*stützen*) support; (*hervorbringen*) bear, yield; (*am Körper ~*) wear; *bei sich ~* have about one; *sich gut ~* (*Stoff*) wear well; *sich mit et. ~* have one's mind occupied with.

Trä'ger (trāhgʰᵉr) *m*, **~in** *f* carrier; (*Gepäck2*) porter; (*Inhaber*) holder, bearer; *von Kleidern:* wearer; ⊕ support; △ girder.

Tra'g|fähigkeit (trāhkfĕĭçkīt) *f* carrying (*od.* load) capacity; ⚓ tonnage; **~fläche** ✈ *f* wing, plane.

Trä'gheit (trĕkhīt) *f* laziness, indolence; *phys.* inertia.

tra'gisch (trāhgĭsh) tragic(al *fig.*).

Tragö'die (trāhgöd[ᵉ]) *f* tragedy.

Tra'g|riemen (trāhkreemᵉn) *m* strap; **~weite** (-vītᵉ) *f* range; *fig.* import(ance).

Trai'n|er (trĕnᵉr) *m* trainer, coach; **2ie'ren** (-eerᵉn) train, coach (for).

traktie'ren (trāhkteerᵉn) treat.

trä'llern (trĕlᵉrn) hum.

tra'mpeln (trāhmpᵉln) trample.

Tran (trāhn) *m* train(-oil).

Trä'ne (trĕnᵉ) *f* tear; **2n** run with tears; **~ngas** (-gāhs) *n* tear-gas.

Trank (trāhηk) *m* drink, beverage.

Trä'nke (trĕηkᵉ) *f* watering-place; **2n** water; (*durchtränken*) soak.

Trans|forma'tor (trāhnsfõrmāhtōr) ⚡ *m* transformer; **~pare'nt** (-pāhrĕnt) *t* transparency; **2pirie'ren** (-pĭreerᵉn) perspire.

Transpo'rt (trāhnspõrt) *m*, **2ie'ren** (-eerᵉn), **~schiff** *n* transport.

Trape'z (trähpéts) n ⚥ trapezium; *Gymnastik:* trapeze.

tra'ppeln (trähp⁰ln) (h. *u.* sn) tramp; *Kind usw.:* patter.

Trass|a'nt (trähsäähnt) m drawer; **~a't** (-äht) m drawee; **⚥e'ren** (-eeren) draw.

Tra'tte (träht⁰) f draft.

Trau'be (trowb⁰) f bunch of grapes; *weitS.* cluster; **~nsaft** (-zähft) m grape-juice.

trau'en (trow⁰n) 1. *v/t.* marry; *sich ~ lassen* get married; 2. *v/i.* trust (*j-m* a p.), confide (*dat.* in).

Trau'er (trow⁰r) f affliction; (*um e-n Toten*) mourning; **~botschaft** (-bótshähft) f sad news; **~fall** m death; **~flor** (-flôr) m mourning-crape; **~geleit** (-gʰᵉlīt) n funeral train; **~kleid** (-klīt) n mourning-(dress); **~marsch** m funeral march; **⚥n** mourn (*um* for); **~spiel** (-shpeel) n tragedy; **~zeit** (-tsīt) f time of mourning; **~zug** (-tsōōk) m funeral procession.

Trau'fe (trowf⁰) f eaves pl.

träu'feln (trôif⁰ln) drip, trickle.

trau'lich (trowliç) (*vertraut*) familiar; (*gemütlich*) cosy, snug.

Traum (trowm) m dream; **~bild** n vision; **~deuter(in** f) (-dóit⁰r) m interpreter of dreams.

träu'm|en (trôim⁰n) dream; **⚥erei** f (-⁰rī) f fig. reverie. **~erisch** dreamy.

Trau'mzustand (trowmtsōō-shtähnt) m trance.

trau'rig (trowriç) sad (*über acc.* at).

Trau'|ring (trowriŋ) m wedding-ring; **~schein** (-shīn) m marriage lines pl.; **~ung** f wedding; **~zeuge** (-tsóigʰᵉ) m witness to a marriage.

Tre'cker (trėk⁰r) ⊕ m tractor.

Treff (trėf) n *Karten:* club(s pl.).

tre'ffen (trėf⁰n) 1. *v/t.* hit (a. fig.); (*befallen*) befall; (*begegnen*) meet (with); *zu Hause:* find at home; *sich ~* (*geschehen*) happen; *sich ge-troffen fühlen* feel hurt; *nicht ~* miss; *das Los traf ihn* the lot fell on him; *v/i.* hit; 2. ⚥n meeting, Am. rally; ✗ encounter; **~d** (*auffallend*) striking; (*angemessen*) appropriate.

Tre'ff|er m hit; (*Gewinnlos*) prize; **⚥lich** excellent; **~punkt** (-pōōᵣᵏt) m meeting place.

Trei'b-eis (tripis) n drift-ice.

trei'b|en (trīb⁰n) 1. *v/t.* drive;

Blätter usw.: put forth; *Pflanzen:* force; *Sport ~* engage in sports; *Sprachen ~* study languages; *v/i.* (h. *u.* sn) drive, float, drift; (*keimen*) shoot forth; 2. ⚥n (*Tun*) doings pl.; **⚥haus** (triphows) n hothouse; **⚥-riemen** (-reem⁰n) m driving-belt; **⚥stoff** m fuel.

tre'nn|en (trėn⁰n) separate; *Naht:* rip; *teleph.* disconnect; *sich ~* separate (*von* from), part (*P.:* from, with; *S.:* with); **⚥schärfe** f *Radio:* selectivity; **⚥ung** f separation.

Tre'nse (trėnz⁰) f snaffle.

Tre'ppe (trėp⁰) f staircase, (*eine a flight of*) stairs pl.; *2 ~n hoch* on the second floor; **~n-absatz** (-zähp-zähts) m landing; **~ngeländer** n banisters pl.; **~nhaus** (-hows) n staircase, Am. stairway; **~nstufe** (-shtōōf⁰) f stair.

Treso'r (trėzôr) m safe.

tre'ten (trét⁰n) *v/i.* (h. *u.* sn) tread; (*gehen*) step; *Radfahren:* pedal; *ins Haus ~* enter the house; *in Verbin-dung ~* enter into connexion; *j-m zu nahe ~* offend; *v/t.* tread; (*e-n Fußtritt geben*) kick; *mit Füßen ~* trample upon.

treu (trói) faithful; (*wahr*) true; **⚥-bruch** (-brōō) m breach of faith; **⚥'e** f fidelity, faith(fulness); **⚥'-händer** m trustee; **~'herzig** simple-minded; **~'los** faithless.

Tribü'ne (tribün⁰) f (*Redner⚥*) plat-form; (*Zuschauer⚥*) stand.

Tribu't (tribōōt) m tribute.

Tri'chter (triçt⁰r) m funnel; (*Gra-nat⚥*) crater.

Trieb (treep) m & sprout, shoot; (*Antrieb*) impulse; (*Neigung*) in-clination; **~'feder** (-féd⁰r) f spring; *fig.* motive; **~'kraft** f motive power; **~'wagen** (-vähgʰᵉn) m rail(way) motor car.

trie'fen (treef⁰n) drip (*von* with); *Auge:* run.

tri'ftig (triftiç) valid; **⚥keit** (f) validity.

Triko't (trīkō) m u. n (*~stoff*) stockinet; *im Zirkus:* tights pl.; **~a'gen** (trīkōtähgʰᵉn) pl. hosiery.

Tri'ller (trill⁰r) m ⚥ n trill; ♪ shake, quaver; *Vogel:* warble.

tri'nk|bar (triŋkbähr) drinkable; **⚥becher** m drinking-cup; **~en** drink (*auf acc.* to); *Tee usw.:* take, have; **⚥er(in** f) m drinker; *b.s.*

drunkard; 2**gelage** (-g^{h}élàhg^h^{e}) *n* drinking-bout; 2**geld** *n* gratuity, F tip; 2**glas** (-glähs) *n* drinking-glass; 2**spruch** (-shpróők) *m* toast; 2**wasser** *n* drinking-water.

tri'ppeln (trǐp^{e}ln) (sn) trip.

Tritt (trǐt) *m* tread, step; ⌐*spur*) footprint; (*Geräusch des ~es*) footfall; (*Fuß*2) kick; ⊕ treadle; *s. ~brett*, ⌐*leiter*; *im ~ in* step; *~ halten* keep step; ⌐*brett* *n* footboard; *mot.* running-board; ⌐**leiter** *f* (*eine a pair of*) steps *pl.*

Tri'umph (trǐŏŏmf) *m* triumph; ⌐**bogen** (-bōg^h^{e}n) *m* triumphal arch; 2**ie'ren** (-eer^{e}n) triumph.

tro'cken (trŏk^{e}n) dry; (*dürr*) arid; 2**batterie** (-băht^{e}ree) ⚡ *f* dry (cell) battery; (*Trockenheit*) aridity; ⌐**legen** (-lég^h^{e}n) dry up; *Land:* drain; *Säugling:* change.

tro'cknen *v/i.* (sn) *u. v/t.* dry.

Tro'ddel (trŏd^{e}l) *f* tassel.

Trö'del (trŏd^{e}l) *m* second-hand articles *pl.*; (*Gerümpel*) lumber, *Am.* junk; 2**n** dawdle, loiter.

Trö'dler (trŏdl^{e}r) *m* second-hand dealer; *fig.* dawdler, loiterer.

Trog (trōk) *m* trough.

Tro'mmel (trŏm^{e}l) *f* drum; ⌐**fell** *n* drumskin; *anat.* eardrum; 2**n** drum; ⌐**schlag** (-shlähk) *m* beat of the drum.

Tro'mmler *m* drummer.

Trompe'te (trŏmpét^e) *f*, 2**n** trumpet; *er m* trumpeter.

Tro'pen (trŏp^{e}n) *pl.* tropics.

Tropf (trŏpf) *m* simpleton.

trö'pfeln (trŏpf^{e}ln) *v/i.* (h. *u.* sn) drip, trickle; *Wasserhahn:* leak.

tro'pfen (trŏpf^{e}n) **1.** drop; *s.* tröpfeln; **2.** ⚓ *m* drop; ⌐**weise** by drops.

Trophä'e (trŏfä^e) *f* trophy.

tro'pisch (trŏpǐsh) tropical.

Tro'sse *f* cable, ⚓ hawser.

Trost (trōst) *m* comfort, consolation; *nicht (recht) bei ~e sein* not to be in one's senses.

trö'sten (trŏst^{e}n) console, comfort; *sich ~* take comfort.

tro'st|los (trŏst^{e}lōs) desolate; 2**losigkeit** (trŏstlōzǐçkǐt) *f* desolation; ⌐**reich** (-rǐç) consolatory, comforting.

Trott (trŏt) *m* trot; ⌐**el** *m* idiot, ninny; 2**en** (sn) trot.

trotz (trŏts) **1.** in spite of; *~ alledem*

for all that; **2.** ⚓ *m* defiance; (*Störrigkeit*) obstinacy; ⌐**dem** (-dém) *adv.* nevertheless; *cj.* (al)though; ⌐**en** defy (j-m a p.); *Gefahren:* brave; (*schmollen*) sulk; (*eigensinnig sn*) be obstinate; ⌐**ig** defiant; sulky; obstinate.

trüb (trüp), ⌐**e** (trüb^e) *Flüssigkeit:* muddy, turbid; (*glanzlos*) dim, dull; *Wetter, a. fig.:* gloomy; *Erfahrung:* sad.

Tru'bel (trŏŏb^{e}l) *m* bustle.

trü'b|en (trüb^{e}n) (s. trüb) make muddy; (*a. sich*) dim; *Freude usw.:* spoil; *Sinn:* blur; 2**sal** (trüpzähl) *f* affliction; ⌐**selig** (-zélǐç) sad, dreary; 2**sinn** (-zǐn) *m,* ⌐**sinnig** melancholy; 2**ung** *f Flüssigkeit:* turbidity; *Glas:* blur.

Trug (trŏŏk) *m* deceit; *der Sinne:* delusion; ⌐**bild** *n* phantom.

trü'g|en (trüg^h^{e}n) deceive; ⌐**erisch** deceptive; (*unzuverlässig*) treacherous.

Tru'he (trŏŏ^e) *f* trunk, chest.

Trü'mmer (trüm^{e}r) *n/pl.* ruins; (*Schutt*) rubble; *gr:ber:* debris.

Trumpf (trŏŏmpf) *m,* 2**en** trump.

Trunk (trŏŏnk) *m* drink; (*Schluck*) draught; (*das Trinken*) drinking; 2**en** drunken; *pred.* drunk (*a. fig. von* with); 2**enbold** (-bōlt) *m* drunkard; ⌐**enheit** *f* drunkenness; *fig.* elation; ⌐**sucht** (-zŏŏkt) *f* drinking-habit.

Trupp (trŏŏp) *m* troop, band, gang.

Tru'ppe (trŏŏp^e) *f* × troop; ⌐*n pl.* forces, troops; *thea.* troupe; ⌐**ngattung** *f* arm; ⌐**n-übungsplatz** (-übŏŏngsplähts) *m* trooptraining grounds *pl.*

Tru'thahn (trŏŏthähn) *m* turkey (-cock).

Tsche'ch|e (tshèç^e) *m,* ⌐**in** *f,* 2**isch** Czech.

Tu'be (tŏŏb^e) *f* tube.

tuberk|ulö's (tŏŏbĕrkŏŏlö̀s) tuberculous; 2**ulo'se** (tŏŏbĕrkŏŏlöz^e) *f* tuberculosis.

Tuch (tŏŏk) *n* (*Stoff*) cloth; (*Umschlage*2) shawl; ⌐**händler** *m* draper, cloth-merchant; ⌐**handlung** *f* draper's shop.

tü'chtig (tüçtǐç) able, fit; clever; proficient; excellent; (*gründlich*) thorough; 2**keit** *f* ability; proficiency; excellency.

Tu'chware(n pl.) (tŏŏkvàht^e[n]) *f* drapery.

Tü'ck|e (tŭk⁰) f malice; (*Streich*) trick; **2isch** malicious.

tü'fteln (tüft⁰ln) puzzle (*an* over).

Tu'gend (tōōgʰĕnt) f virtue; **2haft** virtuous.

Tüll (tül) m tulle; **‿e** f socket; (*Gießröhre*) spout.

Tu'lpe (tōōlp⁰) ♀ f tulip.

tu'mmel|n (tōōm⁰ln): *sich* ‿ hurry; (*sich rühren*) bestir o.s.; **2platz** m playground.

Tü'mpel (tümp⁰l) m pool.

tun (tōōn) 1. do; (*wohin* ‿) put (*to school, into the bag, etc.*); *so* ‿ *als ob* make as if; *es tut nichts* it doesn't matter; *es ist mir darum zu* ‿ I am anxious about (it); *ich kann nichts dazu* ‿ I cannot help it; *das tut gut!* that is a comfort; *zu* ‿ *haben* have to do; (*beschäftigt sn*) be busy; 2. ♀ *n:* ‿ *und Treiben* ways and doings *pl.*

Tü'nche (tünç⁰) f, **2n** whitewash.

Tu'nichtgut (tōōnĭçtgōōt) m ne'er-do-wel.

Tu'nke (tōōŋk⁰) f sauce; **2n** dip, steep.

tu'nlich (tōōnlĭç) feasible, practicable; **‿st** if possible.

Tü'pfel (tüpf⁰l) m, n, **2n** dot, spot.

tu'pfen (tōōpf⁰n) dab; = *tüpfeln*.

Tür (tür) f door; **‿flügel** (-flügʰ⁰l) m leaf of a door; **‿'hüter** (-hüt⁰r) m doorkeeper.

Tü'rk|e (türk⁰) m Turk; **‿in** f Turk(ish woman); **2isch** Turkish.

Tü'rklinke (türklĭŋk⁰) f latch.

Turm (tōōrm) m tower; (*Kirch2*) steeple; *Schach:* castle, rook.

tü'rmen (tûrm⁰n) pile up; *sich* ‿ tower.

Tu'rm|spitze f spire; **‿springen** n high diving; **‿uhr** (-ōōr) f church-clock.

tu'rn|en (tōōrn⁰n) 1. do gymnastics; 2. ♀ n gymnastics *pl.*; **2er(in** f) m gymnast; **2gerät(e** *pl.*) (-gʰĕrät[⁰]) n gymnastic apparatus; **2halle** f gym(nasium).

Turnie'r (tōōrneer) tournament.

Tu'rn|lehrer(in f) m teacher of gymnastics; **‿schuh** (-shōō) m gym(nasium)-shoe; **‿unterricht** (-ōōnt⁰r·rĭçt) m instruction in gymnastics; **‿verein** (fĕr·in) m gymnastic club.

Tü'r|pfosten m door-post; **‿rahmen** m door-frame.

Tu'sch|e (tōōsh⁰) f Indian ink; **2'eln** whisper; **2'en** wash; **‿'farbe** f water-colour; **‿'kasten** m paint-box.

Tü'te (tüt⁰) f paper-bag.

tu'ten (tōōt⁰n) toot; *mot.* honk.

Typ (tüp) m, **‿'e** f type.

Ty'phus (tüfōōs) m typhoid fever.

ty'pisch (tüpĭsh) typical (*für* of).

Ty'pus (tüpōōs) m type.

Tyra'nn (tûrahn) m, **‿in** f tyrant; **‿ei'** (-i) f tyranny; **2isch** tyrannical; **2isie'ren** (-izeer⁰n) tyrannize over *a p.*, bully *a p.*

U

ü'|bel (üb⁶l) **1.** evil, bad, *adv.* ill; badly; (*krank*) sick, *pred. a.* ill; *nicht* ~ not bad; *mir ist* ~ I feel sick; **2.** 2 *n* evil; (*Krankheit*) malady; = 2stand; 2befinden ~ (-b⁶find⁶n) *n* indisposition; ~gelaunt (-gʰᵉ-lownt) ill-humoured; 2keit *f* sickness; ~nehmen take *a th.* ill *od.* amiss; 2stand *m* inconvenience; grievance; 2täter(in *f*) *m* evil-doer; 2wollen *n* ill-will; ~wollend malevolent.

ü'ben (üb⁶n) exercise; *Am.* all over; drill; *Sport:* train; geübt skilled, experienced.

ü'ber (üb⁶r) **1.** *prp.* (*wo? dat.; wohin? acc.*) over, above; *gehen usw.* ~: across *a river, etc.*; via *a town*; *sprechen usw.* ~: about, of; *schreiben usw.* ~ (up)on; ~ ... (*hinaus*) beyond; *zehn Minuten* ~ *zwölf* 10 minutes past 12; **2.** *adv.* over.

über|-a'll everywhere, *Am.* all over; ~a'nstrengen over-exert; ~a'rbeiten (-àʰrbìt⁶n) do over again; *sich* ~ overwork o.s.; ~bie'ten (-beet⁶n) *Auktion:* outbid; *fig.* outdo, surpass.

Ü'ber|bleibsel (-blìps⁶l) *n* remainder, *Am.* holdover; *pl.* remains *pl.*; ~blick *m* survey.

über|bli'cken survey; ~bri'ngen** deliver; ~bri'nger(in *f*) *m* bearer; ~brü'cken** (-brük⁶n) bridge; 2bürdung *f* overburdening; ~dau'ern** (-dow⁶rn) outlast; ~de'nken** think *a th.* over; ~die's** (-dees) moreover.

Ü'ber|druß (-dróòs) *m* disgust, (*bis zum* ~ to) satiety; 2drüssig (-drüsìç) (*gen.*) disgusted with, weary of; ~eifrig** (-ìfrìç) too eager.

über-ei'l|en (-ìl⁶n) precipitate; ~t** precipitate; 2ung *f* precipitance.

über-eina'nder (-ìnàhnd⁶r) one upon another.

über-ei'n... (üb⁶r-ìn...): ~kommen** (sn) agree; 2kommen *n*, 2kunft (-kóònft) *f* agreement; ~stimmen** agree (with); 2stimmung *f* agree-

---

ment, conformity; *in* ~ *mit* in accordance with.

überfa'hren run over *a p.; Signal:* overrun.

Ü'ber|fahrt *f* passage; ~fall *m* sudden attack, surprise; (*Raub*2) hold-up, (*Einfall*) raid.

überfa'llen attack suddenly, surprise; *räuberisch:* hold up; *Nacht, Krankheit usw.:* overtake.

ü'berfällig overdue.

Ü'berfallkommando (üb⁶rfàhl-kömàhndō) *n* flying (*Am.* riot) squad.

überflie'gen (-fleegʰ⁶n) fly over *od.* across; *mit dem Auge:* glance over, skim.   [over.]

ü'berfließen (-flees⁶n) (sn) flow)

überflü'geln (-flügʰ⁶ln) ✕ outflank; *fig.* surpass.

Ü'ber|fluß (-flóòs) *m* abundance; (*unnötiger*) superfluity; ~ *h.* an (*dat.*) abound in; 2flüssig superfluous.   [flood.]

überflu'ten (-flöōt⁶n) overflow,)

Ü'berfracht *f* overweight; *vom Gepäck:* excess luggage.

Über|fre'mdung *f* foreign infiltration; 2fü'hren** transport; (*überzeugen*) convince; *Schuldige:* convict; ~fü'hrung *f* transportation; conviction; *Straßenbau,* 🚗 road-bridge, viaduct, *Am.* overpass.

Ü'berfülle *f* superabundance.

überfü'llen overfill, cram; *mit Menschen:* overcrowd; *Magen:* glut; *den Markt:* overstock.

Ü'ber|gabe (-gàhb⁶) *f* delivery; ✕ surrender; ~gang *m* passage; 🚗 crossing; *fig.* transition; ~gangsstadium (-shtàhd'óòm) *n* transition stage.

überge'ben (-gʰéb⁶n) deliver (up), give up; (*einhändigen*) hand over; ✕ surrender; *sich* ~ (*erbrechen*) vomit.

ü'bergeh(e)n (-gʰé[⁶]n) *f.* **1.** *v/i.* (sn) pass over; ~ *in* (*acc.*) pass into; *zu et.* ~ proceed to; **2.** *übergeh'en* *v/t.* pass over.

Ú'ber|gewicht n overweight; fig. preponderance; **⸗greifen** (-gríf'n) overlap; fig. ⸗ auf od. in (acc.) encroachon; **⸗griff** m encroachment.

überha'ndnehmen prevail.

ü'berhängen overhang.

über|häu'fen (-hóif'n) overwhelm; **⸗hau'pt** (-howpt) generally; ⸗ nicht not at all; **⸗he'ben** (-héb'n) exempt (gen. from); e-r Mühe: spare a p. a trouble; sich ⸗ fig. be overbearing; **⸗he'blich** overbearing, presumptuous; **⸗hi'tzen** (-híts'n) overheat; **⸗ho'len** (-hōl'n) (out)distance, outstrip; (nachsehen u. ausbessern) overhaul, bsd. Am. service; **⸗t** (veraltet) out of date; **⸗hö'ren** miss; absichtlich: ignore; j-n ⸗ hear a p.'s lesson.

ü'ber-irdisch supernatural.

ü'berkippen tilt over. [over.]

ü'berkle'ben (-kléb'n) paste a th.

Ú'ber|kleidung (-klídōōŋ) f outer wear; **⸗klug** (-klōōk) overwise; **⸗kochen** (sn) boil over.

über|ko'mmen be seized with fear, etc.; **⸗la'den** (-láhd'n) overload (a. den Magen); ⸗; Gewehr, Bild usw.: overcharge.

Ú'berla'nd|flug (-láhntflōōk) m cross-country flight; **⸗zentrale** f f long-distance power station.

über|la'ssen let a p. have a th.; (anheimstellen) leave; (preisgeben) abandon; **⸗la'sten** overload; fig. overburden.

ü'ber|laufen (-lowf'n) **1.** v/i. (sn) run over; × desert, weitS. go over, **2.** überlau'fen v/t. overrun; (belästigen) pester; **⸗läufer** (-lóif'r) m deserter; pol. turncoat; **⸗laut** (-lowt) too noisy.

überle'b|en (-léb'n) outlive, survive; **⸗ende(r)** survivor; **⸗t** disused, out of date.

ü'berlegen (-lég*h*'n) lay over.

überle'g|en a) v/t. consider, reflect upon; ich will es mir ⸗ I will think it over; es sich anders ⸗ change one's mind; b) adj. superior; **⸗enheit** f superiority; **⸗t** considerate, deliberate; **⸗ung** f consideration, reflection.

überle'sen (-léz'n) read a th. over.

überlie'fer|n (-leef'rn) deliver; der Nachwelt: hand down; × surrender; **⸗ung** f delivery; × surrender; fig. tradition.

überli'sten (-líst'n) outwit.

Ú'bermacht f superior force; fig. predominance.

ü'bermächtig overwhelming.

überma'nnen (-mǎ*h*n'n) overpower.

Ú'ber|maß (-mǎhs) n excess; im ⸗ in excess; **⸗mäßig** (-mǎsiç) excessive. [superhuman.]

Ú'bermensch m superman; **⸗lich**

übermi'tt|eln (-mít'ln) transmit; **⸗(e)lung** f transmission.

ü'bermorgen the day after tomorrow. **⸗ung** f overfatigue.]

übermü'd|et (-müd't) overtired;

Ú'ber|mut (-mōōt) m wantonness; (Anmaßung) insolence; **⸗mütig** (-mütiç) wanton; insolent.

überna'chten (-nǎ*h*kt'n) pass the night.

Ú'bernahme (-nǎhm*e*) f taking over, etc. s. übernehmen.

ü'bernatürlich supernatural.

überne'hmen take over; Arbeit, Verantwortung usw.: undertake; Befehl, Führung, Risiko: take; sich ⸗ overstrain o.s.; im Essen: surfeit (o.s.).

ü'ber-ordnen place (od. set) over.

ü'berparteilich (-pǎhrtíliç) nonpartisan.

Ú'berproduktion (-prōdōōkts'ōn) f over-production. [check.]

überprü'fen (-prüf'n) examine,

überque'ren (-kvér'n) cross.

überra'gen (-rǎh*h*'n) overtop; fig. surpass.

überra'sch|en, **⸗ung** f surprise.

überre'd|en (-réd'n) persuade, talk a p. into a th.; **⸗ung** f persuasion.

überrei'ch|en (-ríç'n) hand over, present; **⸗ung** f presentation.

überrei'zen (-ríts'n) over-excite; Nerven: overstrain.

Ú'berrest m remainder, remains pl.

überru'mpel|n (-rōōmp'ln) surprise; × take by surprise; **⸗ung** f surprise.

übersä'en (-zǎ'n) fig. dot, stud.

übersä'ttig|en (-zétig*h*'n), **⸗ung** f surfeit. [mate.]

ü'berschätzen overrate, overesti-

ü'berschießend (-shees'nt) Betrag: surplus. [estimate.]

Ú'berschlag (-shlǎ*h*k) m rough;

ü'berschlagen (-shlǎh*h*'n) **1.** Bein: cross; **2.** überschla'gen (weglassen) omit; (*rechnend*) estimate; *sich ~* tumble over; *beim Landen*: nose- -over.

ü'berschnappen (sn) *Stimme*: squeak; F (*verrückt w.*) turn crazy.

über|schnei'den (-shnīd⁶n) (*a. sich*) overlap; **~schrei'ben** (-shrī-b⁶n) superscribe; (*übertragen*) transfer; **~schrei'ten** (-shrīt⁶n) cross; *fig.* transgress; *Gesetz*: infringe; *Maß*: exceed; *Kredit*: overdraw.

Ü'ber|schrift *f* heading, title; **~schuh** (-shōō) *m* overshoe; **~schuß** (-shōōs) *m*, **2schüssig** (-shüsiç) surplus.

überschü'tten *fig.* overwhelm.

überschwe'mm|en inundate, flood; **2ung** *f* inundation, flood.

ü'berschwenglich (-shvěr̄gliç) effusive.

Ü'bersee (-zé) *f* oversea(s); **~...**, **2isch** (-zéish) transoceanic; oversea; transmarine (*cable*).

überse'hen (-zé⁶n) survey; (*nicht bemerken*) overlook; (*nicht beachten*) disregard, ignore.

überse'nd|en (-zěnd⁶n) send, transmit; **2ung** *f* transmission; ✝ consignment.

überse'tzen (-zěts⁶n) **1.** *v/i.* (sn) cross; *v/t.* ferry a p. over; **2.** *überse'tzen* translate; ⊕ gear, transmit.

Überse'tz|er(in *f*) *m* translator; **~ung** *f* translation; ⊕ gear(ing), transmission. [clear.]

Ü'bersicht (-ziçt) *f* survey; **2lich**]

übersiedel|n (-zeed⁶ln) (sn) remove; (*auswandern*) emigrate; **2ung** *f* removal; emigration.

überspa'nnt eccentric, extravagant; **2heit** *f* eccentricity, extravagance.

überspri'ngen jump; *fig.* skip.

ü'bersteh(e)n (-shtē[⁶]n) **1.** jut out, project; **2.** *überste'hen* endure; get over a th.

überstei'gen (-shtīg⁶n) **1.** *v/i.* (sn) step over; **2.** *v/t.* *überstei'gen* cross; *fig.* surmount; (*hinausgehen über*) exceed.

übersti'mmen outvote.

ü'berströmen (-shtröm⁶n) *v/i.* (sn) overflow.

Ü'berstunde (-shtōōnd⁶) *f*, **~n** *pl.* overtime; **~** *m.* work overtime.

überstü'rz|en precipitate; *sich ~ Ereignisse*: press one another; **~t** precipitate; **2ung** *f* precipitancy.

überteu'ern (-tŏi⁶rn) overcharge.

übertö'lpeln (-tŏlp⁶ln) dupe.

übertö'nen (-tŏn⁶n) drown.

Ü'bertrag (-trǟk) ✝ *m* carrying over; (*Posten*) sum carried over.

übertra'g|bar transferable; ⅌ communicable; **~en** (-trǟg⁶n) **1.** carry over (*a.* ✝); *Besitz*: transfer (*auf j-n* to); *Amt*: confer (upon); *j-m e-e Besorgung ~* charge a p. with; *sprachlich*: translate; *Kurzschrift*: transcribe; ⊕ *phys.*, ⅌, *Radio*: transmit; *Am.* put on the air; **2.** *adj.* figurative; **2ung** *f* transfer, transmission; conferring; translation; transcription.

übertre'ff|en excel, exceed, surpass.

übertrei'b|en (-trīb⁶n) exaggerate; **2ung** *f* exaggeration.

übertre'ten (-trét⁶n) **1.** *v/i.* (sn) step over; *fig.* go over; **2.** *übertre'ten* *v/t.* trespass, infringe.

Übertre't|er(in *f*) *m* transgressor; **~ung** *f* transgression, trespass.

Ü'bertritt *m* going over.

übervö'lker|n (-fŏlk⁶rn) over-populate; **2ung** *f* over-population.

übervo'rteilen (-fŏrtīl⁶n) overreach, do down.

überwa'ch|en (-vǟk⁶n) watch; (*beaufsichtigen*) superintend, control; **2ung** *f* supervision, control.

überwä'ltigen (-vēltīg⁶n) overcome, overpower.

überwei's|en (-vīz⁶n) assign, transfer; *zur Entscheidung*: refer, remit; *Geld*: remit; **2ung** *f* assignment, transfer; reference; (*Geld~*) remittance; **2ungsscheck** (-vīzŏōr̄s-shěk) *m* transfer-cheque.

ü'berwerfen **1.** throw over; **2.** *überwe'rfen*: *sich ~ mit* fall out with.

überwie'gen (-veeg⁶n) *v/t.* outweigh; *v/i.* preponderate, prevail.

überwi'nden overcome, subdue.

überwi'ntern (-vint⁶rn) winter.

Ü'berwurf (-vŏōrf) *m* shawl, wrapper.

ü'berzahl *f* numerical superiority.

ü'berzählig (-tsäliç) supernumerary, odd. [subscribe.]

überzei'chnen (-tsiçn⁶n) ✝ over-]

überzeu'g|en (-tsŏig⁶n) convince, satisfy; **2ung** *f* conviction.

überzie'hen (-tsee⁶n) coat; *Bett*: put fresh linen on; *Konto*: overdraw.

Ü'berzieher *m* overcoat, topcoat.

Ü′berzug (-tsŏŏk) *m* cover; coat (-ing); (*Bett*2) case, tick.

ü′blich (üpliç) usual, customary.

ü′brig (übriç) left (over), remaining; die ~en *pl.* the rest; ~ens by the way; ~ haben have *a th.* left; spare; ~bleiben (-blib^en) (sn) be left; *fig.* es blieb ihm nichts anderes übrig he had no alternative; ~lassen leave.

Ü′bung (übŏŏrƞ) *f* exercise, practice; (*Gewohnheit*) use; Ҳ drill(ing).

U′fer (ŏŏf^er) *n* (*Meer*2, *See*2) shore; (*Fluß*2) bank; ~mauer (-mow^er) *f* quay.

Uhr (ŏŏr) *f* (*Turm*2 *usw.*) clock; (*Taschen*2, *Armband*2) watch; (*Stunde, Zeit*) hour, time (of the day); um vier ~ at four o'clock; ~′armband (-ährmbáhnt) *n* watch bracelet; ~ feder (-féd^er) *f* watch-spring; ~′macher (-máhk^er) *m* watchmaker; ~′werk *n* clockwork; ~′zeiger (-tsïg^her) *m* hand.

Ulk (ŏŏlk) *m* fun, F spree, lark; 2′en joke, lark; 2′ig funny.

U′ltimo (ŏŏltïmō) *m* last day of the month; ~... monthly.

um (ŏŏm) **1.** *prp.* (*acc.*) about; (~ ... herum) (a)round; (*Lohn, Preis*: for; *Maß*: by; ~ vier (*Uhr*) at four (o'clock); ~ so besser so much the better; ~ so mehr (weniger) all the more (less); ~ ... (*gen.*) willen for the sake of; **2.** *cj.* ~ zu (in order to); **3.** *adv.* ~ sein be over, be up.

u′m-ändern alter, change.

u′m-arbeiten (-ährbit^en) recast; *Kleid:* make over; ~ zu *et.* make into. [embrace, hug.]

um-a′rm|en (-ährm^en), 2ung *f*∫

u′m|bauen (-bow^en) rebuild; ~biegen (-beeg^hen) bend (over); ~bilden transform; reorganize; ~binden *Schürze usw.*: put on; ~blättern turn over; ~brechen **1.** break down; **2.** umbre′chen (sn) make up; ~bringen kill; 2bruch (-brŏŏk) *m typ.* make-up; *fig.* upheaval; ~drehen (-dré^hn) turn (round, *a.* sich); 2drehung *f phys.* rotation, revolution.

u′m|fahren 1. *v/t.* run down; **2.** umfa′hren drive (*od.* sail) round *a th.*; ~fallen (sn) fall (down *od.* over); 2fang (-fähƞ) *m* circumference; (*Ausdehnung*) extent; ∫ compass; (*Bereich*) range; ~fang-

reich (-fährƞriç) extensive; voluminous.

umfa′ss|en embrace; *fig.* comprehend; ~end comprehensive; 2ung *f* (*Einfriedigung*) enclosure.

u′mform|en transform, remodel; 2er *ƒ m* transformer.

U′mfrage (-frähg^hé) *f* inquiry (all round).

U′mgang (-gähƞ) *m* (*Verkehr*) intercourse; ~ h. mit associate with.

u′mgänglich (-g^hƞliç) sociable.

U′mgangs|formen *f/pl.* manners *pl.*; ~sprache (-shprähk^e) *f* colloquial speech.

umga′rnen (-gährn^en) ensnare.

umge′b|en (-g^héb^en) surround; 2ung *f* surroundings; environs *pl.*

U′mgegend (-g^hég^hént) *f* environs *pl.*

u′mgeh(e)n (-ghé[^e]n) **1.** (sn) go round; (*Umweg m.*) make a detour; *Geist:* walk, ~ an *od.* in e-m *Ort* haunt a place; mit j-m ~ keep company with; (*behandeln*) deal with; mit *et.* ~ (*sich befassen mit*) deal with, (*vorhaben*) intend, plan; **2.** umge′hen go round; *Verkehr:* by-pass; (*vermeiden*) evade, elude; Ҳ outflank.

Umge′hungsstraße (-g^héŏŏƞs-shträhs^e) *f* by-pass.

u′mgekehrt (-g^hékért) reverse; vice versa; (*entgegengesetzt*) opposite.

u′mgraben (-grähb^en) dig up.

umgre′nzen bound; encircle.

u′mgruppieren (-grŏŏpeer^en) shift, regroup.

U′mhang (-hähƞ) *m* wrap; shawl.

u′mhängen *Schal usw.*: put on.

u′mhauen (-how^en) cut down.

umhe′r (-hér) about; ~streifen (-shtrif^en) rove.

umhü′llen wrap up, envelop.

U′mkehr (-kér) *f* return; 2en *v/i.* (sn) return; *v/t.* turn round; reverse; (*umstoßen*) overturn; *Tasche usw.*: turn out; ~ung *f* reversal.

u′mkippen *v/t.* upset; *v/i.* (sn) tilt∫

umkla′mmer|n clasp; *Boxen:* clinch; 2ung *f Boxen:* clinch.

u′mkleid|en (-klid^en): **1.** sich ~ change one's dress; **2.** umklei′den cover; 2eraum (-rowm) *m* dressing-room.

u′mkommen (sn) perish.

U'mkreis (-krīs) *m*: *im* ~ *von* within a radius of. [tranship.]
u'mladen (-lāhd^en) reload; ♻
U'mlauf (-lowf) *m* circulation; *phys.* rotation; *in* ~ *bringen od. sein* circulate; 2en *v/t.* run down; *v/i.* (sn) circulate.
U'mleg|(e)kragen (-lég^h[^e]krāh-g^he n) *m* turn-down collar; 2en *Kragen*: put on; (*umkniffen, umdrehen*) turn down; (*zum Liegen bringen*) lay (down); (*anders legen*) shift; *Schienen usw.*: relay.
u'mleit|en (-līt^en) *Verkehr*: divert, by-pass; 2ung *f* diversion, *Am.* detour.
u'm|lernen learn anew; **~liegend** (-leeg^hent) surrounding; **~packen** repack; **~pflanzen** transplant; **~pflügen** (-pflüg^he n) plough up.
umra'hmen (-rāhm^en) frame.
u'mrechn|en convert; 2ung *f* conversion; 2ungskurs (-rêçnŏŏŗ s-kŏŏrs) *m* rate of exchange.
u'mreißen (-rīs^en) 1. pull down; (*umstoßen*) knock down; 2. *umrei'ßen* outline.
umri'ngen surround.
U'm|riß (-rĭs) *m* outline, contour; **~rühren** stir up; **~satz** (-zähts) ✝ *m* turnover; (*Absatz*) sales *pl.*; (*Einnahme*) returns *pl.*
u'mschalt|en ⚡ switch over; 2er ⚡ *m* switch, commutator; 2ung *f* commutation.
u'mschicht|ig (-shĭçtĭç) in turns; 2ung *f* regrouping, shifting.
U'mschlag (-shlähk) *m* (*Änderung*) turn, change; (*Brief*2) envelope; (*Hülle*) cover, wrapper; *an der Hose*: turn-up; 🩺 poultice; 2en (-shlähg^he n) *v/i.* (sn) upset, fall down; ⚓ capsize; (*sich ändern*) turn, change; *v/t.* knock down; *Blatt usw.*: turn over; *Saum*: turn up; **~(e)tuch** (-tōōk) *n* shawl; **~hafen** (-hāhf^en) *m* port of transhipment.
umschlie'ßen (-shlees^en) enclose.
umschli'ngen embrace.
u'mschnallen buckle on.
u'mschreib|en (-shrīb^en) 1. re-write; (*abschreiben*) transcribe; *Besitz*: transfer (*auf acc.* to); 2. *umschrei'ben durch Worte*: paraphrase; 2ung *f* 1. transcription; transfer; 2. paraphrase.
U'mschrift *f e-r Münze*: legend.

u'mschütteln shake (up).
U'mschweif (-shvīf) *m* circumlocution; 2ig roundabout.
U'mschwung (-shvŏŏŗ g) *m* revolution; change.
umse'geln (-zég^he ln) sail round; *Kap*: double; *Welt*: circumnavigate.
u'msehen (-zé^en): *sich* ~ look round (*nach* at); *fig.* look out (*nach* for); *an e-m Ort*: take a view of.
u'msetzen (-zêts^en) transpose; ✝ transplant; ✝ (*zu Geld m.*) realize; *Geld(eswert)*: turn over; *in die Tat, Musik usw.* ~ translate into.
U'msicht (-zĭçt) *f* circumspection; 2ig circumspect.
u'msiedeln (-zeed^eln) resettle.
umso'nst (ŏŏmzŏnst) gratis; (*vergebens*) in vain.
u'mspann|en 1. ⚡ transform; 2. *umspa'nnen* span, encompass; 2er ⚡ *m* transformer.
u'mspringen (sn) *Wind*: change; ~ *mit* manage, treat.
U'mstand (-shtähnt) *m* circumstance; *unter keinen Umständen* on no account; *ohne Umstände* without ceremony; *Umstände m.* be formal.
u'mständlich (-shtêntlĭç) circumstantial; (*förmlich*) ceremonious; 2keit *f* circumstantiality; formality (*a. pl.*).
u'mstehend (-shté^ent): *die* 2en *pl.* the bystanders; *Seite*: next; *adv.* overleaf.
U'msteige|karte (-shtīg^he kährt^e) *f* transfer-ticket; 2n (sn) change (*nach* for).
u'mstell|en 1. transpose; *Betrieb, Währung*: convert; *sich* ~ adapt *o.s.* (*auf acc.* to); 2. *umste'llen* surround, encircle; 2ung *f* transposition; conversion; *fig.* adaptation. [overthrow; *fig.* annul.]
u'mstoßen (-shtōs^en) knock down,
umstri'cken ensnare. [subversion.]
U'msturz (-shtŏŏrts) *m* overturn;
u'mstürz|en *v/t.* upset, overturn; *fig.* subvert; *v/i.* (sn) fall down; **~lerisch** subversive. [change.]
U'mtausch (-towsh) *m*, 2en ex-
U'mtriebe (-treeb^e) *m/pl.* machinations, intrigues.
u'mtun (-tōōn) *Tuch usw.*: put on; *sich* ~ *nach* look about for.
u'mwälz|en (-vêlts^en) revolutionize; 2ung *f* revolution.

u'mwand|eln (-văhnd⁶ln) change; ✝ convert; Qumlung *f* change; ✝ conversion.

u'm|wechseln (-věks⁶ln) (ex-) change; Qweg (-vék) *m* roundabout way, detour; Qwelt *f* environment; ~wenden turn over; *sich* ~|

umwe'rben court. [turn round.|

u'mwerfen overthrow, upset.

u'mwert|en (-vért⁶n) revalue; Qung *f* revaluation.

um|wi'ckeln wrap up; ~wö'lken (-völk⁶n) (*a. sich*) cloud (over); ~zäu'nen (-tsöin⁶n) fence in.

u'mziehen (-tsee⁶n) *v/i.* (sn) move; *v/t. Kleidung:* change; *sich* ~ change (one's clothes).

umzi'ngeln (-tsiŋ⁶ln) encircle.

U'mzug (-tsŏŏk) *m* procession; (*Wohnungswechsel*) move, removal.

u'n-ab|-ä'nderlich (ŏŏnăhpĕnd⁶r-liç) unalterable; ~hängig independent (*von* of); Qhängigkeit *f* independence; ~kömmlich (-kömliç) indispensable; ~lässig incessant; ~sehbar (-zébăhr) *fig.* not to be foreseen; ~sichtlich (-ziçtliç) unintentional.

u'n-achtsam (-ăhҝtzăhm) careless.

u'n-ähnlich (-ănliç) unlike, dissimilar.

u'n-an|fe'chtbar (ŏŏnănfĕçtbăhr) incontestable; ~gefochten (-gⁿ⁶-fŏҝt⁶n) unmolested; ~gemessen unsuitable; (*unschicklich*) improper; ~genehm disagreeable; ~ne'hmbar (némbăhr) unacceptable; Qnehmlichkeit (-némliçkīt) *f* inconvenience, trouble; ✝~ständig (-shtĕndiç) indecent; Qständigkeit *f* indecency. [savoury.|

u'n-appetitlich (-ăhpéteetliç) un-|

U'n-art *f* bad habit *od.* trick; *Kind:* naughtiness; Qig ill-bred; *Kind:* naughty.

u'n-auf|fi'ndbar (-owffintbăhr) undiscoverable; ~ha'ltsam (-hăhlt-zăhm) irresistible; ~hö'rlich (-hör-liç) incessant; ~merksam (-mĕrk-zăhm) inattentive; Qmerksamkeit *f* inattention.

u'n-aus|blei'blich (ŏŏnowsbliipliç) inevitable; ~fü'hrbar (-fürbăhr) impracticable; ~lö'schlich (-lösh-liç) inextinguishable; ~spre'chlich (-shprĕçliç) inexpressible; ~ste'h-lich (-shtéliç) insupportable.

u'n|barmherzig (-băhrmhĕrtsiç)

unmerciful; ~bea'chtet (-b⁶ăhҝ-t⁶t) unnoticed; ~be-a'nstandet (-b⁶ăhnshtăhnd⁶t) not objected to; ~bebaut (-b⁶bowt) *Gelände:* undeveloped; ~bedacht(sam) (-b⁶-dăhҝt[zăhm]) inconsiderate; ~bedeutend (-b⁶dŏit⁶nt) insignificant; ~bedi'ngt unconditional; ~befa'hrbar impracticable; ~befangen (*unparteiisch*) unbiassed; (*offen, arglos*) ingenuous; (*nicht verlegen*) unembarrassed; ~befriedigend (-b⁶freediģ⁶nt) unsatisfactory; ~befriedigt (-b⁶freediçt) unsatisfied; ~befugt (-b⁶fŏŏkt) incompetent; ~begabt (-b⁶găhpt) untalented; ~begrei'flich (-b⁶-ģrifliç) inconceivable; ~begrenzt unlimited; ~begründet unfounded; Qbehagen (-b⁶hăhģⁿ⁶n) *n* uneasiness; ~behaglich (-b⁶hăhkliç) uneasy; ~behe'lligt (-b⁶hĕliçt) unmolested; ~behi'ndert unrestrained; ~beholfen (-b⁶hŏlf⁶n) clumsy, awkward; ~bei'rrt (-b⁶īrrt) unswerving; ~bekannt unknown; ~bekü'mmert careless; ~belebt (-b⁶lépt) *Straße:* unfrequented; ~beliebt (-b⁶leept) disliked; unpopular (*bei* with); ~bemittelt without means; ~bequem (-b⁶-kvém) inconvenient; uncomfortable; Qbequemlichkeit *f* inconvenience; ~berechtigt (-b⁶-réçtiçt) unauthorized; ~bescha'det (-b⁶shăhd⁶t) (*gen.*) without prejudice to; ~beschädigt (-b⁶-shädiçt) uninjured; ✝ undamaged; ~bescholten (-b⁶shŏlt⁶n) irreproachable; ~beschränkt (-b⁶-shrĕŋkt) unrestricted; ~beschrei'blich (-b⁶-shripliç) indescribable; ~besehen (-b⁶zé⁶n) unseen; ~besie'gbar (-b⁶zeekbăhr) invincible; ~besonnen (-b⁶zŏn⁶n) thoughtless; ~beständig (-b⁶shtĕndiç) inconstant; Qbeständigkeit *f* inconstancy; ~bestätigt (-b⁶shtătiçt) unconfirmed; ~beste'chlich incorruptible; ~bestellbar (-b⁶shtĕlbăhr) ✝ undeliverable; ~bestimmt (*undeutlich*) indeterminate; (*unsicher*) uncertain; Qbestimmtheit *f* uncertainty; ~bestrei'tbar (-b⁶shtrit-băhr) incontestable; ~bestri'tten (-b⁶shtrit⁶n) uncontested; ~beteiligt (-b⁶tiliçt) not concerned; ~beträchtlich inconsiderable;

~beu'gsam (-böikzāhm) inflexible; ~bewacht (-bᵉvāʜkt) unwatched; *fig.* unguarded; ~bewaffnet unarmed; *Auge:* naked; ~bewe'glich (-bᵉvékliç) immovable; ~bewohnt (-bᵉvönt) uninhabited; ~bewußt (-bᵉvöost) unconscious; ~bezä'hmbar (-bᵉtsāmbāhr) indomitable.

U'n|bildung *f* lack of education; ~bill *f* injury; 2billig unfair; 2-blutig (-blōotiç) bloodless.

u'nbotmäßig (-bötmäsiç) insubordinate; 2keit *f* insubordination.

u'nbrauchbar (-browkbāhr) useless.

u'nchristlich (-krĭstliç) unchristian.

und (öont) and.

U'ndank (-dáhnk) *m* ingratitude; 2bar ungrateful (*gegen* to); *Aufgabe:* thankless; ~barkeit *f* ingratitude.

u'n|denkbar (-) unthinkable; ~deutlich (-döitliç) indistinct; *Laut:* inarticulate; ~deutsch (-döitsh) un-German; ~dicht (-) untight; leaky; 2ding *n* absurdity.

u'nduldsam (-döoltzāhm) intolerant; 2keit *f* intolerance.

u'ndurch|dri'nglich (-dóorçdrĭŋliç) impenetrable (*für* to); ~lässig impervious (*für* to); ~sichtig (-ziçtiç) opaque.

u'n|-eben (-ébᵉn) uneven; ~-echt not genuine, false; *Farbe:* not fast; ~ehelich (-éᵉliç) illegitimate.

U'n-ehr|e *f* dishonour; 2enhaft dishonourable; 2lich dishonest; ~lichkeit *f* dishonesty.

u'n|-eigennützig (-īghᵉn-nütsiç) disinterested; ~-einig (-iniç) disagreeing; ~ *sn* be at variance; 2-einigkeit *f* disagreement; ~-empfänglich insusceptible (*für* to); ~-empfindlich insensible; ~ *gegen* insensitive to; ~e'ndlich infinite; 2-e'ndlichkeit *f* infinity; ~-entbe'hrlich indispensable; ~-entge'ltlich (-éntgʰéltliç) gratuitous; *adv.* gratis.

u'n|-entri'nnbar (-éntrĭnbāhr) ineluctable; ~-entschieden (-éntsheedᵉn) undecided; *Sport:* drawn; ~-entschlossen irresolute; ~-entschu'ldbar (-éntshöoltbāhr) inexcusable; ~-entwe'gt (-éntvékt) unswerving; ~-entwi'rrbar (-éntvĭrbāhr) inextricable; ~-erbi'ttlich (éérbĭtliç) inexorable; ~-erfahren

inexperienced; ~-erfreulich (-érfröiliç) unpleasant; ~-erfü'llbar (-érfülbāhr) unrealizable; ~-erheblich (-érhépliç) irrelevant (*für* to); ~-erhö'rt (-érhört) unheard-of; (*empörend*) shocking; ~-erka'nnt (-érkáhnt) unrecognized; ~-erklärlich inexplicable; ~-erlä'ßlich (-érlésliç) indispensable; ~-erlaubt (-érlowpt) illicit; ~-erle'digt (-érlédiçt) unsettled; ~-erme'ßlich (-érmésliç) immeasurable; ~-ermü'dlich (-érmütliç) *P.:* indefatigable; *Bemühen:* untiring; ~-erquicklich (-érkvĭkliç) unpleasant; ~-ersä'ttlich (-érzétliç) insatiable; ~-erschö'pflich (-érshöpfliç) inexhaustible; ~-erschrocken intrepid; 2-erschrockenheit *f* intrepidity; ~-erschü'tterlich (-érshütʰérliç) imperturbable; ~-erse'tzlich (-érzétsliç) irreparable; ~-ertrá'glich intolerable; ~-erwa'rtet unexpected; ~-erwü'nscht undesirable.

u'nfähig (-fäiç) incapable (*zu* of); (*außerstande*) unable (*to do*); 2keit *f* incapacity (of); inability (for).

U'nfall *m* accident; ~station (-shtāhts'ōn) *f* first-aid station; ~versicherung (-férziçᵉröoŋ) *f* accident insurance. [libility.]

unfe'hlbar infallible; 2keit *f* infal-]

u'n|fein (-fin) indelicate; ~fertig unfinished; ~flätig (-flätiç) dirty, filthy; 2fleiß (-flis) *m* want of application; ~folgsam (-fölkzāhm) s. *ungehorsam*; ~förmig (-förmiç) misshapen; shapeless; ~frankiert (-fráhnkeert) not prepaid; ~freiwillig (-frìviliç) involuntary; ~freundlich (-fröintliç) unkind; *Wetter:* inclement; 2friede (-freedᵉ) *m* discord.

u'nfruchtbar (-fröoktbāhr) unfruitful, sterile; 2keit *f* sterility.

U'nfug (-fōok) *m* mischief; nuisance. [sable.]

u'ngangbar (-gáhŋbāhr) impas-]

U'ngar (ōöŋgāhr) *m*, ~in *f*, 2isch Hungarian.

u'ngastlich inhospitable.

u'nge|-achtet (öoŋgᵉáhktᵉt) *prp.* (*gen.*) notwithstanding; ~ahnt unexpected; ~bärdig (-bárdiç) unruly; ~bildet uneducated; ill-bred; ~bräuchlich (-bröiçliç) unusual.

U'ngebühr f indecorum; impropriety; Slich improper, unseemly. [unrestrained.]

u'ngebunden (-gʰᵉbŏŏndᵉn) fig.]

U'ngeduld (-gʰᵉdŏŏlt) f impatience; Sig (-gʰᵉdŏŏldiç) impatient.

u'nge-eignet (-gʰᵉïgnᵉt) unfit (zu for).

u'ngefähr (-gʰᵉfär) 1. adj. approximate; 2. adv. about, Am. around; von ~ by chance; ~det out of danger; ~lich harmless.

u'ngefällig disobliging; ~halten fig. displeased (über acc. at); ~hemmt unchecked; ~heuchelt (-hŏiçᵉlt) unfeigned.

u'ngeheuer (-gʰᵉhŏiᵉr) 1. vast, huge, enormous; 2. S n monster; ~lich monstrous.

u'ngehobelt (-gʰᵉhŏbᵉlt) fig. rough.

u'ngehörig (-gʰᵉhȫriç) undue; S-keit f impropriety.

u'ngehorsam (-gʰᵉhȫrzähm) 1. disobedient; 2. S m disobedience.

u'ngekünstelt unaffected.

u'ngelegen (-gʰᵉlḗgʰᵉn) inopportune, inconvenient; Sheit f inconvenience; trouble.

u'n|gelernt Arbeit(er): unskilled; ~gemütlich (-gʰᵉmütliç) uncomfortable; P.: unpleasant; ~genannt (-gʰᵉnäₕnt) anonymous; ~genau (-gʰᵉnow) inaccurate, inexact.

ungenie'rt (-Gĕneert) free and easy, unceremonious.

u'nge|nie'ßbar (-gʰᵉneesbähr) not eatable; ~nügend (-nügʰᵉnt) insufficient; ~rade (-rähde) Zahl: odd; ~raten (-rähtᵉn) Kind: spoilt.

u'ngerecht unjust; Sigkeit f in-]

u'ngern unwillingly. [justice.]

u'ngeschehen (-shḗᵉn): ~ m. undo.

U'ngeschick n, ~lichkeit f clumsiness; St clumsy; maladroit.

u'nge|schliffen (-shliffᵉn) fig. rude; ~schminkt unpainted; fig. unvarnished. [Skeit f illegality.]

u'ngesetzlich (-gʰᵉzĕtsliç) illegal;]

u'nge|sittet (-zittᵉt) unmannerly; ~stö'rt (-shtŏrt) undisturbed; ~straft (-shträhft) adv. with impunity.

u'ngestüm (-shtüm) 1. impetuous; 2. S m, n impetuosity.

u'nge|sund (-zŏŏnt) P.: unhealthy; S.: unwholesome; ~teilt (-tilt) undivided; ~trübt (-trüpt) untroubled; Stüm (-tüm) n monster; ~übt (-üpt) untrained; ~wandt unskilful.

u'ngewiß (-gʰᵉvïs) uncertain; Sheit f uncertainty.

u'nge|wöhnlich uncommon; ~wohnt unaccustomed; Sziefer (-tseefᵉr) n vermin; ~zogen (-tsōgʰᵉn) ill-bred, rude; Kind: naughty; ~zügelt (-tsügʰᵉlt) unbridled; ~zwungen (-gʰᵉtsvŏŏngᵉn) easy; Sheit f ease.

U'n|glaube (-glowbᵉ) m unbelief; Sgläubig (-glŏibiç) incredulous; eccl. unbelieving.

u'nglau'b|lich (-glowpliç) incredible; ~würdig untrustworthy.

u'ngleich (-gliç) unequal; (uneben) uneven; (unähnlich) unlike; ~artig heterogeneous; Sheit f inequality; ~mäßig (-mäsiç) uneven.

U'nglück n misfortune; beim Spiele: ill luck; schweres: disaster; (Unfall) accident; (Elend) misery; Slich unfortunate, unhappy, unlucky; Slicherweise unfortunately; S-selig (-zéliç) unfortunate; S.: disastrous; ~sfall m misadventure; (Unfall) accident.

U'n|gnade (-gnähdᵉ) f disgrace; Sgnädig (-gnädiç) ungracious, unkind.

u'ngültig invalid; Fahrkarte: not available; Münze: not current; S-keit f invalidity, nullity.

U'n|gunst (-gŏŏnst) f disfavour; des Wetters: inclemency; Sgünstig (-günstiç) unfavourable; Sgut (-gŏŏt): nichts für ~l no offence!

unha'ltbar untenable.

u'nhandlich unwieldy.

U'nheil (-hil) n mischief; Sbar incurable; Svoll (-föl) disastrous.

u'nheimlich (-himliç) uncanny; sinister.

u'nhöflich (-hȫfliç) uncivil, impolite; Skeit f incivility, impoliteness.

U'nhold m monster, fiend.

unhö'rbar (-hörbähr) inaudible.

u'nhygienisch (-hügʰᵗénĭsh) insanitary.

U'nikum (ōōnĭkŏŏm) n unique.

Universitä't (ōōnĭvĕrzĭtät) f university. [verse.]

Unive'rsum (ōōnĭvĕrzŏŏm) n uni-]

u'nkennt|lich unrecognizable; Snis f ignorance.

u'nklar (-klä*h*r) not clear; *fig.* vague; obscure; *im unklaren sn* be in the dark (*über acc.* about); 2heit *f* want of clearness; obscurity.

u'nklug (-klōōk) imprudent; 2heit *f* imprudence. [expenses.|

U'nkosten (-kŏst*e*n) *pl.* costs,|

U'nkraut (-krowt) *n* weed(s *pl.*).

u'n|kündbar *Stellung:* permanent; ~kundig (-kōōndĭç) ignorant (*gen.* of); ~längst (-lĕngst) lately, recently; ~lauter (-lowt*e*r) impure; *Wettbewerb:* unfair; ~leserlich (-léz*e*rlĭç) illegible; ~leu'gbar (-lŏikbä*h*r) undeniable; ~logisch (-lōg'ĭsh) illogical; ~lösbar (-lōsbä*h*r) insoluble; 2lust *f* listlessness; ~maßgeblich (-mä*h*sg*h*éplĭç) not authoritative; ~mäßig (-mäsĭç) immoderate; intemperate; 2menge *f* vast quantity *od.* number, lots (*pl.*) of. [inhumanity.|

U'nmensch *m* brute; ~lichkeit *f*|

u'n|mittelbar immediate; ~modern unfashionable, out-moded; ~möglich (mŏklĭç) impossible; 2möglichkeit *f* impossibility; ~moralisch (-mŏrä*h*lĭsh) immoral; ~mündig under age; 2mündigkeit *f* minority; 2mut (-mōōt) *m* ill humour; ~nach-ahmlich (-nä*h*kä*h*mlĭç) inimitable; ~na'hbar (-nä*h*bä*h*r) unapproachable; ~natürlich (-nä*h*tǜrlĭç) unnatural; ~nötig (-nö̀tĭç) unnecessary; ~nütz (-nǔts) useless; idle; ~ordentlich disorderly; 2ordnung *f* disorder.

u'npartei|isch (-pä*h*rtīïsh) impartial, unbias(s)ed; 2ische(r) *m* umpire; 2lichkeit *f* impartiality.

u'n|passend unsuitable; (*unschicklich*) improper; ~päßlich (-pèslĭç) indisposed; 2päßlichkeit *f* indisposition; ~persönlich (-pèrzö̀nlĭç) impersonal; ~politisch (-pŏleetĭsh) non-political; ~praktisch unpractical; 2rat (-rä*h*t) *m* rubbish.

u'nrecht, 2 *n* wrong; *j-m* 2 *tun* wrong a p.; *im* ~ *sn*, 2 *h.* be (in the) wrong; *j-m* 2 *geben* decide against a p.; ~mäßig (-mäsĭç) unlawful, illegal.

u'nregelmäßig (-rég*h*élmäsĭç) irregular; 2keit *f* irregularity.

u'n|reif (-rif) unripe; *fig.* immature; ~rein (-rīn) impure; unclean;

~re'ttbar past recovery; ~ verloren irretrievably lost; ~richtig incorrect, wrong.

U'nruh|e (ōōnrōō*e*) *f* unrest; *bsd. fig.* disquiet(ude); (*nervöse* ~) flurry; (*Besorgnis*) alarm; ~n *pl.* (*Aufstand*) disturbances; 2ig unquiet, restless; *fig.* uneasy (*über acc.* about).

u'nrühmlich inglorious. [ves.|

uns (ōōns) (to) us; *refl.* (to) oursel-|

u'n|sachgemäß (ōōnzä*h*kg*h*ém̆äs) improper; ~sachlich (-zä*h*klĭç) not objective; (*nicht zur S. gehörig*) impertinent; ~säglich (-zäklĭç) unspeakable; ~sanft (-zä*h*nft) ungentle; ~sauber (-zowb*e*r) unclean; ~schädlich (-shätlĭç) harmless; ~schätzbar inestimable; ~scheinbar (-shinbä*h*r) unpretending, plain. [impropriety.|

u'nschicklich improper; 2keit *f*|

u'n|schlüssig (-shlüsĭç) irresolute; 2keit *f* irresolution.

u'nschmackhaft insipid.

U'nschuld (-shōōlt) *f* innocence; 2ig innocent (*an dat.* of).

u'nselbständig (-zèlpshtèndĭç) dependent (on others); 2keit *f* dependence.

u'nser (ōōnz*e*r) our; *der* ~*e* ours.

u'nsicher (-zĭç*e*r) (*unstet*) unsteady; (*gefährlich*) unsafe; (*ungewiß*) uncertain; 2heit *f* uncertainty.

u'nsichtbar (-zĭçtbä*h*r) invisible.

U'nsinn (-zĭn) *m* nonsense; 2ig nonsensical; (*närrisch*) foolish.

U'nsitt|e (-zĭt*e*) bad habit; (*Mißbrauch*) abuse; 2lich immoral; ~lichkeit *f* immorality.

u'n|sozial (-zŏts'ä*h*l) unsocial; ~sportlich unsportsmanlike.

u'nsrige (ōōnzrĭg*h*é): *der usw.* ~ ours; *die* ~*n* our people.

u'nstatthaft inadmissible.

u'nsterblich immortal; 2keit *f* immortality.

u'n|stet (-shtét) unsteady; 2stimmigkeit (ōōnshtĭmĭçkĭt) *f* discrepancy.

unsträ'flich (-shträflĭç) blameless.

unstrei'tig (-shtrītĭç) incontestable.

u'n|sympathisch (-zümpä*h*tĭsh) unpleasant; *er ist mir* ~ I don't like him; ~tätig (-tätĭç) inactive, idle; ~tauglich (-towklĭç) unfit (*a.* ✕), useless.

untei'lbar (-tīlbăhr) indivisible.

u'nten (ŏŏntᵉn) below; *im Hause*: downstairs; *von oben bis* ~ from top to bottom.

u'nter (ŏŏntᵉr) **1.** *prp.* under, below; (*zwischen*) among; ~ *10 Mark for less than 10 marks*; ~ *aller Kritik* beneath contempt; **2.** *adj.* ~(e) low(er), inferior.

U'nter|-abteilung (-ăhptilŏŏŋ) *f* subdivision; ~**arm** *m* forearm; ~**beinkleid** (-bīnklīt) *n* (*ein a pair of*) drawers *pl.*, (*Männer⌇*) pants *pl.*, (*Frauen⌇*) knickers *pl.*

unterbie'ten (-beetᵉn) underbid; ✝ undercut, undersell; *Rekord*: lower.

unterblei'ben (-blībᵉn) (sn) remain undone, not to take place.

unterbre'ch|en interrupt; *Reise*: break, *Am.* stop over; ⌇**ung** *f* interruption; break, *Am.* stopover.

u'nterbring|en place; (*beherbergen*) lodge, house; ⌇**ung** *f* accommodation.

unterde'ssen (-děsᵉn) meanwhile.

unterdrü'ck|en suppress; ⌇**ung** *f* suppression.

u'nter-ernähr|t underfed, undernourished; ⌇**ung** *f* underfeeding.

Unterfü'hrung *f* subway (crossing), *Am.* underpass.

U'ntergang (-ōntᵉrgăhŋ) *m* ast. setting; *fig.* ruin, destruction; ⚓ shipwreck.

unterge'ben (-gᵉhbᵉn), ⌇**e(r)** *m* inferior, subordinate.

u'ntergeh|e(n) (-ghé[ᵉ]n) (sn) ⚓ go down; *ast.* set; *fig.* perish.

u'nterge-ordnet (-gᵉhŏrdnᵉt), ⌇**e(r)** *m* subordinate.

U'ntergewicht *n* underweight.

untergra'ben (-grăhbᵉn) sap, undermine.

U'ntergrund (-grŏŏnt) *m* subsoil; ~**bahn** *f* underground (railway), *in London mst* tube, *Am.* subway.

u'nterhalb (*gen.*) below.

U'nterhalt *m* maintenance; (*Lebens⌇*) subsistence, livelihood.

unterha'lt|en maintain; (*ergötzlich*: entertain, amuse; *sich* ~ converse, talk; enjoy; ⌇**ung** *f* (*Vergnügung*) entertainment; (*Gespräch*) conversation; (*Aufrechterhaltung*)maintenance. [negotiation.]

unterha'nd|eln negotiate; ⌇**lung** *f*

U'nterhemd *n* vest.

U'nterhosen (-hōzᵉn) *f*/*pl.* = *Unterbeinkleid.*

u'nter-irdisch subterranean.

unterjo'chen (-yŏkᵉn) subjugate.

U'nter|kiefer (-keefᵉr) *m* lower jaw; ~**kleid** (-klīt) *n* slip; ~**kleidung** (-klīdŏŏŋ) *f* underwear; ⌇**kommen 1.** (sn) find accommodation *od.* (*Anstellung*) employment; **2.** ~**kommen** *n*, ~**kunft** (-kŏŏnft) *f* accommodation (*Anstellung*) place, situation; ~**lage** (-lăhgᵉ) *f* ⊕ base; (*Beleg*) proof, voucher; (*Schreib⌇*) (blotting-)pad; *fig.* ~*n* documents; (*Angaben*) data.

unterla'ss|en omit (to do); (*sich enthalten*) abstain from; ⌇**ung** *f* omission.

u'nterlegen (-légᵉn) **1.** put under; *e-n Sinn*: give; **2.** *unterle'gen adj.* inferior.

U'nterleib (-līp) *m* abdomen.

unterlie'gen (-leegᵉn) (sn) be overcome; (*verpflichtet sn*) be liable to.

U'nterlippe *f* lower lip.

U'ntermieter(in *f*) (-meetᵉr) *m* subtenant, *Am.* roomer.

unterne'hm|en 1. undertake; **2.** ⌇ *n s. Unternehmung*; ⌇**end** enterprising; ⌇**er** *m vertraglicher*: contractor; (*Arbeitgeber*) employer; ⌇**ung** *f* enterprise, undertaking; ~**ungslustig** (-lŏŏstiç) enterprising.

U'nter|offizier (-ŏfitseer) *m* non-commissioned officer, corporal; ⌇**ordnen** subordinate; *sich* ~ submit (to).

Unterre'dung (-rédŏŏŋ) *f* conference.

U'nterricht (-rīçt) *m* instruction, lessons *pl.*

U'nterrichts|ministerium (-mīnistér'ŏŏm) *n* Ministry of Education; ~**stunde** (-shtŏŏndᵉ) *f* lesson, *Am.* period; ~**wesen** (-vézᵉn) *n* public instruction.

U'nterrock *m* petticoat.

untersa'gen (-zăhgᵉn) forbid (a p. to do a th.).

U'ntersatz (-zăhts) *m* support; (*Gestell*) stand; *für Blumentopf usw.*: saucer. [rate.]

unterschä'tzen undervalue, under-]

unterschei'd|en (-shīdᵉn) distinguish; *sich* ~ differ; ⌇**ung** *f* distinction.

U'nterschenkel *m* shank.

u'nterschieben (-sheeb⁶n) put under; *als Ersatz:* substitute.

U'nterschied (-sheet) m difference, distinction; 2lich different; 2slos indiscriminate.

unterschla'g|en (-shlähgʰ⁶n) *Geld:* embezzle; *Brief:* intercept; 2ung f embezzlement; interception.

U'nterschlupf (-shlöopf) m shelter, refuge. [subscribe.]

unterschrei'ben (-shrib⁶n) sign,|

U'nterschrift f signature.

U'ntersee|boot (-zébōt) n submarine; ~kabel (-kähb⁶l) n submarine cable.

unterse'tzt (-zētst) square-built.

u'ntersinken (-zⁱŋk⁶n) (sn) sink.

u'nterst (-ōōnt⁶rst) lowest.

Unterstaa'tssekretär (-shtähts-zēkrētär) m undersecretary of state. [-out.]

U'nterstand (-shtähnt) ✕ m dug-|

unterste'h(e)n (-shté[⁶]n): j-m ~ be subordinate to; *sich* ~ dare, venture.

u'nterstell|en 1. place under; *mot.* garage; park; *sich* ~ take shelter; 2. unterste'llen (*zuschreiben*) impute; *Truppen usw.:* j-m ~ put under a p.'s command; 2ung f zu 2. imputation. [line.]

unterstrei'chen (-shtriç⁶n) under-|

unterstü'tzen support; back; assist; *Arme:* relieve; 2stützung f support; assistance; relief; ~

su'chen (-zōōk⁶n) (*prüfen*) examine (a. 🜨); (*erforschen*) investigate; explore; 🜨 try; 🜨 analyse.

Untersu'chung (-zōōkōōŋ) f examination (a. 🜨); inquiry; 🜨 trial; 🜨 analysis; ~sgefangene(r) (-gʰ⁶-fähŋⁱn⁶[r]) m prisoner at the bar od. on trial; ~s-haft f imprisonment on remand; ~srichter m examining magistrate.

U'nter|tan (-tähn) m subject; 2-tänig (-tänⁱç) subject; *fig.* submissive; ~tasse f saucer; 2tauchen (-towk⁶n) *v/i.* (sn) dive, (*a. v/t.*) dip, immerse; ~teil (-til) m (n) lower part; 2teilen subdivide; ~titel (-teet⁶l) m subtitle; 2treten (-trét⁶n) (sn) take shelter; 2vermieten (-férmeet⁶n) sublet; ~wäsche (-vésh⁶) f s. *Unterkleidung.*

unterwe'gs (-véks) on the way.

unterwei's|en (-viz⁶n) instruct; 2ung f instruction.

U'nterwelt f underworld.

unterwe'rf|en subdue; *e-r Herrschaft, e-m Verhör usw.:* subject to; *sich* ~ submit; 2ung f subjection; *fig.* submission (*unter acc.* to).

unterwü'rfig (-vürfⁱç) submissive.

unterzei'chn|en (-tsⁱçⁿn) sign; 2er m signer; 2ete(r) m undersigned; 2ung f signature.

unterzie'hen (-tsee⁶n) (*dat.*) subject to; *sich e-r Operation usw.* ~ undergo.

U'ntiefe (-teef⁶) f shallow, shoal.

U'ntier (-teer) n monster.

unti'lgbar indelible; *Anleihe:* irredeemable.

untreu (-tröi) unfaithful, faithless.

untrö'stlich (-tröstlⁱç) disconsolate.

untrü'glich (-trüklⁱç) infallible.

U'ntugend (-tōōgʰⁿt) f vice, bad habit.

u'n-über|legt (-üb⁶rlékt) inconsiderate; ~sichtlich (-zⁱçtlⁱç) badly arranged; difficult to survey; *mot.* blind corner; ~trefflich unsurpassable; ~windlich (-vⁱntlⁱç) invincible; *Schwierigkeit usw.:* insuperable.

un-um|gä'nglich (-ōōmgʰⁱŋlⁱç) indispensable; ~schrä'nkt (-shrⁱŋkt) unlimited; *pol.* absolute; ~stö'ß lich (-shtōslⁱç) irrefutable; ~wu'nden (-vōōnd⁶n) plain.

u'n-unterbrochen (-ōōnt⁶rbrōk⁶n) uninterrupted.

u'nver|-ä'nderlich (-férénd⁶rlⁱç) unchangeable; ~a'ntwortlich (-ähntvörtlⁱç) irresponsible; (*unentschuldbar*) inexcusable; ~be'serlich (-bés⁶rlⁱç) incorrigible; ~bi'ndlich (-bⁱntlⁱç) not obligatory; (*unfreundlich*) disobliging; ~bürgt (-bürkt) *Nachricht:* unconfirmed; ~dau'lich (-dowlⁱç) indigestible; ~dient (-deent) undeserved; ~drossen (-drös⁶n) indefatigable; ~ei'nbar (-inbähr) incompatible; ~fälscht (-félsht) unadulterated; *fig.* genuine; ~fä'nglich (-férŋlⁱç) harmless; ~froren (-frōr⁶n) unabashed; ~gä'nglich (-gʰérŋlⁱç) imperishable; ~ge'ßlich (-gʰéslⁱç) unforgettable; ~glei'chlich (-glⁱçlⁱç) incomparable; ~hä'ltnismäßig (-héltnismäsⁱç) disproportionate; ~hofft unexpected; ~ho'hlen (-hōl⁶n) unconcealed; ~ke'nnbar (-kénbähr) unmistakable; ~kürzt uncurtailed; *Text*: unabridged; ~le'tzbar (-lĕtsbä*h*r) invulnerable; *fig.* inviolable; ~lie'rbar (-leerbä*h*r) never lost; ~mei'dlich (-mītlíç) inevitable; ~mittelt abrupt.

U'nvermögen (ŏŏnfĕrmȫghᵉn) *n* inability; impotence; 2d unable; (*kraftlos*) impotent; (*arm*) impecunious. [expected.]

u'nvermutet (ŏŏnfĕrmŏŏtᵉt) un-|

U'nver|nunft (-nŏŏnft) *f* unreasonableness; absurdity; 2nünftig (-nünftíç) unreasonable; absurd; 2richtet: ~erdinge unsuccessfully; 2schämt (-shämt) impudent; *Preis* unconscionable; ~schämtheit *f* impudence.

u'nver|schuldet (-fĕrshŏŏld't) undeserved; ~se'hens (-zéᵉns) unawares; ~se'hrt (-zért) uninjured; ~sö'hnlich (-zȫnlíç) irreconcilable; ~sorgt (-zȫrkt) unprovided for; 2stand (-stä*h*nt) *m* want of judgment; (*Torheit*) folly; ~ständig (-shtĕndíç) injudicious; ~tilgbar ineradicable; ~wandt (-vä*h*nt) *Blick*: steadfast; ~wu'ndbar (-vŏŏntbä*h*r) invulnerable; ~wü'stlich (-vüstlíç) indestructible; *Stoff*: untearable; ~zagt (-tsä*h*kt) undaunted; ~zi'nslich (-tsínslíç) bearing no interest; ~es *Darlehen* free loan; ~zü'glich (-tsüklíç) immediate.

u'nvoll|endet unfinished; ~kommen imperfect; 2kommenheit *f* imperfection; ~ständig incomplete.

u'nvor|bereitet (-fŏrbᵉritᵉt) unprepared; ~eingenommen (-fŏringhᵉnŏmᵉn) unbiassed; ~he'rgesehen (-fŏrhérghᵉzéᵉn) unforeseen.

u'nvorsichtig (-fŏrzíçtíç) incautious; imprudent; 2keit *f* imprudence. [profitable.]

u'nvorteilhaft (-fŏrtilhä*h*ft) un-|

u'nwahr untrue; 2heit *f* untruth.

u'nwahrscheinlich (-vä*h*rshinlíç) improbable, unlikely; 2keit *f* improbability.

u'nwegsam (-vékzä*h*m) impassable. [from.]

u'nweit (-vīt) *prp.* (*gen.*) not far|

U'nwesen (-vézᵉn) *n* nuisance; *sein* ~ *treiben* be up to one's tricks; 2tlich unessential, immaterial (*für*)

U'nwetter *n* tempest. [to).]

u'nwichtig unimportant.

u'nwider|legbar (-veedᵉrlékbä*h*r) irrefutable; ~ruflich (-rŏŏflíç) irrevocable; ~stehlich (-veedᵉrshtélíç) irresistible.

u'nwiederbringlich (-veedᵉrbrĭŋlíç) irretrievable.

U'nwill|e *m* indignation; 2ig indignant (*über acc.* at); 2kürlich (-kürlíç) involuntary.

u'nwirk|lich unreal; ~sam ineffective, ineffectual.

u'nwirsch (-vírsh) cross, testy.

u'nwirt|lich inhospitable; ~schaftlich uneconomic.

u'nwissen|d (-vísᵉnt) ignorant; 2heit *f* ignorance. [disposition.]

u'nwohl unwell; 2sein (-zïn) *n* in-|

u'nwürdig unworthy.

unzä'hlig (-tsälíç) innumerable.

u'nzart indelicate.

U'nzeit (ŏŏntsit) *f*: *zur* ~ inopportunely; 2ig untimely.

u'nzer|rei'ßbar (-rïsbä*h*r) untearable; ~stö'rbar (-shtȫrbä*h*r) indestructible; ~tre'nnlich (-trĕnlíç) inseparable.

u'nziemlich (-tseemlíç) unseemly.

U'nzucht (ŏŏntsŏŏkt) *f* prostitution.

u'nzüchtig (ŏŏntsûçtíç) unchaste, lascivious.

u'nzufrieden (ŏŏntsŏŏfreedᵉn) discontented, dissatisfied; 2heit *f* discontent.

u'nzugänglich inaccessible.

u'nzulänglich insufficient; 2keit *f* insufficiency, shortcoming.

u'nzulässig inadmissible.

u'nzurechnungsfähig (ŏŏntsŏŏrĕçnŏŏŋsfäíç) irresponsible; (*blödsinnig*) imbecile; 2keit *f* irresponsibility; imbecility.

u'nzuständig incompetent.

u'nzuträglich disadvantageous; unhealthy; 2keit *f* inconvenience.

u'nzuverlässig unreliable; (*unsicher*) uncertain.

u'nzweckmäßig (ŏŏntsvĕkmäsíç) inexpedient; 2keit *f* inexpediency.

u'nzweideutig (ŏŏntsvidóitíç) unequivocal. [dubitable.]

unzwei'felhaft (ŏŏntsvifᵉlhäft) in-|

ü'ppig (üpíç) luxurious; 2, *Sprache*: exuberant; (*sinnlich*) voluptuous; 2keit *f* luxury; exuberance.

U'r|~ahn (ŏŏr-ä*h*n) *m* ancestor; ~-ahne *f* ancestress; 2-alt very old; ~aufführung (-owffŏŏrŏŏŋ) *f* first night; *Film*: release.

Ura'n (ōōrāhn) ⚛ n uranium.

u'r|bar (ōōrbāhr) arable; ~ m. cultivate; ⚬**bild** n original, prototype; ⚬**-enkel** m great-grandson; ⚬**großeltern** pl. great-grandparents; ⚬**heber** (-héb⁶r) m author; ⚬**heberrecht** n copyright.

Uri'n m (ōōreen) urine.

U'r|kunde (ōōrkōōnd⁶) f document, deed; ⚬**kundlich** (-kōōntlĭç) documentary; (verbürgt) authentic; ~**laub** (-lowp) m leave (of absence); (Ferien) vacation, holidays pl.; ~**lauber** (-lowb⁶r) m man on leave; Zivilist: holiday-maker, Am. vacationist.

U'rne (ōōrn⁶) f urn.

U'r|sache (ōōrzăhк⁶) f cause; keine ~l don't mention it!; ⚬**sächlich**

(-zĕçlĭç) causal; ~**schrift** f original (text); ~**sprung** (-shprōōŋ) m origin; ⚬**sprünglich** (-shprŭŋлĭç) original; ~**stoff** m primary matter.

U'rteil (ōōrtil) n judgment; (Festsetzung der Strafe) sentence; meinem ~ nach in my judgment; ⚬**en** judge (über acc. of; nach by); ~**s-kraft** f (power of) judgment.

U'r|text (ōōrtekst) m original (text); ~**wald** m primeval forest; jungle; ⚬**weltlich** primeval; ⚬**wüchsig** (-vŭksĭç) original; fig. rough-and--ready; ~**zeit** (-tsit) f primitive times pl.

usurpie'ren (ōōzōōrpeer⁶n) usurp.

Utensi'lien (ōōtĕnzeel⁴⁶n) pl. uten-|

Utopie' (ōōtopee) f utopia.   [sils.]

u'zen (ōōts⁶n) F tease, quiz.

V

Vagabu'nd (văhgắhbŏŏnt) *m* vagabond, vagrant, tramp; **Qie'ren** (-eer^en) tramp about.

Valu'ta (văhlŏŏtăh) *f* (*Wert*) value; (*Währung*) currency.

Vani'lle (văhnil'^e) *f* vanilla.

Varieté' (văhr'ĕtĕ) *n* music-hall; *Am.* burlesque, vaudeville theater.

variie'ren (văr'eer^en) vary.

Vasa'll (văhzăhl) *m* vassal.

Va'se (văhz^e) *f* vase.

Va'ter (făht^er) *m* father; **⌐land** *n* native country; **⌐landsliebe** (-lăhntsleeb^e) *f* patriotism.

vä'terlich (făt^erllç) fatherly; pater-)

Va'terschaft *f* paternity. [nal.)

Va'ter(s)name (făht^er[s]năhm^e) *m* surname.

Va'ter-u'nser (făht^erŏŏnz^er) *n* Lord's Prayer.

Vegetabi'lien (vĕg^etăhbeel'^en) *pl.* vegetables.

Veget|a'rier (vĕg^etăhr'^er) *m*, **Qa'risch** vegetarian; **Qie'ren** (-eer^en) vegetate.

Vei'lchen (filç^en) *n* violet.

Ve'ne (vĕn^e) *f* vein.

Venti'l (vĕnteel) *n* valve; **Qie'ren** (-eer^en) ventilate.

ver-a'b|folgen (fĕrăhp-) deliver; **⌐reden** (-rĕd^en) *et.* agree upon; *sich* ⌐ make an appointment, *Am.* have a date; **Qredung** *f* agreement; appointment, *Am.* date; **⌐säumen** (-zŏim^en) neglect, omit; **⌐scheuen** (-shŏi^en) hate, abhor, detest; **⌐schieden** (-sheed^en) dismiss; *Gesetz*: pass, ratify; *sich* ⌐ take leave (*von* of); **Qschiedung** *f* dismissal.

ver-|·a'chten (-ăhχt^en) despise; **⌐·ä'chtlich** (-ĕçtlíç) contemptuous; (*verachtungswert*) contemptible; **Q-·a'chtung** *f* contempt; **⌐·allgemei'nern** (-ăhlg^{he}mĭn^ern) generalize; **⌐·a'lten** (sn) grow obsolete; **⌐·a'ltet** antiquated, obsolete; dated *⌐* inveterate.

ver-ä'nder|lich (-ĕnd^erllç) changeable; (*a. ⌐*) variable; **⌐n** (*a. sich*) alter, change; (*abwechseln*) vary; **Qung** *f* change; variation.

ver-a'nlag|en (-ăhnlăhg^{he}n) (*steuerlich*) assess; **⌐t** *adj.* talented; **Qung** *f* assessment; *fig.* talent(s *pl.*).

ver-a'nlass|en (-ăhnlăhs^en) cause, occasion; **Qung** *f* occasion.

ver-a'nschaulichen (-ăhnshowlĭ-ç^en) illustrate.

ver-a'nschlagen (-ăhnshlăhg^{he}n) rate, value, estimate (*auf acc.* at).

ver-a'nstalt|en arrange; organize; **Qung** *f* arrangement; *Sport*: event.

ver-a'ntwort|en answer for; *sich* ⌐ justify o.s.; **⌐lich** responsible; **Qlichkeit** *f*, **Qung** *f* responsibility; *zur* ⌐ ziehen call to account.

ver-a'rbeit|en (-ăhrbĭt^en) work up, *Am.* process (*zu* into); manufacture; *fig.* digest; (*abnutzen*) wear (out).

ver-a'rgen (-ăhrg^{he}n): *j-m et.* ⌐ blame a p. for a th.

ver-a'rm|en (-ăhrm^en) (sn) become poor; **⌐t** impoverished.

ver-au'sgaben (-owsgăhb^{he}n) spend; *sich* ⌐ run short of money; *fig.* spend o.s.

ver-äu'ßern (-ŏis^ern) alienate.

Verba'nd *m* ⚕ dressing, bandage; = *Verein*; ✕ formation, unit; **⌐kasten** *m* first-aid box.

verba'nn|en banish, exile; **Qung** *f* banishment; [r^en) barricade.)

verbarrikadie'ren (-băhrĭkăhdee-)

verbe'rgen conceal, hide.

verbe'sser|n improve; (*berichtigen*) correct; **Qung** *f* improvement; correction.

verbeu'g|en (-bŏig^{he}n): *sich* ⌐ bow (*vor dat.* to); **Qung** *f* bow.

ver|bie'gen (-beeg^{he}n) bend; **⌐bie'ten** (-beet^en) forbid; **⌐bi'lligen** (-bĭllg^{he}n) bring down the price of.

verbi'nd|en (-bĭnd^en) bind; (*vereinigen*; *a. sich*) join; unite; connect; *⌐* combine; ⚕ dress; *teleph.* put a p. through (*mit* to, *Am.* with); *j-m die Augen* ⌐ blindfold; *ich bin Ihnen sehr verbunden* I am greatly obliged to you; **⌐lich** (-bĭntlíç) obligatory; (*höflich*) obliging; **Qlichkeit** *f* obligation, liability; (*Höflichkeit*) obligingness, civility;

Qung f union; (*Beziehung*) relation; (*Zs.-hang*) a. teleph. connexion; (*Verkehr*) communication; ⚙ compound; *sich in ~ setzen mit* communicate with, *bsd. Am.* contact; *teleph. ~ bekommen* get through; *die ~ verlieren mit* lose touch with.

ver|bi'ssen (-bis'ᵉn) crabbed; (*zäh*) dogged; **~bi'tten**: *das verbitte ich mir!* I won't suffer that!

verbi'tter|n (-bit'ᵉrn) embitter; **Qung** f bitterness (of heart).

verbla'ssen (-bläs'ᵉn) (sn) fade.

Verblei'b (-blip) m whereabouts; **Qen** (-blib'ᵉn) (sn) remain.

verble'nd|en (-blen'd-) blind; *fig.* delude; ⊕ face; (*verstecken*) mask, screen; **Qung** f blindness, delusion.

verbli'chen (-bliç'ᵉn) *Farbe:* faded.

verblü'ff|en (-blüf'ᵉn) amaze, puzzle; **Qung** f perplexity.

verblü'hen (-blü'ᵉn) (sn) fade, wither. [death.]

verblu'ten (-blōōt'ᵉn) (sn) bleed to

verbo'rgen (-bórg^h ᵉn) **1.** v/t. lend (out); **2.** adj. hidden; **Qheit** f concealment; secrecy.

Verbo't (-bōt) n prohibition.

Verbrau'ch (-browk) m consumption; **Qen** consume, use up; (*abnutzen*) wear out; **~er** m consumer; **Q** Luft: stale.

verbre'ch|en 1. commit; **2.Qn** crime; **Qer** m, **Qerin** f, **~erisch** criminal; **Qertum** n outlawry.

verbrei't|en (-brīt'ᵉn) (a. sich) spread, diffuse; *sich ~ über e: Thema* enlarge upon; **Qung** f spread(ing), diffusion. [widen, broaden.]

verbrei'tern (-brīt'ᵉrn) (a. sich)

verbre'nn|en v/t. u. v/i. (sn) burn (up); *Leiche:* cremate; **Qung** f burning, combustion; (*Leichen*Q) cremation; (*Brandwunde*) burn.

verbri'ngen spend, pass.

verbrü'der|n (-brüd'ᵉrn): *sich ~* fraternize; **Qung** f fraternization.

verbrü'h|en (-brü'ᵉn), **Qung** f scald.

verbu'chen (-bōōk'ᵉn) book. [ally.)

verbü'nd|en (-bünd'ᵉn), **Qete(r)** m)

verbü'rgen (-bürg^h ᵉn) guarantee.

verbü'ßen (-büs'ᵉn): *seine Strafe ~* serve one's time.

Verda'cht (-dähkt) m suspicion.

verdä'chtig (-dęçtiç) suspected (*gen.* of); suspicious; **~en** (-dęçtig^h ᵉn) cast suspicion on; **Qung** f insinuation.

verda'mm|en (-dähm'ᵉn) condemn; **~enswert** (-vért) damnable; **~t** damned; **~!** confound it!; **Qung** f condemnation.

verda'mpfen (sn) evaporate.

verda'nken: *j-m et. ~ owe a th. to a p.*, *be indebted to a p. for a th.*

verdau'|en (-dow'ᵉn) digest; **Qung** f digestion; **Qungsstörung** (-dow-ōōr̦sshtör̦ōōr̦) f indigestion.

Verde'ck *n* ⚓ deck; *mot.* hood; top of a bus; **Qen** cover.

verde'nken v. *verargen.*

Verde'rb (-dęrp) m ruin; **Qen** (-bᵉn) **1.** v/i. (sn) spoil; (*zugrunde gehen*) perish; v/t. spoil; *sittlich:* corrupt; (*zugrunde richten*) ruin; *sich den Magen ~* upset one's stomach; **2.** **~en** (-bᵉn) n ruin; **Qlich** pernicious; *Ware:* perishable; **~nis** f corruption; **Qt** corrupted.

ver|deu'tlichen (-dóitliç'ᵉn) make plain; **~di'chten** (-diçt'ᵉn) (a. sich) condense; **~di'cken** (-dik'ᵉn) (a. sich) thicken.

verdie'n|en (-deen'ᵉn) merit, deserve; *Geld:* earn; *sich ~t m. um deserve* well of.

Verdie'nst (-deenst) **1.** m gain, profit; earnings pl.; **2.** *fig.* n merit; **Qvoll** meritorious; **~spanne** f margin, *Am.* spread.

ver|die'nt (-deent) *Person:* deserving; *Strafe:* well-deserved; **~do'l-metschen** (-dölmётsh^ᵉn) interpret; **~do'ppeln** (-dóp'ᵉln) double; **~do'rren** (sn) dry up; **~drä'ngen** displace; **~dre'hen** (-drē'ᵉn) distort, twist (a. *fig.*); *Augen:* roll; **~dre'ht** (*verrückt*) crazy; **~drei'fachen** (-drīfähk^ᵉn) treble.

verdrie'ß|en (-drees'ᵉn) vex; *sich keine Mühe ~ l. spare no pains;* **~lich** vexed (*über acc.* by); (*schlecht gelaunt*) sulky; *S.:* annoying; **Qlichkeit** f sulkiness; *konkret:* vexation.

verdro'ssen (-drós'ᵉn) sulky.

verdru'cken (-drōōk'ᵉn) *typ.* misprint.

Verdru'ß (-drōōs) m vexation.

verdu'mmen (-dōōm'ᵉn) v/t. make (*od.* [v/i.; sn]) become) stupid.

verdu'nkel|n (-dōōr̦k^ᵉln) darken (a. sich), obscure (a. *fig.*); *Luft-schutz:* black-out; **Qung** f darkening; obscuration; black-out.

ver|dü'nnen (-dün^en) thin; *Flüssiges*: dilute; ~du'nsten (-dŏonst^en) (sn) evaporate; ~du'rsten (-dŏorst^en) (sn) die with thirst; ~du'tzen (-dŏots^en) nonplus.

ver-e'del|n (-éd^eln) ennoble; (*verfeinern*) refine; improve; *Rohstoff*: finish; ℒung f refinement; improvement; finishing.

ver-e'hr|en (-ér^en) revere, venerate; (*anbeten*) worship; *fig.* adore; ℒer(in f) m worshipper; *fig.* adorer; ℒung f veneration; worship, adoration. [(in *bei Amtsantritt*).]

ver-ei'd(ig)en (-id|igʰ]^en) swear a p.|

Ver-ei'n (férin) m society, association, union; *geselliger*: club.

ver-ei'nbar compatible; ~en agree upon, arrange; ℒung f agreement.

ver-ei'nfach|en (-infáhk^en) simplify; ℒung f simplification.

ver-ei'nheitlichen (-inhitlíç^en) unify, standardize.

ver-ei'n(ig)en (-in[igʰ]^en) unite (a. *sich*); (*in Einklang bringen*) reconcile; ℒung f union = *Verein*.

ver-ei'n|samen (-inzáhm^en) v/i. (sn) become solitary; ~zelt single; sporadic.

ver|-ei'teln (-ít^eln) frustrate; ~e'keln (-ék^eln): j-m et. ~ disgust a p. with a th.; ℒ-e'lendung (-élèn-dŏong) f pauperization; ~e'nden (sn) perish; ~e'nge(r)n narrow.

ver-e'rb|en (-érb^en) leave; ℒ transmit; *sich* ~ be hereditary; ℒung f physiol. heredity; ℒungslehre f genetics.

ver-e'wig|en (-évigʰ^en) perpetuate; ~t (-çt) deceased, late.

verfa'hren 1. v/i. (sn) proceed; ~ *mit* deal with; v/t. (*verpfuschen*) mismanage; ℒ 2. n proceeding(s pl. ⚔); ⊕ process; ⚔ procedure.

Verfa'll m decay, decline; ⚔ forfeiture; *e-s Wechsel*~: maturity; ℒen 1. v/i. (sn) decay; *Haus*: dilapidate; (*ablaufen*) expire; *Pfand*: become forfeited; *Recht*: lapse; *Wechsel*: fall due; ~ *auf* (acc.) hit upon; ~ *in* (acc.) fall into; 2. adj. ruinous; *e-m Laster* ~ addicted to; ~tag (-tähk) m day of payment.

ver|fä'lschen (-félsh^en) falsify; *Wein usw.*: adulterate; ~fä nglich (-fěnₗiç) *Frage*: captious, insidious; *Lage*: risky; ~fä'rben (-férb^en): *sich* ~ change colour.

verfa'ss|en compose; ℒer(in f) m author.

Verfa'ssung f state, condition; (*Staats*ℒ) constitution; (*Gemüts*ℒ) disposition; ℒsmäßig (-mäsiç) constitutional; ℒswidrig (-veedriç) unconstitutional.

verfau'len (-fowl^en) (sn) rot, decay.

verfe'chten defend, advocate.

verfe'hl|en miss; ℒung f offence.

verfei'ner|n (-fin^ern) (a. *sich*) refine; ℒung f refinement.

verfe'rtigen make, manufacture.

verfi'lm|en film, screen; ℒung f film-version.

ver|fla'chen (-fláhk^en) v/i. (sn) (a. *sich*) become shallow (a. *fig.*); ~fle'chten interlace; *fig.* involve; ~flie'ßen (-fleess^en) (sn) *Zeit*: elapse; ~flo'ssen *Zeit*: past; *Freund usw.*: late, ex-...; ~flu'chen (-flŏok^en) curse; *verflucht!* confound it!

verfo'lg|en (-fólgʰ^en) pursue; *grausam*: persecute; *gerichtlich* ~ prosecute; ℒer(in f) m pursuer; persecutor; ℒung f pursuit; persecution; (*Fortführung*) pursuance; *gerichtliche* ~ prosecution; ℒungswahn (-fólgŏonₗsváhn) m persecution mania.

verfra'chten (-fráhkt^en) freight, ⚓ ship.

verfrü'ht (-früt) premature.

verfü'g|bar (-fükbähr) available; ~en (-fügʰ^en) v/t. decree, order; v/i. ~ *über* (acc.) dispose of; ℒung f decree; (~*srecht*) disposal; j-m *zur* ~ *stehen* (*stellen*) be (place) at a p.'s disposal.

verfü'hr|en seduce; ~erisch seductive; ℒung f seduction.

verga'ngen (-gähnₗ^en) gone, past; *im* ~ *Jahre* last year; ℒheit f past.

vergä'nglich (-gʰěnₗliç) transitory.

verga's|en (-gáhz^en) gasify; *mot.* carburet; (*durch Gas töten usw.*) gas; ℒer m mot. carburettor.

verge'b|en (-gʰéb^en) give away (*an j-n* to); (*verzeihen*) forgive; *sich et.* ~ compromise one's dignity; ~ens in vain; ~lich (-gʰéplíç) vain; ℒlichkeit f uselessness; ℒung f giving (away); forgiveness, pardon.

vergegenwä'rtigen (-gʰégʰ^ennvěr-tigʰ^en): *sich et.* ~ realize a th.

verge'h(e)n (-gʰé[^e]n) 1. (sn) pass (away); (*allmählich verschwinden*) fade; *fig.* vor *et.* ~ die of; *sich* ~ commit an offence; *sich* ~ an *j-m*, *gegen Gesetz*: violate; 2. 2 *n* offence.

verge'lt|en (-g⁰əˡt'n) repay, requite; *b.s.* retaliate; 2ung *f* requital; *b.s.* retaliation.

verge'ssen (-g⁰ĕs'n) forget; (*liegen l.*) leave; 2heit *f* oblivion.

verge'ßlich (-g⁰ĕslĭç) forgetful.

vergeu'd|en (- göidᵉn) squander, waste; 2ung *f* waste.

vergewa'ltig|en (-g⁰əvăltĭg⁰ʰᵉn) violate; rape; 2ung *f* violation; rape.

vergewi'ssern (-g⁰əvĭs⁰ᵉrn): *sich* ~ make sure (*e-r S.* of a th.).

vergie'ßen (-g⁰ees⁰ᵉn) shed, spill.

vergi'ft|en (-g⁰ĭft'n) poison; 2ung *f* poisoning.

vergi'ttern (-g⁰ĭt'ᵉrn) grate (up).

Verglei'ch (-glĭç) *m* comparison; *gütlicher:* arrangement; 2bar comparable; 2en compare; *sich* ~ come to terms; *verglichen mit* as against, compared to.

vergnü'g|en (-gnüg⁰ʰᵉn) 1. amuse; *sich* ~ enjoy o.s.; 2. 2en *n* pleasure, enjoyment; ~ *finden an* (*dat.*) take pleasure in; ~t (*über acc.*) pleased (with); ~ (*froh*) glad; merry.

Vergnü'gung *f* pleasure, amusement; ~sreise (-rĭz⁰) *f* pleasure-trip; 2ssüchtig (-z-üçtĭç) pleasure-seeking.

ver'go'lden (-gö̌ld'n) gild; ~gö'ttern** (-gö̌t'rn) *fig.* idolize; ~gra'ben** (-grăhb'ᵉn) bury; ~grei'fen** (-grĭf'n): *sich* ~ mistake; *sich* ~ an (*dat.*) lay (violent) hands on; ~griffen *Ware:* sold out; *Buch:* out of print.

vergrö'ßer|n (-grös⁰ᵉrn) (*a. sich*) enlarge (*a. phot.*); *Lupe:* magnify; 2ung *f* enlargement; 2ungsglas (-grös⁰rö̌o̱ɴɡslähs) *n* magnifying-glass.

Vergü'nstigung (-günstig⁰ö̌o̱ɴ) *f* ~

vergü't|en (-güt'n) compensate; *Auslagen:* reimburse; 2ung *f* compensation; reimbursement.

verha'ft|en, 2ung *f* arrest.

verha'lten 1. keep back; *Atem:* hold in; *sich* ~ *S.:* be; *P.:* behave; *sich ruhig* ~ keep quiet; 2. 2 *n* behaviour, conduct.

Verhä'ltnis (-hĕltnĭs) *n* proportion, rate; *pl.* (*Umstände*) circumstances *pl.*; (*Mittel*) means *pl.*; (*Beziehung*) relation; (*Liebes*2) li-

aison; (*Geliebte*) mistress; 2mäßig (-mäsĭç) proportional; comparative.

Verha'ltungsmaßregeln (-hähltö̌o̱ɴsmähsrég⁰ʰᵉln) *f/pl.* instructions.

verha'nd|eln *v/i.* negotiate, treat; *tₜₜ* try (*über et.* a th.); *v/t.* (*erörtern*) discuss; 2ung *f* discussion; negotiation; *tₜₜ* trial, proceedings *pl.*

verha'ng|en cover (over); *Strafe:* inflict (*über acc.* upon); 2nis *n* fate; ~nisvoll fatal; disastrous.

verha'rmt (-hĕrmt) care-worn.

verha'rren (-hähr'ᵉn) (*auf, bei, in dat.*) persist (in).

verhä'rten (*a. sich*) harden.

verha'ßt (-hähst) hateful, odious.

verhä'tscheln (-hätsh'ᵉln) coddle, spoil. [waste; 2ung *f* devastation.]

verhee'r|en (-hér'n) devastate, lay

verhe'hl|en, **verhei'mlich|en** (-hĭmlĭç⁰ᵉn) hide, conceal; 2ung *f* concealment.

verhei'raten (-hĭrăht'n) (*a. sich*) marry (to).

verhei'ß|en (-hĭs'n), 2ung *f* promise.

verhe'lfen: *j-m* ~ *zu* help a p. to.

verhe'rrlich|en (-hĕrlĭç⁰ʰᵉn) glorify; 2ung *f* glorification.

verhe'tzen instigate.

verhe'xen (-hĕks'ᵉn) bewitch.

verhi'nder|n prevent (*an dat.* from); 2ung *f* prevention.

verhö'hn|en (-hö̌n'ᵉn) deride, mock (at), taunt; 2ung *f* derision, mockery.

Verhö'r (-hö̌r) *n* examination; trial; *v. Zeugen:* interrogation; 2en examine, try, hear; *sich* ~ misunderstand.]

verhü'llen veil. [understand.]

verhu'ngern (-hö̌o̱ɴɡ⁰ᵉrn) (sn) starve.

verhü't|en (-hüt'n) = *verhindern.*

ver-i'rr|en (*sich*) go astray, lose one's way; 2ung *f* *fig.* error.

verja'gen (-yähg⁰ʰᵉn) drive away.

verjä'hr|en (-yär'ᵉn) (sn) become prescriptive; 2ung *f* limitation.

verjü'ngen (-yǚɴ⁰ᵉn) (*a. sich*): rejuvenate; (*spitz zulaufen*) taper; *Maßstab:* reduce.

Verkau'f (-kowf) *m* sale; 2en sell (*a. sich*).

Verkäu'f|er(in *f*) (-köif⁰ᵉr) *m* seller; *im kleinen:* retailer; (*Ladengehilfe*) salesman, *f* saleswoman, *Am.* clerk; 2lich sal(e)able, for sale.

Verke'hr (-kér) *m* traffic; (*Handel*) trade; (*persönlicher od. ge-*

schlechtlicher) intercourse; (*Verbindung*) communication; 2en *v/t.* (*verwandeln*) convert (*in acc.* into); *v/i. Fahrzeug*: run, ply (between); (*Handel treiben*) traffic, trade; ~ *in e-m Haus usw.*: frequent; *mit j-m*: associate with, *bsd. geschlechtlich*: have (sexual) intercourse with.

Verke'hrs|-ader (-ā*h*d*e*r) *f* arterial road; ~ampel *f* traffic light; ~flugzeug (-flōōktsöik) *n* air-liner; ~insel (-inz*e*l) *f* refuge; ~minister *m* Minister of Transport; ~mittel *n* conveyance; 2reich (-rīç) frequented; ~schutzmann (-shōōtsmä*h*n) *m* traffic constable; ~stockung (-sht ōkōōr̃ĝ) *f* block, *Am.* blockade; ~störung (-shtöröōr̃ĝ) *f* interruption of traffic; break-down; ~straße (-shtrāhs*e*) *f* thoroughfare; ~wesen (-véz*e*n) *n* (system of) traffic.

verke'hrt (-kért) inverted; (*falsch*) wrong; *fig.* perverse.

verke'nnen *Person*: mistake; *Sache*: misunderstand.

verke'tt|en *fig.* link together; 2ung *f fig.* concatenation.

verkla'g|en (-klāhg*e*n) accuse; j-n̂ sue; 2te(r) *m* accused; j-n̂ defendant.　　　[guard by clauses.]

verklausulie'ren (-klowzōōleer*e*n)]

verkle'ben (-kléb*e*n) paste *a th.* over *od.* up.

verklei'd|en (-klīd*e*n) disguise; ⊕ line, face; 2ung *f* disguise; ⊕ lining, facing.

verklei'ner|n (-klīn*e*rn) reduce; (*vermindern*) diminish; *fig.* belittle; 2ung *f* reduction; diminution; *fig.* detraction.

ver|kli'ngen (sn) die away; 2kna'ppung (-knä*h*pōōr̃ĝ)/shortage; ~knö'chern (-knöç*e*rn)/*fig.* fossilize.

verknü'pf|en tie (together); *fig.* connect; 2ung *f* connexion.

verko'hlen (sn) carbonize; char.

verko'mmen 1. (sn) decay; *P.*: come down in the world; 2. *adj.* decayed; *sittlich*: depraved.

verko'rken cork (up).

verkö'rper|n (-körp*e*rn) embody; 2ung *f* embodiment.

verkrie'chen (-kreeç*e*n): *sich* ~ hide.

verkrü'mmt crooked.

verkrü'ppelt (-krüp*e*lt) crippled; (*verkümmert*) stunted.

verkü'mmer|n *v/i.* (sn) become stunted; (*dahinsiechen*) waste away;

v/t. Recht: curtail; *Vergnügen*: spoil; ~t stunted.

verkü'nd(ig)|en (-künd[lg*h*]*e*n) announce; *öffentlich*: publish, proclaim; 2ung *f* announcement; proclamation.

ver|ku'ppeln (-kōōp*e*ln) pander; ⊕ couple; ~kü'rzen shorten; abridge; ~la'chen (-lä*h*ç*e*n) laugh at; ~la'den (-lāhd*e*n) load; ship; 🚂 entrain.

Verla'g (-lāhk) *m Tätigkeit*: publication; *Firma*: the publishers; s. ~sbuchhandlung; *im* ~ *von* published by; 2ern (-lāhg*h*ern) displace, (*a. sich*) shift; (*überführen*) transfer; ~sbuchhändler (-bōōkhêndl*e*r) *m* publisher; ~sbuchhandlung (-bōōkhä*h*ndlōōr̃ĝ) *f* publishing-house, *Am.* book concern; ~srecht *n* copyright.

verla'ng|en (-lāhng*h*e*n) 1. *v/t.* demand; *v/i.* ~ *nach* ask for; (*sich sehnen*) long for; 2. 2 *n* demand longing (*nach* for); *auf* ~ *on* demand.

verlä'nger|n (-lêr̃ĝ*e*rn) lengthen; *Frist usw.*: prolong, extend; 2ung *f* lengthening; prolongation.

verla'ngsamen (-lāhr̃ĝzāhm*e*n) (*a. sich*) slacken (down), slow down.

verla'ssen leave; (*im Stich lassen*) abandon, desert; *sich* ~ *auf* (*acc.*) rely on; 2heit *f* abandonment.

Verlau'f (-lowf) *m der Zeit*: lapse, course; *e-s Vorgangs*: course; *e-n schlimmen* ~ *nehmen* take a bad turn; 2en (sn) *Zeit*: pass, elapse; *Vorgang*: take a ... course; *sich* ~ *go* astray; *Menge*: disperse.

verlau'ten (-lowt*e*n) be reported; ~ *l.* give to understand.

verle'b|en (-léb*e*n) spend, pass; ~t (-pt) worn out, decrepit.

verle'g|en (-lég*h*en) 1. *v/t.* misplace; (*anderswohin*) transfer; shift; *Buch usw.*: publish; ⊕ lay; *Weg* (*versperren*): bar; *zeitlich*: put off; *sich* ~ *auf* (*acc.*) apply o.s. to; 2. *adj.* embarrassed; ~ *um* at a loss for; 2enheit *f* embarrassment; (*Klemme*) difficulty; 2er *m* publisher; 2ung *f* transfer; *zeitlich*: postponement.　　[a p. with a th.)

verlei'den (-līd*e*n): j-m et. ~ disgust]

verlei'h|en (-lī*e*n) lend (out), *Am.* loan; *Recht usw.*: bestow (*j-m* on); *Auszeichnung*: award; 2ung *f* lending out; bestowal.

verlei'␣t|en (-lit⁶n) mislead; (ver-
führen) seduce; ℒung f seduction.
verle'rnen unlearn, forget.
verle'sen (-léz⁶n) call over; Gemüse
usw.: pick; sich ～ read wrong.
verle'tz|en (-lèts⁶n) hurt, injure;
fig. violate; ～end offensive; ℒung f
hurt, injury; violation.
verleu'gn|en (-löign⁶n) deny;
Grundsatz usw.: renounce; sich ～
l. have o.s. denied; ℒung f denial;
renunciation.
verleu'md|en (-löimd⁶n) slander;
～erisch slanderous; ℒung f
slander.
verlie'b|en (-leeb⁶n): sich ～ in (acc.)
fall in love with; ～t (-pt) enamoured
(of); ℒtheit f amorousness.
verlie'ren (-leer⁶n) lose; Blätter,
Haar usw.: shed.
verlo'b|en (-löb⁶n) engage (mit to);
ℒte(r) su. fiancé(e f); ℒung f
engagement.
verlo'ck|en (-lók⁶n) allure, entice; ℒung f
allurement, enticement.
verlo'gen (-lóg⁶n) mendacious;
ℒheit f mendacity.
verlo'hnen: es verlohnt sich der
Mühe it is worth while.
verlo'ren (-lör⁶n) lost; ～gehen
(g⁶é⁶n) (sn) be lost.
verlo's|en (-löz⁶n), ℒung f raffle.
verlö'ten (-lö̈t⁶n) solder up.
verlo'tter|n (-lót⁶rn) go to the
bad; ～t dissolute; S.: ruined.
Verlu'st (-lö̈st) m loss; ～e pl.
⚔ casualties; ℒig (gen.): e-r S. ～
gehen lose a th.
ver|ma'chen bequeath; ℒmä'cht-
nis (-méçtnis) n legacy.
vermä'hl|en (-mä́l⁶n) (a. sich)
marry (mit to); ℒung f marriage.
verme'hr|en (a. sich) augment, in-
crease; ℒung f increase.
vermei'd|en (-mid⁶n) avoid; ℒung
f avoidance.
vermei'ntlich (-mintliç) supposed.
verme'ngen mix (up), mingle; (verwechseln) confound.
Verme'rk m note, entry; ℒen note
down, record.
verme'ss|en 1. v/t. measure; Land:
survey; 2. adj. presumptuous;
ℒenheit f presumption; ℒung f
measurement; survey.
vermie't|en (-meet⁶n) let, bsd. Am.
rent; hire (out); ℒer m letter, ⚖
lessor; hirer (out).

vermi'nder|n diminish; ℒung f
diminution.
vermi'sch|en mix (up), mingle;
ℒung f mixture.
vermi'|ssen miss; ～ßt missing.
vermi'tt|eln (-mit⁶ln) v/t. mediate
(a. v/i.); Frieden, Anleihe: negotiate; (beschaffen) procure;
～els(t) (gen.) by means of; ℒer(in
f) m mediator; (oft b.s.) go-
-between; ⚖ agent; ℒung f me-
diation; ℒlungs-amt n teleph.
exchange. [der, rot.|
vermo'dern (-mód⁶rn) (sn) moul-
vermö'gen (-mö̈g⁶n) 1. ～ zu tun
be able to; et. ～ bei j-m have influence with a p.; 2. ℒ n ability,
power; (Besitz) property; (Geld-
besitz) fortune; ⚖ (Aktiva) assets;
～d rich, well off; ℒsverhältnisse
n/pl. pecuniary circumstances.
vermu't|en (-möōt⁶n) suppose,
guess; ～lich presumable; adv. I
suppose; ℒung f supposition.
verna'chlässig|en (-nähklèsig⁶n)
neglect; ℒung f neglect(ing).
verna'rrt (-näŕt) in (acc.) in-
fatuated with.
verne'hm|en (-ném⁶n) perceive;
(erfahren) hear, learn; ⚖ interrogate; ～lich audible; ℒung f interrogation.
vernei'g|en (-nig⁶n) (sich), ℒung
f bow.
vernei'n|en (-nin⁶n) answer in the
negative, deny; ～end negative;
ℒung f negation, denial.
verni'cht|en (-niçt⁶n) annihilate;
(zerstören) destroy; ℒung f an-
nihilation; destruction.
verni'ckeln (-nik⁶ln) nickel(-plate).
vernie'ten (-neet⁶n) rivet.
Vernu'nft (-nōōnft) f reason; ～
annehmen listen to reason.
vernü'nftig (-nünftiç) rational;
(vernunftgemäß) reasonable; (verständig) sensible.
ver-ö'd|en (-öd⁶n) v/t. desolate;
v/i. (sn) become desolate; ℒung f
desolation.
ver-ö'ffentlich|en (-öf⁶ntliç⁶n)
publish; ℒung f publication.
ver-o'rdn|en (-órd⁶n) decree; ⚕ prescribe;
ℒung f decree; ⚕ prescription.
verpa'chten lease.
Verpä'chter(in f) m lessor.
verpa'ck|en pack (up); ℒung f
packing.

ver|pa'ssen miss; **~pe'sten** (-pĕst⁴n) infect; **~pfä'nden** pawn, pledge; **~pfla'nzen** transplant.

verpfle'g|en (-pflḗg⁴n) board; = verproviantieren; **Qung** *f* board; victualling.

verpfli'cht|en (-pflĭçt⁴n) oblige, engage; **Qung** *f* obligation, duty; *übernommene:* engagement; commitment.

ver|pfu'schen (-pfⱅsh⁴n) bungle, botch; **~pö'nt** (-pȫnt) tabooed; **~proviantie'ren** (-prōv'ǟhnteer⁴n) victual; **~prü'geln** (-prǖg^h⁴ln) thrash, wallop; **~pu'ffen** (-pⱅⱅf⁴n) (sn) *fig.* fizzle out.

verpu'tzen (-pⱅⱅts⁴n) plaster.

verqui'cken (-kvĭk⁴n) mix up.

verra'mmeln bar(ricade).

Verra't (-rä̱t) *m* treason (an dat. to); **Qen** betray.

Verrä'ter (-rä̱t⁴r) *m* traitor; **~ei'** (-ī) *f* treachery; **~in** *f* traitress; **Qisch** treacherous.

verre'chn|en reckon up; *sich ~* miscalculate; *fig. sich ~et h.* be out in one's reckoning; **Qung** *f* clearing, accounting; **Qungsscheck** *m* crossed cheque.

verre'gnen (-rḗgn⁴n) spoil by rain(ing). [journey.]

verrei'sen (-rī̱z⁴n) go on a [verre'nk|en** (-rĕn̪k⁴n) dislocate; **Qung** *f* dislocation.

verri'cht|en do, perform; execute; *s-e Andacht ~* be at prayers; **Qung** *f* performance; function.

verrie'geln (-rēg^h⁴ln) bolt, bar.

verri'nger|n (-rĭn̪g⁴rn) diminish, reduce; **Qung** *f* diminution, re-

verro'sten (sn) rust. [duction.]

verro'tten (sn) rot.

verrü'ck|en (-rük⁴n) displace; **~t** mad (*fig. nach on*), crazy (for); *j-n ~ m.* drive a p. mad; **Qte** *f* madwoman; **Qte(r)** *m* madman; **Qtheit** *f* madness; *Handlung:* foolish action.

Verru'f (-rⱅⱅf) *m:* *in ~ bringen* (kommen) bring (get) into discredit; **Qen** *adj.* ill-reputed.

Vers (fĕrs) *m* verse.

versa'g|en (-zäh̪g^h⁴n) *v/t.* refuse, deny; **~t sein** be engaged; *sich et. ~* deny o.s. a th.; *v/i.* fail; *Gewehr:* misfire; **Qer** *m* misfire; *fig.* failure, *Am.* wash-out; **Qung** *f* refusal, denial. [spoil.]

versa'lzen (-zä̱hlts⁴n) oversalt; *fig.]*

versamm|eln (*a. sich*) assemble; **Qlung** *f* assembly, meeting.

Versa'nd (-zäh̪nt) *m* dispatch, *Am.* shipment; *durch Post:* mailing; *ins Ausland:* export(ation); **~geschäft** *n* export (*od.* mail-order) business; **~papiere** (-päh̪peer⁴) *n/pl.* shipping papers *pl.*

versäu'm|en (-zȫim⁴n) *Pflicht usw.:* neglect; *Stunde, Gelegenheit:* miss; **Qnis** *f, n* neglect; (*Zeit⁂*) loss of time.

ver|scha'chern barter away; **~scha'ffen** procure; **~schä'mt** (-shämt) bashful; **~scha'nzen** entrench; **~schä'rfen** intensify; (*verschlimmern*) aggravate; **~sche'nken** give away; **~scheu'chen** (-shŏiç⁴n) frighten away; *fig.* banish; **~schi'cken** send away, dispatch.

verschie'b|en (-sheeb⁴n) shift, displace; **🚂** shunt; *zeitlich:* postpone; black-market; **~ung** *f* shifting; postponement.

verschie'den (-sheed⁴n) different (*von from*); *pl.* various; **~artig** of a different kind, various; **Qheit** *f* difference; diversity.

verschie'ßen (-shees⁴n) *v/t.* expend; *v/i.* (sn) fade. [ment.]

verschi'ff|en ship; **Qung** *f* ship-]

verschi'mmeln (sn) get mouldy.

verschla'fen (-shlä̱hf⁴n) 1. miss by sleeping; sleep away; (*die Zeit*) oversleep o.s.; 2. *adj.* sleepy.

Verschla'g (-shlä̱hk) *m* partition; box; (-shlä̱hg^h⁴n) 1. *mit Brettern:* board; *~ w. 🚢* be driven out of one's course; 2. *adj.* cunning; *Wasser:* lukewarm; **~enheit** *f* cunning.

verschle'chter|n (-shlĕçt⁴rn) deteriorate (*a. sich*); **Qung** *f* deterioration; change for the worse.

verschlei'ern (-shlī̱⁴rn) veil.

Verschlei'ß (-shlīs) *m* wear and tear; **Qen** wear out (*a. sich*).

ver|schle'ppen *Menschen:* displace; (*entführen*) abduct; (*verlegen*) misplace; (*in die Länge ziehen*) delay, protract; **~schleu'dern** (-shlŏid⁴rn) waste; **✝** sell at a loss; **~schlie'ßen** (-shlees⁴n) shut, close; *mit Schlüssel:* lock (up).

verschli'mmer|n (-shlĭm⁴rn) make worse; *fig.* aggravate; *sich ~* get worse; **Qung** *f* aggravation.

verschli'ngen devour; (*in-ea.-schlingen*) intertwine, interlace.

verschlo'ssen (-shlös'en) *fig.* reserved; 2heit *f* reserve.

verschlu'cken (-shlŏŏk'en) swallow; *sich* ~ swallow the wrong way.

Verschlu'ß (-shlŏŏs) *m* fastener; *phot.* shutter; *unter* ~ under lock and key.

verschma'chten (-shmähkt'en) (sn) languish, pine away; *die* (*od.* be dying) of thirst. [scorn.]

verschmä'hen (-shmä'en) disdain,]

verschme'lz|en *v/t. u. v/i.* (sn) melt into one another; (*a. fig.*) fuse; *fig.* amalgamate; *Farben usw.*: blend; 2ung *f* fusion; amalgamation.

ver|schme'rzen get over (the loss of); ~schmi'tzt (-shmïtst) crafty; ~schmu'tzen (-shmŏŏts'en) *v/t.* soil; *v/i.* (sn) get dirty; ~schnau'fen (-shnowf'en) stop for breath; ~schnei'den (-shnïd'en) *Wein usw.*: blend; 2schni'tt *m* blend.

verschnu'pf|en (-shnŏŏpf'en) *fig.* nettle, pique; *wörtlich:* ~t *sn* have a cold.

verschnü'ren (-shnür'en) cord; lace.

verscho'llen (-shöl'en) not heard of (again); *$\frac{t}{2}$* presumed dead.

verscho'nen (-shön'en) spare; *j-n mit et.* ~ spare a p. a th.

verschö'ner|n (-shön'ern) embellish; 2ung *f* embellishment.

verscho'ssen (-shös'en) *Farbe:* faded.

verschrä'nken (-shrĕngk'en) cross.

verschrei'b|en (-shrïb'en) use (in writing); *s^t* prescribe (for a p.); *$\frac{t}{2}$* assign; *sich* ~ make a slip of the pen; 2ung *f* assignment.

verschro'ben (-shröb'en) eccentric.

verschro'tten (-shröt'en) scrap.

verschru'mpfen (-shrŏŏmpf'en) (sn) shrink.

verschu'ld|en (-shŏŏld'en) 1. be guilty of; 2. 2 *n* fault; ~et indebted; involved in debts; 2ung *f* indebtedness.

verschü'tten *Flüssigkeit:* spill; (*versperren*) block; *Person:* bury alive.

verschwä'gert (-shväg'ert) related by marriage.

verschwei'gen (-shvïg'en) conceal.

verschwe'nd|en waste, squander, lavish; 2er(*in f*) *m* spendthrift, prodigal; ~erisch prodigal, lavish (*mit* of); 2ung *f* waste, extravagance.

verschwie'gen (-shvēg'en) discreet; 2heit *f* discretion.

verschwi'mmen (sn) become indistinct *od.* blurred.

verschwi'nden 1. (sn) disappear, vanish; 2. 2 *n* disappearance.

verschwi'stert (-shvïst'ert) brother and sister; *fig.* closely united.

verschwo'mmen vague; *paint.* woolly; *phot.* blurred.

verschwö'r|en (-shvör'en) forswear; *sich* ~ conspire; 2er *m* conspirator; 2ung *f* conspiracy.

verse'hen (-zē'en) 1. *Amt usw.*: perform; (*übersehen*) overlook; *sich* ~ make a mistake; ~ *mit et.* provide with; 2. 2 *n* oversight, mistake; ~tlich inadvertently.

verse'nd|en (-zĕnd'en) send, dispatch, *bsd. Am.* ship; 2ung *f* dispatch, shipment.

verse'ngen (-zĕng'en) singe, scorch.

verse'nk|en (-zĕngk'en) sink; 2ung *f* sinking.

verse'ssen (-zĕs'en): ~ *auf* (*acc.*) mad after.

verse'tz|en (-zĕts'en) *v/t.* displace, *a. Schüler:* remove; *bsd. Am. Schüler:* promote; (*mit ea. vertauschen*) transpose; *Beamte:* transfer; (*verpfänden*) pawn, pledge; (*vermischen*) mix; *Schlag:* give, deal; *in e-e Lage, e-n Zustand* ~ put into; *v/i.* (*antworten*) reply; 2ung *f* transfer; *Schule:* remove, *bsd. Am.* promotion.

verseu'ch|en (-zŏiç'en) infect; 2ung *f* infection.

versi'cher|n (-zïç'ern) assure (*a. Leben*); (*beteuern*) affirm; *Eigentum:* insure; 2ung *f* assurance; affirmation; insurance; 2ungsschein (-zïç'erŏŏngsshïn) *m* insurance-policy.

ver|sie'geln (-zēēg'heln) seal (up); ~sie'gen (-zēēg'hen) (sn) dry up; ~si'lbern (-zïlb'ern) silver; ⊕ silver-plate; *fig.* realize; ~si'nken (-zïngk'en) (sn) sink down; ~si'nnbildlichen (-zïnbïltlïç'en) symbolize.

Ve'rsmaß (fĕrsmähs) *n* metre.

versö'hn|en (-zön'en) reconcile (*mit* to); *sich* (*wieder*) ~ be reconciled; ~lich conciliatory; 2ung *f* reconciliation.

verso'rg|en (-zörg'hen) provide, supply; *Kind:* provide for; 2ung *f* supply, provision; (*Brotstelle*) situation; 2ungsbetrieb (-zörgŏŏngs-b'treep) *m* public utility.

verspä't|en (-shpä̆t^en): *sich ~ be late*; **~et** belated, *Am.* tardy; **2ung** *f* lateness, *Am.* tardiness; **~ h.** be late.

verspei'sen (-shpīz^en) eat up.

verspe'rren bar, block up.

verspie'len (-shpeel^en) lose (at play).

verspo'tten scoff at, mock, deride.

verspre'chen 1. promise; *sich ~* make a mistake in speaking; **2.** 2 *n* promise.

verstaa'tlich|en (-shtähtlĭç^n) nationalize; **2ung** *f* nationalization.

Versta'nd (-shtähnt) *m* understanding; (*Erkenntnis*) intellect; (*Urteilsfähigkeit*) judgment.

Versta'ndes|kraft *f* intellectual faculty; **2mäßig** (-mäsiç) rational; **~mensch** *m* matter-of-fact person.

verstä'ndig (-shtĕndĭç) intelligent; (*vernünftig*) sensible; (*richtig urteilend*) judicious; **~igen** (-ĭg^en) inform (*von* of); *sich ~ mit* come to an understanding with; **2igung** *f* information; (*Übereinkunft*) understanding; *teleph.* communication; **~lich** (-t-) intelligible; *sich ~ m.* make o.s. understood (*j-m* by a p.).

Verstä'ndnis *n* comprehension, understanding; **~ h.** für be appreciative of; **2los** unappreciative; **2voll** appreciative, knowing.

verstä'rk|en strengthen, (*a.* ✕) reinforce; (*steigern*) intensify; **2er(röhre** *f*) *m Radio:* amplifier (valve); **2ung** *f* strengthening, reinforcement; intensification.

verstau'ben (-shtowb^en) get dusty.

verstau'ch|en (-shtowx^en), **2ung** *f* sprain.

verstau'en (-shtow^en) stow away.

Verste'ck *n* hiding-place; **2en** hide, conceal.

verste'h(e)n (-shté[^e]n) understand; (*es*) *~ zu inf.* know (how to) ...; *sich ~ auf* (*acc.*) know well; *sich ~ zu* agree to; *zu ~ geben* intimate; *ich verstehe!* I see!; (*das*) *versteht sich!* that's understood!; *was ~ Sie unter* (*dat.*) ...? what do you mean by ...?; *es versteht sich von selbst* it stands to reason.

verstei'fen (-shtīf^en) stiffen; ⊕ strut; *sich ~ auf* (*acc.*) make a point of. [auction.]

verstei'gern (-shtīg^er^n) sell by]

verste'll|bar (-shtěl-) adjustable; **~en** misplace; (*versperren*) block;

Stimme usw.: disguise; ⊕ shift; *sich ~* dissemble; **2ung** *f* dissimulation.

versteu'ern (-shtői^er^n) pay duty on.

verstie'gen (-shteeg^he^n) eccentric.

versti'mm|en put out of tune; *fig.* put out of humour; **~t** out of tune; *fig.* cross; **2ung** *f* ill-humour; *zwischen zweien:* ill-feeling.

versto'ckt (-shtŏkt) obdurate; **2heit** *f* obduracy.

versto'hlen (-shtōl^en) furtive.

versto'pf|en stop (up); clog; obstruct; ✍ constipate; **2ung** *f* ✍ constipation.

versto'rben (-shtŏrb^en), **2e(r)** *m* deceased, defunct, *Am.* decedent.

verstö'rt (-shtŏrt) bewildered, scared; **2heit** *f* bewilderment.

Versto'ß (-shtŏs) *m* offence; (*Schnitzer*) blunder; **2en** *v/t.* expel (*aus* from); *Frau:* repudiate; *Kind:* disown; *v/i. ~ gegen* offend against; **~ung** *f* expulsion.

verstrei'chen (-shtrīç^en) *v/i.* (sn) elapse.

verstreu'en (-shtröi^en) scatter.

verstü'mmel|n (-shtüm^el^n) mutilate; **2ung** *f* mutilation.

Versu'ch (-zōōx) *m* attempt, trial; *phys. usw.* experiment; **2en** try, attempt; (*kosten*) taste; *j-n:* tempt; *es ~ mit* give a p. od. a th. a trial; **~sballon** (-băhlŏ̅n̥) *m fig.* kite; **2sweise** by way of trial; **~ung** *f* temptation. [sin (against).]

versü'ndigen (-zündĭg^he^n): *sich ~]*

versu'nken (-zōō̅ŋk^en) *fig.:* ~ in absorbed (*od.* lost) in.

versü'ßen (-zü̅s^en) sweeten.

verta'g|en (-tähg^he^n) (*a. sich*) adjourn; **2ung** *f* adjournment.

vertau'schen (-towsh^en) exchange (*gegen* for).

verte'idig|en (-tīdĭg^he^n) defend; **2er(in** *f*) *m* defender; ⚖, *fig.* advocate; *Fußball:* back, *Am.* quarterback; **2ung** *f* defence.

vertei'l|en (-tīl^en) distribute; **2er** *m* distributor; **2ung** *f* distribution.

verteu'ern (-tői^er^n) raise the price of.

vertie'f|en (-teef^en) (*a. sich*) deepen; *sich ~ in* (*acc.*) plunge into; *vertieft in* (*acc.*) absorbed in; **2ung** *f* (*Höhlung*) hollow, cavity.

verti'lg|en exterminate; *Vorräte:* consume; **2ung** *f* extermination.

verto'nen (-tōnᵉn) set to music.

Vertra'g (-trähk) m contract; pol. treaty; 2en (-trähgʰeⁿ) (aushalten) endure, stand; (dulden) bear; diese Speise kann ich nicht ~ this food does not agree with me; sich ~ Sachen: be compatible; Personen: agree; sich wieder ~ make it up; 2lich contractual, (adv. as) stipulated.

verträ'glich (-träkliç) sociable.

vertrau'en (-trowᵉn) 1. trust (j-m a p.); ~ auf (acc.) trust (od. confide in; 2. 2 n confidence, trust; im ~ confidentially; 2s-mann m man of confidence; confidential agent; 2s-sache (-zähkᵉ) f confidential matter; 2s-stellung f position of trust; ~s-voll trustful; 2s-votum (-vōtōm) n vote of confidence; ~s-würdig trustworthy.

vertrau'lich (-trowliç) confidential; Verkehr: intimate, familiar; 2keit f confidence; intimacy, familiarity.

vertrau't (-trowt) intimate; familiar; 2e(r) confidant(e f); 2heit f familiarity.

vertrei'b|en (-trībᵉn) drive away; expel; Ware: distribute; (sich) die Zeit ~ pass away; 2ung f expulsion.

vertre'te|n (-trétᵉn) sich den Fuß ~ sprain; die Beine ~ stretch; j-m den Weg ~ stop a p.; j-n ~ represent; Ansicht: advocate; (verantworten) answer for; j-s Interesse ~ attend to; 2er(in f) m representative; ✝ agent; (Fürsprecher) advocate; 2ung f representation; ✝ agency; in ~ by proxy.

Vertrie'b (-treep) m sale, distribution; ~ene(r) (-treebᵉnᵉ[r]) expellee.

ver|tro'cknen (-tröknᵉn) dry (up); ~trö'deln (-trödᵉln) idle away; ~trö'sten (-tröstᵉn) put off; ~tu'schen (-tōōshᵉn) hush up; ~ü'beln (-übᵉln) take amiss; j-m et.: blame a p. for a th. ~ü'ben commit, perpetrate.

ver-u'n|einigen (-ōōninigʰᵉn): sich ~ fall out; ~glimpfen (-glimpfᵉn) disparage; ~glücken (-glükᵉn) (sn) meet with an accident; (tödlich) (-riⁿigʰᵉⁿ) soil; Wasser usw.: pollute; fig. defile; ~stalten (-shtältᵉn) disfigure.

ver-u'ntreu|en (-tröiᵉn) embezzle; 2ung f embezzlement.

ver-u'rsachen (-ōōrzähkᵉn) cause.

ver-u'rteil|en (-ōōrtilᵉn) condemn (a. fig.); sentence; 2ung f condemnation.

vervie'lfältigen (-feelfältigʰᵉn) (a. sich) multiply; Schriftsatz: manifold; (nachbilden) reproduce.

vervo'llkommn|en (-fŏlkŏmnᵉn) perfect; 2ung f perfection.

vervo'llständig|en (-fŏlshtĕndĭgʰᵉn) complete; 2ung f completion.

verwa'chsen (-vähksᵉn) 1. (sn) grow together; 2. adj. deformed.

verwa'hren keep; fig. sich ~ protest (gegen against).

verwa'hrlos|en (-vährlōzᵉn) (sn) be neglected; ~t (-st) uncared-for; P.: unkempt; 2ung f neglect.

Verwa'hrung f keeping; (Obhut) custody; fig. protest; in ~ geben give into charge; in ~ nehmen take charge of.   [deserted.]

verwai'st (-vīst) orphan(ed); fig.)

verwa'lt|en (-vältᵉn) administer; manage; 2er (-vähltᵉr) m administrator; manager; (Guts~) steward; 2ung f administration; management.

verwa'nd|el|n (-vändᵉln) change, transform; 2lung f change; transformation.

verwa'ndt (-vähnt) related (mit to); fig. kindred, cognate (to, with); 2e(r) relative; 2schaft f relationship; (die 2en) relations pl.

verwa'rn|en, 2ung f caution.

verwä'ssern water (down).

verwe'chs|eln (-vĕksᵉln) mistake (mit for); (durch-ea.-bringen) confound (with); 2lung f mistake; confusion.

verwe'gen (-végʰᵉn), 2heit f daring.

ver|we'hren (j-m et.: keep (od. debar) a p. from; et.: bar; ~wei'chlicht (-viçliçt) effeminate.

verwei'ger|n (-vigʰᵉrn) deny, refuse; 2ung f denial, refusal.

ver'weilen (-vilᵉn) stay, linger; fig. ~ bei et.: dwell on.

Verwei's (-vis) m reprimand; 2en (-vizᵉn) (verbannen) banish; Sport: warn (von der Bahn off the track); j-m et.: reprimand a p. for; ~ auf od. an (acc.) refer to; 2ung f banishment; reference (to).

verwe'lken (-vĕlkᵉn) fade, wither.

ver'wend|en employ, use; apply (auf acc. to); Zeit, Mühe: spend; sich ~ für intercede for; 2ung f use, employment; intercession.

verwe′rf|en reject; *g′g* quash; **~lich** objectionable.

verwe′rt|en (-vért*e*n) turn to account, utilize; (*zu Geld m.*) realize; **2ung** *f* utilization; realization.

verwe′s|en (-véz*e*n) *v/i.* (sn), **2ung** *f* decay.

verwi′ckel|n entangle (*in acc.* in); **~t** *fig.* complicated; **2ung** *f* entanglement; complication.

verwi′ldern (sn) run wild.

verwi′nden overcome, get over.

verwi′rklichen|en realize; **2ung** *f* realization.

verwi′rr|en (-vĭr*e*n) entangle; *fig. j-n:* perplex; **~t** confused; **2ung** *f* entanglement; *fig.* confusion.

verwi′schen (-vĭsh*e*n) wipe (*od.* blot) out; (*a. fig.*) efface (*undeutlich m.*) blur.

verwi′ttern (sn) weather.

verwi′twet (-vĭtv*e*t) widowed.

verwö′hn|en (-vö̈n*e*n) spoil; coddle; **~t** (*wählerisch*) fastidious.

verwo′rfen (-vŏrf*e*n) depraved.

verwo′rren (-vŏr*e*n) *Gedanken:* confused; *Zustand:* intricate.

verwu′nden (-vŏŏnd*e*n) wound.

verwu′nder|n (-vŏŏnd*e*rn) astonish; *sich* **~** wonder; **2ung** *f* astonishment.

verwü′nsch|en, **2ung** *f* curse.

verwü′st|en (-vü̈st*e*n) lay waste, devastate; **2ung** *f* devastation.

verza′g|en (-tsähg*e*n) despond; **~t** (-tsä′hkt) despondent; **2theit** *f* despondency.

verzä′hlen (*sich*) miscount.

verzä′rteln (-tsärt*e*ln) pamper.

verzau′bern (-tsowb*e*rn) enchant, charm. [sumption.|

verze′hr|en consume; **2ung** *f* consumption.|

verzei′ch|nen (-tsiçn*e*n) note down, record; **~net** *paint.* out of drawing; **2nis** *n* list, catalogue; *amtlich:* register; *im Buch:* index.

verzei′h|en (-tsī′*e*n) pardon (*j-m* a p.); **~lich** pardonable; **2ung** *f* pardon. [tion.|

verze′rr|en distort; **2ung** *f* distortion.|

verze′tteln (-tsĕt*e*ln) fritter away.

Verzi′cht (-tsiçt) *m* renunciation (*auf acc.* of); **2en** (*auf acc.*) renounce.

verzie′hen (-tsee*e*n) *v/i.* (sn) remove; *v/t.* (*verzerren*) distort; *Kind:* spoil.

verzie′r|en (-tseer*e*n) adorn, decor-

ate; **2ung** *f* decoration; (*Schmuck*) ornament.

verzi′ns|en (-tsĭnz*e*n) pay interest for; *sich* **~** yield interest; **~lich** (-slĭç) bearing interest; **2ung** *f* interest.

verzö′ger|n (-tsög*e*rn) delay, retard; **2ung** *f* delay, retardation.

verzo′llen pay duty on; *haben Sie et. zu* **~**? have you anything to declare?

verzü′ck|t ecstatic; **2ung** *f* ecstasy; *in* **~** *geraten* go into ecstasies.

Verzu′g (-tsŏŏk) *m* delay.

verzwei′f|eln (-tsvīf*e*ln) (h. *u.* sn) despair (*an dat.* of); **~elt** despairing; (*aussichtslos*) desperate; **2lung** *f* despair.

verzwei′g|en (-tsvīg*he*n) (*a. sich*) ramify; **2ung** *f* ramification.

verzwi′ckt (-tsvĭkt) intricate.

Vestibü′l (věstĭbül) *n* vestibule.

Vetera′n (větĕrähn) *m* veteran, ex-service man.

Ve′to (vétō) *n* veto; *ein* **~** *einlegen gegen* put a veto upon.

Ve′tter (fĕt*e*r) *m* cousin; **~nwirtschaft** *f* nepotism.

vibrie′ren (vĭbreer*e*n) vibrate.

Vieh (fee) *n* cattle *pl.*; *weitS., a. fig.* brute, beast; **~′händler** *m* cattle-dealer; **~′hof** (-hōf) *m* stockyard.

vie′hisch (feeĭsh) bestial, beastly, brutal.

Vie′h|stand (-shtähnt) *m* live stock; **~treiber** (-trib*e*r) *m* (cattle-) drover; **~wagen** (-vähg*he*n) *m* livestock-wagon, *Am.* cattle box; **~weide** (-vid*e*) *f* pasturage; **~zucht** (-tsŏŏkt) *f* cattle-breeding; **~züchter** *m* cattle-breeder.

viel (feel) much, *pl.* many; *sehr* **~** a great deal; *sehr* **~e** *pl.* a great many; *ziemlich* **~** a good deal (of); *ziemlich* **~e** *pl.* a good many; **~′beschäftigt** (-b*e*shĕftĭçt) very busy; **~′deutig** (-dóitĭç) ambiguous; **~′erlei** (-*e*rli) of many kinds; **~′fach**, **~′fältig** (-fĕltĭç) multiple, manifold; *adv.* frequently; **2′heit** *f* multiplicity; (*Menge*) multitude; **~lei** (-lĭçt) perhaps, *bsd. Am.* maybe; **~mals** (-mähls): *ich danke Ihnen* **~** many thanks; **~′mehr** rather; **~′sagend** (-zähg*he*nt) significant, suggestive; **~′seitig** (-zitĭç) many-sided; **~′versprechend** (-fĕrshprĕç′nt) (very) promising; **2′weiberei** (-vib*e*rī) *f* polygamy.

vier (feer) four; unter ~ Augen confidentially; ~'beinig (-biniç) four-legged; 2'-eck n square; ~'-eckig square, quadrangular; 2'er m Rudern: four; ~'fach, ~'fältig (-fěltiç) fourfold, quadruple; ~'füßig (-füsiç) four-footed; 2'füß(l)er (-füs[l]ẽr) m quadruped; ~'händig (-hěndiç) four-handed; ~'jährig (-yäriç) four-years-old; 2mä'chtebesprechung (-měçt⁶b⁶shpręçŏng) f four-power talk; ~'motorig (-mŏtŏriç) four-engined; ~'schrötig (-shrŏtiç) square-built; ~'seitig (-zītiç) four-sided; A quadrilateral; 2'sitzer (-zitsẽr) m four-seater; 2'spänner (-shpěnẽr) m, ~'spännig four-in-hand; ~'stöckig (-shtŏkiç) four-storied; 2'taktmotor (-tǎhktmŏtŏr) m mot. four-stroke engine; ~'te(r) fourth; ~'teilen (-til⁶n) quarter.

Vie'rtel (fïrt⁶l) n fourth (part); (Maß; Stadt2; Mond2) quarter; ein ~ (auf) fünf a quarter past four; ~ja'hr n three months, quarter (of a year); 2jä'hrlich (-yärliç) every three months, quarterly; ~pfu'nd (-pfŏŏnt) n quarter of a pound; ~stu'nde (-shtŏŏnd⁶) f quarter of an hour.

vie'r|tens (feert⁶ns) fourthly; 2-teltakt m common time; ~-zehn fourteen; ~ Tage a fortnight. vie'rzig (fïrtsiç) forty; ~ste(r) fortieth.

Vi'll|a (vïlǎh) f villa; ~enkolonie (-⁶nkŏlŏnee) f garden-city.

viole'tt (vĭŏlět) violet.

Violi'ne (vĭŏleen⁶) ♪ f violin.

Virtuo'|se (vïrtŏŏŏz⁶) m, ~sin (f) virtuoso; ~sitä't f virtuosity.

Visie'r (vïzeer) n am Helm: visor; am Gewehr: sight; 2en v/t. Paß: visé; v/i. (take) sight.

Visit|atio'n (veezïtǎhts'ŏn) f (Durchsuchung) search; (Besichtigung) inspection; ~'enkarte (vïzeet⁶n-) f visiting-card, Am. calling card.

Vi'sum (veezŏŏm) n visé, visa.

Vi'ze.. (veets⁶-) meist vice...; ~könig (-kŏniç) m viceroy.

Vo'gel (fŏg⁶ʰ⁶l) m bird; F fig. e-n ~ h. have a bee in one's bonnet; fig. den ~ abschießen steal the show; ~bauer (-bow⁶r) n (m) bird-cage; ~flinte f fowling-piece; 2frei (-frī) outlawed; ~futter (-fŏŏt⁶r) n bird-seed; ~händler m bird-seller; ~liebhaber(in f) (-leephǎhb⁶r) m bird-fancier; ~nest n bird's nest; ~perspektive (-pěrspěkteev⁶), ~schau (-show) f bird's-eye view; ~scheuche (-shŏiç⁶) f scarecrow; ~-Strauß-Politik (-shtrowspŏliteek) f: ~ betreiben stick one's head in the sand; ~zug (-tsŏŏk) m passage of birds.

Vogt (fŏkt) m bailiff.

Voka'bel (vŏkǎhb⁶l) f word.

Voka'l (vŏkǎhl) m vowel.

Vola'nt (vŏlǎhng) m Schneiderei: flounce; mot. steering-wheel.

Volk (fŏlk) n people, nation; contp. mob; (Bienen2) swarm.

Vö'lker|friede (fŏlk⁶rfreed⁶) m international peace; ~kunde (-kŏŏnd⁶) f ethnology; ~recht n law of nations, international law; ~wanderung f migration of nations.

vo'lkreich (fŏlkriç) populous.

Vo'lks|-abstimmung f plebiscite; ~bibliothek (-beeblĭŏték) f people's (free) library; ~dichter m popular (od. national) poet; ~fest n public merry-making; national festival; ~gunst (-gŏŏnst) f popularity; ~herrschaft f democracy; ~hochschule (-hŏkshŏōl⁶) f University Extension; adult education courses pl.; ~justiz (-yŏōsteets) f lynch law; ~küche (-kŭç⁶) f (public) soup-kitchen; ~lied (-leet) n folk-song; ~menge f multitude; ~partei (-pǎhrtī) f people's party; ~redner (-rédn⁶r) m popular speaker; (Agitator) mob (od. stump) orator; ~schicht f stratum of (the) people; ~schule (-shŏōl⁶) f elementary school; ~schullehrer (-shŏōllér⁶r) m elementary (Am. grade) teacher; ~sprache (-shprǎhk⁶) f vernacular; ~stamm m tribe; ~stimmung f public feeling; ~tanz m folk-dance; ~tracht f national costume; ~tum n nationality; 2-tümlich (-tümliç) national; (beim Volke beliebt) popular; ~versammlung (-fěrzǎhmlŏŏng) f public meeting; ~vertretung (-fěrtrétŏŏng) f representation of the people; ~wirt m economist; ~wirtschaft f political economics pl. od. economy; ~zählung f census.

voll (fŏl) full; (ganz) whole, entire; mit ~em Rechte with perfect right;

aus ~em Herzen from the bottom of one's heart; *j-n für* ~ ansehen take a p. seriously; ~er Knospen usw. full of; ~'-auf (-owf) abundantly; 2'bad (-bāht) n ordinary bath; 2'bart (-bāhrt) m full beard; ~'beschäftigt (-b⁶shĕftiçt) fully employed; 2'blut(pferd) (-blōōt [-pfért]) n thoroughbred (horse); ~'blütig (-blütiç) full-blooded; ✚ plethoric; ~'bri'ngen accomplish, achieve; 2bri'ngung f accomplishment, achievement; 2'dampf m full steam; *fig. mit* ~ at full blast; ~e'nden (vervollständigen) complete; ~e'ndet perfect; ~'ends (fōl⁶nts) altogether; 2e'ndung f finishing; *Zustand:* perfection.

Völlerei' (fōl⁶rī) f gluttony.

vo'll|fü'hren execute; 2gas (-gāhs) n *mot.* full throttle; ~gepfropft (-g⁶pfröpft) crammed; ~gießen (-gees⁶n) fill (up); 2gummireifen (-gōōmeerif⁶n) m solid tyre.

vö'llig (fōliç) entire; complete.

vo'll|jährig (-yāriç) of age; 2jährigkeit f full age; ~ko'mmen perfect; 2ko'mmenheit f perfection; 2kornbrot (-körnbrōt) n wholemeal bread; ~machen fill (up); (beschmutzen) dirty; 2macht f full power; ✝✝ power of attorney; 2matrose (-māhtrōz⁶) m able-bodied seaman; 2milch f rich milk; 2mond (-mōhnt) m full moon; ~spurig (-shpōōriç) m standard-gauge; ~ständig complete; ~stopfen stuff, cram; ~stre'cken execute; 2stre'ckung f execution; ~tönend sonorous; 2treffer m direct hit; 2versammlung (-fĕrzāhmlōōŋ) f plenary meeting; ~wertig (-vértiç) full; ~zählig (-tsāliç) complete; ~zie'hen (-tsee⁶n) execute; *die* ~de Gewalt the executive; *sich* ~ take place; 2zie'hung f execution. [clerk.]

Volontä'r (vŏlǒntār) m unsalaried]

Volu'men (vōlōōm⁶n) n volume.

von (fôn) *örtlich:* from; *für den Genitiv:* of; *beim Passiv:* by; ~ ... an from; ~ Holz (made) of wood; ~ sich aus of oneself; ~sta'tten (-shtăt⁶n): ~ gehen proceed.

vor (fōr) *zeitlich u. räumlich:* before; *räumlich:* in front of; (~ soundso langer Zeit) ago; (früher als) prior to; (schützen usw. ~) from, against;

(~ *Freude, Kälte usw.*) with; ~ *e-m Hintergrund* against; ~ *Hunger* sterben die of hunger; ~ *acht Tagen* a week ago; 5 *Minuten* ~ 9 five minutes to (*Am.* of) 9; ~ *allen Dingen* above all; ~ *sich gehen* take place, pass off; *fig. et.* ~ *sich h.* be in for a th.

Vo'r|abend (-āhb⁶nt) m eve; ~ahnung f presentiment, foreboding.

vora'n (fōrăhn) before, at the head (*dat.* of); ~geh(e)n (-g⁶é[⁶]n) (sn) lead the way; *fig.* take the lead; *zeitlich u. räumlich:* precede (*j-m dat., a th., etc.*).

Vo'r-anschlag (-āhnshlăhk) m (rough) estimate.

Vo'r-anzeige (-āhntsīg⁶) f previous notice.   [man; *Am.* gangboss.]

Vo'r-arbeiter (-ăhrbīt⁶r) m fore-]

vorau'f (fōrowf) = voran.

vorau's (fōrows) in front, ahead (*dat.* of); *im* ~ beforehand, in advance; ~bestellen order in advance; ~bezahlen pay in advance, prepay; ~geh(e)n (-g⁶é[⁶]n) (sn) walk on in advance; *s. a.* vorangehen; 2sage (-zāhg⁶) f prediction; (*Wetter*2) forecast; *Sport:* tip; ~sagen foretell, predict; ~sehen (-zé⁶n) foresee; ~setzen (pre)suppose, presume; vorausgesetzt, daß provided that; 2setzung f (pre)supposition; *s.* Vorbedingung; 2sicht f foresight; ~sichtlich presumable, likely; 2zahlung f advance instalment.

Vo'r|bedacht 1. m: *mit* ~ deliberately; 2. 2 premeditated.

Vo'r|bedeutung (-b⁶dóitōōŋ) f foreboding, omen.

Vo'r|bedingung f pre-condition, pre-requisite.

Vo'r|behalt (-b⁶hăhlt) m reservation; reserve; 2en: *sich* ~ reserve to o.s.

vorbei' (fōrbī) along; by; *zeitlich:* over, past; ~geh(e)n (-g⁶é[⁶]n) (sn) pass by (*an j-m* a p.); ~lassen let pass; 2marsch m march(ing) past.

Vo'r|bemerkung f preliminary remark *od.* notice.

vo'r|bereit|en (-b⁶rīt⁶n) prepare; 2ung f preparation.

Vo'r|besprechung (-b⁶shprĕçōōŋ) f preliminary discussion.

vo'r|bestraft (-b⁶shträhft) previously convicted.

vo′rbeugen (-bŏig^heⁿ) *v/i.* (*dat.*) prevent, obviate; *v/t.* (*a. sich*) bend forward; **~d** preventive; ⚙ prophylactic.

Vo′rbild *n* model; prototype; **2lich** exemplary, typical; **~ung** *f* preparatory training.

vo′rbringen produce; *Meinung:* advance; (*aussprechen*) utter.

vo′rdatieren (-dăhteer^en) postdate.

vo′rder (förd^er) front, fore; **2bein** (-bīn) *n* foreleg; **2grund** (-grŏont) *m* foreground; **2haus** (-hows) *n* front building; **2mann** ✕ *m* front-rank man; **2rad** (-răht) *n* front wheel; **2seite** (-zīt^e) *f* front (side); **~st** foremost; **2teil** (-til) *m* (*n*) front; **2tür** (-tür) *f* front door; **2zimmer** *n* front room.

vo′rdrängen (*sich*) push forward.

vo′rdring|en (sn) advance; **~lich** urgent; (*zudringlich*) intrusive.

Vo′rdruck (-drŏŏk) *m amtlicher:* form.

vo′r-eilig (-ilíç) hasty, rash, precipitate.

vo′r-eingenommen (-ing^heⁿŏm^en) prejudiced, biassed; **2heit** *f* prejudice, bias.

Vo′r|eltern *pl.* ancestors; **2enthalten** (-ĕnthăhlt^en) withhold (*j-m* from a p.); **2erwähnt** (-ĕrvănt) before-mentioned.

vo′rfahr (-făhr) *m* ancestor; **2en** (sn) drive up (*bei* to); **~trecht** *n* right of way, priority.

Vo′rfall *m* occurrence, incident; **2en** (sn) happen, occur.

vo′rführ|en produce, present; demonstrate; *Film:* project; **2er** *m Kino:* projectionist; **2ung** *f* production; demonstration; projection.

Vo′rgabe (-găhb^e) *f Sport:* points (*od.* odds) *pl.* given; handicap.

Vo′rgang *m* occurrence, event; (*Hergang*) proceedings *pl.*

Vo′rgänger (-g^hĕn_g^er) *m*, **~in** *f* predecessor.

vo′rgeben (-g^héb^en) **1.** *v/t.* (*behaupten*) pretend; *v/i. Sport:* give odds; **2.** **2** *n* pretence, pretext.

Vo′rgebirge *n* promontory.

vo′rgeblich (-g^héplíç) pretended.

Vo′rgefühl *n* presentiment.

vo′rgeh(e)n (-g^hé[^e]n) **1.** (sn) advance; *Uhr:* be fast; *nach Rang od. Wichtigkeit:* precede; (*handeln*) take action; (*verfahren*) proceed (*a.* ⚖); (*sich ereignen*) occur, happen; **2.** **2** *n* proceeding.

Vo′rgeschmack *m* foretaste.

Vo′rgesetzte(r) (-g^he^zzĕtst^e[r]) *m* superior.

vo′rgestern the day before yesterday.

vo′rgreifen (-grīf^en) anticipate (*j-m* a p.).

vo′rhaben (-hăhb^en) **1.** (*beabsichtigen*) intend; (*beschäftigt sn mit*) be busy with; *nichts* ~ (*Zeit h.*) be at a loose end; **2.** **2** *n* intention, purpose.

Vo′rhalle *f* (entrance-)hall, lobby.

vo′rhalt|en *v/t. j-m et.* ~ hold a th. before a p.; *fig.* reproach a p. with a th.; *v/i.* last; **2ung** *f* remonstrance.

vorha′nden (-hăhnd^en) at hand; ✝ on hand; (*bestehend*) existing; **2sein** *n* existence.

Vo′rhang *m* curtain, *Am.* shade.

Vo′rhängeschloß (-hĕn_ge^sshlós) *n* padlock.

vo′rhe′r (förher) before, previously; (*voraus*) beforehand; **~bestellen** book; **~bestimmen** determine beforehand; (-g^hé[^e]n) (sn; *dat.*) precede (*acc.*).

vorhe′rig preceding, previous.

Vo′rherr|schaft *f* predominance; **2schen** predominate, prevail.

vorhe′r|sagen (-zăhg^heⁿ) foretell; **~sehen** (-zé^en) foresee; **~wissen** (-vĭs^en) foreknow.

vo′rhi′n a little while ago.

Vo′rhof (-hôf) *m* outer (*od.* fore-) court.

Vo′rhut (-hŏŏt) ✕ *f* vanguard.

vo′rig (fōríç) last.

vo′rjährig (-yăríç) of last year.

Vo′rkämpfer(in *f*) *m* champion.

Vo′rkehrung *f* precaution.

Vo′rkenntnisse *f/pl.* preliminary knowledge, elements.

vo′rkomm|en 1. (sn) occur; *es kommt mir vor* it seems to me; **2.** **2en** *n*, **2nis** *n* occurrence.

Vo′rkriegs... (-kreeks...) pre-war.

vo′rlad|en (-lăhd^en) summon; **2ung** *f* summons *sg.*

Vo′rlage (-lăhg^he) *f* copy; pattern; *parl.* bill.

vo′rlass|en let pass before; (*zulassen*) admit; **2ung** *f* admittance.

Vo′rläuf|er (-lŏĭf^er) *m*, **~erin** *f* forerunner; **2ig** provisional.

vo′rlaut (-lowt) forward, **pert.**

Vo'rleben (-léb⁶n) *m* antecedents *pl.*

vo'rlegen (-lég⁶n) put before *a p.*, *a th.*; *zur Prüfung:* submit; (*vorbringen*) produce; *Schloß:* put on; *bei Tisch:* help *a p.* to *a th.*; *sich ~* lean forward.

Vo'rleger *m* (*Bett2 usw.*) rug.

vo'rles|en (-léz⁶n) read (*j-m* to *a p.*); 2**ung** *f* lecture (*über acc.* on).

vorle'tzt last but one.

Vo'rliebe (-leeb⁶) *f* predilection, preference.

vorlie'bnehmen (förleep-): *~ mit* be satisfied with, put up with.

vo'rliegen (-leeg⁶n) lie before; *~d* present, in question, in hand.

vo'rlügen (-lǖg⁶n): *j-m et. ~* tell *a p.* lies.

vo'rmachen put before; *j-m et. ~* show *a p.* how to do *a th.*; *zur Täuschung:* impose upon *a p.*

Vo'rmarsch *m* advance.

vo'rmerken note (down); (*bestellen*) book; *bsd. Am.* reserve.

Vo'rmittag (-mítâhk) *m* morning, forenoon; 2**s** in the morning.

Vo'rmund (-mŏŏnt) *m* guardian, trustee; ~**schaft** *f* guardianship.

vorn (fórn) in front; *von ~ from* (*od.* at) the beginning.

Vo'rname (-nâhm⁶) *m* Christian name, *Am.* first name.

vo'rnehm (förném) of (superior) rank, distinguished; noble; *S.:* fashionable; *~ tun* give o.s. airs; *~en* (*beginnen*) undertake; (*sich*) *j-n ~* take *a p.* to task; *sich et. ~* resolve (up)on *a th. od.* to *inf.*; *~st fig.* principal.

vo'rnherein (fórnhĕrîn): *von ~* from the first.

Vo'r|-ort *m* suburb; ~(**orts...**) suburban; ~**posten** *m* outpost; ~**rang** *m* precedence (*vor dat.* of); priority; ~**rat** (-râht) *m* store, stock; 2**rätig** (-râtiç) on hand, in stock; 2**rechnen** reckon up (to *a p.*); ~**recht** *n* privilege; ~**rede** (-réd⁶) *f* preface; 2**reden** *j-m et.:* tell *a p.* tales; ~**redner** *m* previous speaker; ~**richtung** *f* contrivance, device; 2**rücken** *v/t.* put forward; *v/t.* (sn) advance; ~**runde** (-rŏŏnd⁶) *f Sport:* preliminary round; 2**sagen** (-zâh-g⁶n) *j-m:* prompt *a p.*; ~**saison** (-zĕzǫ) *f* pre-season; ~**satz** (-zâhts) *m* design, purpose; 2**sätzlich** intentional, deliberate.

Vo'r|schein (-shîn) *m:* *zum ~ bringen* (*kommen*) bring (come) forward; 2**schieben** (-sheeb⁶n) *Riegel:* slip; *als Entschuldigung usw.:* plead, pretend; 2**schießen** (-shees-⁶n) *Summe:* advance; ~**schlag** (-shlâhk) *m* proposition, proposal; *parl.*motion; 2**schlagen** (-shlâhg⁶n) propose; ~**schlußrunde** (-shlŏŏs-rŏŏnd⁶) *f Sport:* semifinal; 2**schnell** hasty; rash; 2**schreiben** (-shrîb⁶n) prescribe; ~**schrift** *f* (*bsd.* 💥) prescription; direction, instruction; (*Dienst*2) regulation(*s pl.*); 2-**schriftsmäßig** (-shriftsmâsiç) according to regulations; ~**schub** (-shŏŏp) *m* assistance; ~**schule** (-shŏŏl⁶) *f* preparatory school; ~**schuß** (-shŏŏs) *m* advance(d money); *f. d. Anwalt:* retaining fee; 2**schützen** pretend, plead; 2**sehen** (-zé⁶n) provide for *a th.*; *sich ~* take care; ~**sehung** *f* Providence; 2-**setzen** (*dat.*) place, put *od.* set before.

Vo'rsicht (förziçt) *f* caution; ~*l* look out!; *Aufschrift:* with care!; 2**ig** cautious; ~**smaßregel** (-mâhs-rég⁶l) *f* precautionary measure.

Vo'rsitz (förzíts) *m* presidency, chair; *den ~ h.* be in the chair, preside (*bei* over); ~**ende** *f* chair woman; ~**ende(r)** *m* chairman, president.

Vo'rsorg|e (förzórg⁶) *f* providence; ~**treffen** make provision; 2**en** provide; 2**lich** (-kliç) provident.

vo'rspiegel|n (-shpeeg⁶ln) *j-m et.:* delude *a p.* (with false hopes); 2**ung** *f* pretence.

Vo'rspiel (förshpeel) *n* prelude.

vo'r|sprechen: *bei j-m ~* call on; ~**springen** (sn) jump forward; ~**sprung** (-shprŏŏng) *m* △ project; 2**sprung** (-shprŏŏng) *m* △ projection; *fig.* start, advantage (*vor dat.* of); 2**stadt** *f* suburb; ~**städtisch** suburban; 2**stand** *m* board of directors, managing (*od.* executive) committee.

vo'rsteh|en (-shté⁶n) project, protrude; *e-r S.:* direct; manage; 2**er** (-**in** *f*) *m* director, manager(ess *f*).

vo'rstell|en put before; *Uhr:* put on; *j-n j-m:* introduce; (*bedeuten*) stand for; (*darstellen*) represent; *j-m et.* mahnend *~* remonstrate with *a p.* about *a th.*; *sich et. ~* imagine, fancy; 2**ung** *f* introduction;

thea. performance; (*Begriff*) idea, conception; (*svermögen*) imagination; (*Mahnung*) remonstrance.

Vo'r|stoß (-shtōs) *m* ✕ push, dash (*a. fig.*); **~strafe** (-shtrãhf⁸) *f* previous conviction; **Ωstrecken** stretch forward; protrude; *Geld:* advance; **Ωtäuschen** (-tóish⁸n) feign.

Vo'rteil (fōrtīl) *m* advantage, profit; *Tennis:* (ad)vantage; **Ωhaft** advantageous, profitable (*für* to).

Vo'rtrag (fōrtrãⁿk) *m* performance, *bsd.* ♪ execution; *Gedicht:* recitation; (*Vorlesung*) lecture; (*Bericht*) report; ♈ balance carried forward; **Ωen** (-trãⁿgʰ⁸n) (*berichten*) reporton; (*hersagen*) recite; (*Vortrag halten*) lecture on; ♪ execute ♈ carry forward; **~ende(r)** performer; lecturer.

vortre'fflich excellent; **Ωkeit** *f* excellence.

vo'rtreten (-trét⁸n) (sn) come forward; (*vorragen*) protrude.

Vo'rtritt *m* precedence.

vorü'ber (fōrüb⁸r) by, past; *zeitlich:* over, past; **~geh(e)n** (-gʰé[⁸]n) (sn) pass; go by; **~gehend** passing; (*zeitweilig*) temporary; **Ωgehende(r)** passer-by.

Vo'r|übung (-übōⁿg) *f* preliminary practice; **~untersuchung** (-ōōntⁱrzōōkōōⁿg) *f* preliminary trial; **~urteil** (-ōōrtīl) *n* prejudice; **~verkauf** (-fěrkowf) *m* advance sale; *thea.* booking in advance; **Ωverlegen** (-fěrlégʰ⁸n) advance; **~wand** (-vãⁿt) *m* pretext, pretence.

vo'rwärts (fōrvěrts) forward, on-

ward, on; **~!** go ahead!; **~kommen** (sn) make headway; *fig.* get on.

vorwe'g (fōrvěk) beforehand; **~nehmen** anticipate.

vo'rwerfen *fig. j-m* et.: reproach a p. with a th.

vo'rwiegen (-veegʰ⁸n) preponderate; **~d** preponderant.

vo'rwitzig inquisitive; (*vorlaut*) forward.

Vo'rwort *n* foreword.

Vo'rwurf (fōrvŏŏrf) *m* reproach; *Kunst:* subject; **~** *m. s. vorwerfen*; **Ωsvoll** reproachful.

vo'rzählen enumerate.

Vo'rzeichen (fōrtsiç⁸n) *n* omen.

vo'rzeichnen (*angeben*) indicate.

vo'rzeig|en (-tsigʰ⁸n) produce, show; **Ωer** *m:* **~** *dieses* the bearer of this.

vo'rzeitig (-tsitĭç) premature.

vo'rziehen (-tsee⁸n) draw forth; *fig.* prefer.

Vo'rzimmer *n* antechamber.

Vo'rzug (fōrtsŏŏk) *m* preference; (*Vorteil*) advantage; (*gute Eigenschaft*) merit; (*Vorrang*) priority; **⚒** relief train.

vorzü'glich (-tsüklĭç) excellent, superior, exquisite; **Ωkeit** *f* excellence, superiority.

Vo'rzugs... preferential; **~aktien** (-ãhkts ⁱ⁸n) *f/pl.* preference shares; **~preis** (-pris) *m* special price; **Ω weise** preferably.

Vo'tum (vōtōōm) *n* vote.

vulgä'r (vōōlgãr) vulgar.

Vulka'n (vōōlkãhn) *m* volcano; **Ωisch** volcanic.

W

Waa'g|e (vāhgʰe) *f* balance; *die ~ halten* (*dat.*) counterbalance; **♀e- recht** horizontal, level; **~schale** (-shāhle) *f* scale.

Wa'be (vāhbe) *f* honeycomb.

wach (vākh) *pred.* awake; *~ w. awake*; **♀'e** (vākhe) *f* watch, guard; (*Wachtlokal*) guardroom; (*Schild♀*) sentry; *~ h.* be on guard *od.* on duty; *~ halten* keep watch; *~'en* be awake; (*achtgeben*) watch; *bei j-m ~ sit* up with a p.

Wachs (vāks) *n* wax.

wa'chsam watchful, vigilant, **♀keit** *f* vigilance.

wa'chsen (vākseʼn) *v/i.* (sn) grow; *fig.* increase; *v/t.* wax.

wä'chsern (vēkseʼrn) *fig.* waxen.

Wa'chs|licht *n* wax candle; **~tuch** (-tōōk) *n* oilcloth.

Wa'chstum (vākstōōm) *n* growth.

Wacht (vākʰt) *f* guard, watch.

Wä'chter (vēçtʰer) *m* watchman.

Wa'cht|feuer (-fóiʼr) *n* watch-fire; **♀habend** (-hāhbeʼnt) on duty; **~meister** (-mīstʼer) *m* (*Am.* first) sergeant; **~turm** (-tōōrm) *m* watch-tower.

wa'ck(e)lig shaky, tottery; loose.

wa'ckeln (vākkeʼln) shake; totter; *Zahn:* be loose; *~ mit* wag *a th.*

wa'cker (vākkʼer) brave, gallant.

Wa'de (vāhdʼe) *f* calf (of the leg).

Wa'ffe (vāhfʼe) *f* weapon, arm.

Wa'ffel (vāhfʼel) *f* wafer, waffle.

Wa'ffen|fabrik (-fāhbreek) *f* (man-u)factory of arms, *Am.* armory; **~gattung** *f* arm; **~gewalt** *f* force of arms; **♀los** unarmed; **~schein** (-shīn) *m* licence for carrying arms; *Am.* gun license; **~stillstand** (-shtīlshtāhnt) *m* armistice, truce.

wa'ge|halsig (vāhgʰehāhlzīç) fool-hardy, daring; **♀mut** (~mōōt) *m* daring (courage).

wa'gen¹ (vāhgʰeʼn) venture (*a. sich*); risk; (*sich getrauen*) dare.

Wa'gen² (vāhgʰeʼn) *m* carriage (*a.* ♀, *Am.* car); (*Fracht♀*) wag(g)on; (*Karren*) cart; (*Kraft♀*) car; (*Ge-pāck♀, Möbel♀*) van.

wä'gen (vāgʰeʼn) weigh (*a. fig.*).

Wa'gen|führer *m* driver; **~heber** (-hébʼer) *m* (lifting-)jack; **~schmiere** (-shmeerʼe) *f* cart-grease; **~spur** (-shpōōr) *f* rut.

Waggo'n (vāhgōŋ) *m* railway carriage, *Am.* railroad car.

Wa'gnis (vāhknīs) *n* venture.

Wahl (vāhl) *f* choice; (*Auslese*) selection; *pol.* election; *fig. die ~ h.* have one's choice. [eligibility.]

wä'hlbar (vālbāhr) eligible; **♀keit** *f*

wa'hl|berechtigt (-bʼerēçtīkt) entitled to vote; **♀beteiligung** (-bʼe-tīlīgōŋg) *f* voting; **♀bezirk** *m* electoral district.

wä'hlen (vālʼen) choose; (*auslesen*) select; *pol.* elect; (*s-e Stimme abgeben*) vote; *teleph.* dial.

Wa'hl-ergebnis (vālērgʰépnīs) *n* election result *od.* return.

Wä'hler|(in *f*) *m* elector, voter; **♀isch** particular, fastidious; **~schaft** *f* constituency; **~scheibe** (-shībʼe) *f* teleph. selector dial.

Wa'hl|fach *n* Schule, univ. optional (*Am.* elective) subject; **♀fähig** (-fāīç) *aktiv:* having a vote; *passiv:* eligible; **~kampf** *m* electoral contest; **~kreis** (-krīs) *m* constituency; **~lokal** (-lōkāhl) *n* polling-place, *Am.* wardroom; **♀los** (-lōs) indiscriminate; **~recht** *n* franchise; **~rede** (-rédʼe) *f* election-speech; **~spruch** (-shprōōk) *m* device, motto; **~stimme** *f* vote; **~urne** (-ōōrnʼe) *f* voting-box; **~versammlung** (-fēʼrzāhmlōōŋg) *f* electoral assembly, *Am.* caucus; **~zelle** *f* polling-booth; **~zettel** *m* voting-paper.

Wahn (vāhn) *m* delusion.

wä'hnen (vānʼen) *v/i.* fancy.

Wa'hn|sinn (-zīn), **~witz** *m* madness; *fig.* frenzy; **♀sinnig**, **♀witzig** insane, mad; *fig.* frantic; **~sinnige** (-zīnīgʰe) *f* madwoman; **~sinnige(r)** *m* madman.

wahr (vāhr) true; *~'en* take care of, preserve; maintain; *den Schein ~* keep up appearances.

wä'hren (vär⁶n) continue, last; ~d 1. prp. (gen.) during; 2. cj. while, whilst; Gegensatz: whereas.

wa'hrhaft, ~ig true; truthful, veracious; adv. truly, really.

Wa'hrheit (vährhit) f truth; F j-m die ~ sagen (schelten) give a p. a piece of one's mind; Qsgetreu (-gʰᵉtröi) truthful; Qsliebend (-leeb⁶nt) truthful, veracious.

wa'hr|lich truly; ~nehmbar (-ném-) perceptible; ~nehmen perceive, notice; Gelegenheit: make use of; Interesse: look after; Termin: follow; Qnehmung f perception, observation; (Sorge für e.) care (of); ~sagen (-zähgʰᵉn) tell fortunes; Q'sager(in f) m fortune-teller; ~schein'lich (-shinliç) probable, likely; Q'schei'nlichkeit f probability, likelihood; Qspruch (-shpröök) m verdict.

Wa'hrung (vährööᵲg) f maintenance.

Wä'hrung (vä'rööᵲg) f currency.

Wa'hrzeichen (vährtsiç⁶n) n landmark; distinctive mark od. sign.

Wai'se (viz⁶) f orphan; ~nhaus (-hows) n orphan-asylum.

Wal (vähl) m whale.

Wald (vählt) m wood, forest; ~'brand m forest-fire; ~'hüter m forest ranger; Q'ig woody, wooded; Q'reich (-riç) rich in forests; Q'ung f forest.

Wa'lfisch (vähl-) m whale; ~fänger m whaler; ~tran (-trähn) m train-oil.

wa'lken (vählk⁶n) full.

Wall (vähl) m ✕ rampart; (Damm) dam; (Erd2) mound.

Wa'llach (vählähk) m gelding.

wa'llen (vähl⁶n) (sn u. h.) wave, undulate; (sieden) boil.

Wa'll|fahrer(in) m pilgrim; ~fahrt f pilgrimage; Qfahr(t)en (sn) go on a pilgrimage.

Wa'llung f boiling, (a. fig.) ebullition.

Wa'l|nuß (vählnöös) f walnut; ~roß n walrus; ~statt f battle-field.

wa'lten (vählt⁶n) 1. govern, rule; 2. Q n rule.

Wa'lze (vählts⁶) f cylinder; ⊕ roll; (Straßen2) roller; f barrel; Qn v/t. roll; v/i. (Walzer tanzen) waltz.

wä'lzen (vëlts⁶n) (a. sich) roll; fig. von sich ~ release o.s. from a th.

Wa'lzer (vählts⁶r) ♪ m waltz.

Wand (vähnt) f wall; (Scheide2) partition; (Seitenfläche) side.

Wa'ndel (vähnd⁶l) m change; Qbar changeable, variable; ~gang m, ~halle f lobby; Qn v/i. (sn) walk; v/t. (a. sich) change; ~stern m planet.

Wa'nder|er(in f) m wanderer, traveller; ~leben (-léb⁶n) n vagrant life; Qn (vähnd⁶rn) (sn) wander, travel; bsd. sportlich: hike; ~prediger (-prédigʰᵉr) m itinerant preacher; ~preis (-pris) m challenge trophy; ~schaft f travelling, travels pl.; auf die ~ gehen go on one's travels; ~stab (-shtähp) m (walking-)stick; ~truppe (-trööp⁶) f thea. strolling company; ~ung f walking-tour; hike; ~vögel (-fögʰᵉl) m/pl. birds of passage; fig. Ramblers, Hikers pl.

Wa'nd|kalender m sheet-almanac; ~karte f wall-map.

Wa'ndlung (vähndlööᵲg) f change.

Wa'nd|schirm m folding-screen; ~schrank m cupboard, bsd. Am. closet; ~spiegel (-shpeegʰᵉl) m pier-glass; ~tafel (-tähf⁶l) f blackboard; ~uhr (-öör) f wall-clock.

Wa'nge (vähᵲᵉ) f cheek.

Wa'nkel|mut (vähᵲkᵉlmööt) m fickleness, inconstancy; Qmütig (-mütiç) fickle, inconstant.

wa'nken (vähᵲk⁶n) (h. u. sn) totter, stagger; fig. waver.

wann (vähn) when.

Wa'nne (vähn⁶) f tub; (Bade2) bath; ~nbad (-bäht) n tub-bath, tubbing.

Wa'nze (vähnts⁶) f (Am. bed-) bug.

Wa'ppen (vähp⁶n) n (coat of) arms pl.; ~bild n heraldic figure; ~schild m, n escutcheon.

wa'ppnen (vähpn⁶n) arm.

Wa're (vähr⁶) f ware, commodity; (a. ~n pl.) merchandise; ~n pl. (Güter) goods pl.

Wa'ren|bestand m stock (on hand); ~haus (-hows) n stores pl., Am. department store; ~lager (-lähgʰᵉr) n Vorrat: stock-in-trade; Raum: warehouse; ~probe (-pröb⁶) f sample; ~zeichen (-tsiç⁶n) n trade-mark.

warm (vährm) warm; stärker: hot.

Wä'rme (vërm⁶) f warmth; phys. heat; ~grad (-gräht) m degree of heat; Qn warm.

Wä'rmflasche f hot-water bottle.

Warmwa'sserversorgung (vährm-vähsᵉrférzórgŏorg) f hot-water supply.

wa'rn|en (vährnᵉn) warn (vor of, against); ℒung f warning.

Wa'rnungs|signal (vährnŏorgs-zignähl) n danger-signal; ~tafel (-tähfᵉl) f notice-board.

Wa'rte (vährtᵉ) f look-out; observatory; ~geld ✕ n half-pay.

wa'rten (vährtᵉn) v/i. wait (auf acc. for); ~ lassen keep a p. waiting; v/t. nurse, tend.

Wä'rter (vährtᵉr) m attendant; (Hüter) keeper; (Pfleger) (male) nurse; ~in f (female) attendant; nurse.

Wa'rte|saal (-zähl) m, ~zimmer n waiting-room.

Wa'rtung (vährtŏorg) f attendance; nursing; ⊕ maintenance.

waru'm (vährŏom) why, wherefore.

Wa'rze (vährtsᵉ) f wart; (Brustℒ) nipple.

was (vähs) what; Satzinhalt aufnehmend: which; f something; ~ für (ein?) what (sort of)?; ~ für (ein)! what (a)!, f ich will dir mal ~ sagen I'll tell you what.

Wa'sch|-anstalt f laundry; ℒbar washable; ~becken n wash- (od. hand-)basin, Am. washbowl.

Wä'sche (vĕshᵉ) f wash, (zu waschendes Zeug) a. washing, laundry, clothes pl.; (Leibℒ, Tischℒ, Bettℒ) linen; in die ~ geben send to the wash.

wa'sch-echt fast; fig. true-born.

Wä'sche|geschäft (vĕshᵉghᵉshĕft) n linen warehouse; ~leine (-linᵉ) f clothes-line.

wa'schen (vähshᵉn) (a. sich) wash.

Wä'scher|ei' (vĕshᵉri) f laundry; ~in f washerwoman, laundress.

Wä'scheschrank m linen-press.

Wa'sch|faß (-fähs) n wash-tub; ~frau (-frow) f s. Wäscherin; ~kessel m wash boiler; ~korb m clothes-basket; ~küche (-kûçᵉ) f wash-house; ~lappen m face cloth, Am. washrag; für Geschirr: wash-cloth; ~maschine (-mähsheenᵉ) f washing machine; ~mittel n washing material; ~raum (-rowm) m lavatory, Am. washroom; ~schüssel f = ~becken; ~seide (-zidᵉ) f washing silk; ~tisch m, ~toilette

(-tŏählĕtᵉ) f washing-stand, Am. washstand; ~wanne f wash-tub.

Wa'sser (vähsᵉr) n water; ~ lassen make water; ~ball m Sport: water polo; ~behälter m reservoir; tank; ~blase (-blähzᵉ) f bubble; 🖑 blister; ~dampf m steam; ℒdicht waterproof; bsd. ⚓ watertight; ~-eimer (-imᵉr) m (water-)pail, bucket; ~fahrt f boating; ~fall m waterfall; ~fläche (-flĕçᵉ) f surface of water; (weite Strecke) sheet of water; ~flugzeug (-flŏoktsŏik) n seaplane, hydroplane; ~flut (-flŏot) f flood; ~fracht f water-carriage; ~graben (-grähbᵉn) m ditch; ~hahn m water-tap, Am. w. faucet; ~heil-anstalt (-hil-ähnshtählt) f hydropathic establishment; ~hose (-hŏzᵉ) f waterspout.

wä'sserig (vĕsᵉriç) watery; j-m den Mund ~ m. make a p.'s mouth water.

Wa'sser|kanne f water-jug, ✝ ewer; ~kraft f water-power; ~kran 🚂 m feeding crane; ~krug (-krŏok) m water-jug, pitcher; ~kur (-kŏor) f watercure; ~lauf (-lowf) m watercourse; ~leitung (-litŏorg) f water-supply od. -service, f the main; ~leitungsrohr (-litŏorgs-rŏr) n water-pipe; ~mangel m scarcity of water; ℒn ✕ alight on water. [(einweichen) soak, steep.]

wä'ssern (vĕsᵉrn) water, irrigate;

Wa'sser|pflanze f aquatic plant; ~rinne f gutter; ~schaden (-shäh-dᵉn) m damage caused by water; ~scheide (-shidᵉ) f watershed, Am. divide; ℒscheu (-shŏi) afraid of water; ~schlauch (-shlowk) m water-hose; ~snot (-nŏt) f distress caused by water; ~spiegel (-shpeegʰᵉl) m water-surface; water-level; ~sport m aquatic sports pl.; ~spülung f water flushing; ~stand m height of level, water-level; ~standsanzeiger (-shtähnts-ähntsigʰᵉr) m water-gauge; ~stiefel (-shteefᵉl) m/pl. waterproof boots; ~stoff 🜍 m hydrogen; ~strahl m jet of water; ~straße (-shträhsᵉ) f water-way; ~sucht (-zŏokt) f dropsy; ℒsüchtig (-zŭçtiç) dropsical; ~suppe (-zŏopᵉ) f water-gruel; ~tier (-teer) n aquatic animal; ~verdrängung (-fĕr-drĕrgŏorg) f displacement of water; ~versorgung (-fĕrzór-

gōōr̯ɡ) *f* water supply; **~waage**
(-vāhgʰᵉ) *f* water-level; **~werk**(e
pl.) *n* waterworks; **~zeichen**
(-tsīçᵉn) *n* watermark.
wa'ten (vāhtᵉn) (sn) wade.
wa'tscheln (vähtshᵉln) (sn) waddle.
Watt *⚡* (väht) *n* watt; **~'e** *f* wadding,
cotton wool, *Am.* cotton; **~'e-**
bausch (-bowsh) *m* cotton plug;
⚲ie'ren wad.
we'ben (vébᵉn) weave.
We'ber *m* weaver; **~ei'** (-ī) *f* weav-
ing; *Gebäude:* weaving-mill.
We'b|stuhl (vépshtōōl) *m* (weav-
er's) loom; **~waren** *f/pl.* textiles *pl.*
We'chsel (vēksᵉl) *m* change; (*Tausch*)
exchange; *✝* bill of exchange; *hunt.*
runway, *Am.* trace; **~beziehung**
(-bᵉtseeōōr̯ɡ) *f* mutual (*od.* cor-
relation); **~fälle** (-fēlᵉ) *m/pl.* vicis-
situdes; **~fieber** (-feebᵉr) *n* inter-
mittent fever; **~frist** *f* usance;
~geld *n* change; **~gläubiger**
(-glōibigʰᵉr), **~inhaber** (-inhāhbᵉr)
m holder of a bill of exchange;
~kurs (-kōōrs) *m* rate of exchange;
~makler (-māhklᵉr) *m* bill-broker;
⚲n change; (*austauschen*) exchange;
(*ab~*) alternate; vary; *hunt.* pass;
die Kleider ~ change (one's clothes);
~nehmer (-némᵉr) *m* taker of a
bill; **⚲seitig** (-zitiç) mutual, re-
ciprocal; **~strom** (-shtrōm) *m*
alternating current; **~stube**
(-shtōōbᵉ) *f* exchange-office; **⚲-**
weise alternately, by turns; (*gegenseitig*) mutually; **~wirkung** *f* re-
ciprocal effect, interaction.
we'ck|en (vēkᵉn) awake, waken (a.
fig.); call; **⚲'er** *m* alarm-clock.
we'deln (védᵉln) fan; wag (*mit dem
Schwanz* the tail).   [nor.|
we'der (védᵉr) ... *noch* neither ...|
Weg¹ (vék) *m* way (*a.fig.Art,Mittel*);
(*Straße*) road; (*Reise⚲*) route;
(*Gang*) walk; (*Durchgang*) passage;
auf halbem ~e halfway; *am* ~e by
the roadside; *verbotener* ~! no thor-
oughfare!; *aus dem* ~e *räumen* remove; *in die* ~e *leiten* initiate.
weg² (vēk) away; off; (*~gegangen*)
verschwunden) gone; ~ *da!* be off
there!; *ich muß* ~ I must be off;
~'bleiben (-blibᵉn) (sn) stay away;
(*ausgelassen w.*) be omitted; **~'-**
bringen take away; (*beseitigen*)
remove.
We'ge|bau (végʰᵉbow) *m* road-
-making; **~lagerer** (-lāhgʰᵉrᵉr) *m*
highwayman.
we'g|fahren (sn) drive away; **⚲fall**
m omission; **~fallen** (sn) be omitted; (*abgeschafft w.*) be abolished;
~führen lead away; **⚲gang** *m* departure; **~geh(e)n** (-gʰé[ᵉ]n) (sn)
go away, leave; ~ *über* (*acc.*) pass
over; **~haben** (-hähbᵉn) have re-
ceived (one's share); *fig.* have got
the knack of; **~jagen** (-yāhgʰᵉn)
drive away; **~kommen** (sn) get
away; *fig.* come off *well, etc.*; (*ab-
handen kommen*) be lost; **~lassen** let
go; *S.:* omit; **~legen** (-légʰᵉn) lay
(*od.* put) aside; **~machen** remove;
⚲nahme (-nāhmᵉ) *f* taking (away);
~nehmen take away (*j-m* from
a p.); *Platz, Zeit:* take up; *⚔, ⚓*
capture; **~packen** pack away;
~räumen (-róimᵉn) clear away;
~schaffen remove; **~schicken** send
away; **~sehen** (-zéᵉn) look away;
~setzen put away; **~streichen**
(-shtriçᵉn) strike out; **~tun** (-tōōn)
put away *od.* aside.
We'gweiser (vékvizᵉr) *m* signpost,
finger-post; *Person, Buch:* guide.
we'g|wenden (*a. sich*) turn away;
~werfen throw away; **~werfend**
disparaging; **~wischen** wipe away;
~ziehen (-tseeᵉn) *v/t.* pull away; *v/i.*
(sn) *aus der Wohnung:* (re)move.
weh (vé) **1.** sore, painful; ~ *tun* ache;
j-m cause a p. pain; *sich* ~ *tun* hurt
o.s.; **2.** *s.* **Weh.**
We'hen (véᵉn) **1.** *f/pl.* labour(-pains);
2. ⚲ blow.
We'h|klage (-klāhgʰᵉ) *f* lamenta-
tion; **⚲klagen** lament (*um* for);
⚲leidig (-lidiç) lackadaisical; **~mut**
(-mōōt) *f* sadness; **⚲mütig** (-mütiç)
sad.
Wehr (vér) **1.** *f* defence; *sich zur* ~
setzen show fight; **2.** *n* weir; **⚲'en:**
sich ~ defend o.s.; **⚲'fähig** (-fāiç)
able-bodied; **⚲'los** defenceless;
~'macht *f* armed forces *pl.*;
~'pflicht *f* conscription; **⚲'pflichtig**
(-pflíçtiç) liable to military service.
Weib (vip) *n* woman; (*Gattin*) wife;
~'chen *n zo.* female.
Wei'ber|-art (-bᵉr-) *f* women's ways
pl.; **~feind** (-fint) *m* woman-hater;
~held *m* lady-killer; **~volk** F *n*
womenfolk.

wei'b|isch (víbĭsh) womanish, effeminate; **~lich** (-plĭç) female; *gr.* feminine; *fig.* womanly.

weich (víç) soft; **~ w.** soften; **~gekocht** soft-boiled; **♀'bild** *n* precincts *pl.*; **♀'e f 1.** *anat.* flank, side; **2. ☞** points *pl.*, *bsd. Am.* switch; **~n stellen** throw the switch; **~'en** *v/i.* (sn) give way, yield; *Preise:* decline; *von j-m* ~ leave, abandon; **♀'en-steller** *m* pointsman, *bsd. Am.* switchman; **~'herzig** soft-hearted; **~'lich** soft; *Nahrung:* sloppy; *(verweichlicht)* effeminate; **♀ling** *n* molly(-coddle); **♀'tier** (-teer) *n* mollusc.

Wei'de (víd⁶) *f ♀* willow; **⚹** pasture; *auf der* ~ *at grass;* **~land** *n* pastureland; **♀n** graze, pasture; *sich* ~ *in (dat.)* gloat (up)on.

Wei'den|korb *m* wicker-basket; **~rute** (-rōōt⁶) *f* osier switch.

Wei'd|mann (vít-) *m* sportsman; **♀männisch** sportsmanlike.

wei'gern (vig⁶rn) *(sich)* refuse; **♀ung** *f* refusal.

Wei'he (ví⁶) *f* consecration; *e-s Priesters:* ordination; **♀n** consecrate; *Priester:* ordain; *(widmen)* devote; *dem Tode usw.* geweiht doomed to death, *etc.*

Wei'her (ví⁶r) *m* pond.

wei'hevoll (ví⁶fól) solemn, pathetic.

Wei'hnachten (vínåhkt⁶n) *f/pl.* Christmas, Xmas.

Wei'hnachts... Christmas...; **~abend** (-åhb⁶nt) *m* Christmas Eve; **~fest** *n* Christmas; **~lied** (-leet) *n* Christmas carol; **~mann** *m* Old Father Christmas; **~markt** *m* Christmas fair; **~zeit** (-tsit) *f* Christmas-tide.

Wei'h|rauch (vírowk) *m* incense; **~wasser** *n* holy water.

weil (víl) because, since.

Wei'l|chen (vílç⁶n) *n* little while; **~e** *f* while, (space of) time; **♀en** stay, tarry.

Wein (vín) *m* wine *(~stock)* vine; *wilder* ~ Virginia creeper; **~'bau** (-bow) *m* vine-growing; **~'beere** (-bér⁶) *f* grape; **~'berg** *m* vineyard; **~'blatt** *n* vine-leaf.

wei'n|en (vín⁶n) weep *(um* vor *dat.* for), cry; **~erlich** whining.

Wei'n|ernte *f* vintage; **~essig** (-ĕsĭç) wine vinegar; **~faß** (-fåhs) *n* wine-cask; **~geist** (-gíst) *m* spirit of wine; **~handlung** *f* wine-

merchant's shop; **~karte** *f* wine-list; **~keller** *m* wine-cellar; **~kelter** *f* winepress; **~krampf** *m* crying fit; **~lese** (-léz⁶) *f* vintage, grape-gathering; **~ranke** *f* vine-tendril; **~rebe** (-réb⁶) *f* vine; **~stock** *m* vine; **~stube** (-shtōōb⁶) *f* wine-shop; **~traube** (-trowb⁶) *f* bunch of grapes.   [sage.]

wei'se¹ (víz⁶) wise; **♀(r) m** wise man,]

Wei'se² (víz⁶) *f* manner, way; *♪* melody, tune; *auf diese* ~ in this way; **♀n** *v/t.* point out, show; **~ an** *(acc.)* refer to; *j-n* ~ *nach* direct to; *von sich* ~ reject; *v/i.* ~ *auf (acc.)* point at *od.* to.

Wei'sheit (víshit) *f* wisdom; **♀-machen** *j-m et.:* make a p. believe a th., stuff a p. up with a th.

weiß (vis) white.

wei's|sagen (-záhg⁶n) prophesy; **♀sager(in** *f*) *m* prophet(ess *f*); **♀sagung** *f* prophecy.

Wei'ß|blech *n* tin(plate); **~brot** (-brōt) *n* white bread; **♀en** whiten; *(tünchen)* white-wash; **♀glühend** (-glü⁶nt) white-hot; **~kohl** *m* white cabbage; **♀lich** whitish; **~waren** (-váhr⁶n) *f/pl.* linen goods *pl.*; **~wein** (-vín) *m* white wine.

Wei'sung (vízōōng) *f* direction.

weit (vít) *(Ggs. nah)* distant, far (off); *(Ggs. eng)* wide, large; **~ und breit** far and wide; **~es Gewissen** elastic conscience; *bei* ~em by far; *von* ~em from afar; **~a'b** far away; **~au's** (-ows) by far; **♀'blick** *m* far-sightedness; **~'blickend** far-sighted; **♀'e** *f* width, largeness; *(Ferne)* distance; **~'en** *(a. sich)* widen.

wei'ter (vít⁶r) wider; more distant; farther, *(bsd. fig.)* further; **~! go on!** *und so* ~ and so on; *bis auf* ~es until further notice; *ohne* ~es offhand; **~befördern** forward (on); **~e(s)** *n* the rest; *(Genaueres)* further details *pl.*; **♀bestand** *m* survival; **~bilden** develop; **~führen** *v/t.* carry on; *v/i.* help things on; **~geh(e)n** (-g⁶é[⁶]n) (sn) walk *od.* pass on; *(fortfahren)* continue; **~hin** further (farther) on; **~kommen** (sn) get on; **~können** be able to go on; **~lesen** (-léz⁶n) continue reading; **♀ungen** *f/pl.* complications.

wei't|gehend (-g⁶é⁶nt) large(ly *adv.*); **~he'r** from afar; **~he'rgeholt** (-hérg⁶hólt) far-fetched;

~'**herzig** large-hearted; ~**hi'n** far off; ~'**läufig** (-lôifiç) distant; (ausgedehnt) spacious; (ausführlich) detailed; s. ~**schweifig**; (zerstreut) straggling; ~'**reichend** (-riçᵉnt) far-reaching; ~'**schweifig** (-shvîfiç) diffuse, lengthy; ~'**sichtig** (-ziçtiç) long-sighted; ♀'**sprung** (-shprŏŏŋ) m long jump; ~'**tragend** (-träh-gᵉnt) long-range; fig. far-reaching. **Wei'zen** (vitsᵉn) m wheat; ~**mehl** n wheaten flour.

welch (vĕlç) interr. pron. what; auswählend: which; rel. pron. who, which, that; (etwas, einige) some, any.

welk (vĕlk) withered, faded; (schlaff) flabby; ~**en** (sn) fade, wither.

We'llblech n corrugated sheet.

We'lle (vĕlᵉ) f wave; ⊕ shaft.

We'llen|bereich (-bᵉriç) m Radio: wave-range; ♀**förmig** (-förmiç) undulating; ~**länge** f Radio: wave-length; ~**linie** (-leen'ᵉ) f wavy line; ~**schlag** (-shlähk) m dashing of the waves.

we'llig wavy. [board.]

We'll|pappe f corrugated paste-)

Welt (vĕlt) f world; auf der ~ in the world; zur ~ bringen bring into the world; ~'**-all** n universe; ~'**-alter** n age; ~'**-anschauung** (-áhnshowŏŏŋ) f Weltanschauung; ideology; ~'**-ausstellung** (-owsshtĕlŏŏŋ) f international exhibition; ♀'**bekannt**, ♀'**berühmt** world-renowned; ~'**bürger** n cosmopolite; ♀'**erschütternd** world-shaking; ~'**fremd** worldly innocent; ~'**friede(n)** (-freedᵉ[n]) m universal peace; ~'**geschichte** f universal history; ♀**gewandt** versed in the ways of the world; ~'**handel** m international trade; ♀'**klug** (-klŏŏk) worldly-wise, politic; ~'**klugheit** f worldly wisdom; ~'**krieg** (-kreek) m world-war; ~'**kugel** (-kŏŏg'ᵉl) f globe; ~'**lage** (-lähgʰᵉ) f international situation; ~'**lauf** (-lowf) m course of the world.

we'ltlich worldly; (Ggs. geistlich) secular, temporal.

We'lt|literatur (-lĭtᵉráhtŏŏr) f universal literature; ~**macht** f world-power; ~**mann** m man of the world; ♀**männisch** (-mĕnish) gentlemaɲuy; ~**markt** m international market; ~**meer** (-mér) n ocean;

~**meister(in** f) (-mĭstᵉr) m champion of the world; ~**meisterschaft** f world's championship; ~**raum** (-rowm) m interstellar space; ~**reich** (-riç) n universal empire; ~**reise** (-rizᵉ) f journey round the world; ~**rekord** m world's record; ~**ruf** (-rŏŏf) m world-wide renown; ~**schmerz** m world-weariness; ~**sprache** (-shpráhkᵉ) f universal language; ~**stadt** f metropolis; ~**wunder** (-vŏŏndᵉr) n wonder of the world.

We'nde (vĕndᵉ) f turn(ing); s. ~**punkt**; ~**kreis** (-kris) m tropic; ~**ltreppe** f (e-e a flight of) winding stairs pl.

we'nd|en (vĕndᵉn) (a. sich) turn; bitte ~! please turn over!; sich ~ an j-n address o.s. to a p.; um Auskunft usw.: apply to a p.; ♀**epunkt** (-pŏŏŋkt) m turning-point; ~**ig** nimble; manœuvrable; ♎, mot. easily steered; ♀**ung** f turn(ing); change; = Redensart.

we'nig (véniç) little; pl. few; ~**er** less; pl. fewer; am ~**sten** least; ♀**keit** f small quantity; meine ~ my humble self, ~**stens** at least.

wenn (vĕn) zeitlich: when; bedingend: if; ~ nicht if not, unless; ~ auch (al)though; ~ auch noch so … however.

wer (vér) rel. pron. who, he who; interr. pron. who?; auswählend: which?; ~ auch who(so)ever.

We'rbe… mst advertising; a. propaganda, publicity; ~**abteilung** (-ahptîlŏŏrɣ) f advertising (od. publicity) department.

we'rb|en (vĕrbᵉn) v/t. ⚔ enlist, recruit; v/i. make propaganda; advertise; ~ um sue for; court; ~des Kapital working capital; ♀**er** m suitor; ⚔ recruiting officer; ♀**ung** f recruiting; courting; ♱ propaganda. [career.]

We'rdegang m development;)

we'rden (vérdᵉn) 1. v/i. (sn) become, get; allmählich: grow; plötzlich: turn; 2. v/aux. ich werde fahren I shall drive; geliebt ~ be loved; 3. ♀ n growing; im ♀ sn be preparing.

we'rfen (vĕrfᵉn) throw (nach a.); Anker, Blick, Licht, Schatten: cast; Junge: bring forth.

Werft (vĕrft) f dockyard.

Werg (věrk) *n* tow.

Werk (věrk) *n* work; (*Tat*) action; (*Getriebe*) works *pl.*; ✕ work(s *pl.*); (*Fabrik*) works *pl. od. sg.*; ins ~ setzen set going; zu ~ gehen proceed; ~'führer, ~'meister (-mist⁶r) *m* foreman; ~'statt *f* workshop; ~'tag (-tåhk) *m* work (-ing)-day; 2'tätig (-tåtiç) working; (*praktisch*) practical; ~'zeug (-tsŏik) *n* instrument, tool.

We'rmut (vérmŏŏt) *m* verm(o)uth.

wert (vért) 1. worth (-e-r S. a th.); (*würdig*) worthy (*gen.* of); (*lieb*) dear; *Ihr ~es Schreiben* your favour; 2. 2 *m* worth, value.

We'rt|brief (-breef) *m* money--letter; 2**en** value, appraise; ~**gegenstand** (-gʰégʰᵉnshtåhnt) *m* article of value; 2**los** (-lŏs) worthless; ~**papiere** (-påhpeer⁶) *n/pl.* securities *pl.*; ~**sachen** (-zåhkᵘⁿ) *f/pl.* valuables *pl.*; ~**ung** *f* valuation; 2**voll** valuable.

We'sen (véz⁶n) *n* being; (*Ggs. Schein*) essence; (*Natur*) nature; (*Betragen*) manners *pl.*; *in Zssgn:* system; (*Getue*) fuss, ado; 2**los** (-lŏs) unreal; 2**tlich** essential, substantial.

wesha'lb (věs-håhlp) wherefore, why.

We'spe (věsp⁶) *f* wasp.

West (věst), ~'**en** *m* west.

We'ste *f* waistcoat, *Am.* vest.

we'stlich west(ern), westerly.

We'tt|bewerb (větbᵉvěrp) *m* competition; ~**büro** (-bürŏ) *n* betting office; ~**e** *f* bet, wager; e-e ~ eingehen make a bet; ~**eifer** (-if⁶r) *m* emulation; 2**eifern** emulate, vie; 2**en** bet, wager (*mit j-m* a p.; *um et. a* th.).

We'tter (vět⁶r) *n* weather; (*Un*2) tempest; ~**bericht** *m* weather report; 2**fest** weather-proof; ~**karte** *f* weather-chart; ~**lage** (-låhgʰᵉ) *f* weather conditions *pl.*; ~**leuchten** (-lŏiçt⁶n) *n* sheet-lightning; ~**voraussage** (fŏrowzåhgʰᵉ) *f* weather forecast; ~**warte** *f* weather station, *Am.* weather bureau.

We'tt|kampf *m* contest, match; ~**kämpfer(in** *f*) *m* competitor; ~**rennen** *n* race; ~**rudern** (-rŏŏd⁶rn) *n* boat-race; ~**streit** (-shtrit) *m* contest.

we'tzen (věts⁶n) whet.

Wi'chse (víks⁶) *f* blacking, polish; F (*Prügel*) thrashing; 2**n** black.

wi'chtig (víçtiç) important; 2**keit** *f* importance; 2**tu-er** (-tŏŏ⁶r) *m* pompous fellow.

Wi'ckel|gamasche (vík⁶lgåhmåh-sh⁶) *f* puttee; 2**n** wind, roll; *Haar:* curl; (*ein*~) wrap up.

Wi'dder (víd⁶r) *m* ram.

wi'der (veed⁶r) (*acc.*) against, contrary to; ~**fa'hren** (sn) *j-m:* happen to a p.; 2**haken** (-håhk⁶n) *m* barb (-ed hook); 2**hall** *m* echo; ~**ha'llen** (re-)echo; ~**le'gen** (-légʰᵉn) refute; ~**lich** repulsive; disgusting; ~**rechtlich** illegal; ~**rede** (-réd⁶) *f* contradiction; 2**ruf** (-rŏŏf) *m* revocation; ~**ru'fen** revoke; ~**ru'flich** (-rŏŏfliç) revocable; 2**schein** (-shin) *m* reflection; *sich* ~**se'tzen** (-zéts⁶n) (*dat.*) oppose; ~**se'tzlich** refractory; ~**sinnig** (-zíniç) absurd; ~**spenstig** (-shpén-stiç) obstinate; 2**spenstigkeit** *f* obstinacy; ~**spiegeln** (-shpeegʰᵉln) reflect; ~**spre'chen** (*dat.*) contradict; oppose; ~**spre'chend** contradictory; 2**spruch** (-shprŏŏk) *m* contradiction; opposition; 2**stand** *m* resistance; ~**standsfähig** (-shtåhntsfåiç) resistant; ~**ste'h(e)n** (-shtél⁶'n) (*dat.*) resist; *fig.* be repugnant to; ~**stre'ben** (-shtré-b⁶n) (*dat.*) oppose; *fig.* be repugnant to; ~**stre'bend** reluctant; 2**streit** (-shrit) *m* conflict; ~**strei'ten** (*dat.*) conflict with; ~**wärtig** (-vértiç) adverse; (*ekelhaft*) disgusting; 2**wille** *m* aversion (*gegen* to); ~**willig** unwilling.

wi'dm|en (vídm⁶n) dedicate; (*weihen*) devote; 2**ung** *f* dedication.

wi'drig (veedriç) adverse; ~**enfalls** (-gʰ-) failing which; 2**keit** *f* adversity.

wie (vee) *Frage, Ausruf:* how; *Vergleich:* as; like; *zeitlich:* as.

wie'der (veed⁶r) again, anew; (*zurück*) back; *immer* ~ again and again; 2**au'fbau** (-owfbow) *m* reconstruction; ~**au'fbauen** rebuild; ~**au'fleben** (-owfléb⁶n) 1. (sn) revive; 2. ~ *n* revival; ~**au'fnehmen** (-owfném⁶n) resume; 2**beginn** *m* recommencement; reopening; ~**bekommen** recover; ~**beleben** (-bᵉléb⁶n) revive; 2**belebungsversuch** (-b⁶-

lébōͦrͣsférzōͦκ) *m* attempt at re-
suscitation; ~bringen bring back;
(*zurückgeben*) restore; ~ei'nnehmen (-in-ném⁶n) recapture; ~
-ei'nsetzen (-in-zẹts⁶n) *fig.* restore;
~ei'nstellen (-in-shtẹl⁶n) *j-n:* re-
-engage; ~ergreifen (-ẹrgrīf⁶n)
Flüchtling: reseize; ⸰ergreifung
f reseizure; ~erkennen recognize;
⸰erkennung *f* recognition; ~er-
statten restore; *Kosten:* reimburse;
~geben (-gḗb⁶n) give back, return;
(*übersetzen usw.*) render, reproduce;
⸰gu'tmachung (-gōͦtmähkōͦṛg) *f*
pol. reparation; ~he'rstellen (-hḗr-
shtẹl⁶n) restore; ⸰he'rstellung *f*
restoration; ~ho'len (-hōl⁶n) repeat; ⸰ho'lung *f* repetition; ~kehr
(-kḗr) *f* return; ~kehren (sn)
return; ~sehen (-zḗ⁶n) **1.** (*a. sich*)
see (*od.* meet) again; **2.** ⸰ *n* meeting
again; *auf* ⸰! till we meet again!,
Am. see (you) again!; ~tun (-tōͦn)
do again, repeat; ~um (-ōͦm)
again; ~ver-einigen (-fér-īnig⁶⁶n)
reunite; ⸰ver-einigung *f* reunion;
⸰verkäufer (-fḗrkōͦif⁶r) *m* retailer;
⸰wahl *f* re-election; ~wählen re-
-elect; ⸰zu'lassung (-tsōͦlähsōͦṛg)
f readmission.

Wie'ge (veeg⁶⁶) *f* cradle; ⸰n weigh;
(*schaukeln*) rock; *sich ~ in* (*acc.*) lull
o.s. into; ~nlied (-leet) *n* lullaby.
wie'hern (vee⁶rn) neigh.
Wie'ner (veen⁶r) *m*, ~in *f*, ⸰isch
Viennese.
Wie'se (veez⁶) *f* meadow.
wieso? (veezō) why so?
wievie'lte (veefeelt⁶) *den* ~*n haben
wir?* what day of the month is it?
wild (vīlt) **1.** wild; (*unzivilisiert,
grimmig*) savage; ⁶ ~es *Fleisch*
proud flesh; ~e *Ehe* concubinage;
~er *Streik* lightning-strike; **2.** ⸰ *n*
game.
Wi'ld|dieb (-deep) *m* poacher; ~e(r)
(-d-) savage; ⸰ern poach; ~fleisch
(-flish) *n* venison; ⸰fre'md quite
strange; ~leder (-lḗd⁶r) *n*, ⸰ledern
buckskin; doeskin, suède; ~nis *f*
wilderness; ~schwein (-shvīn) *n*
wild boar.
Wi'lle (vīl⁶) ~n *m* will; *guter* ~ good
intention; *mit* ~*n* on purpose; *wider*
~*n* unwillingly; ⸰ns ~ *sn* be willing;
j-m s-n ~ *lassen* let a p. have his
own way; ⸰nlos (-lōs) lacking will.
Wi'llens|freiheit (-frīhīt) *f* freedom

of the will; ~kraft *f* will-power; ~
schwäche *f* weak will; ~stärke *f*
strong will.
wi'll|fahren (vīlfāhr⁶n) (*dat.*) com-
ply with; gratify *a p.*; ~fährig
(-fā́rĭç) compliant; ⸰fährigkeit *f*
compliance; ~ig willing; ~ko'm-
men welcome; ⸰'kür (-kür) *f*
arbitrariness; ~kürlich arbitrary.
wi'mmeln (vĭm⁶ln) swarm (*von*
with).
wi'mmern (vĭm⁶rn) whimper.
Wi'mpel (vĭmp⁶l) *m* pennon.
Wi'mper (vĭmp⁶r) *f* eyelash.
Wind (vĭnt) *m* wind; ~'beutel
(-boit⁶l) *m* cream puff (-paste); *fig.*
windbag.
Wi'nde (vĭnd⁶) *f* windlass; reel.
Wi'ndel (vĭnd⁶l) *f* (baby's) diaper *od.*
napkin; *pl.* swaddling-clothes.
wi'nden (vĭnd⁶n) (*a. sich*) wind;
Kranz: make, bind.
Wi'nd|hose (-hōz⁶) *f* whirlwind, tor-
nado; ~hund (-hōͦnt) *m* greyhound;
⸰ig windy; ~mühle (- *f* windmill; ~pocken *f*/*pl.* chicken-pox;
~richtung *f* direction of the wind;
~rose (-rōz⁶) *f* compass-card; ~
(schutz)scheibe *f* (-[shōͦts]-shib⁶)
wind-screen, *Am.* windshield; ~
seite (-zīt⁶) *f* weather-side, ~stärke
f wind velocity; ⸰still, ~stille *f*
calm; ~stoß (-shtōs) *m* gust (of
wind).
Wi'ndung (vĭndōͦṛg) *f* winding,
turn; *e-s Weges, Stromes:* bend;
e-r Taurolle, Schlange: coil.
Wink (vĭṇk) *m* sign; *durch Nicken:*
nod; *fig.* hint; tip.
Wi'nkel (vĭṇk⁶l) *m* angle; (*Ecke*)
corner, nook.
wi'nk(e)lig angular.
Wi'nkelzug (vĭṇk⁶ltsōͦk) *m* subterfuge, shift.
wi'nk|en (vĭṇk⁶n) make a sign;
Hand: beckon; wave (*mit a th.*);
Kopf: nod; *Augen:* wink; ⸰er *m*
mot. direction indicator.
wi'nseln (vĭnz⁶ln) whimper.
Wi'nter (vĭnt⁶r) *m* winter; ⸰lich
wintry; ~schlaf (-shlāhf) *m* hiber-
nation; ~sport *m* winter sports *pl.*
Wi'nzer (vĭnts⁶r) *m* vine-dresser;
(*Traubenleser*) vintager.
wi'nzig (vĭntsĭç) tiny, diminutive.
Wi'pfel (vĭpf⁶l) *m* top (of a tree).
Wi'ppe (vĭp⁶) *f*, ⸰n seesaw.
wir (veer) we.

Wi'rbel (vĭrbᵉl) *m* (*Drehung*) whirl; *anat.* vertebra; (*Wasser*) eddy; (*Rauch*) wreath; 2ig whirling; 2n whirl; *Trommel:* roll; säule (-zöilᵉ) *f* vertebral column; sturm (-shtŏŏrm) *m* cyclone, tornado; tier (-teer) *n* vertebrate; wind *m* whirlwind.

wi'rk|en (vĭrkᵉn) *v/t.* work, effect; *v/i.* work, operate; (*treffen*) tell; *auf den Geist usw.* affect; lich real; 2lichkeit *f* reality; sam effective, efficacious; 2samkeit *f* efficacy.

Wi'rkung *f* effect; (*Tätigkeit*) operation; skreis (-kris) *m* sphere of action; 2slos (-lōs) ineffective, inefficacious; 2svoll = wirksam.

wirr (vĭr) confused; *Haar:* dishevelled; 2'en *f*/*pl.* disorders; 2'warr *m* muddle.

Wi'rsingkohl (vĭrzĭŋkōl) *m* savoy.

Wirt (vĭrt) *m* host; (*Haus*, *Gast*) landlord; (*Gast*) innkeeper; 'in *f* hostess; (*Haus*, *Gast*) landlady.

Wi'rtschaft *f* (*Haushaltung*) housekeeping; *e-s Gemeinwesens:* economy; (*Wirtshaus*) public house; 2en keep house; *gut usw.:* manage; (*umherhantieren*) bustle about; er (-in *f*) *m* housekeeper; 2lich economic; (*haushälterisch*) economical; s-politik (-pŏlĭteek) *f* economic policy; s-prüfer *m* chartered accountant.

Wi'rtshaus (vĭrtshows) *n* public house.　　　　　[paper; 2'en wipe.]

Wisch (vĭsh) *m* wisp; *contp.* scrap of

wi'spern (vĭspᵉrn) whisper.

Wiß|begierde (vĭsbᵉgheerdᵉ) *f* desire of knowledge; 2begierig (-bᵉgheerĭç) eager for knowledge.

wi'ssen (vĭsᵉn) 1. know; *man kann nie* you never can tell; 2. *n* knowledge; *meines* s to my knowledge.　[scientist; 2lich scientific.]

Wi'ssenschaft *f* science; ler *m*

Wi'ssens|drang *m* desire of knowledge; 2wert (-vért) worth knowing.

wi'ssentlich knowing.　　　[ing.]

wi'ttern (vĭtᵉrn) scent.

Wi'tterung *f* weather; (*Geruch*) scent; sverhältnisse *n*/*pl.* meteorological conditions.

Wi'twe (vĭtvᵉ) *f* widow.

Wi'twer *m* widower.

Witz (vĭts) *m* wit; (*Spaß*) joke; e reißen crack jokes; 'blatt *n* comic paper; 2'ig witty.

wo (vō) where; bei' (vōbī) at what; at which.　　[kommen be confined.]

Wo'che (vŏkᵉ) *f* week; *in die*

Wo'chen|bett *n* childbed; blatt *n* weekly (paper); end..., ende *n* week-end; 2lang for weeks; lohn *m* weekly pay; markt *n* weekly market; schau (-show) *f* Film: news reel; tag (-tähk) *m* week-day.

wö'chentlich (vŏçᵉntlĭç) weekly.

Wö'chnerin *f* woman in childbed.

wo|dur'ch (vōdŏŏrç) by what?; by which; für' for what?; for which.

Wo'ge (vōghᵉ) *f* billow; wave.

wo'gen surge; billow; heave.

wo|he'r (vōhér) from where; hi'n where (... to).

wohl (vōl) 1. well; *vermutend:* I suppose; *er wird* *reich sn* he is rich, I suppose; 2. 2 *n* welfare; *auf Ihr* ! your health!

wo'hl-a'n now then! 2befinden *n* good health; 2behagen (-bᵉhähghᵉn) *n* comfort; behalten safe; bekannt well known; erzogen (-értsōghᵉn) well-bred; 2fahrt *f* welfare; 2fahrtspflege (-fährtspflégᵉ) *f* welfare work; feil (-fil) cheap; 2gefallen *n* pleasure, delight (*an dat.* in); gemeint (-ghᵉmint) well-meant; gemut (-ghᵉmōōt) cheerful; 2geruch (-ghᵉrŏŏk) *m* sweet scent, perfume; 2geschmack *m* agreeable taste, flavour; gesinnt (-ghᵉzĭnt) well-meaning; habend (-hähbᵉnt) well-to-do; ig comfortable; 2klang, 2laut (-lowt) *m* melodious sound; klingend melodious; 2leben (-lébᵉn) *n* luxury; riechend (-reeçᵉnt) fragrant; schmeckend savoury; 2sein (-zin) *n* well-being; good health; 2stand *m* prosperity; 2tat (-täht) *f* benefit; *fig.* comfort; 2täter *m* benefactor; 2täterin *f* benefactress; tätig beneficent; charitable; 2tätigkeit *f* charity; tuend (tōōᵉnt) pleasant; tun (-tōōn) do good; verdient (-férdeent) well-deserved; wollen 2wollen *n* goodwill, benevolence; wollen *j-m:* wish a p. well; wollend benevolent.

wo'hn|en (vōnᵉn) live; reside; 2haus (-hows) *n* dwelling-house; haft resident; lich comfortable; 2-ort, 2sitz (-zĭts) *m* dwelling-place, residence.

Wo'hnung f dwelling, habitation; *engS.* lodgings, rooms *pl.*; (*Miet2*) flat, *Am.* apartment; **~s-amt** n housing office; **~snot** (-nöt) f housing shortage.

Wo'hn|wagen (vōnvähg^hen) m caravan; **~zimmer** n sitting-room, *Am.* living room.

wö'lb|en (völb^en) vault; *sich ~* arch; *2ung* f vault.

Wolf (völf) m wolf; *∦* chafe.

Wo'lke (völk^e) f cloud; **~nbruch** (-brōōk) m cloud-burst; **~nkratzer** m skyscraper; **2nlos** (-lōs) cloudless.

wo'lkig cloudy, clouded.

Wo'll|decke f blanket; **~e** f wool.

wo'llen¹ woollen.

wo'llen² (vŏl^en) **1.** wish, want; (*bereit sn*) be willing; (*beabsichtigen*) intend; (*im Begriff sn*) be going to; *lieber ~* prefer; *ich will es tun* I will do it; *er weiß, was er will* he knows his mind; *wir ~ gehen* let us go; **2.** 2 n will.

wo'llig woolly.

Wo'll|stoff m woollen (fabric).

Wo'llust (vŏllŏst) f voluptuousness; *2üstig* voluptuous.

Wo'llwaren (völvähr^en) f/pl. woollen goods pl.; **~händler** m woollen--draper.

womi't (vōmǐt) with what?; with which.

Wo'nne (vŏn^e) f delight, bliss.

wo'nnig delightful, blissful.

wor|a'n (vōrähn) at what?; at which; *~ denken Sie?* what are you thinking of?; **~auf** (-owf) on what?; on which; (*und danach*) whereupon; **~au's** (-ows) out of (*od.* from) what?; out of (*od.* from) which; **~i'n** in what?; in which.

Wort (vŏrt) n word (*Ausdruck*) term; (*Ausspruch*) saying; *ums ~ bitten* ask permission to speak; *das ~ ergreifen* begin to speak; *parl.* rise to speak, *Am.* take the floor; *das ~ führen* be the spokesman; *~ halten* keep one's word; *2'brüchig* false to one's word.

Wö'rter|buch (vört^erbōōk) n dictionary; **~verzeichnis** (-fĕrtsǐçnǐs) n list of words.

Wo'rt|führer spokesman; *2getreu* (-g^etrŏi) literal; *2karg* (-kährk) taciturn; **~klauberei** (-klowb^erī) f hair-splitting; **~laut** (-lowt) m wording; (*Inhalt*) text.

wö'rtlich (vörtlǐç) verbal, literal.

Wo'rt|schwall m verbiage; **~schatz** m stock of words; **~spiel** (-shpeel) n play on words; **~stellung** f order of words; **~streit** (-shtrīt), **~wechsel** (-vĕks^el) m dispute.

wor|ü'ber (vōrüb^er) over (*od.* on) what?; over (*od.* on) which; **~u'm** (-ōōm) about what?; about which.

wo|vo'n (vōfŏn) of (*od.* from) what?; of (*od.* from) which; **~zu'** (-tsōō) for what?; for which.

Wrack (vrähk) n wreck.

wri'ng|en (vrǐng^en) wring; *2-maschine* (-mǎsheen^e) f wringing--machine.

Wu'cher (vōōk^er) m usury; **~er** m usurer; **~gewinn** m excess profit; *2n* practise usury; *♦* grow exuberantly; **~ung** f *♦* exuberance; *♦* growth; **~zinsen** (-tsinz^en) pl. usurious interest.

Wuchs (vōōks) m growth; (*Gestalt*) figure, shape, stature.

Wucht (vōōkt) f weight; (*Gewalt*) force; *2'ig* weighty, heavy.

Wü'hl-arbeit (vülährbīt) f fig. insidious agitation; *2en* dig; *Tier:* burrow; *Schwein:* root; *fig.* agitate; **~er** m fig. agitator.

Wulst (vŏōlst) m bulge; roll; pad; *2'ig* bulging; *Lippen:* protruding.

wund (vŏōnt) sore; (*verwundet*) wounded; **~e** *Stelle* sore; *2'-arzt* m surgeon; *2'e* (-d^e) f wound.

Wu'nder (vŏōnd^er) n wonder, marvel (*a. fig.*); *übernatürlich:* miracle; **~** tun work wonders; *2bar* wonderful, marvellous, miraculous; **~kind** n infant prodigy; *2lich* queer; odd; *2n: ich wundere mich (über acc.)*, *es wundert mich* I wonder, I am surprised (at); **~schö'n** (-shön) exceedingly beautiful; **~täter** (in f) m wonder--worker; *2tätig* wonder-working; *2voll* wonderful; **~werk** n miracle.

Wu'nd|fieber (vŏōntfeeb^er) n wound-fever; **~liegen** (-leegh^en) n being bedsore.

Wunsch (vōōnsh) m wish, desire; *auf ~* by request; *nach ~* as desired; *mit den besten Wünschen zum Fest* with the compliments of the season.

Wü'nschelrute (vünsh^elrŏōt^e) f divining-rod.

wü'nschen (vünsh^en) wish, desire; **~swert** (-vért) desirable.

wu'nsch|gemäß (voonshg^hemäs) as requested; &zettel m list of things desired.

Wü'rde (vürd^e) f dignity; unter aller ~ beneath contempt; &los undignified; ~nträger m dignitary; &voll dignified; grave.

wü'rdig worthy; = würdevoll; ~en (vürdig^hen) appreciate; j-n e-s Blickes ~ deign to look at a p.; &keit f worthiness; (Verdienst) merit; &ung f appreciation.

Wurf (voorf) m throw, cast.

Wü'rfel (vürf^el) m die; & cube; ~becher m dice-box; &n v/i. play (at) dice; v/t. Stoff: chequer; ~spiel (-shpeel) n game at dice; ~zucker (-tsook^er) m cube-sugar.

Wu'rf|geschoß (voorfgh^eshŏs) n missile; ~spieß (-shpees) m javelin, dart.   [brechen: retch.-]

wü'rgen (vürg^hen) choke; beim Er-|

Wurm (voorm) m worm; &'en fret, vex; &'förmig (-förmiç) worm-

-shaped; &'stichig (-shtiçiç) worm-eaten.

Wurst (voorst) f sausage.

Wü'rstchen (vürstç^en) n: warme ~ hot sausages, Am. F hot dogs.

wu'rsteln (voorst^eln) F muddle.

Wü'rze (vürts^e) f seasoning, flavour; (Gewürz) spice; condiment.

Wu'rzel (voorts^el) f root; &n take root; be rooted (in dat. in).

wü'rz|en (vürts^en) season, spice; ~ig aromatic; spicy.

Wust (voost) m confused mass.

wüst (vüst) desert, waste; (wirr) confused; (liederlich) wild; (roh) rude; &'e f desert, waste; &'ling m debauchee, libertine, rake.

Wut (voot) f rage, fury; in ~ in a rage; ~'-anfall m fit of rage.

wü'ten (vüt^en) rage; ~d furious; enraged, Am. mad (auf acc. at, with).

Wü'terich (vüt^eriç) m Tartar.

wu'tschnaubend (vootshnowb^ent) breathing rage.

X/Y

X-|Beine (īks-bīn^e) n/pl. knock-knees; ~'beinig (-bīniç) knock-kneed.

x-mal (īks-māhl) F umpteen times.

X-Strahlen m/pl. X-rays.

Yacht (yäнкt) f Yacht.

Z

(Vgl. auch C und K)

Za'cke (tsäнk^e) f, ~n¹ m (sharp) point; (Zinke) prong; (Fels&) jag; &n² indent, tooth; jag.

za'ckig pointed; indented, notched; Felsen: jagged.

za'g|en (tsāgh^en) quail; ~haft timid; &haftigkeit f timidity.

zäh|(e) (tsä[^e]) tough; tenacious; Flüssigkeit: viscous; &igkeit f tenacity; viscosity; toughness.

Zahl (tsähl) f number; (Ziffer) figure; &'bar payable.

zä'hlbar countable.

Za'hl|brett n counter; &en pay; im Gasthaus: ~! the bill, please!

zä'hlen (tsähl^en) count, number (unter acc., zu among, with).

za'hlenmäßig (tsähl^enmäsïç) numerical.

Zä'hler m counter; & numerator; (Gas& usw.) meter.

Za'hl|karte f paying-in form; &los numberless; ~meister (-mīst^er) m paymaster; &reich (-riç) numerous; ~tag (-tāhk) m pay-day; ~ung f payment.

Za'hlungs|bedingungen (tsählŏŏ_nsb^edi_nŏŏ_ng^en) f/pl. terms of payment; ~befehl m writ of execution; ~einstellung (-īnshtĕlŏŏ_n) f suspension of payment; &fähig (-fäïç) solvent; &fähigkeit f solvency; ~frist f term of payment; ~schwierigkeiten (-shveeriçkit^en) f/pl. pecuniary difficulties; &-unfähig (-ŏŏnfäïç) insolvent; ~unfähigkeit f insolvency.

zahm (tsäнm) tame (a. fig.), domestic.

zä'hm|en tame (a. fig.), domesticate; Qung f taming.

Zahn (tsähn) m tooth; ~-arzt m dental surgeon; dentist; ~bürste f tooth-brush; Q'en v/i. teethe; v/t. indent; tooth; ~'fäule (-föil^e) f decay of teeth; ~'fleisch (-flish) n gums pl.; ~'füllung f filling; ~-geschwür (-g^eshvür) n gumboil; ~'heilkunde (-hilkoond^e) f dentistry; ~'rad (-räht) ⊕ n cog-wheel; ~'schmerz m toothache; ~'stocher (shtök^er) m toothpick.

Za'nge (tsähŋ^e) f (e-e ~ a pair of) tongs, pincers pl.; ⚒, zo. forceps.

Zank (tsähŋk) m quarrel; ~'-apfel m bone of contention; Q'en (a. sich) quarrel, wrangle.

Zä'nker (tsähŋk^er) m, ~in f quarreller, wrangler; f: scold.

zä'nkisch quarrelsome.

Zä'pfchen (tsěpf^en) n anat. uvula.

Za'pfen (tsähpf^en) 1. m plug; peg, pin; (Faß♀) bung; (Dreh♀) pivot; ♀ cone; 2. ♀ tap; ~streich (-shtriç) m tattoo, retreat. [faucet.]

Za'pfhahn (tsähpfhähn) m tap, Am.)

za'ppel|ig (tsähp^liç) fidgety; ~n struggle; vor Unruhe: fidget.

zart (tsährt) tender; delicate; ~'fühlend delicate; Q'gefühl n delicacy of feeling.

zä'rtlich (tsärtliç) tender, fond.

Zau'ber (tsowb^er) m spell, charm, glamour; ~ei' (-i') f magic, sorcery; ~er m sorcerer, magician; ~formel f spell; Qhaft magical, enchanting; ~in f sorceress, enchantress; ~kraft f magic power; Qn conjure; ~stab (-shtähp) m magic wand; ~wort n magic word.

zau'dern (tsowd^ern) linger, delay; (schwanken) hesitate; Q n lingering; hesitation. [keep in check.]

Zaum (tsowm) m bridle; im ~ halten)

zäu'men (tsöim^en) bridle.

Zaun (tsown) m fence; ~'gast m deadhead; ~'pfahl m pale.

Ze'ch|e f score, reckoning; ⚒ mine; coal-pit, colliery; die ~ bezahlen stand treat; Qen tipple; ~gelage (-g^elähg^e) n carouse; ~preller m bilk(er).

Zeh (tsé) m, ~e f toe; ~'enspitze (tsé^enshpíts^e) f point of the toe; auf den ~ n on tiptoe.

zehn (tsén), Q f ten; ~'fach tenfold; ~'jährig ten-years-old.

---

ze'hnt|e (tsént^e) 1. tenth; 2. Q m (Abgabe) tithe; Qel n tenth (part); ~en ✂ decimate; ~ens tenthly.

ze'hren (tsér^en): ~ von live on; fig. gnaw (an dat. at); ~d ✂ consumptive.

Zei'chen (tsiç^en) n sign; (Merk♀) mark; (Signal) signal; zum ~ (gen.) in sign of; ~brett n drawing-board; ~lehrer m drawing-master; ~papier (-päh^per) n drawing-paper; ~setzung (-zětsöoŋ) f gr. punctuation; ~sprache (-shprähk^e) f language of signs; ~stift m crayon.

zei'chn|en (tsiç^en) v/t. (be~) mark; (unter~) sign; Beitrag: subscribe (für to); Anleihe: subscribe for; (a. v/i.) paint. draw, Muster usw.: design; Qer m draughtsman, Am. draftsman; designer; subscriber (gen. to); Qung f drawing, design; subscription (to; for).

Zei'gefinger (tsig^efíŋ^er) m forefinger, index.

zei'gen (tsig^en) show; (deuten auf) point out od. at; sich ~ appear.

Zei'ge|r (tsig^er) m (Uhr♀) hand; ~stock m pointer.

Zei'le (tsil^e) f line; (Reihe) row.

Zeit (tsit) f time; mit der ~ in the course of time; zur ~ (gen.) in the time of; (jetzt) at present; zu s-r ~ in due course of time; das hat ~ there is plenty of time for that; laß dir ~! take your time!

Zei't|abschnitt m epoch, period; ~alter n age; ~angabe (-ähngähb^e) f date; ~aufnahme (-owfnähm^e) f time exposure; ~dauer (-dow^er) f length of time, duration; Qgemäß (-g^emäs) seasonable; up-to-date; actual; ~genosse m, ~genossin f, Qgenössisch (-g^enŏsish) contemporary; ~geschichte f contemporary history; Qig early; ~karte f season-ticket, Am. commutation ticket; Qle'bens (-léb^ens) for life, during life; Qlich temporal; Qlos timeless; ~lupen-aufnahme (-löo-p^enowfnähm^e) f slow-motion picture; Qnah current; ~ordnung f chronological order; ~punkt (-pŏoŋkt) m moment; ~raffer-aufnahme (-rähf^erowfnähm^e) f quick-motion picture; ~raum (-rowm) m period; ~rechnung f chronology; era; ~schrift f journal, periodical, magazine; ~umstände (-ŏomshtěnd^e) m/pl. circumstances.

Zei'tung (tsitōōrg) f (news)paper.
Zei'tungs|-abonnement (-ăⁿbŏnĕmᾱ) n subscription to a paper; **~expedition** (-ĕkspédĭts'ŏn) f newspaper office; **~kiosk** (-kĭŏsk) m news-stand; **~notiz** (-nŏteets) f press item; **~papier** (-păⁿpeer) n newsprint; **~verkäufer** (-fĕrkŏifᵉr) (**-in** f) m newsvendor; newsboy; **~wesen** (-véz'ᵉn) n journalism.
Zei't|vertreib (-fĕrtrip) m pastime; ℒ**weilig** (-viliç) temporary; ℒ**weise** at times; for a time; **~zeichen** (-tsiçᵉn) n time signal.
Ze'lle (tsĕlᵉ) f cell.
Ze'llstoff m cellulose.
Zelt (tsĕlt) n tent; **~bahn** f tent square, Am. shelter half; ℒ'**en** tent; **~leinwand** (-līnvăⁿnt) f tentcloth.
Zeme'nt (tsĕmĕnt) m u. n, ℒ**ie'ren** (-eer'ᵉn) cement.
zensie'ren (tsĕnzeerᵉn) censor; Schule: mark, Am. grade.
Ze'nsor (tsĕnzŏr) m censor.
Zensu'r (tsĕnzōōr) f censorship; Schule: mark(s pl.); report.
Zentime'ter (tsĕntĭmétᵉr) n (m) centimetre. [weight.]
Ze'ntner (tsĕntnᵉr) m hundred-|
zentra'l (tsĕntrăhl) central; ℒ**e** f central office od. station; ℒ**heizung** (-hītsōōᵍg) f central heating.
Ze'ntrum (tsĕntrōōm) n centre.
Ze'pter (tsĕptᵉr) n sceptre.
zerbei'ßen (-bisᵉn) bite to pieces.
zerbe'rsten (sn) burst asunder.
zerbre'ch|en v/t. u. v/i. (sn) break to pieces; sich den Kopf ~ rack one's brains; **~lich** breakable, fragile.
zerbrö'ckeln crumble (away).
zerdrü'cken crush.
Zeremo'nie|e' (tsĕrĕmōnĕe) f ceremony; ℒ**ie'll**, **~ie'll** n ceremonial; ℒ**iŏ's** ceremonious.
zerfa'hren Weg: rutted; fig. giddy; scatter-brained.
Zerfa'll m decay; disintegration; ℒ**en** (sn) fall to pieces, decay; disintegrate; ~ in mehrere Teile: fall into; fig. ~ sn mit be at variance with.
zer|fe'tzen tear in (od. to) pieces; **~flei'schen** (-flīshᵉn) lacerate; **~flie'ßen** (-fleesᵉn) (sn) dissolve, melt (away); **~fre'ssen** eat away; **~glie'dern** (gleedᵉrn) fig. analyse; **~ha'cken** chop; mince; **~klei'nern**

(-klīnᵉrn) Holz: chop; s. zermahlen.
~kni'cken break. [contrition.]
zerkni'rsch|t contrite; ℒ**ung** f|
zer|kni'ttern (c)rumple; **~kra'tzen** scratch; **~le'gen** (-légʰᵉn) take to pieces; Braten: carve; ⌐, fig. analyse; **~lu'mpt** (-lōōmpt) ragged, tattered; **~ma'hlen** grind, crush; **~ma'lmen** crush; **~mü'rben** wear (down); **~que'tschen** (-kvĕtshᵉn) crush, squash.
Ze'rrbild n caricature.
zer|rei'ben (-rībᵉn) pulverize; **~rei'ßen** (-rīsᵉn) tear (in Stücke to pieces).
ze'rren (tsĕrᵉn) tug, pull; ℒ strain.
zerri'nnen (sn) melt away.
zerrü'tt|en (-rütᵉn) derange; disorganize; Gesundheit, Nerven: shatter; ℒ**ung** f disorganization; derangement.
zerschla'gen (-shlăhgʰᵉn) 1. break (to pieces); sich ~ fig. come to nothing; 2. adj. battered; fig. knocked up.
zerschme'ttern smash, shatter.
zerschnei'den (-shnīdᵉn) cut up.
zerse'tz|en (-zĕtsᵉn) (a. sich) decompose; ℒ**ung** f decomposition.
zer|spa'lten cleave, split; **~spli'ttern** split (up), splinter; Zeit, Kraft: fritter away; **~spre'ngen** burst; fig. disperse; **~spri'ngen** (sn) burst; crack; **~sta'mpfen** crush.
zerstäu'b|en (-shtŏibᵉn) pulverize; Flüssigkeit: spray; ℒ**er** m pulverizer; spray(er), bsd. Am. atomizer.
zerstö'r|en (-shtörᵉn) destroy; ℒ**er** m destroyer (a. ⚓); ℒ**ung** f destruction.
zerstreu'|en (-shtrŏiᵉn) disperse, scatter (a. sich); (belustigen) divert; **~t** fig. absent(-minded); ℒ**theit** f absent-mindedness; ℒ**ung** f dispersion; diversion.
zerstü'ckel|n (-shtŭkᵉln) dismember; ℒ**ung** f dismemberment.
zer|tei'len (-tīlᵉn) (a. sich) divide; **~tre'nnen** Kleid: rip up; **~tre'ten** (-trétᵉn) tread down, fig. stamp out; **~trü'mmern** smash.
Zerwü'rfnis (-vŭrfnĭs) n dissension.
Ze'ter|geschrei (tsĕtᵉrgʰᵉshrī) n loud outcry; ℒ**n** clamour; brawl.
Ze'ttel (tsĕtᵉl) m slip (of paper); note; ticket; label; placard, bill; poster; **~ankleber** (-ăⁿnklébᵉr) m billsticker.

Zeug (tsŏik) *n* stuff (*a. fig. contp.*); material; (*Tuch*) cloth; (*Sachen*) things *pl.*

Zeu'ge (tsŏigʰᵉ) *m* witness; **2n** *v/i.* witness; *v/t.* beget; **~n-aussage** (-owszåhgʰᵉ) *f* deposition (of a witness); **~nbank** *f* witness-box.

Zeu'ghaus (tsŏikhows) ✗ *n* arsenal.

Zeu'gin (tsŏ'gʰⁱn) *f* (female) witness.

Zeu'gnis (tsŏiknis) *n* testimony, evidence; (*Bescheinigung*) certificate; (*Schul2*) report.

Zeu'gung (tsŏigŏoŋ) *f* procreation; **2sfähig** (-fåiç) capable of begetting; **~skraft** *f* generative power; **2s-unfähig** (-ŏonfåiç) impotent.

Zicho'rie (tsiçŏr'ᵉ) *f* chicory.

Zi'ckzack (tsiktsåhk) *m* zigzag.

Zie'ge (tseegʰᵉ) *f* (she-)goat.

Zie'gel (tseegʰᵉl) *m* brick; (*Dach2*) tile; **~dach** (-dåhk) *n* tiled roof; **~ei'** *f* brickworks *pl.*; **~stein** (-shtīn) *m* brick.

Zie'gen|bock *m* he-goat; **~fell** *n* goatskin; **~hirt** *m* goatherd; **~leder** (-lédᵉr) *n* kid(-leather).

Zie'hbrunnen (tseebrŏonᵉn) *m* draw-well.

zie'hen (tseeᵉn) 1. *v/t.* pull, draw; (*züchten*) ⚘ cultivate, zo. breed; *Graben usw.*: make; *Hut*: take off; *Zahn, A Wurzel*: extract; *Blasen*: raise; *Nutzen*: derive; *an sich ~* draw (to one); *in Erwägung ~* take into consideration; *in die Länge ~* draw out; *fig.* protract; *et. nach sich ~ entail*; 2. *v/i.* (h.) pull (*an dat.* at); *Schach*: move; *Ofen, Pfeife, Tee, Theaterstück, Ware*: draw; *an der Zigarette usw.*: puff at; *es zieht* there is a draught (*Am.* draft); (sn) (*sich bewegen*) move; go; march; (*ausziehen*) (re)move, quit; *Dienstbote*: go out of service; 3. *v/refl.* extend, stretch; *sich in die Länge ~* drag on.

Zie'hharmonika (tseehåhrmŏnikåh) *f* accordion.   [lots).|

Zie'hung (tseeŏoŋ) *f* drawing (of

Ziel (tseel) *n* aim; (*Reise2*) destination; *des Strebens*: end, target, object; *Rennsport*: winning-post; (*Termin*) term; **2'bewußt** (-bᵉvŏost) purposeful; **2en** (take) aim (*auf acc.* at); **2'los** purposeless; **~'richter** *m* *Sport*: judge; **~'scheibe** (-shībᵉ) *f* target.

zie'men (tseemᵉn) (*a. sich*) (*dat. od. für*) become, suit.

zie'mlich (tseemliç) 1. *adj.* (*passend*) fit, suitable; (*leidlich*) fair, tolerable; 2. *adv.* pretty, fairly, tolerably; rather.

Zier (tseer), **~'de** *f* ornament; *fig. a.* honour (*für* to); **2'en** ornament, adorn; decorate; *sich ~ fig.* be affected; *Frau*: be prim; **~erei'** (-ᵉrī) *f* affectation; **2'lich** elegant; neat; fine; **~lichkeit** *f* elegance; **~pflanze** *f* ornamental plant.

Zi'ffer (tsifᵉr) *f* figure; **~blatt** *n* dial-plate, face.

Zigare'tte (tsigåhrĕtᵉ) *f* cigarette.

Ziga'rre (tsigåhrᵉ) *f* cigar; **~nkiste** *f* cigar-box; **~nspitze** *f* cigar-holder; **~ntasche** *f* cigar-case.

Zigeu'ner (tsigŏinᵉr) *m*, **~in** *f* gipsy.

Zi'mmer (tsimᵉr) *n* room; *vornehmer*: apartment; (*Dach2*) *n* indoor aerial; **~antenne** *f* indoor aerial; **~einrichtung** (-īnriçtŏoŋ) *f* furniture; **~mädchen** (-mätçᵉn) *n* chambermaid; **~mann** *m* carpenter; **2n** carpenter; *fig.* frame; **~pflanze** *f* indoor plant; **~vermieter(in** *f*) (-fĕrmeetᵉr) *m* lodging-housekeeper.

zi'mperlich (tsimpᵉrliç) prim; prudish; **2keit** *f* primness; prudery.

Zimt (tsimt) *m* cinnamon.

Zink (tsiŋk) *n u. m* zinc; **~'blech** *n* sheet zinc.

Zi'nke (tsiŋkᵉ) *f* prong; *e-s Kammes*:| **Zinn** (tsin) *n* tin.   [tooth.|

Zi'nne (tsinᵉ) *f* ⚔ pinnacle; ✗ (*Mauer2*) battlement.

Zinno'ber (tsinŏbᵉr) *m* cinnabar, **~rot** (-rŏt) *n*, **2rot** vermilion.

Zins (tsins) *m* (*Miete, Pacht*) rent; (*Abgabe*) tribute; **2'en**, *mst* **Zinsen** *pl.*) interest; **2'bringend** bearing interest; **~'eszins** (-tsinsᵉstsīns) *m* compound interest; **~'fuß** (-fŏos) *m* rate of interest.

Zi'pfel (tsipfᵉl) *m* tip; (*Tuch2*) corner; (*Rock2*) lappet; **2ig** pointed; **~mütze** *f* tassel(l)ed cap.

Zi'rkel (tsirkᵉl) *m* (*Kreis*) circle; *Gerät*: (*ein ~* a pair of) compasses.

zirkulie'ren (tsirkŏolēerᵉn) circu-| **Zi'rkus** (tsirkŏos) *m* circus.   [late.|

zi'rpen (tsirpᵉn) chirp.

zi'sch|eln (tsish'lᵉn) whisper; **~en** hiss; (*schwirren*) whiz(z).

zise'lie'ren (tseezᵉleerᵉn) chase.

Zita't (tsitåht) *n* quotation.

zitie'ren (tsiteerᵉn) (*vorladen*) summon; (*anführen*) quote.

Zitro'ne (tsîtrōnᵉ) f lemon; ~n-presse f lemon-squeezer.

zi'ttern (tsît'rn) tremble, shake (vor dat. with).

Zi'tze (tsîtsᵉ) f teat, nipple.

zivi'l (tsîveel) 1. civil; Preis: reasonable; 2. ♀ n civilians pl.; s. ♀kleidung; ~isie'ren (-izeerᵉn) civilize; ♀i'st m civilian; ♀kleidung (-klidōōŋ) f plain clothes.

Zo'fe (tsōfᵉ) f lady's maid.

zö'gern (tsöghᵉrn) 1. linger; hesitate; 2. ♀ n delay; hesitation.

Zö'gling (tsöklîŋ) m pupil.

Zoll (tsôl) 1. m (Maß) inch; 2. (Abgabe) custom, duty; fig. tribute; ~'-abfertigung f clearance; ~'-amt n custom-house; ~'be·amte(r) m custom-house officer; ♀'en give, pay; ~'erklärung f (custom-house) declaration; ♀'frei (-frî) duty-free; ~'kontrolle f customs examination; ♀'pflichtig (-pflîçtîç) liable to duty; ~'politik (-pôliteek) f customs policy; ~'stock m foot-rule; ~'tarif (-tähreef) m tariff (of duties); ~'verschluß (-fêrshlōōs) m bond.

Zo'ne (tsōnᵉ) f zone.

Zoolo'g|e(tsō·ōlōgᵉ)mzoologist;~ie' (-ee) f zoology; ♀isch zoological.

Zopf (tsôpf) m plait of hair, tress; pigtail; fig. pedantry; ♀'ig fig. pedantic.

Zorn (tsôrn) m anger; ♀'ig angry (auf ac. at, j-n with).

Zo't|e (tsôtᵉ) f smutty jest, obscenity; ~n reißen talk smut; ♀ig obscene, smutty.

Zo'tt|e(l) (tsôtᵉ[l]) f tuft (of hair); ♀(el)ig shaggy.

zu (tsōō) 1. prp. Bewegung: to; Ruhe: at; in; on; hinzutretend: in addition to; ~ Anfang in the beginning; zum ersten Mal for the first time; ~ e-m ... Preise at a ... price; ~ Tausenden by thousands; ~ Wasser by water; ~ zweien by twos; 2. adv. (allzu) too; Richtung: to(wards); (geschlossen) closed, shut.

zu'bauen (-bowᵉn) build up od. over.

Zu'behör (-bᵉhör) m, n appurtenances, accessories pl. [snap(at).]

zu'beißen (-bîsᵉn) bite; Hund:|

zu'berei't|en (-bᵉrît'n) prepare; ♀ung f preparation.

zu'billigen grant; ~binden tie up; ~bringen Zeit: pass, spend.

Zucht (tsōōxt) f (Tätigkeit) breeding; v. Kleinwesen: culture; v. Pflanzen: cultivation; (Rasse) breed; (Manns♀) discipline.

zü'cht|en (tsûçt'n) Tiere: breed; Pflanzen: grow, cultivate; ♀er(in f) m breeder; grower.

Zu'cht|haus (-hows) n gaol, penitentiary; Strafe: penal servitude; ~häusler (-hôislᵉr) m convict.

zü'chtig (tsûçtîç) chaste, modest; ~en (-îgʰ-) punish; körperlich: flog; ♀ung f punishment; flogging.

zu'cht|los undisciplined; ♀losigkeit (-lôziçkît) f want of discipline; ♀-mittel n means of correction.

zu'cken (tsōōkᵉn) jerk; krampfhaft: twitch; vor Schmerzen: wince; Blitz: flash.

zü'cken (tsûkᵉn) draw.

Zu'cker (tsōōkᵉr) m sugar; ~dose (-dōzᵉ) f sugar-basin, Am. -bowl; ~hut (-hōōt) m sugar-loaf; ♀ig sugary; ♀krank diabetic; ♀n sugar; ~rohr n sugar-cane; ~rübe (-rübᵉ) f sugar-beet; ♀süß (-zûs) (as) sweet as sugar; ~wasser n sugared water; ~werk n confectionery, sweetmeats pl.; ~zange f sugar-tongs pl.

Zu'ckung (tsōōkōōŋ) f convulsion.

zu'decken cover (up). [(dat. on).]

zu'diktieren (-dîkteerᵉn) inflict)

Zu'drang m rush; (zu) run (to).

zu'drehen (-drēᵉn) turn off; j-m den Rücken ~ turn one's back on a p.

zu'dringlich obtrusive.

zu'drücken close, shut.

zu'eignen (-ignᵉn) dedicate.

zu'erkennen award, adjudge.

zu'e'rst at first; (als erster) first.

zu'fahren (sn) drive on; ~ auf (acc.) drive to; fig. rush at a p.

Zu'fall m chance; accident; ♀en (sn) close, shut; j-m ~ fall to a p.'s share.

zu'fällig (-fêlîç) accidental; casual, by chance. [set to work.]

zu'fassen seize (hold of) a th.; fig.)

Zu'flucht (-flōōxt) f refuge; resort; s-e ~ nehmen zu have recourse to.

Zu'fluß (-flōs) m afflux; (Nebenfluß) affluent; ✝ supply.

zu'flüstern j-m: whisper to.

zufo'lge (gen. u. dat.) according to.

zufrie'den (-freedᵉn) content(ed), satisfied; ~ lassen let a p. alone; ♀heit f contentment, satisfaction; ~stellen satisfy; ~stellend satisfactory.

zu′frieren (-freer^en) (sn) freeze up *od.* over.

zu′fügen (-füg^heⁿ) add; (*antun*) do, cause; *Böses*: inflict (*j-m* [up]on *a p.*).

Zu′fuhr (-fōōr) *f* supply, supplies *pl.*

zu′führ|en (*dat.*) lead to, bring to; *Waren*: supply.

Zug (tsōōk) *m* draw, pull; (*Marsch*) march; (*Kriegs*♀, *Forschungs*♀) expedition; (*Um*♀) procession; ♀ train; (*Feder*♀) stroke; (*Gesichts*♀) feature; (*Charakter*♀): trait; (*Neigung*) bent; (*Luft*♀) draught; *Schach usw.*: move; *Trinken*: draught; *Rauchen*: puff; *der Vögel*: passage.

Zu′gabe (-gähb^e) *f* addition; extra; *thea.* encore.

Zu′gang *m* access, approach.

zu′gänglich (-g^heŋ̣l̃ç) accessible.

zu′geben (-g^héb^en) add; *fig.*: allow; admit.

zuge′gen (-g^hég^heⁿ) present.

zu′geh(e)n (-g^hé[^e]n) (sn) *Tür usw.*: close; *P.*: go on, walk faster; (*geschehen*) happen; *auf j-n ~* move towards; *j-m ~* come to a p.'s hand; *j-m ~ lassen* forward to a p.

zu′gehörig (-g^he′hö̃rïç) belonging to ...; ♀**keit** *f* membership (*zu* of).

Zü′gel (tsüg^hél) *m* rein; bridle (*fig.*); ♀**los** unbridled; *fig.* licentious; ♀**n rein** (in). [concession.|

Zu′geständnis (-g^he′shtëndnïs) *n*|

zu′gestehen (-g^he′shté^en) concede.

zu′getan (-g^he′täh̃n) (*dat.*) attached to.

Zu′g|führer *m* chief guard, *Am.* conductor; ♀**ig** (-g^hïç) draughty; **∼kraft** *f* traction; *fig.* attraction.

zuglei′ch (-glïç) at the same time, together.

Zu′g|luft (-lōōft) *f* draught; **∼pferd** (-pfért) *n* draught-horse; **∼pflaster** *n* blister.

zu′greifen (-grïf^en) grasp (*od.* grab) at a th.: *bei Tisch*: help o.s.; *helfend*: lend a hand.

zugru′nde (-grōōnd^e): *~ gehen* perish; *~ richten* ruin.

zugu′nsten (-gōōnst^en) (*gen.*) in favour of.

zugu′te (-gōōt^e) *j-m et. ~ halten* account to a p. for a th.; *~ kommen* (*dat.*) be for the benefit of; *sich et. auf e-s S. ~ tun* pique o.s. on a tn.

Zu′gvogel (-fōg^hél) *m* bird of passage.

zu′halten keep ... shut; close.

zu′heilen (-hïl^en) (sn) heal up, skin (over).

zu′hören (*dat.*) listen (to).

Zu′hörer *m*, **∼in** *f* hearer, listener; **∼schaft** *f* audience.

zu′jubeln (-yōōb′ln) (*dat.*) cheer.

zu′kleben (-kléb^en) paste (*od.* glue) up.

zu′knöpfen button (up). [up.|

zu′kommen (sn) *auf j-n*: come up to a p.; (*gebühren*) be due to; *j-m et. ~ lassen* let a p. have a th.

zu′korken cork (up).

Zu′kunft (-kōōnft) *f* future.

zu′künftig future; *adv.* in future.

zu′lächeln (*dat.*) smile at *od.* (up)on.

Zu′lage (-lähg^he) *f* increase, extra pay; rise.

zu′langen *bei Tisch*: help o.s.

zu′|lassen *Tür*: leave shut; *j-n*: admit; *behördlich*: license; *Arzt usw.*: qualify; (*dulden*) suffer; *Deutung usw.*: admit of; ♀**ässig** admissible, allowable; ♀**assung** *f* admission; permission.

Zu′lauf (-lowf) *m*: *großen ~ h.* be much run after; ♀**en** (sn) *j-m*: flock to.

zulei′de (-lïde) *j-m et. ~ tun* do a p. harm, harm (*od.* hurt) a p.

zu′leiten (-lït^en) *Wasser usw.*: let in; (*dat.*) lead to; (*weitergeben*) pass to.

zu′le′tzt finally, at last; (*als letzter*) last; **∼lie′be** (-leeb^e): *j-m ~* for a p.'s sake.

zu′machen shut, close; fasten.

zuma′l (-mähl) especially, particularly.

zu′mauern (-mow^ern) wall up.

zu′messen measure out; allot.

zumu′te (-mōōt^e): *mir ist ... ~ I* feel ...

zu′mut|en (-mōōt^en) *j-m et. ~* expect a th. of a p.; ♀**ung** *f* exaction.

zunä′chst (-nä̃çst) *prp.* next to; *adv.* first of all; (*vorläufig*) for the present.

zu′|nageln (-nähg^héln) nail up; **∼nähen** (-nä̃^en) sew up; ♀**nahme** *f* increase; ♀**name** (-näh̃^e) *m* surname.

zü′nd|en (tsünd^en) kindle, ignite; *fig.* take; ♀**er** *m* fuse; ♀**holz** *n* match; ♀**kerze** *f* mot. spark(ing) plug; ♀**schnur** (-shnōōr) *f* match; ♀**stein** (-shtïn) *m* flint; ♀**stoff** *m* inflammable matter; ♀**ung** *f* ignition.

zu′nehmen increase; *an Gewicht*: put on weight; *Mond*: wax; *Tage*: grow longer.

zu'neig|en (-nigʰᵉn) (a. sich) (dat.) incline to; sich dem Ende ~ draw to a close; ℒung f affection.

Zunft (tsoonft) f guild.

zü'nftig (tsŭnftiç) skilled; F proper.

Zu'nge (tsoonₑᵉ) f tongue.

zü'ngeln (tsŭnₑᵉln) Flamme: lick.

zu'ngen|fertig voluble; ℒfertigkeit f volubility; ℒspitze f tip of the tongue.

zuni'chte (-niçtᵉ): ~ m. (od. w.) bring (od. come) to nought od. nothing.

zu'nicken (dat.) nod to.

zunu'tze (-noots᷄ᵉ): sich et. ~ m. turn a th. to account, utilize a th.

zu-o'berst (-ōbᵉrst) at the top, uppermost.

zu'pfen (tsoopfᵉn) pull, twitch.

zu'rechnungsfähig (tsōrĕçnŏŏrₑsfäiç) responsible, of sound mind; ℒkeit f responsibility.

zure'cht|finden: sich ~ find one's way; ~kommen (sn) arrive in time; ~ (mit) get on well (with); ~legen (-légʰᵉn) lay in order; fig. sich e-e S. ~ figure out a th.; ~machen get ready, prepare; für e-n Zweck: adapt to od. for; sich ~ Frau: make (o.s.) up; ~weisen (-vīzᵉn), ℒweisung f reprimand.

zu're|den (-rédᵉn) j-m: encourage; ~reichen (-rīçᵉn) v/t. reach; v/i. be sufficient; ~reiten (-rītᵉn) v/t. break in; ~richten prepare; bsd. ⊕ dress; übel ~ use badly; ~riegeln (-reegʰᵉln) bolt (up).

zü'rnen (tsŭrnᵉn) be angry.

Zurschau'stellung (tsŏŏrshowshtĕlŏŏrₑ) f display.

zurü'ck (tsoorŭk) back; (rückwärts) backward(s); (hinten) behind; ~behalten keep back, retain; ~bekommen get back; ~bleiben (-blībᵉn) (sn) remain (od. fall) behind, lag; ~datieren (-däteerᵉn) date back; antedate; ~drängen drive back; fig. repress; ~erobern (-ĕrŏbᵉrn) reconquer; ~erstatten restore; Ausgaben: refund; ~fahren drive back; fig. start back; ~fordern reclaim; ℒforderung f reclamation; ~führen lead back; fig. ~ auf (acc.) refer to; ~geben (-gʰébᵉn) give back, return, restore; ~gezogen (-gʰᵉtsŏgʰᵉn) retired; ℒgezogenheit f retirement, privacy; ~greifen (-grīfᵉn): fig. ~ auf (acc.) fall back (up)on; ~halten hold back;

~ mit keep back; ~haltend reserved; ℒhaltung f reserve; ~kehren (sn) return; ~kommen (sn) come back; return (auf acc. to); ~lassen leave (behind); ~legen (-légʰᵉn) lay aside; Weg: cover; ℒnahme f taking back; withdrawal, retrac(ta)tion; ~nehmen take back; Gesagtes usw.: withdraw, retract; ~prallen (sn) rebound; vor Schreck: start back; ~rufen (-rōōfᵉn) call back; ins Gedächtnis: recall; ~schlagen (-shlāgʰᵉn) strike back; Feind usw.: repel; Decke: turn down; ~schrecken (sn) shrink (back) (vor dat. from); ~setzen (-zĕts᷄ᵉn) place back; fig. slight, neglect; ℒsetzung f slight, neglect; ~steh(e)n (-shté[ᵉ]n) (sn) stand back; fig. be inferior (hinter dat. to); ~stellen put back; fig. put aside, (a. ✗) defer; ~strahlen v/t. reflect; v/i. be reflected; ~streifen (-shtrīfᵉn) Ärmel: tuck up; ~treten (-trétᵉn) (sn) stand back; fig. recede; ~übersetzen (-ŭbᵉrzĕts᷄ᵉn) retranslate; ~verweisen (-fĕrvīzᵉn) parl. refer back (an acc. to); ~weichen (-vīçᵉn) (sn) fall back; (a. fig.) recede; ~weisen (-vīzᵉn) send back; fig. reject; Angriff: repel; ~wirken react (auf acc. upon); ~ziehen (-tseeᵉn) v/t. draw back; fig. (a. sich) withdraw; sich ~ retire; v/i. move back; ℒziehung f withdrawal.

Zu'ruf (tsŏŏrŏŏf) m call; (Beifallsℒ) acclamation; ℒen j-m: call to, acclaim.

Zu'sage (tsŏŏzāgʰᵉ) f promise; (Zustimmung) assent; ℒn promise (to come v/i.); j-m ~: (bekommen) agree with a p.; (gefallen) suit a p.

zusa'mmen (tsoozämᵉn) together; ~ballen form into a ball, conglomerate; die Zähne ~beißen (-bīsᵉn) set one's teeth; ~brechen (sn) break down; collapse; ℒbruch (-brŏŏk) m breakdown; collapse; ~drehen (-dréᵉn) twist (together); ~drücken compress; ~fahren (sn) fig. start; ~fallen fall in, collapse; zeitlich: coincide; ~falten fold up; ~fassen comprehend; (kurz ~) summarize; ℒfassung f e-s Inhalts: summary; ~fügen (-fŭgʰᵉn) join; ~geraten (-gʰᵉrāhtᵉn) fig. collide; ~halten hold together; ℒhang m coherence, connection; des Textes:

context; ~hängen cohere; *fig.* be connected; ~hang(s)los incoherent, disconnected; ~klappen fold up; ~kommen (sn) meet; ⁨Sunft (-kŏŏnft) *f* meeting; *zweier Personen:* interview; ~laufen (-lowf⁴n) (sn) run (*od.* crowd) together; ℞ converge; (*gerinnen*) curdle; (*einschrumpfen*) shrink; ~legen (-lég⁴n) lay together; fold up; *Geld:* club (together); ~nehmen gather (up); *sich* ~ collect o.s.; *im Benehmen:* be on one's good behaviour; ~packen pack up; ~passen be matched, harmonize; ~raffen snatch up; *sich* ~ pull o.s. together; ~rechnen add up *od.* together; ~rollen coil (up); *sich* ~rotten (-rŏt⁴n) band o.s.; ~rükken (sn) close up; ~schlagen (-shlǟg⁴n) *v/t.* smash (up); *die Hände:* clap; *v/i.* (sn) (*über dat.*) dash over; (*sich*) ~schließen (-shlees⁴n) join (in closely), unite; ⁨Schluß (-shlŏŏs) *m* union; ~schrumpfen (-shrŏŏmpf⁴n) (sn) shrivel (up), shrink; ~setzen (-zёts⁴n) put together; *zu e-m Ganzen:* compose; compound; *sich* ~ *aus* be composed of; ⁨Setzung *f* composition; compound; ~stellen put together; *aus Einzelteilen:* make up; *Wörterbuch usw.:* compile; ⁨Stellung *f konkret:* compilation; synopsis; ⁨Stoß (-shtōs) *f* collision; ℞ encounter; ~stoßen *v/i.* knock together; *v/i.* (sn) collide; (*an-ea-grenzen*) adjoin; ~stürzen (sn) tumble down; collapse; ~suchen (-zŏŏk⁴n) gather, collect; ~tragen (-trähg⁴n) carry together; *Notizen usw.:* compile; ~treffen **1.** (sn) meet; *zeitlich:* coincide; **2.** ⁨n meeting; coincidence; ~treten (-trét⁴n) (sn) meet; ~wirken **1.** co-operate; **2.** ⁨n co-operation; ~zählen add up; ~ziehen (-tsee⁴n) draw together; contract; ℞ concentrate.

Zu'satz (tsŏŏzähts) *m* addition; (*Beimischung*) admixture, *metall.:* alloy; (*Ergänzung*) supplement.

zu'sätzlich (-zёtsliç) additional.

zuscha'nden (-shähnd⁴n): ~ *m.* ruin; *Plan.:* frustrate, thwart.

zu'schau|en (-show⁴n) look on (e-r S. at a th.); *j-m:* watch a p.; ⁨Ser(in *f*) *m* spectator, looker-on, onlooker.

zu'schicken send (*dat.* to).

Zu'schlag (-shlähk) *m* addition; (*Preis⁨*) extra charge; *Auktion:* knocking down; ~en (-shlähg⁴n) *v/i.* strike; *v/t. Tür usw.:* slam (*a. v/i.*); *Auktion:* knock down; ~(s)karte *f* extra ticket.

zu'schließen (-shlees⁴n) lock up, close; ~schnallen buckle (up); ~schnappen (h.) snap; (sn) *Schloß:* snap to, catch.

zu'schneid|en (-shnīd⁴n) cut (to size); ⁨Ser(in *f*) *m* cutter.

Zu'schnitt *m* cut; *weitS.* style; ~schnüren lace up; cord up; ~schrauben (-shrowb⁴n) screw up *od.* tight; ⁨Sschreiben (-shrīb⁴n) ascribe, attribute; ~schrift *f* letter.

zuschu'lden (-shŏŏld⁴n): *sich et.* ~ *kommen l.* make o.s. guilty of a th.

Zu'schuß (-shŏŏs) *m* allowance; ⁨Ssehen (-zé⁴n) = zuschauen; (*sorgen*) see to it (*daß* that); ⁨Ssehends visibly; ⁨Ssenden send; ⁨Ssetzen add; *Geld:* lose; *j-m* ~ press a p.

zu'sicher|n (-ziç⁴rn) *j-m et.:* assure a p. of a th.; ⁨Sung *f* assurance.

zu'siegeln (-zeeg⁴ln) seal (up); ~spitzen point; *sich* ~ taper (off); *fig.* come to a crisis; ⁨Sstand *m* condition, state.

zusta'nde (-shtähnd⁴): ~ *bringen* bring about; ~ *kommen* come about.

zu'ständig competent; ⁨Skeit *f* competence.

zusta'tten (-shtäht⁴n): *j-m* ~ *kommen* stand a p. in good stead.   [to.|

zu'steh(e)n (-shtéⁿ]n) (*dat.*) be due|

zu'stell|en deliver, hand; 𝔯𝔵 serve (on a *p.*); ⁨Sung *f* delivery; service.

zu'stimm|en agree to a th.; *with a p.*); consent; ⁨Sung *f* consent.

zu'stoßen (-shtōs⁴n) (sn) happen (to a p.).

zu'stutzen (-shtōōts⁴n) trim; fit; adapt.

zuta'ge (-tähg⁴) to light.

Zu'taten (-täht⁴n) *f/pl.* ingredients *pl.*; *e-s Kleides:* trimmings *pl.*

zutei'l (-tīl): *j-m* ~ *werden* fall to a p.'s share.

zu'teil|en allot, allocate; apportion; ⁨Sung *f* allotment, allocation.

zu'tragen (-trähg⁴n) (*sich*) happen.

Zu'träger(in *f*) *m* talebearer.

zu'träglich (-träkliç) conducive.

zu'trau|en (-trowᵉn) **1.** j-m et. ~ credit a p. with a th.; **2.** ♀ n confidence (zu in); **~lich** confiding, trustful.

zu'treffen (sn) prove right; ~ auf be true of; **~d** right; (anwendbar) applicable.

zu'trinken j-m: drink to a p.

Zu'tritt m access, admittance.

zu-u'nterst (-ŏŏntᵉrst) quite at the bottom.

zu'verlässig (-fĕrlĕsⁱç) reliable; certain; ♀**keit** f reliability; certainty.

Zu'versicht (-fĕrzⁱçt) f confidence; ♀**lich** confident.

zuvo'r (tsŏŏfōr) before, previously; **~kommen** (sn) j-m: anticipate; e-r S.: prevent; **~kommend** obliging.

Zu'wachs (-vähks) m increment; ♀**en** (sn) get overgrown; j-m: accrue to a p.

zuwe'ge (-végʰᵉ) s. zustande.

zuwei'len (-vilᵉn) sometimes.

zu'|weisen (-vizᵉn) assign; **~wenden** (dat.) turn towards; fig. give; bestow on; **~werfen** Grube: fill up; Tür: slam.

zuwi'der (-veedᵉr) (dat.) contrary to od. against; (verhaßt) repugnant; **~handeln** (dat.) counteract; bsd. ₴₮ contravene; ♀**handlung** f contravention.

zu'|winken (dat.) wave to; beckon to; **~zahlen** pay extra; **~zählen** add; **~ziehen** (-tseeᵉn) v/t. draw together; Vorhang: draw; als Beirat: consult; sich et. ~ incur; ♀ catch; v/i. (sn) move in; **~züglich** (-tsŭklⁱç) plus.

Zwang (tsvähɳ) m compulsion; constraint, (Gewalt) force; sich ~ antun restrain o.s.

zwä'ngen (tsvĕɳᵉn) press, force.

zwa'nglos (-lōs) fig. free and easy, informal; ♀**igkeit** (-lōzⁱçkit) f ease, informality.

Zwa'ngs... mst compulsory, forced; **~arbeit** (-ärbit) f hard labour; **~jacke** (-jäkᵉ) f strait-waistcoat; **~lage** (-lāhgʰᵉ) f embarrassing situation; ♀**läufig** (-lóⁱfⁱç) fig. necessary; **~maßregel** (-mähsrégʰᵉl) f coercive measure; **~mittel** n means of coercion; **~vollstreckung** (-fólshtrĕkŏŏɳ₂) f distraint, execution; **~vorstellung** (-fōrshtĕlŏŏɳ₂) f hallucination; ♀**weise** by force; **~wirtschaft** f Government control.

zwa'nzig (tsväⁿtsⁱç) twenty; **~st** twentieth.   [~ and that.]

zwar (tsväⁿr) indeed, it is true; und

Zweck (tsvĕk) m aim, end, object, purpose; (Absicht) design; (keinen) ~ h. be of (no) use; zu dem ~ (gen. od. inf.) for the purpose of; ♀**dienlich** (-deenlⁱç) serviceable, expedient.

Zwe'cke (tsvĕkᵉ) f tack.

zwe'ck|los aimless; (unnütz) useless; **~mäßig** (-mäsⁱç) expedient, suitable; ♀**mäßigkeit** f expediency.

zwecks (gen.) for the purpose of.

zwei (tsvi) two; **~'deutig** (-doitⁱç) ambiguous; ♀**'deutigkeit** f ambiguity; **~'erlei** (-ᵉrli) of two kinds; **~'fach** twofold.

Zwei'fel (tsvifᵉl) m doubt; ♀**haft** doubtful; dubious; ♀**los** doubtless; ♀**n** doubt (an dat. a th., a p.).

Zweig (tsvik) m branch (a. fig.), bough; **~'bahn** f branch-line; **~'geschäft** (-gʰᵉshĕft) n, **~'niederlassung** (-needᵉrlähsŏŏɳ₂) f branch(-establishment), -office), Am. local.

zwei'|gleisig (-glizⁱç) double-track; **~jährig** (-yärⁱç) two-years-old; ♀**kampf** m single combat, duel; **~mal** (-māhl) twice; **~malig** (-māhlⁱç) done twice; **~motorig** (-mōtōrⁱç) twin-engined; ♀**rad** (-räht) n bicycle; **~reihig** (-rīⁱç) Jacke: double-breasted; **~schläf(e)rig** (-shläf[ᵉ]-rⁱç) Bett: double; **~schneidig** (-shnidⁱç) two-edged; **~seitig** (-zitⁱç) two-sided; Stoff: reversible; ♀**sitzer** (-zitsᵉr) m two-seater; ♀**spänner** (-shpĕnᵉr) m carriage-and-pair; **~sprachig** (-shprähkⁱç) bilingual; **~stöckig** (-shtŏkⁱç) two-stor(e)y; **~stündig** (-shtündⁱç) of two hours.

zweit (tsvit) second; ein ~er another; wir sind zu ~ we are two of us; **~be'st** second-best.

Zwe'rchfell (tsvĕrçfĕl) n diaphragm.

Zwerg (tsvĕrk) m, **~'in** (-gʰin) f dw'arf; ♀**'enhaft** (-gʰ-) dwarfish.

Zwi'ck|el (tsvikᵉl) m am Strumpf: clock; Näherei: gusset; ♀**en** pinch, tweak; ♀**er** m (fr.) pincenez.

Zwie'back (tsveebähk) m biscuit, rusk, Am. cracker.

Zwie'bel (tsveebᵉl) f onion; (Blumen♀) bulb.

Zwie'|gespräch (tsveeg^he'shpräç) dialogue; ~**licht** n twilight; ~**spalt** m disunion; 2**spältig** (-shpĕltiç) disunited; ~**tracht** f discord.

Zwi'lling (tsvĭlĭn₂) m, ~**s...** twin.

Zwi'ng|e (tsvĭn₂ⁿ) f (Stock2) ferrule; ⊕ clamp; 2**en** constrain; force, compel; 2**end** Grund: cogent; ~**er** m tower; (Hunde2) kennel; (Bären2) bear-pit.

zwi'nkern (tsvĭn₂k^ern) wink, blink.

Zwirn (tsvĭrn) m thread; twine; 2'**en** twist; ~'**sfaden** (-fāhd^en) m thread.

zwi'schen (tsvĭsh'n) zweien: between; mehreren: among; 2**bilanz** f interim balance; 2**deck** n steerage; ~**du'rch** (-dŏŏrç) through; zeitlich: between whiles; 2**fall** m incident; 2**händler** m middleman; 2**handlung** f episode; 2**landung** ✕ f intermediate landing; 2**pause** (-powz^e) f, 2**raum** (-rowm) m interval; 2**ruf** (-rŏŏf) m interruption; 2**spiel** (-shpeel) n interlude; ~**staat**

lich (-shtā*h*tliç) international, Am. interstate; 2**station** (-shtā*h*ts'ōn) f intermediate (Am. way) station; ~**stecker** m Radio: adapter; ~**stück** n inset; ~**träger(in** f) m talebearer, ~**wand** f partition (wall); ~**zeit** (-tsĭt) f interval; in der ~ in the meantime.

Zwist (tsvĭst) m, ~'**igkeit** f discord; disunion; quarrel. [chirp.]

zwi'tschern (tsvĭtsh^ern) twitter,]

Zwi'tter (tsvĭt^er) m, 2**haft** hybrid; Mensch: hermaphrodite.

zwölf (tsvŏlf) twelve; ~**t** twelfth.

Zyanka'li (tsŭā*h*nkā*h*lĭ) n cyanide of potassium.

Zy'klus (tsŭklŏŏs) m cycle; von Vorlesungen usw.: course, set.

Zyli'nder (tsĭlĭnd^er) m cylinder; (Lampen2) chimney; Hut: high hat.

zyli'ndrisch cylindrical.

Zy'n|iker (tsŭnĭk^er) m cynic; 2**isch** cynical; ~**i'smus** (-ĭsmŏŏs) f cynicism.

Zypre'sse (tsŭprĕs^e) f cypress.

BRITISH AND AMERICAN
PROPER NAMES

WITH PRONUNCIATION AND EXPLANATIONS

A

Aberdeen (æbə'di:n) *schottische Stadt.*

Acheson ('ætʃisn) *ehemaliger Außenminister der U.S.A.*

Adelaide ('ædəleid) **1.** Adelheid *f*; **2.** *Stadt in Australien.*

Aden ('eidn) *südarabische Hafenstadt.*

Africa ('æfrikə) Afrika *n.*

Aix-la-Chapelle ('eiksla:ʃæ'pel) Aachen *n.*

Alabama (ælə'ba:mə) *Staat der U.S.A.* [U.S.A.]

Alaska (ə'læskə) *Territorium der*

Albany ('ɔ:lbəni) *Stadt in U.S.A.*

Alberta (æl'bə:tə) *Provinz in Kanada.*

Algernon ('ældʒənən) *männlicher Vorname.* [birge in U.S.A.]

Alleghany ('æligeini) *Fluß und Ge-*

Alsace ('ælsæs), **Alsatia** (æl'seiʃiə) Elsaß *n.*

America (ə'merikə) Amerika *n.*

Andrew ('ændru) Andre'as *m.*

Anthony ('æntəni) Anton *m.*

Antilles (æn'tili:z) *pl.* Antillen *pl.* *(mittelamerikanische Inselgruppe).*

Arabia (ə'reibjə) Arabien *n.*

Arizona (æri'zounə) *Staat der U.S.A.*

Arkansas ('a:kənsɔ:) *Fluß und Staat der U.S.A.;* (a:'kænsəs) *Fluß der U.S.A.* [rühmter Rennbahn.]

Ascot ('æskət) *englischer Ort mit be-*

Asia ('eiʃə) Asien *n*; ~ Minor Kleinasien *n.* [kanischer Unternehmer.]

Astor ('æstə, 'æstɔ:) *deutsch-ameri-*

Attlee ('ætli) *britischer Politiker.*

Auckland ('ɔ:klənd) *neuseeländische Hafenstadt.*

Australia (ɔ:s'treiljə) Australien *n.*

Austria ('ɔ:striə) Österreich *n.*

Azores (ə'zɔ:z) *pl.* Azoren *pl.* *(Inselgruppe im Atlantischen Ozean).*

B

Bacon ('beikən) *englischer Staatsmann und Gelehrter.*

Bahamas (bə'hu:məz) *pl.* Bahamainseln *f/pl.* *(britische Inselgruppe in Westindien).*

Balkans ('bɔ:lkənz): the ~ der Balkan.

Balmoral (bæl'mɔrəl) *englisches Königsschloß in Schottland.*

Baltimore ('bɔ:ltimɔ:) *Hafenstadt an der Ostküste der U.S.A.*

Bavaria (bə'vɛəriə) Bayern *n.*

Belfast ('belfa:st) *Hauptstadt von Nordirland.*

Belgium ('beldʒəm) Belgien *n.*

Bengal (beŋ'gɔ:l) Bengalen *n.*

Ben Nevis (ben'ni:vis, ben'nevis) *höchster Berg Großbritanniens.*

Berkeley ('bu:kli) *englischer Philosoph.*

Berlin ('bə:lin, bə:'lin) Berlin *n.*

Bermudas (bə(:)'mju:dəz) *pl.* Bermudainseln *f/pl.*

Bess (bes), ~y ('besi) Lies-chen *n.*

Bevan ('bevən) *britischer Politiker.*

Bill (bil), ~y ('bili) Willy *m.*

Birmingham ('bə:miŋəm) *große Fabrikstadt Englands.*

Biscay ('biskei): Bay of ~ Meerbusen *m* von Biska'ya.

Bob (bɔb) *Koseform für Robert.*

Boston ('bɔstən) *Stadt in U.S.A. mit Harvard-Universität (in der Vorstadt Cambridge).*

Bradley ('brædli) *nordamerikanischer General.*

Brazil (brə'zil) Brasilien *n.*

Brighton ('braitn) *größtes Seebad in Südengland.*

Bristol ('bristl) *Hafen- und Handelsstadt in Südengland.*

Britain ('britən) (Great ~ Groß-) Britannien *n*; Greater ~ Großbritannien und seine Dominien und Kolonien.

Brooklyn ('bruklin) *Stadtteil von New York.*

Brunswick ('brʌnzwik) Braunschweig *n.*

Brussels ('brʌslz) Brüssel *n.*

Burma ('bə:mə) Birma *n.*

Burns (bə:nz) *schottischer Dichter.*

Butler ('bʌtlə) *britischer Politiker.*

Byron ('baiər[ə]n) *englischer Dichter.*

C

Calcutta ('kæl'kʌtə) Kalkutta n (Hauptstadt von Bengalen).

California (kæli'fɔ:njə) Kalifornien n (Landschaft u. Staat der U.S.A.).

Cambridge ('keimbridʒ) englische Universitätsstadt; s. a. Boston.

Canada ('kænədə) Kanada n.

Canary (kə'nɛəri) ~ Islands pl. Kanarische Inseln f/pl.

Canterbury ('kæntəbəri) Stadt in Südengland, Erzbischofssitz.

Capetown ('keiptaun) Kapstadt n (Hauptstadt des Kaplandes, Südafrika). [england.]

Cardiff ('ka:dif) Hafenstadt in West-|

Carlyle (ka:'lail, 'ka:'lail) englischer Schriftsteller.

Carnegie (ka:'negi) amerikanischer Stahlindustrieller.

Carolina (kærə'lainə) (North ~ South ~ Nord-, Süd-)Karolina n (Staat der U.S.A.).

Catherine ('kæθərin) Kathari'na f.

Cecil(e) ('sesl, 'sisl) männlicher Vorname. ['sisili) Cäci'lie f.|

Cecilia (si'siljə), **Cecily** ('sesili,|

Ceylon (si'lɔn) Cey'lon n.

Chamberlain ('tʃeimbəlin, ~lein) Name mehrerer brit. Staatsmänner.

Charles (tʃa:lz) Karl m.

Chaucer ('tʃɔ:sə) englischer Dichter.

Chesterfield ('tʃestəfi:ld) Industriestadt in Mittelengland.

Cheviot ('tʃeviət): ~ Hills pl. Grenzgebirge zwischen England und Schottland.

Chicago (ʃi'ka:gou, Am. oft ʃi'kɔ:gou) Großstadt im mittleren Westen der U.S.A.

China ('tʃainə) China n.

Chrysler ('kraizlə) bekannte amerikanische Autofirma.

Churchill ('tʃə:tʃil) britischer Staatsmann.

Cincinnati (sinsi'næti) Großstadt der U.S.A.

Cissie ('sisi) Cilli f.

Cleveland ('kli:vlənd) Industrie-, Hafen- und Handelsstadt am Eriesee, U.S.A.

Clyde (klaid) Fluß in Schottland.

Coleridge ('koulridʒ) englischer Dichter.

Cologne (kə'loun) Köln n.

Colorado (kɔlə'ra:dou) Name zweier Flüsse und Staat der U.S.A.

Columbia (kə'lʌmbiə) Strom, Stadt,

Bundesdistrikt (mit der Hauptstadt Washington) der U.S.A.

Connecticut (kə'nektikət) Fluß und Staat der U.S.A.

Constance ('kɔnstəns) 1. Konsta'nze f; 2. geogr. Ko'nstanz n; Lake of ~ Bodensee m.

Cordilleras (kɔ:di'ljɛərəz) pl. die Kordilleren f/pl. (amerikanischer Gebirgszug). [dustriestadt.]

Coventry ('kɔventri) englische In-|

Cromwell ('krɔmwəl) englischer Staatsmann. [von London.|

Croydon ('krɔidn) Hauptflugplatz|

Cyprus ('saiprəs) geogr. Zypern n.

D

Dakota (də'koutə) (North ~, South ~ Nord-, Süd-)Dakota n (Staat der U.S.A.).

Dalton ('dɔ:ltən) britischer Politiker.

Danube ('dænju:b) Donau f.

Darwin ('da:win) englischer Naturforscher.

Defoe (də'fou, di'fou) englischer Erzähler.

Delaware ('deləwɛə) Fluß, Staat und Name eines Indianerstammes in den U.S.A.

Delhi ('deli) Stadt in Vorderindien.

Derby ('da:bi) Pferderennen in Epsom.

Detroit (də'trɔit) Industriestadt der U.S.A. [litiker in U.S.A.|

Dewey ('dju:i) republikanischer Po-|

Dickens ('dikinz) englischer Erzähler.

Disraeli (diz'reili) englischer Staatsmann.

Dover ('douvə) Hafenstadt in Südengland.

Downing ('dauniŋ): ~ Street Straße in London mit der Amtswohnung des Prime Minister; fig. Großbritannische Regierung.

Dryden ('draidn) englischer Dichter.

Dublin ('dʌblin) irische Hauptstadt.

Dulles ('dʌləs) nordamerikanischer Politiker.

Dunkirk (dʌn'kə:k) Dünkirchen n.

E

Eden ('i:dn) britischer Politiker.

Edinburgh ('edinbərə) Edinburg n (Hauptstadt Schottlands).

Edison ('edisn) amerikanischer Erfinder.

Egypt ('i:dʒipt) Ägypten n.

Eire ('ɛərə) Name für Irland (von 1937—1949).

Eisenhower ('aizənhauə) *Präsident der U.S.A.*

Eliot ('eljət) 1. *englische Schriftstellerin;* 2. *amerikanischer Dichter, in England lebend.*

Elizabeth (i'lizəbəθ) Elisabeth *f.*

Emerson ('eməsn) *amerikanischer Philosoph und Dichter.*

England ('iŋglənd) England *n.*

Epsom ('epsəm) *englische Stadt mit Rennplatz* (s. Derby).

Erie ('iəri): Lake ~ Eriesee *m (einer der fünf Großen Seen Nordamerikas).*

Eton ('i:tn) *englische Schulstadt.*

Europe ('juərəp) Euro'pa *n.*

Eve ('i:v) Eva *f.*

F

Falkland ('fɔ:klənd): ~ *Islands pl.* Falklandinseln *f|pl. im Atlantischen Ozean.*

Faulkner ('fɔ:knə) *amerikanischer Romanautor und Nobelpreisträger.*

Fleet Street (fli:t stri:t) *die (englische) Presse.*

Florida ('flɔridə) *Halbinsel und Staat der U.S.A.*

Flushing ('flʌʃiŋ) *geogr.* Vlissingen *n.*

Folkestone ('foukstən) *Seebad in Südengland.*

France (frɑ:ns) Frankreich *n.*

Franklin ('fræŋklin) 1. *nordamerikanischer Staatsmann und Physiker;* 2. *britischer Nordpolfahrer.*

Fulton ('fultən) *amerikanischer Erfinder, Erbauer des ersten Dampfschiffes.*

G

Gainsborough ('geinzbərə) *englischer Kunstmaler.* [litiker.\

Gaitskell ('geitskəl) *britischer Po-|*

Galsworthy ('gɔ:lzwə:ði) *englischer Dichter.*

Galveston(e) ('gælvistən) *nordamerikanische Hafenstadt am Golf von Mexiko (Texas).*

Geneva (dʒi'ni:və) Genf *n.*

George (dʒɔ:dʒ) Georg *m.* [U.S.A.]

Georgia ('dʒɔ:dʒiə) *Staat der|*

Germany ('dʒə:məni) Deutschland *n.* [U.S.A.]

Gettysburg ('getizbə:g) *Stadt in|*

Ghana (gɑ:nə) *Negerrepublik an der Goldküste.*

Giles (dʒailz) Julius *m.*

Gill (gil) Julchen *n.*

Gladstone ('glædstən) *britischer Staatsmann.*

Glasgow ('glɑ:sgou) *Hafen und größte Stadt Schottlands.*

Gloucester ('glɔstə) *Stadt in Westengland.*

Goldsmith ('gouldsmiθ) *englischer Dichter.*

Gollancz ('gɔlənts) *englischer Verleger, Schriftsteller und Sozialist.*

Greenwich ('grinidʒ) *Vorort von London.* [Kanal.\

Guernsey ('gə:nzi) *britische Insel im|*

Guiana (gi'ɑ:nə) Guayana *n (Teil der nordöstlichen Küste Südamerikas).*

Guinea *geogr.* ('gini) Guine'a *n.*

Guy (gai) Guido, Veit *m.*

H

Halifax ('hælifæks) *Name zweier Städte in Nordengland und Kanada.*

Harvard ('hɑ:vəd): ~ *University berühmte Universität in U.S.A.*

Harwich ('hæridʒ) *Hafenstadt in Südost-England.*

Hawaii (hɑ:'waii) *Inselgruppe im Stillen Ozean; Territorium der U.S.A.*

Hebrides ('hebridi:z) Hebri'den *pl. (schottische Inselgruppe).*

Heligoland ('heligoulænd) Helgoland *n.*

Hemingway ('hemiŋwei) *amerikanischer Schriftsteller.*

Henry ('henri) Heinrich *m.*

Herter ('hə:tə) *U.S. Außenminister.*

Hindustan *geogr.* (hindu'stæn, -'stɑ:n) Hindostan *n.*

Hoboken ('houboukən) *Stadt am Hudson, U.S.A.*

Hogarth ('hougɑ:θ) *englischer Kunstmaler.*

Hollywood ('hɔliwud) *Filmstadt in Kalifornien, U.S.A.*

Hudson ('hʌdsn) 1. *englischer Familienname;* 2. *geogr. bsd. Fluß im Osten der U.S.A., an seiner Mündung New York.*

Hugh (hju:) Hugo *m.*

Hull (hʌl) *Hafen und Handelsstadt in Nordost-England.*

Hume (hju:m) *englischer Philosoph.*

Hungary ('hʌŋgəri) Ungarn *n.*

Huron ('hjuərən): Lake ~ Huronsee *m (einer der fünf Großen Seen Nordamerikas).*

Huxley ('hʌksli) 1. *englischer Erzähler;* 2. *englischer Zoologe.*

I

Iceland ('aislənd) Island n.
Idaho ('aidəhou) Staat der U.S.A.
Illinois (ili'nɔi) Fluß und Staat der
India ('indjə) Indien n.   [U.S.A.]
Indiana (indi'ænə) Staat der U.S.A.
Indies ('indiz) pl.; the (East, West)
    ∼ (Ost-, West-)Indien n.
Iowa ('aiouə) Staat der U.S.A.
Irak, Iraq geogr. (i'ra:k) Irak m.
Iran geogr. (i'ra:n) Iran m.
Ireland ('aiələnd) Irland n.
Irving ('ə:viŋ) nordamerikanischer
    Schriftsteller.
Italy ('itəli) Italien n.

J

Jack (dʒæk) Hans m.
James (dʒeimz) Jakob m.
Jane (dʒein) Johanna f.
Jasper ('dʒæspə) Kaspar m.
Jefferson ('dʒefəsn) nordamerika-
    nischer Staatsmann, Verfasser der
    Unabhängigkeitserklärung von 1776.
Jersey ('dʒə:zi) 1. britische Kanal-
    insel; 2. ∼ City Stadt am Hudson,
Joan (dʒoun) Johanna f.   [U.S.A.]
Job (dʒɔb) Hiob m.
Joe (dʒou) Sepp m.
John (dʒɔn) Johann(es), Hans m.

K

Kansas ('kænzəs) Fluß und Staat der
    U.S.A.   [Pakistan.]
Karachi (kə'ra:tʃi) Hauptstadt von
Kashmir (kæʃ'miə) Kaschmir n
    (Staat in Vorderindien).
Kate (keit) Käthe f.   [der U.S.A.]
Kentucky (ken'taki) Fluß und Staat
Kenya ('ki:njə, 'kenjə) Berg und bri-
    tische Kolonie in Ostafrika.
Kipling ('kipliŋ) englisch-indischer
    Dichter.
Klondike ('klɔndaik) Fluß und Land-
    schaft in Kanada (Goldfelder).
Korea geogr. (ko'riə) Korea n.

L

Labrador ('læbrədɔ:) größte Halb-
    insel Nordamerikas.
Lancaster ('læŋkəstə) Städtename
    in England und USA.
Leeds (li:dz) Industriestadt in Ost-
    england.
Leicester ('lestə) Hauptstadt der
    englischen Grafschaft ∼shire (∼ʃiə).
Leith (li:θ) Seehafen von Edinburg.

Leman ('lemən): Lake ∼ Genfer
    See m.
Lewis ('lu[:]is) Ludwig m.
Lincoln ('liŋkən) 1. Präsident der
    U.S.A.; 2. Stadt in der englischen
    Grafschaft ∼shire (∼ʃiə); 3. Stadt
    in U.S.A. [fen- und Industriestadt.]
Liverpool ('livəpu:l) englische Ha-
Locke (lɔk) englischer Philosoph.
London ('landən) London n.
Los Angeles (lɔs'ændʒili:z) Stadt in
    Kalifornien, U.S.A.   [U.S.A.]
Louisiana (lu[:]i:zi'ænə) Staat der

M

Mabel ('meibəl) weiblicher Vorname.
Macaulay (mə'kɔ:li) englischer Po-
    litiker und Geschichtsschreiber.
Mackenzie (mə'kenzi) Strom in
    Nordamerika.   [Premierminister.]
Macmillan (mək'milən) britischer
Madge (mædʒ) Gretchen n.
Madras (mə'dræs) Hafenstadt in
    Vorderindien.
Maggie ('mægi) Gretchen n.
Maine (mein) Staat der U.S.A.
Malta geogr. ('mɔ:ltə) Malta n.
Manchester ('mæntʃistə) Industrie-
    stadt in Nordwest-England.
Manhattan (mæn'hætən) ältester
    Stadtteil von New York. [Kanada.]
Manitoba (mæni'toubə) Provinz in
Mark (ma:k) Markus m.
Marlborough ('mɔ:lbərə) englischer
    Feldherr und Staatsmann.
Marshall ('ma:ʃəl) nordamerika-
    nischer General und Staatsmann,
    Urheber des Marshall-Planes.
Mary ('mɛəri) Marie' f.
Maryland ('mɛərilənd, Am. 'meri..)
    Staat der U.S.A.
Massachusetts   (mæsə'tʃu:sets)
    Staat der U.S.A.
Ma(t)thew ('mæθju:) Matthä'us m.
Maud (mɔ:d) Lenchen; Mathild-
    chen n.   [ler und Dramatiker.]
Maugham (mɔ:m) englischer Erzäh-
Maurice ('mɔris) Moritz m.
May (mei) Mariechen n.
McCarthy (mə'ka:rθi) nordameri-
    kanischer Politiker.
McCloy (mə'klɔi) nordamerikani-
    scher Politiker.
Melbourne ('melbən) Großstadt in
    Südaustralien.
Meredith ('merediθ) englischer
    Dichter.   [Florida, U.S.A.]
Miami (mai'æmi) Badeort in

Michigan ('miʃigən) *Staat der U.S.A.*; Lake ~ Michigansee *m (einer der fünf Großen Seen Nordamerikas)*

Millicent ('milisnt) Melisa'nde *f (weiblicher Vorname).* [U.S.A.]

Milwaukee (mil'wɔ:ki[:]) *Stadt der*

Minneapolis (mini'æpəlis) *Stadt am Mississippi, U.S.A.* [U.S.A.]

Minnesota (mini'soutə) *Staat der*

Mississippi (misi'sipi) *Staat und größter Strom der U.S.A.*

Missouri (mi'suəri, *Am.* mi'zuəri) *Strom und Staat der U.S.A.*

Monroe (mən'rou) *nordamerikanischer Staatsmann.* [U.S.A.]

Montana (mɔn'ta:nə) *Staat der*

Montgomery (mənt'gʌməri) *britischer Feldmarschall.* [Kanada.]

Montreal (mɔntri'ɔ:l) *Stadt in*

Morgan ('mɔ:gən) *amerikanischer Finanzmann.*

Morgenthau ('mɔrgənθɔ:) *nordamerikanischer Politiker.*

Moscow ('mɔskou) Moskau *n.*

Moselle (mə'zel) Mosel *f.*

Munich ('mju:nik) München *n.*

Murray ('mʌri) *größter Fluß Australiens.*

N

Nancy ('nænsi), **Nanny** ('næni) Ännchen *n.*

Natal (nə'tæl) *Provinz der Südafrikanischen Union.* [U.S.A.]

Nebraska (ni'bræskə) *Staat der*

Nelson ('nelsn) *englischer Admiral und Seeheld.*

Nevada (ne'va:də) *Staat der U.S.A.*

New Brunswick (nju:'brʌnzwik) *Provinz in Kanada.*

Newcastle ('nju:ka:sl) *englischer Kohlenhafen an der Nordsee.*

Newfoundland (nju:'faundlənd, *bsd.* ♣ nju:fənd'lænd) Neufundland *n.*

New Hampshire (nju:'hæmpʃiə) *Staat der U.S.A.* [U.S.A.]

New Jersey (nju:'dʒə:zi) *Staat der*

New Mexico (nju:'meksikou) *Staat der U.S.A.*

New Orleans (nju:'ɔ:liənz) *Hafen- und Industriestadt an der Mississippimündung.*

Newton ('nju:tn) *englischer Physiker.*

New York ('nju:'jɔ:k) Neuyork *n (Stadt und Staat der U.S.A.)*

New Zealand (nju:'zi:lənd) Neuseeland *n.*

Niagara (nai'ægərə) Niaga'ra *m (Wasserfall des Sankt-Lorenz-Stromes).*

Nicholas ('nikələs) Nikolaus *m.*

Nigeria (nai'dʒiəriə) *britische Kolonie in Westafrika.*

Northampton (nɔ:'θæmptən) *Stadt und Grafschaft (a. ~shire, ~ʃiə) in England.*

Norway ('nɔ:wei) Norwegen *n.*

Nottingham ('nɔtiŋəm) *Stadt und Grafschaft (a. ~shire, ~ʃiə) in England.*

Nova Scotia ('nouvə'skouʃə) *Provinz in Kanada.*

O

Oak Ridge ('ouk'ridʒ) *Atomforschungszentrum in Tennessee (U.S.A.).*

Oceania (ouʃi'einiə) Ozeanien *n (die Inseln des südlichen Stillen Ozeans).*

Ohio (ou'haiou) *Nebenfluß des Mississippi und Staat der U.S.A.*

Oklahoma (ouklə'houmə) *Staat der U.S.A.*

Omaha (oumə'ha:) *Stadt der U.S.A.*

O'Neill (ou'ni:l) *amerikanischer Dramatiker und Nobelpreisträger.*

Ontario (ɔn'tɛəriou) *Provinz in Kanada; Lake ~ Ontariosee m (einer der fünf Großen Seen Nordamerikas).*

Oregon ('ɔrigən) *Staat der U.S.A.*

Orkney ('ɔ:kni): ~ Islands die Orkneyinseln *pl. (nördlich von Schottland).*

Ottawa ('ɔtəwə) *Hauptstadt Kanadas.* [tätsstadt.]

Oxford ('ɔksfəd) *englische Universi-*

P

Pakistan ('pa:kis'ta:n) Pakistan *n.*

Paris ('pæris) Paris *n.*

Peg(gy) (peg, 'pegi) Gretchen *n.*

Pennsylvania (pensil'veinjə) Pennsylvanien *n (Staat der U.S.A.).*

Philadelphia (filə'delfjə) *Großstadt im Osten der U.S.A.*

Philippines ('filipi:nz) die Philippinen *pl. (Inselgruppe im Stillen Ozean).* [U.S.A.]

Pittsburg(h) ('pitsbə:g) *Stadt der*

Plymouth ('pliməθ) *Hafenstadt in Süd-England.*

Poll (pɔl) Mariechen *n.*

Portsmouth ('pɔːtsmeθ) *Hauptkriegshafen Englands an der Kanalküste*.
Portugal ('pɔːtjugəl) Portugal *n*.
Pullman ('pulmən) *nordamerikanischer Eisenbahnunternehmer*.
Punjab (pʌn'dʒɑːb) Pandschab *n* (*Landschaft im nordwestlichen Vorderindien*).

Q

Quebec (kwi'bek) *Provinz und Stadt in Kanada*.

R

Rhine (rain) Rhein *m*.
Rhode Island (roud'ailənd) *Staat der U.S.A.* [meerinsel).\
Rhodes (roudz) Rhodus *n* (*Mittel-*
Rhodesia (rou'diːziə) Rhodesien *n* (*britisches Gebiet in Südafrika*).
Richmond ('ritʃmənd) *Stadt im Osten der U.S.A.*
Rockefeller ('rɔkifelə) *nordamerikanischer Großunternehmer*.
Rome (roum) Rom *n*.
Roosevelt (*Am.* 'rouzəvelt, *britisch mst* 'ruːsvelt) *Name zweier Präsidenten der U.S.A.*
Russia ('rʌʃə) Rußland *n*.

S

Sam (sæm) Samuel *m*; Uncle ~ *der Nordamerikaner*.
Scandinavia (skændi'neivjə) *geogr.* Skandinavien *n*.
Scotland ('skɔtlənd) Schottland *n*; ~ Yard *Polizeipräsidium in London*; *Kriminalpolizei*.
Seattle (si'ætl) *Hafen an der Nordwestküste der U.S.A.*
Seoul (soul) Söul *n* (*Hauptstadt von Südkorea*).
Shakespeare ('ʃeikspiə) *englischer Dichter*.
Shaw (ʃɔː) *englischer Dramatiker*.
Sheffield ('ʃefiːld) *Industriestadt in Mittelengland*.
Shetland ('ʃetlənd): the ~ Islands *pl.* die Shetlandinseln *pl.* (*nordöstlich von Schottland*).
Sibyl ('sibil) Sibylle *f*.
Sinclair ('siŋkleə) *nordamerikanischer Erzähler*.
Singapore (siŋgə'pɔː) Singapur *n* (*Hauptstadt von Britisch-Malakka*).
Snowdon ('snoudn) *Berg in Wales* (*Großbritannien*).

Soudan (suːˈdæn) Su'dan *m* (*mittelafrikanisches Gebiet*).
Southampton (sauθˈæmptən) *Hafenstadt an der Südküste Englands*.
Southey ('sauði, 'sʌði) *englischer Dichter*.
Spain (spein) *geogr.* Spanien *n*.
Stevenson ('stiːvnsn) *nordamerikanischer Politiker*.
St. Louis (snt'luis) *Handels- und Industriestadt am Mississippi* (*U.S.A.*).
Stratford ('strætfəd) *englischer und amerikanischer Ortsname*; ~ on Avon *Geburtsort Shakespeares*.
Sweden ('swiːdn) Schweden *n*.
Switzerland ('switsələnd) die Schweiz.
Sydney ('sidni) *Hafen- und Industriestadt in Australien*.

T

Tennessee (tene'siː) *Fluß und Staat der U.S.A.* [ter.\
Tennyson ('tenisn) *englischer Dich-*
Texas ('teksəs) *Staat der U.S.A.*
Thames (temz) *geogr.* Themse *f*.
Tom(my) (tɔm, 'tɔmi) *Koseform für Thomas*; ~ Atkins *der britische Soldat*.
Toronto (tə'rɔntou) *Stadt in Kanada*.
Trafalgar (trə'fælgə) *Vorgebirge bei Gibraltar* (*Seesieg und Tod Nelsons 1805*).
Transvaal ('trænzvɑːl) Transvaa'l *n* (*Provinz der Südafrikanischen Union*).
Truman ('truːmən) *Präsident der U.S.A.*
Turkey ('təːki) die Türkei'.

U

Utah ('juːtɑː) *Staat der U.S.A.*

V

Vancouver (væn'kuːvə) *Insel und Stadt an der Westküste Kanadas*.
Vanderbilt ('vændəbilt) *nordamerikanischer Unternehmer*.
Vatican ('vætikən) Vatika'n *m* (*Papstpalast in Rom*; *fig. päpstliche Regierung*).
Vermont (vəːˈmɔnt) *Staat der U.S.A.*
Vienna (vi'enə) *geogr.* Wien *n*.
Virginia (və'dʒinjə) Virginien (*Staat der U.S.A.*).

W

Wales (weilz) Wales *n (Teil Großbritanniens).*

Wallace ('woləs) 1. *englischer Erzähler;* 2. *nordamerikanischer Politiker und Staatsmann;* 3. *nordamerikanischer Erzähler.*

Wall Street ('wɔːlstriːt) *Straße und Finanzzentrum in New York.*

Washington ('wɔʃiŋtən) 1. *erster Präsident der U.S.A.;* 2. *Staat der U.S.A.;* 3. *Bundeshauptstadt und Regierungssitz der U.S.A.*

Watt (wɔt) *englischer Erfinder.*

Wellington ('weliŋtən) 1. *englischer Feldherr und Staatsmann;* 2. *Hauptstadt und Haupthafen Neuseelands.*

Wells (welz) *englischer Schriftsteller.*

West Virginia ('westvə'dʒinjə) *Staat der U.S.A.*

Wight (wait): Isle of ~ *Insel vor der Südküste Englands.*

Wilde (waild) *englischer Dichter.*

Will (wil), **William** ('wiljəm) Wilhelm *m.*

Wilson ('wilsn) *Präsident der U.S.A.*

Wimbledon ('wimbldən) *Vorort von London (Tennisturniere).*

Winnipeg ('winipeg) *See und Stadt in Kanada.*

Wisconsin (wis'kɔnsin) *Fluß und Staat der U.S.A.*

Worcester ('wustə) *Industriestadt in England und in U.S.A.*

Wyoming (wai'oumiŋ) *Staat der U.S.A.*

X

Xant(h)ippe (zæn'tipi) Xanthippe *f (fig. zänkisches Weib).*

Y

Yale (jeil) *Stifter der ~ University, U.S.A.*

Yellowstone ('jeloustoun, ~stən) *Fluß u. Naturschutzgebiet in U.S.A.*

York (jɔːk) *Stadt und Erzbischofssitz in Nordengland.*

Yosemite (jou'semiti) *Tal und Naturschutzgebiet in Kalifornien, U.S.A.*

Yugo-Slavia ('juːgouˈslɑːviə) geogr. Jugoslawien *n.*

GERMAN PROPER NAMES

WITH PRONUNCIATION AND EXPLANATIONS

A

Aa'chen (ähκᵉn) *n* Aix-la-Chapelle, *town in the Northwest of Germany.*

ABC'-Staaten (ähbétsé shtähtᵉn) *m/pl.* Argentine, Brazil and Chili.

A'denauer (ähdᵉnowᵉr), *Chancellor of the German Federal Republic.*

A'dria (ähdrïäh) *f* Adriatic (Sea).

A'frika (ähfrïkäh) *n* Africa.

Ägy'pten (ẹghïptᵉn) *n* Egypt.

A'lgier (ählɢeer) *n country:* Algeria; *town:* Algıers.

A'l(l)gäu (ählgöi) *n* Algau, *part of South Germany.*

A'lpen (ählpᵉn) *pl.* Alps, *mountains in South Germany.*

Ame'rika (ähmérïkäh) *n* America.

A'nden (ähndᵉn) *pl.* Andes, *mountain-chain in South America.*

Anti'llen (ähntïlᵉn) *f/pl.* Antilles *pl.*, *islands in the Mexican Golf.*

Antwe'rpen (ähntvẹrpᵉn) *n* Antwerp, *Belgian province and town.*

Ara'bien (ähräbïᵉn) *n* Arabia.

Argenti'nien (ährgᵇẹnteenïᵉn) *n* Argentina.

Ä'rmelkanal (ẹrmᵉlkähnähl) *m* English Channel.

A'sien (ähzïᵉn) *n* Asia.

Athe'n (ähtẹn) *n* Athens, *capital of Greece.*

Atla'ntik (ähtlähntïk) *m* Atlantic.

Austra'lien (owstrahlïᵉn) *n* Australia.

B

Bach (bähκ) *German composer.*

Ba'den (bähdᵉn) *n, country and town in Southwestern Germany.*

Ba'lkan (bählkähn) *m der ~ the Balkans pl., mountain-chain on the peninsula in Southeastern Europe.*

Ba'sel (bähzᵉl) *n* Basle, Bale, *Swiss town.*

Bay'ern (bïᵉrn) *n* Bavaria, *country in South Germany.* [Germany.]

Ba,y'reuth (biröit) *town in South*

Bee'thoven (bét[h]öfᵉn) *German composer.*

Be'lgien (bẹlgᵇïᵉn) *n* Belgium.

Berli'n (bẹrleen) *n* Berlin, *German capital.*

Bern (bẹrn) *n* Bern(e), *Swiss capital.*

Bi'smarck (bïsmährk), *Chancellor of the German Reich 1871—1890.*

Bo'densee (bödᵉnzé) *m* Lake of Constance, Constance Lake.

Bonn (bön) *capital of the German Federal Republic.*

Brahms (brähms), *German composer.*

Bra'ndenburg (brähndᵉnböörk) *n* Brandenburg, *German province.*

Brasi'lien (brähzeelïᵉn) *n* Brazil.

Brau'nschweig (brownshvïk) *n* Brunswick.

Bre'men (brémᵉn) *n* Bremen, *German seaport.*

Bro'cken (brökᵉn) *m* Mount Brocken *in the Harz Mountains.*

Brü'ssel (brüsᵉl) *n* Brussels, *capital of Belgium.*

Bu'karest (bŏŏkährẹst) *n* Bucharest, *capital of Roumania.* [garia.]

Bulga'rien (bŏŏlgährïᵉn) *n* Bul-/

C

Chi'le (çeelé) *n* Chili, Chile.

Chi'na (çeenäh) *n* China.

Chri'stus (kristŏŏs) *m* [*inv.*; *a. gen.* -sti (-stee), *dat.* -sto (-stö), *acc.* -stum (-ŏŏm)] Christ.

D

Dä'nemark (dänᵉmährk) *n* Denmark.

Da'nzig (dähntsïç) *n* Dantzig, Dantzic, *former Free Town at the Baltic Sea.*

Darda'nellen (dährdähnẹlᵉn) *pl.* (Straits of the) Dardanells.

Deu'tschland (dóitshlähnt) *n* Germany.

Do'nau (dönow) *f* Danube.

Dü'rer (dürᵉr), *German painter.*

Dü'sseldorf (düsᵉldörf) *n, industrial town in Western Germany.*

E

Ei'smeer (ismér) *n* Polar Sea; *Nördliches* ~ Arctic Ocean; *Südliches* ~ Antarctic Ocean.

E'lbe (ĕlbᵉ) *f inv.* Elbe, *German river.* [*frontier-country.*]

E'lsaß (ĕlzähs) *n* Alsace, *French*]

E'ngland (ĕṇglähnt) *n* England.

E'rhard (érhäᵊrt) *Minister of Economics of the German Federal Republic.*

E'rzgebirge (ĕrtsgᵸᵉbǐrgᵸᵉ) *n* frontier mountains between Saxony and Czecho-Slovakia.

E'ssen (ĕsᵉn) *n* Essen, *industrial town in Western Germany.*

E'stland (éstlähnt) *n* Esthonia.

Etsch (ĕtsh) **(die)** *f* Adige, *river in North Italy.*

Euro'pa (ŏiröpäh) *n* Europe.

F

Fi'chtelgebirge (fǐçtᵉlgᵸᵉbǐrgᵸᵉ) *n* [?] Fir Mountains *in Bavaria, South Germany.*

Fi'nnland (fǐnlähnt) *n* Finland.

Fla'ndern (flähndᵉrn) *n* Flanders, *province at the North Sea, partly belonging to France, Belgium, and Holland.* [*district in South-Germany.*]

Fra'nken (frähṇkᵉn) *n* Franconia,]

Fra'nkfurt (frähṇḱfōᵊrt) *n* Frankfort *(on-the-Main, on-the-Oder).*

Fra'nkreich (frähṇḱkrǐç) *n* France.

Freud (frŏit) *Austrian neurologist, founder of psychoanalysis.*

Frie'sland (freeslähnt) *n* Friesland, Frisia, *Dutch province; district of the German coast of the North Sea.*

G

Ga'rmisch (gährmǐsh) *n* Garmisch, *health resort in South Germany.*

Genf (gᵸĕnf) *n* Geneva, *Swiss town;* ~*er See* see ~ Lake of Geneva.

Gibra'ltar (gᵸǐbrähltähr) *n): Straße von* ~ Straits of Gibraltar.

Goe'the (götᵉ) *greatest German poet.*

Graubü'nden (growbündᵉn) *n* the Grisons, *Swiss canton.* [Greece.]

Grie'chenland (greeçᵊnlähnt) *n*]

Grö'nland (grönlähnt) *n* Greenland.

Großbrita'nnien *n* Great Britain.

H

Haag (hähk) *m* The Hague, *Dutch town.* [burg, *German seaport.*]

Ha'mburg (hählmbōᵊrk) *n* Ham-]

Ha'meln (hählmᵉln) *n* Hamelin, *town in Western Germany.*

Hä'ndel (hĕndᵉl) Handel, *German composer, lived in England.*

Hanno'ver (hählnnöfᵉr) *n* Hanover, *province and town in Western Germany.*

Harz (hährts) *m* Harz Mountains *in Central Germany.* [*man poet.*]

Hau'ptmann (howptmähn), *Ger-*]

Hei'delberg (hīdᵉlbĕrk) *n* Heidelberg, *German university town in South-Western Germany.*

Hei'ne (hīnᵉ) *German poet.*

He'lgoland (hĕlgölähnt) *n* Heligoland, *German island in the North Sea.*

He'ssen (hĕsᵉn) *n* Hesse, *country in Western Germany.*

Hinter-i'ndien (hǐntᵉr-ǐnd¹ᵉn) *n* Farther India, Indo-China.

Hohenzo'llern (hōᵉntsölᵉrn) *n* country *in South Germany.*

Ho'lland (hōlähnt) *n* Holland.

Ho'lstein (hōlshtīn) *n* country *in North Germany.*

I

I'ndien (ǐnd¹ᵉn) *n* India.

I'nnsbruck (ǐnsbrōŏk) *n* Innsbruck, *capital of Tyrol.*

I'rak (eerähk) *m* Irak, Iraq.

I'rland (ǐrlähnt) *n* Ireland.

I'sland (ǐslähnt) *n* Iceland.

I'srael (ǐsrähĕl) *n* Israel.

Ita'lien (ǐtähl¹ᵉn) *n* Italy.

J

Ja'pan (yähpähn) *n* Japan.

Je'sus (yezōōs) [*inv.; a. gen. u. dat.* Jesu, *acc.* Jesum] *m* Jesus.

Jugosla'wien (yōōgōslähv¹ᵉn) *n* Yugo-Slavia.

K

Ka'nada (kähnähdäh) *n* Canada.

Kant (kähnt), *German philosopher.*

Ka'pstadt (kähpshtäht) *n inv.* Cape Town, *seaport in the South African Union.* [*capital of Pakistan.*]

Kara'tschi (kährähtshee) *n* Karachi,]

Kä'rnten (kĕrntᵉn) *n* Carinthia; *part of Austria.*

Ka'schmir (kähshmeer) *n* Kashmir, *Republic in Hither India.*

Karpa'then (kährpähtᵊn) *f/pl.* Carpathian Mountains, *chain of mountains in Southeast Europe.*

Kiel (keel) *m* Kiel, *German seaport.*

Klei'n-a'sien (klīn-ähz¹ᵉn) *n* Asia Minor. [*town in Western Germany*]

Ko'blenz (kōblĕnts) *n* Coblenz,]

Köln (köln) n Cologne. [lumbia.]

Kolu'mbien (kŏlŏŏmbiᵉn) n Co-

Kolu'mbus (kŏlŏŏmbŏŏs) m Columbus discoverer of America.

Kordille'ren (kŏrdĭlyérᵉn): (die) f/pl. the Cordilleras.

Kreml (krĕml) m the Kremlin, residence of the Soviet Government in Moscow.

Kre'ta (krétäh) n Crete, Candia; island in the Mediterranean.

Krim (krĭm) f: die ~ the Crimea, peninsula in the Black Sea.

L

La'ppland (lähplähnt) n Lapland.

Lau'sitz (lowzĭts) f Lusatia, district in Central Germany.

Lei'pzig (lĭptsĭç) n Leipzig, Leipsic, German town in Saxony.

Le'ttland (lĕtlähnt) n Latvia.

Li'banon (leebähnŏn) m Lebanon, Republic at the Eastern end of the Mediterranean.

Li'ssabon (lĭsähbŏn) n Lisbon, capital of Portugal.

Liszt (lĭst) German composer.

Li'tauen (lĭtowᵉn) n Lithuania.

Lo'ndon (lŏndŏn) n London.

Lo'thringen (lŏtrĭnᵉn) n Lorraine, French frontier-country.

Lü'beck (lübĕk) n Lubeck, town in North Germany.

Lü'bke (lübke) President of the German Federal Republic.

Lu'ther (lŏŏtᵉr) German religious reformer. [Swiss canton and town.]

Luze'rn (lŏŏtsĕrn) n Lucerne,

M

Maas (mähs) f inv. Meuse, river at the eastern frontier of France.

Main (min) m river in Western Germany.

Mainz (mĭnts) n inv. Mayence, Mainz.

Mandschurei' (mähntshŏŏrĭ) f Manchuria, northern part of China.

Maro'kko (mährŏkŏ) n Morocco, country in Northwest Africa.

Me'mel (mémᵉl) f frontier river and town in former East Prussia.

Me'xiko (mĕksĭkŏ) n Mexico.

Mi'ttelame'rika (mĭtᵉl-) n Central America.

Mi'tteleuro'pa n Central Europe.

Mi'ttelmeer (mĭtᵉlmér) n Mediterranean (Sea).

Mo'hammed (mŏhähmĕt) m Mahomet, Mohammed, founder of the Islamitic religion.

Mo'sel (mŏzᵉl) f inv. Moselle, river in Western Germany.

Mo'skau (mŏskow) n Moscow.

Mo'zart (mŏtsährt), Austrian composer.

Mü'nchen (münçᵉn) n Munich, capital of Bavaria in South Germany.

N

Nei'ße (nĭsᵉ) f inv. frontier river between Germany and the Polish occupied provinces.

Neufu'ndland (nŏifŏŏntlähnt) n Newfoundland. [Netherlands.]

Nie'derlande (needᵉrlähndᵉ) n/pl.]

Nil (neel) m the Nile.

Nord-ame'rika (nŏrt-ähmérĭkäh) n North America.

No'rddeutschland (nŏrtdŏitshlähnt) n North Germany.

No'rdkap (nŏrtkähp) n North Cape.

No'rdpol (nŏrtpŏl) m [3¹] NorthPole.

No'rdsee (nŏrtzé) f North Sea.

No'rwegen (nŏrvégʰᵉn) n Norway.

Nü'rnberg (nürnbĕrk) n Nuremberg, town in South Germany.

O

Obera'mmergau (ŏbᵉrähmᵉrgow) n, town in South Germany.

O'der (ŏdᵉr) f inv., German River.

O'rient (ŏr'ĕnt) m Orient; East; Eastern countries pl. [Asia.]

Ost-a'sien (ŏst-ähz¹ᵉn) n Eastern]

Ö'sterreich (ŏstᵉrĭç) n Austria.

Ost-i'ndien (ŏst-ĭnd¹ᵉn) n the East Indies pl.

O'stsee (ŏstzé) f Baltic (Sea).

Ozea'nien (ŏtsĕähn¹ᵉn) n Oceania, Australasia.

P

Pa'kistan (pähkĭstähn) Republic in Hither India.

Paläst'na (pählĕsteenäh) n Palestine.

Pari's (pährees) n inv. Paris.

Pe'rsien (pĕrz¹ᵉn) n Persia.

Pfalz (pfählts) f Palatinate, district in Western Germany.

Philippi'nen (fĭlĭpeen^ᵉn) f/pl. inv. Philippine Islands.

Po'len (pŏlᵉn) n Poland.

Po'rtugal (pŏrtŏŏgähl) n Portugal.

Prag (prähk) n Prague, capital of Czecho-Slovakia.

Preu'ßen (prŏisᵉn) n Prussia, former state in Germany.

Pyrenä'en (pürᵉnäᵉn) pl. the Pyrenees, chain of mountains at the frontier of France and Spain.

R

Re'gensburg (régʰᵉnsbŏŏrk) *n* Ratisbon, Regensburg, *town in South* Germany.

Rhein (rīn) *m* Rhine. [*Germany.*]

Rhei'npfalz (rīnpfáⁱlts) *f* Palatinate of the Rhine.

Rom (rōm) *n* Rome.

Ruhr (rŏŏr) *f* River Ruhr.

Ru'hrgebiet (rŏŏrgʰᵉbeet) *industrial centre of Western Germany.*

Rumä'nien (rŏŏmäⁱⁿᵉn) *n* R(o)umania.

Ru'ßland (rŏŏsläⁱhnt) *n* Russia.

S

Saa'le (zählᵉ) *f river in Central Germany.* [*man country.*]

Sa'chsen (zähksᵉn) *n* Saxony Ger-

Sa'lzburg (zählsbŏŏrk) *n town in Austria.*

Schi'ller (shĭlᵉr) *German poet.*

Schle'swig (shlésvĭç) *n* Sleswick, *country in North Germany.*

Scho'ttland (shótläⁱhnt) *n* Scotland.

Schu'bert (shŏŏbᵉrt) *Austrian composer.* [*composer.*]

Schu'mann (shŏŏmähn) *German*

Schwa'rzes Meer (shväⁱhrtsᵉs mér) *n* Black Sea, Euxine.

Schwa'rzwald (shväⁱhrtsväⁱhlt) *m* Black Forest, *mountains in Southwest Germany.*

Schwe'den (shvédᵉn) *n* Sweden.

Schweiz (shvīts) *f* Switzerland.

Sizi'lien (zĭtseelⁱᵉn) *n* Sicily, *Italian island.* [*Scandinavia.*]

Skandina'vien (skäⁱndĭnähvⁱᵉn) *n*

So'wjetrußland (sŏv'ĕt-) *n* Soviet Russia.

Spa'nien (shpähnⁱᵉn) *n* Spain.

Stei'ermark (shtīᵉrmährk) *f* Styria, *part of Austria.* [*Pacific (Ocean).*]

Sti'ller O'zean (shtĭlᵉr-ōtsëähn) *m*

Strauß (shtrows): Johann ~ *Austrian composer of waltzes*; Richard ~ *German composer of operas.*

Stu'ttgart (shtŏŏtgäⁱhrt) *capital of Wurtemberg in Southwest Germany.*

Süd-a'frika (zŭt-ähfrĭkäh) *n* South Africa. [*South America.*]

Süd-ame'rika (zŭt-ähmérĭkäh) *n*

Su'dan (zŏŏdähn) *m* S(o)udan, *district in Interior Africa.*

Sude'ten (zŏŏdétᵉn) *pl. inv.* **die** ~ *the Sudetic Mountains pl., extending along the Northern boundary of Czecho-Slovakia.*

Sü'dpol (zŭtpōl) *m* South Pole.

Süd'see (sŭtzé) *f* South Pacific.

Süd'seeländer (zŭtzélĕndᵉr) *n/pl.* Australasia. [*Western Asia.*]

Sy'rien (zŭrⁱᵉn) *n* Syria, *part of*

T

The'mse (tĕmzᵉ) *f inv.* Thames.

Thü'ringen (tŭrĭŋᵉn) *n* Thuringia, *district in Central Germany.*

Tiro'l (tĭról) *n* the Tyrol, *country in the Austrian Alps.*

Tsche'choslowakei (tshĕçóslōväⁱhki) *f* Czecho-Slovakia.

Türkei' (tŭrkī) Turkey.

U

U'ngarn (ŏŏⁱŋgährn) *n* Hungary.

Ura'l (ŏŏrähl) *m river in Russia:* Ural River; *mountains:* Ural Mountains *pl.*, the Urals *pl.*

V

Verei'nigte Staa'ten (fĕr-īnĭçtᵉ shtähtᵉn) *m/pl.* United States (of America), *abbr.* U.S.A.

Vierwa'ldstätter See (feerväⁱhltshtĕtᵉr zé) *m* Lake of Lucerne *in the Swiss Alps.*

Vo'rder-asien (fórdᵉr-ähzⁱᵉn) *n* Hither Asia.

Vo'rder-indien (fórdᵉr-ĭndⁱᵉn) *n* Hither India, *a.* Hindustan.

W

Wa'gner (vähgnᵉr) *German composer.* [*canton.*]

Wa'llis (väⁱhlĭs) *n* le Valais, *Swiss*

Wa'rschau (vährshow) *n* Warsaw, *capital of Poland.*

Wei'chsel (vĭksᵉl) *f inv.* Vistula, *river falling into the Baltic Sea.*

We'ser (vézᵉr) *f inv. river in Western Germany.*

Westfa'len (vĕstfählᵉn) *n* Westphalia, *province in Western Germany.* [*West Indies pl.*]

West-i'ndien (vĕst-ĭndⁱᵉn) *n* the

Wien (veen) *n* Vienna.

Wü'rttemberg (vŭrtᵉmbĕrk) *n* Württemberg, Wurtemberg, *country in Southwest Germany.*

Y

Y'pern (eepᵉrn) *n* Ypres, *Belgian town.*

Z

Zü'rich (tsŭrĭç) *n* Zurich, *Swiss town.*

Zy'pern (tsŭpᵉrn) *n* Cyprus, *island in the Mediterranean.*

CURRENT GERMAN ABBREVIATIONS

A

a. a. O. *am angegebenen Ort* in the place quoted.

Abb. *Abbildung* illustration.

Abg. *Abgeordneter* member of Parliament, etc.

Abk. *Abkürzung* abbreviation.

Abs. *Absatz* paragraph; *Absender* sender. [d/pt.]

Abt. *Abteilung* department, *abbr.*]

a. D. *außer Dienst* retired.

ADN *Allgemeiner Deutscher Nachrichtendienst* General German News Service *in the DDR.*

AG. *Aktiengesellschaft* joint-stock company.

allg. *allgemein* general.

a. M. *am Main* on the Main.

Anm. *Anmerkung* note.

a. O. *an der Oder* on the Oder.

a. Rh. *am Rhein* on the Rhine.

Art. *Artikel* article.

B

Bd. *Band* volume; **Bde.** *Bände* volumes.

betr. *betreffend, betrifft, betreffs* concerning, respective, respecting, regarding.

bez. *bezahlt* paid; *bezüglich* with reference to.

Bez. *Bezirk* district.

BGB *n Bürgerliches Gesetzbuch* code of civil law, Civil Code.

BIZ *Bank für internationalen Zahlungsausgleich* Bank for International Settlements.

Bln. *Berlin* Berlin. [register tons.]

BRT *Brutto-Register-Tonnen* gross]

b. w. *bitte wenden* please turn over *abbr.* P.T.O.

bzw. *beziehungsweise* respectively.

C

ca. *circa, ungefähr, etwa* about, approximately, *abbr.* c(irc.).

CDU *Christlich-demokratische Union* Christian Democratic Union.

Co. *Kompagnon, Kompanie* partner, Company.

D

DB *Deutsche Bundesbahn* German Federal Railway.

DDR *Deutsche Demokratische Republik* German Democratic Republic.

DGB *Deutscher Gewerkschaftsbund* Federation of German Trade Unions.

dgl. *dergleichen, desgleichen* the like.

d. h. *das heißt* i. e. (that is).

Din *Deutsche Industrie-Norm* German Industrial Standards.

Dipl. *Diplom* diploma.

d. J. *dieses Jahres* of this year.

DM *Deutsche Mark* German Mark.

d. M. *dieses Monats* inst.

do. *dito* ditto, *abbr.* do. [tioned.]

d.O. *der Obige* the above-men-]

dpa, DPA *Deutsche Presse-Agentur* German Press Agency.

Dr. jur. *Doktor der Rechte* Doctor of Laws (L.L.D.); ~ **med.** *Doktor der Medizin* D. of Medicine (M. D.); ~ **phil.** *Doktor der Philosophie* D. of Philosophy, *in England*: Master of Arts (M.A.), *Am.* Ph. D.; ~ **theol.** (*evangelisch* D.) *Doktor der Theologie* Doctor of Divinity (D.D.); preceding names: (Dr(.).

Dtz., Dtzd. *Dutzend* dozen.

dz *Doppelzentner* 100 kilogrammes.

E

einschl. *einschließlich* inclusive.

entspr. *entsprechend* corresponding.

erg. *ergänze* supply, add.

Erl. *Erläuterung* explanation, (explanatory) note.

ev. *evangelisch* Protestant.

e.V. *eingetragener Verein* registered association (incorporated).

evtl. *eventuell* perhaps, possibly.

exkl. *exklusive* except(ed), not included.

F

Fa. *Firma* firm, Messrs. (as address).

FDP *Freie Demokratische Partei* Liberal Democratic Party.

FD(-Zug) *Fernschnellzug* long-distance express.

ff. *fein-fein; und das Folgende, folgende Seiten* extra fine; and the following, following pages.

Forts. *Fortsetzung* continuation.

frdl. *freundlich* kind.

Frl. *Fräulein* Miss.

FU *Freie Universität (Berlin)* Free University.

G

geb. *geboren(e)* born; nee.

Gebr. *Gebrüder* Brothers.

gef. *gefällig(st)* kind(ly).

gegr. *gegründet* founded.

Ges. *Gesellschaft* association, company. [registered.]

ges. gesch. *gesetzlich geschützt*]

gest. *gestorben* deceased.

Gew. *Gewicht* weight.

gez. *gezeichnet (vor Unterschriften)* signed, *abbr.* sgd.

G.m.b.H. *Gesellschaft mit beschränkter Haftpflicht od. Haftung* limited liability company; *abbr.* Limited (Ltd).

H

Hbf. *Hauptbahnhof* central *(od. main)* station.

h. c. *honoris causa* honorary (of degree); [cial law code.]

HGB *Handelsgesetzbuch* commer-]

hrsg. *herausgegeben* edited.

I

i. allg. *im allgemeinen* in general, generally speaking.

i. A. *im Auftrage* for, by order, under instruction.

I. G. *Interessengemeinschaft* pool, trust. [sive.]

inkl. *inklusive, einschließlich* inclu-]

i. J. *im Jahre* in the year.

Ing. *Ingenieur* engineer.

Inh. *Inhaber* proprietor.

Interpol *Internationale Kriminalpolizeiliche Kommission* International Criminal Police Commission, *abbr.* ICPC.

i. V. *in Vertretung* on behalf of, by order; by proxy, as a substitute.

J

jr., jun. *junior, der Jüngere* junior.

K

Kap. *Kapitel* chapter.

kath. *katholisch* Catholic.

Kfm. *Kaufmann* merchant.

kfm. *kaufmännisch* commercial.

Kfz. *Kraftfahrzeug* motor vehicle.

KG. *Kommanditgesellschaft* limited company, company (of shareholders) with limited liability.

Kl. *Klasse* class; form.

KP *Kommunistische Partei* Communist Party.

kW *Kilowatt* kilowatt.

kWh *Kilowattstunde* kilowatt hour.

L

lfd. *laufend* current, running.

lfde. Nr. *laufende Nummer* current number. [stalment, part.]

Lfg., Lfrg. *Lieferung* delivery; in-]

L.K.W., Lkw. *Lastkraftwagen* truck, lorry.

lt. *laut* according to.

M

m *Meter* metre, *Am.* meter.

M.d.B. *Mitglied des Bundestages* Member of the Federal Diet.

m. E. *meines Erachtens* in my opinion.

M.E.Z. *mitteleuropäische Zeit* Central European Time.

Mitro'pa *Mitteleuropäische Schlaf- und Speisewagen-Aktiengesellschaft* Middle-European Society for dining- and sleeping-cars.

mm *Millimeter* millimetre.

M.P. *Militärpolizei* Military Police.

möbl. *möbliert* furnished.

Ms. *Manuskript* manuscript.

mtl. *monatlich* monthly.

N

N *Norden* north.

Nachf. *Nachfolger* successor.

nachm. *nachmittags* in the afternoon, *abbr.* p. m.

NATO *Nordatlantikpakt-Organisation* North Atlantic Treaty Organization.

n. Chr. *nach Christus* after Christ; *abbr.* A. D. [so-and-so.]

N.N. *nescio nomen* name unknown,]

NO *Nordosten* northeast.

No., Nr. *Numero, Nummer* number.

NW *Nordwesten* northwest.

O

O *Osten* east.

od. *oder* or.

OHG *Offene Handelsgesellschaft* ordinary partnership.

o. J. *ohne Jahr* no date.

P

p. Adr. *per Adresse* care of, *abbr.* c/o.

Pf. *Pfennig* (German coin).

P.K.W., Pkw. *Personenkraftwagen* (motor) car.

P.P. *praemissis praemittendis* omitting titles, to whom it may concern.

p.p., p.pa., ppa. *per Prokura* per proxy, per procuration.

Prof. *Professor* professor; **o. ~** *ordentlicher Professor* (ordinary) professor.

Prov. *Provinz* province.

PS *Pferdestärke(n)* horse-power, *abbr.* H.P.

P.S. *postscriptum, Nacnschrift* postscript, *abbr.* P.S.

R

Reg. Bez. *Regierungsbezirk* administrative district.

resp. *respektive* respectively, otherwise.

S

S *Süden* south.

S. *Seite* page.

s. *siehe* see.

Sa. *summa, Summe* sum, total.

SED *Sozialistische Einheitspartei* United Socialist Party.

sen. *Senior, der Ältere* senior.

SO *Südosten* southeast.

s. o. *siehe oben* see above.

sog. *sogenannt* so-called.

SPD *Sozialdemokratische Partei Deutschlands* Social Democratic Party of Germany.

spez. *speziell, besonders, spezial* special.

St. *Stück* piece.

StGB *Strafgesetzbuch* Penal Code.

StPO *Strafprozeßordnung* Code of Criminal Procedure.

Str. *Straße* street.

s.u. *siehe unten* see below.

SW *Südwesten* southwest.

s. Zt. *seinerzeit* (= *damals*) at the *or* that time.

T

tägl. *täglich* daily, per day.

teilw. *teilweise* partly.

T. H. *Technische Hochschule* technical university *or* college.

U

u. *und* and.

u. a. *und anderes; unter anderem od. anderen* and others; amongst other things, inter alia.

u. ä. *und ähnliche(s)* and the like.

U.A.w.g. *Um Antwort wird gebeten;* répondez s'il vous plaît (*fr.*), *abbr.* R.S.V.P.

u. dgl. (m.) *und dergleichen (mehr)* and more of the (same) kind.

u. d. M., ü. d. M. *unter, über dem Meeresspiegel* below, above sea-level.

UKW *Ultrakurzwelle* ultra-short wave, very high frequency, *abbr.* VHF.

U/min. *Umdrehungen in der Minute* revolutions per minute, *abbr.* r.p.m.

usw. *und so weiter* and so on, etc.

V

v. *von, vom* of.

V. *Volt* volt. [*abbr.* B. C.)

v. Chr. *vor Christus* before Christ.)

vgl. *vergleiche* cf. *od.* cp.

v. H. *vom Hundert*, %, per cent.

vorm. *vormittags* in the morning, *abbr.* a. m.

vorm. *vormals* formerly.

Vors. *Vorsitzender* chairman.

W

W *Westen* west.

WEZ. *westeuropäische Zeit* time of West European zone (Greenwich time).

Wwe. *Witwe* widow.

Z

z. B. *zum Beispiel* for instance, *abbr.* e. g.

z. H(d). *zu Händen* attention of, to be delivered to, care of, *abbr.* c/o.

ZPO *Zivilprozeßordnung* Civil Procedure Code.

z. S. *zur See* of the navy.

z. T. *zum Teil* partly.

z. Z(t). *zur Zeit* at the (present) time, for the time being.

zus. *zusammen* together.

EXAMPLES FOR GERMAN DECLENSION AND CONJUGATION

A. Declension

Order of cases: *nom., gen., dat., acc., sg.* and *pl.* — Compound nouns and adjectives (e. g. *Eisbär, Ausgang, abfällig* etc.) inflect like their last elements (*Bär, Gang, fällig*). The letters in parentheses may be omitted.

I. Nouns

1 Bild ~(e)s[1] ~(e) ~
Bilder[2] ~ ~n ~
[1] **es** only: Geist, Geistes.
[2] **a, o, u > ä, ö, ü:** Rand, Ränder; Haupt, Häupter; Dorf, Dörfer; Wurm, Würmer.

2 Reis* ~ses ~se (~) ~
Reiser[1] ~ ~n ~
[1] **a, o > ä, ö:** Glas, Gläser; Haus, Häuser; Faß, Fässer; Schloß, Schlösser.
* **ß > ss:** Faß, Fasse(s).

3 Arm ~(e)s[1],[2] ~(e)[1] ~
Arme[3] ~ ~ ~
[1] *without* e: Billard, Billard(s).
[2] **es** only: Maß, Maßes.
[3] **a, o, u > ä, ö, ü:** Gang, Gänge; Saal, Säle; Gebrauch, Gebräuche; Sohn, Söhne; Hut, Hüte.

4 Greis[1]* ~ses ~se (~) ~
Greise[2] ~ ~n ~
[1] **s > ss:** Kürbis, Kürbisse(s).
[2] **a, o, u > ä, ö, ü:** Hals, Hälse; Baß, Bässe; Schoß, Schöße; Fuchs, Füchse; Schuß, Schüsse.
* **ß > ss:** Roß, Rosse(s).

5 Strahl ~(e)s[1],[2] ~(e)[2] ~
Strahlen[3] ~ ~ ~
[1] **es** only: Schmerz, Schmerzes.
[2] *without* e: Juwel, Juwel(s).
[3] Sporn, Sporen.

6 Lappen ~s ~ ~*
Lappen[1] ~ ~ ~
[1] **a, o > ä, ö:** Graben, Gräben; Boden, Böden.
* *Infinitives used as nouns have no* pl.: Atmen, Befinden etc.

7 Maler ~s ~ ~
Maler[1] ~ ~n ~
[1] **a, o, u > ä, ö, ü:** Vater, Väter; Kloster, Klöster; Bruder, Brüder.

8 Untertan ~s ~ ~
Untertanen[1],[2] ~ ~ ~
[1] *with change of accent:* Profe′ssor, Professo′ren; Dä′mon, Dämo′nen.
[2] *pl.* ien: Kolleg, Kollegien; Mineral, Mineralien.

9 Studium   ~s ~ ~
       Studien[1],[2]

  [1] **a** *and* **o(n)** > **en:** Drama, Dramen; Folio, Folien; Stadion, Stadien.
  [2] **on** *and* **um** > **a:** Lexikon, Lexika; Faktum, Fakta.

---

10 Auge   ~s ~ ~
       Augen ~ ~ ~

---

11 Genie   ~s[1]*
       Genies[2]*

  [1] *without inflection:* Bouillon, Diva *etc.*
  [2] *pl.* **s** *or* **ta:** Komma, Kommas *or* Kommata; *but:* Klima, Klimate [3].
  * **s** *is pronounced:* Gĕnee's, Baissiers: bäs'ê's.

---

12 Bär[1]*   ~en ~en ~en[2]
      Bären

  [1] **ß** > **ss:** Genoß, Genossen.
  [2] **Herr,** *sg.* Herrn; Herz, *gen.* Herzens, *acc.* Herz.
  * **...lo'g** *as well as* **...lo'ge** [13], *e. g.* Biolog(e).

---

13 Knabe   ~n[1] ~n ~n
       Knaben ~ ~ ~

  [1] **ns:** Name, Namens.

---

14 Trübsal   ~ ~ ~
       Trübsale[1],[2],[3]   ~n

  [1] **a, o, u** > **ä, ö, ü:** Hand, Hände; Braut, Bräute; Not, Nöte; Luft, Lüfte; *without e:* Tochter, Töchter; Mutter, Mütter; **ß** > **ss:** Nuß, Nüsse.
  [2] **s** > **ss:** Kenntnis, Kenntnisse; Nimbus, Nimbusse.
  [3] **is** *or* **us** > **e:** Pluralis, Plurale; Kultus, Kulte; *with change of accent:* Dia'konus, Diako'ne.

---

15 Blume   ~ ~ ~
       Blumen ~ ~ ~

  ...ee: é', *pl.* é'ᵉn, e. g. Idee', Ide'en.
  ...ie $\begin{cases} \text{stressed syllable: i', } pl. \text{ i'}^e n, \\ \quad e. g. \text{ Batterie'(n).} \\ \text{unstressed syllable: }^1\text{\textit{e}}, pl. {}^1\text{\textit{e}}n, \\ \quad e. g. \text{ Arte'rie(n).} \end{cases}$

---

16 Frau   ~ ~ ~
       Frauen[1],[2],[3] ~ ~ ~

  [1] **in** > **innen:** Freundin, Freundinnen.
  [2] **a, is, os** *and* **us** > **en:** Firma, Firmen; Krisis, Krisen; Epos, Epen; Genius, Genien; *with change of accent:* He'ros, Hero'en; Dia'konus, Diako'nen; A'gens, Age'nzien.
  [3] **s** *and* **ß** > **ss:** Kirmes, Kirmessen; Meß, Messen.

II. Proper nouns

17 *In general, the proper nouns of persons, countries, and nations have no pl.*

They form their *gen. sg.* with **s:**
1. *The proper nouns without definite article:* Friedrichs, Paulas, (Friedrich von) Schillers, Deutschlands, Berlins;

2. *the proper nouns, masculine as well as neutral ones (except the names of nations) with definite article and an adjective:* des braven Friedrichs Bruder, des jungen Deutschlands (Söhne).

After **s, sch, ß, tz, x** *and* **z** *the gen. sg. ends in* **-ens** *or* **'** *(instead of* **'** *it is more advisable to use the definite article or* **von**) *e. g.* die Werke des [*or* von] Sokrates, Voß *or* So-krates', Voß' [*not* Sokratessens, *seldom* Vossens] Werke; *but only:* die Umgebung von Mainz. *The feminine names ending in a consonant or the vowel* **e** *form their gen. sg. with* **(en)s** *or* **(n)s;** *in the dat. and acc. Sg. such names may end in* **(e)n** *(pl. = a):*

If the proper noun is followed by a title, only the following forms are inflected:

1. *the title when used* **with** *definite article:*
  der Kaiser Karl (der Große)
  des   ~s ~ (des   ~n) *etc.;*

2. *the (last) name when used* **without** *article:*
  Kaiser Karl (der Große)
  ~   ~s (des   ~n) *etc.*
  (*but:* Herrn Lehmanns Brief).

III. Adjectives and participles
(also used as nouns*), pronouns etc.

18

a) gut

m	f	n	pl.	
er[1,2]	~e	~es	~e†	} *without article, after prepositions, personal pronouns, and invariables*
en**	~er	~en**	~er	
em	~er	~em	~en	
en	~e	~es	~e	

b) gut

e[1,2]	~e	~e	~en	} *with definite article [22] or with pronoun [21]*
en	~en	~en	~en	
en	~en	~en	~en	
en	~e	~e	~en	

c) gut

er[1,2]	~e	~es	~en	} *with indefinite article or with pronoun [20]*
en	~en	~en	~en	
en	~en	~en	~en	
en	~e	~es	~en	

[1] ß = ss: kraß, krasse(r, ~s, ~st etc.).
[2] a, o, u > ä, ö, ü when forming the comp. and sup.: alt, älter(e, ~es etc.), ältest (der ~e, am ~en); grob, gröber(e, ~es etc.), gröbst (der ~e, am ~en); kurz, kürzer(e, ~es etc.), kürzest (der ~e, am ~en).
* e. g. Böse(r) su.: der (die, eine) Böse, ein Böser; Böse(s) n: das Böse, without article Böses; in the same way Abgesandte(r) su., Angestellte(r) su. etc. In some cases the use varies.
** Sometimes the gen. sg. ends in ~es instead of ~en: gutes (or guten) Mutes sein.
† In böse, böse(r, ~s, ~st etc.) one e is dropped.

The grades of comparison

The endings of the comparative and superlative are:

	reich	schön
comp.	reicher	schöner	} *inflected according to* [18(2)].
sup.	reichst	schönst

After vowels (except e [18†]) and after d, s, sch, ß, st, t, tz, x, y, z the sup. ends in ~est, but in unstressed syllables after d, sch and t generally in ~st: blau, blauest; rund, rundest; rasch, raschest etc.; *but:* dri'ngend, dri'ngendst; närrisch, nä'rrisch(e)st; geei'gnet, geei'gnetst.

Note. — The adjectives ending in ~el, ~en *(except* ~nen) *and* ~er *(e. g. dunkel, eben, heiter), and also the possessive adjectives generally drop e (in this case ss changes to ß:* angemessen, angemeßner).

Inflexion:

	~e	~em	~en	~er	~es, and
~el >	~le	~lem*	~len*	~ler	~les
~en >	~(e)ne	~(e)nem	~(e)nen	~(e)ner†	~(e)nes
~er >	~(e)re	~rem*	~ren*	~(e)rer†	~(e)res

* or ~elm, ~eln, ~ern; e. g. dunk|el: ~le, ~lem (or ~elm), ~len (or ~ein), ~ler, ~les; eb|en: ~(e)ne, ~(e)nem etc.; heit|er: ~(e)re, ~rem (or ~erm) etc.

† The inflected comp. ends in ~ner and ~rer only: eben, ebner(r, ~s etc.); heiter, heitrere(r, ~s etc.); but sup. ebenst, heiterst.

19

	1st pers. m, f, n	2nd pers. m, f, n	3rd pers. m	f	n
sg.	ich	du	er	sie	es
	meiner*	deiner*	seiner*	ihrer	seiner*
	mir	dir	ihm	ihr	ihm†
	mich	dich	ihn	sie	es†
pl.	wir	ihr	sie		(Sie)
	unser	euer	ihrer		(Ihrer)
	uns	euch	ihnen		(Ihnen)†
	uns	euch	sie		(Sie)†

* *In poetry sometimes without inflexion: gedenke mein!; also es instead of seiner n: ich bin es überdrüssig.*

† *Reflexive form: sich.*

20

	m	f	n	pl.
mein		~e		~e*
dein	~es	~er	~es	~er
sein	~em	~er	~em	~en
(k)ein	~en	~e	~	~e

* *The indefinite article ein has no pl. — In poetry mein, dein, and sein may stand behind the su. without inflexion: die Mutter (Kinder) mein, or as predicate: der Hut (die Tasche, das Buch) ist mein; without su.: (m)einer m, (m)eine f, (m)ein(e)s n, meine pl. [21], wem gehört der Hut (die Tasche, das Buch)? es ist meiner (meine, mein[e]s); or with definite article: der (die, das) meine, pl. die meinen [18b]. Regarding unser and euer see note [18], p. 535.*

21

	m	f	n	pl.
dies	~er	~e	~es*	~e**
jen	~es	~er	~es	~er¹
manch	~em	~er	~em	~en¹
welch	~en	~e	~es*	~e

¹ **welche(r, s)** *as rel. pron.: gen. sg. and pl. dessen, deren, dat. pl. denen [23].*

* *Used as su., dies is preferable to dieses.*

** *manch, solch, welch frequently are uninflected:*

22

manch { guter (ein guter) Mann
solch { ~en (~es ~en) ~es
welch { ~em (~em ~en) ~e
etc. [18]

Equally all:
all der (dieser, mein) Schmerz
~ des (~es, ~es) ~es

22

	m	f	n	pl.
der	die	das	die¹	
des	der	des	der	definite
dem	der	dem	den	article
den	die	das	die	

¹ derjenige, derselbe—desjenigen, demjenigen, desselben etc. [18b].

23 Relative pronoun

	m	f	n	pl.
der	die	das	die
dessen*	deren	dessen*	deren¹
dem	der	dem	denen
den	die	das	die

¹ *also derer, when used as dem. pron.*

* *also des.*

24

wer	was	jemand, niemand
wessen*	wessen	~(e)s
wem		~(em†)
wen	was	~(en†)

* *also wes.*

† *preferably without inflexion.*

B. Conjugation

General remarks. — In the conjugation tables [25—30] only the simple verbs may be found; in the alphabetic list [p. 538—544] compound verbs are only included when no simple verb exists (e. g. be-ginnen; *ginnen* does not exist). In order to find the conjugation of any compound verbs (with separable or inseparable prefixes, regular or irregular) look up the respective simple verb.

Verbs with separable and stressed prefix as **a'b-, a'n-, au'f-, au's-, bei'-, bevo'r-, da'r-, ei'n-, empo'r-, entge'gen-, fo'rt-, he'r-, hera'b-** etc. and also *kla'r-[legen], lo's-[schießen], si'tzen-[bleiben], überha'nd-[nehmen], ra'd-[fahren], wu'nder-[nehmen]* etc. (but not the verbs derived from compound nouns as *bea'ntragen* or *bera'tschlagen* from *Antrag* and *Ratschlag* etc.) take between the stressed prefix and their root the preposition **zu** (in the *inf.* and the *p.pr.*) and the syllable **ge** (in the *p.p.* and in the passive voice).

The verbs with inseparable and unstressed prefix as **be-, emp-, ent-, er-, ge-, ver-, zer-** and generally **miß-** (even in spite of its being stressed) take the preposition **zu** before the prefix and drop the syllable **ge** in the *p.p.* and in the passive voice. The prefixes **durch-, hinter-, über-, um-, unter-, voll-, wi(e)der-** are separable when stressed, and inseparable, when unstressed, e. g.

geben: *zu geben, zu gebend; gegeben; ich gebe, du gibst* etc.;

a'bgeben: *a'bzugeben, a'bzugebend; a'bgegeben; ich gebe (du gibst etc.) ab;*

verge'ben: *zu verge'ben, zu verge'bend; verge'ben; ich verge'be, du vergi'bst* etc.;

u'mgehen: *u'mzugehen, u'mzugehend; u'mgegangen; ich gehe (du gehst etc.) um;*

umge'hen: *zu umge'hen, zu umge'hend; umga'ngen; ich umge'he, du umge'hst* etc.

The same rules apply to the verbs having two prefixes, e. g.

zurü'ckbehalten: [see *halten*]: *zurü'ckbehalten; zurü'ckzubehaltend; zurü'ckbehalten; ich behalte (du behältst etc.) zurück;*

wiederau'fheben [see *heben*]: *wiederau'fzuheben, wiederau'fzuhebend; wiederau'fgehoben; ich hebe (du hebst etc.) wieder auf.*

The forms in parentheses ( ) follow the same rules.

a) 'Weak' Conjugation

25   **loben**

prs. ind.	lobe	lobst	lobt
	loben	lobt	loben
prs. subj.	lobe	lobest	lobe
	loben	lobet	loben
pret. ind.	lobte	lobtest	lobte
and subj.	lobten	lobtet	lobten

imp.sg. lob(e), *pl.* lob(e)t, loben Sie; *inf.prs.* loben; *inf.perf.* gelobt haben; *p.pr.* lobend; *p.p.* gelobt [18; 29**].

26   **reden**

prs. ind.	rede	redest	redet
	reden	redet	reden
prs. subj.	rede	redest	rede
	reden	redet	reden
pret. ind.	redete	redetest	redete
and subj.	redeten	redetet	redeten

imp.sg. rede, *pl.* redet, reden Sie; *inf.prs.*reden;*inf.perf.* geredet haben; *p.pr.* redend; *p.p.* geredet[18; 29**].

27   **reisen**

prs. ind.	reise	rei(se)st*	reist
	reisen	reist	reisen
prs. subj.	reise	reisest	reise
	reisen	reiset	reisen
pret. ind.	reiste	reistest	reisten
and subj.	reisten	reistet	reisten

imp.sg. reise, *pl.* reist, reisen Sie; *inf.prs.* reisen; *inf.perf.* gereist sein *od.* haben; *p.pr.* reisend; *p.p.* gereist [18; 29**].

* sch: naschen, nasch(e)st; **ß:** spaßen, spaßest (spaßt); **tz:** ritzen, ritzest(ritzt); **x:** hexen, hexest(hext); **z:** reizen, reizest (reizt); faulenzen, faulenzt (faulenzt).

28   **fassen**

prs. ind.	fasse	fassest (faßt)	faßt
	fassen	faßt	fassen
prs. subj.	fasse	fassest	fasse
	fassen	fasset	fassen
pret. ind.	faßte	faßtest	faßte
and subj.	faßten	faßtet	faßten

imp.sg. fasse (faß), *pl.* faßt, fassen Sie; *inf.prs.* fassen; *inf.perf.* gefaßt haben; *p.pr.* fassend; *p.p.* gefaßt [18; 29**].

29 handeln

prs. ind.

handle*	handelst	handelt
handeln	handelt	handeln

prs. subj.

handle*	handelst	handle*
handeln	handelt	handeln

pret. ind. and subj.

handelte	handeltest	handelte
handelten	handeltet	handelten

imp. sg. handle, *pl.* handelt, handeln Sie; *inf. prs.* handeln; *inf. perf.* gehandelt haben; *p. pr.* handelnd; *p.p.* gehandelt [18**].

* *Also* handele; wandern, wand(e)re; *or* bessern, bessere (beßre); donnern, donnere.

** Without ge, when the first syllable is unstressed, e. g. begrü'ßen, begrüßt; entste'hen, entsta'nden; studie'ren, studie'rt (not gestudiert); trompe'ten, trompe'tet (equally when preceded by an unstressed prefix: au'strompeten, au'strompetet, not au'sgetrompetet). In some weak verbs the p. p. ends in en instead of t, e. g. mahlen — gemahlen. With the verbs brauchen, dürfen, heißen, helfen, hören, können, lassen, lehren, lernen, machen, mögen, müssen, sehen, sollen, wollen the p. p. is replaced by inf. (without ge), when used in connection with another inf., e. g. ich habe ihn singen hören, du hättest es tun können, er hat gehen müssen, ich hätte ihn laufen lassen sollen.

30 b) 'Strong' Conjugation

fahren

prs. ind.	fahre	fährst	fährt
	fahren	fahrt	fahren
prs. subj.	fahre	fahrest	fahre
	fahren	fahret	fahren
pret. ind.	fuhr	fuhr(e)st*	fuhr
	fuhren	fuhrt	fuhren
pret. subj.	führe	führest	führe*
	führen	führt	führen

imp. sg. fahr(e), *pl.* fahr(e)t, fahren Sie; *inf. prs.* fahren; *inf. perf.* gefahren haben *or* sein; *p. pr.* fahrend, *p.p.* gefahren [18; 29**].

* In the following alphabetical list the 2nd person of the *pret. ind.* is not mentioned when formed by adding st to the 1st person.

Alphabetical List
of the strong and the irregular verbs

Abbreviations see p. XI; *subj.* = subjunctive *pret.* — The 2nd person *ind. pret.* is not mentioned when only formed by adding st to the 1st person.

backen *prs.* backe, bäckst, bäckt; *pret.* buk, buk(e)st; *imp.* back(e); *p.p.* gebacken.

befehlen *prs.* befehle, befiehlst, befiehlt; *pret.* befahl; *subj.* beföhle; *imp.* befiehl; *p.p.* befohlen.

beginnen *prs.* beginne, beginnst, beginnt; *pret.* begann; *subj.* begönne (begänne); *imp.* beginn(e); *p.p.* begonnen.

beißen *prs.* beiße, beißest (beißt), beißt; *pret.* biß, bissest; *subj.* bisse; *imp.* beiß(e); *p.p.* gebissen.

bergen *prs.* berge, birgst, birgt; *pret.* barg; *subj.* bürge (bärge); *imp.* birg; *p.p.* geborgen.

bersten *prs.* berste, birst (berstest); birst (berstet); *pret.* barst (rarely: borst, berstete), barstest; *imp.* birst; *p.p.* geborsten.

bewegen *prs.* bewege, bewegst, bewegt; *pret.* bewegte (*fig.* bewog); *imp.* beweg(e) *p.p.* bewegt (*fig.* bewogen).

biegen *prs.* biege, biegst, biegt; *pret.* bog; *subj.* böge; *imp.* bieg(e); *p.p.* gebogen.

bieten *prs.* biete, biet(e)st († beutst); bietet († beut); *pret.* bot, bot(e)st; *subj.* böte; *imp.* biet(e); *p.p.* geboten.

binden *prs.* binde, bindest, bindet; *pret.* band, band(e)st; *subj.* bände; *imp.* bind(e); *p.p.* gebunden.

bitten *prs.* bitte, bittest, bittet; *pret.* bat, bat(e)st; *subj.* bäte; *imp.* bitte (bitt'); *p.p.* gebeten.

blasen *prs.* blase, blä(se)st, bläst; *pret.* blies, blies(e)st; *subj.* bliese; *imp.* blas (blase); *p.p.* geblasen.

bleiben *prs.* bleibe, bleibst, bleibt; *pret.* blieb, blieb(e)st; *subj.* bliebe; *imp.* bleib(e); *p.p.* geblieben.

braten *prs.* brate, brätst, brät; *pret.* briet, briet(e)st; *subj.* briete; *imp.* brat(e); *p.p.* gebraten.

brechen *prs.* breche, brichst, bricht; *pret.* brach; *subj.* bräche; *imp.* brich; *p.p.* gebrochen.*)

brennen *prs.* brenne, brennst, brennt; *pret.* brannte; *subj.* brennte; *imp.* brenne; *p.p.* gebrannt.

bringen *prs.* bringe, bringst, bringt; *pret.* brachte; *subj.* brächte; *imp.* bring(e); *p.p.* gebracht.

denken *prs.* denke, denkst, denkt; *pret.* dachte; *subj.* dächte; *imp.* denk(e); *p.p.* gedacht.

dingen (rarely) *prs.* dinge, dingst, dingt; *pret.* dang (dingte) *subj.* ding(e)te (dünge, dänge); *imp.* dinge; *p.p.* te gedungen (gedingt).

dreschen *prs.* dresche, drisch(e)st, drischt; *pret.* drasch (drosch), drasch(e)st (drosch[e]st) *subj.* drösche (dräsche); *imp.* drisch; *p.p.* gedroschen.

dringen *prs.* dringe, dringst, dringt; *pret.* drang, drangst; *subj.* dränge; *imp.* dring(e); *p.p.* gedrungen.

dünken *prs.* mich dünkt (deucht); *pret.* dünkte (deuchte) *subj.* —; *imp.* —; *p.p.* gedünkt (gedeucht).

dürfen *prs.* darf, darfst, darf; *pret.* durfte; *subj.* dürfte; *imp.* —; *p.p.* gedurft.

empfehlen *prs.* empfehle, empfiehlst, empfiehlt; *pret.* empfahl; *subj.* empföhle (empfähle); *imp.* empfiehl; *p.p.* empfohlen.

erbleichen *prs.* erbleiche, erbleichst, erbleicht; *pret.* erbleichte (erblich); *subj.* erbliche (erbleich[e]te); *imp.* erbleiche; *p.p.* erbleicht (erblichen = gestorben).

erkiesen *poet.* *prs.* erkiese, erkie(se)st,

erkiest; *pret.* erkor (rarely: erkieste); *subj.* erköre; *imp.* erkies (erkiese); *p.p.* erkoren.

erlöschen s. löschen.

essen *prs.* esse, issest (ißt), ißt; *pret.* aß, aßest, *subj.* äße; *imp.* iß; *p.p.* gegessen.

fahren *prs.* fahre, fährst, fährt; *pret.* fuhr, fuhr(e)st; *subj.* führe; *imp.* fahr(e); *p.p.* gefahren.

fallen *prs.* falle, fällst, fällt; *pret.* fiel, fiel(e)st; *subj.* fiele; *imp.* fall(e); *p.p.* gefallen.

fangen *prs.* fange, fängst, fängt; *pret.* fing; *subj.* finge; *imp.* fang(e); *p.p.* gefangen.

fechten *prs.* fechte, fichtst, ficht; *pret.* focht, focht(e)st; *subj.* föchte; *imp.* ficht; *p.p.* gefochten.

finden *prs.* finde, findest, findet; *pret.* fand, fand(e)st; *subj.* fände; *imp.* find(e); *p.p.* gefunden.

flechten *prs.* flechte, flichtst, flicht; *pret.* flocht, flochtest; *subj.* flöchte; *imp.* flicht; *p.p.* geflochten.

fliegen *prs.* fliege, fliegst, fliegt; *pret.* flog, flog(e)st; *subj.* flöge; *imp.* flieg(e); *p.p.* geflogen.

flieh(e)n *prs.* fliehe, fliehst, flieht; *pret.* floh, floh(e)st; *subj.* flöhe; *imp.* flieh(e); *p.p.* geflohen.

fließen *prs.* fließe, fließest (fließt), fließt; *pret.* floß, flossest; *subj.* flösse; *imp.* fließ(e); *p.p.* geflossen.

fressen *prs.* fresse, frissest (frißt), frißt; *pret.* fraß, fraßest; *subj.* fräße; *imp.* friß; *p.p.* gefressen.

frieren *prs.* friere, frierst, friert; *pret.* fror; *subj.* fröre; *imp.* frier(e); *p.p.* gefroren.

gären *prs.* gäre, gärst, gärt; *pret.* gor (gärte); *subj.* gärte; *imp.* gäre; *p.p.* gegoren (gegärt).

gebären *prs.* gebäre, gebierst, gebiert; *pret.* gebar; *subj.* gebäre; *imp.* gebier; *p.p.* geboren.

geben *prs.* gebe, gibst, gibt; *pret.* gab; *subj.* gäbe; *imp.* gib; *p.p.* gegeben.

gedeihen *prs.* gedeihe, gedeihst, gedeiht; *pret.* gedieh; *subj.* gediehe; *imp.* gedeih(e); *p.p.* gediehen.

geh(e)n *prs.* gehe, gehst, geht; *pret.* ging; *subj.* ginge; *imp.* geh(e); *p.p.* gegangen.

---

*) ehebrechen: daß sie ehebrechen (ehebrachen), **but: er bricht (brach)** die Ehe, er hat die Ehe gebrochen.

gelingen prs. es gelingt; pret. es gelang; subj. es gelänge; imp. geling(e); p. p. gelungen.

gelten prs. gelte, giltst, gilt; pret. galt, galt(e)st; subj. gölte (gälte); imp. gilt; p. p. gegolten.

genesen prs. genese, gene(se)st, genest; pret. genas, genasest; subj. genäse; imp. genese; p. p. genesen.

genießen prs. genieße, genießest (genießt), genießt; pret. genoß, genossest; subj. genösse; imp. genieß(e); p. p. genossen.

geschehen prs. es geschieht; pret. es geschah; subj. es geschähe; imp. —; p. p. geschehen.

gewinnen prs. gewinne, gewinnst, gewinnt; pret. gewann, gewann(e)st; subj. gewönne (gewänne); imp. gewinn(e); p. p. gewonnen.

gießen prs. gieße, gießest (gießt), gießt; pret. goß, gossest; subj. gösse; imp. gieß(e); p. p. gegossen.

gleichen prs. gleiche, gleich(e)st, gleicht; pret. glich, glich(e)st; subj. gliche; imp. gleich(e); p. p. geglichen.

gleißen prs. gleiße, gleißest (gleißt), gleißt; pret. gleißte, gleißtest; imp. gleiß(e); p. p. gegleißt.

gleiten prs. gleite, gleitest, gleitet; pret. glitt (gleitete), glitt(e)st; subj. glitte, glitt(e)st (gleitetest); imp. gleit(e); p. p. geglitten (gegleitet).

glimmen prs. glimme, glimmst, glimmt; pret. glomm (glimmte); subj. glömme, glömmest (glimm[e]test); imp. glimm(e); p. p. geglommen (geglimmt).

graben prs. grabe, gräbst, gräbt; pret. grub, grub(e)st; subj. grübe; imp. grab(e); p. p. gegraben.

greifen prs. greife, greifst, greift; pret. griff, griff(e)st; subj. griffe; imp. greif(e); p. p. gegriffen.

haben prs. habe, hast, hat; pret. hatte; subj. hätte; imp. habe; p. p. gehabt.

halten prs. halte, hältst, hält; pret. hielt, hielt(e)st; subj. hielte; imp. halt(e); p. p. gehalten.

hangen, jetzt **hängen** v/i.: prs. hänge, hängst, hängt; pret. hing, hing(e)st; subj. hinge; imp. häng(e); p. p. gehangen.

hauen prs. haue, haust, haut; pret. hieb, hieb(e)st; subj. hiebe; imp. hau(e); p. p. gehauen.

heben prs. hebe, hebst, hebt; pret. hob, hob(e)st; subj. höbe (hübe); imp. hebe; p. p. gehoben.

heißen prs. heiße, heißest (heißt), heißt; pret. hieß, hießest; subj. hieße; imp. heiß(e); p. p. geheißen.

helfen prs. helfe, hilfst, hilft; pret. half, half(e)st; subj. hülfe (hälfe); imp. hilf; p. p. geholfen.

kennen prs. kenne, kennst, kennt; pret. kannte; subj. kennte; imp. kenne; p. p. gekannt.

klimmen prs. klimme, klimmst, klimmt; pret. klomm (klimmte), klomm(e)st; subj. klömme (klimm[e]test); imp. klimm(e); p. p. geklommen.

klingen prs. klinge, klingst, klingt; pret. klang, klang(e)st; subj. klänge; imp. kling(e); p. p. geklungen.

kneifen prs. kneife, kneifst, kneift; pret. kniff, kniff(e)st; subj. kniffe; imp. kneif(e); p. p. gekniffen.

kommen prs. komme, kommst, kommt; pret. kam; subj. käme; imp. komm(e); p. p. gekommen.

können prs. kann, kannst, kann; können: pret. konnte; subj. könnte; imp. —; p. p. gekonnt.

kreischen prs. kreische, kreisch(e)st, kreischt; pret. kreischte; subj. kreischte; imp. kreisch(e); p. p. gekreischt.

kriechen prs. krieche, kriechst, kriecht; pret. kroch, kroch(e)st; subj. kröche; imp. kriech(e); p. p. gekrochen.

laden prs. lade, ladest (lädst), ladet (lädt); pret. ladete (lud), lud(e)st; subj. ladete (lüde); imp. lad(e); p. p. geladen.

lassen prs. lasse, lässest (läßt), läßt; pret. ließ, ließest; subj. ließe; imp. laß; p. p. gelassen.

laufen prs. laufe, läufst, läuft; pret. lief, lief(e)st; subj. liefe; imp. lauf(e); p. p. gelaufen.

leiden prs. leide, leidest, leidet; pret. litt, litt(e)st; subj. litte; imp. leid(e); p. p. gelitten.

leihen prs. leihe, leihst, leiht; pret. lieh, lieh(e)st; subj. liehe; imp. leih(e); p. p. geliehen.

lesen prs. lese, lie(se)st, liest; pret. las, lasest; subj. läse; imp. lies; p. p. gelesen.

liegen *prs.* liege, liegst, liegt; *pret.* lag; *subj.* läge; *imp.* lieg(e); *p.p.* gelegen.

löschen (*v/i.* = er~) *prs.* erlösche, erlisch(e)st, erlischt; *pret.* erlosch, erloschest; *subj.* erlösche; *imp.* erlisch; *p.p.* erloschen.

lügen *prs.* lüge, lügst, lügt; *pret.* log, logst; *subj.* löge; *imp.* lüg(e); *p.p.* gelogen.

meiden *prs.* meide, meidest, meidet; *pret.* mied, mied(e)st; *subj.* miede; *imp.* meid(e); *p.p.* gemieden.

melken *prs.* melke, milkst (melkst), milkt (melkt); *pret.* melkte (molk); *subj.* mölke; *imp.* melke; *p.p.* gemelkt (gemolken).

messen *prs.* messe, missest (mißt), mißt; *pret.* maß, maßest; *subj.* mäße; *imp.* miß; *p.p.* gemessen.

mißlingen *prs.* es mißlingt; *pret.* es mißlang; *subj.* es mißlänge; *imp.* —; *p.p.* mißlungen.

mögen *prs.* mag, magst, mag; mögen; *pret.* mochte; *subj.* möchte; *imp.* —; *p.p.* gemocht.

müssen *prs.* muß, mußt, muß; müssen, müsset (müßt), müssen; *pret.* mußte; *subj.* müßte; *imp.* müsse; *p.p.* gemußt.

nehmen *prs.* nehme, nimmst, nimmt; *pret.* nahm, nahm(e)st; *subj.* nähme; *imp.* nimm; *p.p.* genommen.

nennen *prs.* nenne, nennst, nennt; *pret.* nannte; *subj.* nenn(e)te; *imp.* nenne; *p.p.* genannt.

pfeifen *prs.* pfeife, pfeifst, pfeift; *pret.* pfiff, pfiff(e)st; *subj.* pfiffe; *imp.* pfeif(e); *p.p.* gepfiffen.

pflegen *prs.* pflege, pflegst, pflegt; *pret.* pflegte (rarely: pflog, pflog(e)st); *subj.* pflegte (rarely: pflöge); *imp.* pfleg(e); *p.p.* gepflegt (rarely: gepflogen).

preisen *prs.* preise, prei(se)st, preist; *pret.* pries, priesest; *subj.* priese; *imp.* preise (preis); *p.p.* gepriesen.

quellen (*v/i.*) *prs.* quelle, quillst, quillt; *pret.* quoll; *subj.* quölle; *imp.* quill; *p.p.* gequollen.

raten *prs.* rate, rätst, rät; *pret.* riet, riet(e)st; *subj.* riete; *imp.* rat(e); *p.p.* geraten.

reiben *prs.* reibe, reibst, reibt; *pret.* rieb, rieb(e)st; *subj.* riebe; *imp.* reib(e); *p.p.* gerieben.

reißen *prs.* reiße, reißest (reißt), reißt; *pret.* riß, rissest; *subj.* risse; *imp.* reiß(e); *p.p.* gerissen.

reiten *prs.* reite, reit(e)st, reitet; *pret.* ritt, ritt(e)st; *subj.* ritte; *imp.* reit(e); *p.p.* geritten.

rennen *prs.* renne, rennst, rennt; *pret.* rannte; *subj.* renn(e)te; *imp.* renne; *p.p.* gerannt.

riechen *prs.* rieche, riechst, riecht; *pret.* roch; *subj.* röche; *imp.* riech(e); *p.p.* gerochen.

ringen *prs.* ringe, ringst, ringt; *pret.* rang; *subj.* ränge; *imp.* ring(e); *p.p.* gerungen.

rinnen *prs.* rinne, rinnst, rinnt; *pret.* rann, rann(e)st; *subj.* ränne (rönne); *imp.* rinn(e); *p.p.* geronnen.

rufen *prs.* rufe, rufst, ruft; *pret.* rief, rief(e)st; *subj.* riefe; *imp.* ruf(e); *p.p.* gerufen.

saufen *prs.* saufe, säufst, säuft; *pret.* soff, soff(e)st; *subj.* söffe; *imp.* sauf(e); *p.p.* gesoffen.

saugen *prs.* sauge, saugst, saugt; *pret.* sog (saugte); *subj.* söge; *imp.* saug(e); *p.p.* gesogen (gesaugt).

schaffen (er~) *prs.* schaffe, schaffst, schafft; *pret.* schuf, schuf(e)st; *subj.* schüfe; *imp.* schaff(e); *p.p.* geschaffen.

schallen *prs.* schalle, schallst, schallt; *pret.* schallte (scholl); *imp.* schall(e); *p.p.* geschallt (geschollen).

scheiden *prs.* scheide, scheidest, scheidet; *pret.* schied, schied(e)st; *subj.* schiede; *imp.* scheid(e); *p.p.* geschieden.

scheinen *prs.* scheine, scheinst, scheint; *pret.* schien, schien(e)st; *subj.* schiene; *imp.* schein(e); *p.p.* geschienen.

scheißen V *prs.* scheiße, scheißest (scheißt), scheißt; *pret.* schiß, schissest; *subj.* schisse; *imp.* scheiß(e); *p.p.* geschissen.

schelten *prs.* schelte, schiltst, schilt; *pret.* schalt, schalt(e)st; *subj.* schölte; *imp.* schilt; *p.p.* gescholten.

scheren *prs.* schere, schierst (scherst), schiert (schert); *pret.* schor (scherte), schor(e)st (schertest); *subj.* schöre (scherte); *imp.* schier, scher(e); *p.p.* geschoren (geschert).

schieben *prs.* schiebe, schiebst, schiebt; *pret.* schob, schob(e)st;

subj. schöbe; *imp.* schieb(e); *p. p.* geschoben.

schießen *prs.* schieße, schießest (schießt), schießt; *pret.* schoß, schossest; *subj.* schösse; *imp.* schieß(e); *p. p.* geschossen.

schinden *prs.* schinde, schindest, schindet; *pret.* schund, schund(e)st (schandest); *subj.* schünde; *imp.* schind(e); *p. p.* geschunden.

schlafen *prs.* schlafe, schläfst, schläft; *pret.* schlief, schlief(e)st; *subj.* schliefe; *imp.* schlaf(e); *p. p.* geschlafen.

schlagen *prs.* schlage, schlägst, schlägt; *pret.* schlug, schlug(e)st; *subj.* schlüge; *imp.* schlag(e); *p. p.* geschlagen.

schleichen *prs.* schleiche, schleichst, schleicht; *pret.* schlich, schlich(e)st; *subj.* schliche; *imp.* schleich(e); *p. p.* geschlichen.

schleifen *prs.* schleife, schleifst, schleift; *pret.* schliff, schliff(e)st; *subj.* schliffe; *imp.* schleif(e); *p. p.* geschliffen.

schleißen *prs.* schleiße, schleißest (schleißt), schleißt; *pret.* schliß, schlissest; *subj.* schlisse; *imp.* schleiß(e); *p. p.* geschlissen.

schließen *prs.* schließe, schließest (schließt), schließt; *pret.* schloß, schlossest; *subj.* schlösse; *imp.* schließ(e); *p. p.* geschlossen.

schlingen *prs.* schlinge, schlingst, schlingt; *pret.* schlang, schlang(e)st; *subj.* schlänge; *imp.* schling(e); *p. p.* geschlungen.

schmeißen *prs.* schmeiße, schmeißest (schmeißt), schmeißt; *pret.* schmiß, schmissest; *subj.* schmisse; *imp.* schmeiß(e); *p. p.* geschmissen.

schmelzen *prs.* schmelze, schmilzest (schmilzt), schmilzt; *pret.* schmolz, schmolzest; *subj.* schmölze; *imp.* schmilz; *p. p.* geschmolzen.

schnauben *prs.* schnaube, schnaubst, schnaubt; *pret.* schnaubte (schnob); *subj.* schnaub(e)te (schnöbe); *imp.* schnaub(e); *p. p.* geschnaubt (geschnoben).

schneiden *prs.* schneide, schneidest, schneidet; *pret.* schnitt, schnitt(e)st; *subj.* schnitte; *imp.* schneid(e); *p. p.* geschnitten.

schrauben *prs.* schraube, schraubst, schraubt; *pret.* schraubte (rarely: schrob), schraubtest (rarely: schrob[e]st; *subj.* schraub(e)te (rarely: schröbe); *imp.* schraub(e); *p. p.* geschraubt (rarely: geschroben).

schrecken (*v/i.* = er~) *prs.* schrecke, schrickst, schrickt; *pret.* schrak, schrak(e)st; *subj.* schräke; *imp.* schrick; *p. p.* erschrocken.

schreiben *prs.* schreibe, schreibst, schreibt; *pret.* schrieb, schrieb(e)st; *subj.* schriebe; *imp.* schreib(e); *p. p.* geschrieben.

schreien *prs.* schreie, schreist, schreit; *pret.* schrie; *subj.* schriee; *imp.* schrei(e); *p. p.* geschrie(e)n.

schreiten *prs.* schreite, schreitest, schreitet; *pret.* schritt, schritt(e)st; *subj.* schritte; *imp.* schreit(e); *p. p.* geschritten.

schweigen *prs.* schweige, schweigst, schweigt; *pret.* schwieg, schwieg(e)st; *subj.* schwiege; *imp.* schweig(e); *p. p.* geschwiegen.

schwellen *prs.* schwelle, schwillst, schwillt; *pret.* schwoll, schwoll(e)st; *subj.* schwölle; *imp.* schwill; *p. p.* geschwollen.

schwimmen *prs.* schwimme, schwimmst, schwimmt; *pret.* schwamm, schwamm(e)st; *subj.* schwömme (schwämme); *imp.* schwimm(e); *p. p.* geschwommen.

schwinden *prs.* schwinde, schwindest, schwindet; *pret.* schwand, schwand(e)st; *subj.* schwände; *imp.* schwind(e); *p. p.* geschwunden.

schwingen *prs.* schwinge, schwingst, schwingt; *pret.* schwang, schwang(e)st; *subj.* schwänge; *imp.* schwing(e); *p. p.* geschwungen.

schwören *prs.* schwöre, schwörst, schwört; *pret.* schwur (schwor), schwur(e)st (schwor[e]st); *subj.* schwüre; *imp.* schwör(e); *p. p.* geschworen.

sehen *prs.* sehe, siehst, sieht; *pret.* sah; *subj.* sähe; *imp.* sieh(e); *p. p.* gesehen.

sein *prs.* bin, bist, ist; sind, seid, sind; *subj. prs.* sei, sei(e)st, sei; seien, seiet, seien; *pret.* war, warst, war; waren; *subj. pret.* wäre; *imp.* sei, seid; *p. p.* gewesen.

senden *prs.* sende, sendest, sendet; *pret.* sandte (sendete); *subj.* sendete; *imp.* send(e); *p. p.* gesandt (gesendet).

sieden *prs.* siede, siedest, siedet; *pret.* sott (siedete), sottest; *subj.* sötte (siedete); *imp.* sied(e); *p. p.* gesotten (gesiedet).

singen *prs.* singe, singst, singt; *pret.* sang, sang(e)st; *subj.* sänge; *imp.* sing(e); *p. p.* gesungen.

sinken *prs.* sinke, sink(e)st, sinkt; *pret.* sank, sank(e)st; *subj.* sänke; *imp.* sink(e); *p. p.* gesunken.

sinnen *prs.* sinne, sinnst, sinnt; *pret.* sann, sann(e)st; *subj.* sänne (sönne); *imp.* sinn(e); *p. p.* gesonnen.

sitzen *prs.* sitze, sitzest (sitzt), sitzt; *pret.* saß, saßest; *subj.* säße; *imp.* sitze (sitz); *p. p.* gesessen.

sollen *prs.* soll, sollst, soll; *pret.* sollte; *subj.* sollte; *imp.* —; *p. p.* gesollt.

speien *prs.* speie, speist, speit; *pret.* spie; *subj.* spiee; *imp.* spei(e); *p. p.* gespien.

spinnen *prs.* spinne, spinnst, spinnt; *pret.* spann, spann(e)st; *subj.* spönne; *imp.* spinn(e); *p. p.* gesponnen.

sprechen *prs.* spreche, sprichst, spricht; *pret.* sprach, sprach(e)st; *subj.* spräche; *imp.* sprich; *p. p.* gesprochen.

sprießen *prs.* sprieße, sprießest (sprießt), sprießt; *pret.* sproß, sprossest; *subj.* sprösse; *imp.* sprieß(e); *p. p.* gesprossen.

springen *prs.* springe, springst, springt; *pret.* sprang, sprang(e)st; *subj.* spränge; *imp.* spring(e); *p. p.* gesprungen.

stechen *prs.* steche, stichst, sticht; *pret.* stach, stach(e)st; *subj.* stäche; *imp.* stich; *p. p.* gestochen.

stecken *prs.* stecke, steckst, steckt; *pret.* stak (steckte); *subj.* stäke (steckte); *imp.* steck(e); *p. p.* gesteckt.

steh(e)n *prs.* stehe, stehst, steht; *pret.* stand († stund), stand(e)st; *subj.* stände (stünde); *imp.* steh(e); *p. p.* gestanden.

stehlen *prs.* stehle, stiehlst, stiehlt; *pret.* stahl; *imp.* stiehl; *p. p.* gestohlen.

steigen *prs.* steige, steigst, steigt; *pret.* stieg, stieg(e)st; *subj.* stiege; *imp.* steig(e); *p. p.* gestiegen.

sterben *prs.* sterbe, stirbst, stirbt; *pret.* starb; *subj.* stürbe; *imp.* stirb; *p. p.* gestorben.

stieben *prs.* stiebe, stiebst, stiebt; *pret.* stob, stob(e)st; *subj.* stöbe (rarely: stieb[e]st); *p. p.* gestoben (gestiebt).

stinken *prs.* stinke, stinkst, stinkt; *pret.* stank, stank(e)st; *subj.* stänke; *imp.* stink(e); *p. p.* gestunken.

stoßen *prs.* stoße, stößest (stößt), stößt; *pret.* stieß, stießest; *subj.* stieße; *imp.* stoß(e); *p. p.* gestoßen.

streichen *prs.* streiche, streichst, streicht; *pret.* strich, strich(e)st; *subj.* striche; *imp.* streich(e); *p. p.* gestrichen.

streiten *prs.* streite, streitest, streitet; *pret.* stritt, stritt(e)st; *subj.* stritte; *imp.* streit(e); *p. p.* gestritten.

tragen *prs.* trage, trägst, trägt; *pret.* trug; *subj.* trüge; *imp.* trag(e); *p. p.* getragen.

treffen *prs.* treffe, triffst, trifft; *pret.* traf, traf(e)st; *subj.* träfe; *imp.* triff; *p. p.* getroffen.

treiben *prs.* treibe, treibst, treibt; *pret.* trieb; *subj.* triebe; *imp.* treib(e); *p. p.* getrieben.

treten *prs.* trete, trittst, tritt; *pret.* trat, trat(e)st; *subj.* träte; *imp.* tritt; *p. p.* getreten.

triefen *prs.* triefe, triefst, trieft; *pret.* troff (triefte), troff(e)st; *subj.* tröffe (triefte); *imp.* trief(e); *p. p.* getrieft (rarely: getroffen).

trinken *prs.* trinke, trinkst, trinkt; *pret.* trank, trank(e)st; *subj.* tränke; *imp.* trink(e); *p. p.* getrunken.

trügen *prs.* trüge, trügst, trügt; *pret.* trog, trog(e)st; *subj.* tröge; *imp.* trüg(e); *p. p.* getrogen.

tun *prs.* tue, tust, tut; *pret.* tat, tat(e)st; *subj.* täte; *imp.* tu(e); *p. p.* getan.

verderben *prs.* verderbe, verdirbst, verdirbt; *pret.* verdarb; *subj.* verdürbe; *imp.* verdirb; *p. p.* verdorben.

verdrießen *prs.* verdrieße, verdrießest (verdrießt), verdrießt; *pret.* verdroß, verdrossest; *subj.* verdrösse; *imp.* verdrieß(e); *p. p.* verdrossen.

vergessen *prs.* vergesse, vergissest (vergißt), vergißt; *pret.* vergaß, vergaßest; *subj.* vergäße; *imp.* vergiß; *p. p.* vergessen.

verlieren *prs.* verliere, verlierst, verliert; *pret.* verlor; *subj.* verlöre; *imp.* verlier(e); *p.p.* verloren.

wachsen *prs.* wachse, wäch(se)st, wächst; *pret.* wuchs, wuchsest; *subj.* wüchse; *imp.* wachse (wachs); *p.p.* gewachsen.

wägen (er⌣) *prs.* wäge, wägst, wägt; *pret.* wog (rarely: wägte); *subj.* wöge (rarely: wäg[e]te); *imp.* wäg(e); *p.p.* gewogen (rarely: gewägt).

waschen *prs.* wasche, wäsch(e)st, wäscht; *pret.* wusch, wuschest; *subj.* wüsche; *imp.* wasch(e); *p.p.* gewaschen.

weben *prs.* webe, webst, webt; *pret.* webte (wob), webtest (wob[e]st); *subj.* webte (wöbe); *imp.* web(e); *p.p.* gewebt (gewoben).

weichen *prs.* weiche, weichst, weicht; *pret.* wich, wich(e)st; *subj.* wiche; *imp.* weich(e); *p.p.* gewichen.

weisen *prs.* weise, wei(se)st, weist; *pret.* wies, wiesest; *subj.* wiese; *imp.* weis (weise); *p.p.* gewiesen.

wenden *prs.* wende, wendest, wendet; *pret.* wandte (wendete); *subj.* wendete; *imp.* wende; *p.p.* gewandt (gewendet).

werben *prs.* werbe, wirbst, wirbt; *pret.* warb; *subj.* würbe; *imp.* wirb; *p.p.* geworben.

werden *prs.* werde, wirst, wird; *pret.* wurde (*poet.* ward); *subj.* würde; *imp.* werde; *p.p.* geworden (worden*).

werfen *prs.* werfe, wirfst, wirft; *pret.* warf, warf(e)st; *subj.* würfe; *imp.* wirf; *p.p.* geworfen.

wiegen *prs.* wiege, wiegst, wiegt; *pret.* wog; *subj.* wöge; *imp.* wieg(e); *p.p.* gewogen.

winden *prs.* winde, windest, windet; *pret.* wand, wandest; *subj.* wände; *imp.* winde; *p.p.* gewunden.

wissen *prs.* weiß, weißt, weiß; wissen, wißt, wissen; *pret.* wußte; *subj.* wüßte; *imp.* wisse; *p.p.* gewußt.

wollen *prs.* will, willst, will; wollen; *pret.* wollte; *subj.* wollte; *imp.* wolle; *p.p.* gewollt.

wringen s. ringen.

zeihen (ver⌣) *prs.* zeihe, zeihst, zeiht; *pret.* zieh, zieh(e)st; *subj.* ziehe; *imp.* zeih(e); *p.p.* geziehen.

ziehen *prs.* ziehe, ziehst, zieht; *pret.* zog, zog(e)st; *subj.* zöge; *imp.* zieh(e); *p.p.* gezogen.

zwingen *prs.* zwinge, zwingst, zwingt; *pret.* zwang, zwang(e)st; *subj.* zwänge; *imp.* zwing(e); *p.p.* gezwungen.

*) only in connexion with the *p.p.* of other verbs.

A selection of important Langenscheidt books for English-speaking people and readers of English:

Muret-Sanders Encyclopædic Dictionary

The most comprehensive and up-to-date English-German dictionary in the world. 180,000 main entries. Translations, sample phrases, and idiomatic expressions many times that number. All branches of science and all fields of practical life have been taken into consideration.

Part I English-German
Vol. 1 A-M, 920 pp., $8^1/_4'' \times 11^3/_4''$, cloth
Vol. 2 N-Z, 968 pp., $8^1/_4'' \times 11^3/_4''$, cloth

Concise German Dictionary

An entirely new English-German, German-English dictionary containing 150,000 entries and their various English equivalents. Among the special features of this dictionary are an abundance of idiomatic expressions and a wealth of new, specialized words.

Part I English-German, 744 pp., $6^1/_4'' \times 8^5/_8''$, cloth

Part II German-English, 672 pp., $6^1/_4'' \times 8^5/_8''$, cloth

Parts I/II in one volume, cloth

Standard German Dictionary

This new, handy-sized dictionary is a reprint in a larger format of Langenscheidt's well-known English-German, German-English Pocket Dictionary and contains 75,000 entries with many new colloquial words, current idioms, Americanisms, and technical expressions from the fields of politics, economics, science, etc.

English - German / German - English, 1233 pp., $5'' \times 7^1/_4''$, plastic cover

Also available English-Spanish/Spanish-English, English-French/French-English in preparation.